沖縄文教部／琉球政府文教局　発行

復刻版

文教時報

第10巻

第66号〜第73号／号外2

（1960年4月〜1961年2月）

編・解説者　藤澤健一・近藤健一郎

不二出版

『文教時報』第10巻（第66号〜第73号／号外2）復刻にあたって

一、本復刻版では琉球政府文教局によって一九五二年六月三〇日に創刊され一九七二年四月二〇日刊行の一二七号まで継続的に刊行された『文教時報』を「通常版」として仮に総称します。復刻版各巻、および別冊収載の総目次などでは、「通常版」の表記を省略しています。

一、第10巻の復刻にあたっては左記の各機関に原本提供のご協力をいただきました。記して感謝申し上げます。

琉球大学附属図書館、沖縄県公文書館、国立教育政策研究所教育図書館

一、原本サイズは、第66号から第73号までB5判です。号外2はタブロイド判です。

一、復刻版本文には、表紙類を含めてすべて墨一色刷り・本文共紙で掲載し、各号に号数インデックスを付しました。なお、表紙の一部をカラー口絵として巻頭に収録しました。また、白頁は適宜割愛しました。

一、史料の中に、人権の視点からみて、不適切な語句、表現、論、あるいは現在からみて明らかな学問上の誤りがある場合でも、歴史的史料の復刻という性質上そのままとしました。

（不二出版）

◎全巻収録内容

復刻版巻数	原本号数	原本発行年月日
第1巻	通牒版1〜8	1946年2月〜1950年2月
第2巻	1〜9	1952年6月〜1954年6月
第3巻	10〜17	1954年9月〜1955年9月
第4巻	18〜26	1955年10月〜1956年9月
第5巻	27〜35	1956年12月〜1957年10月
第6巻	36〜42	1957年11月〜1958年6月
第7巻	43〜51	1958年7月〜1959年2月
第8巻	52〜55	1959年3月〜1959年6月
第9巻	56〜65	1959年6月〜1960年3月
第10巻	66〜73／号外2	1960年4月〜1961年2月
第11巻	74〜79／号外4	1961年3月〜1962年6月
第12巻	80〜87／号外5〜8	1962年9月〜1964年6月
第13巻	88〜95／号外10	1964年6月〜1965年6月
第14巻	96〜101／号外11	1965年9月〜1966年7月
第15巻	102〜107／号外12、13	1966年8月〜1967年9月
第16巻	108〜115／号外14〜16	1967年10月〜1969年3月
第17巻	116〜120／号外17、18	1969年10月〜1970年11月
第18巻	121〜127／号外19	1971年2月〜1972年4月
付録	『琉球の教育』1957（推定）、1959／別冊＝『沖縄教育の概観』1〜8	1957年（推定）〜1972年
別冊	解説・総目次・索引	

〈第10巻収録内容〉

『文教時報』 琉球政府文教局 発行

号数	表紙記載誌名（奥付誌名）	発行年月日
第66号	文教時報（文教時報）	一九六〇年 四 月二六日
第67号	文教時報（文教時報）	一九六〇年 六 月一一日
第68号	文教時報（文教時報）	一九六〇年 八 月一一日
号外第2号		一九六〇年 八 月一八日
第69号	文教時報（文教時報）	一九六〇年 九 月一〇日
第70号	文教時報（文教時報）	一九六〇年一〇月一五日
第71号	文教時報（文教時報）	一九六〇年一二月 七 日
第72号	文教時報（文教時報）	一九六一年 一 月一一日
第73号	文教時報（文教時報）	一九六一年 二 月 七 日

（注）

一、次の箇所には一部の原本に訂正紙の貼り込みがあるが、そのまま復刻した（ただし、編集上の訂正か、旧所蔵者によるものかは判別できない）。

第67号22頁4段目左側の囲み内13行

（不二出版）

『文教時報』復刻刊行の辞

わたしたちは、沖縄現代史のあゆみをどこまで知っているだろうか。この問いを掲げつつ、第二次大戦後、米軍によって占領されていた時期（一九四五―一九七二年）、沖縄・宮古・八重山（一時期、奄美をふくむ）において、文教担当部局が刊行した『文教時報』を復刻する。

同誌は沖縄文教部、つづいて琉球政府文教局が刊行した。前者では示達事項を中心とした指導書であり、後者では教育行政にかかわる情報、教育についての調査・統計、教室での実践記録や公民館を中心とした社会教育関連記事など、盛り込まれた内容は幅広い。総じて教育広報誌といえる同誌は、発行期間の長さと継続性から、沖縄現代史を分析するうえで、もっとも基礎的な史料のひとつと目される。しかし、これまで同誌は全体像についての理解を欠いたまま、断片的に活用されるにとどまってきた。

その背景にはなにがあるのか。まず、発行が群島ごとに分割統治されていた時期から琉球政府期にいたるまで四半世紀におよび、雑誌としての性格が変容していることがある。くわえて多くの機関に分蔵されるとともに、附録類、号外や別冊など書誌的な体系が複雑に入り組みつかみにくい。このために本格的な調査が進まなかった。今回、わたしたちは所蔵関係にかかわる基礎調査をふまえ、添付書類までもふくめた全体像の把握に体系的に取り組んだ。その成果をこうして全一八巻、付録1に集約して復刻刊行する。解説のほか、総目次や執筆者索引などから構成される別冊をあわせて刊行する。今回の復刻により、教育行政側からみた沖縄現代史について、それを総覧できる史料的な環境がようやく整備されることになる。

統治者として君臨した、米国側との関係、また、沖縄教職員会をはじめとした教員団体との関係、さらに「復帰」に向けた日本政府や文部省との関係、さらに離島や村落の教育環境など、同誌は変動する沖縄現代史のダイナミズムを体現するかのような史料群となっている。

沖縄の「復帰」からすでに四五年にいたるいま、沖縄研究者はもとより、教育史、占領史、政治史、行政史など複数の領域において、本復刻の成果が活用され、沖縄現代史にかかわる確かな理解が深まることを念じている。物事を判断するためには、うわついた言説に依るのではなく事実経過が知られなければならない。あらためて問いたい。沖縄現代史のあゆみははたしてどこまで知られているか。

（編集委員代表　藤澤健一）

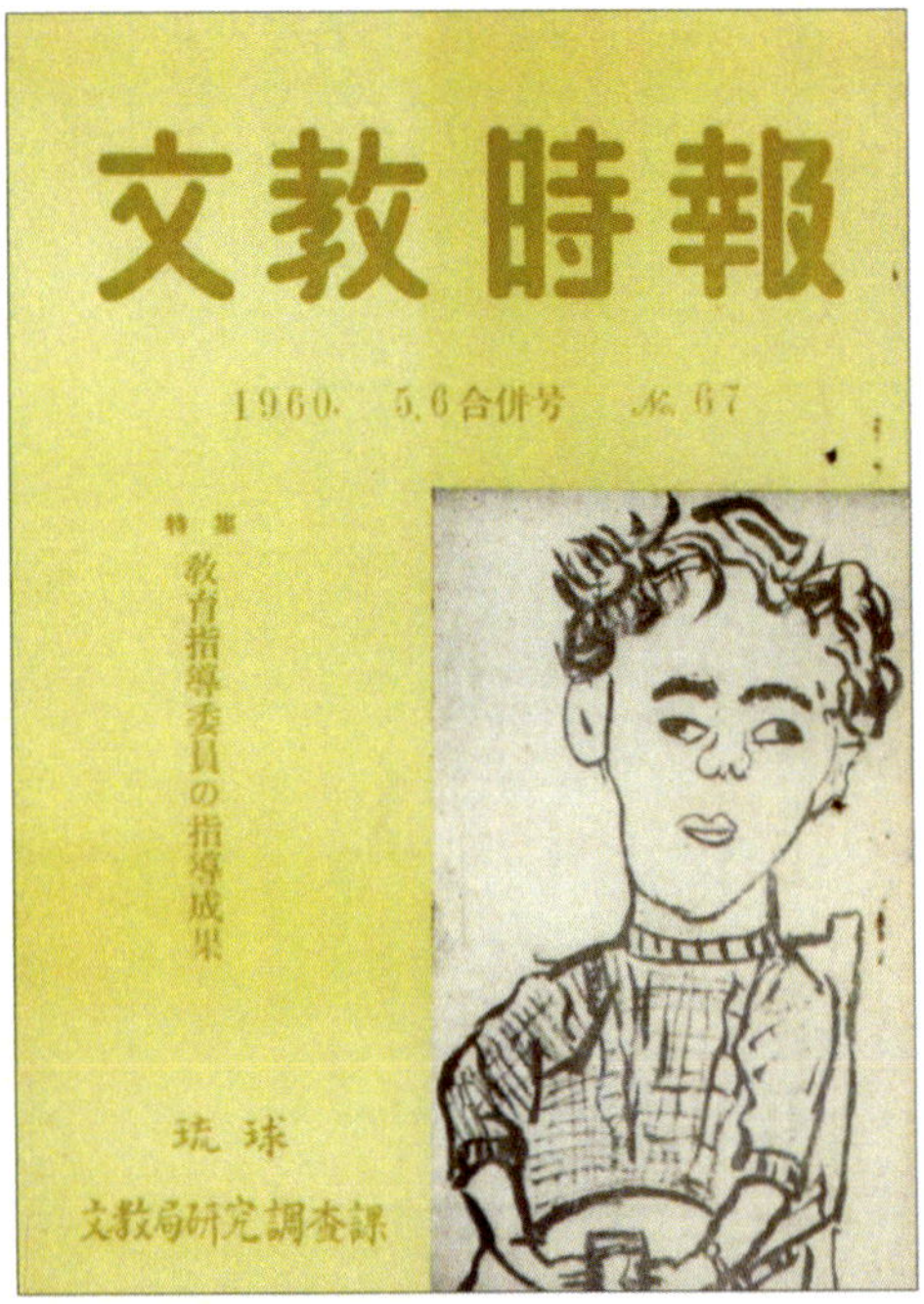
文教時報
1960. 5.6合併号 No. 67
特集
教育指導委員の指導成果
琉球
文教局研究調査課

67号

文教時報
1960. 10. 11 No. 70
琉球 文教局研究調査課

70号

文教時報
1960. 12 No. 71
琉球 文教局研究調査課

71号

文教時報

66

1960. 4

No. 66

特集

全国学力調査中間報告

琉球

文教局研究調査課

はしがき

研究調査課長　喜久山　添　采

この報告書は、昨年九月に文部省が小・中・高校の児童・生徒を対象に実施した全国学力調査の結果を全琉的にまとめたものの中間報告である。

学力調査は、昭和三十一年以来、毎年実施されて四回めになつており、今回は特に第一回めに実施された教科と同様、国語と算数（数学）の二教科について調査が行なわれた。したがつて、調査領域によつては第一回めの結果と比較して、指導の傾向や問題点をさぐり、さらに全国水準との対比において全琉の学力の分析、その実態のは握等、極めて意義ある調査である。

ところが調査の結果から、全琉の学力が全国水準に及ばず、しかも第一回めの調査よりその差が一そう大きくなつていることを認めねばならないことは、はなはだ遺憾なことである。

過去四か年の調査の結果は、高等学校通常課程の化学を除く他は、すべて全国水準に達していないことと思い合わせ、全琉児童・生徒の学力向上の実をあげるため、教育条件の整備を図ることはもとより、教育行政の掌に当たるもの、現場で指導に当たる先生方、父兄の方々の緊密な連携と力の結集を望み、大いなる研究と努力が十二分にこの課題解決へ注がれることを期待してここにこの報告書を提供する次第である。

目次　第六六号

昭和三四年度 全國学力調査 中間報告

調査の目的

この学力調査の目的は、文部省において実施した全国学力調査に準じて、全琉の公立小学校、中学校、高等学校および政府立高等学校の最高学年の全児童・生徒の学力の実態をとらえ、学習指導、教育課程および教育条件の整備、改善に役立つ基礎資料を作成することにある。

調査の対象

調査の対象は、全琉の小学校六年、中学校、高等学校全日制三年、定時制四年の全児童、生徒である。しかし結果の集計にあたつては、小・中学校の場合、全琉の学校から無作意に三五%抽出し、高等学校の場合は全日制、定時制ともに全琉の学校を対象としたので第1表に示すとおりとなつた。

小・中学校における調査結果の集計のための抽出は、まず全琉の小・中校を規模別に分類し、分類された各ブロックごとに無作意による抽出を行つた。抽出された学校名をあげると、

第1表　調査対象学校数・児童生徒数

			学校数	児童・生徒数	
				国語	数学
小学校	本土	実数	859校	86,542人	87,934人
		比率	3.2%	3.5%	3.5%
	沖縄	実数	80校	9,125人	9,131人
		比率	35.5%	37.1%	37.1%
中学校	本土	実数	493校	64,096人	65,527人
		比率	3.9%	3.7%	3.8%
	沖縄	実数	58校	5,637人	5,621人
		比率	36.5%	39.9%	39.8%
全日高校	本土	実数	365校	59,350人	59,242人
		比率	10.2%	10.3%	10.3%
	沖縄	実数	25校	6,296人	6,291人
定時高校	本土	実数	317校	10,104人	10,034人
		比率	8.8%	9.8%	9.8%
	沖縄	実数	11校	475人	513人

〔小学校〕

糸満地区
阿嘉・喜屋武・高嶺・真壁・座安・兼城・具志頭・糸満・東風平

那覇地区
若狭・神原・大道・城岳・安謝・城西・仲西・与儀・城北

知念地区
佐敷・船越・大里北・坂田・知念

普天間地区
北玉・北谷・大山・嘉数・中城

コザ地区
美里・諸見・北美・高原

前原地区
浜・兼原・天願・南原・平敷屋

読谷嘉手納地区
喜名

石川地区
安富祖・宮森・城前

宜野座地区
三原・嘉芸・天仁屋・宜野座・金武

名護地区
古宇利・野甫・伊野波・浜元・源河崎本部・今帰仁・伊平屋・屋我地

辺土名地区
辺土名・塩屋・奥間・大宜味・奥

久米島地区
比屋定・仲里

宮古地区
上野・城辺・福嶺・北・大神・宮原

八重山地区
小浜・伊原間・古見・鳥・船浦・久部良・宮良・伊野田・波照間・石垣平久保

〔中学校〕

糸満地区
糸満・東風平・具志頭・阿嘉・高嶺粟国

那覇地区
浦添・寄宮・那覇・首里・南大東

知念地区
与那原・西原・佐敷

普天間地区
普天間・北中城・嘉数

前原地区
具志川・天願・高江洲・浜・宮城

読谷嘉手納地区
嘉手納

石川地区
石川・安富祖・恩納

宜野座地区
金武・屋嘉・嘉陽・久志

名護地区
伊是名・上本部・水納・浜元・伊野波・兼次・源河・屋部・伊平屋

辺土名地区
喜如嘉・高江・有銘・東・大宜味・北国

宮古地区
上野・平良・池間・鏡原・城辺

八重山地区
伊原間・船浮・鳥・野底・小浜・名蔵・大浜

小学校八〇校・中学校五八校である。

調査の教科と期日および時間

○教科　国語・算数（中・高等学校においては数学）

○期日および時間　昭和三四年九月二十九日（火）小学校国語（六〇分）算数（六〇分）中学校国語（六〇分）数学（六〇分）高等学校国語（八〇分）数学（九〇分）

右の調査時間のうち、小・中・高等学校の国語については、その最初の十五分間はラジオによる全国放送（NHK第二）を利用しての「聞きとり」調査が行われた。

調査結果の概要

1　児童生徒の平均

第2表aは学校種別、教科別に全琉の児童生徒の得点の平均を全国平均と比較したものである。

国語の場合　高等学校よりも中学校、中学校よりも小学校と、本土との差が次第に大きいことが注目される。

数学の場合　高等学校定時制を除いてはいずれも本土との差が大きい。国語、数学ともに本土の学力水準に著しく劣っていることが注目される。

全国平均点との比較　第2表　a

		国語	数学
小学校	本土	49.2	43.6
	沖縄	33.5	25.9
中学校	本土	60.3	44.4
	沖縄	45.8	28.2
全日高校	本土	61.4	36.3
	沖縄	51.2	19.4
定時高校	本土	46.9	13.2
	沖縄	40.8	10.5

全国平均との比較をさらに第一回（昭和三一年度実施）のそれと併せて比較した

学校種別教科別にみた全国平均との比較　第1図a

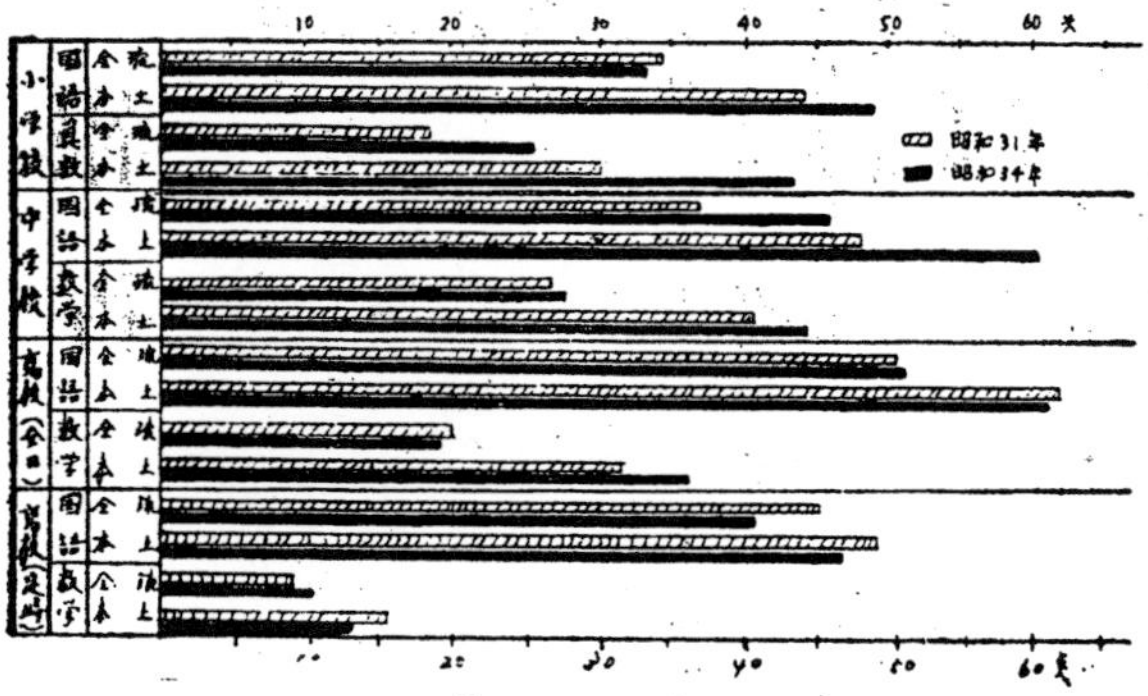

高等学校教科別学級平均点の比較　第1図　b

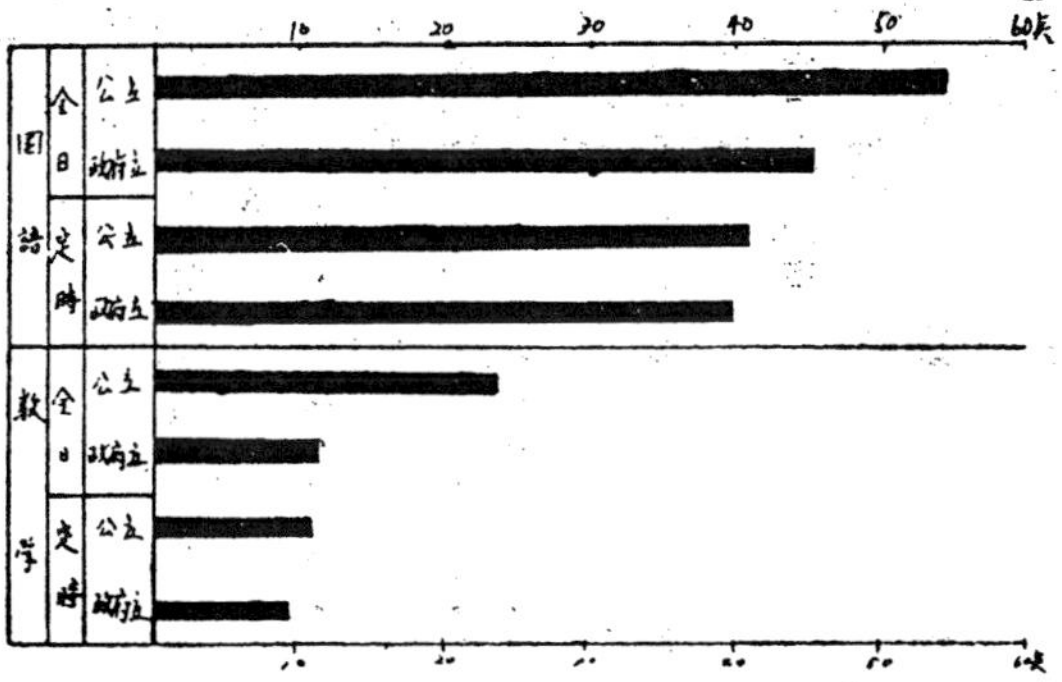

たのが第1図aである。第1図aからうかがえることは、国語では小学校が本土の約五点の向上に対して全琉は一点の低下、中学校では本土の大巾な十二点の向上に対して八点の向上、高等学校では本土の約一点の低下に対して全琉は逆に僅かに向上、定時制は本土と全琉それぞれ約二点、四点の低下となっている。

また数学では、小学校で本土が一三点の大巾な向上に対して全琉は約七点、中学校では約四点の向上に対して全琉僅かに約一点の向上、高等学校では約五点の向上に対して全琉約一点の低下、定時制

高等学校科目履修別正答率

第2表　b

P…すでに履修した単位数が国語（甲）・R…〃〃国語（甲）と漢文
Q…国語（甲）と（乙）・S…〃〃国語（甲）（乙）と漢文
X…数学Ⅰ・Z…数学Ⅰと数学Ⅱと数学Ⅲ
Y…数学Ⅰと数学Ⅱ・数学Ⅰと広用数学・数学Ⅰと数学Ⅱと広用数学

科目		国語 P	国語 Q	国語 R	国語 S	数学 X	数学 Y	数学 Z
全日制	受験人員	2,539	1,597	437	1,723	2,551	1,679	2,061
	得点	107,028	88,004	24,561	92,131	26,461	26,731	69,670
	正答率	42.15	55.10	56.20	53.41	10.37	15.92	33.80
定時制	受験人員	247	34	42	152	268	164	86
	得点	9,698	1,384	1,507	6,906	2,112	2,271	1,277
	正答率	39.23	40.70	35.88	45.43	7.50	13.81	14.85

では本土の約三点の低下に対して逆に一点の向上となっている。

これらのことを概括して云えることは本土の向上の巾は全琉より幾分まさり、第一回めよりその差はやや大きくなっているということである。

しかし昭和三一年度と昭和三四年度の比較は、単純に行われるべきでないことは言うまでもない。この両者は問題の構成方法、程度に若干の相違があり、特に国語では新しい領域を加えているので一部を除いて多くは比較困難である。したがって平均点のみではただちにうんぬんできない。しかしながら共通問題や同種問題などから判然として若干の向上を認めることはできる。

2 児童生徒の得点の分布

第2図のa、bと第3表a、bは児童生徒の得点の分布を本土と比較したものである。

小学校

小学校では本土の分布の状況は、国語、算数ともに正規の分布に近い。ところが全琉の国語は、

① 二五点〜二九点の段階が頂点で、本土のそれより二〇点の開きがある。

② 四五〜四九点の段階をこえる児童が本土では約六〇%であるが、全琉の場合二六%に達したにすぎない

③ したがって五〇点を下る児童が全体の四分の三を上回るものである。

小学校算数の場合は、国語より一そう本土との差が大きく、

① 五点未満が十二%で頂点をなし、徐々にその比率を減じている。

② 本土が正常な分布曲線をえがいているのに比べ全琉の場合極端な軌跡

(小学校)

児童の得点の分布　第2図 a

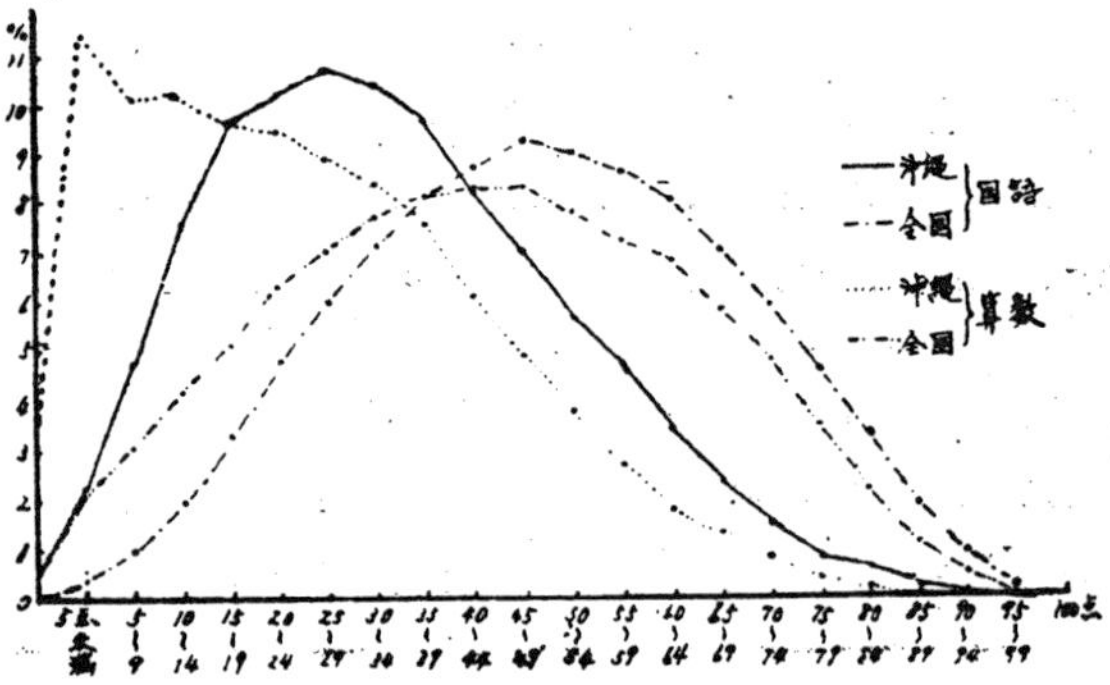

児童生徒の得点の分布　第3表 a

			合計	0点再掲	0〜4	5〜9	10〜14	15〜19	20〜24	25〜29	30〜34	35〜39	40〜44	45〜49	50〜54	55〜59	60〜64	65〜69	70〜74	75〜79	80〜84	85〜89	90〜94	95〜99	100点
小学校	国語	実数	9,125	55	208	438	698	879	935	972	952	888	748	640	521	430	314	206	140	76	51	20	8	1	0
		%	100.0	0.6	2.3	4.8	7.6	9.6	10.2	10.7	10.4	9.7	8.2	7.0	5.7	4.7	3.4	2.3	1.5	0.8	0.6	0.2	0.0	0.0	0.0
		本土%	100.0	0.1	0.4	1.0	2.0	3.3	4.8	6.0	7.1	8.1	8.7	9.2	9.0	8.6	8.0	7.0	5.9	4.6	3.3	1.9	0.9	0.2	0.0
	算数	実数	9,131	330	1,037	1,014	1,025	889	871	813	766	691	563	446	344	245	160	123	72	41	22	5	4	0	0
		%	100.0	3.6	11.4	11.1	11.2	9.7	9.5	8.9	8.4	7.6	6.1	4.9	3.8	2.7	1.8	1.3	0.8	0.4	0.2	0.0	0.0	0	0
		本土%	100.0	0.5	2.1	3.1	4.2	5.1	6.3	7.0	7.7	8.1	8.3	8.3	7.8	7.2	6.8	5.8	4.8	3.5	2.2	1.1	0.5	0.1	0.0
中学校	国語	実数	5,637	15	33	79	184	290	319	416	502	453	474	474	459	465	379	325	272	210	155	95	38	13	2
		%	100.0	0.3	0.6	1.4	3.3	5.1	5.6	7.4	8.9	8.0	8.4	8.4	8.1	8.2	6.7	5.8	4.8	3.7	2.7	1.7	0.7	0.2	0.0
		本土%	100.0	0.1	0.1	0.4	0.8	1.5	2.2	3.1	4.0	4.6	5 8	6.9	7.5	8.4	9.0	9.2	9.1	8.6	7.6	5.9	3.8	1.4	0.1
	数学	実数	5,621	123	503	745	716	565	445	373	361	319	288	272	241	198	163	130	109	82	53	34	20	4	0
		%	100.0	~~9.9~~ 2.1	6.8	13.3	12.7	10.0	8.0	6.6	6.4	5.7	5.1	4.8	4.3	3.5	2.9	2.3	1.9	1.5	0.9	0.6	0.4	0.1	0
		本土%	100.0	0.4	2.5	5.7	7.9	7.6	6.6	5.9	5.4	5.2	5.2	5.4	5.1	5.2	5.2	5.0	4.8	4.5	4.3	3.6	3.2	1.5	0.2

高等学校の生徒の得点分布　第3表 b

			合計	0点再掲	0～4	5～9	10～14	15～19	20～24	25～29	30～34	35～39	40～44	45～49	50～54	55～59	60～64	65～69	70～74	75～79	80～84	85～89	90～94	95～99	100点
全日制	国語	実数	6,296		—	—	4	18	65	164	368	551	808	881	929	814	611	520	299	165	72	26	1	—	—
		%	100.0		—	—	0.1	0.3	1.0	2.6	5.8	8.8	12.8	14.0	14.8	12.9	9.7	8.3	4.8	2.6	1.1	0.4	0.0	—	—
		本土%	100.0	0.0	0.0	0.0	0.0	0.1	0.3	0.9	1.7	3.1	4.9	7.7	10.5	13.1	14.6	14.1	12.0	8.6	5.3	2.3	0.7	0.1	—
	数学	実数	6,291	177	717	1292	1185	868	551	335	313	223	188	182	124	99	74	54	45	25	11	3	2	—	—
		%	100.0	2.5	11.4	20.5	18.8	13.8	8.8	5.3	5.0	3.5	3.0	2.9	2.0	1.6	1.2	0.9	0.7	0.4	0.2	0.0	0.0	—	—
		本土%	100.0	0.3	2.4	6.5	9.3	10.4	9.6	8.5	7.5	6.5	5.9	5.5	4.9	4.5	4.3	3.5	3.1	2.6	2.3	1.5	0.8	0.3	0.1
定時制	国語	実数	475	1	1	1	7	8	18	45	61	81	74	73	46	25	19	12	4					—	—
		%	100.0	0.2	0.2	0.2	1.4	1.6	3.7	9.4	12.8	17.0	15.5	15.3	9.6	5.2	4.0	2.5	0.8						
		本土%	100.0	0.0	0.0	0.0	0.5	1.7	3.5	5.9	9.3	11.3	12.9	13.6	12.3	10.5	8.1	5.7	2.9	1.2	0.5	0.1	0.0	—	—
	数学	実数	518	30	124	173	102	53	26	15	8	6	6	3	1	—	1	—	—	—	—	—	—	—	—
		%	100.0	5.8	23.9	33.4	19.7	10.2	5.0	3.9	1.5	1.2	1.2	0.6	0.2	—	0.2	—	—	—	—	—	—	—	—
		本土%	100.0	2.3	16.2	28.5	22.7	13.8	7.3	4.2	2.4	1.5	1.3	0.7	0.5	0.3	0.2	0.1	0.1	0.1	0.1	0.0	0.0	—	—

を示している。

③　四五～四九点の段階をこえる児童が本土では約五〇%であるが、全琉の場合僅かに一六%、逆に四四点以下が全体の五分の四をこえている。

④　全体の過半数が二四点以下の成績で、本土のそれの約二倍半の比率を示している。

以上のことを要約すると小学校では、本土に比較して著しく学力不振であり、個人差が大きく、学力がじゅうぶん身についていない児童が大半である事実を裏書きしている。このことは国語より算数において一段と著しい結果を示していることはおおいに注目すべきである。

中学校

中学校においては正規分布曲線とならずに本土も全琉も偏った傾向を示している。

国語の場合

①　本土の頂点が七〇点であるのに全琉は三〇点から六〇点まで横ばい状態である

②　この三〇点から六〇点までの生徒は全琉の過半数を占めている。

③　本土では、六〇点をこえたのが約五五%であるのに比べ全琉は僅かに二六%で、したがって七〇%を上回る生徒が六〇点より低い成績を示している。

数学　においては、本土の場合も極めて低い点数の部分に偏っているが、全琉の場合その差と偏りが一そう大きい。第2図bからうかがえることは、

①　頂点は五～九点の段階で急激に下降しつつ得点の高い段階に及んでいる。

②　得点が二〇点を下る生徒が全体の過半数である。

③　三分の一の生徒がその得点が十五

（中学校）　生徒の得点の分布　第2図b

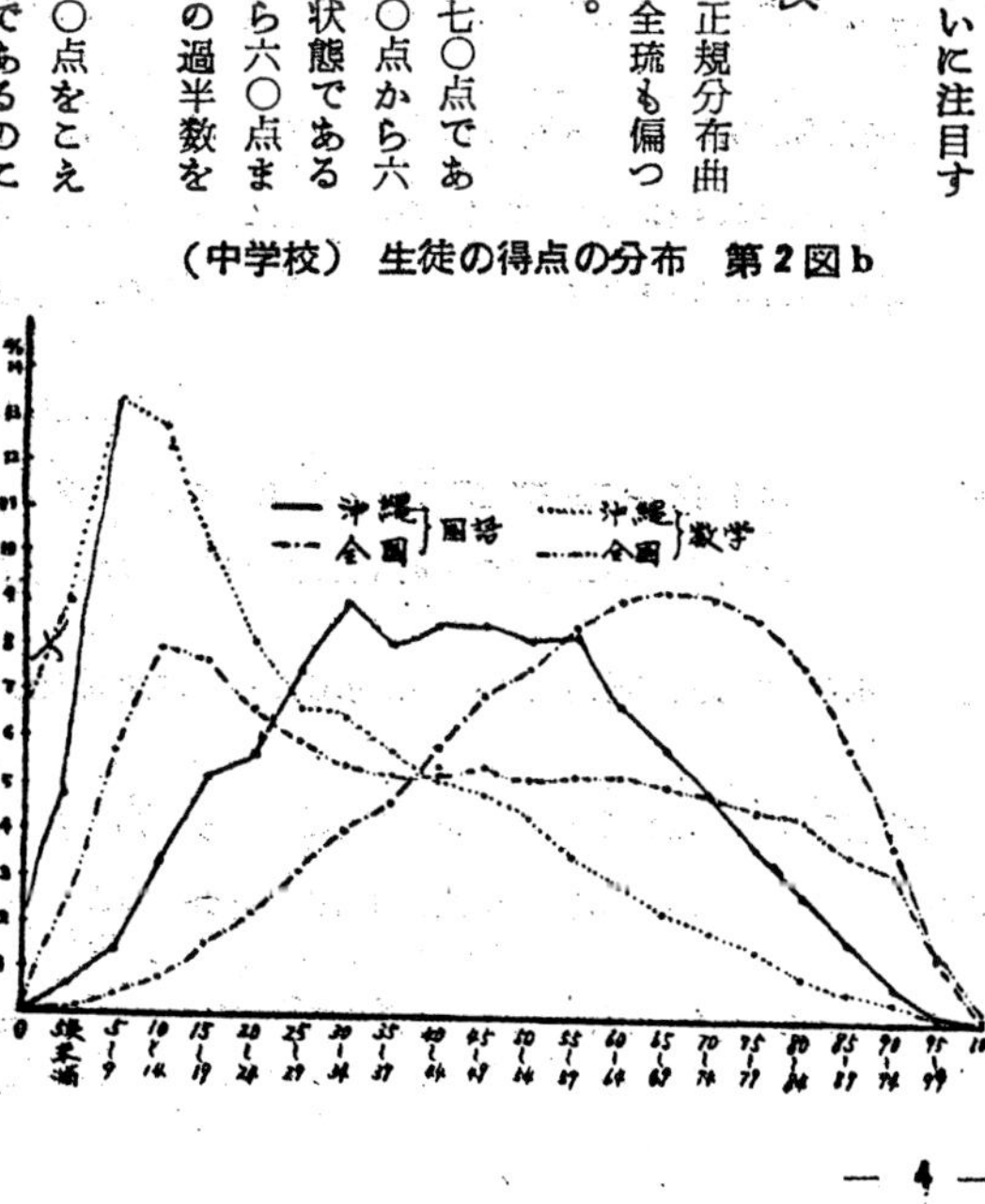

点にも達しない。

以上のことを要約すると、国語、数学ともに本土より学力不振であるが、殊に数学の場合、本土との差が大きく個人による学力差が著しい。このことははなはだ注目すべきことである。

第3図から第4図は、個人の得点分布を昭和三一年度と比較したものである。前回と今回の調査問題の構成、各問題配点などによつて両者は異るが、ここに表われた現象のみを見れば両教科とも小学校・中学校では三四年度は頂点の高さがやや低く、特定の点数に児童・生徒が集中する度合が少なくなつている傾向がわかる。

児童の得点分布の比較（小学校）第3図 a

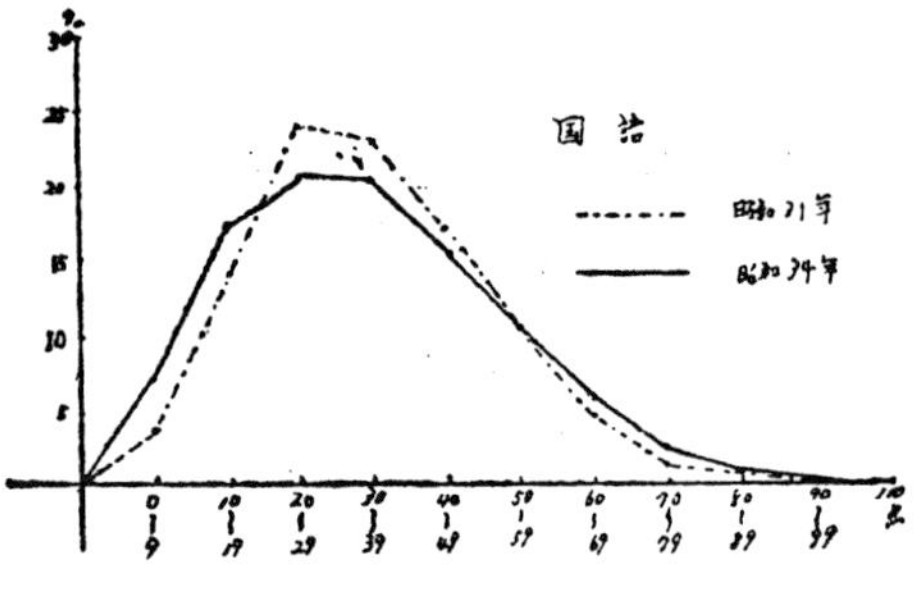

児童の得点分布の比較（小学校）第3図 b

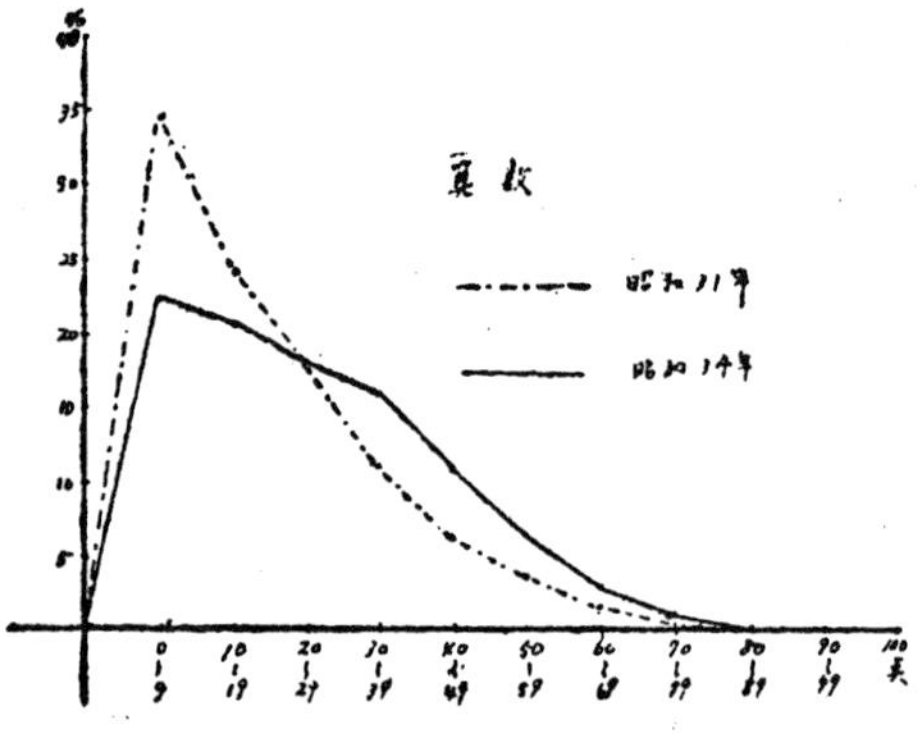

前回に比べて小学校の算数と中学校の国語では得点の高い児童・生徒が増加し得点の低い児童生徒が減少している。しかし小学校の国語と中学校の数学では得点の高い児童・生徒と低い児童・生徒がいずれもやや増加した傾向を示していることが注目される。

3　学校平均点の分布

学校間の学力のひらきを見るために調査対象となつた小学校・中学校の平均点を分布の形であらわしたのが第6図aからfである。

生徒の得点分布の比較（中学校）　第4図 a

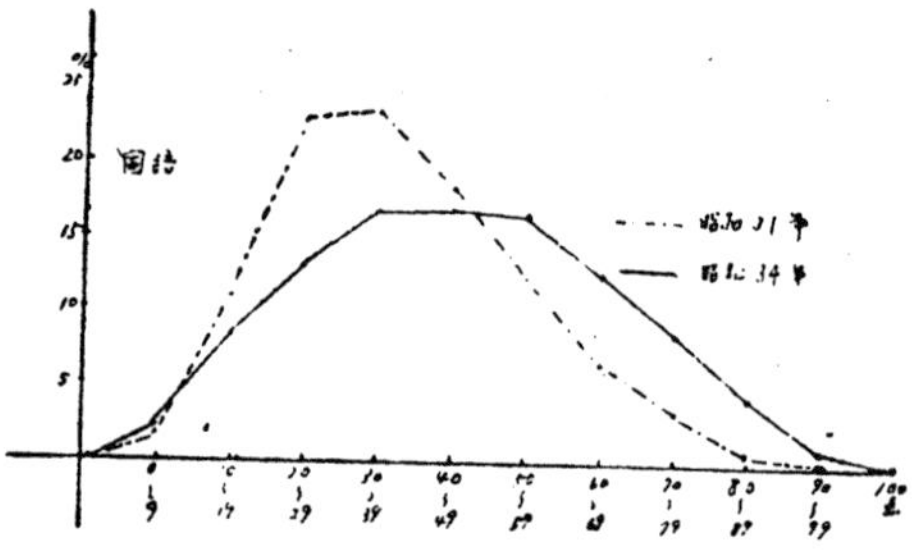

生徒の得点分布の比較（中学校）　第4図 b

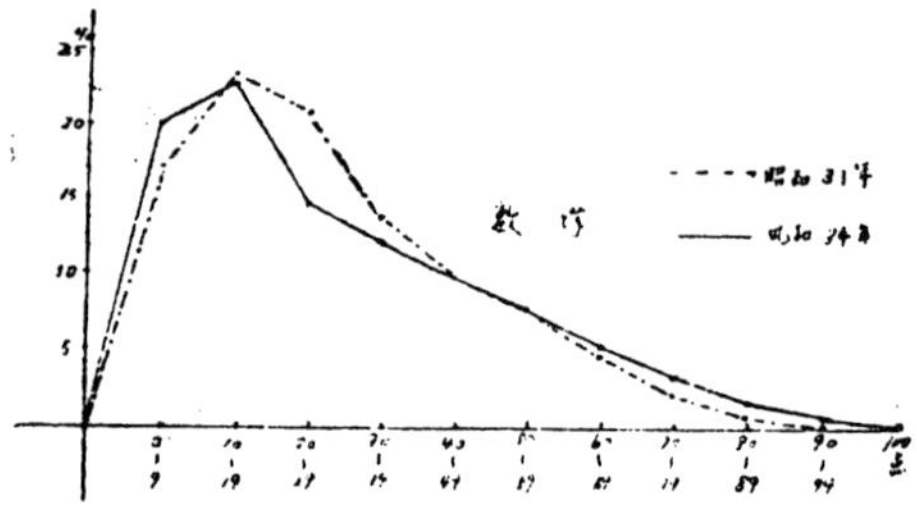

生徒の得点の分布（高等学校）第5図 a

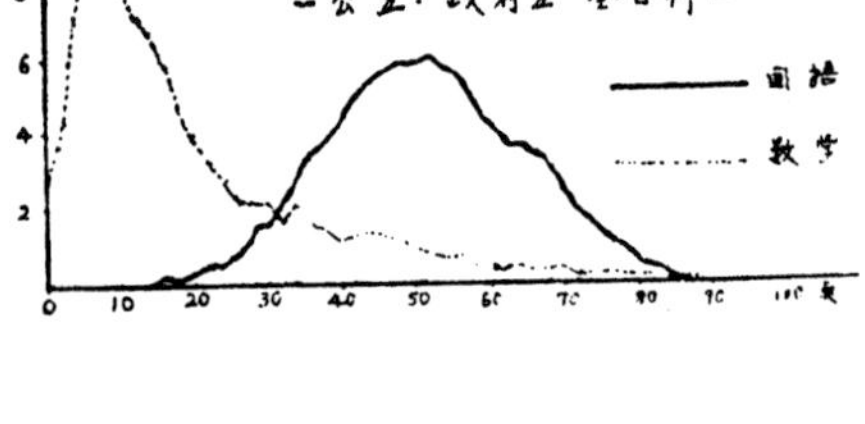

生徒の得点の分布（高等学校）第5図 b

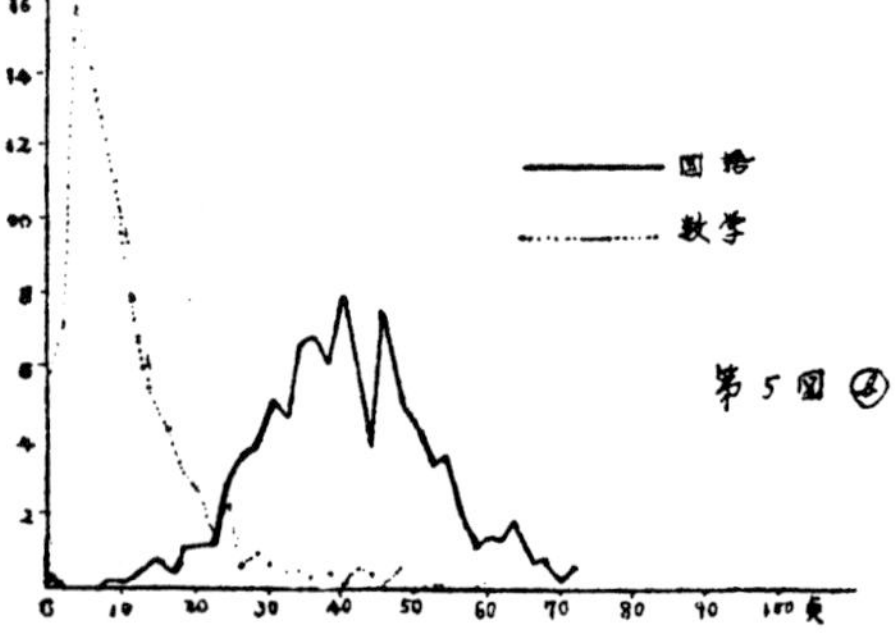

学校平均点分布の比較　(小学校)

第６図c

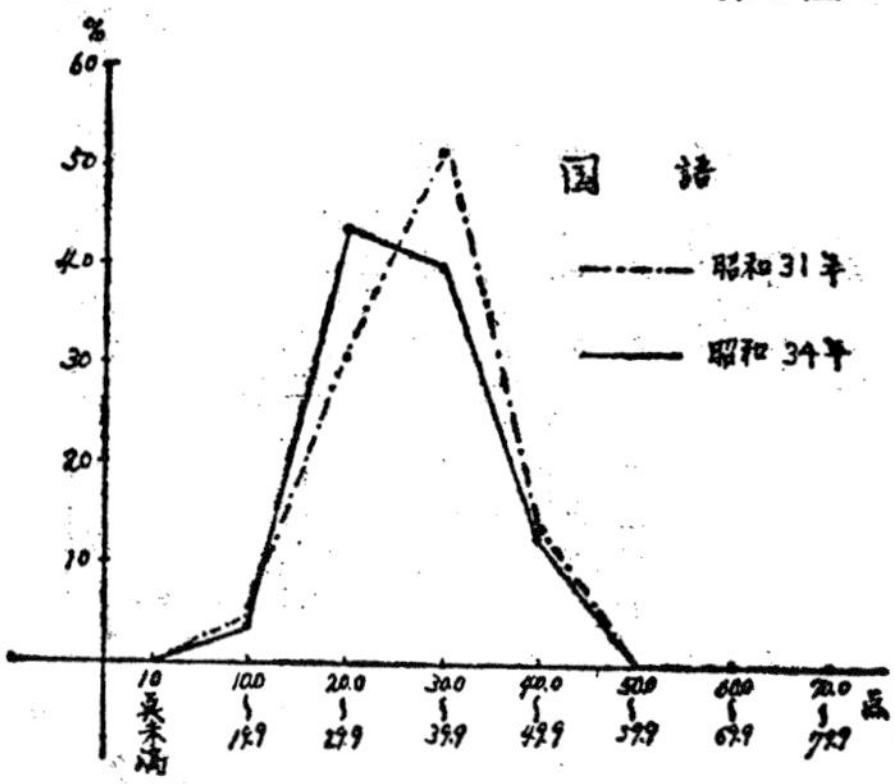

得点別にみた学校数の分布 (小学校) 第６図a

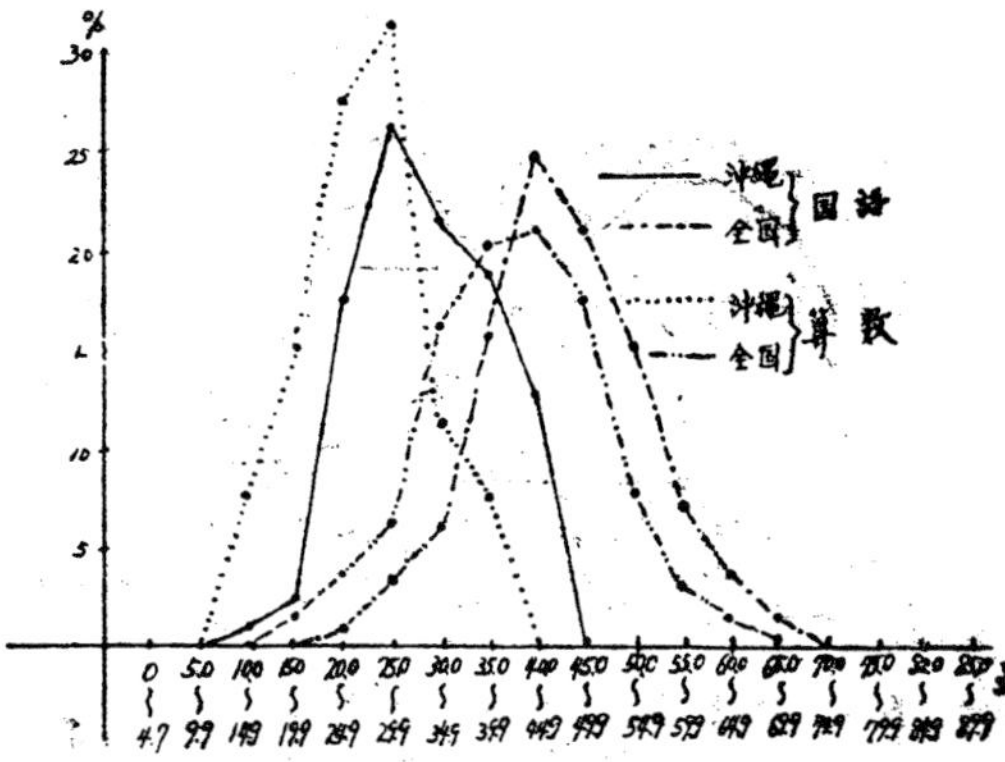

学校平均点分布の比較　(小学校)

第６図d

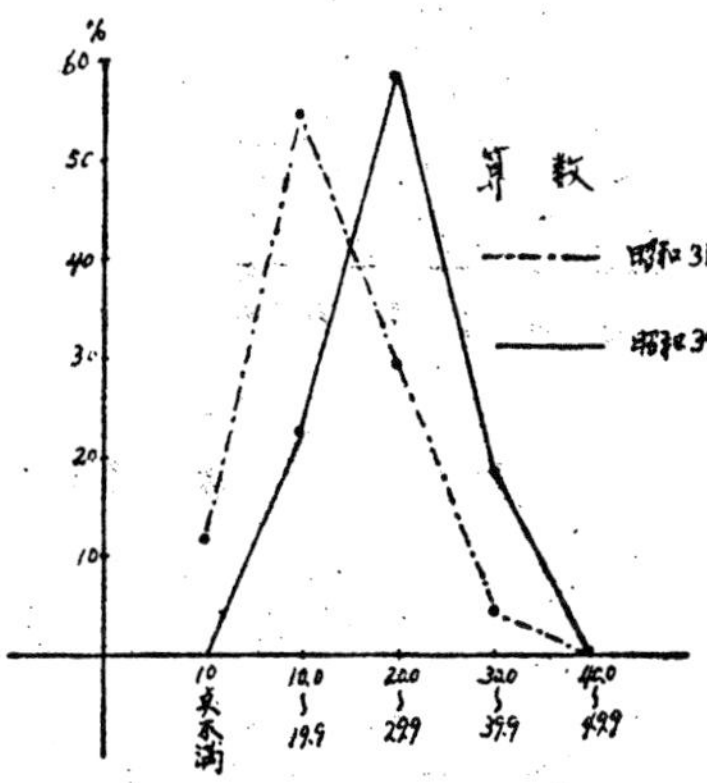

得点則にみた学校数の分布　(中学校)　第６図b

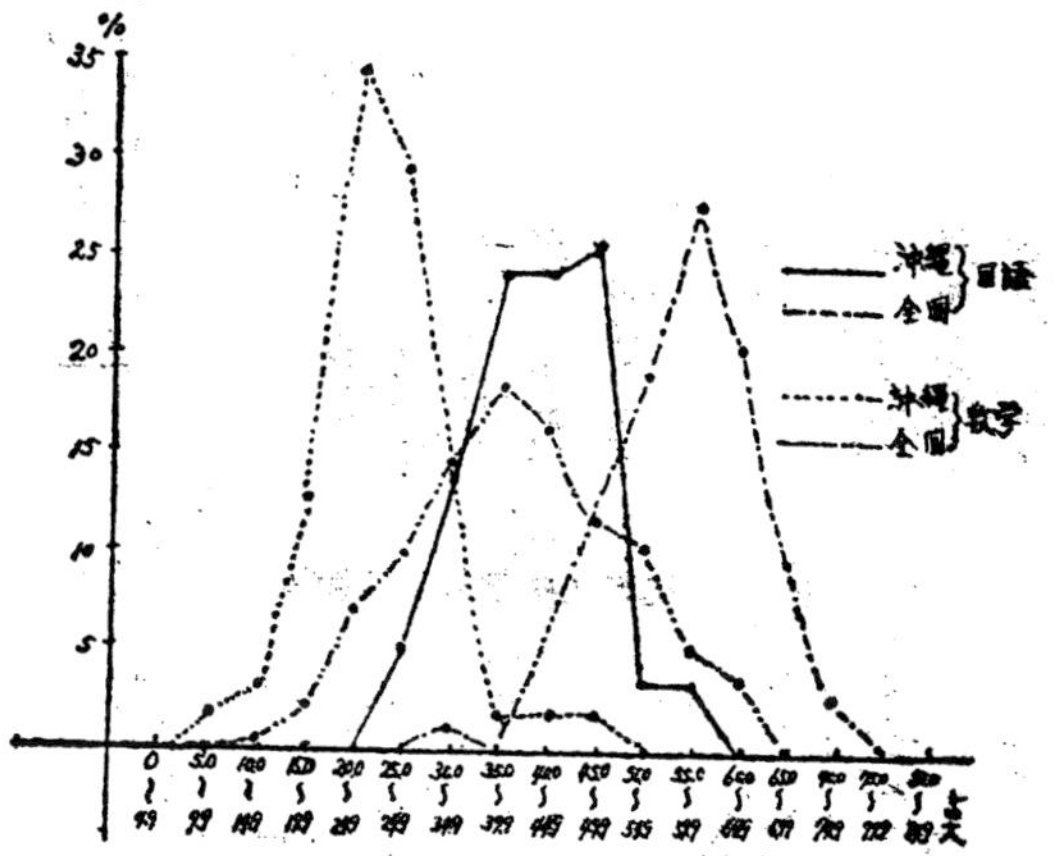

小学校では、

①　平均点の最も高い学校と低い学校とでは国語・算数ともに三〇点以上のひらきがある。したがって学校の学力差の大きいことが察せられる。

②　本土の頂点にあたる部分の得点は、全琉においては学校平均の最も高く、かつ頻数の少い部分にあたる。

③　全琉の頂点にあたる部分は本土にお

学校平均点の分布の比較 (中学校)

第６図f

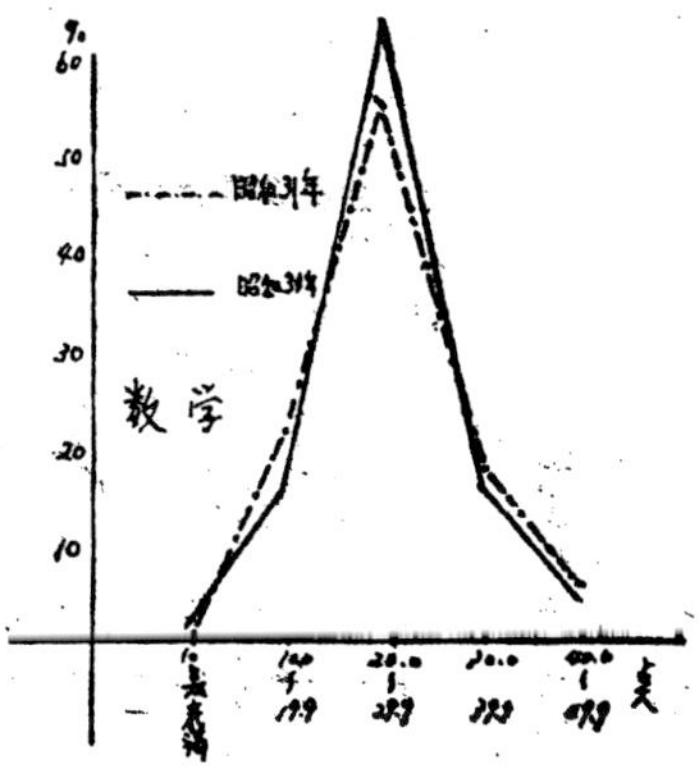

学校平均点の分布の比較 (中学校)

第６図e

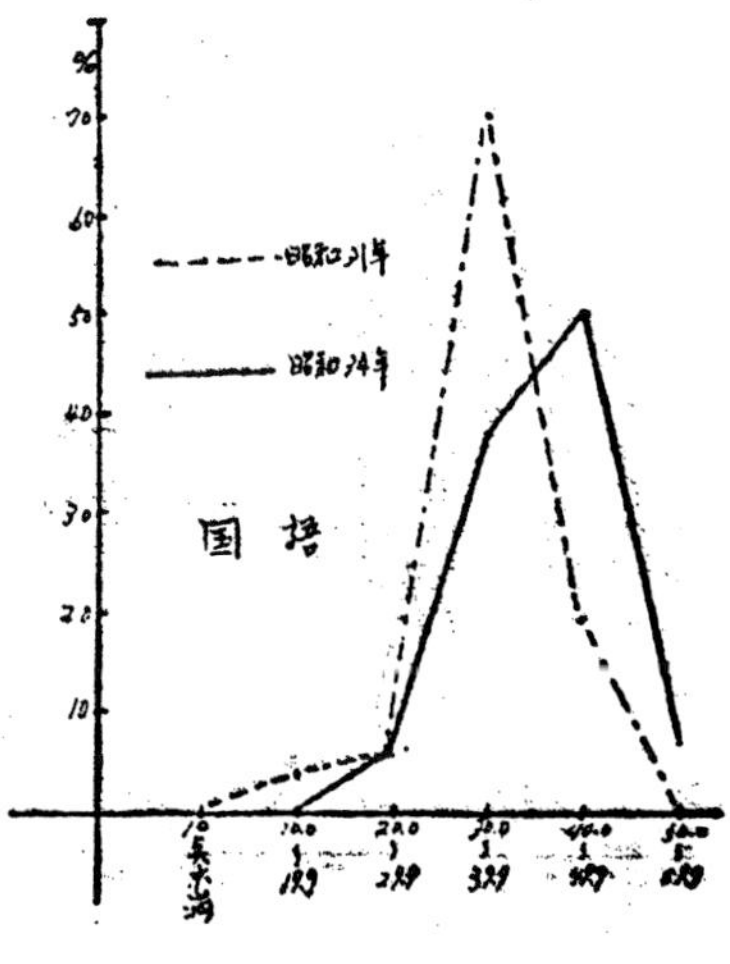

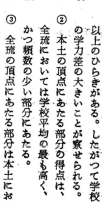

いては頻数の少い得点の低い方にあたっている。

④ 本土と全琉の頂点を比較すると、国語、算数ともに二〇点のひらきがある。

⑤ 算数より(標準偏差七・〇)国語(七・八)の方が標準偏差は大きい。

以上のことを要約してみると、学校平均点においては学校差がいちじるしく、本土との差も大きいということがわかる。

中学校では、

1 国語、数学とも平均点の最も高い学校と最も低い学校とでは四〇点の差があり、学校差の大きいことを示している。

2 国語、数学ともに頂点における得点は本土における頻数の少ない平均点の低い方にあたる。

以上のことを要約すると本土に比べて国語、数学ともに学校差が大きくしかも得点の低い方へ偏っているといえる。

4 教育条件と学力との関係

① 地域類型別にみた学力

調査対象校を通学区の産業人口の構成によって地域類型別に分類し、各地域類型ごとの児童の平均点を図表にすると第5表、第7図a・bのようになる。平均点の最も高い地域と低い地域との差は小学校では国語一二点、算数七点、中学校では国語一六点、数学一四点となっていて、その差は算数数学より国語の方が大きく、小学校より中学校の方が大きく開いて、地域の性格によって学力に差があることがわかる。

得点別にみた学校数の分布　第4表

合計	小学校 国語 本土 %	小学校 国語 沖縄 %	小学校 国語 沖縄 実数	小学校 算数 本土 %	小学校 算数 沖縄 %	小学校 算数 沖縄 実数	中学校 国語 本土 %	中学校 国語 沖縄 %	中学校 国語 沖縄 実数	中学校 数学 本土 %	中学校 数学 沖縄 %	中学校 数学 沖縄 実数
	100	100	80	100	100	80	100	100	58	100	100	58
0 ～ 4.9										0.2		
5.0～ 9.9										0.2	1.72	1
10.0～14.9		1.25	1	0.3	7.50	6				0.4	3.45	2
15.0～19.9	0.2	2.50	2	1.6	15.00	12	0.2			2.0	12.09	7
20.0～24.9	0.1	17.50	14	3.8	27.50	22				7.1	34.49	20
25.0～29.9	3.6	26.25	21	6.4	31.25	25		5.17	3	10.0	29.32	17
30.0～34.9	6.1	21.25	17	16.1	11.25	9	1.0	13.79	8	14.7	13.79	8
35.0～39.9	15.5	18.75	15	20.2	7.50	6	0.4	24.14	14	18.4	1.72	1
40.0～44.9	24.8	12.50	10	21.0			5.6	24.14	14	16.2	1.72	1
45.0～49.9	21.2			17.5			12.7	25.86	15	11.6	1.72	1
50.0～54.9	15.2			7.9			19.0	3.45	2	10.4		
55.0～59.9	7.1			3.1			27.9	3.45	2	5.1		
60.0～64.9	3.7			1.5			20.5			3.5		
65.0～69.9	1.4			0.6			9.6			0.2		
70.0～74.9	0.2						2.7					
75.0～79.9							0.4					
80.0～84.9												
85.0～89.9												
90.0～94.9												
95.0～100												

地域類型別にみると小学校の算数を除いては、小学校の国語、中学校の国語、数学いずれも都市、市街、山村、農村の順になっている。山村の小学校の算数が都市に次いで市街地や農漁村より高いのが注目される。

へき地の学力については特に抽出再掲してみた。

第一回のテストの結果と比較してみると、特に前回小学校で最も低い山村地域

地域類型別、学科別平均の比較　(小学校)　第7図a

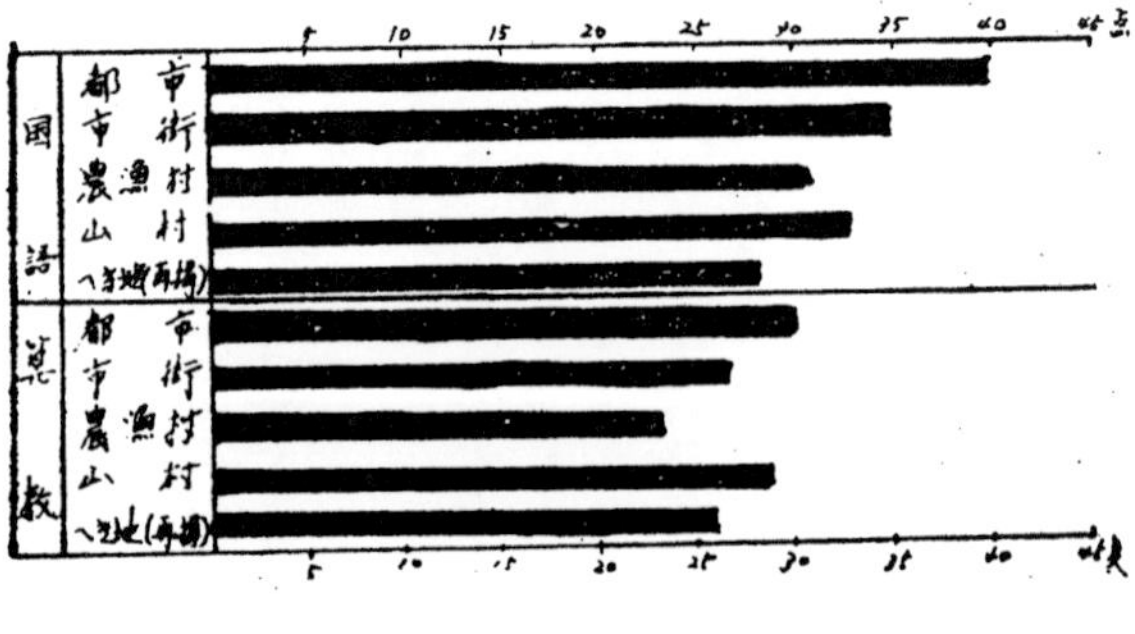

地域類型別学科別平均点の比較　（中学校）　第７図ｂ

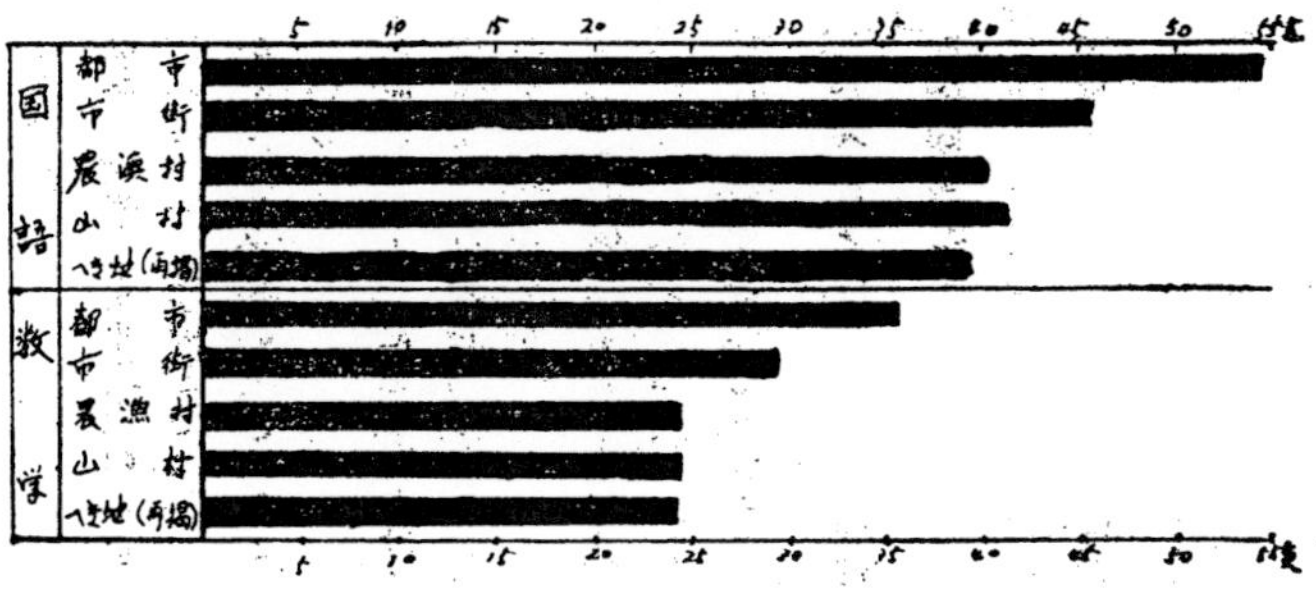

の成績が、今回農漁村より高い学力を示しているのが注目される。

なお今回の地域分類の方法は文部省の基準を勘案して、研究調査課において決定したもので、詳細な資料が不足のため本土の地域類型と幾分の差異のあるところを承知願いたい。

② **学校規模別にみた学力**

学校規模を学校に収容する児童・生徒数によって分類し、その学力との関係をみようとしたのが第6表のaおよびbと第8図である。第一回テストの結果では、本土における全国平均については学校規模と学力とで相関度が高いことを指摘されたが全琉の場合は第一回も、今回もともにそのような関係を意味づけるものと見るべき現象を指摘することは困難である。

③ **教員構成からみた学力**

第7表aから第7表cまでは教員構成と学力との関係を表にしたものである。教員構成は、教員の免許状の取得によってみることにした。この場合免許状の種類は、二級普通免許状以上の免許状で、小学校では全教員を対象にし、中学校では現に国語、数学を担当している教員を対象にした。

これらの表によれば教員の構成率と学力との関係を意味づける現象を指摘することは困難である。

地域類型別平均点の比較　第５表

			都市	市街	農漁村	山村	（再掲）へき地
小学校	国語	得点	92,150	98,644	135,283	5,118	10,176
		人員	2,273	2,238	4,458	156	360
		平均	40.1	35.1	30.3	32.8	28.2
	算数	得点	68,241	59,605	103,803	4,492	9,366
		人員	2,272	2,236	4,407	156	359
		平均	30.0	26.6	23.2	28.8	26.1
中学校	国語	得点	83,242	74,297	96,684	4'180	15,413
		人員	1,539	1,591	2,410	98	404
		平均	540	46.7	40.1	42.6	38.1
	数学	得点	55,971	44,627	55,622	2,359	9,333
		人員	1,539	1,577	2,407	98	409
		平均	36.3	28.3	23.1	24.0	22.8

学校規模と学校平均点との関係（小学校）　第８図ａ

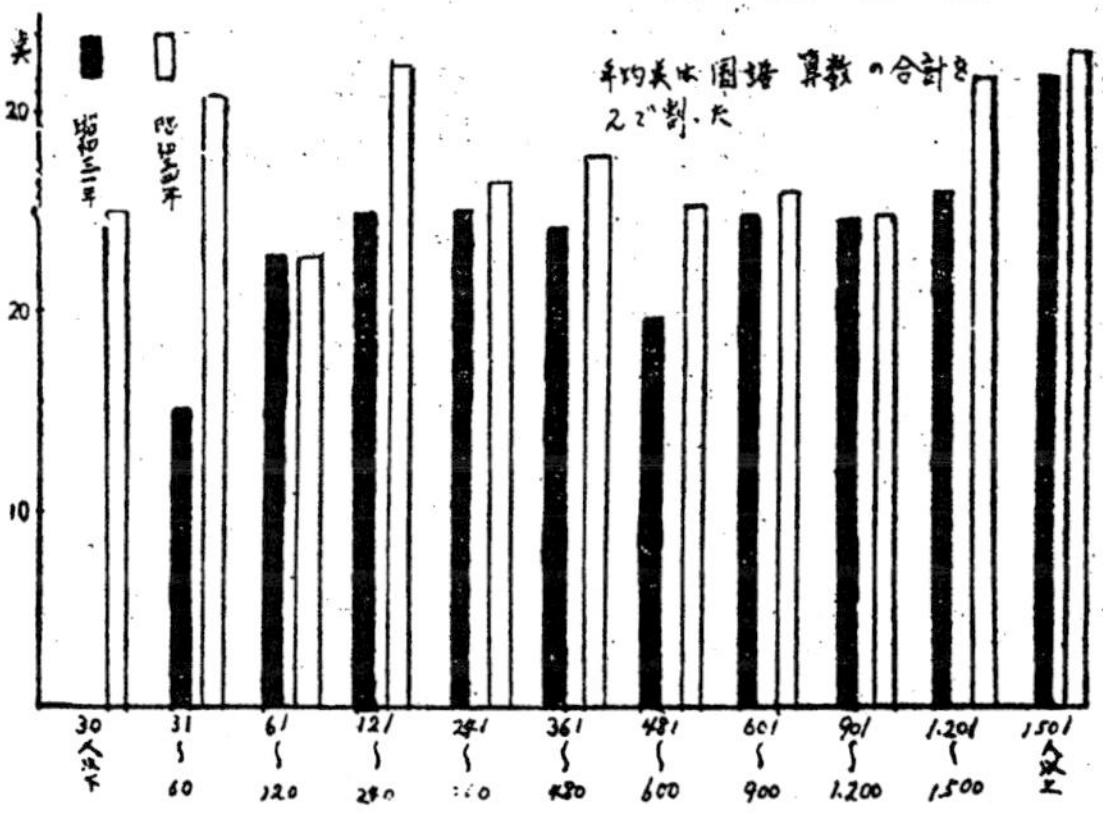

④ **教育費と学力**

学校規模別にみた教育費と学力との関係については、教育費の性質によって年々経常的に支出される消費的支出によってみることにした。この場合消費的支出は、「一九五九年度教育財政資料」によって児童、生徒一人当り消費的支出を用いた。

その結果から、教育費の増加と学力の向上とを関係づける現象を指摘することが極めて困難であって、表の掲載価値もないと考え割愛した。

なお①から④までの教育条件と学力との関係は小・中学校とも抽出校の教育条件によったものである。

5　領域別問題別にみた結果

国　語

第8表aは、小学校における国語の問題の領域ごとに問題の内容によってその正答率を表にしたものである。

本土と比較すると各領域とも正答率がいちじるしく低いことが注日される。さらに、

1　聞くことの領域で、ことに(1)指示の聞きとりの成績が低くわずかに二八・八%の正答率しか示していない。

2　話し合いの展開にしたがう内容の聞きとりの正答率においては本土との差が大きい。

3　書くことのテストでは「語句の意味、用法に関するもの」「文章の組み立てに関するもの」については本土との差が大きい。

4　読むことのテストでは「文学的文章について」「文章のねらいに関するもの」「説明的文章について」「文章の段落に関するもの」「随筆的文章について」「文章のねらいに関するもの」「文章の中での語句の理解に関するもの」等で本土との差が大である。

前回の三一年度の問題と今回の問題の中に共通な問題が含まれている。第9表は小学校・中学校・高等学校の国語について共通問題を第一回めのと比較したものである。

その一部は小学校と中学校、中学校と高等学校でもそれぞれ共通である。第9表でうかがえることは、

①　本土の場合前回より今回は、小学校中学校・高等学校ともにいずれの問題も正答率が高くなっている。全琉の場合、前年度より正答率が下っているものもあって、本土とのへだたりがいっそう大きくなっていることが注目される。

学校規模と学校平均点との関係（中学校）　第8図b

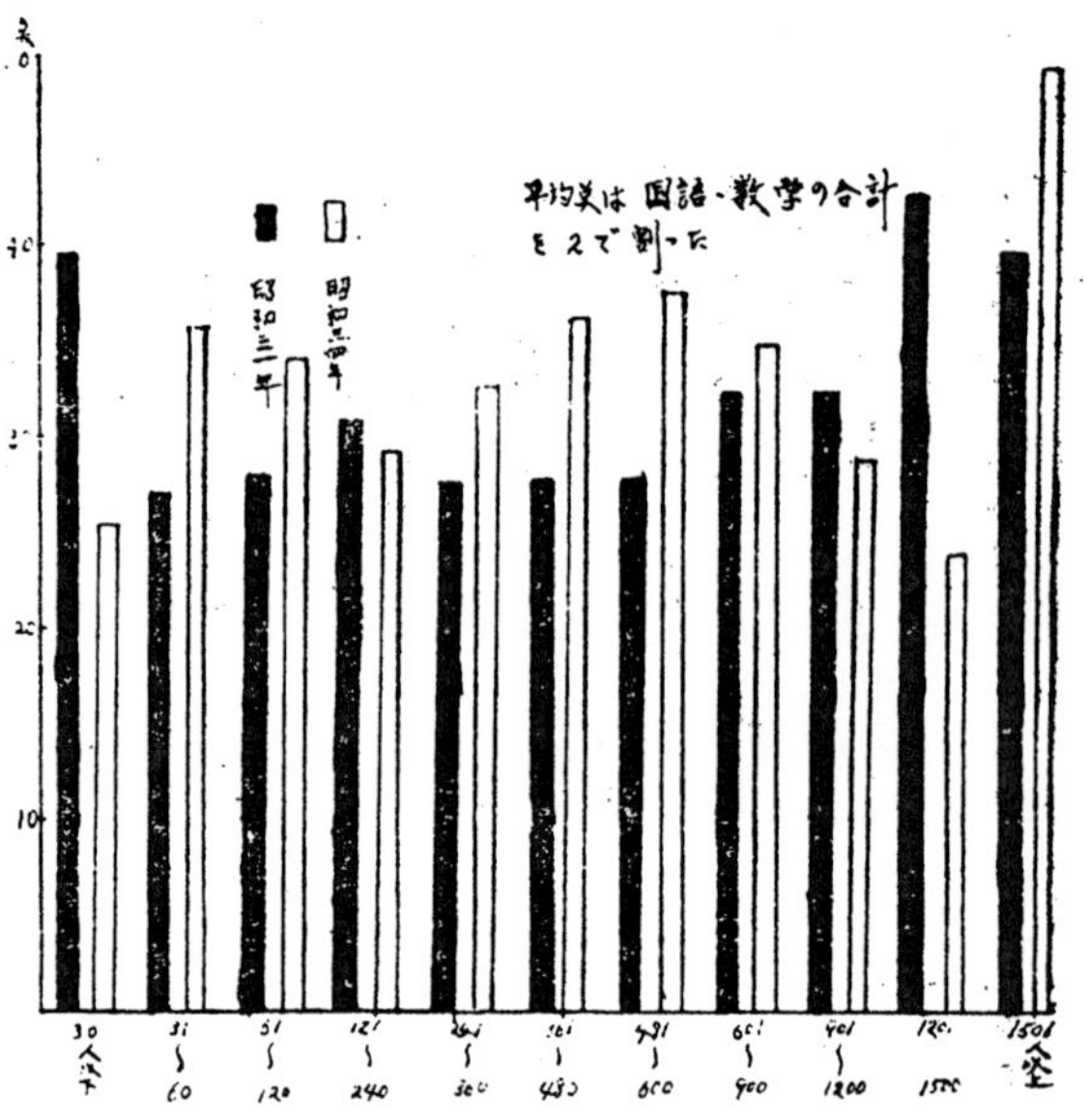

中学校　学校規模と学校平均点との関係　第6表 b

	合計	19点以下	20~29	30~39	40~49	50~59	60~69	平均点
合　計								
30人以下	5		3	2				25.58
31~　60	7		1	3	3			35.98
61~ 120	12		3	8		1		34.24
121~ 240	11		8	3				29.34
241~ 360	8		2	5			1	32.88
361~ 480	6		2	2	2			36.30
481~ 600	1			1				37.76
601~ 900	3		1	2				34.49
901~1200	2		1	1				28.89
1201~1500	1			1				23.70
1501人以上	1				1			49.72
校　数	57		21	28	6	1	1	

小学校　学校規模と学校平均点との関係　第6表 a

学校規模 ＼ 点数階級	合計	9点以外	10~19	20~29	30~39	40~49	平均点
合　計	80		8	44	27	1	29.3
30人以下	1			1			25.0
31~　60	3		1	1	1		30.8
61~ 120	4		2	1	1		22.6
121~ 240	7			2	4	1	32.2
241~ 360	12		2	8	2		26.5
361~ 480	10		1	6	3		27.6
481~ 600	4			4			25.3
601~ 900	11		1	7	3		26.0
901~1200	9		1	7	1		24.9
1201~1500	9			3	6		31.7
1501人以上	10			4	6		33.2

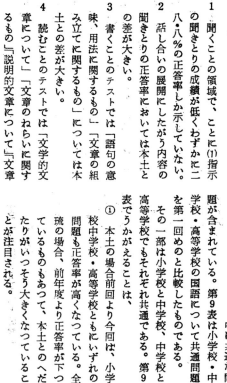

第８表ｂは、中学校における国語の問題別の結果を本土と比較したものである。

本土より各領域とも正答率がいちじるしく低いことが注目される。

① 聞くことの領域では、㈠、㈡ともに本土との差が二〇％を上回っている。

第８表ｃは高等学校の問題別領域別に本土との正答率を比較したものである。

数　学

小学校における出題された各問題のねらいおよび正答率を示すと第10表のとおりである。

小学校算数の問題別にみた結果は、

① 全般的に本土と同様な傾向を示している。

② 全琉の場合いずれも本土との差が大きい。

③ 「概数をとる能力」「計器をよむ能力」「面積の公式を用いる能力」「割合を用いる能力」「グラフを作る能力」等は比較的に本土との差が大きい。

調査問題の中から比較可能と思われるものを取り出し第一回めと、正答率を比べたのが第11表である。「整数の乗法」と「分数の乗法」の二者を除いてはいずれも前回よりは高い。しかし、いまだ本土の前回の水準に達していないことが注目される。

第7表a　小学校教員構成と学力との関係

平均点＼教員構成	10%以下	10～19	20～29	30～39	40～49	50～59	60～69	70～79	80～89	90～99	100%	校数
10.0～14.9				1			1					2
15.0～19.9				1		1			1	1	1	5
20.0～24.9				1		1	3		6	3	1	15
25.0～29.9	2					3	2	3	9	5	4	28
30.0～34.9				1			1	3	4	4	3	16
35.0～39.9				1		1			3	6	2	13
40.0～44.9												1
45.0—49.2							1					
学校数	2			5		6	8	6	23	19	11	80
平均点	27.4			30.9		25.3	25.6	31.9	27.4	31.5	30.8	

第7表b　中学校（国語）教員構成と学力との関係

平均点＼教員構成	0%	10%以下	10～19	20～29	30～39	40～49	50～59	60～69	70～79	80～89	90～99	100%	校数
20.0～24.9													
25.0～29.9	1											1	2
30.0～34.9												6	6
35.0～39.9	3				3		1					8	15
40.0～44.9	1			1	1		1				1	10	15
45.0～49.9	2				1		2	2	1	1		6	15
50.0～54.9								1					1
55.0～59.9									1			2	3
学校数	7			1	5		4	3	2	1	1	29	57
平均点	39.19			44.24	39.46		41.06	49.5	54.29	48.20	43.89	42.49	

第7表C　中学校（数学）教員構成と学力との関係

平均点＼教員構成	0%	9%以下	10～19	20～29	30～39	40～49	50～59	60～69	70～79	80～89	90～99	100	校数
9 以下	1												1
10 ～14.9	1											1	2
15 ～19.9	4						1					2	7
20 ～24.9	11						1					8	20
25 ～29.9	6						5	2				4	17
30 ～34.9	3											3	6
35 ～39.9						2							2
40 ～44.9						1							1
50 ～54.9												1	1
55 ～59.9													
学校数	26					3	7	2				19	57
平均点	23.33					37.86	26.91	26.25				25.16	

さらに本土が今回全問題五〇%をこしたのに対し、全琉の場合五〇%を上回るものがないことも注目してよい。

なお、前回と今回では問の形式、数値などの相違が正答率に影響を与えているであろうことは想像される。したがつて厳密な意味での比較考察は困難である。

中学校における数学の問題別にみた結果を本土と比較すると第12表のとおりとなる。

いずれの問題も本土より低い正答率を示している。ことに差の比較的大きいのをあげてみると、「正の数、負の数の概念」「かつこのはずし方と同類項の計算」「累乗の理解」「文字を用いて数量を表わす能力」「連立二元一次方程式を解く能力」「連立二元一次方程式の立式の能力」「統計表から数量を読みとる能力」等となる。なお、「有効数字の理解」「一元一次方程式を解く能力」「比例関係を式に表わす能力」「円柱の体積を求める能力」等の正答率が僅かに一〇%前後にとまつていることが注目される。

中学校における問題別にみた正答率を前回の結果と対比したのが第13表である。「指数が奇数である負の累乗に関する問題」「二つの数量の比例関係の判別に関する問題」を除いては、いずれも前回より正答率は幾分高い。しかし、「代入による数値を出す問題」「割合」「分数に関する問題は正答率が低く二〇%に達しない。

第14表は高等学校における問題別領域別に本土と正答率を比較したものである。

なお参考までに高等学校における学校条件調査のまとめと小・中学校の連合教育区別平均点の比較図を末尾に掲載する。

小学校 問題別にみた結果（国語）　第8表a

領　域	問題番号	内　容	本土	沖縄
			%	%
A聞くこと	(一)	指示の聞きとり	43.3	28.8
	(二)	指示伝達の聞きとり	58.2	56.3
	(三)	話し合いの展開にしたがう内容の聞きとり	54.3	31.8
B書くこと	(四)	語句の意味、用法に関するもの	55.1	40.2
	(五)・(六)	漢字を使つての語句の書き表わし方	50.0	40.7
	(七)・(八)	文章の組み立てに関するもの	59.2	43.5
C読むこと	(九)	文学的文章について	31.7	23.9
	一	文章のねらいに関するもの	38.9	25.9
	二～四	文章の中での語句の理解に関するもの	25.8	23.0
	(十)	説明的文章について	41.8	27.0
	一	文章の段落に関するもの	48.9	29.7
	二	要点に関するもの	34.8	24.3
	(土)	随筆的文章について	43.1	26.5
	一	文章のねらいに関するもの	44.1	29.5
	二	文章の中での語句の理解に関するもの	41.6	23.9

中学校 問題別にみた結果（国語）　第8表b

領　域	問題番号	内　容	本土	沖縄
			%	%
A聞くこと	(一)	話しの内容の聞きとり	63.6	34.5
	(二)	話し合いの展開にしたがう内容の聞きとり	60.0	37.1
B書くこと	(三)	語句の意味、用法に関するもの	58.0	48.6
	(四)・(五)	漢字を使つての語句の書き表わし方	52.2	36.8
	(六)	表現のしかたに関するもの	71.8	57.6
C読むこと	(七)	説明的文章について	51.8	43.4
	一	文章の組み立てに関するもの	56.0	44.9
	二	文章の要旨に関するもの	40.0	30.9
	三～四	文章の中での語句の理解に関するもの	56.2	44.9
	(八)	論説的文章につて	64.5	53.7
	一～二	文章の要旨に関するもの	61.4	49.9
	三	文章の中での語句の理解に関するもの	74·1	61.1
	(九)	文学的文章について	66.7	53.8
	一	読後の感想に関するもの	74.0	58.0
	二～四	文章の中での文（語句）の理解に関するもの	63.5	52.4

高等学校　国語領域別本土との比較　　第8表c

領域	番号	内容	本土 全日制	本土 定時制	沖縄 全日制	沖縄 定時制
A 聞くこと	㈠	話し合いの展開にしたがう内容のきゝとり	% 76.3	% 63.8	% 63.2	% 58.3
B 書くこと	㈡	語句の意味、用法に関するもの	61.6	45.7	48.2	40.0
	㈢と㈣	漢字を使って語句の書き表わし方	80.0	56.9	68.5	45.3
	㈧	文章の組み立てに関するもの	29.2	16.0	22.6	14.8
C 読むこと	㈤	評論文章について	67.9	55.9	52.3	46.8
	一	文章の要旨に関するもの	82.5	69.9	74.1	65.7
	二	文章の中での語句の理解に関するもの	53.3	41.9	41.0	38.5
	㈥	論説的文章について文章の中での語句の理解に関するもの	58.0	44.9	52.5	40.6
	㈦	文学的文章について	47.0	37.1	40.5	32.8
	一～二	文章の中での(語句)の理解に関するもの	45.1	41.8	39.1	32.3
	三	文章のねらいに関するもの	50.1	35.1	41.6	34.1
	㈨	漢文の理解に関するもの	61.8	42.1	49.7	36.7
	㈩	古文の論説的文章について文章の中での語句の理解に関するもの	55.6	39.8	43.2	34.0
	(十一)	古文の文学的文章について、文章の中での語句の理解に関するもの	48.1	39.2	41.3	34.1

国語　共通問題による比較　第9表

学校	問題番号		問題	出題方法	本土 31年	本土 34年	沖縄 31年	沖縄 34年
小学校	㈤1		往復	漢字弁別	56.3%	63.5%	28.4%	49.0%
	㈥1	㈠	汽車	漢字再生	66.2	74.0	30.1	42.7
		㈡	鉄橋	〃	30.3	44.7	21.8	12.4
	6	(十一)	健康	漢字再生	24.8	28.4	19.4	6.3
中学校	㈣1	㈠	健康	〃	52.9	55.1	47.3	46.8
	5	㈥	厚着	〃	41.5	46.7	24.3	31.0
		㈦	衛生	〃	46.5	43.8	26.4	29.0
	㈤1		成績	漢字弁別	40.8	47.4	21.6	24.3
高等学校	㈢	㈠	厚着	漢字再生	79.0	84.5	69.9	73.4
		㈡	衛生	〃	65.2	70.4	62.8	60.8
	5	㈥	複雑	〃	61.3	73.3	40.3	44.0
	㈣1		成績	漢字弁別	72.2	79.2	52.2	52.2

小学校　問題別にみた結果（算数）　第10表

領域	問題番号	内容	正答率 本土	正答率 沖縄
			%	%
A 数と計算	1(1)～(4)	整数および小数の四則計算(整数の乗法、除法、小数の減法、除法)	61.4	34.8
	2	数の大小についての理解	54.8	35.5
	4(1)～(4)	分数の四則計算	62.1	45.8
	11	分数についての理解	40.4	22.4
	12(1)	整数についての理解	28.1	10.9
	17(2)	概数をとる能力	11.5	2.6
B 量と測定	3 (1) (2)	単位の相互関係、(面積◦重さ)	42.2	14.9
	5 (1) (2)	速さについての理解とその計算	28.2	16.4
	7 (1) (2)	測る物に応じた単位および計器を選ぶ能力	69.8	44.4
	10	計器をよむ能力（重さ）	20.4	6.5
	15 (1) (2)	面積の公式を用いる能力	29.4	8.3
C 数量関係	6(1)(2)(3)	棒グラフをよむ能力	58.8	38.8
	8(1)(2)(3)	計算の規則やかつこの意味の理解	70.5	43.4
	12 (2)	割合を用いる能力	4.0	2.6
	(3)	表および式についての数量の関係を調べる能力	15.8	14.9
	14	式の表わす数量の関係をよむ能力	40.3	19.6
	16 (1) (2)	割合（比の値）につての理解	65.8	35.6
	17 (1)	グラフを作る能力	18.4	7.6
D 図形	9(1)～(4)	基本的な平面図形についての理解、直方体の面についての理解	40.4	21.1
	13	立体図形について空間的な関係を調べる能力	27.0	10.4

小学校　問題別にみた正答率の比較　第11表

昭和31年度 問題		正答率 本土	正答率 沖縄	昭和34年度 問題		正答率 本土	正答率 沖縄
		%	%			%	%
1	(1) 425×38	68.9	54.0	1	(1) 875×64	67.7	39.9
	(2) 4648÷56	69.6	44.0		(2) 2988÷36	74.9	46.4
6(2)	0.06, 1, 0, $\frac{2}{5}$ の大小の判別	49.8	28.4	2	0.06, 1, $\frac{3}{4}$, 0, $1\frac{1}{3}$ の大小判別	54.8	34.9
4	(2) $4\frac{3}{8}-1\frac{5}{8}$	48.4	28.9	4	(2) $3\frac{2}{5}-1\frac{3}{5}$	66.0	43.9
	(3) $2\frac{1}{5}\times 3$	54.7	43.4		(3) $1\frac{2}{7}\times 3$	53.9	38.0
9	(1) 7＋14÷7 (2) 12÷3×2	53.3	19.6	8	(1) 2＋8×6	55.9	24.4
					(2) 24÷6×2	68.7	43.1

中学校問題別にみた結果（数学）　第12表

領域	問題番号	内容	正答率 本土	正答率 沖縄
A 数	1 (1)	最大公約数・最小公倍数の理解	48.2%	35.9%
	(2)	正・負の数の大小の判別	48.8	40.2
	(3)(4)(5)	小数・分数、正・負の数の計算	50.5	33.1
	6 (1)〜(3)	正の数、負の数の概念	47.0	21.7
	14 (1)	概算する能力	43.3	27.9
	(2)	有効数字の理解	17.5	10.3
B 式	2 (1)〜(3)	式の値	47.8	30.8
	(4)	同類項の計算	79,1	68.1
	(5)	かっこのはずし方と同類項の計算	45.4	24.6
	(6)	単項式の商	45.6	27.2
	(7)	累乗の理解	49.5	28.6
	(8)	単項式の積	57.0	42.1
	8 (1) (2)	文字を用いて数量を表わす能力	65.8	42,5
	(3) (4)	一元一次法程式を解く能力	49,2	33.2
	(5)	連立二元一次方程式を解く能力	38.7	17.4
	13 (1)	一元一次方程式の立式の能力	12.2	2.4
	(2)	連立二元一次方程式の立式の能力	40.0	14.4
C 数量関係	3 (1)〜(4)	比の意味と用法の理解	40.5	24.7
	(5) (6)	数表による比例関係の判定	33.7	25.4
	7 (1)	点の座標の表わし方	59.1	42.1
	(2) (3)	直線のグラフと式との関係	39.4	23.9
	9 (1)〜(3)	統計表から数量を読みとる能力	60.8	40.3
	11 (1)	比例関係の判別能力	43.7	27.9
	(2)	比例関係を式に表わす能力	27.0	9.4
D 計量	4 (1)〜(3)	縮図の概念	36.8	19.8
	12 (1)	円柱の体を求める能力	31.1	11.5
	(2)	おうぎ形の面積を求める能力	14.8	14.4
E 図形	5 (1)〜(3)	三角形の中点を結ぶ直線の性質の理解と四角形の判定力	51.4	39.6
	10 (1)	合同条件を用いる能力	33.3	25.2
	(2)	相似条件を用いる能力	30.3	27.9

中学校　問題別にみた正答率の比較　　第13表

昭和31年度		本土正答率	沖縄正答率	昭和34年度		本土正答率	沖縄正答率
問	題	%	%	問	題	%	%
1(1)	64.72の最大公約数	44.9	29.1	1(1)	48. 60 の最大公約数	49.0	36.7
	〃　最小公約数	34.4	21.8		〃　最小公約数	47.5	35.2
4	(1) X＝2　Y＝－3のとき XYの値	48.5	25.5	2	(1) a＝3　b＝－1のとき abの値	60.0	40.9
	(2) X＝3のとき　$-X^2$ の値	21.1	10.8		(2) X＝－5のとき $-X^2$ の値	29.2	15.7
	(3) X＝2、Y＝－3のとき 2X＋3Yの値	40.4	20.1		(3) P＝2 q＝－4のとき 2P＋3qの値	54.2	35.8
8	(4) a＋2a	65.2	53.5		(4) 7n＋5n	79.1	68.1
	(7) $(-a)^3$	49.4	39.2		(7) $(-X)^5$	49.5	28.6
1	(3) □ の30%は15	34.4	14.4	3	(1) □ mの40%は26m	43.8	21.2
	(4) 4は □ の1割6分	27.0	10.6		(2) 12kgは □ kgの1割5分	36.8	15.2
	(5) 甲が乙の $\frac{2}{5}$ なら2は甲の □	26.7	26.7		(3) AがBの $\frac{5}{8}$ ならBはAの □	51.1	47.3
	(6) $\frac{5}{\square}=\frac{3}{9}=\frac{\square}{12}$	27.8	12.8		(4) $\frac{7}{\square}=\frac{4}{12}=\frac{\square}{15}$	30.4	15.3
	二つの数量×、Yの比例関係の判別				二つの数量X、Yの比例関係の判別		
	(4) $\frac{X}{Y}$ │ $\frac{10}{25}$ │ $\frac{12}{30}$ │ $\frac{16}{40}$ │ $\frac{\cdots\cdots}{\cdots\cdots}$	42.9	30.4		(5) $\frac{X}{Y}$ │ $\frac{10}{15}$ │ $\frac{14}{21}$ │ $\frac{18}{27}$ │ $\frac{22}{33}$ ……	41.0	28.3
	(3) $\frac{X}{Y}$ │ $\frac{1}{12}$ │ $\frac{2}{10}$ │ $\frac{3}{8}$ │ $\frac{4}{6}$ ……	29.0	23.5		(6) $\frac{X}{Y}$ │ $\frac{8}{16}$ │ $\frac{10}{14}$ │ $\frac{12}{12}$ │ $\frac{14}{10}$ ……	26.4	22.5
4	(4) 1本a円のペン5本の値段	73.7	50.4	8	(1) 1冊P円の本n冊の値段	72.7	53.2
	(5) 100円札X枚と10円銅貨1枚との合計	50.7	21.8		(2) 100円札a枚と10円硬貨b個の合計	58.9	31.9

高等学校数学領域別本土との正答率比較　　第14表

	問題番号	問題内容	本土 全日制	本土 定時制	沖縄 全日制	沖縄 定時制
			%	%	%	%
代数的内容	1	基礎的計算能力	66.0	29.5	39.9	21.1
	2	数概念	42.7	8.8	19.8	8.9
	3	式の基本的取扱い	45.1	11.7	23.9	8.8
	4	直線の式	63.1	23.3	38.0	19.1
	5	立式	7.9	0.9	2.6	1.5
	6	方程式不等式の解法	43.2	7.5	18.6	6.0
	9	比例関係とその計算	19.2	4.6	10.8	7.8
	11	二次函数の性質	22.0	2.7	8.1	2.7
	12	指数対数計算	25.0	4.4	9.3	3.9
	13	対数の性質	38.0	5.4	16.0	5.0
幾何的内容	7	円の性質と推論	45.4	19.6	26.2	18.4
	8	基本的な軌跡	29.6	22.1	21.0	21.7
	10	直線・図型・論理	29.7	22.8	23.3	16.3
	14	三角形の解法	8.5	0.9	1.4	0.8
	15	空間図形の理解	39.1	17.8	19.5	14.3

高等学校（通常）　学校条件調査のまとめ

教育条件＼学校	学校規模 34.5.1 全生徒数	学校規模 34.5.1 調査対象人員	進学就職状況 34.7.1 受験率	進学就職状況 34.7.1 就職率 %	進路特性に応ずる学級編成 している	進路特性に応ずる学級編成 していない	教員免許状 a 教員数 国	教員免許状 a 教員数 数	教員免許状 b 免許状所持 国	教員免許状 b 免許状所持 数	教員免許状 b/a × 100 国	教員免許状 b/a × 100 数	教員免許状 c 担当教科を専攻しているもの 国	教員免許状 c 担当教科を専攻しているもの 数	教員免許状 c/a × 100 国	教員免許状 c/a × 100 数	学校平均 国語	学校平均 数学	国語数学平均	知能偏差値 学校平均
A	1,585	533	% 72	% 5	0		11	9	10	8	% 91	% 89	8	4	% 73	% 44	62.8	30.1	46.4	53.1
B	1,589	527	44	13		0	10	8	10	7	100	88	7	5	70	63	57.4	28.0	42.7	
C	946	303	37	26	0		5	5	4	5	80	100	4	5	80	100	54.4	23.8	39.1	51.58
D	871	300	47	14		0	6	6	6	6	100	100	6	6	100	100	56.2	28.9	42.5	50.64
E	1,127	392	32	28	0		10	6	9	6	90	100	5	2	50	33	54.4	22.7	38.5	49.3
F	1,197	385	38	36	0		6	6	6	6	100	100	4	4	67	67	53.0	18.0	35.5	48.2
G	717	253	24	28	0		4	5	4	4	100	80	4	2	100	40	50.0	21.6	35.3	46.27
H	828	196	35	37	0		5	7	4	3	80	43	5	2	100	29	54.5	21.3	37.9	48.95
I	546	180	32	18	0		3	3	2	3	67	100	2	3	67	100	51.2	19.7	35.4	49.4
J	430	151	30	45	0		3	3	2	1	67	30	2	1	67	30	41.8	13.7	27.7	45.19
K	1,011	309	20	36	0		6	6	6	4	100	67	6	4	100	67	52.7	19.5	36.1	49.6
L	474	152	36	36	0		3	3	3	3	100	100	3	1	100	33		21.7		48.8
M	580	177	35	50	0		3	3	3	3	100	100	2	2	67	67	49.7	18.4	34.0	47.4
N	469	145	37	34	0		3	3	3	2	100	67	3	1	100	33	45.4	16.7	31.0	46.7
O	582	184	49	7	0		4	4	3	2	75	50	4	4	100	100	56.3	31.5	43.3	52.6
P	469	143	28	22	0		5	5	3	2	60	40	2	2	40	40	55.5	24.5	40.0	53.4

※国語、数学で実験学校、研究校の指定をうけたことはない。

高等学校(定時制)　学校条件調査のまとめ

教育条件／学校	学校規模 34.5.1		進学・就職状況 34.7.1		進路特性に応ずる学級編成		教員免許状												学校平均		国語数学平均	知能偏差値学校平均
	全生徒数	調査対象人員	受験率 %	就職率 %	している	していない	a 教員数		b 免許状所持		$\frac{b}{a}\times 100$		c 担当教科を専攻している		$\frac{c}{a}\times 100$				国語	数学		
							国	数	国	数	国	数	国	数	国	数						
A	746	263	20.0	65.0		0	3	5	2	0	67	0	2	0	67	0			45.0	7.9	26.5	44.78
B	971	332	17.6	50.0		0	4	3	4	2	100	67	2	0	50	0			41.6	6.1	23.8	45.1
C	958	319																	44.5	10.1	27.3	46.5
D	591	187	23.7	70.4		0	3	3	3	3	100	100	3	1	100	33			40.5	6.5	25.0	44.08
E	545	147	15.9	84.0															30.5	7.7	19.1	50.4
F	1.119	360																	55.3	16.7	36.0	50.4
G	1.143	337	8.5	56.7			5	8	5	8	100	100	5	4	100	50			50.4	15.5	32.9	50.37
H	484	165	7.6	90.4		0	2	3	2	1	100	33	2	0	100	0			40.4	10.9	25.6	47.02
I	808	209	2.6	59.1	0		3	4	3	4	100	100	3	4	100	100			42.6	10.7	26.7	49.05

中学校　連合教育区別平均点（全数）

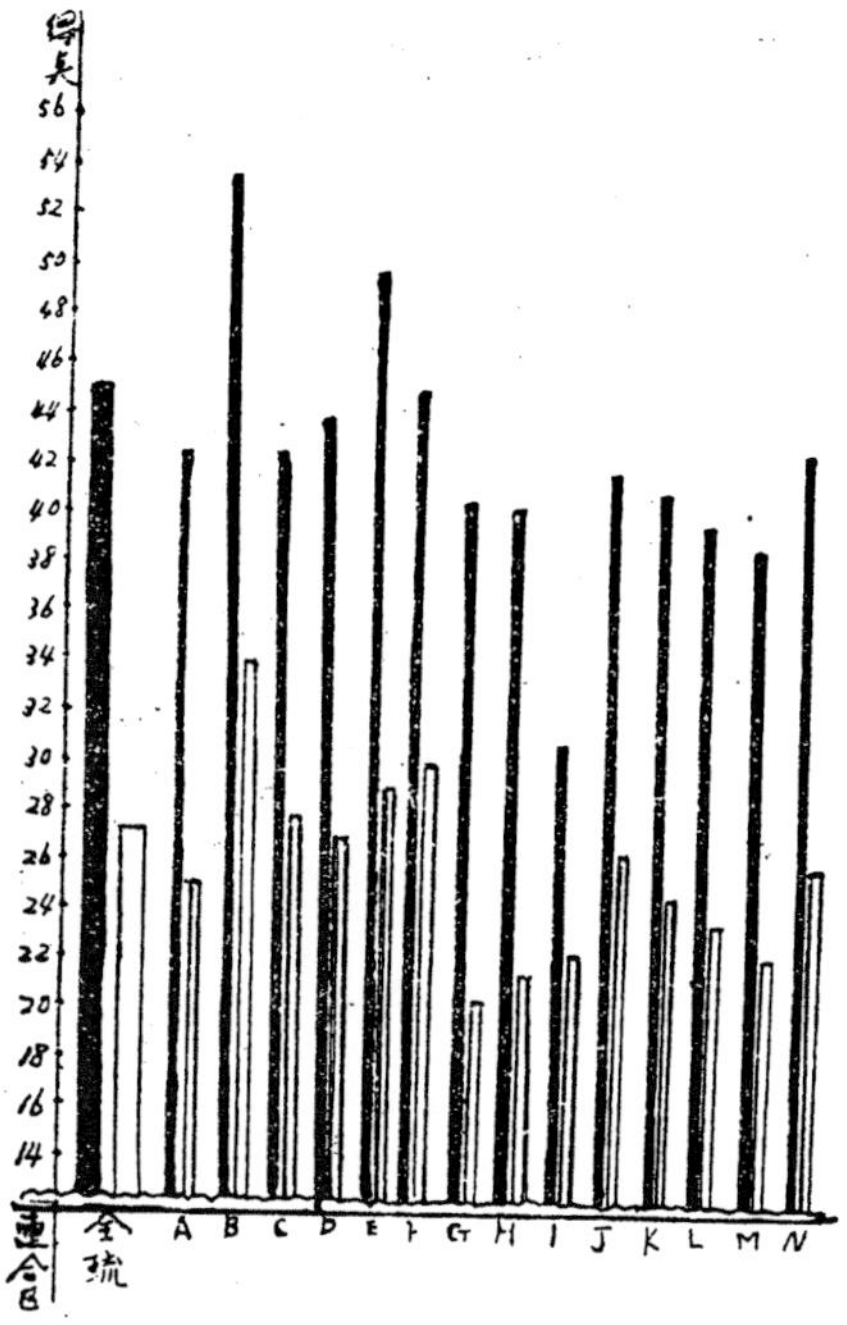

小学校　連合教育区別平均点（全数）

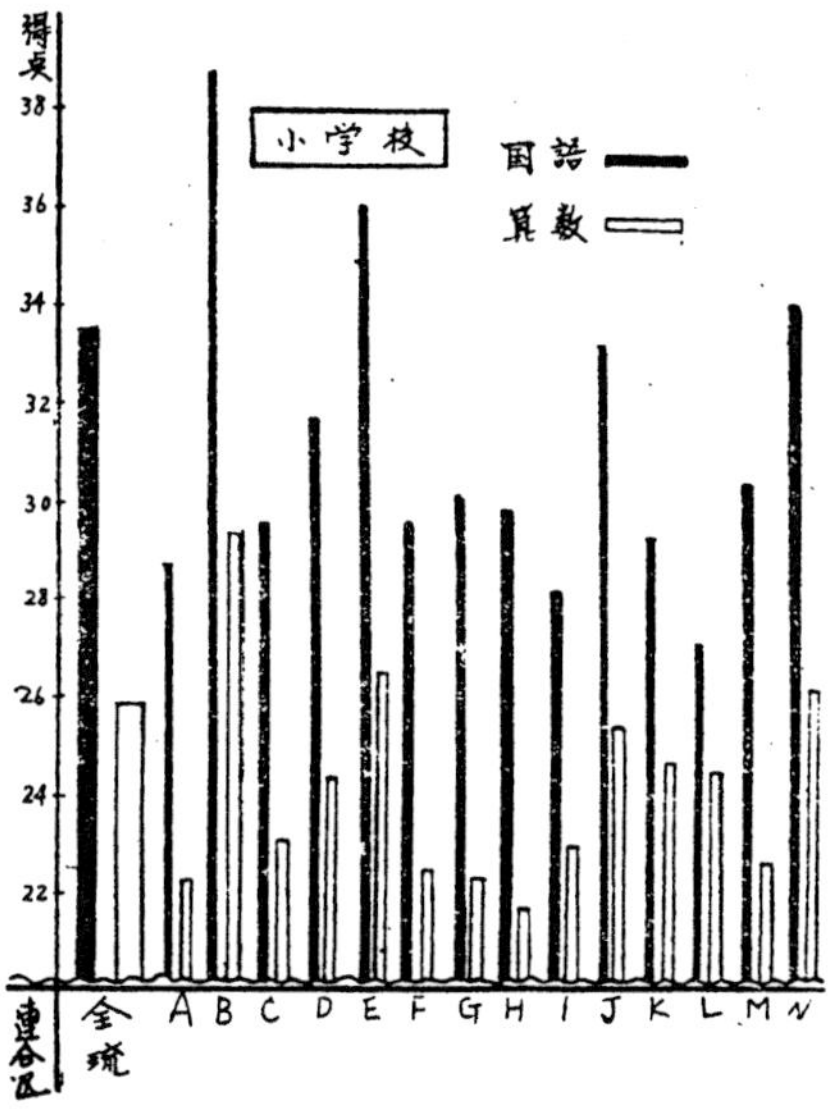

高等学校　国語領域別　本土との比較　　第 9 図

領域	番号	内容
A 聞くこと	(一)	話し合いの展開にしたがう内容のきゝとり
B 書くこと	(二)	語句の意味、用法に関するもの
	(三)と(四)	漢字を使って語句の書き表わし方
	(八)	文章の組み立てに関するもの
C 読むこと	(五)	評論文章について
	一	文章の要旨に関するもの
	二	文章の中での語句の理解に関するもの
	(六)	論説的文章について文章の中での語句の理解
	(七)	文学的文章について
	一～二	文章の中での文（語句）の理解に関するもの
	三	文章のねらいに関するもの
	(九)	漢文の理解に関するもの
	(十)	古文の論説的文章について文章中での語句の理解
	十一	古文の文学的文章について文章中の語句の理解

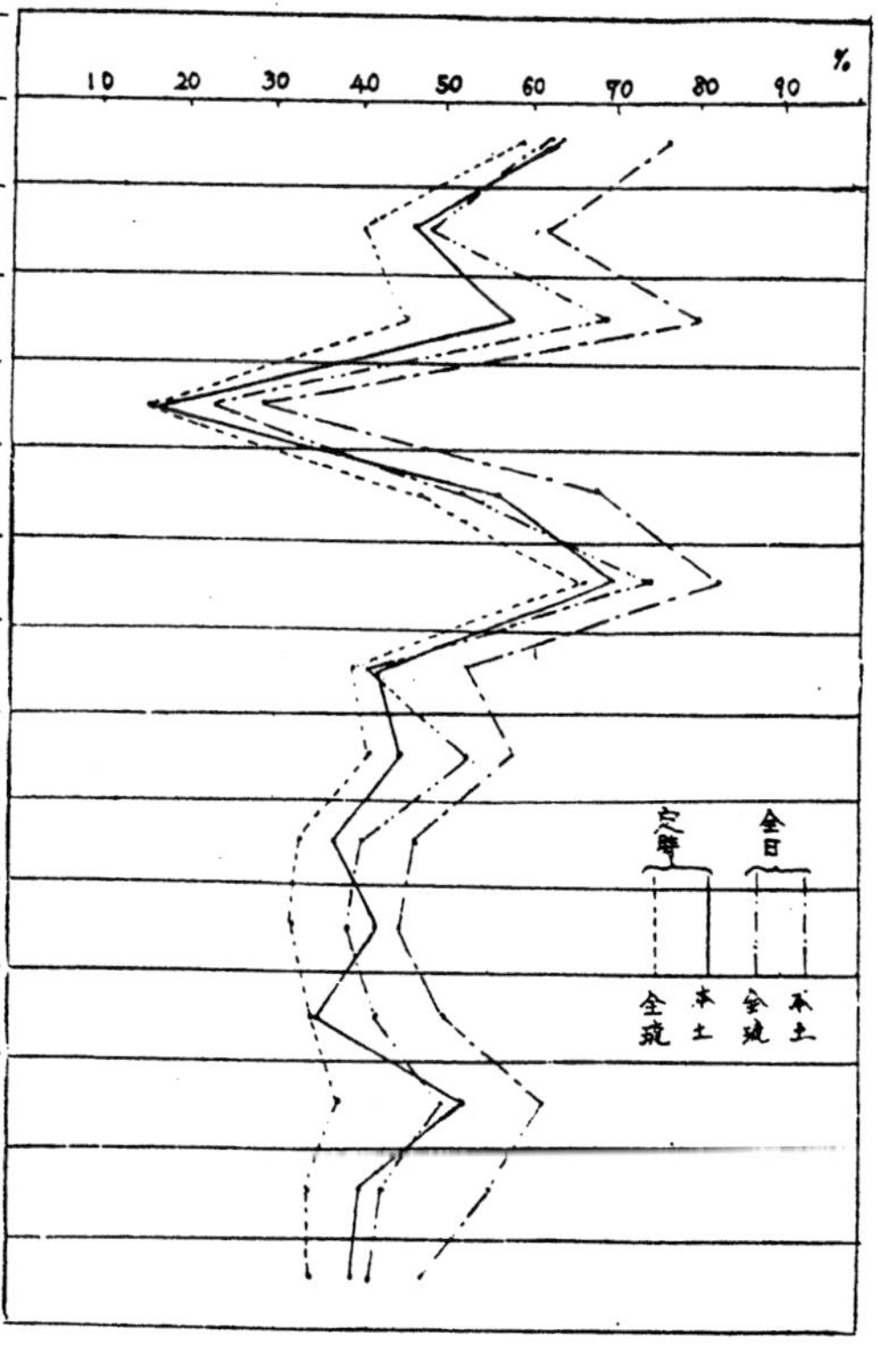

高等学校　数学領域別 本土との比較　第10図

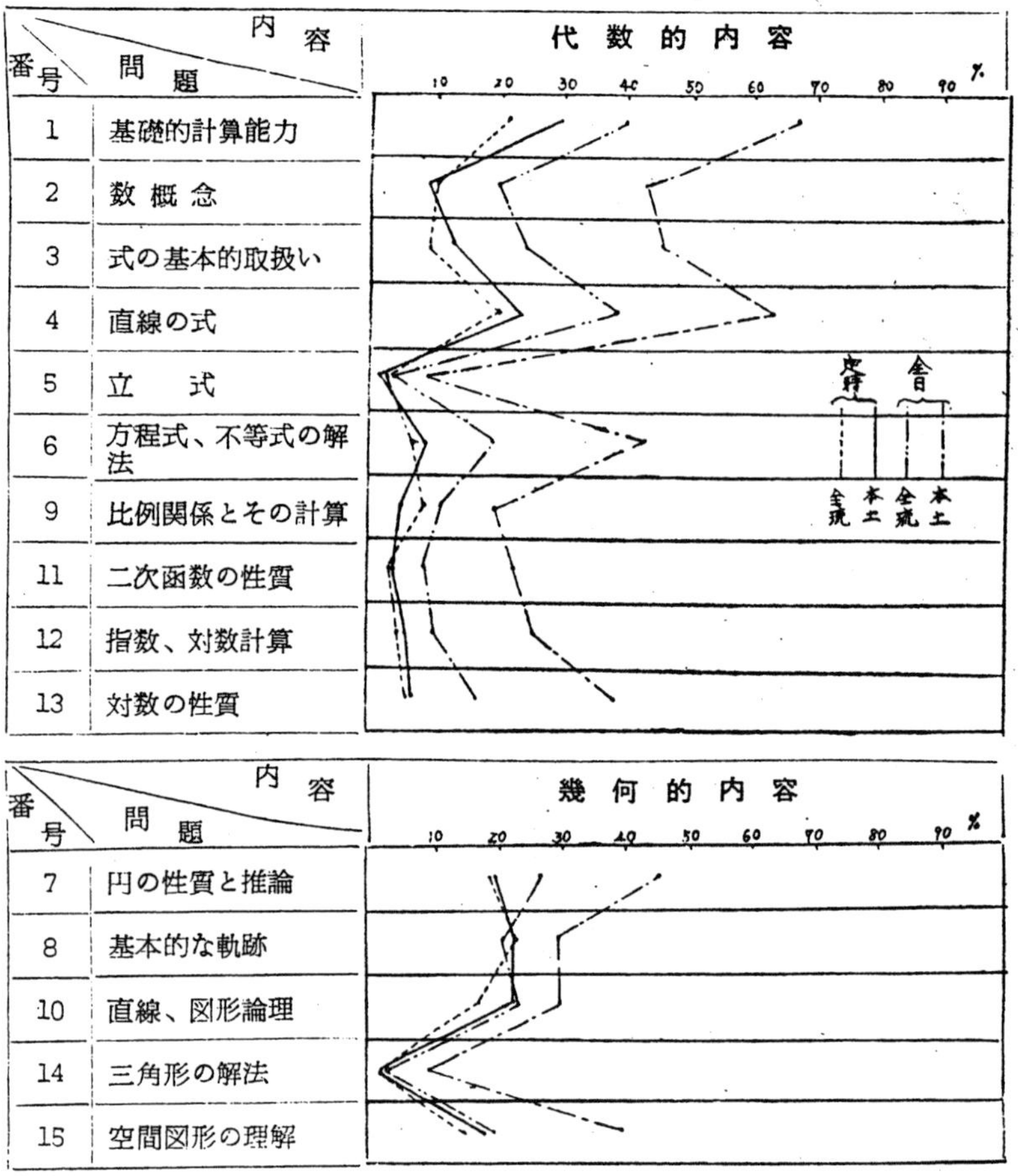
内容
番号
問題
代数的内容
10 20 30 40 50 60 70 80 90 %
1 基礎的計算能力
2 数概念
3 式の基本的取扱い
4 直線の式
5 立式
6 方程式、不等式の解法
9 比例関係とその計算
11 二次函数の性質
12 指数、対数計算
13 対数の性質
全日
全琉 本土 全琉 本土
内容
番号
問題
幾何的内容
10 20 30 40 50 60 70 80 90 %
7 円の性質と推論
8 基本的な軌跡
10 直線、図形論理
14 三角形の解法
15 空間図形の理解

小学校国語調査問題

昭和三十四年度全国学力調査

文部省

〔一〕 お使いに行くうちへは、どう行けばよいのでしょうか。次の五つの □ の中に、おばさんが教えてくれた道順を書き入れなさい。

ポストのところを (一)□ のほうへまがる。坂道をのぼって (二)□ メートルほど行くと、(三)□ がわに小さな (四)□ やさんがある。そのうちから (五)□ けんめのうちです。

〔四〕 四つならんでいる中で、いちばんあっていると思うものを**一つ**選んで、その番号を○でかこみなさい。（問題は1から15まであります。）

1 規定＝
1 やくそく
2 きまり
3 じょうぎ
4 決定

2 拡大《かくだい》＝
1 ひろいこと
2 ほんとうにだいじなこと
3 大きくひろげること
4 大きなもの

3 当時＝
1 ちょうどよい時
2 その時
3 当番の時
4 当分

4 対立する＝
1 意見が合わないでにらみ合う
2 じゅんばんにならんで立つ
3 向こうむきになって立つ
4 意見が合ってなかよくする

5 この仕事をしあげるために、あなたがたの努力を
1 活用《かつよう》
2 尊敬《そんけい》
3 期待《きたい》
4 参加《さんか》
しています。

6 あの人の国語の成績は
1 じょうずである。
2 よくできる。
3 はっきりしている。
4 すぐれている。

7 勉強するときには、精神を
1 一様《いちよう》
2 統一《とういつ》
3 要約《ようやく》
4 平均《へいきん》
することがたいせつです。

8 意見を
1 もとめられた
2 まとめられた
3 みとめられた
4 みつけられた
ので、わたしの考えを述《の》べた。

〔二〕 保健部からは、どんなことをお願いしていましたか。次の1から6までの中から、今、係りが、お願いしたこととあっているものを**二つ**選んで、その番号を○でかこみなさい。

1 月・水・金の三日間、衛生検査をするから、わすれ物をしないようにすること。

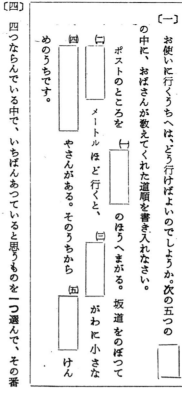

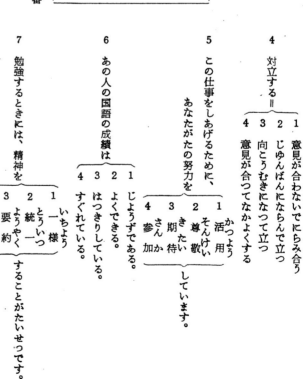

2 気候がいいから、運動をして、からだをじょうぶにすること。
3 いつでも、ハンカチ・はながみをわすれずに持ってくること。
4 本をよごさないように気をつけること。
5 手足のつめを切って、きれいにしておくこと。
6 遊んでいるときや、体育の時間に、人にけがをさせないようにすること。

9 きみが、そんなことをする
1 推理《すいり》
2 原理《げんり》
3 理由《りゆう》
4 修理《しゆうり》
がわからない。

10 児童《じどう》会《かい》で、六年一組の
1 援助《えんじよ》
2 権利《けんり》
3 想像《そうぞう》
4 要求《ようきゆう》
がとおった。

11 あの人はりっぱな仕事をなしとげたので、国民は
1 なにより
2 永久に
3 いかにも
4 さらに
その名をわすれないだろう。

12 春と秋を
1 比較《ひかく》
2 判断《はんだん》
3 類別《るいべつ》
4 予想《よそう》
して、そのちがいを言いなさい。

13
1 かん病したおかげで、病気が
2 しばいを見ていた人が
3 大火事で焼けた町が
4 わるかった成績が
みるみるうちに復興していった。

14 わたしは、そこにたたずんでいる
1 人
2 寺
3 犬
4 かすみ
に気がつかなかった。

15 わたしは、図書委員としての責任を
1 かためた。
2 はげんだ。
3 とおした。
4 はたした。

〔三〕 問一 今の学級児童《じどう》会《かい》で、話し合いの中心になっていたことがらは、何だったでしょうか。次の1から4までの中から**一つ**選んで、その番号を○でかこみなさい。

1 うらのあき地に花だんがあるから、そこに花をうえたらどうかということ。
2 うらのあき地をきれいにするには、何を作ったらよいかということ
3 うらのあき地に、花だんをどのように作ったらよいかということ。
4 うらのあき地に、花だんを作るか作らないかということ。

問二 一郎《いちろう》さんの提案《ていあん》に反対していた人たちは、どういう理由《りゆう》で反対していたのでしょうか。次の1から6までの中から、正しいと思うものを**二つ**選んで、その番号を○でかこみなさい。

1 六年生になって、勉強することが多くて、花だんの世話《せわ》まで手がまわらないから。
2 うさぎの世話もしなければいけないから。
3 花だんを作っても、どうせ、世話が長つづきしないから。
4 花だんの世話は、めんどうだから。

5 五年のときに、いちど作つて失敗したことがあるから。

6 六年になつて、いろいろ仕事がふえて、花だんの世話までやれないから。

問三 さいごに、三郎《さぶろう》さんがみんなと、すこしちがう意見を言いましたが、この三郎さんの考えは、さいしよに提案《ていあん》した一郎さんの考えと、どういうところがちがつていたのでしようか。次の1から4までの中から、正しいと思うものを**一つ**選んで、その番号を〇でかこみなさい。

1 教室だけでなく、学校全体をきれいにしたほうがよいと考えたところ。

2 学級ではきめられないから、学校全体できめてもらおうと考えたところ。

3 ぼくたちだけでやれないなら、ほかの学年の人にも、てつだつてもらおうと考えたところ。

4 ぼくたちはいそがしいから、ほかの学年の人に、かわつてやつてもらおうと考えたところ。

〔五〕 次の1から5までの文の中に、漢字が四つならべてあります。その中で、正しいと思うものを**一つ**選んで、次のやりかたのように、その番号を〇でかこみなさい。

（やりかた） 向こうに見えるのが、わたしの学{1 行　②校　3 交　4 効}です。

1 こんどの遠足は、往{1 復　2 服　3 複　4 福}ともバスです。

2 おじさんのうちは、三人家{1 俗　2 旅　3 続　4 族}です。

3 えんぴつを{1 貸　2 過　3 借　4 貨}してください。

4 あすは{1 勧　2 難　3 勤　4 歓}労感謝の日です。

5 規{1 測　2 側　3 息　4 則}ただしい生活をする。

〔六〕 次の□の中に、漢字を書き入れなさい。

1 (一)キシャ□□は、やがて(二)テッキョウ□□をわたつた。

2 (三)ウタ□の(四)レンシュウ□□をする。

3 お(五)イシャ□□さんに(六)ヨボウ□□ちゆうしやをしてもらつた。

4 (七)サム□くても、はやく(八)オ□きなさい。

5 (九)キカイ［　　］の(十)イチブブン［　　　　］をとりかえる。

6 (十一)ケンコウ［　　］に注意する。

7 (十二)ネツタイ［　　］地方の(十三)ノウギョウ［　　］

8 星の位置の(十四)ヘンカ［　　］を観測する。

9 母の会に(十五)シユツセキ［　　］する。

〔七〕 次の文章は、「弟」という題で書いた作文です。

この文章には、五つの［　］があります。［　］の中に、あとの1から6までの、どのことばを入れたら、もつとわかりやすい文章になるでしょうか。正しいと思うものを**一つずつ**選んで、その番号を、それぞれの［　］の中に書き入れなさい。

ぼくは昭和二十二年四月十五日に生まれた。(一)［　］ぼくの家は静岡《しずおか》にあつた。(二)［　］ぼくが五歳《さい》になるまで住んでいたが、その年の夏に一家は、東京の今の家にひつこした。父が急に、東京の本社へつとめるようになつたからだ。その年の秋に弟が生まれた。(三)［　］弟とぼくは五つちがいのわけだ。

ぼくは小さいときから、たいへんじようぶで、病気一つしなかつたそうだ。(四)［　］弟は、病気がちで、母をこまらせたそうだが、今では、(五)［　］元気な一年生になつて、一日も休まないで通学している。

1 ところが　2 そこに　3 すつかり
4 そのとき　5 それは　6 だから

〔八〕 次に五つの文があります。(1)の次に、どのような順につづけると、一つづきの文章になるでしょうか。それぞれの( )の中に、つづける順をあらわす2345の番号を書き入れなさい。

(1) 村の人々の願いは、この漁港が、風の強い日や波のあら荒い時でも、安心して船がはいれるような港になることだつた。

( ) 今では、強い風の日や波の荒い時の漁船のかくれ場になつている。

( ) そのため、船が港に出入りするときに、岩にふれてなんどもくだかれたことがあつた。

( ) そこで、村人はその岩をダイナマイトでわることを決心し、ついに成功した。

( ) 港の入り口には、ちようど船が出入りするあたりに、大きな岩がいくつかあつた。

〔九〕 次の文章は、フランスのある有名な文学者が、わかいころ書いたものです。父を失つてまもなく、強勉のためにパリに出たとき、ふるさとに残した母親へ書き送つた手紙の一つです。

この文章をよくよんで、あとのしつもんに答えなさい。

なつかしいおかあさん、おわかれしてからわたしがいちばんつらかつたことは、おかあさんがかなしがつていらつしやると思うことでした。

子どもたちのことをお考えになつてください。ご自分にはまだ子どもたちが残つている。子どもたちは自分を愛していてくれる。だから自分はひとりぼつちではないのだとお考えになつてください。①どうしても一どはおこらなければならないことがおこつたというにすぎないのです。わたしたちはおとうさんのために心からの思い出をまもることにしましょう。おとうさんのご一生は、

わたしたちにとつての手本となつてくれるでしよう。おとうさんのお写真を、わたしはいつも自分のそばのつくえの上におきます。

おかあさん、運命にはしたがわなければなりません。なにしろわたしたちよりふかいものなんですから。

わたしには決心がつきました。②つらいのをがまんして生きていきます。どうしてもなれることができないことがあるとしたら、それはおかあさんがかなしがつていらつしやるということです。なにも、勇気をだして③わすれてしまおうとお思いになるにはおよびません。なにしろ、おかあさんにしても、わたしにしても、とてもわすれることのできないのは、わかりきつているのですから。けれども、力をだしてしごとのことをお考えになるのです。おかあさんの生活や、わたしの生活のことをお考えになつて、この世の中にはまだ幸福が残つている、なぜかといえば、妹にしても、わたしにしても、心からおかあさんを愛しているのだと、こうお考えにならなければいけません。

問一　次の1から4までの答えは、この手紙のねらいを短くまとめたものです。この答えのなかで正しいと思うものを**一つ**選んで、その番号を○でかこみなさい。

1　おかあさん、あなたはいつもさびしそうです。しかし、こんどのことは、一どはおこることが、おこつたにすぎません。だからそのことは、もう考えないでがんばつてください。

2　おかあさん、子どもたちが元気でいるということは幸福なことです。おとうさんのことは、考えても幸福にはなれません。ですから、どうぞわすれるようにがんばつてください。

3　おかあさん、さびしいあなたとわかれてこちらへ来たことが気になりますが、わたしもがんばります。どうぞ、まだ幸福は残つているのだということを考えて、がんばつてください。

4　おかあさん、わたしは決心しました。わたしはパリへ来てしまいましたが、妹がおかあさんのめんどうをよく見てあげるようになつています。ですから、つらいことにまけずに、おかあさんもがんばつてください。

問二　文章の中に「④どうしても一どはおこらなければならないこと」とあるのは、次の1から4までのどれをさしていますか。正しいと思うものを**一つ**選んで、その番号を○でかこみなさい。

1　おかあさんとむすこがわかれわかれに住むということ。

2　人はだれでもいつかはかならず死ぬということ。

3　人はだれでも一つは、わすれられない思い出をもつということ。

4　人にはだれでもつらいときがあるということ。

問三　文章の中に「②つらいのをがまんして」とある「つらい」とは、次の1から4までの中のどれですか。正しいと思うものを**一つ**選んで、その番号を○でかこみなさい。

1　おとうさんが死んだので、さびしくてならないということ。

2　おとうさんが死んだので、パリでの強勉にお金がたらなくてつらいこと

3　おかあさんのさびしがつていることが、どうしてもわすれられないこと

4　さびしいおかあさんのそばをはなれて、勉強に出なければならないこと。

問四　文章の中に「③わすれてしまおう」とあるのは、なにをわすれるというのですか。次の1から4までの中で、正しいと思うものを**一つ**選んで、その番号を○でかこみなさい。

1　おとうさんについての思い出のこと。

2　おかあさんが、かなしがつていらつしやること。

3　おかあさんの生活やわたしたちの生活のこと。

4　心からおかあさんを愛しているということ。

〔十〕

次の文章をよく読んで、あとのしつもんに答えなさい。

(1)　地球は、直径《ちよつけい》一万二七〇〇キロメートルもある大きな球です。ひじょうに大きいので、その上に住んでいるわたしたちには、そのまるみが感じられず、地面はどこまでもたいらにひろがつているように思えます。

(2)　けれど、ロケットに写真機をのせて、数百キロメートルの高い空から地球をうつせば、その大きなまるみをうつしだすことができます。

(3)　もつとも、地球がまるいということは、今から二五〇〇年前ごろ、ギリシア

の学者たちも考えていました。この学者たちは、海岸に立つて沖《おき》から近づいてくる船を見ていると、まず、ほばしらの先が見え、それからだんだんと船の下のほうが見えてくるということを、地球がまるいことの一つのしようこだと考えました。

(4) 地球の表面は、山や海があつて、ずいぶんでこぼこしているに思えますが、地球の直径がひじように大きいので、地球全体からみれば、ほとんどそのでこぼこは問題になりません。

(5) もし、地球が直径一メートルの球だとして考えてみれば、世界でいちばん高いエベレスト山でさえ、高さはわずかに〇・七ミリメートルほどにすぎませんし、太平洋のいちばん深いところでも、〇・八五ミリメートルほどの深さにしかなりません。

問一　この文章は、(1)(2)(3)(4)(5)の五つからできています。この五つからできている長い文章を、二つにくくる（二つのだんらくにまとめる）とすれば、どのようにくくるのがよいでしょうか。次の1から4までの中で、いちばんよいと思うものを**一つ**選んで、その番号を〇でかこみなさい。

1　(1)　と　(2)(3)(4)(5)
2　(1)(2)　と　(3)(4)(5)
3　(1)(2)(3)　と　(4)(5)
4　(1)(2)(3)(4)　と　(5)

問二　四人の子どもが、この文章を読んで、それぞれ、たいせつだと思うことをまとめてノートに書きぬきました。だれがいちばんよくできていますか。その人の名まえを**一つ**選んで〇でかこみなさい。

はなこ	1　地球の直径はひじように大きい。 2　地球はまるいということを、ロケットから写真にとつた学者がいる。 3　地球には山や海があつて、でこぼこしている。いちばん高いのはエベレスト山で、いちばん深いところは太平洋の海にある。
しげる	1　地球はたいらに思えるほどひじように大きい。 2　今から二五〇〇年前の学者たちも、地球はまるいと考えていた。 3　地球がでこぼこしているのは、山や海があるからだ。
まさお	1　地球は直径一万二七〇〇キロメートルもある大きな球だ。 2　地球の上に住んでいると、そのまるみはわからない。 3　ギリシアの学者たちは、船で地球のまるいことをしらべた。
あつこ	1　地球はひじように大きいので、どこまでもたいらとしか思えない。 2　地球がまるいということは、ギリシアの学者が考えたことや、ロケットからの写真でもわかる。 3　地球の表面はでこぼこしているように思うが、全体としては、まずまるいといってよい。

〔十一〕　次の文章をよく読んで、あとのしつもんに答えなさい。

近ごろは、展覧《てんらん》会や音楽会がさかんに開かれるので、絵を見たり、音楽を聞いたりする人の数が、急にふえてきたようです。そのためでしょうか、わかい人たちから、よく絵や音楽についての意見を聞かれるようになりました。近ごろの絵や音楽は、むずかしくてよくわからない、ああいうものがわかるようになるためには、どういう勉強をしたらよいか、どういう本を読んだらよいか、というしつもんがたいへん多いようです。

わたしは、美術や音楽に関する本を読むこともけつこうであるが、それよりも、なにも考えずに、たくさん見たり聞いたりすることが第一だと、いつも答えています。

きよくたんにいえば、絵や音楽がわかるとか、わからないとかいうのが、もうまちがつているのです。絵は目で見て楽しむものだ、音楽は耳で聞いて感動するものだ。頭でわかるとか、わからないとかいうべきすじあいのものではありません。まず、なにをおいても見ることです。聞くことです。

問一　この文章を書いた人が、いちばん強く言いたいことは、次の1から4までの中のどれでしょうか。正しいと思うものを**一つ**選んで、その番号を〇でかこみなさい。

1　絵を見たり、音楽を聞いたりする人が、近ごろ急にふえてきたのは、展覧会や音楽会のおかげだ。

2　絵や音楽がわかるようになるには、なにも考えずに、たくさん見たり聞いたりすることだ。
3　絵や音楽がわかるとか、わからないとかいうのは、きよくたんないいかただ。
4　世のなかの人には、絵や音楽のことが、あんがいわからないので、それでしつもんが多いのだ。

問二　この文章の中の「ああいうもの」とは、次の1から4までの中のどれをさしていますか。いちばんあっていると思うものを**一つ**選んで、その番号を○でかこみなさい。
1　近ごろ、さかんに開かれている展覧会や音楽会。
2　近ごろの絵や音楽についてのしつもん。
3　近ごろの絵や音楽についての、わかるとか、わらないとかいう意見。
4　近ごろのむずかしい絵や音楽。

中学校国語調査問題

昭和三十四年度全国学力調査

〔一〕

問一　今の話は、全体として、越冬隊の南極での生活のどういうことについて話されたでしょうか。次の1から5までの中から、いちばんあっていると思うものを**一つ**選んで、その番号を○で囲みなさい。
1　南極は寒さがひどかったので、それを防ぐのに苦心して暮らしたこと。
2　時期によって仕事はちがったが、いつもいそがしかったこと。
3　一年じゅう基地を建設する仕事で、ずいぶん苦労したこと。
4　犬ぞり隊や雪上車隊を組んで、調査旅行に出かけ、おもしろかったこと。
5　内地に知らせる仕事がありすぎて、とてもつらかったこと。

問二　今の話では、越冬隊の人たちは、次の二つの期間には、毎日の仕事のほかに、おもにどんな仕事をしたのですか。それぞれの期間の（　）の中に、下の段の1から6までの中から、いちばんあっていると思うものを**一つず**つ選んで、その番号を書き入れなさい。

㈠　六月〜七月　（　）
㈡　八月〜十二月なかば　（　）

1　調査のための旅行をして回った。
2　次の隊を迎えるための用意をした。
3　基地の建設と荷物の運搬《うんぱん》をやった。
4　みんなで食料を取りに出かけた。
5　旅行の準備をあれこれとやった。
6　気象を調べる仕事をやった。

〔三〕　四つならんでいる中で、いちばんあっていると思うものを**一つ**選んで、その番号を○で囲みなさい。（問題は1から15まであります。）

1　おもむろに＝
1　いかにもおもそうに
2　おもてだって
3　ゆっくりとしずかに
4　いうまでもなく

2　保　証＝
1　保護《ほご》すること
2　責任《せきにん》を負うこと
3　証拠《しょうこ》をだすこと
4　安全《あんぜん》を守ること

3　放棄《ほうき》する＝
1　自由にする
2　なげすてる
3　いいかげんにする
4　切りはなす

4　対立する＝
1　意見が合わないでにらみ合う
2　じゅんばんにならんで立つ
3　向こうむきになって立つ
4　意見が合ってなかよくする

5 （1 くれぐれも　2 いやしくも　3 さすがに　4 むしろ）選手として選ばれた以上、全力を尽《つ》くすべきである。

6 「地球がまるい。」ということを（1 まかなう　2 たくらむ　3 かんがみる　4 うらづける）のには、どんな説明をしたらよいですか。

〔二〕

問一　田中さんは委員をやめたい理由を、話し合いの間にいくつか述べていますが、次の五つの文について、田中さんがやめたい理由として述べたものには○印を、そうでないものには×印を、□の中に書き入れなさい。

□ 1 借りた本をなかなか返さないで、図書委員を困らせる人が多いから。

□ 2 学校におそくまで残れないので、委員になつても、じゆうぶんなことができないから。

□ 3 図書委員を図書の運搬《うんぱん》係のように考えて、ひどいあつかい方をする人がいるから。

□ 4 ことしは図書委員をなるべくやめさせてもらうようにと、うちで言われているから。

□ 5 図書委員に適任の人が、自分以外にもたくさんいるから。

問二　今の話し合いは、最後にどういう結論になりましたか。次の文の中からあつていると思うものを**一つ**選んで、その番号を○で囲みなさい。

1 やつぱり田中さんに委員をやつてもらうことにきまり、そのかわりに、田中さんの仕事を手助けする相談を、あすすること。

2 田中さんに考えなおしてもらうことにして、その結果をあす知らせてもらい、そのうえで、選挙しなおすかどうかを話し合うこと。

3 田中さんには、気の毒なので、他の人が委員になることにきまり、あすの話し合いで、その人をきめること。

4 田中さんに委員をやつてもらうにはどうしたらよいかということと、図書委員の仕事とについて、あす話し合うこと。

7 学校新聞に「動物のちえ」という記事をのせます。材料をお持ちのかたは、どうか（1 借用《しゃくよう》　2 支給《しきゅう》　3 駆使《くし》　4 提供《ていきよう》）してください。

8 一度会つただけだが、あの人の（1 印象　2 相像　3 心情　4 希望）は、強くわたしの心に残つている。

9 学者も芸術家も、けつきよくは人間の（1 実用《じつよう》　2 本質《ほんしつ》　3 悟《さと》り　4 特長《とくちよう》）を求めようとして昔から努力してきたのである。

10 政府は、この問題について（1 要望《ようぼう》　2 妥協《だきよう》　3 言明《げんめい》　4 声明《せいめい》）を発した。

11 品物が減って、{1 供給《きょうきゅう》 2 配達《はいたつ》 3 余裕《よゆう》 4 運用《うんよう》}がうまくいかない場合に
その値段《ねだん》が高くなる。

12 そのことについては、もう少し{1 観念《かんねん》的 2 抽象《ちゅうしょう》的 3 具体《ぐたい》的 4 絶対《ぜったい》的}に調べる必要がある

13 春と秋を{1 比較《ひかく》 2 判断《はんだん》 3 類別《るいべつ》 4 予想《よそう》}して、そのちがいを言いなさい。

14 会社は、事業を広げるため、新たに{1 資金 2 設備 3 建物 4 設計}をつのるはずです。

15 わたしの班《はん》は、その{1 機能 2 特色 3 問題 4 原因}を審議《しんぎ》した。

〔四〕次の□の中に、漢字を書き入れなさい。(かい書でていねいに書くこと。)

1 (一)ケンコウ □□ に注意する。

2 (二)ネッタイ □□ 地方の (三)ノウギョウ □□。

3 星の位置の (四)ヘンカ □□ を観測する。

4 母の会に (五)シュッセキ □□ する。

5 あまり (六)アツギ □□ をするのは、(七)エイセイ □□ によくない。

6 室内の温度を (八)チョウセツ □□ する。

7 食べ物を (九)ホゾン □□ する。

8 (十)センデン □□ ビラをくばる。

〔五〕次の1から5までの文の中に、誤って使った漢字が、それぞれ一つあります。正しい字を下の□中に書き入れなさい。

(例) 秋は、勉強するのに、よい委節です。 季

1 非常に成積がよい。 □

2 居間と応設間とが続いている。 □

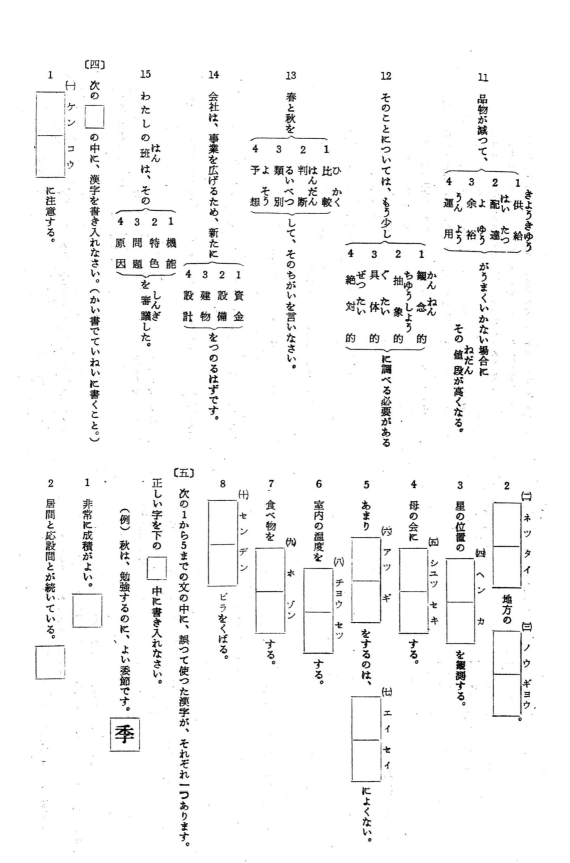

3 陸上競技の選手として活躍する。

4 余分な解説は、消略いたします。

5 豊富な経験をもつている船長。

〔六〕 次の(ア)から(オ)までには、どれにもまずAがあつて、次のBには短文がそれぞれ四つずつあります。その中に、Aと同じ意味のことを別の言い方で言つたものが**一つ**だけあります。それをさがして、その番号を○で囲みなさい。

（例） A 必要は発明の母だ。

B
① 発明は必要から生まれる。
2 発明は母のように必要だ。
3 必要から生まれた発明もある。
4 母の努力で発明が成功した。

(ア) A そういう話を聞くのは今がはじめてだ。

B
1 そういう話をはじめて聞いた人はだれでも驚くだろう。
2 そういう話は今までにも聞いたことがある。
3 今聞いたのはそういう話ではない。
4 今までにそういう話は聞いたことがない。

(イ) A かれの人がらは正直の一語に尽《つ》きる。

B
1 かれは正直をとおりこしてばか正直だ。
2 かれはほんとうに正直そのものだ。
3 かれを正直の一語で評することはできない。
4 かれは正直な人だと言つてもよいだろう。

(ウ) A 人間ほどかつてなものはない。

B
1 人間はもつともかつてなものだ。
2 この人ほどかつてな人はない。
3 人間はみなかつてなことをすればよい。
4 かつてな人もかつてでない人もいる。

(エ) A 信用できるのはあなただけです。

B
1 あなた以外にも信用できる人はいます。
2 あなただけは信用できません。
3 あなた以外の人は信用できません。
4 あなただけを信用するわけにはいきません。

(オ) A この事件がふたりを和解に導いた。

B
1 この事件はふたりの和解から導かれたものだ。
2 ふたりが和解しようとしていたとき、この事件がおこつた。
3 この事件はふたりを和解させるためにだれかがおこしたものだ。
4 この事件のおかげでふたりは和解した。

〔七〕 次の文章を読んで、あとの問いに答えなさい。

関門（国道）トンネルの開通は、本土と九州を完全に陸続きにし、大阪――門司《もじ》の一級国道二号線と、門司――鹿児島《かごしま》間の国道三号線を一本にしたが、これは現在の道路に過重の負担を強要したことになつた。今まで鉄道と船に限られていた輸送が、関門トンネルという新しい動脈によつて交通体系を根本的に変えたからだ。関門トンネルを中心に北へ南へと①おびただしい数の車がはき出されていくが、これらはすべて今までの「古い道路」にかぶさつて、②混雑をさらに高める結果となつている。

関門トンネル開通前、トラックが鉄道・船舶と太刀打《たちう》ちできる行動圏《けん》は、トンネルを中心に半径八〇キロ、とくに北九州五市と下関市を包む範囲と考えられていた。ところが、開通して半年目の昨年八月、道路公団がおこなつた調査では、行動半径は一挙に拡大されて、広島・久留米《くるめ》・熊本をすつぽり包む半径二二〇キロに伸びている。

そうして開通してから一年目にはさらに伸び、北は大阪・名古屋、南は宮崎・鹿児島まで遠く拡大されている。

これだけの広い範囲へ車が走りぬけていつているわけだが、その台数もぼう大なものだ。道路公団関門トンネル管理事務所がまとめた実績によると、この一年

間にトンネルを通過した車は五八万一三三八台となつている。車の種別はオートバイを除き、小型トラックが一三万二四二一台、次が小型乗用車の九万七五〇〇台、普通トラック八万九一〇五台、以下乗用車の三万一九〇〇台などとなつている。

最近の統計によると、全九州の自動車登録台数は一四万七三七六台である。その四倍にあたる車が一年間にこの関門トンネルを往来したわけである。

問一　この文章は、あることがらについてA「事実を一般的に述べた部分」と、B「その事実をくわしく説明した部分」との二つに大きく分けられます。Aの部分はどこまでですか。次の1から4までの四つの中から、いちばんあつていると思うものを一つ選んで、その番号を○で囲みなさい。

1　最初から、「………混雑をさらに高める結果となつている。」まで。
2　最初から、「………半径二二〇キロに伸びている。」まで。
3　最初から、「………拡大されている。」まで。
4　最初から、「………以下乗用車の三万一九〇〇台などとなつている。」まで

問二　この文章で筆者が言おうとしていることはなんですか。次の1から4までの中で、いちばんあつていると思うものを一つ選んで、その番号を○で囲みなさい。

1　関門トンネルが開通したことによつて、本土と九州が陸続きになり、国道二号線と三号線が一本になつたこと。
2　関門トンネルが開通したことによつて、北九州五市と下関市を包む範囲の交通が便利になつたこと。
3　関門トンネルが開通したことによつて、トラックの行動圏が鉄道・船舶と太刀打ちできる程度に伸びたこと。
4　関門トンネルが開通したことによつて、関門トンネル付近の交通がそれまでより以上に混雑するようになつたこと。

問三　文章の中の①「おびただしい数の車」というのは、実際には何台ぐらいですか。次の1から4までの中から、いちばん あつて いると 思うものを一つ選んで、その番号を○で囲みなさい。

1　一五万台
2　一三万台
3　五八万台
4　九万台

問四　文章の中に②「混雑をさらに高める結果となつている。」とありますが、この文章によるとその原因は何ですか。次の1から4までの中から、いちばんあつていると思うものを一つ選んで、その番号を○で囲みなさい。

1　関門トンネルの開通によつて、本土と九州が陸続きになつたから。
2　道路がもとのままなのに、関門トンネルの開通によつて、車の交通量がふえたから。
3　関門トンネルの開通によつて、二号線三号線以外に新しい便利な道路ができたから。
4　鉄道と船舶に限られていた輸送が鉄道一本になつてきたから。

〔八〕

次の文章を読んで、あとの問いに答えなさい。

登山熱ということばが昔からあるが、近ごろでは登山熱というのは、一種の熱病と考えねば ならなくなつてきた。伝染するのは一向《いつこう》にかまわない熱病なのだが、へたをすると若い男女が死んだり、不具になつたりする危険があるので患者《かんじや》たるものは、自分でじゆうぶん注意しなければならない。本年、五月のゴールデンウィークだけでも、二十名近い死者と三十名あまりの負傷者を出している。このような不幸な事態がつぎつぎにおこるとすれば、ひとり登山界だけの問題ではなく、大きな社会問題として取り上げられなければならなくなるであろう。

いつたい登山熱の正体は何であろうか。名医でない筆者には、残念ながら正確な診断《しんだん》書は書けないが、少なくともこれを二つに大別することはできると思う。一つは真剣《しんけん》に山そのものを追究する登山者、つまり正統派、他の一つはただ山を遊びの場とする享楽《きようらく》派である。前者に重症《じゆうしよう》患者が多いのは当然だが、要注意はむしろ後者に多い。

最近、登山が流行視されたり、小説映画の影響などと言われたりするのは、後者の激増によるものであろう。この流行的色彩をおびた山登りは、より多く若い

人々の間に見られるが、この中には、ありあまるエネルギーのはけ口を困難な山登りに求めている青年も少なくない。週末の新宿駅や上野駅のホームや地下道に、発車数時間前から行列を作って列車のはいってくるのを待っている登山者の群れを見ていると、山がいかに強くかれらをひきつけているかがわかる気がする。しかし、ここで忘れてならないことは、山の悲劇の主人公の大半が、このような若い登山熱患者であり、二十才《さい》前後の者であることである。

それにしても、現在わが国は世界でも類のない多くの登山者を擁《よう》する国となり、マナスルやチョゴリザというヒマラヤ一流の巨峰《きょほう》に登山隊を送り、登頂に成功することもできた。この意味からも登山熱はもっと伝染してもいい。ただ、

[A]。

問一　右の [A] の中には、この文章の結びとして、次の四つの文のどれを入れたらよいでしょうか。いちばんよいと思うものを**一つ**選んで、その番号を○で囲みなさい。

1　週末の交通事情がいちだんと楽になることを祈ってやまない。
2　名実ともに世界一の登山国となることを祈ってやまない。
3　重軽症患者諸君のいちだんの自重を祈ってやまない。
4　さらに登山が流行することを祈ってやまない。

問二　この文章の筆者は登山についてどんな意見をもっていますか。次の1から4までの中から、いちばんあっていると思うものを**一つ**選んで、その番号を○で囲みなさい。

1　登山熱は若い男女の命をうばう危険な熱病なので、登山の問題は大きい社会問題として取り上げるべきである。
2　登山が流行するのはよいが、へたをすると死んだり、不具になったりする危険があるので、登山者は不幸な事態がおこらないように注意しなければならない。
3　現在の登山は一種の流行であり、山を遊びの場と考えている青年が多くてきわめて危険なもので、やめたほうがよい。
4　わが国が世界に類をみない登山者の多い国になったのは、危険をおかしても登山する青年男女が多いからである。だから、登山熱は今後ももっと流行してよい。

問三　文章の中にある「この」というのは、何をさしていますか。次の1から4までの中から、いちばんあっていると思うものを**一つ**選んで、その番号を○で囲みなさい。

1　流行的色彩をおびた若い登山者たち
2　重症患者たち
3　小説や映画に影響された人たち
4　登山を流行視する人たち

〔九〕

次の文章を読んで、あとの問いに答えなさい。

ランプのほのおと老人のまなざしのせいで、赤ん坊は驚いて身動きができくなっていたのだが、やがて声をたてて泣きはじめた。おそらく子どもは、母親の目のなかに愛情を感じ、それが泣く勇気を与えたのであろう。母親は赤ん坊のほうに両腕《うで》をさし出して、そして言う。
①「わたしによこしてください。」
老人はいつもの習慣に従って、まず理屈《りくつ》を述べたてることから始めた。

「子どもが泣くとき、子どものいうとおりにしてはだめだ。泣くだけ泣かしておかなければいけない。」
②しかし老人は歩みよって子どもを抱《だ》き、そしてぶつぶつ言った。
「こんなみにくいのは見たことがない。」

母親はわななく手で子どもをうけとって、自分の胸に当てて隠《かく》すようにした。彼女《かのじょ》は恥じているような、しかしまたうれしさで有頂天《うちょうてん》になっているような微笑を浮かべて子どもを見つめた。

「おお。かわいそうな、ちっちゃなわたしの坊や。」と、彼女は全く恥ずかしそうに言う。

「なんておまえはみにくいんだろう。なんてわたしはおまえが好きなんだろう。」

老人は煖炉《だんろ》のそばにもどって、むっつりした顔つきで火をかきたてはじめた。しかし、かれの顔つきのふきげんそうな、かたくるしさは、ある微笑によって裏切られていた。

「な、おまえ。」と、かれは言った。「苦にすることはないよ。③だんだん変わるものだからな。それにみにくいといったってかまいはしない。この子に望むことはただ一つ、それはひとりの人間らしい人間になってくれということだけだ。」

問一 右の文章を読んで感じたことを書いたものとして、次の1から4までのうち、どれがよいでしょうか。いちばんよいと思うものを**一つ**選んで、その番号を〇で囲みなさい。

1 生まれたばかりの赤ん坊のことを書いた文章である。赤ん坊がゆり動かされてほおえむようすが愛らしく書かれている。この赤ん坊が、やがて成人してりっぱな人間となるように母親は祈っている。

2 母親のことが中心である。赤ん坊に泣く勇気を与え、みにくい子どもを自分の胸に当てて隠すようにした母親は、病弱で手がふるえている。ほんとうにかわいそうだ。老人も「人間らしい人間になってくれ。」と、この母親を慰《なぐさ》めている。

3 老人は、赤ん坊をみにくいと思っているが、きらっているのではない。心から、正しい人間に成長するように祈っている。母親は子どもがかわいくてたまらない。がんこそうで善良な老人と、親の愛情がよくうかがわれる。

4 母親は、早く赤ん坊を抱いてあやしたいのだが、「子どもは泣かせておくのがよい」と言って、老人は手渡さない。また、老人は母親にも同情していないので、母親が恥ずかしがるようないやみを言っている。

問二 文章の中にある「①わたしによこしてください。」は、どんなことばの調子で言ったのでしょうか。次の1から4までの中から、いちばんあっていると思うものを**一つ**選んで、その番号を〇で囲みなさい。

1 赤ん坊をうるさがって、おこったような調子

2 いつものくせで、ただ機械的に、そっけない調子

3 老人に気がねして、わざと声をおとした低い調子

4 強い愛情をこめた、しかしおだやかな調子

問三 文章の中に「②しかし」とあるのは、どんな意味でしょうか。次の1から4までの中から、いちばんあっていると思うものを**一つ**選んで、その番号を〇で囲みなさい。

1 「けれども、が」と同じで、老人が、口では子どもは泣くだけ泣かしておけと言ったけれどもの意。

2 「それから、そして」と同じで、老人は、ひととおり理屈を述べたてて、それからの意。

3 「とりわけ、とくに」と同じで、老人は、やかましく理屈を言うのがくせで、とりわけの意。

4 「ひとりで、進んで」と同じで、老人は赤ん坊がしんからかわいいので、ひとりでの意。

問三 文章の中に「③だんだん変わるものだからな。」とありますが、何が変わるのですか。次の1から4までの中から、いちばんあっていると思うものを**一つ**選んで、その番号を〇で囲みなさい。

1 おまえ

2 人間らしさ

3 老人

4 赤ん坊

高等学校国語調査問題

昭和三十四年度全国学力調査

〔一〕

問一 今の話し合いには、二つの対立した意見がありました。それぞれの主張の理由として述べられているものを、次の(ア)および(イ)の1から6までの中からそれぞれ**二つずつ**選んで、その番号を〇で囲みなさい。

(ア) 職場の友のほうがよいと主張する者の理由。

1 経済的に共通の苦しみを持っている。
2 困っているとき、ほんとうに援助してくれる。
3 生活程度が同じで気楽である。
4 一日のうちで長い時間つきあっているので親しみがわく。
5 ともに苦しみを味わい、お互いに理解し合える。
6 学校ではみんなお高くとまっていて、よそゆきの友だちしかできない。

(イ) 学校の友のほうがよいと主張する者の理由。

1 学校には同じ境遇の人が集まっている。
2 学校ではお互いに目前の利害関係で結びつくことが少ない。
3 学校の友とつきあうと、教養を高めることができる。
4 会社では礼儀がやかましくてかたくるしい。
5 一時的なつきあいだから安心していられる。
6 学校では悩みなどを安心してうちあけられる。

問二 職場の友のほうがよいと主張する意見と学校の友のほうがよいと主張する意見とが対立したあとで、どんな意見に発展したでしょうか。次の1から4までの中から**一つ**選んで、その番号を○で囲みなさい。

1 職場でも学校でも個人の好ききらいで、よい友ができたり、できなかったりするものだ。
2 男どうしとか女どうしとかでなければ、よい友はできるものではない。
3 年齢が同じくらいなら、職場でも学校でもよい友はできるものだ。
4 ものの考え方が似かよっていれば、性別や年齢の違いがあっても、よい友はできるものだ。

〔二〕 四つならんでいる中で、最も適当と思うものを**一つ**選んで、その番号を○で囲みなさい。

1 含蓄＝
 1 金をたくさんためこんでいること
 2 いろいろの考えを心のなかに持っていること
 3 ちょっと考えただけでは意味がよくわからないこと
 4 意味が深く味わいのあること

2 我田引水＝
 1 自分のことを例にとって説明すること
 2 雨降りのときに、自分の田に水を入れること
 3 ものごとを自分のつごうのよいようにはかること
 4 他人の意見に自分の意見を合わせようとすること

3 流布する＝
 1 言いふらす
 2 世間にひろまる
 3 流行する
 4 あちらこちらをさすらう

4 相殺する＝
 1 相手を殺す
 2 さしひきして張消しにする
 3 とも倒れになる
 4 互いに向かいあって欠点を言い合う

5 かれの発言は、だいたい｛1 当然 2 快適 3 明確 4 妥当｝であった。

6 性格の違うA君とB君とは、いい｛1 典型 2 対象 3 連携 4 対照｝だ。

7 両者の対立を一種の｛1 機縁 2 必定 3 宿命 4 奇遇｝とみる人もある。

8 そのことについては
1 諸般
2 未知
3 理想
4 暗黙
の事情を考え合わせて決定したい。

9 むやみに人の意見に
1 帰依
2 違反
3 逃避
4 迎合
するのはよくない。

10 あたりの光景は、きのうのあらしのひどさを
1 確実に
2 如実に
3 意外に
4 適切に
示していた。

11 かれの研究は、人類社会に
1 後援
2 寄与
3 依存
4 参与
するところが大であつた。

12 わたしは、かれの
1 申し出
2 意見
3 言いわけ
4 状態
をいなむことができなかつた。

13 それは皮相な
1 研究
2 容姿
3 見解
4 感情
にすぎない。

14 既成の
1 実力
2 真実
3 事実
4 実状
をつくる。

15 委員会は、当局に施設を改善するよう
1 勧告
2 確認
3 表明
4 採決
した。

〔三〕 次の□の中に、漢字を書き入れなさい。（かい書でていねいに書くこと。）

1 あまり (一)アツギ □□ をするのは (二)エイセイ □□ によくない。

2 室内の温度を (三)チョウセツ □□ する。

3 食べ物を (四)ホゾン □□ する。

4 (五)センデン □□ ビラをくばる。

5 (六)フクザツ □□ な問題を処理する。

6 確実な (七)チシキ □□ が必要だ。

7 目的を (八)タッセイ □□ する。

8 個人の (九)ケンリ □□ を (十)ミト □ める。

〔四〕 次のおのおのの文の中に、誤って使った漢字が、それぞれ**一つずつ**あります。正しい字を、下の□の中に書き入れなさい。

1 非常に成積がよい。 □

2 居間と応設間が続いている。 □

3 陸上競枝の選手として活躍する。 □

4 余分な解説は消略いたします。 □

5 豊富な軽験をもっている船長。 □

〔五〕 次の文章を読んであとの問いに答えなさい。

詩としての内容という点からいっても、現代のわれわれは、単なる感傷とか単なる事実の報告のようなものにはもはや魅力を感じはしない。この点においても、散文的内容や底の浅い感傷や、その場かぎりの即興的な詠嘆というようなものは、本来の詩精神とは遠いものである。詩精神と呼ばれるものの本質は、個人的な観照の中に見いだされるものだが、そこに詩人としての思考力、想像力が豊富であってこそ獲得しえられるものである。昭和初頭詩壇で、この詩精神ということがやかましく唱えられたが、それがあまりに独断的、一方的に受けとられた結果、無思想、無内容な人たちのたわごと的表現におわったのである。そこには多くの誤りがあり、自家撞《どう》着があった。しかし、そのようなことも、すでに遠い過去となった現代では、傾向として別に特殊なイズムを主張するような詩もなくなった。とともに、現代の詩人はその大部分が過去の単純な感傷的叙情とは訣《けつ》別して、現実の上に立脚する叙情をつかもうとする。

「イスとテーブル」という短詩がある。

つめたいたきに、イスとテーブルがある。人はそのイスに腰をかけて待たされている。
他人のつごうでむなしくされているその時間は、中途はんぱで、どうにも使いようがないが、
イスとテーブルは、人が腰をかける前から、
そこに待たされているのだ。もっとあてなしに。

ここにはなんのローマン的な感傷もない。しかも人生にある空虚なもの存在に目ざめた詩人の暗示がある。それはある空間に置かれたイスとテーブルという存在にすぎないが、そこでただ待たされている人間が、それよりも以上に退屈に存在している事物、すなわちこの退屈な「世界」の存在を知覚したのである。ことばはその単純な映像をそこに投げ出した表現にすぎないが、またそれ以上余分な表現を必要としないまでに切りつめられたことばで表現されている。ここに作者の必要としただけの詩的内容があり、その思考力と想像力が作り出した映像がはっきり示される。そしてその映像は必然に一つの暗喩《ゆ》としての効果をあげているのである。

ここには伝統的な日本詩歌に見る「情趣」といったものは微塵《みじん》もない。しかも、それでじゅうぶん「詩」たり得ている。

問一 右の文章の要旨としても最も適当と思うものを、次の1から4までの中から**一つ**選んで、その番号を○で囲みなさい。

1 詩精神の本質は感傷や事実の報告や叙情ではなく、個人的な観照であり、現代の詩人は断片的なことばで表現する暗喩の技法によって映像を示そうとしている。そしてローマン的な感傷や情趣といったようなものを意図している。

2 現代ではうわべだけの詩の表現には魅力を感じなくなった。そして現代の詩は特殊なイズムを主張するために、現実の上に立脚する叙情をつかもうとするものであり、情趣というものは感じられなくなってしまった。

3 昭和初頭に詩精神ということが唱えられたが、誤って受けとられ、たわごと的表現におわってしまった。現在の詩人は現実の上に立脚する叙情をつか

もうとはしない。このような立場からみれば、一つの例としてあげた「イスとテーブル」という詩のごときは、りつぱな詩になつている。

4　詩精神の本質は、詩人としての豊富な思考力、想像力による個人的な観照のうちにある。現代の多くの詩人は、過去の単なる感傷的叙情を排して現実の上に立つ叙情をつかもうとしており、この詩には、簡潔な表現の中にも充実した内容とはつきりした映像がある。

問二　「イスとテーブル」の詩に示された暗喩の内容を表わすことばとして最も適当と思うものを、次の1から6までの中から**二つ**選んで、その番号を○で囲みなさい。

1　感傷　2　空虚　3　存在　4　退屈　5　人生　6　想像力

〔六〕　次の文章を読んで、あとの問いに答えなさい。

数年前のことだが、あるフットボールの試合を見たあとで、ある人が次のように述懐したことがある。すなわち、Aチームは、全体が一つの有機体のようによく(ア)組織化されていて、全体の勝利を獲得するために貢献した。これに反し、Bチームは各選手が非常によく活躍するのだけれども、全体の勝利よりも個人のてがらのほうが優先的に考えられているかのような印象を与える傾向があつた、というのである。

このBチームに見られた行動原則と同じ原則に支配された行動は、政治・行政・教育・学問のあらゆる分野において見かけられると思う。

わたくしは各方面から代表の出た委員会で、各自が自分の前の狭い範囲内だけを照らし出すスタンドを持ちながら、暗《くら》やみのために相手の顔もよくわからないで議論をしあつているような印象をうけたことがある。これでは全体を組織化することはできない。それには、全体を照らし出して、われわれ相互間の関係を明らかにし、全体における各自の役割と全体の目的とを、われわれに手に取るように見せてくれるところの、おおらかな英知の光明が必要であることを痛感する。

それでは、そのような英知はわれわれに無縁のものであろうか。わたくしはそうではないと思う。なぜなら、われわれのそのような行動は、社会習慣的なものにすぎないことを、文化人類学・言語学のような、人間の行動の社会習慣的型を研究してきた学問は教えるからである。習慣である以上、自覚的な自制によつて改めることはまつたく不可能ではないはずである。いろいろの分野におけるわれわれの協同作業において、最も大きなブレーキとなつているのは、自己中心的な考え方であると思う。理由なくして自分たちの部門だけを重要視して、他の部分の重要さを理解しようとしないのは、最もいけないが、自己を主張しすぎると人に思われまいとして、なすべき発言もさしひかえるというような消極的自己中心主義も有害である。あらゆる意味の自己中心的な考え方から脱却して、全体の組織化のために、大きい立場から努力すべきだと思う。しかし社会習慣は個人習慣と違うから、関係者の全部が一致して改善するように努力しなければ効果がうすい。一部の者だけが非自己中心的に行動しようとしても、理解されないか、乗ぜられるかが落ちであろう。しかし、全体が一致協力して大きい立場から話し合いをすれば、(イ)われわれ自身に有利な英知を獲得することは、不可能ではないはずだと思う。

問一　文章中の「組織化され」(ア)るとは、この場合どういうことですか。次の1から4までの中から、最も適当と思うものを**一つ**選んで、その番号を○で囲みなさい。

1　全体における各自の役割と全体の目的とを手に取るように全員が見せてくれること。

2　各自の能力がじゅうぶんに発揮できるよう、中心となるものによつて、完全に統制されていること。

3　縦の関係だけでなく、横の関係にも応じうるよう、各自がお互いの能力を認めあつていること。

4　各個人が、全体の中の一員として、他との連絡を保ちつつ各自の能力を発揮していること。

問二　文章中の「われわれ自身に有利な英知を獲得する」(イ)ための基本的な条件として筆者が考えているものを、次の1から6までの中から、**二つ**選んで、その番号を○で囲みなさい。

1　自己の主張を適当におさえる。

2　自己中心的な考え方から脱却する。

3 一部の者だけの非自己中心主義をなくす。
4 関係者全部が一致して改善に努める。
5 人間の行動の社会習慣的型を研究する。
6 全体が一致協力して大きい立場から話し合う。

〔七〕 次の文章を読んで、あとの問いに答えなさい。

何をお包みいたしましょうという言い方は、いまではほとんど聞かれなくなつてしまつた。わたくしは子どものころそれをお菓子屋さんでよく聞いた。小学校も三、四年になると、お使いがおもしろくなつて、頼んでもさせてもらう。

母はお使いに行く先を選んでさせてくれた。へたにお使いをさせて、愚劣なことばかり覚えてはこまるというのだろう。それで比較的品のいいお菓子屋のお使いなどをした。店先に鹿《か》の子もち、しぐれ、松の雪、きんつばなど、とりどりに並んで、どれにしようかときめわずらつていると、そこのおかみさんが出てくる。奥と店との境にさけた紺《こん》のれんから、日本髪の鬢《びん》を少しかしげ、たすきへ片手をかけて、「いらつしやいまし。」とそこへひざを折る。子どもへもそうていねいなのだ。わたくしはうろうろと見ている。「何をお包みいたしましょう。」と言われると、なんとなく安心する。それは、ゆつくり見ていらしていいですよと言われたようでおちつくのである。「きょうはお天気がよろしゆうございますから、桜もちのような、においのたつものはいかがで。」そう言われると桜もちのいいにおいが、いまもうこの口もとにあるような気がして、まずそれがきまつた。一品きまるとあとのとりあわせは楽で、おかみさんは経木をぬれぶきんでゆつとふくと手早く盛りこみ、白いかけ紙でふわつとくるんでくれる。それをふろしきへ入れて、つぶさないように両方の手のひらを広げてささげたように帰つてくれば、ここにほんとにいいものをたいせつに包んで持つているという気がしてうれしかつた。

「何をお包みいたしましょう。」には、明治から大正へのゆるやかな時代が表わされている。悠《ゆう》長な言い方をいまもしていてもらいたいというのではないけれども、子ども心にしみ入るようなことばの味はなつかしい。「包む」にはかばう心がある。包むに包みきれず表わされてしまうのが書くということだ。包みかねるのが文章で、包みたいのがわが心ではないかと思う。包みたい節がたくさんあるからこその「包」むであり、逆に何を包まんわが思いなどと、いつたん包んだ心をほどいて見せるようなへんてこなこともしたくなるのである。包んでもほどいても、作文はすでに書くひとの底を見せているものだと思う。

問一 右の文章中に「わたくしはうろうろと見ている。」とありますが、主として何を見ているのですか。次の1から4までの中から、最も適当と思うものを一つ選んで、その番号を○で囲みなさい。

1 店先　2 おかみさんや店先　3 お菓子　4 おかみさん

問二 右の文章の作者が「包む」ということばを深く味わい感じとることのできたのはいつですか。最も適当と思うものを、次の1から4までの中から一つ選んで、その番号を○で囲みなさい。

1 店のおかみさんから「何をお包みしましょうか。」と言われたとき。
2 ふろしき包みを、両方の手のひらを広げて、ささげたようにして帰つてきたとき。
3 「何をお包みしましょう。」には、ゆるやかな時代が表わされていると感じたとき。
4 包みかねるのが文章で、包みたいのがわが心ではないかと思つたとき。

問三 右の文章で作者が述べようとしていることはなんですか。次の1から4までの中から、最も適当と思うものを一つ選んで、その番号を○で囲みなさい。

1 子どものころ、お使いに行つたときのなつかしい思い出と、それに対する感想とを述べている。
2 「何をお包みいたしましょう。」という言い方に対する批評や、書くことの必要性を述べている。
3 包むということばづかいをいろいろと説明して、作文の意義を述べている。
4 作文がしたくなつたので、「何をお包みいたしましょう。」という題で、その内容を随筆にして述べている。

〔八〕 次の文章は「現代の歴史的意義」を主題としたものです。この文章の中から、左の1と2との文がはぶいてあります。この二つの文はそれぞれ四つの ―― の

どこに入れるのがよいでしょか。1と2の番号をそれぞれ適当な［　］の中に書き入れて、この文章を整ったものにしなさい。

1　過去の事実すらなお直ちに既定の事実とならず、現代の評価によってしばしば動揺する。

2　その構成の原理は現代であり、現代にある。

現代はわれわれにとっては直接的である。［ア］そのために反省や批判を通さずに現代が直接にわれわれの思惟《い》や評価の基準となる。［イ］たとえば、黄金時代や理想社会が過去にあったか、もしくは未来にあるかは「現代」が決定するのである。過去も未来も現代の管理下にある。［ウ］過去も未来も実は現代にとっての過去であり、未来であるゆえに、そぼくな過去自体は考えられない。過去はもちろん素材的には与えられるものであり、その限り、もとよりそこに限界は存するが、本質的にわれわれによって構成される性格をもっている。少なくとも常にその可能性を含んでいる。このことはもちろん意識的な作為によってなされるという意味ではない。意識的になると否とにかかわらず本質的に構成的なのである。［エ］それゆえ、過去や歴史が考察される場合、われわれ自身に対して、また現代自身に対して、常に歴史的意義が必要である。換言すれば、「われわれ」の思惟が一つの思惟であり、また「現代」が一つの時代であることとの自覚と反省とが必要である。

〔九〕

問一　次の漢文を読んで、あとにあげた訳のうち、どれが最も原文に近い解釈ですか。最も適当と思うものを一つ選んで、その番号を○で囲みなさい。

(ア)　我敢《あヘテ》不《ざランヤ》レ受《ケ》レ教《ヲ》。

1　わたくしはどうして教えを受けるようなことがあろうか、受けようとは思わない。

2　わたくしは無理してでも教えを受けないことにしようか、どうしようか。

3　わたくしたくしは無理してでも教えを受けることにしようか、どうしようか。

4　わたくしはどうして教えを受けないでいられようか、受けないではいられない。

(イ)　家書抵《あた》ル二萬金ニ一。

1　家にある書籍は高価なものである。

2　家や書物はたいへんな金額による。

3　家からの手紙は非常に貴重なものである。

4　家の系図を書いたものは、きわめてたいせつである。

(ウ)　勿《なカレ》下以《もつテ》二善ノ小《ナルヲ》一不《ざルコト》上レ為《なサ》。

1　よいことは少ししたのでは役にたたない。

2　よいことは小さいことでもしなさい。

3　よいことは小さいことでもしにくい。

4　よいことは少しでもせずにはいられない。

問二　書き下し文にもとづいて、その左にある漢文に返り点をつけなさい。ただし、送りがなはいらない。

(ア)　歳月人を待たず。

歳月不待人。

(イ)　兄弟はなほ一木の両枝あるがごとし。

兄弟猶一木有両枝、

〔十〕

次の文章を読んであとの問いに答えなさい。

さくらの花ざかりに、歌よむ友だち、これかれかいつらねて、そこかしこと、見ありきける。かへるさに、見し花どものこと、かたりつつ来るに、ひとりがいふやう、まろは、歌よまむと、思ひめぐらしけるほどに、けふの花は、いかにありけむ、こまやかには見ずなりぬといへるは、をこがましきやうなれど、まことはたれも、さもあることと、をかしくぞ聞きし。

問一 右の文章中にある次の(ア)(イ)のことばはどういう意味です。1から4までの中から一つずつ選んで、その番号を○で囲みなさい。

(ア) 思ひめぐらしけるほどに
1 考えをめぐらしているが
2 いろいろと考えていたうちに
3 いろいろと考えていたのに
4 思つて歩きまわつているうちに

(イ) をこがましきやうなれど
1 さしでがましいようではあるけれども
2 ずうずうしいようではあるけれども
3 恥ずかしいようではあるけれども
4 ばからしいことのようではあるけれども

問二 右の文章中にある「さもあること」とはどういうことですか。次の1から4までの中から、最も適当と思うものを一つ選んで、その番号を○で囲みなさい。
1 花ざかりには歌をよむ友だちが歌をよもうとして、あちらこちら花見をして歩きまわるようなことは、めずらしくないことだ。
2 歌をよむ友だちが花見に出かけ、花の美しさに心を奪われて、歌をよむことを「をこがましく」思うようなことは、しばしばあることだ。
3 せつかく花見に行きながら歌をよむことに気をとられて、かんじんの花をよくも見ないでしまうようなことは、よくあることだ。
4 歌よみがよい歌を作ろうと一心になつても、なかなかよい歌の作れないということは、世間によく聞くことだ。

〔十一〕

次の文章を読んであとの問いに答えなさい。

あるところに忍びて思ひ立つ。なにばかり深くもあらずといふべきところなり。野焼きなどするころの花はあやしうおそきころなれば、をかしかるべき道なれどまだし。いと奥山は鳥の声もせぬものなりければ、うぐひすだに音せず、水のみぞめづらかなるさまにわきかへり流れたる。いみじう苦しきままに、かからである人もありかし。憂《う》き身一つをもて煩ふにこそばあめれと思ふ思ふ、入相つくほどにぞいたりあひたる。

問一 右の文章中にある次の(ア)(イ)のことばはどういう意味ですか。1から4までの中から、最も適当と思うものをそれぞれ一つ選んで、その番号を○で囲みなさい。

(ア) をかしかるべき道なれどまだし。
1 普通とは違つて変な道であるが、それでもまだよいほうだ。
2 困難な道をたどつてきたのに、まだ花が咲いていない。
3 花が咲き出せば趣のあるはずの道だけれども、まだ時期が早い。
4 花がなくても趣深い道ではあるが、道がまだ遠くて行き着かない。

(イ) かからである人もありかし。
1 あたりに通りかかる人もいないようだ。
2 このようなところに住む人もいないようだ。
3 病気にかからないでいる人もあるのだ。
4 こんな苦労をしないですむ人もいるのだ。

問二 右の文章中にある「野焼きなどするころの花はあやしうおそきころなれば」の傍線「の」と同じ意味・用法と思うものを、次の1から4の文中にある傍線「の」の中から一つ選んで、その番号を○で囲みなさい。
1 みどころもなきふるさとの木立をみるにも、ものむつかしう思ひみだれて……。
2 風まじり雪ふる夜の雨まじり雪ふる夜はすべもなく寒くしあれば……。
3 万葉集に入らぬふるき歌、みづからのをもたてまつらしめたまひてなん。
4 みよし野の山の白雪ふみわけて入りにし人のおとづれもせぬ。

小学校算数調査問題

昭和34年度全国学力調査

文　部　省

1　次の計算を　しなさい。答は □ の中に書きなさい。

(1)　875×64= □

(2)　2988÷36= □

(3)　4.7−1.36= □

(4)　21.9÷7= □ あまり

（商《しよう》は$\frac{1}{10}$の位（小数第1位）までだし，あまりが
あつたら，あまりも書きなさい。）

2　次の数を　大きいほうから　順《じゆん》　に下の □ の中に入れなさい。

0.06，　1，$\frac{3}{4}$，　0，　$1\frac{1}{2}$

① □　② □　③ □　④ □　⑤ □

3　次の □ の中に　ちようどよい数を書き入れなさい。

(1)　1 ha= □ ㎡

(2)　1.06kg = □ g

4　次の計算をしなさい。　答は　できるだけかんたんな数にして □ の中に書きなさい。（答が 約分でき るものは約分し，仮《か》分数になるものは 帯《たい》 分数になおして　書きなさい。）

(1)　$\frac{2}{3}+\frac{2}{9}=$ □

(2)　$3\frac{2}{5}-1\frac{3}{5}=$ □

(3)　$1\frac{2}{7}\times3=$ □

(4)　$\frac{3}{8}\div3=$ □

5　次 の 問 題《もんだい》 を読んで，答を □ の中に書きなさい。

(1)　東京・大 阪《おおさか》 間はおよそ550kmあります。これをおよそ 11時間で走る急行列車があります。この列車は1時間におよそ何キロメートル走ることになりますか。

答 □ km

(2)　正 夫《まさお》 さんはおとうさんと自動車に乗《の》つておよそ4500mはなれた町まで5分間で行きました。

正夫さんが乗つた自動車と，　(1)の急行列車とどちらが 速《はや》 いでしょうか。次の答のうちで，正しいものに ○ をつけなさい。

答　① □ 急行列車のほうが速い。

② □ 急行列車のほうがおそい。

③ □ どちらも同じ速さである。

6　下のグラフは，ある町の小学校で家庭《かてい》の職業《しょくぎょう》をしらべた結果《けつか》をかいたものです。このグラフを読んで，次の □ の中にてきとうな数やことばを書き入れなさい。

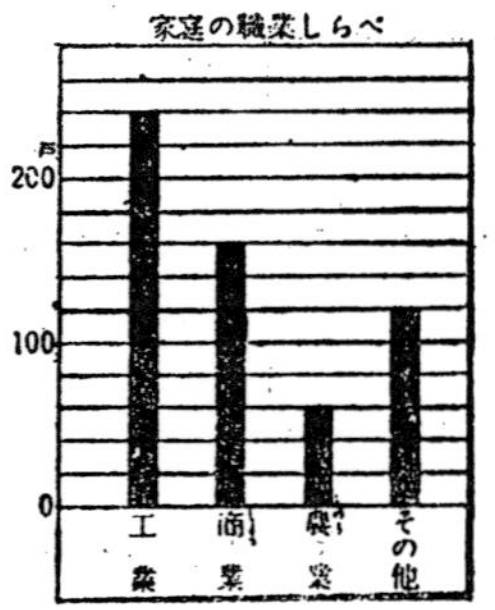

(1)　工業は ①□ 戸《こ》でいちばん多く，次は商業で ②□ 戸です。

(2)　工業は農業の □ 倍《ばい》にあたつています。

(3)　□ は工業の $\frac{2}{3}$ にあたつています。

7　下に書いてあるものをはかろうと思います。

	単位の番号	計器の番号
①　バケツにいつぱいはいる水のかさ	□	○
②　たまご1この重さ	□	○
③　校舎《こうしや》の長さ	□	○
④　工作に作う板《いた》のあつさ	□	○
⑤　炭《すみ》1俵《びよう》の重さ	□	○

(1)　次にあげた単位《たんい》のうち，どれが使われますか。もつともてきとうと思われるものをえらんで，上の □ の中に，その単位の番号《ばんごう》をきなさい。

①　グラム（g）
②　アール（a）
③　キロメートル（km）
④　メートル（m）
⑤　リットル（ℓ）
⑥　平方センチメートル（cm^2）
⑦　ミリメートル（mm）
⑧　キログラム（kg）

(2)　それらをはかるには，どんな計器《けいき》（はかるどうぐ）を使いますか。次にあげた計器のうち，もつともてきとうと思われるものをえらんで，左のページにある ○ の中にその番号を書きなさい。

①　30cmのものさし
②　1mのものさし
③　50mの巻尺《まきじやく》
④　1ℓのます
⑤　2kgまではかれるはかり
⑥　100kgまではかれるはかり

8　次の計算をして，答を □ 中に書きなさい。

(1)　$2+8\times6=$ □

(2)　$5\times(4+7)=$ □

(3) $24 \div 6 \times 2 =$ ［　　］

9　次の図形《ずけい》についてしらべましょう。

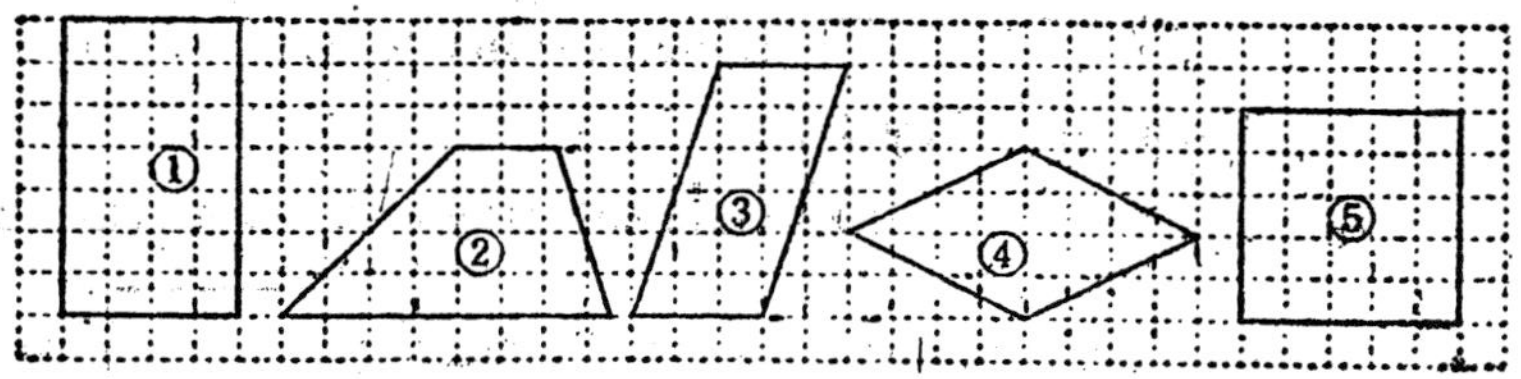

(1) むかいあつている辺がどれも平行《へいこう》になつているのはどれですか。その図形の番号《ばんごう》をのこらず書きなさい。

答［　　］

(2) どの角も直角になつているのはどれですか。その図形の番号をのこらず書きなさい。

答［　　］

(3) 四つの辺が同じ長さになつているのはどれですか。その図形の番号をのこらず書きなさい。

答［　　］

(4) 直方体《ちよくほうたい》の面になる（使われる）のはどれですか。その図形の番号をのこらず書きなさい。

答［　　］

10　右の図《ず》は，りんごの重さをはかつているところをしめしたものです。はかりの目もりを読んで，その重さを書きなさい。（単位はキログラムを使いなさい。）

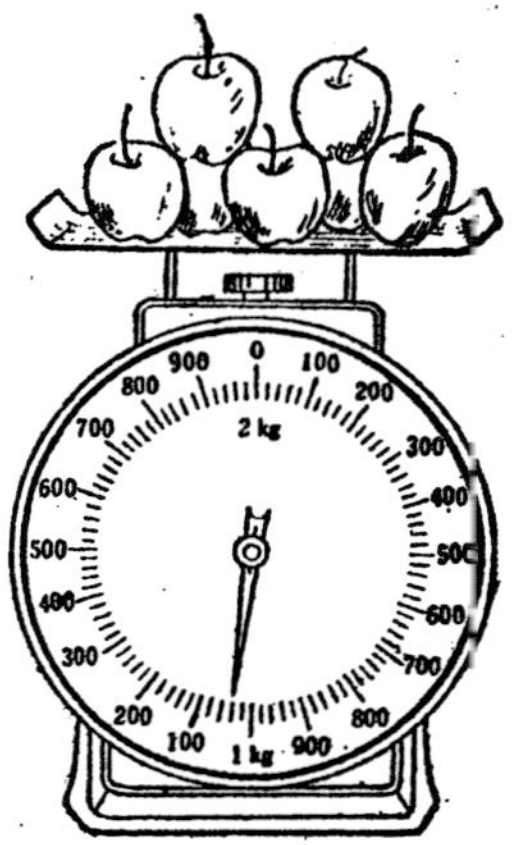

答［　　kg］

11　よし子さんは，おばさんの家まで歩いて行きます。ぜんたいの道のりの$\frac{3}{5}$だけ行つたところで時間をはかつたら，15分かかつていました。のこりの道のりも同じ速さで歩くと，あと何分でおばさんの家につきますか。

答［　　分］

12　全国の小学生について，近視《きんし》の者とむし歯《ば》のある者をしらべると，下の表のようになります。

近視の者とむし歯の者（全国の小学生）

小学生の数	1296万人
近視の者の数	125
むし歯のある者の数	994

（昭和32年度　文部省調査）

(1) 近視の者は，小学生ぜんたいのおよそ何分の一とみられますか。

答［　　］

(2) 正夫《まさお》さんは自分の学校について近視の者をしらべて，全国の場合《ばあい》とくらべました。

近視の者（正夫さんの学校）

学年	学年の人数	近視の者の数
4	180人	20人
5	228	24
6	251	23

近視の者のわりあいが，全国の場合よりも多いのはどの学年ですか。

その学年の □ の中に○を書きなさい。

答　第４学年…… □

第５学年…… □

第６学年…… □

(3) 正夫さんたちは，全国の小学生について，近視でもなく，むし歯もない者の数を知ろうとして，次の計算をしました。

1296－（125＋994）＝177

この計算から，次のような意見《いけん》が出ました。近視の者でむし歯のある者もいることを考えて，正しいと思うものの □ の中に○を書きなさい。

① □ 近視でもなくむし歯もない者の数は 177万人である。

② □ 近視でもなくむし歯もない者の数は 177万人より多い。

③ □ 近視でもなくむし歯もない者の数は 177万人より少ない。

④ □ 近視でもなくむし歯もない者の数は 177万人より多いか少ないかわからない。

13　直方体の形をしたいれものに水をいっぱい入れて，台の上においてあります。

これを右の図のように，底の一辺を台につけたまましだいに持ち上げて，水をこぼしています。

水がちょうどはじめの半分《はんぶん》になつたとき，いれものの内側《うちがわ》で水にひたつている部分（水につかつているところ）はどれだけですか。次の展開《てんかい》図に黒くぬつてしめしなさい。

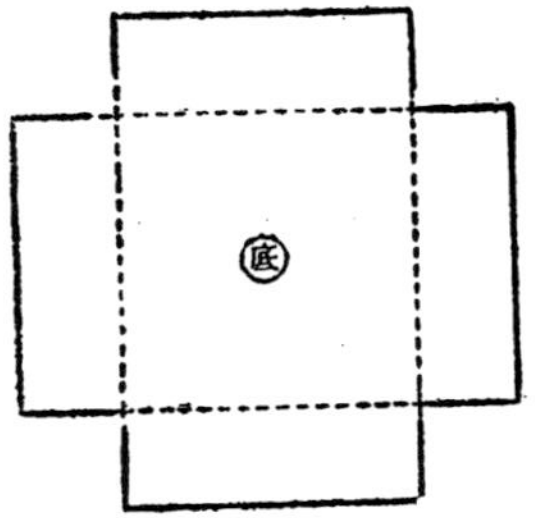

14　秋子さんの家では 60a の田を作つています。きのう 4a の田からとれた米をはかつたら 180kg ありました。

秋子さんは，ことしの米のとれ高を，次の二つの考え方で計算してみようと思いました。

考え方　A　1a あたりのとれ高をもとにして考える。

B　60a が 4aの何倍《ばい》にあたるかを考える。

次にあげた式の中から，それぞれの考え方にあつているものをえらんで，答の □ の中に，その式の番号を書きなさい。

① 180＋180×（60－4）　③ 4×180÷60

② 180×（60÷4）　④ 180÷4×60

答　Aの考え方の式 [　　]

Bの考え方の式 [　　]

15　春子さんの町では，はばが4mで長さが1.2kmあるまつすぐな道を新しく作りました。この道の面積《めんせき》を求めようと思います。

(1)　この面積を計算する式を次の[　　]の中に書きなさい。式には単位をつけないで書いてください。

式 [　　]

(2)　計算をして，その面積を[　　]の中に書きなさい。

（答には単位も書きなさい。）

答 [　　]

16　次の文を読んで，下の[　　]の中に，ちようどよいことばや数を書き入れなさい。

よし子さんの持つているおかねは正夫さんの1.2倍《ばい》にあたります。

(1)　ふたりの持つているおかねをくらべると，[　　]さんのほうが多い。

(2)　よし子さんの持つているおかねが120円のときは，正夫さんの持つているおかねは[　　]円になります。

17　次の表は，全国のテレビの数をしらべたものです。

全国のテレビ数（NHKしらべ）

年　月	テレビの台数
昭和28年12月	8828
29年12月	30999
30年12月	90573
31年12月	197556
32年12月	419647

これを折《お》れ線グラフに表わすことにして，目もりのとり方などを考えてみましよう。

(1)　たてのじくには目もりが50までとれます。

1目もりが何台を表わすことにしたらよいでしよう。

答 [　　]台

(2)　このたてのじくの1目もりの長さは1cmです。それぞれの年の台数を表わす長さをセンチメートルの位《くらい》までだすことにしました。それぞれ何センチメートルになりますか。

答　①　昭和28年 [　　]cm

②　昭和29年 [　　]cm

③　昭和30年 [　　]cm

④　昭和31年 [　　]cm

⑤　昭和32年 [　　]cm

中学校数学調査問題

昭和34年度全国学力調査

1　次の［　］の中にどんな数を入れたらよいか。答は右の［　］の中に書き入れなさい。

(1)　二つの数48，60の最大公約数は［ア］で，最小公倍数は［イ］である。

答　ア［　］

イ［　］

(2)　五つの数$\left(-0.1,\ \frac{1}{100},\ 0,\ -0.01,\ 0.1\right)$のうちで，もつとも大きい数は［ウ］で，もつとも小さい数は［エ］である。

答　ウ［　］

エ［　］

次の計算をして，答を［　］の中に書き入れなさい。

(3)　$8.89 \div 25.4$　答［　］

(4)　$\frac{2}{3} \times 2\frac{1}{4}$　答［　］

(5)　$(+12) \div (-3) - (-4) \times (+5)$　答［　］

2　次の計算をして，答を［　］の中に書き入れなさい。

(1)　$a=3$，$b=-1$のとき　abの値　答［　］

(2)　$x=-5$のとき　$-x2$の値　答［　］

(3)　$P=2$，$q=-4$のとき　$2p+3q$の値　答［　］

(4)　$7n+5n$　答［　］

(5)　$6(x-2y)-3(x+y)$　答［　］

(9)　$\frac{a^8}{a^4}$　答［　］

(7)　$(-x)^5$　答［　］

(8)　$-3xy(-2x^2)$　答［　］

3　次の［　］の中にどんな数を入れたらよいか。答は右の［　］の中に書き入れなさい。

(1)　［ア］mの40%は26mである。

答　ア［　］m

(2)　12kgは［イ］kg の1割5分である。

答　イ［　］kg

(3) AがBの$\frac{5}{8}$ならば，BはAの［ウ］である。

答 ウ［　　］

(4) $\frac{7}{［エ］}=\frac{4}{12}=\frac{［オ］}{15}$

答 エ［　　］

オ［　　］

次に示した二つの数量x，yの関係について，正比例ならば正を，反比例ならば反を，そのどちらでもなければ×を，答の［　　］の中に書き入れなさい。

(5)

x	10	14	18	22	………
y	15	21	27	33	………

答［　　］

(6)

x	8	10	12	14	………
y	16	14	12	10	………

答［　　］

4 (1) 右の図の三角形ABCの面積は何平方センチメートルですか。

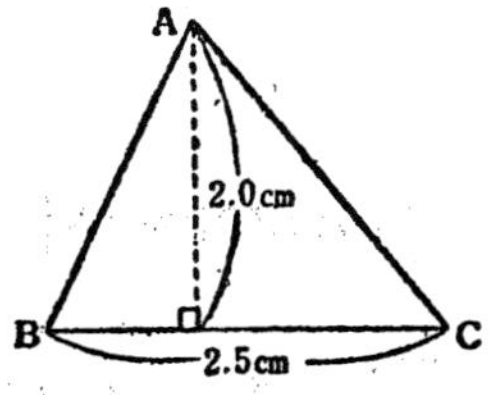

答［　　］cm^2

(2) 上の図が，ある土地の$\frac{1}{1000}$の縮図《しゆくず》であると，BCの実際の長さは何メートルですか。

答［　　］m

(3) 上の図が$\frac{1}{1000}$の縮図であると，三角形ABCの実際の面積は何平方メートルですか。

答［　　］m^2

5 三角形ABCにおいて，辺AB，BC，CAの中点をそれぞれP，Q，Rとする。三角形ABCと四角形PQCRとについて，次の問にあてはまるものを，下にあげたアからオまでの中から選び，答を右の［　　］の中に，アとかオとかの記号で書き入れなさい。

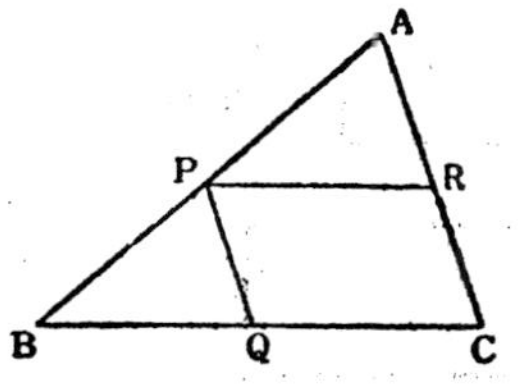

(1) 四角形PQCRの形

答［　　］

(2) 三角形ABCが，とくにAC＝BCのとき，四角形PQCRの形

答［　　］

(3) 三角形ABCが，とくに∠C＝90°のとき，四角形PQCRの形

答［　　］

ア 正方形	イ 長方形	ウ ひし形
エ 台 形	オ 平行四辺形	

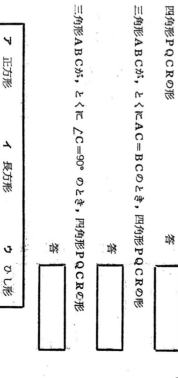

6　ある会社では製品を検査して，その重さが基準《きじゅん》の重さより重ければ正，軽ければ負として，過不足《かふそく》を調べている。下の表はその結果である。

製品の記号	A	B	C	D	E	F	G	H
過不足(g)	＋4	−11	＋5	−2	＋13	−7	−4	＋3

上の表から下の□の中に，どんな数または文字を入れたらよいか。答は右の□の中に書き入れなさい。

(1)　基準の重さにもつとも近いものは，製品記号［ア］のものである。

答　ア □

(2)　この製品の基準の重さは 950 g である。製品Cの実際の重さ［イ］g である。

答　イ □ g

(3)　もつとも重いものと，もつとも軽いものとでは，重さのちがい［ウ］g がある。

答　ウ □ g

7　次の□中に，どんな数や式を入れたらよいか。答は下の□の中に書き入れなさい。

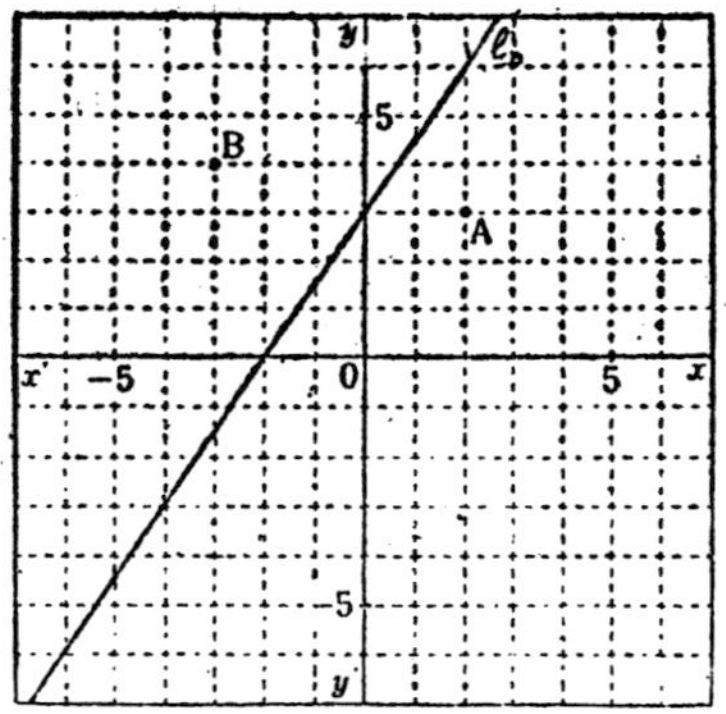

(1)　上の図の点Bの座標は(［ア］,［イ］)である。

答　(ア □, イ □)

(2)　原点と点Aとを通る直線は，$y=$［ウ］という式で表わされる。

答　ウ　$y=$ □

(3)　図上に書かれている直線 l は，どんな式で表わされるか。

答　$y=$ □ $x+$ □

8　次の問の答を，右の［　　］の中に書き入れなさい。

(1)　1冊 p円の本 n冊の値段　　答［　　］円

(2)　100円札《さつ》 a枚と，1円硬貨《こうか》 b個との合計金額　　答［　　］円

(3)　方程式 $2(a+4)=16$ の根　　答 $a=$［　　］

(4)　方程式 $\frac{x}{5}-\frac{x}{6}=2$ の根　　答 $x=$［　　］

(5)　連立方程式 $\begin{cases}3x+4y=8\\x-2y=6\end{cases}$ の根　　答 $\begin{cases}x=［　　］\\y=［　　］\end{cases}$

9　次の表は，ある学校で，ある日，三つの門からはいつた生徒の数を調べた結果である。時刻の区分の中で，たとえば20～30と書いてあるのは，8時20分を過ぎて8時30分までの間をさす。

時刻の区分＼門		正　門	東　門	西　門	合　計
8 時 ま で		32	［　］	3	62
8時	0 ～ 10	58	42	20	120
	10 ～ 20	92	30	61	183
	20 ～ 30	111	94	10	215
	30 ～ 40	10	5	5	20
	40 ～ 50	2	0	3	5
合　　計		305	198	102	605

上の表を見て，次の問の答を右の［　　］の中に書き入れなさい。

(1)　この表で欠《か》けている8時までに東門からはいつた生徒の数

答［　　］人

(2)　この学校では，8時30分までにはいることになつている。この時刻にまにあわなかつた生徒の数

答［　　］人

(3)　学校に来た全生徒の数の60%が門にはいり終わつた時刻は，上のどの時刻の区分にあるか。

答［　］時［　］分～［　］時［　］分

10　二つの三角形が合同または相似であることを説明するときに，次の事がらをつかいます。

ア　一辺が等しく，その両端《たん》の角が等しい。
イ　二辺が等しく，そのあいだの角が等しい。
ウ　三辺がそれぞれ等しい。
エ　二辺の長さの比が等しく，そのあいだの角が等しい。
オ　三辺の長さの比が等しい。
カ　二つの角がそれぞれ等しい。

次の問については，上のだれをつかつて説明するか，その記号を答の［　　］の中に書き入れなさい。

(1)　右の台形ABCDの辺CDの中点をMとし，AとMを結んで延長《えんちょう》し，BCの延長線とのまじわりをEとする。△AMDと△EMCとの合同を説明するとき。

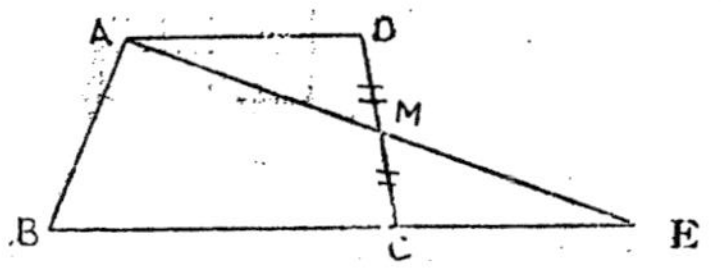

答

(2) 下の台形ＡＢＣＤの辺ＣＤ上の点をＮとし，ＡとＮを結んで延長し，ＢＣの延長線とのまじわりをＦとする。△ＡＮＤと△ＦＮＣとの相似を説明するとき。

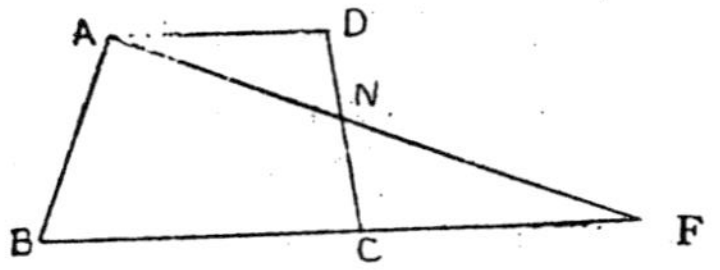

答

11 (1) 円柱形のふろおけが，底面を水平にして置いてあります。このふろおけに水を入れる場合について， 次の問の x と y との関係が正比例ならば正，反比例ならば反，正比例でも反比例でもなければ×を，答の □ の中に書き入れなさい。

(ア) ふろおけに 200 l の水を入れるとします。水道のせんの開き方で水の出方がちがいます。水は毎分 xl ずつ出るとし，200 l 入れるまでにかかる時間を y 分とするとき，x と y との関係

答

(イ) 水道のせんを開くと，毎分 8 l ずつ水が出るとします。せんを x 分開いている間に，水が全部で y l 出たとするとき，x と y との関係

答

(ウ) ふろおけに，水がすでに深さ20cm までたまつています。水道のせんを開くと，その上に毎分 3 cmずつ深さが増すとします。水道のせんを x 分開いている間に，深さが $y$cm となつたとするとき，x と y との関係

答

(2) 次の x と y との関係を表わす式を □ の中に書き入れなさい。

(エ) 上の(ア)の x と y との関係

答

(オ) 上の(イ)の x と y との関係

答

12 (1) 花びんの容積をはかるために、水をいつぱい入れて，その水を全部図のような半径 5 cm の円柱形の容器に入れかえたところ，水面の高さが 8 cm になりました。

花びんの容積は何立方センチメートルですか。円周率は3.14として計算しなさい。

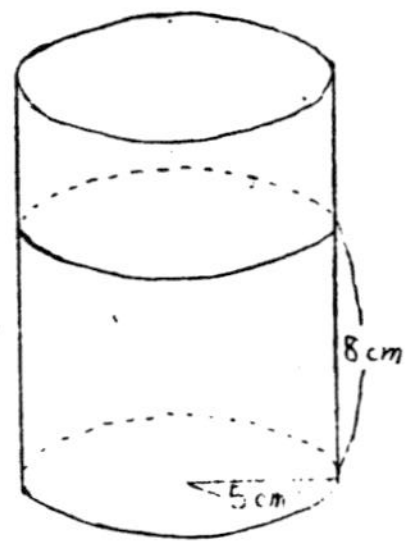

答 cm3

(2) 右の図のようなおうぎ形の面積は何平方センチメートルですか。

ただし，円周率は3.14として小数第一位未満を四捨五入して求めなさい。

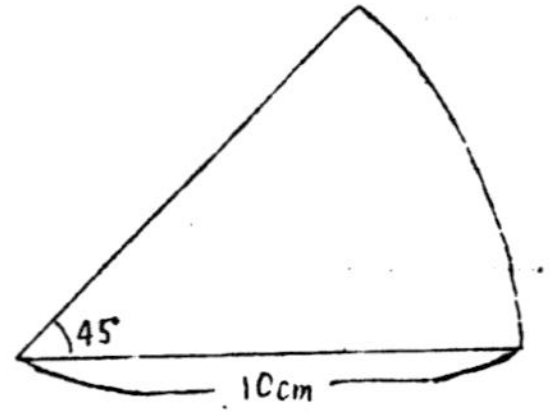

答 cm2

13 (1) ある航空会社の定期航空便コロナ号は，A市を飛び立つて一定の速さでC市に向かつた。出発後 2 時間を経過して，とちゆうB市の上空に来たとき，予定よりおくれていたので，そこから時速を 50 km 増して，B市上空から 3 時間後にC市に着くことができた。この場合A市からB市をへて， C市までの距離《きより》 2650 km である。

最初の速さを毎時 x km として， これを求めるための方程式を作り， 次の □ の中に書き入れなさい。 答

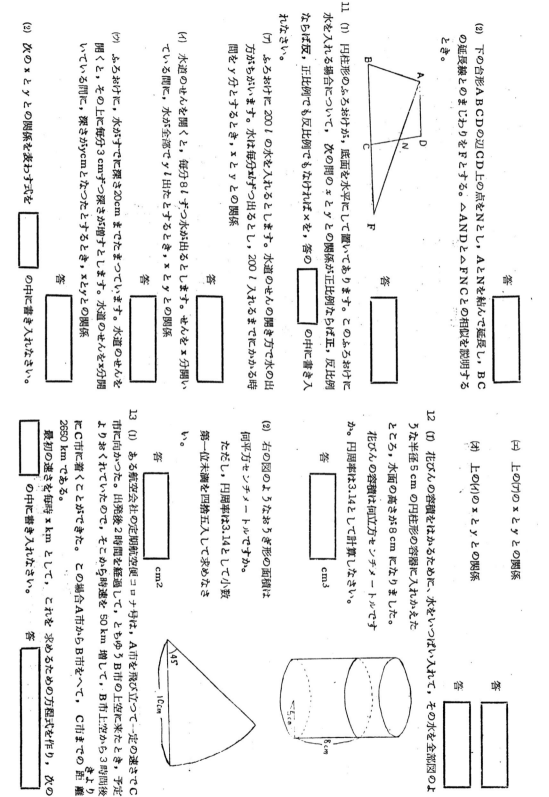

(2) たまごを 20個買う予定で，240円持つてお使いに行つた。たまごは１個10円と15円のものがあつた。

両方買い，代金が 240円になるようにするには，それぞれ何個ずつ買えばよいですか。

10円のたまごをx個，15円のたまごを y個買うとして，x，y についての連立方程式を作り，次の □ の中に書き入れなさい。

答 { □ □

14 (1) 0.2131×0.03074 を概《がい》算して，その結果にもつとも近い値を，次の数の中から選びなさい。そして，その数を答の右の □ の中に書き入れなさい。

0.6　0.06　0.006　0.0006　0.00006　答 □

(2) ある道路をコンクリートで舗装《ほそう》するために，その長さと道幅《みちはば》を測《そく》定《てい》することになつた。道路の長さはmの目盛《めもり》まで読んで713m，道幅はcmの目盛まで読んで 5.83m を得た。このとき，舗装する道路の面積をどのように表わしたらよいか。

下にあげた**ア**から**カ**までの中から答を一つ選び，□ の中に，**ア**とか**カ**とかの記号で書き入れなさい。

ただし，713×5.83=4156.79である。

ア 4.15679×10^3 (m^2)　**エ** 4.16×10^3 (m^2)
イ 4.1568×10^3 (m^2)　**オ** 4.2×10^3 (m^2)
ウ 4.157×10^3 (m^2)　**カ** 4×10^3 (m^2)

答 □

高等学校数学調査問題

昭和34年度全国学力調査

1 次の計算をして，□ の中にその答を書き入れよ。

(1) $x+y-z-(x-y-z)$

答 □

(2) $3xy(-2x)^3$

答 □

(3) $\left(2x-1-\frac{4}{x-3}\right)(x-3)$

答 □

(4) $\frac{3}{8}+2\frac{1}{5}\div7\frac{1}{3}\times\frac{3}{4}+\frac{2}{5}$

答 □

2 次の式を簡単にして，□ の中に適当な数を入れよ。

(1) $\frac{1}{\sqrt{3}-1}-\frac{1}{\sqrt{3}+1}$

答 □

(2) $\sqrt[3]{a}\ \sqrt{a}$（ただし，a は正の数とする。）

答 $\sqrt[\square]{a^{\square}}$

(3) $\frac{1}{1-i}$（ただし，i は虚数単位とする。□ の中は実数とせよ。）

答 □ ＋ □ i

3 (1) $x^2+2x+1-y^2$ を因数分解せよ。

答

(2) $x^3-ax^2-(a-1)x+a^2-a$ を a についての二次式と見て整とんせよ。

答

(3) ある整式を x^2-2x+1 で割つたら，商が $2x-3$ で余りが $-x+2$ となつた。もとの整式を求め，これを x について整とんせよ。

答

4 グラフが次の直線になるような式を求めよ。

(1) y 軸上の切片が -2 で，傾きが $\frac{1}{2}$ である直線。

答 $y=$

(2) 点（4，−3）を通り，傾きが5である直線。

答 $y=$

5 n 個の製品がある。二つの性質，A，Bについて調べたところ，Aの性質をもつものが p 個，Bの性質を持つものが q 個，どちらの性質をも持たないものが r 個であつた。このとき，A，B両性質を同時に持つものの個数はどんな式で表わされるか。

答

6 (1) 次の方程式を解け。

$$3x^2-5x-1=0$$

答

(2) 次の連立方程式を解け。

$$\begin{cases} x-y+1=0 \\ x^2+y^2=25 \end{cases}$$

答

(3) 次の二つの不等式が同時に成り立つようなxの値の範囲を求めよ。

$$\begin{cases} 3x+2>0 \\ x^2+x-2>0 \end{cases}$$

答

7 「△ABCの外接円の弧BC上の点PからBC，CA，AB またはその延長に垂線を下し，その足をそれぞれD，E，Fとすれば，D，E，F は一直線上にある。」

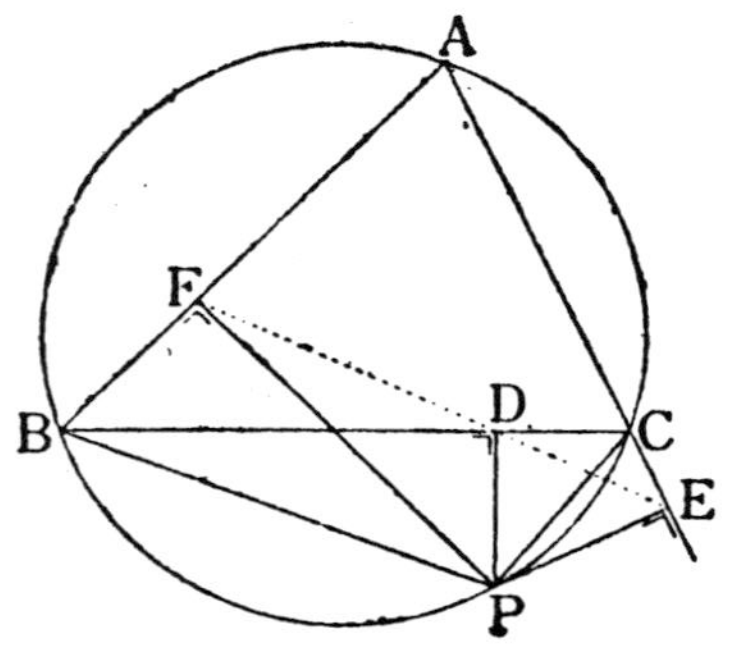

このことを，左の図にしたがつて，次のように証明した。

下記の（ア）から（エ）までの諸定理と，証明中の(1)から(7)までの事がらの中から適当なものを選び，その記号または番号を □ の中に入れよ。

証明

DとE，DとFを結ぶ。

［　　］により，P，E，C，Dは同一円周上にある。……(1)

したがつて，［　　］により，∠CDE＝∠CPE ……(2)

また，［　　］により，P，D，F，Bは同一円周上にある。……(3)

したがつて，［　　］により，∠BDF＝∠BPF ……(4)

ところが，［　　］により，∠PCE＝∠PBF ……(5)

△PECと△PFBにおいて，∠PEC＝∠PFB＝∠Rと

［　　］とにより，∠CPE＝∠BPF ……(6)

上の(6)と［　　］と［　　］とにより，∠CDE＝∠BDF……(7)

となる。

E，FはBCの反対側にあつて(7)が成り立つので，D，E，Fは一直線上にある。

定理

(ア) 一つの円において，同じ弧に対する円周角は等しい。

(イ) 一つの線分を直角に見込む点は，その線分を直径とする円周上にある。

(ウ) 円に内接する四辺形の外角は，その内対角に等しい。

(エ) 対頂角は等しい。

8　次の(1)から(4)までの軌跡は，下の（a）から（i）までのうちのどれになるか。適当なものを選び，その記号を［　　］の中に記入せよ。

（例）定点Oからの距離が一定である点の軌跡。　答［ d ］

(1) 相交わる二定直線XYとX′Y′とから等しい距離にある点の軌跡。　答［　　］

(2) 定直線XYと，この直線上にない定点Aとから等しい距離にある点の軌跡。　答［　　］

(3) 定円O外の定点Aを通り，この円の割線ABCを引くとき，弦BCの中点の軌跡。　答［　　］

(4) 与えられた三角形ABCにおいて，頂点Aとその対辺BC上の点Pとを結ぶ線分APを一定の比に内分する点の軌跡。　答［　　］

（a）一つの直線　（f）円周の一部分

（b）二つの直線　（g）楕《だ》円（長円）の一部分

（c）直線の一部分　（h）双曲線

（d）一つの円周　（i）放物線

（e）二つの円周

9　月も人工衛星も万有引力があるために地球の周囲を回っている。

これらが地球を中心とする円運動をするときは，ケプラーの法則によると「1周に要する時間の2乗は地球からの距離の3乗に比例する。」という関係がある。このとき，次の問に答えよ。

(1) 1周に要する時間をT，地球からの距離をRとすると，TとRとの間にどんな形の等式が成り立つか。　答［　　］

(2) 月も人工衛星もすべて円運動をし，月は28日1周するものとする。

3日半で1周する人工衛星を飛ばすには，地球からどれだけの距離の所を回るようにしたらよいか。ただし，地球から月までの距離を1とし，地球や月や人工衛星はすべて点とみなして計算せよ。

答は簡単な分数で表わせ。　答［　　］

10　**定理：二等辺三角形の底辺垂直二等分線は頂点を通る。**

この定理の証明にあたつて，甲，乙，丙の３人は それ ぞれ次のように考えた。

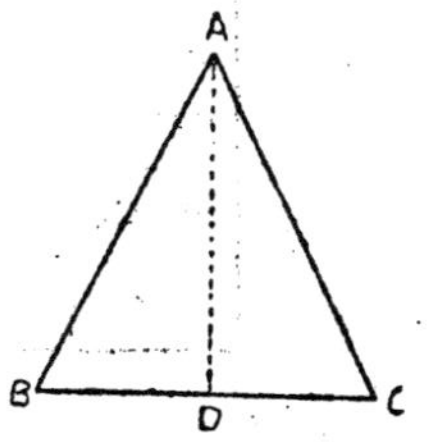

（甲）「二等辺三角形ＡＢＣの頂点Ａを通る中線ＡＤを引くと，ＡＤがＢＣに垂直になる」ことを証明すればよい。

（乙）「二等辺三角形ＡＢＣの頂点ＡからＢＣに垂線ＡＤを下すと，ＤがＢＣの中点になる」ことを証明すればよい。

（丙）「ＢＣの垂直二等分線がＡを通らない三角形では，ＡＢ＞ＡＣまたはＡＢ＜ＡＣになる」ことを証明すればよい。

次の［　　］の中に下の（ａ）から（ｉ）までのうちから，適当なものを選んでその記号を書き入れよ。

(1)　甲の証明しようとする事がらは，もとの定理に対して［　　］の関係である。

(2)　丙の証明しようとする事がらは，もとの定理に対して［　　］の関係である。

(3)　［　　］の証明はもとの定理を完全に証明することになる。

(4)　［　　］はその証明のあとに「ＢＣの垂直二等分線は一本しか存在しない」ということを つけ加えれば，もとの定理を完全に 証明したことになる。

（ａ）裏　（ｂ）対偶　（ｃ）逆　（ｄ）甲　（ｅ）乙
（ｆ）丙　（ｇ）甲と乙　（ｈ）乙と丙　（ｉ）甲と丙

11　二次函数$y=f(x)$のグラフが6個の点Ａ，Ｂ，Ｃ，Ｄ，Ｅ，Ｆを通つている。

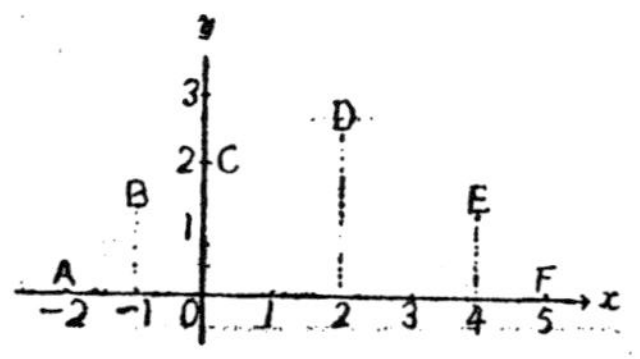

(1)　次の文の中にある［　　］の中に，点の記号，数字または式を入れよ。

二次函数は①［　　］個の点できまるのでＡ，Ｂ，……Ｆの中から適当な②［　　］個の点を選び出して，グラフがこれらの選んだ点を通るような二次函数を求めることにした。計算につごうのよい点③［　　］を選んで二次函数を求めたら④［$y=$　　］となつた。

(2)　グラフまたは式によつて次の問に答えよ。

（ｉ）　$f(x)$が最大値をとるときのxの値はいくらか。

答［$x=$　　］

（ii）　$f(x)>2$となるようなxの範囲を書け。

答［　　］

12　年利率６分，１年ごとの複利で，40000円預けた。

(1)　n年後の元利合計はどんな式で表わされるか。

答［　　円］

(2)　元利合計が元金の２倍をはじめて越えるのは何年後か。ただし，$\log 1.06=0.0253$，　$\log 2=0.3010$とする。

答［　　年後］

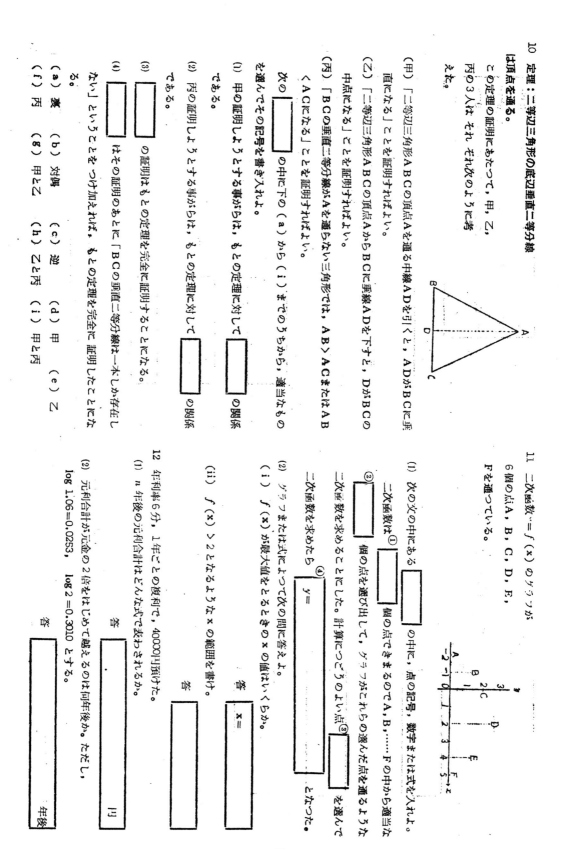

13　10を底とする対数表によつて，$\log_2 3$ を求めるには，

$\log_2 3=\dfrac{\log 3}{\log 2}$ から計算することができる。

その理由を証明した下の文章の中の［　　］の中に，正しい式を記入せよ

（証明）$\log_2 3=x$ とおく。

対数の定義から，

$3=$［　　　　］……(1)

両辺の対数をとると，

$\log 3=$［　　　　］……(2)

ゆえに，

$x=$［　　　　］……(3)

よつて，証明された。

14　海岸に，500m 離れた２地点A，Bがある。沖にある小岩Cを観測して，

$\angle BAC=40°$，　$\angle ABC=60°$

を得た。CとAの距離を求めよ（四捨五入して，メートルの位まで求めよ。）

答［　　　　m］

次の表を用いて計算せよ。

θ	40°	50°	60°	70°	80°
sinθ	0.6428	0.7660	0.8660	0.9397	0.9848
cosθ	0.7660	0.6428	0.5000	0.3420	0.1736
tanθ	0.8391	1.192	1.732	2.747	5.671

15　図は正方形EFGHを底面とする直角柱を示している。この直角柱を，四辺AE，BF，CG，DHと交わる一つの平面で切つた切り口をPQRSとする。

次の問に答えよ

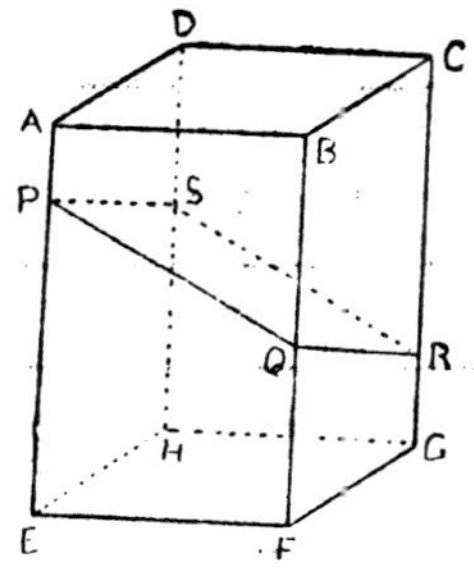

(1)　切り口の平面が底面に平行なとき，その切り口は，どんな四辺形か。その名まえを書け。

答［　　　　］

(2)　PS が底面に平行なとき，切り口はどんな四辺形か。その名まえを書け。

答［　　　　］

(3)　(2)のとき，PQと辺 PE のつくる角をα として，切り口の面積を求めよ。ただし，底面の正方形の一辺の長さを l とする。

答［　　　　］

(4)　四辺 AE，BF，CG，DH と交わる任意の平面で切つたときの切り口はどんな四辺形か。その名まえを書け。

答［　　　　］

三月のできごと

一日　日琉から成る西表調査団（団長林四郎千葉大教授）CAT機那覇発石垣へ向う。

二日　奥間小校図工実験学校発表会

普天間小校安全教育実験学校発表会

三日　初の米琉婦人大会

四日　文教局、教職員会主催自作意匠教具展示会（教育会館ホール、六日まで）

五日　私立沖縄高校第一回卒業式

七日　佐敷小校図工科教材研究発表展示会

立法院文社委（委員長伊集盛吉議員）は沖縄離島、辺地および宮古、八重山の学校給食および食糧事情等について小波蔵文教局長を招いて行政府当局の対策をきいた。

八日　琉大の招請で来島した九大教授法学博士菊地勇夫氏（元九大総長）文化講演（教育会館）

九日　へき地教育研修会（於名護）

第二十回全国教育美術展（タイムスホール）

全琉定例教育長会（於辺土名事務所）

十日　琉大第八回卒業式

大学連合沖縄親善訪問団（団長木本徹君）一行十二人来島

ブース高等弁務官はミサイル・ホークを装備することになり八つの基地を建設すると発表した。

大田主席は六〇年度における「行政主席政務報告」を立法院に送った。

十一日　文教局指定実験学校発表会（兼城中校）

十二日　文教局主催レクレーション指導者講習会（十三日まで石川文化会館）

中山門の復元用材を運ぶ木曳式

十三日　初の教員採用選考試験（那覇高校で）

本土教育指導委員第一陣十一人CAT機で帰る

卓球協会主催第三回中校卓球大会、第六回高校新人卓球大会（首里高校）

十四日　本土研究教員として近く出発する人たちの打ち合わせ会（開南小学校で）

十五日　日本政府貸付けブラジル移民百四十一人（二十四世帯）

十六日　全琉小学校卒業式

十七日　文教局、高校長会、教育長会合同で高校教員異動について打合わせ会（那覇商業で）

十八日　甲子園で開かれる第三十二回選抜高校野球大会に初出場の那覇高校ナイン出発

教職員会主催各地区教文部長による第八次教研活動推進打合わせ会

十九日　沖縄高野連、琉球放送共催沖縄社会人野球連盟後援第七回春季高校野球大会開幕

二十日　本土教育指導委員第二陣十三人帰る

二十二日　「生誕の像」除幕式（那覇市役所前広場）

二十三日　教員新採用について教育長会（那覇教育委員会議室）

二十四日　訪問教師連絡協議会（政府第一庁舎で）

二十五日　文教局指定の普天間高校音楽研究発表会

文部省調査局国際文化課長浦谷吉雄氏宗谷寄港や国費生の問題打合わせのための来島

二十六日　名護中校二年生金城勝子さんの作文「日記とともに」が国語の教科書にのると発表

今年の集団就職少女第二陣三十人出発

二十九日　本土集団就職第三陣男女七九人出発

第六回子どもを守る大会（教育会館で）

あとがき

※約半年がかりで、やっと全国学力調査の結果がまとまった。詳細な分析検討はこれからのことにしてひとまずご報告したい。

※全国的な規模で、学力の調査が行われたのは戦後がはじめてで、戦前と比較するすべもないが「教育県沖縄」の自負はやはり再びもちたいものである。

※教育の実績をあげるには実態の適確な把握が望まれる。しかしそれはお互い勇気のいることであり、苦労なことでもある。

※教師一人一人が眼前に示された学力不振の実状を勇敢に改めていただく資料としてこの特集号が役立つことを望んで止まない。

—正—

一九六〇年四月二五日　印刷
一九六〇年四月二六日　発行

文教時報（第六十六号）（非売品）

発行所　琉球政府文教局研究調査課

印刷所　那覇市三区十二組　ひかり印刷所　電話(8)一七五七番

文教時報

67

1960. 5.6合併号 No. 67

特集

教育指導委員の指導成果

琉球

文教局研究調査課

巻頭言

教育指導委員の残した業績

阿波根　朝次

教育指導委員の残された業績は各方面から高く評価され、今年度文教行政の一大ヒットだとの世評でこの制度は次年度もぜひ実現すべしとの要求が教育関係のみならず新聞や立法院、在京先輩の間からも起つているが、いかなる意味においてこれが高く評価されているかにつき各界の意見を総合すると次の諸点に要約できると思う

教育指導委員の業績の意義

1　沖縄の現在の条件下においても教師の創意くふう努力によつて改善できる余地が多々残されている事を実績を以つて示したこと。

2　その実績を見て「やらなければならん」と云う気運が教師および父兄の間に高められたこと。

3　父兄の教育に対する協力態勢が高められたこと。

4　教職員の自主的研究組織が強化されたこと。

5　沖縄の施設備品、生徒、学校、家庭および社会の実態に即した指導法を口先でなく実績を以つて示したこと。

6　指導的教師の訓練が、講義によつてでなく、彼等が教育指導委員の補助者として、学習指導および指導主事としての指導に共々に励む事により有効に行われ、その資質向上に大いに役立つた。

今後の問題点

1　竹を曲げてすぐはなせば又元へもどるがしばらく曲げたままにして置くと元へもどらないようになる教育指導委員が六か月の間に多大な成果を残して帰つたがこのまま打ち切つたのでは又元へ戻つて仕舞いはしないかと危ぶまれているが、そうならんようにするにはある期間継続する事が必要であると思われる。

2　特定の教育区について考えた場合一、二の教科についてしか指導されていない又全琉的に見た場合でもいまだ全然指導を受けていない教科が多い。

3　自主的研究組織が強化されたと云つてもいまだ一、二歩踏み出した所である。

4　本土に比し学力水準がかなり低いので教師の素質、待遇、校舎、設備備品、本土との人事交流の困難、政治的特殊性等のいろいろなハンディキャップの中で早急に本土の学力水準に追いつくためには、現段階においては本土からの指導は極めて必要である。

5　しかし本土からの教育指導委員の指導のみをあてにすべきでなく、我々自らの問題を我々自ら解決せんとする自主性の発揮を忘れてはならない。

以上の諸事情を考え合わせると、教育指導委員の業績の意義は極めて大きく、本土水準におくれた、沖縄の教育水準を早急に本土のそれに近づけるためには、他の方法を以つて替え難い意義をもつものと思う次第である。

（文教局次長）

目　次

招へい教育指導委員について

招へい教育指導委員の指導成果

1959学年度における本土よりの教育指導委員を迎えての現場は清新の気分があふれ、勇気と希望にわき出した感じでいつぱいである。親しく教育指導委員と接してこられたみなさんより提出していただいたアンケートを次に紹介したい。なお、編集のつごうで玉稿の一部を省略し、掲供いただいた方々の半分をここに掲載したことをおことわりしておきます。

辺土名地区教育長　宮　城　定　蔵

招へい教育指導委員の沖縄派遣は現地沖縄側の努力と文部省の厚意によってその実現をみることができたがそのこと自体沖縄教育の前進のために画期的な歴史的な特筆すべき快挙であると言いたい。

現在派遣中の指導委員は日本教育の第一線にあつて現在まで教壇実践に当たりあるいは指導行政の衝に当たつていた。文字通り日本教育の推進の中核体として現場において活動している先達である。

しかも指導委員の方々は戦前の日本教育を身をもつて体験し、戦後の民主主義的教育を直接に推進し研究した方々である。だから戦前と戦後のよさもわるさも充分理解していただいている。

さて、沖縄の戦前の教育はさておき、戦後の沖縄教育はその基本路線を民主主義に置き、その発展を企図しながら、各種の障碍とあい路のため卒直に言つて、そのレベルたるや遠く日本の教育に及ばず教育効果の向上とあい路の打開は緊急を要するものがある。

沖縄教育の前進と効果をはばむ要因を分析して大別するなら ㈠教育財政の貧弱 ㈡教育行政制度と運営の貧困 ㈢環境の貧弱 ㈣教師の質の低下等を挙げることができる。

以上の四項目は程度の差こそあれ、沖縄だけの問題でなく、日本においても現に関心を持たれ解決をせまられている問題である。

現指導委員は、日本教育におけるこの種問題に対しても関心と研究、努力を続け、広い理解と深い知識を持っておられる。教育指導委員の諸先生方がそのがい博な知識と旺盛なる意欲をもつて後進の私達を指導して下さつた効は高く評価されてよいと思う、その実例を二、三述べてみたい。

当地区配置の菅井指導委員は、教育効果の源泉とも言うべき環境に対して分析解明につとめ、日本との異同を明らかにし、父兄会、婦人会、各種の機会をとらえて、父兄の教育的関心の昂揚と家庭教育の具体的在り方、子どもの環境の浄化を説いて父兄の啓蒙のために努力して下さつた。

学校訪問や研究集会その他の催においては、日本の教育事情、出身山形県の教育財政、教育行政、各種教育機関の状況学校の施設・設備などについて実状を紹介し、教員の啓蒙と研究努力を歓奨している。特に教育の絶対的条件とも言える教員の質的向上のために全力を傾注して滞在期間をフルに活動せられている。

当地区内教員のため日進月歩する日本教育の前進振りを 直接紹介 して いただき、沖縄の家庭環境と社会環境を分析してその正しい在り方を指示し、それへの努力と熱意をかきたてていただいた。

特に私見によれば、沖縄教育の前進を直接にはばむものは教師の質的低下にあると思う。戦後の速成的教員養成制度は戦後の教育効果の向上に致命的に影響したと思う。

現場教員は知識的に極度に低下しているし、その教壇実践の効果を必須的に左右する教育方法とその方法を生かす運営の教育技術が余りにも貧弱である。

特に菅井指導委員は算数・数学教育という立場から、算数教育の在り方、教材の系統系列の学年的配分(カリキュラム)、教育方法および教育技術、方法や技術の駆使のための必須条件たる教具の作成……に配属校を中心に活動を続けられた。

又指導委員は当地区に初めて算数・数学研究会を組織され、その会を中核体として、移行措置を盛つた小学校一年から中学校一年(それで移行措置は完結)までの算数・数学教育課程の作成を完了しこれはすでに本地区各学校のカリキュラムとして実施に移されている。

先生は日本教育の現況や教科や学校・学級経営の実状紹介のため文部省はじめ各書籍会社、各県教育庁や知人等から書籍や雑誌を取り寄せることにも努力を続けていただいている。

地区教育の発展を喜ぶと共にこの制度と援助を感謝し、指導委員の待遇を現在以上に厚遇し、活動のための経費を増大することを望むとともに委員数のより一層の増大を希望するものである。

アンケート

招へい教育指導委員について "効果・反響・評価"

糸満連合区教育長 宜保徳助

一、理科教育に対する各方面の認識が深められ、これを重視するようになつて、学校の理科教育に対し、大いに関心をもつようになつた。

それは理科施設充実のため、臨時に財政的援助をしてくれたことや理科の公開授業、理科の製作品展示会にみにくる人が多くなつたことによつてもあきらかである。

二、学校教育の面では

1 学校経営に当たる学校長の理科教育に対する認識が深まつた。理科施設充実について、学校の財政面の配慮、段階的な充実の方法、備品の管理法、活用法、理科研修への援助等。

2 理科指導に当たる教師

a 理科の簡易器具の製作、修理の技術を習得した。

b 理科実験の技術を深め、その方法、態度を身につけている。

c とくに、身のまわりにある資材をどう活用するか、科学的なものの考え方を学んだのはこれからの理科教育に大いに貢献するものと信ずる。備品保管の仕方を学んだ。

d 教員が器具製作に興味をもち努力をした。

地区全体で三千個、小校で一校四〇〇個つくつているところもあるが、現在各校で製作は続けられている。

3 児童・生徒の面からみると、子どもたちは、グループで実験机をかこみ、実験観察に注意を集中し、学習に余念がない。実験の仕方が日をおうて身についてゆくようで、学習態度が非常によくなつた。

4 理科の同好会も組織され、理科研修をこれからも続けていくようになつている。

八重山連合区教育長 糸数用著

一、効果

一、理科、算数の両招へい教育指導委員は八重山各区の小・中校六十五校をくまなく訪問、備品や環境の調査、指導授業、講演や話合によつて、その学校に則して指導され啓蒙された。

二、理科は登野城校、算数は石垣校を拠点として指導、所属教員一人一人を徹底的に指導し理科主任、算数主任として活躍し得るまで鍛えあげられた。その上、自ら公開授業を行い来会者に多大の刺激を与えた。

三、冬期講習は、周到な準備と計画のもとに実施し受講者の評価は自校の職員に受講内容（理科は実験）を伝達した証明を校長より報告せしめる一項もあつて知識技能の仲間分けをすることによつてこれを確実にし、児童生徒の学習に浸透するようにした。

四、P・T・Aや婦人会の依頼に応じて教育講演をなし、理科、算数の学習のし方のみならず家庭教育のあり方など聴講者に多大の感銘を与えた。

二、反響

一、教育委員会、教員、P・T・Aその他一般社会の人々も招へい教育指導委員の制度は画期的でその効果も実に大きいと喜ぶとともにぜひ琉球の児童・生徒の学力が本土なみになるまで各教科にわたつてこれを継続してもらいたいとの声は大きい。

三、評価

一、太田指導委員は温厚篤実、阪上指導委員は明朗闊達な性格でともに八重山の子ども達を愛し、教育関係者との間にとけこんでもらつたが和して同ぜず厳然たる態度で追究すべき所はあくまでも追究し、またなま半可なところはゆるさず徹底されて、理科、算数各学年の体系、移行措置、指導の準備、方法等に大きな効果をあげた。

名護連合区教育長　大城知善

理科　中島　彬文
音楽　富永　忠男

一、効果について

1　両教科の基本的施設についての助言で委員会、P・TAは予算を組み該教科の学校備品が充実した

2、音楽については器楽指導、理科については実験学習という本来の正常な学習指導のあり方に真正面からとつ組めるような態勢ができ上つた。

3、両先生が積極的に教壇実践をして下さつたことにより各学校では研究ふん囲気が高まり教員も進んで研究授業をするようになつた。

4、指導技術の機微にふれた面で示唆を与えて下さつたため教師の授業に無駄が少なくなり能率があがるようになつた。

5、教師が両委員の実践態度を学んで自分の生活態度について反省しよりよい教師になるべく努力するようになつた。

一、反響について

1、児童・生徒は音楽や理科をたのしんで学習するようになつた。

2、教師は理科における実験器具、音楽における楽器を気おくれせず安心して使用するようになつた。

3、器具や楽器を購入する意欲が高まるとともに使用する技術が磨かれ、家庭でも進んで学習するようになつた。

4、教員の授業に張りができ、学校全体が緊張し、学校経営のうち学習指導に関する分野により重点が置かれるようになつた。

一、評価について

1、従来忘れられがちな三離島の指導についてはあらゆる困難を克服して富永先生(音楽)十六日、中島先生(理科)二十七日という長い日数をかけて離島教育を引き上げ深い感銘を与えた。

2、理科においては従来余り購入されなかつた消耗品的器具が数多く購入され、児童実験に直接使用されるようになつた。

3、音楽においては一、三〇〇個という多くの楽器が購入され、それを用いて各学校ごとに児童合奏団が組織された。

スペリオパイプ、ハーモニカは児童の四割程度が所持している。

4、公開授業　理科十九回、音楽十六回、技術講習　理科二十一日音楽二十日、全学校もれなく訪問指導している。

音楽においては講習会の外、演奏会を三十六回もち、すぐれた木琴演奏を公開し、学校はもちろん社会一般への反響も大きく地区全体に器楽演奏熱を湧き立たせている

5、理科同好会が結成され組織もでき、活動を開始するようになつたまた音楽同好会は一層内容が充実するようになつた。

一、希望として

1、教育指導委員は指導主事と現場の実際家と両方から適当に組み合わせて編成し派遣してもらいたい

2、この制度は沖縄の教育界に清新な気風を与え内容面の向上をはかる上にぜひ必要と思われるので継続して実施され、なお次回からはもつと増員してもらいたい。

3、委員としてもつと巾広く活動してもらうための十分な活動費を予算化してもらいたい。

沖PTA連第七〇号
一九六〇年三月八日

沖縄PTA連合会長　徳元八一
第六回全沖縄PTA大会議長　又吉康林

文教局長　小波蔵政光殿

沖縄派遣指導委員増員要請の件

日、米両政府の話し合いにより、沖縄教育援助の一環として実現して下さいました、沖縄派遣教育指導委員制は、沖縄教育振興のため大変有意義であり、広くPTA会員より感謝されているところであります。

去る二月二十六日開催された全沖縄PTA大会において、本問題が緊急動議として提出され、指導委員の熟練した指導技術によつて子ども達の学習意欲が向上し、沖縄の先生方に大きな刺激を与えつつあり、自作教材の活用や指導委員を中心とした同好会の自主的研究が活発となり、沖縄の教育に大きな貢献をしつつあることは、子どもの福祉を願うPTAとして喜びに堪えません。

私達は米国民政府と日本政府の理解と協力によつてこの制度の実現を見たことに対し、衷心から感謝すると共に、来年度はいよいよこのよい制度を拡充し、より多くの児童生徒が、その恩典に浴することが出来る様、増員方を関係当局へ要請することが満場一致で決議されました。よつて全沖縄PTA大会の決議要望として、沖縄十数万PTA会員を代表し、その促進方を要請致します。

教科指導員はどのような研修ができたか

小学校算数

指導委員　背井憲太郎
辺土名小学校
教諭　平良長康

(1)　算数、数学科学習指導年間計画(カリキュラム)を作成、それに対する基本的な事柄について、一応理解することができた。

(2)　算数、数学科の指導内容について、領域ごとに系統的に、委員の指導を受け、指導内容の概要や、その研究方法についての基礎的なことがらや指導の重点について理解することができた。

(3)　算数科学習指導の実際について委員の指導授業を数多く参観することができ、教壇の実践についての、基本的な問題やその取り扱いについて、いろいろなことを学ぶことができた。

○学習指導案作成について
○学習態度の確立について
○基礎となる題材の指導、応用、発展的題材の指導
○計算問題等の練習について
○指導の重点的取り扱い等について
○教具の活用について

(4)　複式学級における算数科学習指導の、同時同題材指導の基礎的な事がらについて一応の理解をすることができた。

(5)　教具を作製したり、使い方を参観したり、また自分で使ってみてその教育的な価値についての理解と、活用の方法について基本的な認識を得ることができた。

(6)　教室の学習環境構成の基本的な事がらについて、具体的な指導を受け、その大要を理解することができた。

(7)　委員の指導のもとに数学教育研究会を組織して、会員と共同で、カリキュラムの作成、教具展示会等を行うことによって、共同で研究をすすめるし方や、研究態勢の確立のし方等について研修することができた。

○地区内学童の算数、数学科の学力テストを実施、学力の実態を調査すること、問題作成、答案の処理、集計等で多くの体験を得た。
○共同研究、研究会のもち方についての理解

(8)　委員の指導とあっせんによって本土の指導者や研究団体とのつながりができ、直接指導を受けたり交流ができるようになった。

(9)　教壇実践者としての正しい考え方、研究的な態度、実際的な研究方法建設的な生活態度等について

○指導委員背井先生の誠心、誠意の指導ぶりは無言の中に、教師としての基本的なことがらの指導を示された。
○沖縄の教育の向上を阻むものは、政治的にも、経済的面からも問題は多い。しかし現在の条件の中でも、まず自分たちの力の範囲でできるものはやって、少しでもこどもの実力をつけてやるくふうと実践、これを委員の指導を受けつつ、実践してみたこと。
○金をかけずに、共同して多くの教具を製作したことはいろいろなことがらを教えてくれた。

中学校数学

指導委員　竹村　正一
南風原中学校
教諭　喜名盛範

一、指導委員と同道して、地区内の全学校を訪問した。

1　授業を、批判的に参観する修練を重ねた。

2　授業参観後の研究会で、指導委員が学校、学級経営、授業の進め方(指導案作成を含めて)について述べる所見を聴きつつ、授業参観の観点その他を研究した。

3　授業参観後に、自分の述べた所見について、指導委員から批評を受けて研究を深めた。

二、指導委員の行う授業(公開、非公開とも)を全部参観して

1　綿密な記録を採つて、授業の進め方の要点を研究した。

2　公開授業後の研究会に—学校

教科指導員はどのような研修ができたか

訪問のときの授業後の研究会にも―研究会の司会をつとめ、研究会の進め方を研究した。研究会での問題点の提示のしかたを理解した。

三、教科指導員自身が授業を実施した。

1 指導案の立案について研究を深めた。

2 授業後に指導委員の率直な批評を受け、次時の授業の目標の設定法、授業の進め方を研究した。

3 指導委員との常時の話合いで数学教育の参考書の研究法、生徒心理の観察法、学級経営と数学科指導法との関連について研究した。

四、教科研修会に参加した。

1 指導案の立て方、授業の進め方に関する講義の記録係をつとめた。

2 模範授業を担当して、講習参会者全員の批評を読み、講習生の行つた授業に対する同様な批評（レポートとして書かせたもの）も全部読み、地区教員の算数、数学科に対する研究状況を観察した。

五、文部省学力調査（中3、小6の国語、数学）の標本答案の反応分析法について、新な方法を研究した。

六、知念地区、算数、数学教育同好会結成に努力した。（算数、数学科の各題材の指導法発見のための研究を行うための同好会）

算数・数学

指導委員　安保　宏
金武中学校
奥間松蔵

一、学習指導の原理の面について

△能率的な学習指導について

能率の問題は時間をいかに有効に活用するかにある。学習指導における能率は空費される時間のほかに、実際指導の能率ということも考えなくてはならない。そのような意味でもつと真剣になつて能率のあがる学習について研究せねばならない。

△個性化の原理、社会化の原理、直観の原理、具体化の原理、作業化の原理について実際の学習指導に活用されていない、それを指導委員の先生によつて教だん実践に直結して指導をうけた

△レデイネスの研究について

学習指導を行う前に文教局によつて実施される知能テスト、標準学力テスト等の結果や、その他の資料によつて生徒の実態をつかんで望むべきであると、先生から指摘された。今後は大いにこのような資料を活用する様に努めなければならない。

二、学習指導の諸形態について

△直観による学習指導

測定の指導は基礎的でかつ厳密性を要するものであるから必ず実物の直観によつて指導しなければならない。かゝる器具は現場に相当あるがこれが活用されてないと指導委員の先生から指摘されたのであるが、これらの器具をどう活用するかをもつと研究する必要がある。

△個別指導の形態について

地区内の算数、数学主任を集め指導委員の先生を中心に研修しあつたが得るところ大であつた

△練習の指導について

指導委員の先生を練習を二つに分けて考えておられる。その一つは原理法則を理解するための練習（これを第一の練習）理解した原理、法則が生きて働くための練習（第二の練習）地区内の学校訪問のさいは第二の練習がたりないと指摘され、とくに公開授業および研究会で研修した。

三、その他の問題について

△学習記録をとることについて

先生は毎時の学習記録をとつておられる、指導の過程から反省まで詳細な記録でこれは進度の目やすになる。

△校内の教科研究会のあり方について

配置校の金武中校において、この研究会をもつたのであるが得るところ大であつた。

△診断テストの作成とその利用法について

詳細は文教時報にでているので説明を略する。

△教材研究のしかたについて

教材研究は数字のみでなく論理的な角度から数学的教材研究の重要なことはもちろん心理学的

教科指導員はどのような研修ができたか

教材研究、教育学的教材研究、数学史研究等多角的な教材研究が必要である。この意味で今回の冬季講習は有意義であった。

小学校理科

指導委員　太田　五六

登野城小学校
教諭　与　儀　兼　六

一、八重山地区の理科教育の現況について全体的に明確につかみ得た

(1) 就任当初はほとんどの学校が教科書理科、お話の理科の域を一歩も出ていなかったが最近理科の本質から物に即してなさるべきだという方向に動きつゝある。

(2) 実験観察を取り入れてもそのねらいが奈辺にあるか充分理解されていなかったようだったが冬期の教科研修会後の学校訪問ではこの点大いに進歩してきた

(3) 理科の設備、備品に至っては極めて貧弱であってしかもその少ない物さえも充分活用されてなかったが前述の研修会後は有る物はその利用がくふうされ、無い物は自作の器具でやっている学校が各地に見られ心強く思った

(4) 教師は多くこれまでのいろいろの事情から理科を敬遠し物に即する事を恐れがちであり、殊に生物関係の教材においてそれがはなはだしいように見受けられたが、最近生物教材の取り上げられている目的をだんだんと理解し、植物学者のような学識がなくとも自然に親しむ児童を育てることは可能なことだと考えるようになってきた。

複式学級の取扱いは余りくふうされておらず両学年の教科書をそのまゝ二本立として使用しているが、太田指導委員から得た文部省発行の〃複式学級における理科学習指導〃の資料にもとずいて印刷配布し極力同単元指導への移行を早くするようすすめてきた。

二、右の状況下において各学校では具体的にどのように解決してゆくべきかの端緒をつかみ得た。

(1) 理科準備室の設定

特別教室の望めない現在、校舎内の空間を少しでもよいから見つけ出し、備品を整理整頓していつでもだれでもすぐに使えるようにしここを教材研究の根城として、大きな学校では学年別に、小さな学校では全職員といった具合に少しの暇でも利用して教材研究としての予備実験をし教師の技能を伸ばすと共に日々の理科学習の質的向上を図ることが大切である。

(2) 理科的環境の整備

教材園、学級園の栽培管理、小動物の飼育管理はもちろん学校周辺の自然環境の調査その活用等学校自体がそうした眼をもち年次的に計画を立て、着々と進めなくてはならない。

(3) 備品の整備購入計画

少ない予算で何をどれ程購入するかは理科教育の効果を挙げる上から極めて重要なことである あくまでも児童実験を本体として、当地で得られるもの、自作できるもの等考慮に入れ年次的に計画を立て早急に整備するよう努力すべきである。

又これまでの器具についてはよく調査の上、小中校の間において必要、不必要の観点から交換し合う事も考えられる。又高価で各学校ごとに購入することの困難なものは持っている学校の物を貸してもらう等考えておくべきである。

(4) 教師自身理科を好きになるためには実際に物に即して当ってみなくてはならない、そうして初めて興味も湧き、又種々の問題も生まれその解決の緒口も見出せるものであるという観点から、理科同好会を組織し、現在教材研究を主なねらいとして研修しつゝある。（会員二一名毎週土曜日の午後研修会）

三、理科における新指導要領のねらいを多分に理解し、個々の単元の内容についてもその要点をつかむことができ理科指導上の自信を得た。

(1) これまでの学校訪問の際の研究授業、登野城小学校における教材研究、研究会、実験講習、冬期実験講習における実験その他講義、講演等を通して直接指導委員太田五六先生の指導を受け、人間の科学性が理科という教科を通して、いつどこで、いかように練られていくものであ

教科指導員はどのような研修ができたか

るかを具体的な場、物に即して指導していただいた。

(2) 今度の機会に得た知識技能を同好会やその他の機会にできるだけ多くの同僚に分ち合い、ともどもに勉強し合つて八重山地区の理科教育の進展に微力を尽したい。

小学校理科

指導委員 山川岩五郎
城前小学校
教諭 宮城邦男

一、学校評価のしかたについて……

学校を訪問する時に、その学校の教育目標、教育計画、教育事務、教職員の勤務状況、生徒指導の状況、健康安全の管理等観点をおさえて、学校を見ると、その学校の評価ができる。

二、地域にそくした学校環境の設定のしかたについて……

校地、校庭の利用、および校舎、学級環境の設定のしかた、特に理科の環境設定については、城前小学校を実地に指導されたので他校に見られない環境設定ができている。

三、移行措置の作成およびカリキュラム作成に自信がついた……

九月から一月まで、継続的に指導され又私達の作成した、移行措置案が文教局の案として、全琉の学校につかわれるようになり、私達の労苦が報いられ、喜びにたえない又二月十七日には、発表会を全島的に行う事になつている。

四、実験器具の作成……

十一月、十二月の二か月間毎週金曜日に、実技講習会を開き一年から六年までの実技講習を実施したので、小学校に必要な簡易実験器具は、自作できるようになつた。

五、理科の指導法

1 指導案の立て方=特に指導過程の中の導入と計画は教師中心に書き、研究は、児童中心に書くということ。

2 研究のさせ方=児童に問題をつかませたら、研究のところでは、児童をつゝぱなして、充分研究させ教師は、机間巡視、グループ指導に当たるという事。

3、指導の要点=授業する場合にはこゝで何を、理解させるかということを、はつきりおさえておくという事。

中学校理科

指導委員 久佐賀種一
真和志中学校
教諭 平良良信

一、理科教育における学習指導法の要点について

小学校、中学校の理科学習における教材（単元）ごとにそのねらいや取り扱いの程度や地域に即した指導法の要点を理解する。

一、実験、技術の向上

其礎的なものから漸次高次なものへと系統的にしかも現在学校にあるものを生かしてより効果的に実験技術を習得することができた特に危険を伴う化学実験学習についての取り扱い等はより貴重な経験を得たと思う。

一、機械器具類の基礎的操作ならびにその保管活用について

一教具、教観物を活用した、より効果的学習指導法について

自作教具についての考え方、作り方、利用の場面等の研修、特に動く断面図、簡易実験器具、プラネタリウム、天体指導教具について充分に指導を受けた。

一、児童、生徒の取り扱いについて

児童、生徒の心理的発達段階に応じた指導法、個性を生かし、理科学習に興味関心を持つ指導法、問題意識を喚起していく指導法等の研修

一、理科教師の正しい在り方

教壇実践のみならず教師研修の問題や同好会等の持ち方各学校における理科教師の位置・教師の人生観の問題等精神面やものの考え方等についての研修

一、授業の持ち方見方について

普段の授業はもちろん、公開授業の持ち方、授業研究会についての科学的、合理的研究のし方

一、新らしい教育課程の諸問題について

新指導要領（理科）のねらいや研究法および移行措置期間におけ

教科指導員はどのような研修ができたか

るカリキュラム構成の要点等について

一、地区内における実験製作講習会の持ち方

前後三回実験講習会を実施したことによって、その持ち方の要点を研修することができた。

一、指導助言の正しい在り方および指導主事の職能について

小学校音樂

指導委員　富永　忠男

名護小学校

教諭　富名腰　義幸

一、器楽指導の面で、各楽器の奏法および系統的合奏指導の技術を習得すると同時に各学年における器楽指導の在り方を具体的に指導していただいた。

二、総合的、系統的かつ感覚的な学習指導の在り方について習得する事ができた。これは歌唱中心の学習形態からの脱皮として名護地区全体に波及しつつある。

三、改訂指導要領の具体的面について指導をうけ、各学年の指導の中心点、取り扱い法その他について把握できた。

四、鑑賞教育の在り方について種々明らかになった。

五、楽器の管理、保管上の留意点について指導をうけた。

これは高温多湿な沖縄においては至って重要な面であり、財政貧困なるが故にますます意義深いものがあった。

六、サークルの研究活動の在り方について細部にわたって指導助言をうけた。

七、「どの児童も平等」に取り扱い、激励を与えながら進んでいく徹底した指導法から種々の教訓を得た。

八、運動場と教室との区別をつけ、徹底した学習態度を養うためのきびしいしつけについて特に強調しておられた事は肝に銘じている。（沖縄の初印象について「自由のはきちがえ」が多いのではなかろうかともらしておられた）

九、お願い

(イ) 名護地区は学校数四十余、それに離島をかかえ範囲がひろい故に指導委員の数を増やす事ができないものでしょうか。

(ロ) 広大な地域であるので指導行脚にはすばらしい体力を必要とします。それで身体強健な指導委員の配置を考慮して下さい。幸いこのたびの中島、富永両先生は健康と情熱にみちてすばらしい成果をのこされました。

小学校図工

指導委員　高智　四郎

佐敷小学校

教諭　知念　正健

一、地区の実態に即した教材の研究

図画工作科の目標達成のためにこの地区にどのような教材があるかについて研究をした。今まで死蔵されていた数多くの資料や材料があった。これが成果は、指導資料の整備や教育計画の内容に生かされている。

二、地区教育課程の基準の編成

地区に即した図工科の教育計画はできていなかったので、全期間を通じてこれにあたり三月には完成の予定である。

三、学習指導法についての研修

指導委員の公開した授業（十五回）および平常の授業を参観してその研究協議を司会し、自らも研究授業をして指導者としての研究をした。

四、教材研究資料の整備

教材研究センターの整備を中心として、指導のための資料の蒐集整理をした。

五、地区施設設備の実態調査とこれの充促計画について

地区各学校の施設設備の実態を調査し、文教局基準教育計画（教科書の内容を合わせて）に要求する施設設備をどのように充促すればよいかを研究し、各学校に配付して資料とした。

へん地の学校へ図書を送ろう

学級・学校図書の少ない辺地の学校では教科書以外読み物が乏しいため困まっています。読んでしまった図書や月おくれのざっしなど辺地の子どもたちのために送ってやりましょう。

（K・T生）

教科指導員はどのような研修ができたか

電気課程

指導委員 内山 一正
工業高等学校
教諭 嘉数二郎

一、文部省指導課程を実際に具体化するにはいかにすればよいかということで自信を得た。

① 実習を主体とする教育課程の研修を受け、新しい課程を短時日の間に編成できたことは大きな収穫であつた。

② これをなし遂げるため、いろいろな資料を必要としたので資料にもとずく勉強も得るところがあつた。

二、教育研究の組織、運営のしかたについて全職員が体得できるように計画立案し有機的に機能的にしなければいけないことを各職員がわかつた。

三、他県の教育の動向を知る良い機会であり、沖縄教育の内容面がいかに立後れであるかがわかつた。

四、新課程にもとずく備品購入計画が樹立された。

この新しい課程の運営に当つては必要な定員が再検討されなければならないと思う。

五、指導委員の受け入れ態勢を少なくとも一か年前に通知し、教育資料の準備をととのえておけばもつとよかつたのではなかつたかと思う。

野菜園芸

指導委員 金井 金雄
南部農林高等学校
教諭 運道武三

一、教育計画について

1 年間指導計画を課程別ならびに学年別、時期別に検討し適正に配当する能力を高めた。

従来の年間指導計画は日本本土のものをそのまま模ほうした感がありなお他教科との関連、学年別配当等にまずい所があり無駄骨を折つた点が多い。

2 地域に即した教科の学習計画を綿密に立案することができた学習計画は地域に横たわる問題を解決し、地域に即した単元をとりあげてゆくのが現在における農業教育の在り方であると思う。その点について郷土的な学習計画が作成された事は喜ばしい。

3 学習計画にもとずいてこれが運営を円滑ならしめるため備品および種苗の購入計画は農場経営上大切な問題であり、学習計画にもとずく備品および種苗が充分に利用される事は農業経営を成功に導く要素である。

4 合理的な作付計画を立案することができた。

農業教育における作付計画いかんは生徒の学習活動を左右する問題であり、農業教育の成果を左右するものである。

5 高度な栽培技術を修得した。

現在那覇市場に出荷される野菜は毎年同じ品物が廻つている状態で新しい種類の出現が少ない食生活の改善とともに需要者の嗜好も違つてゆくべきである。その点今後発達可能の野菜の傾向およびその栽培技術の研修を痛感するものである。

6 農業教育者としての心構え

農業教育者として企画性に富み実践力に秀でる教員こそ真の農業教育者と云えよう。金井先生を通じその精神を学び得た事は農業教育者として非常に有意義であつた。

二、教育実践について

1 創造的、積極的に自信をもつて教育する素質を高めた。

2 計画にもとずき迫力のある学習活動がなされた。

3 実験実習における生徒の活動が活発化した。

4 園場経営が年間を通し円滑に運営できるように強化された。

5 勤労精神を涵養した。

6 実践活動の地域社会への貢献

7 生徒の自家経営能力の啓培

8 農学徒としての誇りと自信を持たし、明朗な学園建設の基盤が築ける。

教科指導員はどのような研修ができたか

漁業

指導委員 岩城 彪二
沖縄水産高等学校
教諭 外間正八
糸数鉄夫
運天政一

一、教科学習指導に関して（指導案は別紙の通り）

模範公開授業によって学習指導学習活動に示唆を与える。

(1) 学習活動との時宜よろしき導入方法

(2) 教科書を所持しない生徒に対する適切な指導方法

(3) 理論の説明と具体例のおりこみ方

(4) 生徒に発表の場、機会を積極的にあたえようとしむける方法

(5) 手近かに説明の材料を求める方法

(6) 本時における総復習とまとめの仕方

二、教科と実習の関連について

(1) 実習の実施については従来夏季休暇を利用する手旗信号、水泳、漕艇、乗船実習に限定される傾向にあった。職業高校における専門教科の実験実習の重要性に鑑み教科と実験実習時間の配列を妥当ならしめ座学時数の三三％を実習に振り当てる方法をとること

(2) 船舶運航上不可欠の諸航用計器に対する理論およびその取扱いについては教科の重要性から特に独立教科とした事

(3) 実験実習教材の不備は漁船、商船の実地見学指導によって補うこと

(4) 二学年三学期において天文航法の一部を教え三年の乗船実習に便ならしめる事。

三、各教育課程にわたって教科指導基準過程の指導をうける。

教育指導委員の継続派遣、並びに増員について（陳情）

文部省の沖縄派遣教育指導委員制度が沖縄教育に果した役割と功績は実に大きいものがあったと思います従来、沖縄の教育問題を論ずる場合、とかく校舎、施設、設備の不備のせいにのみ帰し、そのため、問題の本質を見失わせるきらいがあったのでありますが、今回の教育指導委員の来島により、教育者は勿論、父兄一般社会の目を教育の営みそのものに向けさせ問題を主体的に解決しようとする態勢が築かれつつあります

殊に理科、算数、数学、図工、音楽の分野は指導委員の手によって力強い鍬入れがなされ、その指導を受けた教師達の研究心と実践意欲はとみに盛り上がりつつあり、実験器具の不備を嘆いていた教師達に、創意とくふうによっては、不備な現状においてもすばらしい科学教育ができるものだとの確信を与えたのであります。

しかしながら、沖縄教育の現状を広く眺めた時、このような態勢が築かれつつあるとはいうものの、それは一つの基礎的段階であって、更にその上に技術面の開拓が継続して行われなければならないと思います。

第一回の指導委員は、この面についても、沖縄の教育に飛躍的な改善をもたらし、新風を吹き込んでくれたのでありますが、それは、まだまだ序の口ともいうべき段階で、もし今後、この面の継続的指導が加わらないとするならば、せっかくの態勢も停滞し、あるいは後退するのではないかと心配するものであります。

更に沖縄は地理的に本土と隔絶され、直接の刺激を受けることが少なく、ややもすると、マンネリズムに陥り、その結果、教育の内容や、方法において、本土の水準から取り残されるおそれもじゅうぶんにあるのであります。これを防ぐためにも、絶えず本土の先進的な指導者を招き、教育方法の改善と水準の向上に積極的に参加していただくことが必要だと思います。

幸いにして、第一回の指導委員は前述のように、大きな功績を残してこのほど帰任されましたが、今後とも、この制度を継続していただくとともに、更にこれを拡大、増員して、教育の全分野について指導が受けられるよう、陳情致します。

一九六〇年三月二十三日

沖縄教育委員協会会長 西平守由㊞
沖縄教育長協会 会長 阿波根朝松㊞

招へい教育指導委員について

「効果・反響・評価」

登野城小学校長　桃原用永

効果

一、学校がまず科学的環境としてつくりかえられつつある。
—校地の標高、位置（経緯度）方位等—

二、普通教室を利用した理科指導の在り方およびその器材が整えられた。

三、理科準備室ができた。

四、児童用実験器材が同一学年の二学級同時に授業のできる程度整備された。

五、備品室内における備品の配置も合理的になされた。

六、全職員が理科指導についての興味と関心が高まり、ある程度の自信を得た。

。理科設備が最高度に利用されつつある。

。実験の下準備が盛んになるようになつた。

。児童の実験器具が教師によつて作製され充実してきた。

。すすんで研究授業をやるようになつた。

七、理科指導の在り方としての実証的、発見的方法をは握し実験の基礎的技術がわかつた。

八、児童の理科に対する興味が一段と高まり実験器具の使用になれてきた。

九、野外学習の仕方や地域教材—生物や天文、気象等地域独特な教材—の取り扱い方を知つた。

一〇、理科の研究をとおして学校全体が研究的雰囲気に醸成された。

一一、移行措置による単元配当ができ新教育課程へ入る態勢ができた。

反響

一、指導委員の駐在により父兄ならびに社会の教育に対する関心が高まつた。
—講演、新聞等—

二、学校で行なう実験は子どもによつて家庭へ報告され父兄は感激と理科教育に対する関心を高めた。

三、実験器材の寄贈者がふえた。

四、父兄は毎年当校に指導委員が駐在することを希望している。

五、将来実験なしの授業では子どもが承知しないだろうという域まで本校の理科教育は高められたと教師はいつている。

六、子どもの学習態度が理科だけでなく他の教科もしんけんになつてきた。
—休み時間と授業時間の区別がややはつきりしてきた—

七、教員による理科同好会が組織され毎週土曜日には研究会を持ち指導委員の指導を受けている。

評価

一、理科教育の理論から指導技術の実際に至るまで極めて研究が深い。

二　一切の情熱を理科教育に傾けていられる。

三、指導はきわめて懇切で事前指導と事後指導にわけ特に事前指導に重点を置かれた事は適切だつたと思われる。

四、事後指導では具体から概念化へ突き上げていく指導は大変わかり易かつたと思う。
—教壇実践に現われる事実から理論へ発展させる—

五、毎日各学年の研究授業を見（一日三時間）、午後は事前指導、事後指導（研修会）のため午後七時頃まで勤務し、土曜日は理科同好会に出席、夜は父兄への講演等、実に寸暇もなく全精魂を当地の教育に傾注されたことは感謝の至りであり、その精力的活動は感激の外はない。

普天間小学校長　大里朝宏

一、教育は速効を忌むともいうがそれが目に見えて変つたことは沖縄教育のため喜びにたえない。その著しい点をあげると

1　本地区において最も悩みとしていた理科教育が教員の中に研究熱が芽生えてきた。
戦後の教員は理科実験技術の面が練成されておらなかつた。

。指導委員の指導によつて理科実験技術、理科教育の方向づけをしていただき教員に興味と自信をもつて指導に当る雰囲気をあたえて下さつた。

。短時日ではあるが最高度に有効適切に指導計画を立てて指導がなされたため教員ひとりびとりまで授業や実験技術の指導がな

された。

2　地区としてかような雰囲気ができたためスムーズに同好会の結成ができた。

3　各学校ではその雰囲気の中に父兄も理科教育に関心を持つものができてきたので物的な面にも協力態勢ができており漸次施設備面にも改善が加えられるようになった。

4　研究教員の本土派遣もけっこうだが、今回の指導委員の派遣はこれにもまして何百倍もの刺激となり効果あり、現地におけるペニシリン的効果があったと思う。

5　希望するところは今後継続的に派遣方をおねがいします。

——学　校　長——

那覇中学校長　眞栄城朝教

一、最初から最後まで全く本校職員として、同じ職員室内で勤務していただいたので、普段の生活で非常に良い影響を全職員が公平にうけることができた。

（教師の生活態度を作るのに好影響）

二、公開授業はもちろんだが、その外にも数回各学年の授業をしてもらって、教師に指導技術を、生徒に学習態度を育成するに非常に効果があった。

イ　むだのない授業
ロ　重要な要点のおさえ方
ハ　仕事の運び方
ニ　生徒を中心にする進め方
ホ　キビシイ学習しつけ
ヘ　勉強の仕方（予習、復習の仕方）
ト　その一時間の要点のつかみ方等

三、たびたび生徒達との座談会を実施したが、日本本土の中学生の真剣なキビシイ学校生活（学習）をかなり強く印象づけられたようである。

四、職員との座談会（幹部級の総務会男教員、女教員及び全職員と区分して実施）も非常に効果があった。

五、学年PTA、学校PTAに講演を行ったが会員が感銘深かった事を発表している。

「親の立場と子どもの立場」「あまやかすことと理解するということ」「きびしいしつけとむちゃなしつけ」等の理解を深めたようである。

六、生徒達が何かと先生に「物をたずねる」機会があった。

七、職員の今後の研修に何かといろいろの示唆を与え、又は約束されて非常なはげみが出ている。

例

①　文部省全国学力テストの処理方法及び今後の材料交換。

②　研究教員に出た場合の相談、研究機会の予約（例えば文部省主催の技術講習受講の約束をしている職員もいる）

八、数学科についての報告は指導主事から行うので割愛する。

九、教科、職員、生徒、父兄、すべてに非常に良い影響があり、この制度をつづけていただきたい。

十、希望　期間半年で良い。教科をもつと巾ひろく多数教科にほしい。毎期継続していただきたい。

嘉手納中学校長　宮城伝三郎

一、中学一年から三年までの教材研究のさい、教材の取扱いと指導要領についてご指導下され指導技術を高めて下さった。

二、移行措置について小学校、中学校を通じて具体的に表にして懇切丁寧にご説明下さったので大変参考になった。

三、読谷、嘉手納地区として数学同好会を持ち毎週木曜日に午後より集って先生の公開授業、教材研究、移行措置についてご指導下さったため移行年度を迎える心の準備ができた。

四、絶えず本土の教育をお話し下さって沖縄の教育の現状と向上策を考える機会を与えて下さった。

五、数学だけでなく、ふだんのくつろいだ中にもすべてを解決し研究動機をつくり出す雰囲気を示して下さった。

六、教師としての処世訓、及び生徒にのぞむ態度等教師観の勉強に大きくプラスするところがあった。

七、学校運営面における学校行事のあり方など、その他日本本土における現状、今後の問題点などの教示を仰ぐことができてよかった。

八、現職教育の講師として又社会教育の諸行事に数多く参加指導を受けることができた。

九、各教科にわたって本土からの指導委員がこられて指導を受ける機会を数多くもってもらいたい。

沖縄水産高等学校長　山口寛三

一、基準教育課程の改訂とこれに伴う全課程（漁業、製造、増殖、機関、通信）の各教科内容にわたり統計的に評価する研究をなし、その計画案を作成した。すなわち

1　現在の琉球水産業の実態と将来に対する水産教育の在り方の究明

2　右に伴う各教科の内容とその組み合わせ

3　関連教科の調整と効果的時間の配当

4　実験、実習を重視して教科内容の配置を検討した

5　従来の実験、実習の方法を改めてグループ別の効果的実習方法の確立

備考　右については現在、実施の手前にあって、その効果、反響はいまだ表われない。

なお同委員の研究課題は右が大きな問題であり使命であつたが、同氏のたゆまざる研究と熱意と努力は次の各項にもおよんだ。

二、学校運営全般にわたる研究、指導および助言をなした、すなわち

1　学校予算の在り方

2　学校運営組織について

3　カリキュラムの確立

4　教員指導および研究の問題について

5　学校規約について

6　学校事務処理について

三、生徒の生活および学習（実習）指導について

1　各課程の実習および実習形態の在り方について

2　研究授業について

3　非行生徒補導の実際取扱いについて

4　卒業生就職について

四、教科研修会

十二月二十六日—一月五日、本校において高校、中校教員を対象に漁業学について行なう。

五、専攻課程設置の準備について

本校に漁業、機関、通信の専攻課程設置の必要あることを地域社会的および統計的面からその設置計画案を研究作成された。

六、評　価

同氏は宮古水産高校においても右事項（五を除く）の関連性あるものについて指導された。

同委員の研究指導および助言その他は本校にとつて、学校運営、職員生徒の指導その他全般にわたり、大いなる稗益をもたらしている。

南部農林高等学校長　仲田豊順

一、効　果

1　職業教育課程を再検討し環境に適応する新しい教育課程に改訂した。

2　教育課程の改訂に伴い備品購入計画を再検討し職業教育の内容を充実し実践に移した。

3　現職教員に新しい教育技術を導入した。

4　研究会を開催し相互の研修をなし職業教育の在り方についてなおいつそうの指針を与えた。

5　年間教育計画を再検討し教育実践を円滑ならしめ生徒の学習意欲を旺盛にした。

6　特別教育活動の在り方についての指針を与え認識を深めた。

7　園芸施設の充実を図りその端緒としてフレームおよびガラス室の実現を見るにいたり生徒の学習意欲を向上せしめつつある。

二、反　響

1　職員の融和にいつそうの拍車をかけ職業教育の充実遂行を図り学校運営に多大な貢献をなした事は本校ＰＴＡ、同窓会にも反応し学校教育に対する協力を高めた。

2　高度の技術を導入する意味において実業学校を始め関係諸団体は招へい教育指導委員制の拡充強化を熱望している。

三、評　価

1　招へい教育指導委員による教育の向上は前述の通りで、なお関係諸団体の技術進歩に多大な貢献を与えた事は絶大なものがある。

2　招へい教育指導委員の派遣は社会的にも大いに期待され琉球の教育刷新に絶大なる効果のあつた事はすでに一般の世評である。

3　現在の施設、設備の現状と過少な学校予算で指導委員の充分な活動能力を発揮せしめ得なかつた感がする。

なお私生活の面において宿舎の問題、食生活等に支障をきたし、指導にブレーキをかけた感がするので今後この点は研究改善され指導委員の活動を充分に発揮できるように努めたいものである。

――学校長――

工業高等学校長　桃原良謙

一、基準教育課程、設備基準案、実習計画の作成ができた。

二、職員の中にとけこんで日常的に本土の動向について情報やら指導助言を得たが、これは目に見えないところで巾の広い効果を収めている。職員の教育指導観が確立し活動が活発で生気を帯びてきている。

三、産業界との連繋について具体的な活動を展開できた事は本校の特質から意義深い事であつた。

四、日進月歩の技術界の情報をいかに入手し、それをいかに教育指導面に取入れて行くべきであるかを、その困難性と同時に学校経営への熱意について再考させられた事は意義深いものがあつた。

五、学校教育における進路指導のあり方について組織と活動原、教育指導への取上げ方等本土ではいかになされているかが明らかにされた事は生徒指導に具体性を持たせるのに役立つた。

六、実習指導の実を挙げるため、具体的活動を指導してもらつた事は本校の教員に大きな自信と意欲を燃えあがらせる事ができた。

七、要望される事は今年度は初めてであつたため他課程にも指導が行なわれたが、今後は逐次各課程更に各教科への専門の領域について指導助言が行なわれるようにしてもらいたい

一九六〇年の教育界に望む

日本政府援助による指導主事の来島が実現し、はやその六か月も終つて帰られた。主事先生達はどなたも熱心に指導されて全島各地の評判は大きなものである。

子ども達と取りくんでの指導は私達に大きな感銘を与えている。子どもの見方、取扱い方又教育はいかにあるべきであるかを見せて下さつた。

私達は先生達と別れた。先生達は沖縄の教育指導の面に大きな力を与えて下さつた。

私達の今までの指導面がまだまだだつたと強く反省させられる。指導する以上は子どもが飛びついてくれなければいけない。

私達の指導には新鮮味が不充分だつたように思われる。主事先生達の足跡をみつめて私達の教育を反省し力強く引きつける教育をしたいものだ。

宮前校　具志清繁

一九五九年度教育指導委員日程表

文教局

月日	曜	時間	内容	備考
○前期				
九・一六	水	―〇四・〇五	教育指導委員来島（日航）	那覇飛行場
		〇四・五〇―〇五・〇〇	宿舎着	日本ホテル
		〇五・〇〇―一一・〇〇	休けい。契約事務	〃
		一一・〇〇―一二・〇〇	在留手続。打合わせ会	文教局
		一二・〇〇―一三・〇〇	昼食会	
		一三・〇〇―一四・〇〇	あいさつ回り	琉球政府、立法院、民政府、南連
		一四・〇〇―一四・三〇	休けい	日本ホテル
		一四・三〇―	任地へ出発（希望者）	
		一四・三〇―一八・三〇	南部戦跡回り	先島及び久米島の教育指導委員
九・一七	木	〇九・〇〇―	先島行教育指導委員出発	那覇飛行場
			任地へ出発（宿泊した者）	
○後期				
九・二三	水	―〇四・〇五	教育指導委員来島（日航）	那覇飛行場
		〇四・五〇―〇五・〇〇	宿舎着	日本ホテル
		〇五・〇〇―一一・〇〇	休けい。契約事務	〃
		一一・〇〇―一二・〇〇	在留手続。打合わせ会	文教局
		一二・〇〇―一三・〇〇	昼食会	
		一三・〇〇―一四・〇〇	あいさつ回り	琉球政府、立法院、民政府、南連
		一四・〇〇―一四・三〇	休けい	日本ホテル
		一四・三〇―一八・三〇	南部戦跡回り	観光バス 本島の前期も
		一九・〇〇―二一・〇〇	歓迎会	〃
九・二四	木	〇九・〇〇	先島行教育指導委員出発	那覇飛行場
			任地へ出発	

―― P T A 会 長 ――

石垣小学校 PTA会長　宮良高司

一、石垣小学校職員の算数科指導に対する研究が地につきその指導法が改善されつゝあることを父兄の立場から喜ぶものである。

一、阪上昇一氏の教育に対する情熱は学校内だけにとどまらず校区父兄母姉にまで及んだ、特にPTA会員に対して行なわれた講演「家庭における算数指導のあり方」は会員に深い感銘を与えた。

一、新川婦人会の招へいによって行われた教育座談会では家庭教育についての悩みが多数の会員によつて訴えられた。阪上氏は会員とともに悩みともに考え解決の糸口を会員相互の話合いの中に見つけ出してやり教育隣組の素地を植えつけた。

一、阪上氏の本学区内での教育活動は極めて活発でその功績は顕著である。

中の町小学校 PTA会長　玉山憲栄

一、中の町小学校の音楽教育はもちろん市内各校、地区内各校の音楽教育をこれほど引き上げてもらつたのは梶山先生のご指導の賜だ。

二、本校PTAは梶山先生の高潔情深い人格にほれこみ、全く百年の知己のごとくつきあつている先生の音楽教育の重要性についての力説に圧倒され、学校の音楽施設の充実を約束し又子どもたちも一年生から一人一人楽器をもたすようになり音楽教育の革命をきたし一驚している。

三、本校区内どこを歩いてもハーモニカ、笛の音がきこえるが、これは梶山先生の僅かの期間に植え付けた大きな置土産であり、音痴である私どもも、ハーモニカをいじるようになつた。

四、梶山先生のような指導委員を年々多数お招きすれば沖縄教育の発展は火をみるよりあきらかで学力向上のあい路も自と開かれるものと確信する。

五、幼稚園、母親学級もご指導をうけ深く感謝されています。

羽地中学校 PTA会長　宮城源通

一、いろいろな面で学校が整いつゝある。

1　特に理科室、準備室をのぞくと何かしら今までとはちがつた整理されたふんいきがただよつている

2　工具の始末の仕方、棚等を見て家庭用の工具も簡単に整理し得るように思える。
家庭生活の面で能率化をはからなければならい点に大きな示唆を受けた。

3　学校全般にわたつて整理されていきつつあることは、父兄として大へん嬉しいことである。

二、反　響

1　薬品代の一部として父兄から集めたが、学校訪問によつて理科学習室をのぞき、生徒の学習状況を理解するにおよび、父兄が喜んで納金するようになつた。

2　家庭学習で理科の勉強をする子が増えてきた。

三、希望事項

1　父兄会で紹介された沖縄各地のスライドは地域のみにとじこもつている者にとつては大きな刺激である。
このスライドを学校教育に数多く利用してもらいたい。
（スライド—中島先生製作）

2　理科だけでなく各教科にわたつて簡易器具の製作に努力なされ、教育の効果をあげてもらいたい。

四、評　価

1　この制度は沖縄の子どもにとつてたいへんよい制度である。

2　指導委員を増やし、もう一度本校に委員を招へいすることができれば、子どもたちにとつてほんとにしあわせなことである。

具志川中学校 PTA会長　宮城桃俊

効　果

(1)　実験観察を中心とした指導技術が磨かれ教師の指導法が一段と向上したように思われる。

(2)　実験観察を主とした指導法が多く取り入れられたため、生徒が理科の授業に興味をもつようになつた。

(3) 科学的思考を高めるための理科実験器具の 活用 管理が よくなつた。

(4) 実験技術、器具製作実習を多くやつたため、理科担当教師の実験技術、器具製作技能を高めた。

(5) 実験簡易器具の製作により器具が多くなり生徒の実験観察学習がよくなり、理解面に大きな向上をもたらした。

——PTA会長——

反響

(1) 指導委員を中心に理科同好会の研修が活発になり研修の仕方に新味が加えられた。

(2) 具志川村青年学級の生徒がラジオ組立て講習を指導委員より受け科学に対する興味が増し、青年学級の振興に寄与した。

(3) 教育委員会は理科備品購入費として具中校に二五〇弗予算計上した。

(4) 今後も継続的な指導委員の配置をしてほしいという要望が会員中から盛んに出た。

評価

(1) 指導計画が綿密になされ、指導授業や器具製作講習、研修会、学校訪問等、誠意をもつて当たられた。

(2) 理科教師の研究意慾をもつて盛りあげた。

(3) 日曜、土曜日は理科実験器具の製作に専念された。

(4) 実験材料の購入にも自ら進んで専門店やその他の商店にでかけられて、講習や実験授業にさしつかえのないよう努力された。

(5) 理科準備室の移転の際も具中校職員と協力、その充実を図つた。

(6) 全校生徒の生活指導面にも指導助言や直接指導に努力した。

(7) 指導委員が指導や研修会等に困らないよう政府でも予算化して補助金を出して、いただくのがよかつた。

指導委員制度の実現に対する感謝ご要望

昨年九月から実施された文部省派遣の指導委員の制度は、沖縄教育の向上に大きな役割りを果たしています。この制度を実現していたゞいた事に対し沖縄の教育界は非常な喜びと感謝の念を持つています。さる二月二十七日に開かれた沖縄教職員会第一回校長部大会でも、この制度が実現された事に対する感謝と継続および増員要望が大会の名において万雷の拍手で決議され、民政府、琉球政府文教局、日本政府文部省に大会の意志をお伝えすることに決まりました。沖縄教育界の意志をおくみ下され又私達の要望をぜひかなえさせていたゞきますよう特にお願い申しあげます。

現指導委員について

沖縄の教育界の長年の要望に充分応える成果を着々とあげており文教行政の大ヒットである。

イ 人格的に非常にすぐれており本土教育界のトップレベルとしての感化を沖縄のすみずみに及ぼし、又現場教員や地域社会からも大変尊敬され親しまれている。

ロ 仕事に非常に誠実であり、卓越した識見技能をもち、沖縄教育の日々の具体的推進者となつている

ハ 各専門教科だけでなく他教科に対しても研究が深く、第一回指導委員として適切

ニ 沖縄の教育を適確に分析し、適切な指導指針を与えており、新しい沖縄教育の体型を確立する素地を作りつゝある。

ホ 配置が沖縄全島教育地区にまたがつており直接教育および社会現場にタッチし、又六か月間も現場教員に密接につながつているため沖縄の教育の両面的な問題、長所欠点までも充分は握した指導、助言、範示は現場七、〇〇〇の教員と児童、生徒や父母にじかに響いており沖縄の教育社会に大きな影響をあたえつゝある。

以上校長部大会分科会での話しあいでも、このような優秀な評価がなされたが、現在は前期、後期あわせて二十四名が同時配置されているが、せめて一期に三十名位今回のような優秀な指導委員を派遣していたゞき辺地や離島地域、学校数の多い所なども充分満足のいく出張指導ができるようにしていたゞくよう陳情します。

一九六〇年二月二十七日

沖縄教職員会
第一回校長部大会
議長 伊敷喜蔵
〃 東恩納徳友
〃 出砂隆功
校長部長 外間昭宏
会長 屋良朝苗

なお教職員会からも右と同ような陳情がよせられた。

任おえて帰郷のときをまつ

教育指導委員にきく

〃沖縄教育について〃

局長　ご来島以来半年にわたつて沖縄教育のため精神的にも肉体的にもご苦労様でした。いろいろご不自由やご無理なことも少なくなかつたと思いますが無事りつぱな仕事をのこし、感激にたえません。

お帰りをあすにひかえてお忙しいところですがお集りをいただきお話をいただくことにしました。きようのお話は日頃先生方が悩んでおいでのことや先生方の地域でおやりのご様子をお話願いたいと思います。

ご意見やご感想は今までにでもお聞きできたのですが残りなくお話いただきたい気持でいつぱいですし、今後とも直接、間接に、又文書にてもご指導をお願いしたいと思います。よろしく願います。

司　出発前でほんとにご苦労です。お話合いは午前中でお願いします。ただ今お手許へ話合いのおお方の予定を示しましたプリントをお配りしました。話の順序をだいたいこの順に進めたいと思います。

先ず指導行政についてですが次のように、指導組織と陣容、指導主事の職務、現場指導の方法、主事の研修について、主事と現場との交流について、充て指導主事の制度について等あろうと思いますが、その何れでも結構です。皆さんの県のご様子をお話下さい。

内山　工業関係で特に感じたことですが本土でも指導主事がおります、しかし、東京の場合指導に当つていない現状です。指導主事といつても事務員といつた感じさえします。新しいものをとり入れたり、各現場に指導するものをいろいろ指導するとしたら、とても現状では駄目だと思います。主事にもつと勉強させ、指導方針をはつきりさせて、現場の先生方でも問題があればいつでも相談できるようにしてやる。実状はそんな場所がないのですね。

長谷　東京では教科ごとに指導主事がいます。先生方にとつて広い視野で正しい判断ができない、それに相談する場所がないそれでそういうことをじゆうぶん満たしてくれる人がほしい。図工でいうと都の方に三人もいる。それから各区にも教科ごとに指導主事がいます。

局長　予算の問題と人の問題ですね。こちらではなかなかそこまでゆけない。指導主事に勉強させて現場の教育活動をセーブさせるつもりでいるが！。

太田　長野県は三十名の本庁指導主事がいる。本庁主事は全部充てにしていたので、こんどの制度でも別にかわつたところはない。

こちらでは地方へいつていると、地方主事と本庁主事とが格段の差をつけられているがそれはどうかと思う。本庁も地方も指導主事はやはり、実力にしろ何にしろ同等でなければ—。主事が長い年数経るのもまずい。主事といつても根底は何といつても教員である。だから早く交流することが大切だ。各郡市から三年ばかりで交流している。指導主事の交流は実際上陣容の問題とか方法の問題とか関係することであるが、私の県では専門教科となつている。だからテーマを具体的にもつて指導するような傾向になつている。

現場の要求がそのように変つてきたし各郡市がその点不足教科は指導主事の各郡市相互に補つている。なお足りない教科については本庁でうめている。

各学校は五月までに一年間の教育計画、テーマ設定をして、本庁へ報告し指導を要請することになつている。その要請に対して本庁の場合十分の一程度達している現状です。しかし、それでも一指導主事年間一〇〇校位である。だから現場指導はその要請を主体としている。

大体主事は事務三分の一、訪問三分の一、研修三分の一となつている。が実状は研修がへつてきがちである。

一般経営の面と指導方法の面があるが指導主事は両者を一つにしている場合

が多い。教科担当の指導主事にしろ学校経営についても指導を行つている。

司会　指導主事の事務とは、

太田　事業です。指導行政上の事業のことです。事務と呼ぶには当らないかも知れないが。

金城　年間の一〇〇校程度の指導なら出張日数にするとどの位ですか。現場指導のみでもなく文部省関係の出張も加えねばならないから—

太田　大体月の三分の二は出ているのではないかな。指導行政上は小中校は一つであるが指導上は別々で管理もそうだ。

長谷　東京の場合指導課第一課は幼稚園から高校まで、第二課は高校、第三課は企画が主で行事の計画をたてる。だから小、中、高校関係の先生が入つている。

富永　静岡では東部、中央、西部に分け各部に指導組織がある。そこには相当強力なメンバーが配置されてしつかりした陣容を保つている。又指導員があつて、指導主事の補佐役といつた役目をもつている。

。それは現場にいるのですか、学校から出ますか。

太田　現場です、長野の場合は普通の休み以外は出ない。

安保　こちらのは窮くつだ、秋田の場合本庁には小、中一しよで、高は別である。高は文科系のが多い。小中は中央、県北、県南の三ブロックに分かれてそこには各教科ごとに指導主事がそろつていて静岡と大体同様な組織をとつている。それから市にも本庁と同等な人物が指導主事になつている。指導員には附属の先生が当たり出張の場合は授業のない日にやる。授業の場合だと現場の先生が学校へ来て指導をうけるようにしている。

管理行政と指導行政とは別にしている。本庁の場合指導の手が多い。

下山　栃木の場合は指導課の地方へ出向くことは日返えり出来る関係から指導課へ指導主事が二十人、出張所へ十名充てが十名いるが、その身分は市町村の教育委員会へ籍がある。研修は一しよで全員三十九名が本庁、地方の区別なくやつている。体育関係指導主事は健康教育課に属している。義務教育関係指導主事は十二名になつている。

。出張所は主にゼネラルな方へ本庁は専門的な面へと考えているが。それが校長教頭を対象とする場合は全員が関係することにしておる。最近は現場からの要請も教科的なものにしばられた感じで実際指導をやつて欲しいといつた声が多い。それで初めに学校側から案をとつてやつている。このことは当地の現場の先生も大体同じような要求をしている。

管理面と指導面とは別で、管理面は管理課へ、又人事として校長の交流は県内といつた広範囲で行つている。だからその人事管理は当然本庁へ任される

。指導は指導主事の指導依頼を市教委から本庁へ出してもらう県として月ごとにどの位どこへ出るかは教育委員会の計画によるが、指導主事としての場合研修の内容によつては即答できるものがあると、指導主事で共同研究する方式をとつておりそのようなことから研究内容で重要なものは研究、周知徹底させるように努めている。

テーマについても担当の係をおいており、割当てられた担当主事は二、三人で共同で当たつている。

。指導主事の交流は校長経験者とを主にしている。だから勢い出す時には現場が乱されるおそれがあつて悩んでいる

。充て指導主事は十名ぐらいで教員給をもらつている。他の二十名は教員給はとらない、充ては現場のみであるから本庁の主事は現場よりは二〜四号給与は低い、しかも出るまでは融通がきかない、だから三年以上も本庁に勤めるともうとりかえしがつかなくなる。

司　それでは次の行政組織について話をすゝめましよう。県委員会の組織や地方行政の単位等について既に二、三話合いに出たのですが。

高橋　地方行政単位について宮城県は始め、各郡に出張所を置いていたが教育面を統合し、各教育区を六つにせばめた。そのため経費は少なくなり、逆に指導主事は一人が三人にかわり全体で地方は十九人ふえた。教科は文科、芸能、保体、理数といつた形でおいている。しかし現実には一出張所に社会科関係の主事三人といつた傾向も出た。

中島　愛知は三郡に分けておる。教育事務所というより副庁制でそこに各科なんでもやれるベテランを一人おいている。県には各科そろつている。しかし名古屋は別、人事の指導行政も名古屋は別校だから県の方がそこへ及ばない。だから教員異動でも市単独でやつている。

。仙台市も独立している。仙台市のみには指導主事が六、七人いる。だから一般行政の出張所は郡単位におかれる。特に教育出張所としている。

尾崎　埼玉ではちよつと違う、大きなのは直轄地区、そこには市が八つ含まれている。それから教育郡市が七つ、そこに出張所がある。

教育行政の改正以前よりかわつて市町村長の教育行政への介入が強くなり教育財政の圧迫で仕事がやりにくくなつ

た直轄地区を設けたのは財政圧縮に対してである。

竹村　大阪市は他の七郡より多い、特別市で政府は人事にしろ指導にしろ及ばない。

司　第三の人事交流についてお話願います。教育長、校長、教員の人事交流や学校長の結休の処置についてお伺いいたします。

中島　校長の結休は三か月まではそのまゝにし、過ぎたら率先降任してもらうことにしている。結核対策委員会で結休に対して干渉するようになっている。

。全域的人事交流が絶対に必要だ。教育事務所単位内でやっているのでは困る。

。先ず地教委の内申にもとずいて各郡市の交流を県でやる様にする県と教育事務所との間でやるので二、三の市町村にまたがつてパッパとやっていける。

。それから校長昇任はなるべくへき地へゆく様にしている。

本人の意志をききますか、

。本人の意志は尊重しているが

。高校は十年まで、小中は

富永　名護地区で優秀な教官が那覇へ異動する由もらしていた、中央集権過ぎている様に思う。せつかく名護でりつぱな研究をして積み上げた成果がそのまま消え去つて都市に集中することはほむべき傾向ではあるまい。

中島　離島の場合もいえる、離島は島産愛用では駄目だ。俸給が安く出身地へゆく傾向が強くなる。現状でどの位の範囲に交流が出来るかが問題であるだろう。

。転任する先生が二月頃わかるのはおかしい、それでは学校教育上困ることが派生してくるのじやないだろうか。

。本人の意志や希望を尊重することはいいがそれのみで教員人事をやろうとすれば必ずデッドロックする外ない。

。新卒を出身地区へおかない様にしてはどうか。

家族をも含めて教員異動を考えると実際はどの程度可能か、ここでは手当がないし、恩給もない。

。勧奨退職は五六～五五才ぐらいがよい。七十才位の校長もいる。

岩木　三重県の場合その地域出身者は職員の三分の一以下にしている。内規を定めてつとめて人事交流に役だつているわけだ。

竹村　沖縄の場合バスの便がよい、本島の如き交通の便から考えると一時間程度で通勤範囲を考えると相当広い地域を考えることができる。

司　第四の学校運営についてお願いします。教育計画、教員の配置基準、学校行事、運動選手の対外派遣、教員の仕事負担量等について、お話下さい。

菅井　文教局当局へですが、基本的な教育計画について現場に当局から指示する必要がある。年間の授業時数の確保といつたことで三十五週をこすことは実際はむずかしい現場にいろいろ研究させた結果では三十五週を上回ることは困難だということだ。それで基準の必要を感ずる。最低を文部省でおさえたのは四十週が実情だといつている。

。要するに時間確保は最早心がけ次第だと思う。根気を要することだ。

。農村の場合十日の農繁休業は短縮授業でも行える。その様な地域では年間にみると一〇〇時間も休業することがあるので義務教育期間では大きい、学力不振もこの辺から無理からぬことである。又農村が都市地域との学力差も心配されよう。

尾崎　実験学校をもうけて根気強く続けてみて農村で短縮出来ることがわかつた。これで埼玉県では小学校では農繁休を行うという風潮から小学校には頼らないという傾向へすつかり改まつた。

安保　宜野座地区での公聴会では出席日数の三十八週をおさえることが出来たが表面に学習したとして記録されなかつたがそのうち六十八時間あつた。

先生が鐘の音をきいて教室へ出かける前に一服する先生も多いのでその部分でへつたことを計算にいれると三十四週となつて三十五週を下回つてしまう。だから綿密な教育計画がどうしても必要だ。

。ぼくの配置された地区ではお昼時間まで子どもと一緒のも多い一日中子どもと共にいる先生の尊い姿には頭がさがるばかりだ。

堀江　工業関係の学校の配置基準は一人で二十時間しか実習してない実状だ。各ショップに実習教室をもつている。実習は一人で木型も鋳物も仕上げもやることはとても不可能なことだ。教師がその総べての技能を高めることは無理だから教員配置には特別な配慮が必要になつてくる。

特殊な事情として技術がない人が当つた場合その成果を期待することはできない。

巡回講座を設けて工場へゆく技術家庭科にしろその様にすゝめねば技術指導の効果はとてもあがるまい。

中島　中学校に男子が多いのと逆に小学校に女子が多い、中学校を優先的にしたことと思うが理科教育などからいうと適切でない。

下山　中学校で教頭が二十時間授業をも

っているのがあるこれでは忙しくて研修どころでなくなる。十学級以下で宮城県より二名少いことになっている。

。小さい学校でも教頭は授業をもたない、定員が少なすぎるので検討をしてみたら。

太田　小学校で専科教員をおいている所は、その点やりやすい、十七学級で一名、二十四学級で二名といった配置を長野県でやっている。

。職業高校では課程が一つ加えられれば十1、ところがむこうでは十2、一年間の学習のすゝめ方も夏は多くやり、十二月には少なくしている。冬期は冬期分校の設置などで多く期待することはできない実情だ。

当地でなら冬はもっと学習ができるのではあるまいか。

菅井　校長や教頭が補欠授業をもたなければならないことでは困る。

富永　学校行事については中学校の学芸会はうまくやっていた。しかし、スターシステムがありすぎる。出場者、出演者は頻度が偏っている。先生方が素朴なよさを発表するという。また父兄もそれを期待するという啓蒙が必要だろう。

。そのことで学校劇がうまいと思った。たしかに本土にそのまゝ紹介しても賞賛されるようなものがある。その点それがスターシステムにたつことを残念に思っている。童話指導などが相当な成果をあげている故でもあろう。

。しかし童話は身ぶりが多すぎはしまいか。地区で指導しているのを見てこれなら東京でも相当なところまでゆけると励ましたところが中央で三十名近くのうち二十番ぐらいだった実演の時ぼくは二、三番くらいと思っていたら順位をきいてびっくりした。審査員の先生方が動作に余りウエイトをおきすぎたと思う。話し方をもっと基本的に考えたら、また違った評価ができたと考える。

。指導を童話のすきなPTAの人がやった例がある。教育がそんな形でゆがめられてはたまらない。スターシステムの弊が父兄のつけ入るすきをつくり望ましくない結果を生んでいると思う。

。先生方が指導すれば全児の関心ともっと素直な形でよさが表現されると思う

。童話の外にも一考を要することがある珠算がそれだ競技会のもち方も問題だ習字、ピアノ等まるで塾の競争といった感じだ。

司　話がせっかく大事な問題をつぎつぎとそ上にあげるようになって時間のなさを申上げることを心苦しく思います。定刻ですので一応本日の話合いを閉じます。何かとこれからも先生方のご指導を直接、間接にお願いすることが多いと思いますがよろしくお願いします。先生方のご労苦に感謝し併せて今後のご発展を祈ります。ありがとうございます。

（文責　登川）

一九五九年度、前、後期
招へい教育指導委員の配置計画（文教局）

連合区	期	職名	氏名	担当教科
知念	前	大阪府教育委員会指導主事	竹村正一	中、数
〃	後	愛媛県教育委員会指導主事	高智四郎	小、図工
糸満	後	兵庫県教育委員会指導主事	嵯峨山実治郎	中、理
那覇	前	千葉市立稲丘小学校教頭	川島茂	小、数
〃	〃	熊本県教育委員会指導主事	久佐賀種一	中、理
〃	後	埼玉県教育委員会指導主事	尾崎馨太郎	中、数
普天間	〃	栃木県教育委員会指導主事	下山兵衛	小、理
コザ	前	広島県教育委員会指導主事	梶山逸夫	小、音
読、嘉	後	福岡県教育委員会指導主事	才所敏男	中、数
前原	〃	山口県教育委員会指導主事	原田彦一	中、理
石川	前	東京都教育庁指導主事	山川岩五郎	小、理
宜野座	後	秋田大学学芸部附属中学校教諭	安保宏	中、数
名護	前	愛知学芸大学附属岡崎中学校教諭	中島彬文	中、理
〃	後	静岡大学教育学部附属浜松小校教諭	富永忠男	小、音
辺土名	〃	山形県教育委員会指導主事	菅井憲太郎	小、数
久米島	前	東京教育大学附属小学校教諭	長谷喜久一	小、図工
宮古	〃	宮城県教育研究所嘱託	高橋章	小、数
〃	後	東北大学教育学部附属小校教諭	秋葉和夫	小、理
八重山	前	長野県教育委員会指導主事	太田五六	小、理
〃	後	和歌山県教育委員会指導主事	坂上昇一	小、数
沖工高	前	岐阜県立岐阜工業高等学校教諭	堀江嘉進	高校機械
沖水高	〃	三重県立水産高等学校教諭	岩城彪二	高校水産
南農高	後	東京教育大学附属駒場高校教諭	金井金雄	高校園芸
沖工高	〃	東京都立小金井工業高校教諭	内山一正	高校電気

新しく教壇に立つ諸君へ

岸本喜順

△「先生タイプ」は誇り、歳月とともに型より、抜け出よ—

—先生タイプ過剰は困る—

よく戦前の言葉に「師範型」という言葉があつた。これが戦後は「先生タイプ」又は「教師タイプ」といわれているようである。

別に「女子師範型」という言葉も戦前はあつた。「女子師範型」というのは、少し別の意味で、体格のがつちりした女性のことだつた。前の二者は大体同じ意味の言葉で、教師がその職業上、生徒や父兄一般社会人と接する時、その言動を慎しみ深くしなければならないので自然に共通した一つの型ができあがる。

これを指しているように思われる。

又転じて別の意味でも、使われているようだが、この吟味はこゝでは省略しておく。

「先生タイプ」は教師の教師らしさを表現している言葉だから、私は一つの誇りとして考えている。他の職業の方々を見ても、やはり一つの共通した型を、持つているようにみえる。例えば警官には警官型、大工、公務員、運転手、新聞記者、商人等職業ごとに、一つの型があるように思われる。その型があるのがよいか悪いかはしばらくさて置き、ともかく職業は不思議に人間にあるエックスを注入し作用させて、これを外部に発散させているようである。もし教師が新聞記者タイプをしたら教師らしくないと、世間の批判を受けるだろう。又新聞記者が商人タイプになつたら、一日もつとまらないだろう。

そうかと言つて「先生タイプ過剰」になつたら困る。最近各方面で過剰型が流行しているが、もし「先生タイプ過剰」になつたら、それこそ「融通のきかない人」「ものをいう仏様」「飲食する孔子像」みたいになつて、滑稽である。それで職業には、一つの型があるが一応はその型にはまり、そしてこの型より自然に抜け出るようになつたら大変よいことと思われる。

「飲食する孔子像」

新しく教壇に立つ諸君よ、最初から「先生タイプ」を嫌うことなかれ。早くほどよい「先生タイプ」になれ。その時には先生らしい先生になつた証拠である。その代り過剰になることなく歳月のたつにつれて、自然にその型より抜け出よ。

蛇　足

この原稿を見た中年の女教師が、

「今の先生方は先生タイプ過剰ではなくてむしろ不足ではないかしら？」

頭をかしげていたが、やがて言葉を続けて、

「そうね、ちようどほどほどよいというところでしようよ」と批評していた

△民主主義はみんなのものだ

—若い人だけのものでもない。年輩の人だけのものでもない—

仮　定

戦後派の若い一教師いわく「私たちは民主主義の時代に育ち、教育を受けてきたから、ほんとの民主主義を解し又実践できるが、年寄りは頭が堅くて口先では民主主義とか何とか言つているが、ほんとの民主主義はわからん。実践となると封建的で話せない。駄目だ」といつたとする。

戦前派の年輩の一教師いわく「今の若い連中は口先では民主主義だとか大きなことをいうが、皆自分よがれのことだけ言つて、これでは民主主義の「民」さえ知つていないではないか。いざ実践となるとうわついて、ものになつていない」といつたとする。

以上は仮定とする。

「さあ—どちらが正しいか？」となると、ちよつと考えさせられる。お互いに相手の弱点を衝いているようでもある。剣道でいうと「相打ち」のかつこうになつている。又民主主義というものを互に自分たちの世代のものだと取り合いしているようにもみえる。その時若い方は攻撃的で年輩の方は防禦の立場にあるようにも思われる。これを心理学者に言わしめれば、どちらにしても双方とも民主的

互に相手の弱点を衝いている相打ちのかつこうである。

ではなく、互に相手を卑下し合い、自分は偉いんだと「自己過信している。一方の自己過信が通れば、片方は不満だろう。」と答えるだろう。

又これを論理学者にいわしめると、これは当り前の姿だ。人は皆最初はお互に疑惑を持ち、警戒するが、お互に交渉を多くしているうちに、正しく理解するようになり、遂に協力するようになるのだ。即ち疑惑—理解—協力という三段階を経るのが普通のようである。この民主主義の両者の取り合いも、最初だからお互に疑惑の念で戦前戦後で取り合いするかも知れない。これは過渡的現象だ。お互により正しきものを、より価値あるものを目標に、建設的に討論すると、老いも若きも、案外互に正しい理解ができて「おゝ話せる先輩ではないか」「やあ話せる後輩」で良き友となる。その次の段階は当然手を取り合つて協力が生まれることになる。その時には今までの民主主義はおれのものだと取り合いしていたことが馬鹿げたことになつてしまう。そして民主主義はお互いみんなのものだという事になる。このことは何も心理学者や論理学者をもち出すまでもなく、常識ですぐわかることだが、自己過信をしたり、正しい理解がないと、民主主義ほど民主的でないものはない。

新しく教壇に立つ諸君！民主主義はみんなのものだという平凡なことをお互に再確認いたしましょう。

蛇足
この原稿を今度琉大を出た先生にみせたら「それは実際にも多いことです。正しい理解がなければ民主主義ほど民主的でないものはないですね。」と所感をもらしていた。

△大学式教授法は授業ではない
—授業のオートメイション化は不可能、より高い品性と指導技術を身につけよ。—


最初にことわつておくが、こゝでいう大学式教授法とは、現在の大学の教授法をさしているのではない。小学校、中学校での授業においてのことである。

公用授業後の批評会等でよく「大学式教授法」という言葉を耳にする。その意味は説明するまでもなく、片手に教科書を持ち、専ら口で説明し、時に黒板に斜走り書きの板書を書き、生徒がきこうがきくまいが、平然と授業をすることである。そして時々「どうだわかつたか？」「うん！わかつただろうな」と自問自答する場合もある。戦前はよく男の先生にあつた。批評会の時には、さんざん批評されて顔を赤らめたものである。

もしこの式の授業が現在許されるとしたらもつと能率的の方法がある。自分の俸給を節約して、テープコーダーとテープを買つてきて一時限単位に授業を吹き込んで置き、いざ授業となると、スイッチを入れ、電流を通せばりつぱな授業が成立する。又疲れもしない。

大学式教授法

しかしこのような機械化は、いくら時代が進歩しても、こと学校教育においては認められそうもない。特に小学校、中学校にこの式の授業を持ち込まれたら、それこそその学校の生徒は迷惑だ。—（持ち込むことを予想していうのではない次のことを強調したいからである。）—

小中学校の授業はいかなる指導形式をとろうと「教師と生徒との人格がスムーズに触れ合い、そして合流してゆく底流の上に、教師は更に高所より相手の心理個人差を考慮しつゝ、指導技術を使行していかなければならない。ほんとうにむつかしいことである。その時の教師の態度、情熱、声の質、高低、強弱、板書の巧さ等が混然一体となつて生徒に作用しなくてはよい授業にはならない。」又単に知識があるからよい教師だとは決して言えない。よい教師とは先ず右のような授業が、よくできることが一つの条件になるであろう。

新しく教壇に立たれる諸君よ、教師としてのよりよい品性を磨かれ、よい指導技術を体得せられよ。

蛇足
今度琉大を出る男の先生にこの原稿をみせたら「自分には自信がないなあ」「中学生ならどうにかできるが、どうも小学生はできそうにない。」といつていた。

初の全琉小中校長研修会は盛会裡にすんだ学力向上と非行児防止に対する学校管理者としての校長の責務は重い
戦後とみに旺んになつた教育熱とは逆に、複雑かつ解決困難な問題が極めて多くしかもそのほとんどが急を要するものである。
そのような重大な時期に親しく全琉小中校長が一堂に会して教育上最も大事な問題について真剣な対議をなし決意を新たに今後の施策を決定する示唆を得たことは幸いであつた。諸先生方の今後のご健斗を期待したい。

始めて教壇に立つ方々へ

新里　章

一、追　憶

私は昭和三年師範を出て大宜味村塩屋校に赴任した。いよいよ一個の新人教師としてさすがに限りなき喜びと、あこがれと、興奮を感じながら「思出は淡しされどなつかし」遠い彼方の空の下に愛くるしいひとみがまつている。新しい先生をひたすらに待つている。多くの伸びゆく生命と幸福とを文字どおり新しい担任として子どもと親と社会から託される。この日から新しい教師としての教育界に第一歩を踏みだした。ここで正しい意味での教師として生きがいを感じた。教育者としての情熱を若き胸にもやしながら子どもを通じて本当の教育の味を感得した。始めて教壇に立つ教師として大事なことは、子どもたちとの最もよい人間関係を確立することだ。あいさつ、氏名点呼、一時間でも早く学校の子どもの名を覚え性格をつかむことだ。又今日一日の新しい教師としての自分自身の姿をしっかり見つめることだ。一人一人について深く理解しよう。小ペスタロッチになろう。と希望を抱き「月なきみ空に輝く光、あゝその星かげ希望の姿」高く低く口ずさみつゝ窓近くよつて心ゆくまでうたつたあの当時の思出よ、感慨無量です。

二、欲ばり授業は止めましょう

授業の四十五分を精一ぱいに一分でもおろそかにせずにとつ組もう。授業というと例外なく内容が多すぎる。これは「ねらい」がはつきりしないからである。あれも教えたい、これも知らせたい、という欲望が先に立つ。研究授業で予定より早く終わること稀である。これは「欲ばり授業」というよりは「ねらいのない授業」といつた方が適切であろう。学習計画で第一に決めることは、ねらいである。ねらいを定めて学習内容を精選することである。百科全書的な百貨店まわりのような方法は子どもにとつて迷惑である。量より質を重んじ、分るまで徹底させて意欲を持たせる学習指導を骨として子どもをほんとにのびのびと勉強させ、児童心理にかなつた指導が必要である。要は学習の量より方法である。更に大事なことは「子どもを食わずぎらいにしないこと」である。算数のできが悪いからといつて計算能力がないと速断してはならない。音楽のきらいな子どもでも好きになる可能性がある。好きになるような機会を子どものために用意することだ。一つの事を正しく知りかつ行うことは百のことを半知半解であるよりはずつと多くの教養を支えるものである。

三、忙しさをどうのりこえるか

給食費、PTA会費、学級費等の金集めや、その他雑務的仕事で、教材研究とか或は家庭訪問等実践の場の忙がしさに一応は目をみはるでしょう。しかし能率的に時間と精力を子ども達の幸福のために教育活動面につぎ込め、そして何が教育にとつて第一に重要なことで何がそうでないか――という区別をつけることが大事だ。主要なものと、そうでないものとを見分けて合理的な実践をすることを忘れてならない。しかし毎日の仕事の中で事務的処理の問題が一部の先生にかぶさつてくる場合が多い。先輩同僚子持の女の先生なんかの立場も考えて、どうしてもやつてあげたいという身構えも必要だ。一見多忙ではあるが自主的に積極的に障害をのりこえて皆と協力する時始めて視野が広くなり新しい見方も理論も生かされてゆくだろう。

四、哲学宗教論理的教養をバックに

文豪と牛は「吾人はすべからく現代を超越せざるべからず」と人生観をのべ、ヘーゲルは「世界は精神の発展過程である。」として世界観をのべている。人生観、世界観は哲学の領域である。哲学は人間に投げかけられた問題を人生に意義づけ解決しようとしている。

教育の結論は教師である。信念、技術、識見、情熱、子どもへの愛情は特に心すべきものである。子どもは哲学者である。彼らは多くの疑問を持つている。ゲルトルードはその子を教えるに神に通ずる敬虔な態度を基調とした。ぐんぐん伸びる草の芽にも大自然のいとなみを感知させ、感謝、感恩の情操を養うことはメーテルリンクの「青い鳥」も真剣に人生にとつ組むと自分の家の窓下にあることを悟らせよう。

温い心をもつて、教師の魂と子どもの魂の完全な触れ合いのうちに又愛情の流れに漂う相互作用によつて真善美聖の価値実現を望みたい。われらは善事にも過失にもひとしくほほえみかけ疲れを知らず絶えず希望をもち幸福の花片を一枚一枚開く姿を見て心の中の楽園を築こうではないか。人間的豊かな教師として明か

るいのびのびした感じの人間性をもつて子どもとも同僚とも話し合い理解し合い視野をひろめて思いやりと、自分の生活設計のいとなみからバックボーンをつくつてゆく、そういう努力が明日の教育を担う若い教師に願うものである。

（中城小学校長）

新しく教壇へ立たれる諸君へ

比嘉良芳

先ず、自分のざんげから始めよう。三月になつて、手塩にかけた子どもたちとの訣別の機がやつてくる。教師なりたての時代には、むしように別れがつらかつた。式の当日になつて、卒業の歌声を聞くと、途端にそれこそ突然のどがつまり目がかすんだものだ。それが毎年繰返えしているうちに、涙が枯渇したかと思われる位涙が出てこない。嘘でもよいから涙が出てくれないかと願つても、それだけはどうにもならぬ。いつのまにか情緒的不感症にかかつてしまつているのに気づき、われながらあいそがつきるのである。教育生活を二十有余年も続けていると神経がまひして不感症になる。心したい病気だ。

教師生活マンネリズム症には、まだ外にもある。毎日同じことを判でおしたように繰り返えす生活からくるものだ。余程気をつけぬと、このあわれなマンネリズムという慢性病のとりこになる。商人のように寸秒を競わねば、一生の浮沈にかかわるといつたような、とぎすまされた鋭い感覚というものを切実に要求しないからだ。従つてついうかうかと安易な生活に溺れて教師としての感覚を磨くことにおろそかになり、あたら青春をすりへらし、人生のたそがれにきて立止まる時はもう遅いといつたかつこうになる。又私はいつも「若さは情熱だ。」と考えている。

若い教師から情熱を差し引いたら、あとはしかばねだ。と極言までしたい。すべてに不遇な沖縄の子たち「この若い世代を」という教師の情熱こそが子どもたちのための教具となり、又各種の施設となつている。子どもの日々の生活に心をよせるだけの熱意のない教師の頭からは何の創意も、くふうも生まれはしない。むしろりつぱな施設も、器具も泣かされるばかりだ。

ところが 最近 よく「教育が 事務化した。」と概嘆する声を心ある父兄から聞かされる。私はいまさら昔流の「苦しくともいわれず聖職なれば。」といつたような聖職主義を奉ずる気持はもうとうない。しかし、いかようにも仕上げられるそ像にたとえられる大切な青少年期の人の子をあずかる職業だと考えた場合、他の公務員と違うことが自らうなずけることだろう。

魂は魂によつてのみ培えるのだ。「魂の技師」としての教師だ。厳びしい立場が要求されても不思議はないと思う。教育を事務化し、機械化した教師には、第一子どもがついてこないはずだ。父兄ももちろん自分の大切な子どもをあずける人として信頼するはずがない。教育を成り立たせるのは信ずるからこそだ。信頼されない教師なら落第だ。

教育はなんといつても人間と人間、魂と魂のふれあいであることは、否定できないだろう。

教師の情熱こそは最後のものだ。そしてその情熱をさらにかきたててくれるもの、それは 読書 であろう。情熱だけでは、空転することがある。非能率的にもなる。読書は情熱に方向を与えてくれるはずだ。読書についてもう一こと、月並な言葉だが「教えることは、学ぶことだ。」ということだ。教材も一度教師のそれぞれの人格を通すいじよう教師の人生観なり、世界観がにじみでるはずだ。それでこそ教材は生きて、子どもの魂のかてになる。教師の人間的成長が子どもの成長過程を促進する条件となる。といわれるのもこのへんのことだろう。教師もまず人間的に成長することだ。本を読まない教師が多くなつた。との世評をときたま聞かされるが、常に何かを求めて向上をめざす教師でありたい。

この辺で方向を子どもとの立場にかえてみよう。

新教育は 人間を 尊重 することだという。しかし、現場でよく花やかな子どもを相手に教育を進めている姿を見かけることがある。成るほどそんな授業は実に見た目はにぎやかだ。そして能率があがつたような錯覚をおぼえる 。しかし、そんな教育は教室のお客様をつくるばかりでなく、うぬぼれと、憎しみの対立意識を教室の中にかもす原因をつくつていることに気づかなければならない。頭の回転の早い子は、ほつておいても育つ。むしろ回転のおそい子、手をやく子こそ、手をさしのべてやるべきだ。彼らこそ教師のさしのべる手を待つているのだ。

みんなが、みんなでよくなるようにするのが人間を尊重する教育ではないだろうか。

次に望みたいことは、つとめて「ニコッ」とすることを自分自身の心掛けにし

たいことだ。長年教師をしていると、どうしたことか顔面神経が硬直してしまう。一般人士といつしよの場合、教師は直ぐ判別がつく。何か、いかつい顔をしているからだ。とくに女の場合はそれがひどいように思われる。笑顔を忘れない教師でありたい。「和顔愛語に回天の力あり。」と、いう文句もある。

三番目には、子どもたちをみとめてやつて欲しいことだ。だれでも、人から自分をみとめてもらいたい欲求があるという。ところが教師は不用意にもそれを忘れ勝ちだ。子どもたちに仕事をあるいは宿題をいいつけて、いいつけ放しであることがある。時にいい子は「すみました。」と、報告にきてくれる。教師は忙がしさのあまり、つい「あとでいくよ」でつつ放してしまう。子どもを尊重することをしているなら、又認めてもらいたい欲求があることをわかつているなら、ここで愛語が一言あつてよいと思う。はなはだしい場合は職員室で悠然と煙草をクユらしているか、雑誌に花を咲かせていることがある。子どもたちは、おそらく精いつぱい、力いつぱいやつたであろう。先生に一言なんとかいつてもらいたい心で、やつてきたに相違ない。この子をつつぱねるとは、何と心ない教師であろう。これでは、人間を尊重したとはいえない。できるなら現場までいつて労をねぎらつてやるだけの人間味のある教師でありたい。「ごくろうさま」この愛語が子どもたちにとつて、どんなにか次の仕事へのよい踏み切りになることでしよう。ここらへんにも愛される教師と、そうでない教師の岐路があるような気がする。こんどは父兄との関係について一言だけ。

学校の各集会で、口をきかぬ、又はひかえめな親達と、進んで手を握ることだ。声のない声、そこに真実がある。私達の教育をすすめるより多くの手がかりをつかむことができるということだ。声のある声が、真実でないとはいわないがえてそれが一部の声であつたりすることがある。そして、我々はそれを全部の声と誤認して教育をすすめ、教育の真実がゆがめられる場合があるからだ。

紙面も次第につきつつあるので、先をいそいで父兄関係はこの程度にして、三転して最後は同僚との人間関係の一端についてこれも簡単に述べてみたい。

現場には多くの先輩がいる。大学を卒業すれば、学問的な研究は申し分ないかも知れない。しかし、現場には十数年、又は二十数年の長い教壇生活から体得した血のにじむ、そして現場に通う生きた理論があり、技術がある。大学の学問だけではちよつと得られないものがある。満水した容器には水は入らぬたとえ、慢心した頭にはどんな現場の貴い理論も技術も入らぬ。こうなつたら人間は育たぬ。あくまでも心をむなしうして先輩にのぞむことだ。卑屈になれとはいわぬ。謙虚こそが大切だ。

ついでにもう一つ、一口にも二口にも「年より」とか「古い」とかいつてかたづけぬこうだ。

古きが故に古いことを自覚している先輩は、新しいものを理解し、そして新しくなろうとも努力してることを忘れないで欲しい。

新しい人は古いと一言ではねつけるまえに、古い人々が新しいものを理解しようと努力するように、古いものを理解しようとする努力をしてもらいたいことである。いかなる社会も相互の理解が大切なことは、いまさら言をまつまでもあるまい。

教師の社会でも新しい教師と、古い教師が互に理解しあうことによつてはじめて和がたもたれ、ひいて学校教育の進展が期待できるのだ。和するための理解、この努力なくして明かるい職場の建設はのぞめまい。したがつて子どもたちの幸福も守れないでしよう。

書いているうちに筆があらぬ方へとすべつていつたような気がする。それにしても文才があれば、適切なよい表現もできたと思うがそれができないのが残念。十分つくし得たとはもちろんつゆ程も思つてはいない。

新鮮味のない極く平凡なあたりまえのことを書いたにすぎない。ただあたりまえのことがあたりまえに行なわれていない、とよくきかされるので私もあたりまえのことを書いてみたまでで、したがつて微視的とか、顕微鏡的とかのそしりはまぬかれないと思う。

もう一つには、新しく教壇に立つ人にはもつと勇気づけてあげるべきだつたと思つたが、それがつい脱線したことについては深くおわびして筆をおきます。

（瀬喜田中校長）

国語問答

「十周年」と「十週年」

問い　今度十しゆう年記念会をしたいのですが、その「しゆう」は一週間の週がよいか、それとも周がよいでしようか。

答え　周がよいのです。「週」は「周」の俗字として後世にできた字ですから、当用漢字の選定のときにも、なるべく「周」の字に整理統一したいと考えたのですが、ただ週日の「週」だけには、「周」はまだなじめないというので、「週」の字が置かれたといういきさつもあるくらいで、ほんとうは、すべてを「周」でまかないたいくらいなのです。したがつてお尋ねの「十周年」は「周」のほうがよいわけです。（国語シリーズから）

随　筆

教師雑感

安富祖中学校長
平田　啓

○精神労働一日の仕事を済ませ「クタビレタ」と夕餉の席につくと今度三年生になつたばかりの子どもが「校長でもつかれるの」と不満らしい反発がきた。校長は一日中座つていたり、校内をぶらついたりで仕事をしていないからつかれるわけが無いとの事らしい。

あえて説明するのもおつくうでそのままにしておいたが。時たま校長を返上して一学級を担当してみつちりやつてみたいと思う事もあるのだが単なる好奇心だけとは言えないようだ。昔といつても昭和のみ代だが「巡査と学校の教員はだれでもつとまる」という言葉を耳にした事があつた。なるほどそれも一理だなと考えさせられた事がある。朝弁当をひつさげて出かけ鐘の音にしばられて教科書を教え、面白く時をかせいで家路につくこれも先生には間違いないのだから、とはいえ本当の教師になり切る事は又むつかしい仕事で、年を重ねるほどまよう事が多くなるような気がする。

師範教育を一応受け訓導として一学級をまかされた時の心細さ、煩悶してよくミーグファイさせられた思い出がある。

近頃の先生にはこんな事はないようで皆自信にみちみちて、たのもしいと思うのだが内心は矢張りそうでないかもしれない……と思つたりする。表面華かで喜々としてたわむれている先生の姿ははた目では実に楽しいものだと見るにちがいない。だが教師に心の悩みがないとなれば心配になる。苦しみや悩みの問題を解きつゝ前進する教師はたのもしい気がする。これがいい教師というものかしら悲しい宿命かも知れない。

○解　悩　法

軍隊生活お別れの日、Y一等兵（高工出身）が記念のサインとして次の言葉を送つてくれた、いわく「教育者すべからく早婚たれ」と、どういう教えかわからないまゝに過してきた。教職について二年余やつとそのなぞが解けた。同職に六十の坂を越した老教師があつて勇退組のメンバーに上げられているうわさだつたが、当時長男がまだ中学一年生、今やめさせられては子どもが路頭にまよう事になる。何とかして後三年間は……と哀願している姿を見せつけられた事がある。心の安住を失い信念もぐらつかせて教壇に立つている教師の姿が想像されてならなかつた。「今日も又車ひきひき過しけり」ではつまらぬ。よし若い時にうんと金をためてと思つたがこれは到底のぞむべくもないし残された途は一つと虎視たんたんとつとめたつもりだつたが今頃子どもの年を数えてみると矢張り前車のてつをふむ結果になりそうである。

家庭をもち子どもをもつた教師は仕事に落ちつきがあり、堅実味があつていいよう気がする。愛情が本物であり視野が広くなつていく性かも知れないと思う。早く結婚して子どもを生み、早く切り上げて残春を楽しみつゝ教育に専念する事が賢明かもしれないと思つたりする。

○教　師

「先生とは屁もへらぬえらい人だ」と子どもの頃は先生をまるで神様のように考えた頃があつた。今頃子どもにそんな事をいつたら物笑いになるにきまつている。三尺下つて師の影を踏まず。でこわいもの、尊いものであつた今はむしろ生徒の影をふんではと警戒する。先生も出るかもしれないが、余談はさておき、人間でなくては人間教育はできないと思う。その点いい時代だと喜んでいる。だから教師も一介の人であり、人間なみの生き方が許容されるべきであるが、先般若い教師とバスに同乗し合わせた事があつたが談話なかば床につばをするのを見せつけられて不愉快でたまらなかつた事がある。人を教育できる人とはありふれた人でもだめだし、風がわりな人であつても落第のようだ。字引をひくと師とは人の模範になる人とある。けだし人の中の人という事になるからむつかしいことである。

○アルバイト

今朝新聞をめくると教師のアルバイトが表面化して局のメスがふるわれるとの事がのつている。疑問をいだいていた事だけに興味をもつてよんだ訳だが、アルバイトでもしなければ食つていけない都市の教師がかわいそうな気がしてならない。食うだけの野菜も自分でつくり日曜には釣でもして楽しめるいなかの教員は楽しいものだと思う。それはそれとして感心なのは先生方の余力である。こちらでは朝から夕刻までにやつと一日の仕事を片づけて夕やみをついて帰路につくのが毎日の日課である。能率的でないといわれたつて仕方がない。貧困ないなかではや

ればいくらでも湧いてくるのだから、体力もつかい果して心よいつかれに酔つて不平も不満もなく満足している先生方にありがたいと思う。アルバイトの力を学校でつかい果して下さい……と言つたらアルバイト先生にどなられそうである。

一月二、三十仙の金を徴集するのに精いつぱいのいなかの学校、月一、二弗を家庭学習のためになげだす都会、あらゆる割当金もこの率でやつてもらうとありがたい事だが……と思う。でも都市も金持の子弟だけでもない貧乏人の子弟も多い事だろう。貧乏人の子弟がかわいそうである。そこから複雑な種々の問題が芽を出しかけてる気いがする。老婆心ならありがたい事だが。

―― 随　筆 ――

教育効果をあげるには―父兄の協力から

本部中学校
崎浜秀教

戦後十年余も同一校に勤務し昨年の九月転勤した自分の経験から前任校であつた崎本部校の教育効果をあげた理由を二、三事例をあげて説明したいと思います。

教育は教師生徒父兄の三者が一体となつてこそ効果はあがるとよくいわれていますが、私の経験からも確かにその通りであり、一方が欠けても順調な効果はあげられず、ぜひとも、車の両輪の如く、同一歩調で進まねばならずその調整にはなみたいていの苦労ではできぬと思いますが、幸にも同校の校区民は教育に対しては特別に熱心で、しかも一区一校という小さいながら自分等の区に併置校があるという事に大きな誇りを持ち、吾等の学校だという気持ちがどの父兄にもあり、学校のことなら暇やお金は惜しまずに奉仕するという信念に燃えているために、教師は安心して教育に専念することができ教師は父兄の意志をよく汲みとりできる限り意志を尊重して子弟教育に万全を期して行こうという、相互理解の上に協力が実を結び現在では他校にひけをとらぬ教育効果をあげているので参考になる点もあるかと思い事例をあげて説明していきます。

まず父兄が誇りとして今後もそうありたいと願い学校に協力している点をあげると同区から㈠「よき先輩を出していること」㈡「戦前からよき教師を迎えたこと」㈢「戦後青少年が警察の厄介になつたのがなく各職場で精進していること」㈣「多数の国費生を出していること」以上四つが区民の最大の希望であり学校に対する要望も大体この四つになつて、その完徹に皆が努力している状態です。

右四項目のあらましを説明しますと「よき先輩とは戦後崎本部校出身者から警察署長、警察学校長、社会局長、立法院議員（一人）農林学校長、経済局次長（同一人）会計検査員その他多数の方々を政・財界に送つていることよき教師を迎えているとは現在各界に活躍している人々の若い頃奉職したこと現名護地区教育長大城知善氏、安和小学校長小橋川カナ氏、コザ市長大山朝常氏、立法院議員伊集盛吉氏その他多数。国費生として米国留学生三人、東大学院二人、大阪外語大一人、今年度入学二人計八名、琉大、沖縄短大に多数送つていること。戦後の卒業生が警察の厄介になることなく皆が各職場に精進していること。

以上の事柄が大きな誇りとして自分等の子弟もそうありたいと家庭において指導し学校ではたえず父兄と協力して指導しているために子ども等も先輩につゞけという意志にもえて努力する結果、出席、学力において年々向上し出席率の如きは九九パーセント以上であり、長欠児がほとんどなく遅刻早引がまた少なくその状態は感心であり、父兄が熱心であるがために良い結果が生まれたものと思つています。

学力面においても父兄の経済状態は決して良いとは考えられぬが三年の在籍の八〇パーセントは受験し、その八〇パーセントは合格していますので父兄が誇りとするのも無理はありません。

体育競技においてもバレーの如きは地区中央に再々優勝しその名声を博しているのは教師の指導はもちろんのこと、その蔭で父兄が多大なる援助と激励があるためであり生徒の学力向上は父兄の協力いかんにかつていることが如実に示しているのであります。

学力が毎年向上している蔭には母親がたえず交替制もしくは買物の帰りに授業参観をし、休時間を利用し担任と話合いの機会をつくり、家庭で指導しつけの面を語り合つて教師と父兄母姉との遠慮なき話合いが学力向上という結果が生まれたのである。

教師だけがいくら熱をあげて努力しても父兄が無関心であつたら効果はあ

がらず、そこには良き教師も良き生徒も生まれてくることはなく平凡な学校になつてしまうのである。

父兄に関心を持たしめる動機をつくらしめるのは、又学校側の責任であり機会あるごとに学校の実態を知らしめると無関心であつた父兄も関心を持つようになるから努力すべきであると思う。以上は学校紹介のようになりましたがどの学校においても父兄が学校に協力しPTAの使命を果してもらい遅れている沖縄の学校教育が一日も早く本土並みの学力に持つてゆきたいために拙文を省みず意のまゝに筆をとつた次第です。

忙しさの中の喜び

坂田小学校
安村律子

「忙しい。」その言葉は、だれもが口に出す言葉である。教員にとっては、特に、学期末は、一年中で一番忙しい時期であるので、「忙しい。」の連発だと思う。

回顧すると、去年の四月からこのかた、じつくり自分の事を考えた事がない。考えるとしても、一日の授業を終えた後の反省ぐらいのものである。久し振りにお友達と逢つてもお話の中には、必ず「忙しい。」と言う言葉が出てくるのである。その言葉は決して辯ではなくて、事実だから仕方のないことである。日々の教材研究、遅進児の指導、金銭徴収、その他、いろいろな雑事が多すぎる。中でも教材研究をする時間が多ければ、大へん助かるのであるが、そうでもないから実に遺憾に思うのである。しかし、忙しいからと言つて決して歎息はしない。この忙しい中をどうして、楽しく暮らしていくか、「忙しさの中から喜びを見出す。」と言うことが、私に与えられた課題である。忙しい時が又、一番楽しい時でもあるような気がする。

放課後、教室で次の日の授業の準備をしていると、必ず五、六人の子ども達がやつて来て話しこむ。子ども達はこの時ばかりは、心の窓を開いて、いろいろな事を話してくれる。中でも、授業中は黙つている子どもが「あのね先生……。」と話しかけて来るのは、実にいじらしく思われる。自分の言いたい事を何のためらいもなく率直に話すので、子ども達を知るのにも、とてもよいチャンスである。どんなに忙しい時でも、子ども達と話す時間をつくることにしている。そうすることによつて、子ども達も喜ぶし、私も、とても愉快な気持になつてくるのである。

中央の教研集会が済んで間もない或る日、そろそろ学芸会の練習もしなくてはと思い、放課後、子ども達を集めて、それについて話した。多数参加と言うことが、モットーなので舞踊劇をさせることにした。その配役を子ども達といつしよに考えることにした。始め、子ども達の話し合いで、選定させた。選定された子ども達は、何と私が言葉をさしはさむまでもない、それこそ、それぞれ適確な配役である。六年生にもなれば、物を見る目がちやんとできてくるものだと、感服し、子ども達の前に平伏した。

手離しにくい卒業生を手離さなければならない月になつた。窓辺には、春のひざしがしのびよつているのに、自分の胸のどこかでは感傷の淡雪が音をたてとけ始める。教室の一隅にかゝつているカレンダーだけが冷たく、子ども達との間を一日一日引きはがしてゆく。卒業していく子ども達、一人一人の将来を考えると、もつとしてあげたかつたこと、もつと話しておきたかつたことがたくさんある。せめて、残り少なくなつた日を有意義にしなくてはと思つて、立ち上がつた時、子どもが一人自分の傍に立つているのに気付いた。子どもいわく、「先生、今日の授業は五時限ですみますから、六時限目は、お掃除をしましよう。僕達、この学校をもつときれいにしてから卒業したいのです。」と言つた。何時もなら、大掃除は、決まつていて、その日にやつているが、この日は子ども達が自発的に言つてきたのである。「いゝでしよう。」と言うと、委員長の子どもは、自分で分担して、掃除に取りかかつた。二、三分たつてお掃除をする所に行つて見ると、だれ一人、遊んでいる子どもがなく、一生懸命に草取りをやつているのである。私はこの子ども達の自発的な行動に、心の底から湧き出る喜びの感情を抑えることができなかつた。

子ど達といつしよに考え、子ども達といつしよに一つの仕事を成し遂げた時の喜び、それはとても言葉では表現できないものである。

報告書

「普通課程選考の反省」から

首里高等校学　村田実保

高校入試選抜の方法はここ数年来各高校とも基本的には同一の方法が採られてほぼ安定はしていているが毎年文教局を中心に研究討議されていて今後ともいつそうの研究が望まれる課題である。次の拙文は去る二月の入試判決会議の三日前に開かれた本校入試研究会に提出した報告書の一部で、これを本誌に紹介することは選考方法の内容を公開することになり、どうかと思つたが校長の奨めもあり何かの参考になればと思つて拙い研究小論をかえりみず掲載することにした。以下報告書の数字を記号におきかえて述べてみたい

　本年度の入試に当たり去年度実施した選考方法を反省検討することは選考の適正を期する上において必要なことと考える。その意味で入試成績の低かつた生徒の入学後の成績と入学後の成績不良者の入試成績をみつつ次の諸点について研究調査し、その結果をまとめてみた。

(1) A段階設定の妥当性について

（表1の註参照）

去年度は A段階の 最低線を 内申点 $X_Ⅰ$ テスト点 $y_Ⅰ$ と定めそのA段階に入つた生徒の中から極く僅かの不適格者を除いた採用人員の約九五%をとり残りの約五%はB段階(表1註参照)に属する約五〇人中からそれぞれ選んで普通課程合格者としたのである。内申点 X_1 テスト点 y_1 の区切り方は果して妥当であつたかそれを調べるために現一年の二学期の成績不良者の分布を入試成績とかみわせて調べてみた（表1参照）これによると成績不良者の比率は（表1参照）内申点の増加に伴い急激に減少しているが、テスト点ではどの区間も二割台のほぼ同率を示している。これはあとでも述べるが内申点とテスト点の信頼度の差異をよく表わしているものとして重要な資料の一つである。

　つぎに内申点（X_1～y_2）に属するもののうち成績不良者三七・五%という率はテスト点のどの区間と比較しても差が大きい。これはA段階を設定するに当たつてテスト点を高く内申点を低く区切つた結果による。

又内申点（x_2～x_3）とテスト点の（y_1 y_2）に属する成績不良者の比率が似ていることからすれば内申点とテスト点のこの両区間は学力においても匹適すると考えられる。このこと

表 1　成績不良者の入試相関表における分布状況

———→内申成績　　テスト成績↑

	(X_1未満)	(X_1～X_2)	(X_2～X_3)	(X_3～X_4)	(X_4～X_5)	計	
		9/24 1/4 (37.5%)	18/64 (28.2%)	13/71 (18.6%)	4/32 (12.5%)	計	
	B2 1/4 (25%)	1/3	5/14	3/17	1/10	10/44 (22.7%)	(Y_3～Y_4)
		2/6	6/24	5/22	3/17	16/69 (23.2%)	(Y_2～Y_3)
		5/12	7/25 ※	5/30	0/4	7/71 (24.0%)	(Y_1～Y_2)
		1/3	0/1	0/2	0/1	1/7 (14.6%)	(Y_0～Y_1) …$\overline{Y}$

備考　┆┆線内A段階　┆┆線内BⅠ

註1　成績不良者とは入学後の２学期の成績で国、英、数の評価の合計が ７以下で且実力テスト120点未満のものをいう。

２　表中例えば　※印の $\frac{7}{25}$ というのは内申成績が（X_2～X_2）点台、テスト成績（Y_1～Y_2）点台の成績で合格した生徒25人中、７人が二学期の成績不良者だという意味で、本文中成績不良者の率とあるのはその比率を示している。

３　A段階とは内申成績 X_1 以上で且つテスト成績が Y_1 以上の生徒の集合を謂う。即ち第一次合格者候補である。

４　B段階とは表中点線で囲まれた部分の成績をもつたものの集合で A段階合格者の残余の選考対象をいう。

が一応妥当だとするならば内申の平均点はXでテストの平均点はYであったのでやはりA段階は両者ともおおむね平均点の線で区切った方がよかった。

更にA段階で成績不良者の比率の大きい個所は両線によってできる隅の部分であるからA段階設定にはこの点十分配慮すべきである。

(2) B段階における選考の妥当性について。

B段階での選考は総合審査に基づくほか基礎力の優位をとくに考慮する方針であった。果してその選考は適切であったかそれをみるためにB段階から採用した生徒の成績を調べてみた。(表2略、表3参照)それによると内申点表のよい程入学後の成績もよく内申成績と(国英数の合計)二学期の成績(実力テスト及び評価合計)との相関係はそれぞれの相関係数〇・六五、〇・七が示すようにその相関の度合はかなり大きい。これは国・英・数の内申合計がよい程入学後の成績もよいことを十分立証している。従って基礎学力を考慮して選考した試みは適切であったと考える。ところがその他の面で大きな問題をもっているのでそれは次の項で述べる。

表3　B段階から採用した生徒の成績概要

区分	内　容	2学期評価の平均	実力テストの平均	成績不良者の比率
B_1	内申 X_1以上 テスト (X_0〜Y_1)	8.0	127	14.6%
B_2	内申 X_1未満 テスト (Y_1以上)	7.0	113	44.4%

註　評価も実力テストも国、英、数の合計で
評価は15点　実力テストは300点満点

(3) 過年度卒業生の選考について過年度卒の入学者でA段階に属する生徒の中には、内申成績中位でありながら二学期の成績が優良の部にランクされた生徒が数人含まれているが、成績不良者はA段階で一九%、B段階で六〇%(表4参照)という比率を示している。このようにA段階からの採用者中には努力次第でよく伸びた生徒がいる。のに反して内申点の低かった生徒は、たとえテスト点がかなり上位の成績で合格しても入学後は決して伸びていない。殆んど全員が低位置とある。B段階での五人がともにしかりである。尚B段階での成績不良者の率が現役と比較してかなり大きい差があることについても注目せねばならない。

表4　二学期の成績不良者数

	段階別	調査人員	成績不良者数	その比率
現役	A段階	278	43	15.5%
	B段階	11	2	18.2%
	合計	289	45	15.6%
過年卒	A段階	21	4	19.0%
	B段階	5	3	60.0%
	合計	26	7	27.0%
計		315	52	16.5%

ところで今一度B段階からの選考の妥当性を考えてみるとテスト点の良いことに魅力を感じ、これを過大に評価し内申点が低いことについてはそれ程問題にしなかったという点は大いに反省する必要がありはしないか。過年率の内申成績に或限度の点を設けることは至って困難なことで一、二回の資料でこれを定めることは無理と思うがやはり内申点の低い生徒についてはiQを参考にするほか何等かの方法で限度点を設けるようなくふうが望まれる。

(4) 内申点とテスト点の信頼度はどうか。

この問題についてはこれまでもしばしばふれてきたのであるが更にA段階の合格線に近い生徒約一五〇名について入試の成績と二学期の成績との相関の度合いを調べてみたら表5の相関係数を得た。これによるといずれも積極的相関々係はあるが必ずしも高い相関関係があるとはいえない。しかしテスト成績よりは内申成績の方が入学後の成績との関係が深いということは確かにいえる。(教育評価法参考)つまりテスト成績よりも内申成績の方が信頼度は高いということである。したがって、テスト成績に多くの信頼をおくよりも長期間の観察により累積評価された中学校の内申成績を十分信頼するとともにもっとその方にウエストをおいた選考の方法を試みるべきである。

表5　入試成績と入学後の成績の相関々係

(調査人員150人)

入学後(2学期)の成績 / 入試成績	評価成績	実力テスト
内申成績	0.27	0.244
テスト成績	0.17	0.22

(5) テスト点と内申点の不均衡の生徒について。

テスト成績と内申成績の不均衡の生徒は相関表に歴然とあらわれてくる。いまこれを、内申が高くテストが低い生徒の集りと内申が低くテストが高い

※三二頁下段かこみへ続く

対外競技について

〃その弊害をもたらすもの〃

平良　健

「かみしも」を着たような論文調をさけて、断片的に筆を進めることにします。

話は昨年の夏、籠球のインターハイに参加のため、熊本市に滞在中のことですが……

街は、ちうど全国高校籠球選手権大会や同剣道大会、同拳斗大会、全日本ハンドルボール大会等が前後して開かれているさなか、甲子園大会に地元からは鎮西高校が出場していて、もつぱらスポーツの話題で賑わつていた。同市の北部寄りの閑静な旅館の窓からみた光景……

近くの小学校々庭では、同校の通学団対抗の野球大会が、毎日賑やかにくりひろげられていた。その光景を眺めた時の感想でありますが……

毎日父兄達がきて、子供達といつしよに楽しんでいるのを、どんなに羨ましく思つたことか……和やかなそして楽しそうなその雰囲気、緑蔭に恵まれたその涼気、古色をおびた木造の二階建の校舎ではあるが、すべてが平和と愛に包まれているようで、ゆとりと落着きが四囲にみなぎつていた。

これは、教師と父兄がよく協力して、校内野球大会を開いたものと思いますがこの種行事の有つ長い面を眼のあたりにみて、体育人としての自覚を新にすると同時に、深く反省させられたわけです。

冒頭からこんな話では、テーマに逸脱しているように思いますが、クラブ活動や校内競技会、対外競技会が、それぞれ学校教育の一環としての教育の場となつているその関連性を説くために、迂廻しているような次第です。

いまさら、特別教育活動について、どうのこうのとぜい言を要するまでもなく「社会性の育成」と云う共通した一大目標があることは、周知の通りでありますが、果してどうでしよう……

こゝで参考に申し上げたいと思いますが……

東京教育大学附属高等学校で、昭和二十六年からの継続研究によりますと、「運動部の活動が社会的適応性や健康への関心を高めることにある」と期待して、その調査を行つたそうですが（紙面が限られていますので詳述をさけて）、結果はイエスと答えることの出来ない悲観的なものであり、又「集団競技や、活発な運動部ほど適応性が高まる」のではないかと云うことについても、同様にイエスとは答えられず、むしろノーと考えたほうが、より適切であるかも知れないと云う結果になつた、と同大学の丹下保夫教授は云つています。

即ち、自主性や自治と云う美名のもとに、生徒達の活動や個性が、伝統や現実の社会環境のしめす方向に、どんどん押し流されて、自主性や自治は、民主的な社会意識の保障ではなく、むしろ逆効果になつているのです……、と云うことは横の関係としての社会性でなく、むしろ古い意味での集団意識が、いつとはなしに育てられたのではないか、と云つていますが……勿論、この様な説が、必ずしも全国高校に当てはまるものでもなく、又ウのみにして全面的に肯くことも出来ないが、しかし、我が沖縄の高校にも、或る程度共通するところを、散見できることもあつて、特活における運動部の在り方について、新教育により発生した一大課題として、取り上げられるようになるのではないかとも考えられるのです。

結局、米国流にしこまれた新教育で、生徒や児童の人間としての発達が、或る程度スポイルされていることは、看過することが出来ないと思うのです。

従つてこの様な体育部の活動の延長である対外競技はどうでしよう？……教育的に観て、好ましいこともあり、又好ましくないこともあつて、長短相半ばしているのではないでしようか……

この対外競技については、文部省の通達（昭和三十二年五月十五日）でも、「正しく行われゝば、その教育的効果は非常に大きい」と云う注意事項が示されていますが、と云うことは言葉を返せば、正しく行われないでその弊害が多いので文部省から通達が出されたのではないでしようか……

対外競技が、スポーツ振興のため、不可欠の条件であり、要素であるかも知れませんが、そのために、学校のクラブ活動が歪められ、それによつて派生する、暴力問題、合宿時の不祥事件、勝敗に起因するトラブル、応援団の在り方等々、正常なクラブ活動をはばむ要素が、やはり潜在していると思うのです。

即ち、対外競技が、学校経営並に運営の面で、教育効果をあげていることは、否めない事実であるとしても、その半面これに伴なういろいろの弊害については案外、足許を見ないで、先へ先へと進んでいるような気が致します。

例えば、選手の健康管理の問題、学業の問題、勝利第一主義の傾向からクラブ

が、先輩や外部からのコーチに一任されたり、後援会や外部団体に介入されて、生徒や学校の自主性が失われる危険もあり、結局学校体育も歪められるようになり、トマレ、対外競技のもたらす弊害がスポーツの華かさのかげにかくれていることについて、おたがい教育者が、改めて見直すべきではないかと思うのです。

聞くところによりますと、某校の某選手が教師に向つて、「この学校の名をあげたのは、俺のおかげぢやないか「などと暴言を吐いていることからしても、我々はうつかりしてはいられないと痛感するわけです。

——スポーツの華形選手を、甘やかしたり英雄扱いしている社会環境はどうか……

本土にくらべて、気候に恵まれ四季を通じて練習が出来るので、案外能率のあがらない練習法に終始していることはないか……

そして学業との関係はどうか……単位のとれない様な生徒が、選手として甘やかされている傾向はないか、又素行の悪い者が学校代表の選手として出ていないか、即ち選手の資格審査はどうなっているか……他、予算の問題、応援団の問題等々、枚挙にいとまのない程問題点が多いわけですが、これに対して我々は、その煩わしさを敬遠していないでしょうか……反省の要があると思います。

ところで、こう書いてきますと、対外競技がいかにも無用の長物ときめつけているのではないかと、或はお叱りを受けるかも知れませんが…対外競技のために前に述べました様なクラブ活動の盲点とも云うべきことがありますので、これの排除と是正についておたがい骨惜しみする様なことがなく、尚一層努力せねばならないと思うわけです。

ところで最後に、対外競技主管者や運営にあたられる方々に御願いしたいことは……

なにしろ競技場施設の悪条件下で、いろいろ御苦労もありましようが、競技がしやすく、選手達が十二分に力を発揮出来るように競技場の整備に留意していただきたいと思います。—競技の種別によつて、いろいろ差はありましようが……観覧者（応援団）がコートの近くに蝟集するのは、スポーツに親しむ人達の心理として、無理からぬことかも知れませんが……ひいては、観覧者をして既に、勝敗にこだわりやすくなる素因をつくり上げている様な状態では、不祥事の起こるオソレもあり、競技場がキチンとしておれば、又プレイヤー達もフエアーな気持になることもできて、ヤジ馬にそのかされるようなこともなくなるし……この選手対観覧者の競技を通しての相関性は非常にデリケートなものがあり、特に主管者や運営者はこの点、選手や応援団の規律面の指導を、しつかりやつていただきたいものです。

又試合や競技の運営にあたつては、終了時刻がおくそならないよう……選手や応援団の帰宅時間がおそいので、暴力事件が起きるのも、偶発的と云えよう。むしろ自然発生的と云えるのではないでしようか……

さいきん、沖縄のスポーツ人口も、グングン増えつつありますが、沖縄スポーツ界の発展のため、非常に喜ばしいことであり、スポーツ技術向上のためにも、好ましいこととは思うものの、半面、必然的に試合回数も増えて、その為、優勝したい、或は上位の成績を得たいと思うのは、やはりスポーツマンの人情……学業が第一か、クラブ活動でスポーツをやるのが第一なのか、「スポーツで学校の名をあげているんだ」と錯覚を起こす生徒も出るようでは、やはり教師の指導が足りないことを見せつけられた様で、思わずドキッとするのです。

クラブ活動を通しての生徒指導は、実にむつかしいことであり、その間又些細なことの様に見えても、教育的には実に大きな課題もひそんでいて、教育者全体が協力して解決にあたらねばならないことが多い様に思われます。

紙数が限られておりますので、先を急ぎ、舌足らずのところもあつて、ほんとに断片的なものになつてしまいましたことを、御詫び申し上げて筆を擱かせていただきます。

（商業高等学校）

※　三〇頁より

生徒の集団を二群に分けると前者は全員現役であるのに対し後者は過年度卒が過半数を占めているが条件を同じくして現役のみについて考えてみると両群のどの生徒も入学後の成績は普通以下にとどまつている。したがつて選考するに当たりこのような成績つまり不均衡の生徒に対しては特に注目するに値しない。やはり多人数の中で極く一部には過大に評定されたり、又は運よく試験のできがよくて内申不相応の成績をとることは起り得るものであることを知る。

以上述べた報告書を参考にして本年度の選考の方針を定めたのであるが、選考の適正を期するために研究すべきことがらは各面にわたり非常に多いのであるからただ一度のしかも僅かな資料がどの程度役立つたかはなはだ疑問に思つている。しかしこれを足場としてなお、研究を続けていけば大体の方向を見い出すことができると思うので今後も適正な選抜の方向へ努力を重ねていきたいと考えている。

（昭和二五年三月）

対外競技雑感

前原高校　翁長維行

対外競技について書いて貰いたいと依頼されていますが、なにしろ私は老眼で詳しく見てないので、殊に教育的見地からと云うことになると考え方が浅薄で参考になるということはまず棚上げしなければならないと思います戦後十何年も経過の歴史をもつ対外競技もここで万人にいろいろな意見を云わして、より教育的な対外競技を伸展させる事は教育の一環としてまた将来の沖縄の人の体位の向上とスポーツ人口を多くし生活を豊かにするレクリエーションとも関連して、もつとも大切なことではなかろうかと思う次第です。その意味からならおろかな私見でもどこか片隅に活現することもあるかと自分よがりに解釈しまして筆をすすめることにします。

戦後年を追うにつれて対外競技も軌道に乗つて今日では階段を八分目位あがつたとこだと思いますが、それも高体連、中体連、文教当局や各種スポーツ団体の御協力御指導のもとであることは衆人の認めるところで今後も若い生徒や児童の健全なる心身の発達のために尚一層の御協力をお願いする次第であります。

さて対外競技は御承知の通り校内競技の延長であり、どこまでも教育的意図にもとづいて企画運営され生徒児童の心身の発達を促し公正して健全な社会的態度を育成するよいチャンスで、立派な運営、合理的な選手育成によつて対外競技が行われるならば教育的効果は極めて大きいものであります。その運営や選手育成や学校の対外競技に対する方針を誤つたら生徒児童の自主性や健康を害し、選手としての誇りは優越感となつてあらわれ、勝負にとらわれた偏狭な性格をつくりスポーツ狂になつて施設用具も独占し、まちがつた英雄心を植えつけスポーツマンシップどころでなく野蛮的な人間にし、授業もおろそかになり全く教育的に寒心に堪えぬことが招来することは論をまたないのであります。

対外競技運営の方法について

イ　対外競技運営については前述した教育的立場に立つてなされなければいけないが、これを主催する時は教育団体でやるのが原則で、各種スポーツ団体がやる場合は必ず教育団体が加わる（共催又は後援）ことが大切であります。そうでないと教育目標を逸脱し弊害を伴う危険も場合によつては惹起するおそれのあることを忘れてはいけないのであります。（今日まで立派に行われていますが時たまそうでない時もある）

ロ　対外競技の役員は出来るだけ学校の教師で編成した方が児童生徒にとつてはよいのではないかと考えられます。沖縄の場合は各種競技においては各種のスポーツ団体の御協力を得なければ審判その他の役員にも困まることがあるので、しばらく各種スポーツ団体にお願いをしなければいけないが、若い者が早く自分達の手でやるように努力することが、学生のスポーツを純粋にのぼすことになるのではないでしょうか。

ハ　対外競技の選手選定に当つては、対外競技の経験をなるべく多くの生徒児童に持たせることに留意し、選手は固定せずにそのつど定めるようにする。また健康状態を第一に考えると同時に本人の意志、技術、年令、出席状態、学業成績経験等を考慮して、父兄の承諾を得、なお関係教師の意見を求めて学校長が決定した方がよい。

殊に沖縄の場合は球技、陸上競技、選手体操等すべて同一人で選手になることがあるが、出来るだけ多数の生徒児童にやつて貰うよう心がけなければいけない。それで中央での大会も従来通りもたなければいけないが、小ブロックにして新陣（第二選手）なるものの競技会も考慮されてよいのではないかと思います。経費のことは従来の経費を節約して貰うか大会気分を除いて手がるに競技を楽しむということでならどうでしよう。

ニ　日程について種々論議される事が多いのでありまして、日曜日はさいて普通の日にやつた方がよいと主張する者は見せるのもスポーツでそれによつて普及されるとの見方がつよいようですが、出来ることなら授業をさかないで行つた方が学力の向上や生徒の家庭経済の面、交通事故其の他の面からいけないことがおこるのを防止出来るのではないかと考えられます。（授業にかえるとなると全員いかねばならなくなる）

ホ　今日までの試合方法はよく検討され立派な方法を採用していますが、在籍の面でよい選手が沢山得られるところとそうでないところがありますので、そうなるといつも優勝が特定の学校にとられて小さい学校は埋もれていくことも生じてきます。それで試合方法はトーナメントにしても、慰籍法も、シード法も、バクナーウイルド氏法リーグに於いても、リーグとトーナメントリーグ法も考慮して全島の学校の競技を調制的に発達させることも考えられないものであろうか。

へ　対外競技も教育の一環であればそ

れに必要な経費も、また当然教育課程に含まれる他の分野を同様に扱わなければならないといえる。

運営に要する経費は生徒会費、P・T・A会費其の他何競技後援会の寄附と種々な面から支出されると思うが、沢山の経費をかけ過ぎて経費不足で生徒から徴収されることは、競技に参加する者をして贅沢しなければ競技選手は向上しないだと考えさせるきらいが生じはしないか。又経費の点で不明朗な空気をつくつてはならないことも注意する必要がある。そこで高体連主体の場合は、高体連合費や政府当局から補助を受けてやつているが、もつと政府補助を多くして高体連合費は小ブロックにもつと割当てて貰つて競技人口を多くし、非行問題もいくらかスポーツによつて姿を消すことのあることも考慮して、政府補助を増してもらうようなお一層の御努力をお願いしたいのであります。

ト　競技時間は選手が実力を発揮するに充分な時間と健康を害しない時間審判が出来る時間を考え、開会から閉会までの時間をよく検討し、出来うる限り早やめに終了した方が選手の疲労や見学生の疲労もさかれ、その他の事故も防止出来ると思います。陸上競技の場合は時間通りに進めていますが、其の他の競技も研究すれば呼出しに時間がかかつたりしなくて長時間を要しなくてすむのではないだろうか。そうすることによつて遠方より来る児童生徒も明るい中に帰宅することができ、家族と夕食を共にしながら競技の反省や家族に対する競技の理解を深めることができはしないだろうか。

チ　選手の態度、礼儀の点は戦後いくらかなおざりにされてないだろうか。この点は技術と平行して指導されるべきもので、体をつくつて魂を入れずに終つてしまつては真の健康のもちぬしを失つてしまうことになります。将来のよき社会人育成のためにも注意する必要があると思います。

リ　応援のあり方については、学校で常に指導されていますが、時折規則を守らない場合も見受けられ、その点残念に思うのであります。団体の応援の場合は殊に規律を守りいたずらに勝負にこだわることなく、選手が充分に実力を発揮することが出来るようにし、ファインプレーに対しては味方でも相手に対しても拍手をおくるだけの包容力を養うことが大切だと思います。なお味方が勝つてもおごることなく、敗者の気持ちも汲んで行動をなし、相手にも激励の言葉をおくり、また味方が負けた場合もいたずらに卑屈に流れないようにすることが必要だと思います。沖縄にあつてはリーダーの服装の面も、もう一歩考えて生徒らしい服装で溌剌とした純心な服装態度で応援をして貰いたい。この蛮からな服装が学園にも悪い影響を及ぼすことも考えなおさねばいけない。

ヌ　大会における会長挨拶や来賓祝辞は前日紙に準備し簡潔にして、若人の情熱をもえたたし、スポーツマンシップを高揚するみじかい挨拶にして貰つたら、選手諸君もつかれないですむし、観衆にとつてもよい感を与えることが大きいのではないかと考えられる。よく観衆や選手の言葉から、沖縄の競技会の挨拶は演説会みたいだといわれるのも、反省する余地がありはしないか。研究の必要を自他共に認められるのではないかと思われる。

ル　審判を公正適正ならしむるには、ルールの研究は勿論でありますが、もうすこし疲労を少なくするような接待も考慮が払われてよいのではないか。沖縄の場合は来賓の接待にはよく注意を払つているが審判の接待がもうすこし改善されねばいけない。疲労をおこすと進行も審判もスムースにいかないので立派な運営をするためには是非必要なことだと思います。

ヲ　沖縄の競技場にスタンドづきは少ししかないのでよく大会の場合日傘をさしている人がいますが、後の人に迷惑をかけなければ黒くならないために日傘もさしてよいと思いますが、前にいても傘をさすとなるとスポーツを見るエチケットとしてはどうかと考えられる。これは各地区でなくするようにすれば皆よく観覧できて楽しいことだと思いますがどうでしよう。

なお来賓の中にも前に陣取つてしかも腰掛を利用していながら日傘をさしているものがいますが有識者の方から早やめに改めるべきではないでしようか。

運営の方法についてはもつと沢山ありますが皆様が御存じの事で蛇足をようする必要もありませんので、対外競技についてはこれでとめることにします。なお選手育成の問題もいろいろあるとは思いますが、これは次にゆずることにしますまことにつまらない雑感を申し上げ殊に毒舌の方でありますのでその点お許しをお願いすると共にお読みになつてお笑いになることがあると思いますが、その笑いが私見をいくらかでも聞いて貰つたら幸に存ずる次第であります。

対外競技について

名護高校　屋部和則

終戦後廃墟の中から沖縄住民の明朗性育成のため、最も早く且つ雄しく立ち上がつたのは何人といつても体育である。そして急速に振興したのも又体育であろう。スポーツ行事も最近とみに多くなつてきし、これと共にスポーツ人口も急速に増加したことは喜ばしいことである。この体育振興の一翼を荷つて強力なる組織をもち大きな活躍をしてきたのが高等学校体育連盟、高等学校野球連盟である。そして誕生まもないがその兄弟分に当る沖縄中学校体育連盟が全琉的な世論によつて去年発足し、そして一年、一年と組織や内容ともに発展していく姿をみたとき沖縄体育の前途は全く明るく将来に力強いものを感ずるのである。高体連高野連は誕生してすでに九年目を迎え組織や内容も一段と強力に整い、いまや発展の段階に突入して居り、更に中体連の発足でいよいよもつて健実な発展と躍進が予想されるわけでこのときに当り私の愚見を申しすべてみたいと思います。

○小学校児童の対校競技について

「体育の教授は対外競技を除き、保健の監督と保健教授を含み両性に対して州の各小学校及び中学校に於て必修するものとする」これはアイオワ州の法律であるようである。日本々土でも小学校の対校競技は行わないことになつているし沖縄も「小学校では原則としては対外試合は行わない」と琉球政府文教局の学徒の対外競技について発せられている。そのいけない理由としては、児童の発育発達の面から無理があるということ、即ちこれからどんどん成長していく児童に対し、特別な目的のために特殊な練習特別な努力をさせることは、その成長をむしろ偏頗にするとともに精神的な過重負担をさせる結果となるというのが体育の科学化の面よりみていけないというのが第一の理由である。

次に対外試合をすることによつて一部の者に施設、用具が独占され、多数の者の幸福のための運動を実施することができないということ、それは、又特にわが沖縄の学校体育施設、用具の貧弱な状況からみてもいえることでいわゆる体育の民主化の面からみていけないというのが第二の理由、更に対外試合にまつわる種々の煩さな事象、例えば学校外からの干渉が多くなること、学校自体が対外試合の優勝を目指するあまり、経済的な負担を解決するため必要以上の努力を払わなければならないことなどから見て、いけないのが第三の理由としてあげている。思うに、私達はこの規則でとめられていると考えるのではいけない。文教局も「助言」であると、ことわつて教育者の方からこのような意見が出なければならないことだと云つている。前の三つの理由の中最初の一つだけはよいが二と三の理由は大した理由にはならない。この二つの事情は中学校にも高等学校にもあり得るからである。しかし児童の発達の面からみて無理であるということについて今少し深く考えてみたい。

最近小学校の対外試合は禁示どころかむしろ年々激増する傾向にあるのではなかろうか。青年たちが勝つて泣き、敗れて泣いている。その善し、悪しは別として、これに比べて児童たちの淡々とした選手としての態度は、試合のために大して心労をしていないようにみえる。児童達にはその意志的努力はできない、だから児童達が自分たちの考えだけで頑張つている間は大した無理はしない。これを無理にさせるのは周囲の人たちである。第一に児童たちは他校の児童たちと試合をするといつても、そう早くから無理な練習はしないが普通である。これを無理させるのは大人である。試合がすんで勝つたと喜び敗けたといつて悲しむのは子供たちではなく、大人である。われわれは子供達の発達のために教育している子供達が主体である。主体である子供たちの自然にまかせば無理はない。問題はまだある子供の社会性は三年生頃からやつと芽生えてくる。グループをなして遊ぶようになる。しかしまだ小学校時代は相手に対して競争する程度で、相手と共に競技して技術の向上を目指す程度でない。即ち正しい競技はできないといわれる程度の発達段階にあるのである。

小児は大人を小さくしたものではない。生理的にも解剖的にも自ら異るものであることを心すべきことである。したがつてこの問題を解決し、これを正しい方向にもつていくためには、対外競技管理者が外部の干渉をものともせず、教育者としての自主的な態度と強い教育信念に立つてのぞむことである。それに教育長、校長の強力な協力が必要であることは言をまたない。

○中学校、高等学校の対外競技について

中校、高校の対外競技については、教育の民主的協力団体としての高等学校体育連盟、野球連盟がすでに組織され、学校体育向上の推進力になつており、又中学校の対外競技は中学校体育連盟が去年結成されて自主的にそれぞれの計画につ

とつて行つていることは前に書いた通りである。

　それは文教局の学徒の対外競技についての通達の趣旨や範囲内で計画運営がなされることは云うまでもないことである「中学校の宿泊を要しない範囲にとどめる」となつて居り、「高等学校の対外競技は琉球で行うことを原則とし本土大会への参加は一人につきそれぞれ年一回程度とする。但し、国民体育大会の参加は例外とする」と規定されているのである。この通達が一部スポーツ人の中にはスポーツの発達を阻止し、また優秀選手の輩出を敢て禁圧するかの如き印象を受け、あたかもスポーツの禁止令か取締り規則かのように批判されているが決してそうした意味合いのものではない。むしろスポーツの健全なる普及発達を乞い願い、とかく陥らんとするスポーツの弊害を事前に除去せんとする文教局の親心と教育の本質から出たものであると思う。そこで外部からの干渉や圧力は小学校より一層大きいことが予想されるので中体連、高体連の管理責任者の皆様は一層の勇気と決断が必要である。

　次に中体連、高体連にしても、あまりにも試合本位のように思われる。体育連盟即ちスポーツ連盟といつた現在の行き方ではどうかと思う。体育連盟は、中学校や高等学校の競技会を主催する団体から一歩前進して、スポーツ連盟でなく体育連盟であるからには、体育連盟本来の姿に立ちかえつて、指導的立場に立つと同時に競技会本位の指導から実質的な教育の線も考えて改善していくことが出来ないだろうか、非常に困難な問題ではあろうが、私達も大いに頑張つてみたいと思うし管理者にも是非希望したい。

　中体連、高体連も年々発展向上しつつあることは、すべてが認めるところである。とくに両連盟の指導方針として、(一)対外競技は学業に支障のない日に行う。選手はできるだけ固定することなく(二)多くのものが参加できるようにする。(三)選手は単に競技成績だけでなく、本人の意志、健康、学業、品性等も考慮してきめる。(四)対外競技に参加するものは、それが個人の資格であると否にかかわらず、あらかじめ健庭診断を受け、校医の健康証明書を添えなければならない等、いかなる大会にもかたく実行にうつしていることは教育的立場から全くすばらしく敬意と感謝を申し上げたい。

　最後に学校を代表してくる選手諸君はスポーツマン綱領即ち競技態度、勝つたときの態度、敗けたときの態度、生活態度もよく訓練され、さすがに学徒選手にふさわしい、ところが応援団の生活態度は小々指導を加える必要があるやに考える。何とか選手の態度に近い線まで引きあげることができないものか。競技会の運営は毎年向上し、特に競技会の開会式は全く厳粛で若人の力がみなぎり、秩序整然たる行動には全く感激そのものである。競技会が人間教育のよき機会でありよき場であることがよく理解できるが競技会終了後の応援団席は紙くづ弁当の空箱等これこそよき教育場とは考えられない。応援団の道徳モラルの指導育成も対外競技を通して改善していただきたい。

　琉球政府文教局にスポーツ審議会を早急に置き、沖縄中学校体育が生成発展を期すよう指導してくれることをお願いしたい。

学校應援團とその指導について

コザ高校　生徒会指導部

新学期に入り各学校とも体育行事に先がけそろそろ応援団を組織する頃であるが色々と問題にする点があると思う。

　本校では応援を意義あらしめ、種々の競技の応援にふさわしいやり方ができる様に活動の規約を作り、その下で実施しようとしているがその規約を紹介してみたいと思う。

第一章　一、応援団は生徒会の下にあり全校生徒を団員として本校職員を顧問とする。
二、本応援団は学校長の承認を受けて実施する。

第二章　一、リーダーは希望者で二十名とする（但し先着順）若し希望者がいない時は学年あるいはクラスより選出する
二、リーダーは生徒総会の承認を受け学校長の任命をうける。団長はリーダーの中より選出する。
三、応援団の諸問題に対して生徒会が全責任を持ち応援団内部に紛争が起つたり不詳事件がおきたり生徒会、学校側の名誉き損となる様な事が起つた場合、又は正当な理由の下に解散を必要と認めた時生徒会長、学校長、団長は解散することができる。
四、もし応援団に不正が生じた場合、全校生徒の1/3の署名があれば解散を要求する。生徒会長はその理由を検討し生徒総会にはかり過半数の意見により賛成の場合、会長は応援団解散の告示をする

補　則

1　応援歌集を作製し配布する。
2　練習時間は昼食後二〇分とする。時

間の延長は認めない。
3　リーダー以外の人は応援歌の問題に対し一切立ち入らず、もし意見があればリーダーを通じて願い出る。
4　各個人が自覚自制し感情的にならぬように努め朗らかに楽しくできるようにする。
5　土曜日はやらない。
6　その他の細則はリーダーに任じ総会の承認を得て実施する。

大体以上の如くであるが青年期の若い者の集いであり血気盛んである。故に軌道を逸した行為もしばしばではあるが要するにリーダーと団員が一つの目的に向かつて進めば不詳事件等は一蹴されるわけだが、全職員が顧問として世話を見、相談相手になつてやれば必ず良い成果が得られるものと思う。

本校の応援団規約には目的が各文化されていないが、それは生徒自体よく知つていることであり、あへて掲載するまでもないと思つたからである。勿論総会において顧問の先生から色々と話があり生徒の自主的態度を期している。

青年の心理として時にリーダーという美名のもとに英雄気どりで下級生に当り勝手気ままになやり方も俗にバンカラ風や又暴力事件も起る。集団であることがそれを助長する。

応援団活動は対外活動であり、父兄、社会に生徒活動の発表の機会でもあるので、真に生徒らしい態度でなごやかな雰囲気の中に応援し勝負に負けても学校の統制、生徒会活動の活発さや生徒の毎日の精進を発表できるようにすべきである。そうすればまず応援団のあり方は一応成功したものと言えよう。

この様に学校職員、選手、生徒会応援団が一体となり、まとまりのある前進をするならばそれは今後のあらゆる学校行事、日常の学習に大きによい影響を与えるものであると信ずる。

要するにあくまでも生徒会各自の応援に対する正しい理解と自主的態度が大事であり、その為には学校全体が関心を持ちそれに当ることである。

ややもすると高校の場合生徒にまかせつきりの憾がないのでもない。勿論生徒会の活動の一部であるから自治的であるべきだが統制が団体活動の心髄であってみれば一人の反対者や不満のない様に仕向け、一人でもそこから逸脱する者がないように全体職員が暖かく見守るべきであろう。こうした中に大きな人間教育の場があることを認めるべきである。●

学校應援團について

中村義永

応援団のリーダーをやったことはあるけれども応援団研究の専門家ではないのですが、文教時報に玉稿を掲載させていただきたいという研究調査課の御依頼でありますので、多分私が体育関係の仕事もしているので、その方面の応援団のことだと思つて、思うままのことを書いて見たいと思う。

一　学校応援団のはじまり

応援団は何時頃から始まつたか明らかでないが、私の見聞によると、学生スポーツが盛んになるにしたがって、それに附随して起つたものであると思われる。即ち学生スポーツが盛んになるにつれて校友会の結成が促され、校友会によって学生スポーツの組織化が行われ、校内活動から対校競技へと拡がる一方、正課体育と並んで課外体育が学校体育に重要な意味をもつようになつた。学生のスポーツ愛好者の増加と教育的処理の必要な組織を必要として校友会を生み、校友会の組織は学生スポーツの普及と発達に貢献した。

明治十九年三月には運動競技運営の組織として東京帝国大学運動会が結成された。総長が会長となり、年中行事として春の競漕会、秋の陸上運動会が催されたが、これが後年各学校に出来た校友会のはじめであらわれている。この各学校の校友会が応援団を生み出したのではなかろうかと想像される。

明治二十年代に入ると野球試合がかなり行われるようになるなり、二十三年には一高対商業明治学院白金クラブ対駒場一高対明治学院の試合などが主なるものであり、この一高対明治学院の試合では有名なインブリー事件（興奮した応援団が学院の外人教師インブリーをなぐつた事件）を引き起した。

二十七年には当時の覇者一高は都下連合野球大会を提唱し、慶応義塾学習院など七チームが集り一高が優勝した。けだし連合大会のはじめであろう。

二十九年になると国際試合のはじめとされる横浜外人対一高の試合が行われ、一高の勝となつた。更にこの年第二回が横浜外人と米艦デトロイト及びチャールストンの連合チームと一高の間に行われ三二対九で一高の大勝となり、「内外一万の同胞狂喜して相抱き歓声拍手天地を動せん計りなり、然して間に悪口雑言を吐くの徒あり」「ために横浜初め神戸長崎

の外字新聞は盛に其の無礼を非難せり」とあるから当時応援の態度は外人にとって心外なものであつてたらしい。

明治三十四年に野球部を設けた早大は安部磯雄運動部長を迎え明治三十七年春になると学習院と一高を破り、慶応大学にも二勝し、秋の早慶戦も十二対八で早大が勝ち、三十八年四月安部監督外十二名の早大チームがはじめての米国遠征をなし二七回の試合を終えて六月に帰朝した。帰朝後の早慶試合（三回戦、早大二勝）で、これまでの無統制な応援が正々堂々の応援に変るようになつたと言われる

三十九年は折角はじまつた早慶戦が中絶した年である。一、二回戦終了後における応援団の行動が物議をかもし第三回戦は中止となり、以来大正十四年迄中絶することになつた。問題のいきさつは一回戦二対一で勝つた慶大応援団は歓喜のあまり、大隈侯爵の邸前で万才を三唱し二回戦には早大応援団が三田綱町のグランド三分の二を占める程の多勢で三対〇で勝つた喜びの勢をかつて福沢邸の前で早大の万才を三唱するなどのことがあってこの示威的行動が学校当局に危惧の念を生じさせ遂に中止に決つたようである。

大学、高等学校、中学校に至るまで大小異なつたけれども各学校において応援団が問題を起こし出したのもこの頃からであろう。沖縄においても昭和四年秋の県下中等学校体育大会で一中が審判員の判定に不満を抱き、その審判員をおどしたり果ては勢余つて学務部長の車が通る前に寝てその通行をさえぎつたりした為とうとう問題になりリーダーが処分されるということまで起きたこともあつた。

応援団が喧嘩をしたり、悪口をいつたり、或は示威的行動をしたりするのは歴史的なもののようですが、どうも競技そのものを応援するという線から逸脱して応援団のための応援になり、徒らに勝敗に捉われスポーツマンシップの強調されないことを遺憾とされた。そのようなことが当時の中央依存の情勢下多くの要望が文部省による統制を求めた結果になり昭和七年三月二十八日世に言う野球統制令が（文相鳩山一郎）出た。これは野球の普及を物語つているが一面当時既に学生スポーツ管理の問題が、各学校で処置し切れない程度迄になつていたことを物語るものであろう。

この訓令の内容を一、二ひろつてみると

㈠　小学校の野球に関する事項

参加地域（宿泊を伴わないこと）学業を休まないこと、五年以上の児童で健康証明書のあること、「クラブチーム」の試合に参加しないこと、応援団を組織しないこと、入場料を取らないこと、後援会を組織しないこと等。

次に中学校、高等学校専門学校大学に関することが取り上げられ、最後に

○応援に関する事項として

応援団の組織協定、行動等に関する規定が決められてある。

二　戦後の学校応援団の長短とその態度について

スポーツの試合が行われる所には、たいてい見る者や応援する者がいる。そして競技者がどんな立派なプレーをしてもこの人々が望ましくない態度をとると、競技場の気分は不快なものとなり、この反対に望ましい態度であると、快い気分になつて、試合そのものも成功するのである。したがつて試合をよいものにしようとすれば、見る者や応援する者の態度がよくなければならない。

私達は試合をどのような態度で見たり応援したりすればよいか。いつぱんにスポーツを見る時には、プレーヤーが優れた美技を演じたり、立派な行動を示した時には賞賛の拍手を送り、もしも失敗したり、望ましくない態度を示した時には黙つてこれを見送るのがよい。また対外試合の場合では、たとえそれが相手方のプレーヤーであつても、美技を演じたりりつぱな行動をした際には、相手に拍手を送る広い心をもつのがよく、相手方の感情をそこなうようなことばや動作は、つつしまなければならないと思う。

また試合の終りに近づいて、味方が勝つときまつた場合や、その反対に負けそうになつた場合に、終りを見ないで帰つてしまうのも望ましい態度ではないでしよう。このような場合には、最後までとどまつて、味方が、どのように立派な試合をするか、または苦戦の中にどのように奮闘するかを見とどけてやるべきであらう。

見る者や応援する者の態度がこのように立派であると、競技会全体が快い気分につつまれて、かおり高いものとなるでしよう。以上まとめてみると

1　選手が気持よくプレーできるように応援すること。
2　美技には、敵味方の別なく拍手を送ること。
3　審判の判定にむやみに抗議、悪口をいわないこと。
4　最後まで応援すること。
5　味方が負けても、選手をあたたかく迎えること。

三　自主自律的応援団を生み出すにはどうすればよいか

学校応援団は特別教育活動の内の生徒会活動の一分野であると解せられるので自主自律的応援団を生み出すには「生徒の自発的もしくは自主的な活動」が最高度に行われるような雰囲気をつくることが大切であると思われる。それには校長

の応援団に対する理解もさることながらこれを直接指導する顧問教師に生徒会活動の限界をよくわきまえた立派な教師が必要であろう。次に生徒会活動の限界と顧問教師の心構えについて「学習指導要領」に示す見解を述べて見ると

生徒会活動は生徒活動であるとする主張とそれと対比する立場で教育活動であるとする主張がある。生徒活動と教育活動とが厳密に対立する概念であるかどうかは別として、前者が生徒の主体的活動であるのに後者は学校もしくは教師の意図的な指導活動であるとする主張である

新指導要領で「生徒の自発的、自主的な活動」（目標）といい、「生徒の自発的な活動を助長することがたてまえ」（留意事項）だというのは生徒活動の線を出しているものであるが、「自主的な生活態度や公民としての資質を育てる」（目標）とし、（常に教師の適切な指導が必要」（留意点）としてあるのは教育活動の線である。

従来とてもそうであったが、教育課程の全体構造が今日のように教科中心でなく、生徒の全体的人格性の発展助長を目的とするところから生徒の課外活動（週程または日課表に含まれていない）までも教育的な配慮の上におくことになったのであるが、特別教育活動はその位置をえた理由が、生徒の自発的な興味や自主的な活動が教育目的を達成するに役立つことの大きな価値を認めたからで、「常に教師の適切な指導が必要」というよりは、本来「自主的に活動するのを奨励援助するよう図る」というのが教師側の任務である。

ところで本来学校における集団の構成は教師を含めた生徒の生活体であり、その活動もいわば教師＝生徒活動というのが実体であり、この実体をさして生徒活動とも教育活動ともいうのであろう。それとて最も中心的な傾向を示した唱えにすぎないように思う。であるから、放任された生徒活動はそれ自体学校教育の課程外にあるとしか考えられず、生徒会の決議に学校長が拒否権を発動するなどという事態が起るとは考えたくないのである

しかし現実はこのようなことを甘いというのであろうか。「生徒会規約」の多くは、「校長の委任権限」に基いて生徒がやる自治活動だということをうたいあげているし、「顧問教師の出席しない生徒評議会は成立しないようなこともうたっている。必要にしてかつ十分な配慮であるが、そのために、特別教育活動において意図される「生徒の自発的もしくは自主的な活動」が萎縮しないように配慮しなければならない。

「終」

ひらかなで書いていただきたい

・じるしは当用漢字にない漢字
、じるしは音訓表にその音訓のない字

◎代名詞の例
わたくし（私）ぼく（僕）おれ（俺）あなた（貴方）きみ（君）かれ（彼）だれ（誰）これ（此、之、是）それ（其、夫）ここ（茲、此処）そこ（其処）どこ（何処）

◎副詞の例
あえて（敢えて）あたかも（恰も）いかにも（如何にも）いささか（些か、聊か）いずれ（何れ）いっそう（一層）いよいよ（愈々）おおむね（概ね）およそ（凡そ）おもに（主に）かねて（予て）しきりに（頻に）ずいぶん（随分）すこぶる（頗る）せっかく（折角）ぜひ（是非）たいへん（大変）ただ（唯）たびたび（度々）ちょうど（丁度）はなはだ（甚）ほとんど（殆んど）まず（先）むしろ（寧ろ）むろん（無論）もっとも（尤も）もはや（最早）やがて（軈て）

◎接続詞の例
あるいは（或は）おいて（於いて）および（及び）かつ（且）さて（偖、扨）しかし（併し）すなわち（即ち）ただし（但し）なお（尚、猶）また（又）

◎感動詞の例
ああ（噫、嗚呼）

◎助動詞の例
ごとき（如き）そうです（相です）たい（度い）べき（可き）ようだ（様だ）

◎助詞の例
くらい、ぐらい（位）ながら（乍ら）など（等）ばかり（許り）ほど（程）まで（迄）

◎連体詞の例
ある（或る）いわゆる（所謂）おける（於ける）この（此、之）その（其）わが（我、吾が）

日本学校安全会の事業

学校安全の普及と災害共済給付

（文部広報より）

三月一日、日本学校安全会が発足した。昨年二月、国会に日本学校安全会法案が提出されてから一年ぶりである。義務教育である小・中学校だけでも、学校の管理下で年間約十五～六万人の児童生徒が負傷して医師の治療を受けているといわれるが、この医療費の大部分は保護者が負担してきたものである。しかし、この安全会の発足によって、このような学校管理下の災害に対しては新しく共済給付の制度が確立された。まさに安全法は、学校保健法、学校給食法と並んで、学校福祉三法ともいわれよう。このたび政令が出され、給付の対象となる災害の範囲や掛け金、給付の基準などが明らかにされたので、これらの諸点について、本省管理局学校保健課にそのあらましを説明してもらった。

日本学校安全会はどんなことをするのですか。

第一　学校安全の普及充実に関することをやります。学校安全会とは学校における安全教育と安全管理を含めたもので、日本学校安全会が事業を実施していけば、体育や実験実習の時間にまた特別教育活動中や修学旅行・運動会、学芸会のときなど、各種の場合にどういう災害が起こるかなどの状況が全国的にはあくされますので、これを分析検討し、広報資料も発行して普及啓発を図るわけです。なお、これがために地域的、全国的に学校安全についての研究協議会も実施します。

第二　には、学校管理下で児童・生徒が負傷し、疾病にかかり、廃疾となりまたは死亡したときに、医療費を支給したり、廃疾見舞い金や死亡見舞金を給付する仕事をします。これを災害共済給付といいます。

学校管理下で、児童・生徒の負傷疾病などは、年間でどのくらい起こっていますか。またどんな負傷や疾病が多いですか。

小・中学校では百人につき約一人程度の割合で起こっています。全国の小・中学校の児童・生徒は約千八百五十万人ばかりですから、年間約十五～六万から十八万人が負傷などをすることになります。学校管理下での事故は、休けい時間中がいちばん多く、授業時間中（体育や実験実習中など）がこれに次いでいます。その他登下校中や特別教育活動中などに多く、死亡が従来は年間約二百五十人となっています。

幼稚園児も対象になると聞いているが、災害共済給付の対象となるこどもは、どの範囲までですか。

義務教育の学校、すなわち小・中学校（盲ろうの小・中校部などを含め）の児童・生徒が中心ですが高等学校や幼稚園の生徒・園児、さらに国会で法案が修正されて、児童福祉法による保育所のこどもも対象になりましたので、希望があればはいれます。なお国・公・私立のいずれも対象となります。

5千円から13万円　14等級に分けて支給

廃疾見舞金

災害にはどの程度の給付が行なわれますか。

給付の中身はさきほど述べたように三つあります。①まず医療費は、健康保険法なみの診療報酬額の半額を給付します。

半額給付とされたのはなぜかというと社会保障制度が発達して、三十六年度から国民皆保険になり、国民は、国民健康保険あるいは健康保険、共済組合等、いずれかの社会保険にはいることとなり、こどもはそちらから半額給付されます。したがって安全会で半分とみますと、学校で負傷したときなど一応ただで直せるようになります。

②廃疾見舞い金は、十三万円から五千円の範囲内で支給されます。これは文部省令でさらに細かに定められ廃疾の程度を十四等級に分け、両眼失明などの一等級の場合は十三万円、片手の小指が用をなさなくなったなど最低の十四等級の場合は五千円というように給付します。

③死亡見舞金は、一律に十万円を給付します。

④その他給付しないときが若干あります。

（イ）第三者の行為により生じた災害で、損害賠償を受けたときは、その限度内で給付の対象からはずされます。

（ロ）また伊勢湾台風のように災害救助法が発動されるような大きな災

害は、特別に国の施策が行われるべきで、学校安全会では対象にしません。

（ハ）生活保護法による保護世帯のこどもは、国民皆保険になってもそれから除外されていて、生活保護法による医療扶助で救済することになっていますので、医療扶助一本で行ない学校安全会の医療費の対象にしません。ただこの場合廃失見舞い金を、死亡見舞い金はこの対象になります。

（ニ）高等学校の生徒は、その年齢層は、法律上の責任能力もありますので、自己の故意により災害を受けたときは対象になりません。自己の重大な過失によるときは、医療費と死亡見舞い金は支給しますが、廃疾見舞い金の支給は行わないことができます。

給付の対象となる災害の範囲はどのようになっていますか。

まず第一に原因である事故が、学校の管理下で起きた負傷をみます。この場合百円未満の経費で治療できるものは対象なりません。次に疾患については学校の管理下で起きたということについてはむずかしい場合があり、たとえば植物採集中負傷し、破傷風になったというような場合、その因果関係がむずかしい場合がありますので学校給食による食中毒、その他文部大臣が定めたものを安全会でみることになっています。

インフルエンザなどは管理下で起きたかどうかわかとない場合が多いわけですから、対象になりません。

次に廃疾については学校管理下の負傷や疾病が直った場合に有する廃疾を対象とします。

死亡については、学校管理下の事故で死亡した者を対象にします。

学校の管理下とは

「学校の管理下」というのは、どんなときをさすのですか。

教育課程に基づいた授業を受けているときです。すなわち（イ）各教科や道徳の時間中、（ロ）特別教育活動中（ハ）また運動会、学芸会、修学旅行遠足、健康診断、入学式などの儀式など学校行事等の実施中をさします。

このほか、教室で自習しているとき、林間学校、臨海学校など学校の教育計画に基づいて行なわれる課外指導や、休憩時間中、始業前放課後の特定時間通常の経路方法で通学するときなどもはいります。

学校安全会への加入はどんな手続きで行なわれますか。

学校の設置者が保護者の同意を得て、学校安全会と契約して加入することになります。

学校の設置者とありますが、事務処理は、公立学校では教育委員会ですが、実際には学校を通じてその協力のもとに行なうことになるでしょう。国立学校の場合は文部大臣ですが、これは校長に委任します。なお私立学校の場合は、学校法人で、理事長か校長が行なうでしょう。

なお国立の付属・小・中学校は全部はいってもらう予定で、国立学校の設置者として文部省では昭和三十五年度予算に計上しております。公立の義務教育諸学校については、設置者の共済掛け金の負担分を地方交付税交付金に積算することになっております。

共済掛け金はどのくらいですか

小・中学校は年間児童・生徒一人当たり二十円。ただし、生活保護法による保護を受けている世帯に属する児童・生徒の場合は、前述のように医療費の支給は行ないませんので四円です。高校では一般は三十五円、ただし実習船に乗るべき課程の生徒は年百円、定時制の生徒は二十五円、通信教育の生徒は十五円、幼稚園と保育所は十二円です。

掛け金は学校の設置者が契約している児童・生徒数の全部のものを払うことになりますが、設置者は保護者から、小・中学校で二十円のうち八円から十二円（掛け金の四割～六割）の範囲内で徴収します。国立学校では十円と決めています。なお、公立学校は、地方交付税で二十円の半分、十円を設置者が負担するよう、積算されることになっております。高校・幼稚園は、保護者が全額負担することになっていますが、設置者が一部補助してもさしつかえないと考えます。

要保護・準要保護児童生徒の保護者の掛け金は免除されますか、これに対する国の補助金はどのくらいありますか。

義務教育の学校には、貧困な家庭のこどももおり、十円でも徴収されるのが困る家庭があります。このため設置者は、これらのところから徴収しないことができることとしました。

そういう場合徴収しなければ設置者の負担になりますから、その分について国は、一部補助することになっていま

す。すなわち、学校の設置者は、学校安全会へ要保護児童・生徒については、四円のところ三円を、準要保護児童・生徒の分は、二十円のところ十五円納めればよいこととし、一方国は残りの一人当り一円と五円分を安全に一括補助することしました。

もし災害が起こつた場合、どんな手続きが必要ですか。

学校で災害が起こつたら、文部省令で決める給付金の支払い請求書を、学校設置者が、日本学校安全会へ提出し請求します。しかし、保護者も学校設置者を経由して請求できることになつています。

日本学校安全会は、この申請が適正かどうか審査して、支払い額を決定し、学校の管理機関、すなわち公立学校では教育委員会、国立学校ではその校長、私立学校では学校法人の理事長を経由して支払うことになります。

減少する長欠児

三十三年度の調査結果から

六年前の約半分 だがまだ十八万人がいる

一年間に五十日以上学校を休む、いわゆる長欠児童・生徒をなくすために、昭和三九年九月、文部・厚生・労働の三省次官名ではじめて対策要綱が出されてから、ことしは六年目。この間、本省では三十一年度からまず準要保護の小学生に教科書費・学校給食費の補助を開始、三十二年にはこれを中学生に広げ、三十三年には医療費を、三十四年には修学旅行費を新たに加えた。明年度は準要保護児童・生徒の学校給食費補助対策を倍にするなど、一連の対策が進められてきた。各都道府県教委その他の関係機関でも長欠対策は熱心に進められて、長欠児は年々減少、三十三年度には六年前の約半分という調査結果が出された。しかし、長欠児解消への道はまだ遠い。そこには貧困など社会的、経済的問題がからまり「学校だけではどうにもならない」問題であるともいわれている。ここに本省統計課がこのほどまとめた三十三年度の調査結果を紹介し、学校だけでなく、広く社会一般の認識と協力を得て、長欠児への救いの手が、さらに広くさらに強くさし伸べられることを期待したい。

解消への努力みのる

累年比較

三十三年四月から三十四年三月までの一年間通算五十日以上学校を休んだいわゆる長欠児童生徒は、小学校で約九万三千人（全体の〇・七〇％）で、昨年より約一万一千七百人の減、また中学校では約八万九千九百人（全体の一・八〇％）で昨年より約二万八千四百人の減少である。

これを六年前の二十七年度の長欠率小学校一・四三％、中学校三・七五％と比較すると、三十四年度は、小・中学校とも約半分になつている。

都道府県別比較

長欠率を地理的に見ると、毎年高い県は相変わらず高く、低い県は引き続いて低いという結果が示されている。

小学校では、徳島（一・一九％）千葉（一・〇七％）岩手（一・〇六％）など高く、富山（〇・三四％）新潟（〇・三二）長野（〇・二七％）などが低い。

中学校でも青森（三・九％）奈良（三・六七％）岩手（三・三一％）千葉（三・一一％）に対し、新潟（〇・六四％）富山（〇・五六％）長野（〇・四二％）などの各県が低率である。

昨年度に比較し、特に長欠率が減少したところは、一般的に毎年高い県であつたが、これらの県が長期欠席者の解消にいかに努力しているかがうかがわれよう。

小学校の病気欠席者を地理的に見ると岩手、神奈川、北海道、大阪、和歌山など都市部や大平洋岸の府県が高率である。また中学校の家庭の貧困による欠席者は、奈良・大阪・青森・千葉・岩手などが異常に高率で、新潟・富山・長野など北陸や中部地方の各県が一般的に低い。

中学校 家庭の事情による欠席が多い

欠席理由別

小学校では長欠児童のうち「病気」や「学校きらい」など本人の理由による欠席者が七〇・六％（六万四千二百二十二人）で、家庭の事情による者が二九・四％である。しかし中学校は、これと逆の傾向を示し、家庭の事情による者が四九・一（四万一千十一人）となつている。

長欠者のうち「保護者の理解」による欠席者の占める割合を見ると小・中学校とも農業率の低い地域ほどこの比率も低く、高い地域が最高を示してい

る。すなわち農業率七五%以上の地域における「保護者の無理解」による欠席者は、小学校二三・五%中学校三二・五%の割合を示している。

欠席中の状態別比較

長期欠席者の中には保護者ともども居所がわからず、学校としては学年、性別、欠席日数などはわかっていても、欠席理由や家庭の環境などは不明の者もいて、小学校で全長欠児童の一・五%、中学校で〇・八%を数えている。これらの者については長欠席中の状態ももちろんわからないわけであるがその他の者について欠席中の状態を見ると、小学校では病気療養中（五五・八%）が多く、これに続いて仕事に従事していた者二七・五%（二万五千余人）、学校きらいでなまけていた者一五・二%となっている。

しかし中学校では欠席中仕事に従事していた者が半数以上の五八・九%（四万九千余人）を占め、病気療養中だった者は一三・六%であった。

欠席中の仕事で量も多いのは、小学校でるす番や子もり・看病など家事の手伝いをしていた者で、全体の七四・四%を占め、その他は単純な労務作業に従事している。また中学校でも、家事の手伝いが五二・七%を占め、次いで単純労務に従事していた者二〇・六%などとなっている。

年少労働者の使用は原則として禁じられているので、これらの者の大部分は自宅において家業の手伝いをしていた者であるが、小学校で三百七十七人（一・五%）、中学校で四千百四十二人（八・三%）の者が事業所に勤務し、また他家へ行って働いていた者も小学校で約千七百人、中学校では約八千四百人を数えている。なお、このほか学校がきらいで欠席し何もしないでなまけていた者のうち、保護者がそれを知っていた者は、小学校で九〇・四%、中学校で八八・一%を占め、大部分の保護者は知っていて放任していたわけであって、年少者の犯罪が年々激増している現在、不良化防止の見地からいっても、留意すべきことであろう。

保護者の職業別比較

長期欠席者の保護者の職業を見ると、小学校では農業が最も多く二万二千五百二十四人（二四・八%）次が自由労務者の一万七千百七十一人（一八・九%）、会社員・無業と続いている。これは中学校でもほぼ同様で、農業が二万六千五百九十一人（三一・八%）、自由労務者が一万五千三十三人（一八・〇%）などとなっている。

また長欠率が高いのは自由労務者の家庭で二・三九%（小）六・四〇%（中）を示し、次いで無業の二・一五%（小）、三・七五%（中）、林業または水産業行商、露天商などの順となる。

「家庭の貧困」による長欠者は、小・中学校とも無業の家庭がいちばん多く自由労務者あるいは行商・露天商がこれに続いている。

減少しない　自由労務者の子弟の長欠

生活水準は年々よくなり、貧困による長欠者も徐々に減少しているが、まだ長欠者全体の約一二%（約一万二千人）もあり、これらの者に対しては、就学対策の面から国や地方公共団体および社会福祉団体等からの援助がなされているが、それだけではじゅうぶんな解決になっていない現状である。貧困による長欠者のうち農業および自由労務の子弟は、約半分を占めている。これを六年前と比較すると小学校では農業が長欠者の一九・八%で二・八%減、中学校では同じく農業が三四・九%で六・〇%減である。しかし小学校では自由労務者が長欠者の三二・八%で六・七%増、中学校も同じく自由労務者が二三・七%で八・〇%増であることは長欠率の全般的低下が喜ばれる反面一部の職業層についてはある程度の固定化が認められる。なお、国や地方公共団体などからの教育援助・生活援助の受給状況を見ると小学校では貧困による長欠者の四五・二%、中学校では三二・二%で、その割合も小・中学ともに年々多くなっている。

なお、一家の大黒柱として働く父親がいないことは、長欠者が家庭の手助けおよび家計を助けていることを如実に物語っているようで中学校では、父のない長欠者が、全体の一七・二%を占め、小学校の二倍以上となっている。

男女別では、小・中学校とも女子のほうが長欠率が高く、女子がより多く貧困の犠牲となっていることがうかがえる。

関係行政機関が協力

対策の一例

千葉県教育委員会が長欠解消のためどのような努力を払っているかは三十二年四月二十三日号本紙ですでに紹介したことがあるが、次に長欠率の最も低い富山・新潟ではどんな対策を講じているかを参考のために紹介しよう。

富山県

富山県青少年問題協議会を結成してその構成員である県総務課・県婦人児童課・県教委・地教委・地区社会福祉協議会・労働省婦人少年室などの関係行政機関が協力して、長欠怠学児童・生徒の理由を調査して、個々に登校を促進し、また母親クラブ・児童クラブの結成などにより

長欠児童・生徒の解消に努力しているそして長欠児が減少した理由としてあげていることは、①父兄が教育に対して理解が高まり、家庭の無理解による欠席者が少ない。②他県と比較して農村の機械化が発達したので、児童・生徒の手を借りることが比較的少なくなつた。③経済的に低収入の階層が割合に少ないなどである。

新潟県 二十七年度まで長欠者が多かつたので、市町村教委あて長期欠席者の出席督励指導について通達し、指導するとともに、生活指導研究会や指導部の者が学校訪問等において注意を促し、対策を研究した。

これら各種の対策で効果があがつたと思われるものをあげると、次のようなことであつた。

①PTAに訴えて義務教育の趣旨に徹底に努めた。②校長と教委との連絡を密にし、督促を強化した。③県青少年問題協議会の議題とし、関係各機関の協力体制を強化した。④教育月報・新聞・ラジオ等による報道機会を多くし資料を添えて、「町ぐるみ」「村ぐるみ」の考え方を徹底させた。⑤長期欠席児童生徒対策」のパンフレットを成作し、各学校や公民館へ配布した。

父兄はどのくらい教育費を負担するか

＝33年度調査報告書から＝

義務教育は一万二千円　全日制高校は三万三千円

本省ではこどもを教育するために、父兄が私的に負担する経費の実際を公立学校について調査していたが、このほどその結果をまとめた「父兄負担の教育調査報告書」を発表した。この調査は、家計における教育費の計画的支出に役だたせると同時に、父兄負担の教育費の軽減、教育扶助金・育英資金の算定に資料を与えようとする目的で行なわれたもの。昭和二十七年度から継続実施されており、ことしは第七年目に当る。調査された期間は昭和三十三年四月一日から三十四年三月三十一日までの一年間。

国民所得の増加と並行

小・中校の負担はほぼ同額

昭和三十三年度一ケ年間に父兄が負担した教育費を、平均一人当たりの経費として算出したものが第一表である。

小学校と中学校では、昨年と同様、ほとんど同額となつており、現状では子弟に義務教育を受けさせるために、平均して年間一万二千円、月額平均千円程度を父兄が負担していることになる。盲学校小学部はこれと同程度であるが、ろう学校小学部同中学部盲学校中学部となると、小・中学校より一〇%~二五%ほど上回つている。同じ義務教育ではあるが特殊学校のほうが教育内容などの違いから若干普通の小・中学校よりも父兄の負担する教育費は高くなつている。また義務教育でない高等学校では、全日制高校で小・中学校の二・六倍以上、定時制高校では一・五倍程度になつている。

以上は父兄負担教育費を総額でみたものであるが、これを第1表のように「学校教育費・直接支出金」「同・間接支出金」「家庭教育費」に分けてみると、学校種類によつて、各支出項目が教育費総額の中に占める比重に差異のあることがみられる。第1表の指数でみるとおり学校種類間

第1表　学校種類別にみた父兄負担の教育費

学校種類	総額 (A)+(B)	学校教育費(A) 計	直接支出金	間接支出金	家庭教育費(B)
小学校	12,582円 (100)	8,021円 (100)	4,617円 (100)	3,404円 (100)	4,561円 (100)
中学校	12,614 (100)	9,476 (118)	6,060 (131)	3,416 (100)	3,138 (69)
全日制高等学校	33,251 (264)	28,893 (360)	13,598 (295)	15,295 (100)	4,358 (96)
定時制高等学校	19,011 (151)	16,597 (207)	8,663 (188)	7,934 (233)	2,414 (53)
盲学校小学校	12,403 (99)	11,777 (147)	4,956 (107)	6,821 (200)	626 (14)
同中学部	14,406 (114)	13,657 (170)	6,494 (114)	7,163 (210)	749 (16)
ろう学校小学部	13,569 (108)	12,593 (157)	6,242 (135)	6,351 (187)	976 (21)
同中学校	15,806 (126)	14,409 (180)	7,309 (158)	7,100 (209)	1,397 (31)

☆かつこ内は小学校を100とした指数

で最も差の大きい項目は、「間接支出金」である。また盲・ろう学校では、ほとんど完全に行なわれている学校給食の経費、PTA会費等が、かなり小中学校より高額になっているのが原因している。また「家庭教育費」の支出では小学校が最も高く、盲・ろう学校が非常に低いのが特徴である。これは盲・ろう児が利用できる学習用教材が少ないことに最も大きな原因があると思われる。

調査した学校種類と対象数

学校種類	学校数	生徒数
小学校	118	3,524
中学校	118	1,764
全日制高校	61	911
定時制高校	60	1,160
盲学校	12	472
ろう学校	13	574
計	382	8,405

PTA会費は約五百円

学用品費は小・中ともトップ

「学校教育費」ではどんな費目がおもな支出になっているかをみやすくするため、「直接支出金」「間接支出金」ごとに、小支出項目を支出の高い順に並べたのが第二表である。

小学校についてみると「直接支出金」の約半分が「学用品・教材費」であるが、教科書や教科書以外の図書も教材を考えると「直接支出金」の七〇%近くが学用品や教材のための費用として支出されている。また、通学用のかばん、ランドセルなどを含む「通学用品費」もかなりな額を占めている。「間接支出金」中、最も多額な経費は「給食費」で「間接支出金」の半額以上を占めている。学校給食は、全国小学校で三十三年十一月現在の普及率が六二・五%であるが、ここにあげられた給食費は給食費を支出していない生徒数も含めて平均額が算出されているので、この調査で給額費を支出している者だけの平均給食費をみると、年間一人当たり二千四百三十六円となる。

中学校でも「直接支出金」では、小学校とまったく同じことがいえるが、「間接支出金」では、修学旅行のための積立金が最も高額になっている。給食は小学校ほどにまだ普及していないので、それほどどの額になっていないが、これも給食費を支出した者だけの平均では、年間一人当たり千八百六十一円となっている。

公費補てんの経費として、その多くを使われている「PTA会費」「寄付金」については、小学校で「間接支出金」の一八・五%、中学校で二三・七%が支出されている。

第2表　父兄負担学校教育費項目別支出額

小学校

支出項目〔直接支出金〕	金額（円）	支出項目〔間接支出金〕	金額（円）
学用品・教材費	2,101	給食費	1,828
通学用品費	864	PTA会費	519
教科書費	700	学級費	362
教科書以外の図書費	381	旅行費	322
教科外活動費	185	その他の学校納付金	163
保健衛生費	178	寄付金	113
その他の直接支出金	128	その他の間接支出金	81
交通費	78	校内団体会費	16
宿舎費	7		

中学校

支出項目〔直接支出金〕	金額（円）	支出項目〔間接支出金〕	金額（円）
学用品・教材費	2,603	旅行費	1,171
教科書費	939	PTA会費	699
通学用品費	732	給食費	490
教科書以外の図書費	494	その他の学校納付金	379
教科外活動費	447	校内団体会費	254
その他の直接支所金	391	その他の間接支出金	169
交通費	353	学級費	145
保健衛生費	96	寄付金	109
宿舎費	5		

公費の負担も年々増加

国は父兄負担の軽減に努力

児童・生徒が学校で教育を受けるための経費は、公費、児童・生徒の父兄が負担するもの、および一般個人や団体による寄付金によってまかなわれている。昭和三十三年度におけるこの負担関係をみると第二表のようになっている。

（公費負担額および「一般負担金」はほかの調査の結果をもとにして算出したもので、数字の上で多少のずれがあると思われる）

公費で負担される学校教育費も年々増加しているが、ことに貧困児童に対しては教科書費、給食費の補助が、小学校では三十一年度から、中学校では三十二年度から行なわれ、また、三十三年度からは医療費の補助が行なわれている。父兄負担教育費の軽減に努力が払われている。しかし、一般的には「教員・事務職員の給与」「旅費」「日直・宿直手当」「燃料費」「消耗品費」「建築

第3表　公費・父兄負担別の学校教育費

学校種類	学校教育費総額（A＋B＋C）	公費負担（A）	寄付金（B）	父兄負担（C）
小学校	23,383円 100%	15,346円 65.63%	16円 0.07%	8,021円 34.30%
中学校	30,855円 100%	21,271円 68.94%	108円 0.35%	9,476円 30.71%
全日制高等学校	59,624円 100%	30,521円 51.17%	219円 0.37%	28,893円 48.46%
定時制高等学校	48,091円 100%	26,480円 61.45%	14円 0.03%	16,597円 38.52%

費」「教材用設備・備品費」「図書講入費」など、今日の社会通念からいって当然公費で負担されるべきものの一部が、まだPTAやその他父兄からの寄付金、学校徴収金等の一部によってまかなわれている。

父兄負担は五年間に85%増

小学校の家庭教育費は倍以上

第四表でわかるように、昭和二十九年度以降五年間の父兄負担教育費はしだいに増加しており、二十九年度と三十三年度を比べると小学校五八%、中学校三一%、全日制高校三二%、定時制高校二三%の増加である。これをさらに「学校教育費」と「家庭教育費」に分けてみると、小・中・全日制高校では「家庭教育費」の伸び方が「学校教育費」より大きく、ことに小学校で非常に大きく伸びていることがみられる。これらの事実から、近年父兄負担教育費の増加が各方面で指摘されているが、この解明には、父兄負担教育費支出の背景となる国民所待の推移をみなければならない。

第4表　国民所得と父兄負担教育費の年次比較（指数）　29年度＝100

年度	国民所得	小学校 父兄負担教育費総額（A＋B）	小学校 学校教育費（A）	小学校 家庭教育費（B）	中学校 総額	中学校 学校教育費	中学校 家庭教育費	全日制高等学校 総額	全日制高等学校 学校教育費	全日制高等学校 家庭教育費	定時制高等学校 総額	定時制高等学校 学校教育費	定時制高等学校 家庭教育費
29	100	100	100	100	100	100	100	100	100	100	100	100	100
30	110	115	109	132	105	103	116	109	110	107	105	108	86
31	122	111	105	130	107	103	122	113	114	105	97	100	76
32	131	148	131	202	125	115	173	129	126	147	126	127	124
33	135	158	134	231	131	120	177	132	130	143	123	124	117

まず父兄負担教育費の伸びと、一人当たり名目国民所得の伸びとを対比してみると、教育費の伸びは各学校種類とも、だいたい国民所得の伸びに対応しているとみられる。これを「学校教育費」と「家庭教育費」に分けてみると「学校教育費」では、総額でみた場合よりも、いっそう国民所得の伸びの形に近い形を示しているが「家庭教育費」では、小・中学校、ことに小学校で、国民所得の伸びよりも大きく伸びている。このことは、国民所得の増大に伴って、最近ますます国民の消費生活が質的に増加してきていることと軌を一にすると思われる。

都会ほど高い父兄負担

町村・へき地は平均を下回る

地域のもつ社会的、経済的な諸条件が父兄負担教育費にも大きな影響を与えるであろうという考えから、この調査では、小・中学校の通学区の地域類型によって対象を選んでいるが、その調査の結果が第五表である。

この表によると、都市地域と町村地域の間には、父兄負担教育費の支出にかなりの差があることがみられ、ことに「へき地」は小・中学校とも最も低くなっている。これは、各地域の産業構造や経済力また地域を構成する住民の学校教育の関心や期待などの諸条件があい寄って作られるその地域の教育費負担能力や、学校のカリキュラムの相違などが、父兄負担費の地域差に大きな影響を与えているためと思われる。

都会の父兄負担費が高く、農村が低い原因として都会では学校給食が普及しており農村では普及度が低いこともあげられている。

また、小学校の家庭の年収入に対する父兄負担の教育費の比率も、都市のほうが町村に比べてかなり高くなっている。家庭の年収の最も高い「大都市の住宅地域」は、最も低い「へき地」に比べて、その年収入は一・七倍であるのに対し、父兄負担の教育費では、前者は後者の三倍以上になっている。

このように町村に比べて、収入の高い都市は、収入中に占める父兄負担の比率もまた高いので、父兄負担教育費の実額も高くなる結果を示している。

中学校の各地域における父兄負担の教育費についてみると、ここでも概して

―― 文教広報より ――

家庭の収入の高い地域が父兄負担の教育費は高くなつている。しかし、家庭の全収入に対する父兄負担教育費の比率をみると各地域は三・〇％～三・六％の間にあつて、小学校でみられた都市の比率が町村の比率に比べて高くなつているという関係はみられずいずれの地域についてもほぼ家庭の年収入に見合つた教育費が支出されている。

家庭収入と父兄負担教育費

家庭の収入や保護者の職業が、父兄負担教育費支出の上に大きな影響力を持つだろうということは、容易に考えられることである。家庭の収入と父兄負担教育費の関係（第６表）をみると、例年の報告書にも指摘されているとおり、各学校種類とも、高い収入階級に属する家庭が概して高い額の教育費を支出している事実がみられる。

しかし、収入に対する教育費の比率をみると、これとは逆に収入の低い階級に属する家庭が教育費に高い比率をさいている。このことは、低収入家庭では高収入階級に比べ、教育費支出が相対的に大きな負担となつていることを示している。

第５表　地域類型別の父兄負担教育費

ゴシックの数字は家庭の年収入の中で占める負担費の割合

地域類型	小学校		中学校	
平　均	12,582円 (100)		12,614円 (100)	
大中都市の工業地域	16,268 (129)	3.3%	15,729 (125)	3.6%
大中都市の商業地域	19,197 (153)	3.7	16,021 (127)	3.0
大中都市の住宅地域	18,690 (149)	3.5	17,298 (137)	3.3
小都市	14,275 (113)	2.9	12,449 (99)	3.0
農業町村	8,942 (71)	2.2	10,976 (87)	3.3
漁業町村	9,493 (75)	2.7	10,565 (84)	3.1
鉱業町村	7,873 (63)	2.2	9,865 (78)	3.0
へき地	6,085 (48)	2.0	8,579 (68)	3.4

☆かつこ内は平均を 100とした指数

第６表　家庭の収入階級別父兄負担教育費

収入階級	実額		比率	
	小学校	中学校	小学校	中学校
6万円～12万円	7,215円	8,222円	8.02%	9.14%
18　～24	8,539	10,120	4.07	4.82
30　～36	11,230	12,244	3.40	3.71
42　～48	13,470	14,082	2.99	3.13
54　～60	15,289	16,070	2.68	2.82
66　～72	16,697	15,146	2.42	2.20
78　～84	17,888	16,221	2.21	2.00
90　～96	18,232	20,567	1.96	2.21
102万円以上円	20,962	20,612	2.00	2.49

全国学力調査の実施について

今年の文部省全国学力調査は左の要領によつて実施されます。

一、**教科、社会科、理科**
ただし、高等学校の社会科については日本史、人文地理、理科については化学とする。

二、**実施期日**
昭和三五年十月五日（水曜日）

三、**調査対象**
公立の小学校、中学校、高等学校（通常、定時制）の最終学年の児童、生徒

行年二十七才

玉木　清仁

かけつけし時はやおそし幽明の境へだてし冷たきむくろ（学釣りしつつ貧血をおこして水中に落ちて死す）

ひと言のことづてもなくしてたわやすく死にし子どもの生身《いき》のもろさよ

ひかえめにこらえこらえつ生きの日にありしことごとただに泣かるる

せめてもの心なごむはたまさかの土よう日ふたり酒酌みしこと

火葬場かまどの前にマッチ持ちわれ今棺に火をつけんとす

葬り火は赤々と燃ゆらん煙突の白き煙の丘になびくも

（喜瀬武原小学校長）

標準読書力診断テストの
―結果とその考察―

那覇市上山中学校教諭　本村恵昭

㈠　はじめに

　最近とみに学力低下の問題が取り上げられこの読書力診断テストの概略も新聞を通してご覧になつたと思いますが、一度世論に立たされた以上その真相を具体的に示して世の批評を受けなければならない。それが民主社会の本筋であり、又それがなければ社会の進歩もないと考える。私達上山中学校は先に政府指定の実験学校として二度の研究発表を行い去つた一九五九年十二月一日には、教育長指定研究発表会並びに私の個人研究発表を行いました。その発表が標準読書力診断テストを中心にしたものである。私達は研究発表会の際、読書力の低下は学力の低下と密接な関係がある。全住民は早急に立ち上つてその実態を知らなければならないと警鐘を鳴らしました。その警鐘が文教局を始め、教職員会、教育長会、立法院議会等で論ぜられ、報道機関も世論を十分呼び起こすに至つた事を心から喜ぶものである。実験学校として多くの補助を政府や区教育委員会、父兄の方々からいただき学習環境を整備して、或程度自信と勇気を持つて実施しましたが、結果は後の表で示される通りである。そこで私達は問題が余りにも大きかつたので参加した各学校の先生方にも協力と研究をお願い申し上げた次第である。勿論学力低下の原因が総て読書力の低下から来るものだと申し上げられませんが、大きな原因の一つであることは言えると思う。何故ならば現代は読書の時代だと言える。目まぐるしい程に進歩する時代において、読書を好まない人間は時代と共に生成発展することは困難だと思われる。そこで私達は先づ生活の理想という面からも是非読書から始めねばならないと思う。貴方も、君も、私も、読書によつて希望が生まれ、苦悩が解決され、明日の生活が光明に輝く。読書を失つた者は暗黒である。従つて読書こそ心の糧であり、明日への活力である。読書力こそ生活への基本であり、学習の基本であると言えよう。そのために読書力の弱い者は学力も弱いと考えてよいと思う。特に私がそのような印象を深く刻まれたのは東京学芸大教授阪本一郎氏の〃学校図書館の利用指導〃「児童生徒に対する図書館奉仕」の講座で指導を受け、更にテストされて、自己を評価してからである。先生の御研究の深さと、全国にまたがる先生への御協力者の方々に深く感謝する次第である。その感謝の気持と沖縄の児童生徒の実態はどうなつているだろうか。〃追求せずんば止まず〃の意欲は押さえる事が出来なかつた。所がその目的達成にはどうしても地域社会や学校全職員の協力が必要であつた。その意味でも此の統計資料は価値の高いものであると云えうよ。

㈡　阪本D式標準読書力テストを行つた目的

　中学時代に急速に発達する個人の読書能力は年令以上に上昇するのもあるかと思うと時には義務教育を終えても、小学校三、四年程度ではなかろうかと前途が心配される事もある。所が考えるだけで適切な指導や正しい判断を加えることもできない。従つて伸びるべき者も頓挫し不振な者はますます委縮してしまう。又偏つて発達する者も出る。これ等の事態を予防若しくは治療し健全な発達を導くため又図書館をよりよく利用して読書力を高め、問題解決を行うためにも必要な資料を得るためにこのテストを行つた。

㈢　テストの構成

種目	粗点	換算率	換算点	所要時間
1、速読	正答五〇 誤答〇	正当×3	一五〇	七分
2、読解	七八	×2	一五六	二〇分
3、読字	一〇〇	そのまま	一〇〇	七分
4、単語	七八	×2	一五六	九分
総得点及び時間			五六二	四三分

※註…説明時間と例題の実施は三~四分が適当

㈣　このテストで検出されるもの

（手引参照）

1　速読…(イ)短い文章を早く読む能力(ロ)読んだ意味をつかんで次の文章のいおうとしていることを速く推定する能力(ハ)指定された作業を正しく遂行する能力が検出される。

2　読解…(イ)文章を読んで意味を理解する能力　(ロ)全体的にとらえた意味をもつと精確に規定するのに必要な最も適当な語を判定する能力　(ハ)文章を理解するのに必要な普通の経験的背景を駆使する能力　(ニ)指示された作業を正しく遂行する能力が検出される。

3　読字…(イ)漢字を認知する能力　(ロ)音読みを知っている漢字の相対的な習得量　(ハ)訓読みを知っている漢字の相対的な習得量が検出される。

4、単語…(イ)語を認知する能力(ロ)知っている語彙の相対的な量(ハ)類似する語の差同を判断する能力や習得量が検出される

(五)　**テスト実施までの段階**

テスト用紙と手引を全職員に配布し研究を行い放課後全体の研究会議で実際に行い、万全を期して行つた。特に時間の制限があるために全職員ベルの合図は厳守した。

(六)　**テストの実態**

以下統計資料をご覧になつていただきたい。

阪本式　標準読書力診断テスト集計比較表

	学年	生活年令		種目別読書力発達年令 1．速読		2．解読		3．読字		4．単語		読書力偏差値	評価段階	確度	読書年令		読書指数	人員
		年	月	年	月	年	月	年	月	年	月				年	月		
平均値	1	13	1	10	10	11	8	12	1	12	4	42.2	2.2	83.7	11	8	87.4	44.3
	2	14	4	12	1	12	11	13	2	13	5	43.2	2.4	82.7	12	10	90.0	36.0
	3	15	3	12	4	14	0	14	9	14	1	42.3	2.3	86.7	13	5	88.6	506
	全校											42.5		84.7			88.6	
	1			小学校5年1学期終了		小年学期 6．1		小年学期 6．2		小 6．3					小学校6年1学期			
	2			小学校6年2学期		中 1．2		中 1．2		中 1．3					中 1・1			
	3			小学校6年3学期		中 2．2		中 2．2		中 2．2					中 1．3			

この表で一番力の弱いのが速読テストである。約三か年おくれている。授業時間中に教師中心の講義がなされ生徒は教科書を閉ざされてはいないだろうか。確度が約85％という数を示しているので読んだ事については大体理解していると考えてよい。生徒に本を読ませると進度がおそくなると考えたり、叉優秀な生徒だけに読書をさせて読めない生徒はそのままに放置されていないだろうか。今後共にご研究をお願いしたい。

本校　読書能力の分布

学年名	検査人員	読書偏差値の評価段階の分布 5	4	3	2	1	読書年令及び読書学年 小1年 6才6月〜7才5	〃2年 7才6月〜8才5	〃3年 8才6月〜9才5	〃4年 9才6月〜10才5	〃5年 10才6月〜11才5	〃6年 11才6月〜12才5	中1年 12才6月〜13才5	〃2年 13才6月〜14才5	〃3年 14才6月〜15才5	中修了 15才6月〜17才5	高1年 17才6月〜18才5	〃2年 18才6月〜19才5	〃3年 19才6年〜20才5
1年	443	1	39	117	189	97	5	15	36	71	96	92	49	37	29	13	0	0	0
2	360	3	44	107	134	72	3	7	12	25	64	58	47	58	37	37	10	2	0
3	506	4	41	176	177	108	0	7	18	27	44	72	66	78	72	78	18	9	8
全校	1309	8	124	400	500	277	8	29	66	123	204	222	162	182	138	128	28	11	8
%		0.6	9・5	30.5	38.2	21.2	0.6	2.2	5.0	9.4	15.6	16.9	12.4	13.9	10.6	9.8	2.1	0.9	0.6

←――652名（49.81％）――→←――657名（50.19％）――→

この表で示す通り中学校生徒でありながら$\frac{652}{1309}$名が小学校の児童並みの能力しかない。叉反面高等学校三年の読書力のある者もいる。そこに中学校教育について真剣に考えねばならぬ点のあることも申し添えておきたい。更に小学校一、二年の程度しかない者もいるが、これ等の生徒は学校家庭、社会が協力して救済の道を開かねばならないと思う。

本校　読書力偏差分配表

学年・学校＼区間・段階		最優		優		中の上		中		中の下		劣		最劣		合計
		80以上	75~79	70~74	65~69	60~64	55~59	50~54	45~49	40~44	35~39	30~34	25~29	20~24	20以下	
学年	1				2	11	36	59	77	76	94	47	29	7	5	443
	2				3	14	39	39	67	71	62	29	19	14	3	360
	3				3	17	33	74	115	90	78	44	24	17	11	506
学校	人数	0		8		150		431		471		192		57		1309
	%	0		0.6		11.4		32.9		36.0		14.7		4.4		100
理論値		0.6		6.1		24.2		38.2		24.2		6.1		0.6		

数が段々小さくなつて低下の程を示している。← (境) →数が大きくなつて低下の程を示している。

（学校%と理論値を比較して下さい）

本校読書力偏差値分配図　　—— 本校

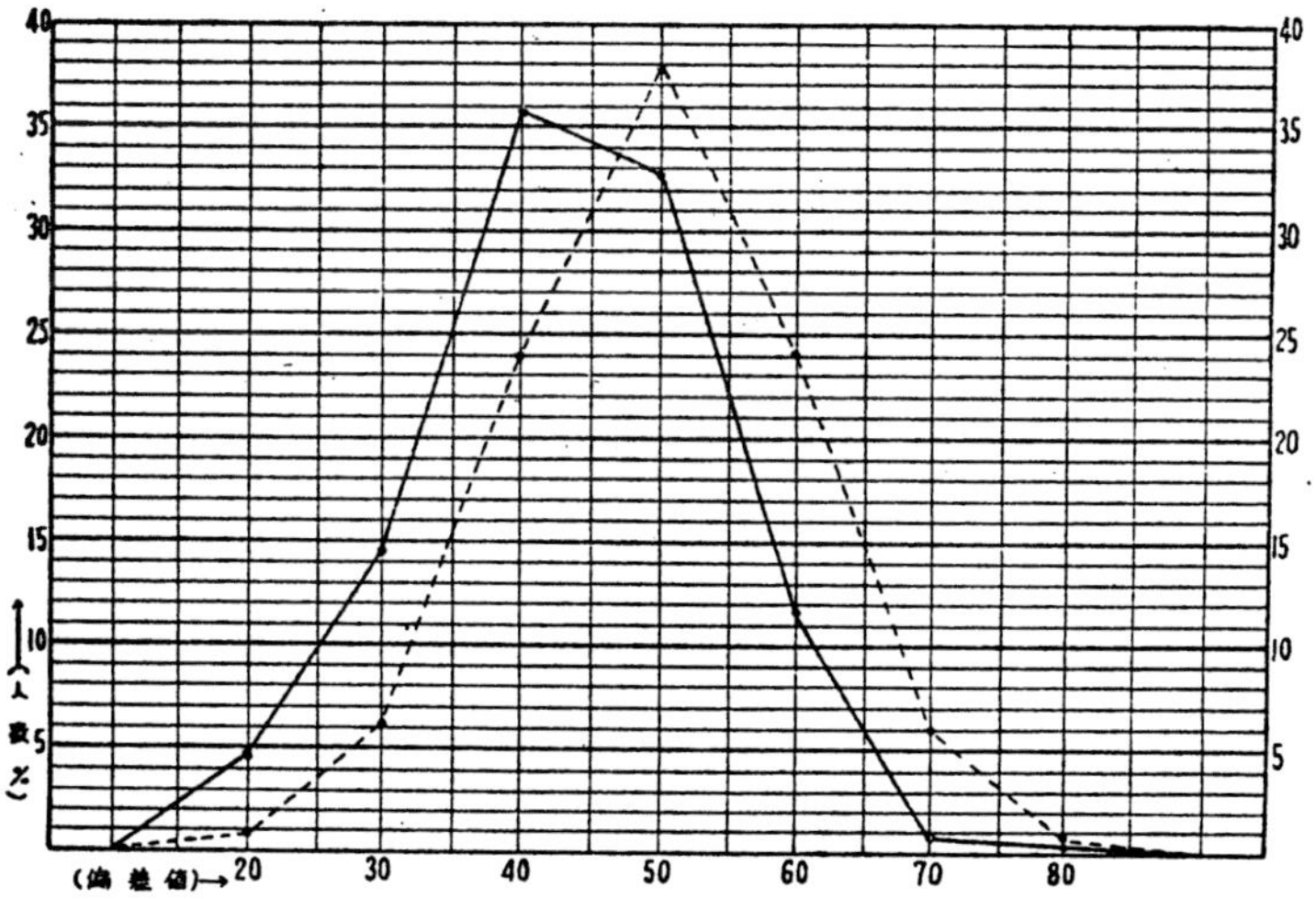

S.D.=9.8

この表ですぐわかるように左傾きである。理論値に接近すべく、お互いの努力と協力を傾注しなければならない。

読書診断系統図

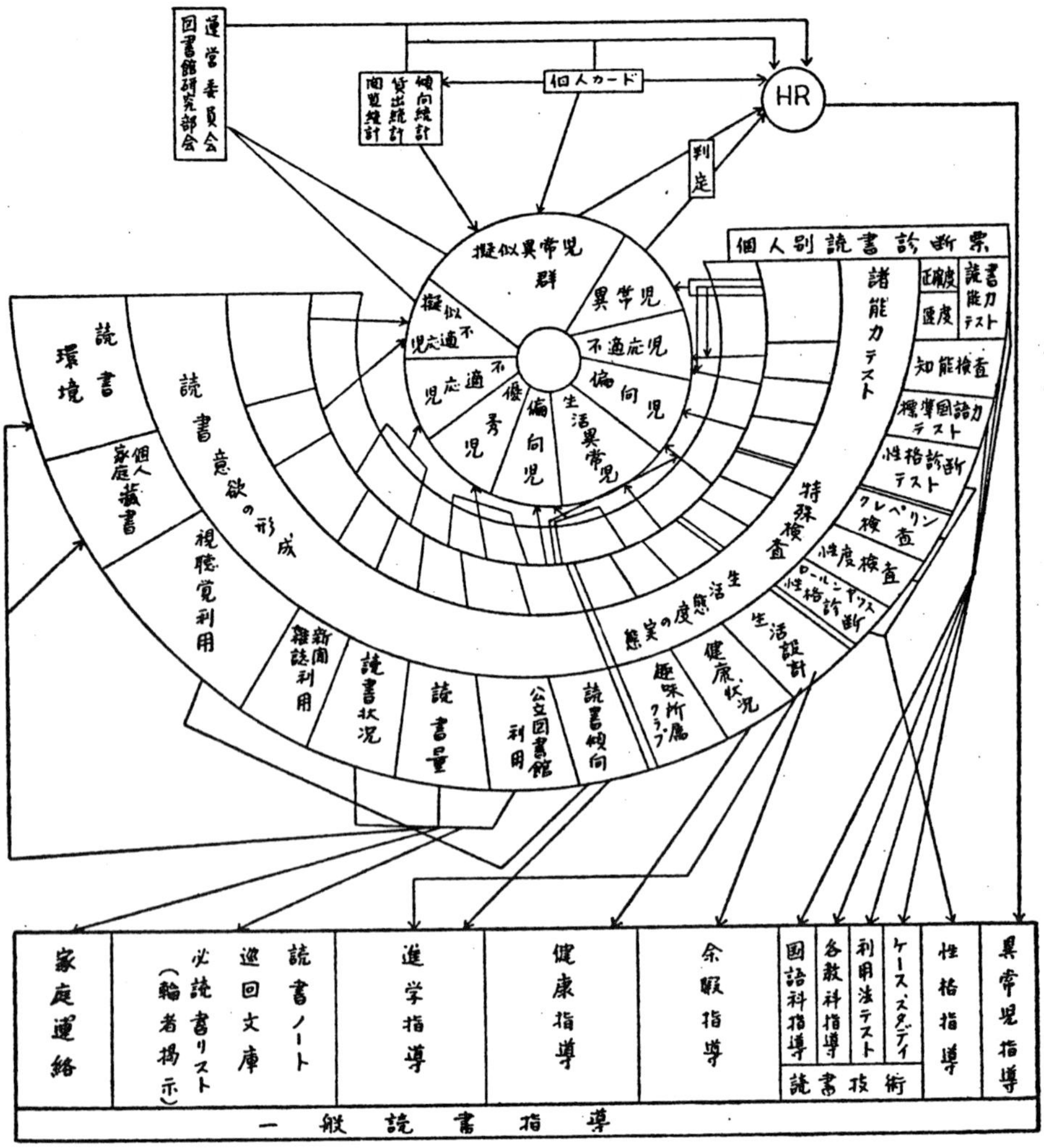

この表は読書指導を行う場合、各人について資料を持つていないと適切な指導と正しい判断ができない。それで指導の糧を得るために作成した。ご利用してご批評をしていただければ大変結構だと思います。

（参考資料　読書指導ハンドブック　阪本一郎著）

㈦ 最後に

ご覧の通り私達の学校全体として読書力は相当低いのです。私達の学校だけの問題だろうか!!と考えた時納得しかねる。私自身生徒達にどうにかして良書を読ましたい。読書力を向上させたい。読書力の向上によつて体系化した学習をすすめ生徒個々の学力を向上させたいという気持を捨てた事は寸分たりともないし、他の先生方も一生県命である。学校図書館も或程度充実し軌道に乗つて進みつつあるのだから、学校図書館もなく、家庭で読物すら与えられない田舎の生徒達よりは条件は良いと考えられるし、又毎年行われている標準学力テストの結果も上位ではあつても、決して下位には属さない。その意味で私はこれは全琉的な傾向であろうと推察する。読者の皆様方のご研究とご協力並びにご指導御鞭達をお願い申し上げたいと思います。

☆　☆　☆
☆　☆　☆

「農業に関する課程」の教育課程の改訂について

—農業教育研究大会から—

神奈川県立平塚農業高校 大屋一弘

去る二月十二日、十三日の両日にわたつて、東京都立園芸高校で第八回関東地区高等学校農業教育研究大会が催されました。幸いに私もこの研究大会に参加することができたのでその一部のようすをお知らせします。参考になれば幸いです。

一 今次研究大会の意義

この研究大会は全国高等学校農場協会関東支部主催で、関東地区の「農業に関する課程」を持つ高等学校が参加して行われるものです。そしてこの研究大会における研究成果は直接全国の農業教育推進の基礎となつています。（一例を挙げると昭和三十一年の高等学校の教育課程改訂に当つてはこの研究大会からの要望が殆んどとり入れられた。）

この度も文部省が高等学校の教育課程の改訂を意図している時に催されたので、この大会での研究成果もまた大きく教育課程の改訂に反映すると思います。

二 研究テーマ

今度の研究大会には次のような研究テーマが取上げられ、各々の講師及び助言者にその道の権威者が当りました

第一表 分科会、研究題目、講師助言者

分科会	研究題目	講師	助言者
第一	「農業に関する課程」の教育課程の改訂について	文部省視学官 厚沢留次郎	山梨 望月義光 千葉 石持良作
第二	高等学校農業教育における農場経理の改善について	文部省会計課長 安島弥	神奈川 丸山玄吉
	近代産業の進歩発展にかんがみ農業に関する課程の		

分科会	班	研究題目	講師	助言者
第三	一班	課程編成はいかにあるべきか	文部省事務官 伊古田省三	栃木 山田貞義 埼玉 小松美郎
	二班	卒業生指導はいかにあるべきか	産業教育中央審議会委員 山本佳男	埼玉 芦沢忠二 茨城 鴻野勇
第四		「産業教育振興法」に基く施設、設備の基準は農業教育振興のためいかに改善されなければならないか		
	一班	農業課程	東京農工大学教授 近藤頼巳	静岡 大川勝蔵 栃木 慶野恒徳
	二第	園芸課程	千葉大学教授 藤井健雄	東京 吉井喜一 静岡 関根貞義
	三班	畜産課程	宇都宮大学教授 永田謙一	東京 栗崎寅市 静岡 小山令次
	四班	農業土木課程	東京教育大学教授 松田俊正	千葉 森田誠一 群馬 鈴木武臣
	五班	農産加工課程	東京教育大学教授 小原哲二郎	茨城 神永政好 群馬 久田精之助
	六班	蚕業課程	東京農工大学教授 神岡四郎	群馬 山本六十二 茨城 加藤省三
	七班	林業課程	東京農業大学教授 田中祐一	東京 三浦清 千葉 山崎富之助
	八班	造園課程	東京大学教授 横山光雄	東京 三輪虎寿

三 「農業に関する課程」の教育課程の改訂について

研究大会全体のようすを述べることは省略して、私が出席した第一分科会の模様を述べてみます。

㈠ 研究テーマ設定の仕方

今度の研究大会には第一表のような研究テーマが取り上げられていますがこれら研究テーマは前年の同研究会で参加者から要望のあつたものと、主催者側がアンケートをとつた際に要望された事柄について設定されたようです。

㈡ 資料の提出

研究大会には設定されたテーマについて皆よく事前研究をして、各県で研究資料を作つて分科会に提出します。第一分科会での資料責任県は神奈川でしたが、静岡県や文部省からも資料が提出されて研究討議がスムースに行われました。

㈢ 研究討議

分科会の研究討議は二月十二日と十三日の両日にわたつて正味七時間行なわれました。型通り座長選挙が行なわれ、座長に相甲農業高校（神奈川）の峰岸源蔵先生が選ばれて運営されることになりました。両日とも朝方は水道の水が凍る程の寒さでしたが各自が現場で問題を痛切に感じているだけあつて、討議は活発で真剣そのものです。

研究討議は資料提出県の提出した資料を中心に、静岡県、文部省の資料を参考に各自の意見を交えて進められ、次の項目について大体の結論が出されました。即ち

A 農業に関する課程の教科の単位数について。

(1) 卒業に必要な単位数と総単位数について。

結論―現行通り八十五単位以上で良い。

意見には八十五単位の線をもう少し引き上げてはどうかというものがあつたが、定時制や通信教育制（将来設置）のことを考えると現行のままが良いということ。

また現行のままでも実際には殆んどの学校が百十単位前後を課しているので差支えない。

(2) 普通教科の（共通必修単位数）について

結論―現行は三十九単位であるがこれを八十五の半分の四十二～四十三単位にする方が良い。

普通教科の必修単位数を増加させたいというのは専門教科で修得する知識、技術を伸ばすために、及び将来の専門技術の進歩、転換に応じられるようにするという理由による。

(3) 農業教科の単位数について

結論―現行通り三十単位以上で良い。

三十単位というと少ないようであるが実際には四十～五十単位を課することができるので別に支障はない。この項で農村家庭課程に課する農業教科及び家庭教科の単位数について更に農村家庭課程の性格についても議論が行なわれたが、結局は問題が大きいので次回の研究会に一つのテーマとして取上げて貰うように要望することになつた。

B 農業教科についての改善の方針

(1) 現行科目及び単位数の問題

結論―現行科目については、「農林測量」を「測量」という名称にする。

単位数については「土、肥料」「作物保護」、「野菜園芸」「果樹園芸」、「草花園芸」などを変更する。（第二表の通り）

第二表 現行の科目 単位数並びに改正単位数

現行科目	現行単位数	改正単位数
土、肥料	二	二～四
作物保護	二	二～四
野菜園芸	四～八	四～十二
果樹園芸	四～八	四～十二
草花園芸	四～八	四～十二

「農林測量」を「測量」に変更するのは農林測量と測量は実質的に相違がないこと、また「農林測量」では就職の巾が狭められているという理由による。

第二表の科目について単位数を変更する理由は「土、肥料」「作物保護」は実験を多く取入れた方が効果が上るという科目の性質から単位数を増やさなければ実験を多く取入れることは無理であること。

「野菜園芸」「果樹園芸」「草花園芸」は園芸課程で履修させる場合、現行単位数では不充分であること。

(2) 新科目と内容について

結論―現行科目の他に新科目を設けた方が良い。

新らしく設ける科目の内容を具体的に討議する時間はなかつたが次の通り。（第三表）

第三表 新科目とその内容

新科目	内容
農業土木	程度の低い土木
製造機械	農業機械とは別に農産製造の機械を主とする

工業簿記（農産製造課程に必要）
農業気象
農業政策
植物生理

これらの他に「農業実験」「特別実習」を科目として設けてはどうかということが提案されたが、内容の系統化などについて検討の余地があるので新設決定に至らなかつた。

(3) 総合農業について

総合農業は継続した方が良いと云う論と廃止した方が良いと云う論が互に沸騰したが大勢はその運営が困難であるということ。そこでこの会では総合農業について存廃を決めずにその運営の方法について講師に指導を願うことになつた。

厚沢講師の指導—総合農業の運営が難かしいというのは現場でよく聞く声である。然し指導書もでき上る予定なのでもう少し実施を続けて貰いたい。現在総合農業は分化されていく傾向にあるが、運営の方法が良ければ非常に面白いものと思う。もし分化するなら次のA図のように全体の連絡がないものに変更するのではなく、B図のように農業経営を中心にして全体の連絡をとりながら学習を進めるように変更するのが良いと思う。

A図

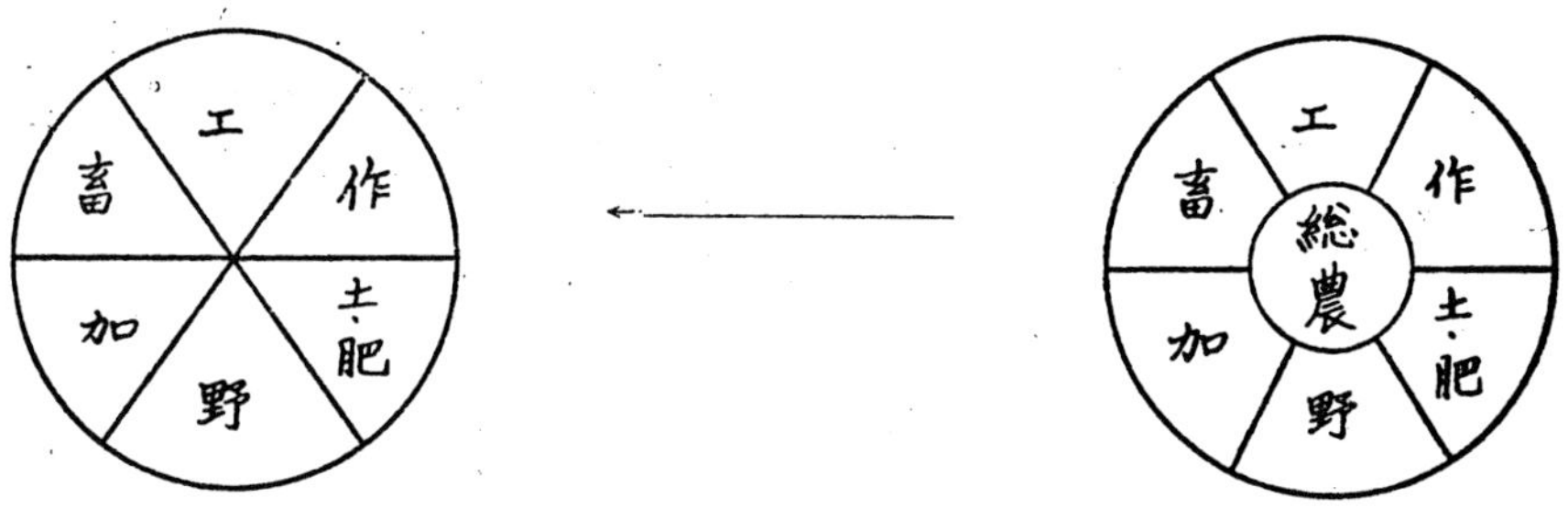

総農を実施する場合総農を教える先生がクラス主任となる

総農をやめて分化する場合全体の連絡がない

B図

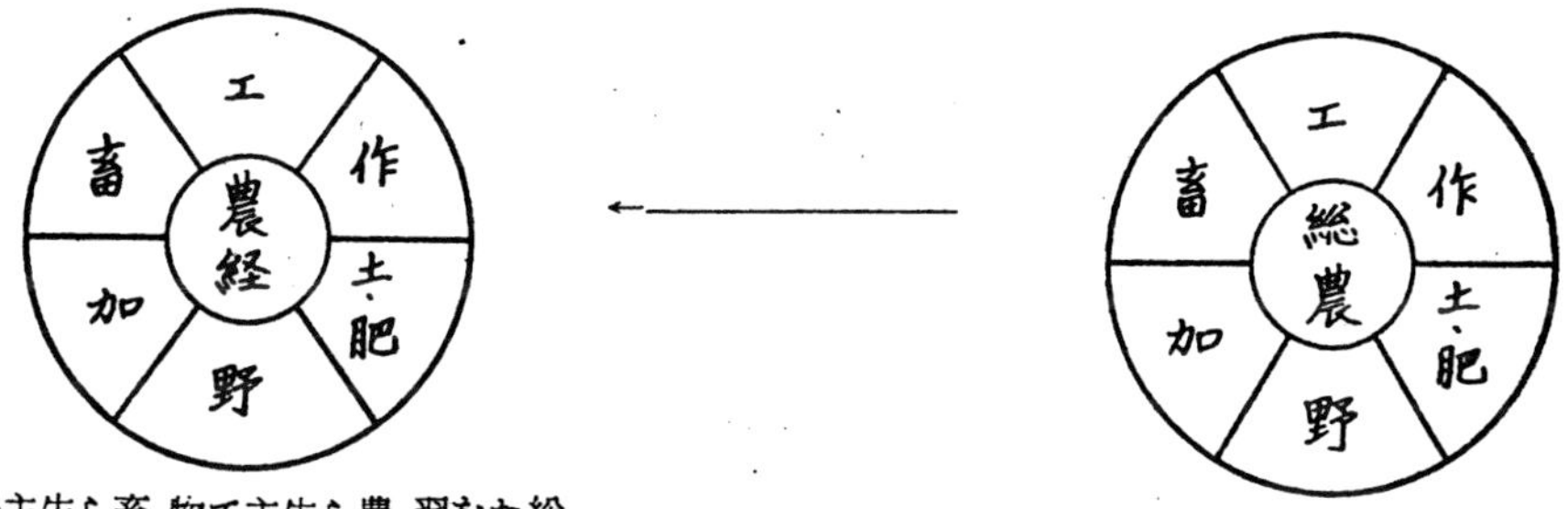

総農を実施する場合

総農をやめた場合農経を中心に学習を進める農業課程なら作物の先生がクラス主任となつて農経と作物を教える畜産課程なら畜産の先生がクラス主任となり農経と畜産を教える。

(4) 特別実習について

特別実習（例—農場当番、家畜当番、休暇中の実習など）は学校運営を便利にするために行なわれている傾向が強いので、これについては年間計画を立て、目標を確立して実施するように努めること。

四、教育課程改訂についての動向

今次研究大会とは別に高等学校の教育課程改訂についての最近の動向について見聞したところを二、三述べてみます。

(一) 全国高等学校長会の基本方針

全国高等学校長会においては全国アンケート調査集計の結果高等学校の教育課程改訂について次の基本方針を打出している。

(1) 教育課程編成上、基本的には男女の差別をしない

(2) 高等学校卒業資格単位「八十五単位以上」は現行のままとする。

(3) 国、社、理、数、外などはその内容を整理し、基礎学力についてくふうする。

(4) 学習の合理化のため、科目の学年固定増加を考える。

(5) 科目のかたよりを少なくし、高等学校教育本来の目的が達成できるようにする。

(6) 各課程は原則として必修科目を

共通としその基礎の上にそれぞれの特徴を生かすようにくふうする

(二) 教育課程審議会における傾向

文部省の意向に従って教育課程審議会が開かれているが、現在同審議会がどのような改訂の傾向を示しているかというと、

A 普通教科については次の通り。

(第四表)

第四表 高等学校の国語、社会、理科

国語について

種類	履修	内容	現行
現代国語	共通必修	現代文、話し方、作文	国語甲
古典甲	一科目選択必修	古文、漢文	
古典乙一			国語乙
古典乙二	選択		漢文

社会について

種類	履修	内容	現行
倫理・社会	共通必修		社会
政治・経済			
日本史	この中から普通科は三科目 職業科は二科目		日本史
世界史A			世界史
世界史B			
地理			人文地理

理科について

種類	履修	内容	現行
物理A	Aは文科系 Bは理科系		物理
物理B		Aより深い内容	
化学A			化学
化学B		Aより深い内容	
生物			生物
地学			地学

(右はいずれも審議中で未発表のものです。数学については調べる時間がありませんでした。)

B 職業教科については未だ(二月十二日現在)審議に入っていない。

即ちこの研究大会での結論が大きくとり入れられるものと思います。

五、改訂の方向

今まで述べたことをまとめてみると

(一) 今次研究大会の研究成果は「農業に関する課程」の教育課程の改訂に反映すると思われる。

(二) 研究テーマは教育の現場から提起されたものである。

(三) 「農業に関する課程」の教育課程について大巾な改訂は要望されていないが

(1) 普通教科の単位を増やす。(現行三十九単位を四十二~四十三単位に)

(2) 農業教科の教科名を一つ変更する。(「農林測量」を「測量」に)

(3) 「土、肥料」「作物保護」「野菜園芸」「果樹園芸」「草花園芸」などの単位数の巾を広くする。

(4) 農業教科に「農業土木」「製造機械」「工業簿記」「農業気象」「農業政策」「植物生理」などを新設する。

ことなどが結論され、文部大臣教育課程審議会長、全国高等学校長会農業部会理事長あて意見具申することになった。

以上の事項と、文部省の高等学校の教育課程改訂の理由(「国際状勢の変化」「科学技術の目覚ましい発展」「小中学校教育課程の延長」「道徳教育の振興」など」)、方針及び全国高等学校長会の基本方針並びに教育課程審議会における傾向などを併せて考えると、「農業に関する課程」の教育課程の改訂がどのように落着くか推察されると思います。

(一九六〇年二月一七日)

私の初旅雑感

配属校 埼玉県大宮市立
南中学校
宮 城 秀 一

郷里を離れること初めて、それからも早二か月近い。いかにも春らしく新緑で装いとてもきれいだ。五月中旬といえどもまだ寒さにおびえることさえある。沖縄の五月は暑いだろうに、皆さんいかがでしょうか。毎日毎日を子供達の教育にいそしんで居られることと思います。お蔭様で私も、初めての祖国の地で元気でやつて居ります。誌上でお礼とごあいさつを申し上げ私の初旅の雑感を紹介させていただきます。

初めての旅、船、汽車、電車と東京まで実にすばらしいものばかり、泊港での別離はひとしおさびしいものがあり、船上では海がしけて船よいに悩まされ、疲れを感じました。翌日の昼頃からは元気をとり戻し、鹿児島入港時はすつかり元気で祖国に第一歩を踏み

下ろしたのである。何かしら心のはずむのを感じ「祖国だ、祖国だ」と心の中でつぶやきました。

翌朝は汽車で東京へ、それ又初めてである。「汽車」「汽車」子供のように目を輝かし、一行と共に汽車に乗つた。途中の野山や畑のすばらしさ、畑一面に咲いた菜の花、（あ―、）「菜の花畑に……」小学校時代に教わつたその歌の実感が湧いて、いつしか口ずさんでいた。

今は山中今は浜
今は鉄橋渡るぞと
思う間もなくトンネルの
暗を通って広野原

これ又歌そのものではないか、沖縄の総べての子供等に……トンネルの数が何と百十数余、汽車の中の一夜も又楽しいものがあつた。一行はウイスキーのせいか、沖縄民謡も飛び出したりで、翌二十七日は富士山に望みをかけ車窓をじつと見つめ、今か今かとカメラをかまえていた。「あゝ富士山だ」誰かの声、頭上には真白い雪ゆるやかな長いすそ、きれいな晴姿で、初めての私を待つているかの様にさえ感じられた。富士も見たのだ、こうして目新しいもの、初めての経験これ又子供等の教育につながるものと思う。研究の意義がら、旅行で視野を広めることもかたわあるにちがいない。多くの物に、多くの人に接し、知識と経験を深めたいと念じている。

東京駅の人の多いのにはいささかびつくりした。ラッシュアワーにもなれば歩まずに人波にもまれて進んで行く、電車に乗る人、下りる人「そこには道徳つてあるのかしら？」そう思つた自分が、後になつてよく解つた。バスに乗るように順序よく乗ろうとするものなら、逃してしまい、ドアにはさまつてしまうのだ。誰もがこれからの一日に希望をたくしている輝かしいひとみが感じられた。

皇居内、国会議事堂の見学、「僕は日本国民だ」、皇居内に入つた途端今までとかわつたものをおぼえた。国会議事堂の案内係の「この壁は沖縄のトラバーチンです」との説明、そこにも直結しているものがあるのだ…。せめて教育でも、我々は日本の将来をになう少年少女の教育に精魂を打ち込んでいるのではないか。

配属校が決まりそれぞれ任地に落ち付いたこれから一か年どのようにしたらよいか、初めての土地で不安を感じていたが、幸いにして校長先生始め諸先生方、関係教委の方々の親切なお世話をいただき、ご指導を賜ることが出来て毎日を楽しく一職員として総べて同じ様に学校生活をおくつて居ます。生徒達のびち〳〵した元気な明かるい姿沖縄の子供達より伸々とした底知れぬものを感じています。当校は生徒会活動も活発で、自主的な面も多々見られて、学ぶこと多く、うらやましい限りである。（生徒会活動については次回に紹介させていただきます）

琉球文教図書の徳里氏のあつせんで二葉、学図、東書の三書籍会社の見学もさせてもらいました。三社ともそれぞれ私達一行をいたれり尽せりの歓待振りには心温まるものがありました。毎回のようにそうやつて居られるとのことである。それから文部省のていねいな受入式その場にわざ〳〵いらして我々一行を激励して下さつた指導委員の下山先生、又任地埼玉県教育委員会に挨拶に行くと、指導委員の尾崎先生がなつかしそうに沖縄帯在中のお話をされ、昼食を共にして下さつていろいろ激励のことばを賜り、旅での人の情に接し、本当に力強さを感じ励みが出てまいりました。こうした指導委員の先生方によつて各地で広く多くの人々に沖縄を認識せしめているのではなかろうか。あわせて沖縄の教育にも大きくプラスしていると信じています。話によればその制度も問題になつているようだが、教育の直結という意味でも全教職員いや全住民がたち上り是非実現するよう全力を尽していただきたいと願う者です。

沖縄の泡盛、ハブは知られていようと真の沖縄の姿を知る者は誠に少く外国のように考えられているのではないでしょうか。こちらに私が来てからは総べての子供達が沖縄に関心を持つようになりいろいろな質問があります。「沖縄のお友達と文通をしたい」という声も高まつているので、文通や、作品の交換等で内地と沖縄の子供達のかけ橋の役も務めたいと思つています。研究といつても皆さんのご期待にそうようなことは出来ないと思いますが、ベストを尽し帰沖してから沖縄の教育に皆様と共に精進するよう頑張るつもりです。

派遣初期における私の歩み

配置校　横浜市立齊藤分小学校
勤務校　宮古下地小学校
奥平玄位

永年の宿望がかなえられ、第十七回

内地派遣沖縄研究教員として、あこがれの祖国日本の体温にじかに触れ、日本人としての喜びに浸っている者であります。

最初のうちは、急激な環境の変化と孤独の寂しさと郷愁が錯雑したうえにあての はずれた 配置校 ときているので、不安定な気持の日々が続き、研究目標をどう進めていくか、半年をどう過したらよいのか、勝手をわからぬ新入生のように、机に向かって、本を読み、校長や教頭の話を聞いているうちに、二週間を過してしまいました。

このままでは、神経衰弱になり、折角の研究計画も遂行できない。何とかせねばと勇気を振い興し、現在では、仕事も軌道に乗って参りました。私の一月余の歩みを拙文をもってしるしてみたい。

一　本校の学校保健推進機構

本校のテーマ「健康診断の計画とその事後措置の徹底について」

昨年は、計画と実態調査に終ったようで、環境整備や実践はこれから、この機構が出来たのも、昨年は職員の活動がなくただ養護教諭や保健主事だけの活動であったようで、職員の一人一研究の組織をつくり、全職員で盛上げていく為に考え出されたものである。

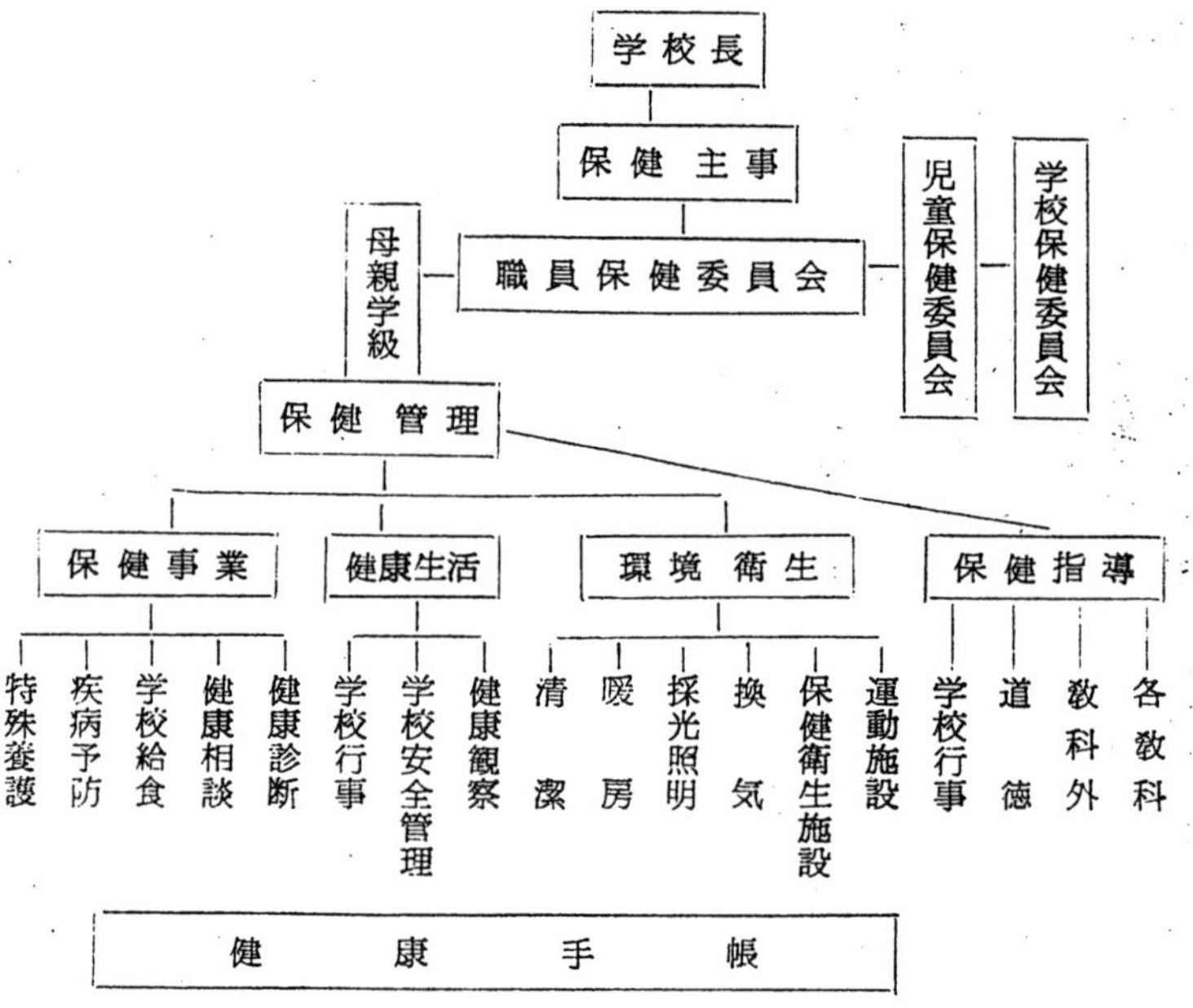

健康指導は時間特設せず、各教科で保健的内容をカリキュラムの中に位置ずけしてある。月の強調目標により保健活動の領域をおさえ学校生活、家庭生活の基準を設けてある。週の努力目標や注意事項等はその中から考え出されている。この機構や保健活動領域は三回にわたる職員会で十分討議し決定され、今では各部門で研究協議会が持たれ、一人一研究へ踏み出す一歩前である。

二　健康診断

健康診断は内科、耳鼻科歯科の各専門の校医がおり詳細に診断して下さる。四月に欠席して出来なかった児童は、五月に各校医に学校に来て貰って診断をして貰い。全児童が定期健康診断を受けることが出来るようになつている。視力検査は、照明の装置があるので雨天の時教室が少々暗くても実施出来る。スキャスコープも学校にあって、矯正視力も検査されている。オージョメーターは、三校に一台の割で市教委に備えてあり、聴力検査は、市の日程によって実施されている。ツ反レントゲン検査も係の人が学校に機械や用具を運んで来てやって貰うので、宮古のように保健所まで行く時間は必要なく、授業を進めながら実施している。陰性の子はBCG注射を受ける。これ等の経費はすべて市教委が持ち児童の負担は少しもない。その他に年三回の検便、駆虫の一齊投薬等が行われる。結果は、近視が最も多く、一クラスの四分の一位の者が視力一・〇以下で、結膜炎、アデノイドが次に来ている。虫歯の処置は良く行われ、年々その率は低下の傾向にある事が表を見せて貰ってよくわかった。市の健康教育課としても虫歯の半減運動をやっているということである。教師の健康観察の結果は、第二校時の休みに養護教諭のところに集まり、日々の欠席した児童の欠席理由を確認し、学年別に集計され、校長に提出される。校長、保健主事はそれによって児童の動態を知る。又流感や伝染病の発生を早期に発見することができる。

三　教科学習

教師の指導形態や方法は、教師の理念に左右されるもので、適否は別として、図書館の資料をフルに活用し学習の中に取り入れている。それで児童は巾広い学習経験をする事が出来るのである。又全児が、ワークブックや問題

集を持っており、家庭学習もよくやつているが、五、六年では放課後一時間を取つてその指導にあてている。このような学習活動が学力に大きく影響するのではないかと思料される。

四　湯浅、秩見両先生を訪ねて

貴重な時間を小生のために作つて下さつて、約二時間にわたつて、学校保健の今日までの歩みから、保健に関する色々な事をお話下さり、今後の研究に大きな目安となつた。その話の内容をまとめると

(イ) 保健に関する三法の研究を
。保健法――管　理
。学校教育法―学習指導要領や指導書
　特活道徳と保健の関係
　他教科と保健の関係
。日本学校安全会法―安全教育と学校
　の実際

(ロ) PTA集会と保健
学校保健は家庭でやることを、とりこみ日常生活の動きを教育的にやる事である。それで、学校保健は個別指導でなければならない。学級PTA等も質問事項を準備し、各父兄がそれについて話し合えるようにして保健活動を持つならば、PTA活動も活発になるのではなかろうか。

(ハ) 保健教育は、学校長や教師の健康観の確立が大切である。その健康観から実態調査が考えられ、活動がなされるのである。

(ニ) 保健教育と保健指導

。健康に対するあこがれ
。健康を求めてやまない心の育成
↑
健康の価値を認識する
↑
保健教育
- 主体的統一又は生活的統一の状態
- ↑
- 自己処理の能力
- ↑
- 自己理解
- ↑
- 知的理解

この段階をふまえて、目標に到達出来るようにする事が保健指導である。

五　他校参観をして

県の指導主事、浜田正好先生から電話を受けて、横浜駅で待合せ、小田原市片浦小学校へ行く。狭い運動場をうまく利用して、体育施設、手、足洗い場、運動用具部屋等がある。広々とした廊下はきれいに掃除され、黒光りしている。その両側の壁には所々に形態面の統計グラフやポスター等が展示されている。教室内も良く整頓され、掲示物等も工夫の跡がうかがわれる。学習の場の構成に全職員が努力している雰囲気が感じられた。(特例かも知れんが、私の配置校ではまだその様な雰囲気は感じられもしないし、教師の努力も見受けられない。)この学校は、昭和二六年に自主的に保健の研究を初め継続して来ているその積み重ねによつて、父兄も保健に対する意識が高まつてきているとの事である。

。片浦小学校の研究経過とその概要

年度	研究テーマ	研究の大要
二六	。衛生についての研究	。トラホームについて予防と治療
二七		。寄生虫予防
二八	。学校給食を中心とする学習指導について	。学校給食の学習指導
二九	。子供会の校外生活指導について	。指導法の研究
三〇	。体育の研究	。体育カリキュラムの研究
三一	。健康教育について	。体育教材の研究 。保健学習の研究
三二	。健康教育について 。統計教育について	。習慣形成の指導 。学校給食の研究 。表とグラフの書き方
三三	。健康教育について	。体育の系統学習の研究 。保健学習の研究
三四	。健康を高めるために私達はどのように学んだらよいか	。地域における健康的な環境作り 。学級における保健学習ならびに保健指導の研究
三五	。三四年のテーマを深めてゆき十月に発表会を持つ予定	

六　体育指導はこのように

できるだけ多くの学校を訪問し、良い点を学び取り研究を進めていきたいと考え、市や県の指導主事の先生に学校訪問の際は一緒につれていつて貰うようお願いすると、心よく引きうけて下さつて、月の訪問予定日と行く先の学校の特長を教えて下さつた。それを学校の行事予定とにらみあわせて検討し、他校参観日を決めて、これまで数校歩きましたので、私の見た範囲内で体育時の指導がどのように行われているかのべてみたい。

① 年間計画が学校の実態に即して運動領域の配当がうまく行われており、月の学習計画、週の時間計画等良く研

究され、実施されている。

例K校五月の時間計画（一年）

時間計画	週1 時1	2	3	週2 時4	5	6	週3 時7	8	9	週4 時10	11	12
—10	固定施設									とびばこ		
—20	徒手体操						器械			じやんけん人とり		
—30	たま入れ			たま入れ			たま入れ					
—40	動物ごつこ									動物ごつこ		

② グループによる体育指導

　学習内容はプリントによつて児童に知らされる。児童はグループ毎に目標を持ち、何をどう学習するのか良く知つているので、用具がフルに活用されているし、無意識に動いている児童がいない。施設の利用の時は用具の準備や場のとり方等も考慮して、別の運動への移行もスムースにやつている。

③　新指導要領の研究も校内研究会で良くなされているようである。

　要するに、学習活動が子供向けになつており、問題が与えられて児童が活動していく体育指導を行つているので笛を吹かんでも動くようになつている放課後もグループによる練習がよく見受けられる。どちらかといえば、教師の好みか、指導の容易なものしか、学習出来ない児童も、このように各領域の学習が友達同志協力し合い技能がのびていくと最も楽しい体育になるのではなかろうか。子供達は体育手帳を見て自分の技能の向上を喜んでいるのである。

　以上断片的にこれまで見たこと聞いたことを申し述べて私の研究教員報告と致します。失礼致しました。

配属校生活一か月

配属校　神奈川県中郡伊勢原町立伊勢原小学校
勤務校　宜野湾教育区立普天間小学校
安谷安徳

今回、第十七回内地派遣研究教員として内地の先生方とともに研究する機会を得まして、この上ないよろこびを感じております。

　東京でのあわただしいスケジュールを終えて、私達三十五名の同志は、つぎの事を約束して配属校へ胸をおどらせて出発した。

一　私達が内地で熱心に研究している事を伝えるために年三回以上簡単なレポートを文教局へ送ること。

二　研究期間中は、できるだけ多く資料を集めて帰任後は、これを大いに役立たせる研究会を多く持つこと。

三　帰任後は、今回の研究教員三十五名で一つの研究サークルをつくつて大いに研究する。

四　機会あるたびに現地の研究レポを文教時報を通して郷土の皆さんに紹介して私達の使命の一端にする。

　以上の四点について私もできるだけの事をして約束を履行したいと思い、まず今回は表題について思いつくままに書いてみたい。

▲うらやましいことば遣い

　二重の言語生活（よしあしはさておき）をしている私達には、こちらの人々のことばを聞くたんびにほれぼれしてしまいます。特に、女性のことば遣いには全く魅せられてしまい、いなか者の私には、胸がどきどきしてろくに返事もできません。「これが日本語のはなしことばなのか。」と首を右に左におつて、自分のはなしことばの質の悪さをつくづく思う。

　これらのことば遣いは、そのまま学校生活の中に持ちこまれ教科書にでてくることばは上手に使いこなすことができる。日常生活の中にあんな言語生活があるのだから作文、意見発表がすらすらとできる。六年生の国語「日本の中心」を実際にやつてみましたが、学習がスムースでまた、児童の教師に対することばは敬語で正しくそしてすらすらと、うらやましい。私は、思う。「この一年でことばをけいこして沖縄に移植しよう。」と。

▲計画的で熱心で積極的な女教師

　女の先生が職員相談会の司会をやつてきぱきと事を処理している。検討すべき事項は大いに熱を上げて意見を発表し合つています。

　特に、職員会や教科研究会では、活発に意見をかわしている。そして、腹蔵なく発表しまた、助言や指導を受けている。ヤマトオトメの長所でもあろう。私の配属校は、過去三か年も理科の研究校として実験研究をやつておりその道のベテラン教師が多い。一般に理科なる教科は女教師から敬遠されがちであるけれどもこちらでは、全く逆

の傾向にある。沖縄の女教師が理科を好んでやることを願うものである。

▲互いに信頼し合つている

「内地の先生のえらさ」ときかれたら、私は「互いに信頼し合つて任せるべきことは最後まで任せる。」と即座に答える。特に事務分掌の面でこの現われが著しい。例えば、小運動会について体育部の方で研究して計画しますが、その計画がスムーズに実施されるためにどの先生も忠実、熱心に最後までやり続けています。そして主任や係の先生を尊敬してその先生の指図をしつかり守る。これは決して放縦ではなく信頼し合つている現われだと思う。私はこれまで経験したことで感ずることは「同一の船に舵をたくさんつけてきたのではないか。」と言うことである。つまりある一つの仕事を進めていくのに、それの計画や方法がよくても何か文句をつけて仕事を遅らせている。こう言うことは大いに改善して内地の先生に「ならいてしがな。」ですね。

▲うらやましい教員構成

私は、かつて友人に「うちの学校は女の先生が多くていろいろな面で活動がにぶるよ。」と言つた事がある。しかし、彼は「女の先生はやりようによつては男以上の仕事をするよ。」と否定しました。もちろん私は女の先生はラチがあかないと言う考えは毛頭ない。

しかし、学校内外でいろいろな活動をする際「あゝもつと同志(男の先生)がおつたらなあ」と考えるのは私一人ではあるまい。ですから、男教員の少ない私達の沖縄では、特に女の先生が働いてもらわないといけないと思います。ちなみに私の配属校の構成をのぞいてみよう。

教員数三十五名うち男教員二十一名女教員十四名になつて町内の学校はほとんど男三に対して女一の割になつていると言う。

これを出身校別にみると、師範男十五名女六名、旧制大男三名、新制大男三名女三名、教員養成女五名のようになつている。

▲月週行事

月行事として挙げられる主なものは次の通りである。1避難訓練、2巡回映画、3大清掃、4衛生検査、5朝礼講話、6研究授業

1避難訓練は、月末土曜日第三校時の一時間をとつて実施している。今年は、機敏に教室からでて運動場の決められた場所に集合することをねらいとしている。

2巡回映画は、町の委員会に一台の映写機があつて委員会の方から各校を廻つて映写する。また、各校には視聴覚係がおつて毎月一回町内の集まりをもつてフィルムの選択や運営の方法等について相談する。

3大清掃は、各級単位でなされるが児童会の整備部でそれの計画をし、検閲もその部に属する児童と教師でやる。また、検閲はあらかじめ学校で決められた評価の基準をもとにして行われ、朝会を通して結果が発表される。

4研究授業は二人が自分の属する教科(研究部)について実践を発表したり授業を公開したりする。反省会(批評会と言つている)では文字通りこつぴどくつるしあげをくう。私はトップを切つてやりましたが、まさにその通りでした。

週行事で特記すべきことは月曜日の体育研究で、放課後職員全体が一時間乃至一時間半程みつちりスポーツを楽しんでいる。バレーボールが主だが、そのほかに卓球やテニス等もやると言う。月曜日は一週間の中で最も苦手な日である。その日にスポーツを楽しむことによつて明日への活力とする仲々良いアイデアではないか。

▲PTA活動と学校予算

学校運営のための費用は私達の場合と全く同じで、町からの教育費とPTAの両方からだされております。私の配属校は児童数一四三五名職員三十五名で学級数二十九で町では一番大きい学校である。

PTAの予算(去年度)は七一四、二一二円(一、八七八弗)でその内訳は、環境整備費の三〇万円をトップに児童福祉一八万円会員活動費一一万五千円その他の順になつている。

PTAの会員には甲乙二種あつて、甲は学校に子弟をもつ父兄で乙はそうでない父兄でどちらも会費を納めている。PTAの総会の持ち方も私達の場合と同じですが、ほとんどの父兄が参加し熱心に授業参観や相談をしているまた、参加できない時はその旨連絡しPTA活動に積極的である。

町からの教育費は、一、六五二、〇〇〇円(四、四〇〇弗)で主に施設面に使われている。

学級費は、学年や学級によつて多少の違いはあるが大体一人五〇円乃至六〇円(十七仙)で主にテストブック・ドリルブック、用紙学級図書、理科材料、工作材料購入に使われ、児童はこのほかに給食費として二〇〇円衛生費として一〇円で学級費と合わせると児童は毎月三六〇円(一弗)納めている。

▲校舎校庭教室経営

校舎は戦前から木造ものでコの字型に小運動場をもち周囲にはイチョー・

カエデ・ヤナギ・アオギリ・ヤツデ・イヌマキ等の喬木が立ちならんで、運動場は表面が非常にきれい。校舎は古びて修理を要する箇所も多くとてもお粗末なものである。床は板ばかりなので学習中廊下を歩くとみしみしとひびいてしまつて邪魔になつてしようがない。どんなに気をつけて歩いてもみしみしと音がでていやでどうしようもありません。

新学期そうそうの事でまだこれと言つた事は書けないが、各教科別に年間掲示計画を作りこれに従つて教室を利用している。各教室には小型の戸棚が用意されていて、学級備品の整理が充分になされている。教室の周りの壁は能率的にフルに活用している。

その他に学級には一〇本乃至二〇本のカラカサが雨にふられて迎えにこない子供達やその他不時の雨にそなえられている。

以上とりとめもないことをまずい表現でまとめました。もし、その中から一つでも参考になつたりあるいは、問題発見、研究の糸口となることを取り上げていただくなら幸いに存じます。

なお、内地の学校生活または、教科（特に理科）についてお知りになりたいまたは、研究したい方がおりましたらご連絡くだされば近くの学校をかけ廻つて資料を送つたり文通したりしたいと思いますのでよろしくお願いします。皆様のご健闘を心からお祈り申し上げます。

視聴覚教具教材 利用の態度

愛知県額田郡赤田中学校
喜屋武清昭

今日のようにコミュニケーションの発達した社会では、我々はこれによつて知的にも情緒的にも意識的、無意識的のうちに自己を形成しているといわなければならない。従つてよりよき社会に生きる社会人を育成する学校教育を行うには、あらゆる手段を駆使しなければならないのは論をまたないが、日々進展してやまぬ社会の動きに即応した教育を行うには、とりわけ有力な力を持つコミュニケーションの手段を取り入れることが必要である。今に始まつたことではない視聴覚教育についてこと改めて素人の私が云々するまでもないが内地に来てそこの教師の教育に対する熱意によつて、視聴覚教具、教材を利用し教育活動の効果を高める所謂、視聴覚教育の研究実践に力を注ぎ、生徒のために高度の学習展開を計つている現状に接し、沖縄のそれとは雲泥の差のあることに痛感して、その実状に立つて今一度新たな目を向けなければならなくなつた。文部省から出された今度の新しい教育課程には、視聴覚教材の利用を積極的に肯定しており、それに関連して「視聴覚教材利用手引」がまもなく発表されようとしている。全国連合小学校長会では、視聴覚教育振興法の制定を大会の決議として採択し、他の関係団体と協力してその推進にあたる態勢を固めだしている。視聴覚教育がせまい関係者の間だけの問題にされていた状態にもどうやら変化が訪れそうである。この変化は当然徹底的に進められる必要がある。視聴覚教育の現状には反省を要する点が多いことを認めた上で、伸びつつある望ましい動きを自分自身の問題という角度からしつかりとつかんで、すべての学校、すべての教師が日常の課題として視聴覚教育を取り上げる事態が早く実現するように、教育関係者が配慮し努力することは今日の学校教育に提出された重大課題の一つではなかろうか。楠田校長は（配属校々長）「これまでの研究会においては、法の裏付けのない放送教材について、教育的価値の高いものだと分つても、「法」という推進力なくしては教育の場における正しい位置づけが行われ難いものがあつた。ところが複雑を極めるマスコミの現状において、ラジオ、テレビの日常化に対応することを余儀なくされた教育課程が、最近の学習指導要領改訂によつて大きく転換し、ラジオを含めた視聴覚教材の利用につき『充分研究し、精選して活用すべき』ことを明記され、更に各教科の部分にも、指導上の留意事項として視聴覚教材の利用のことが随所にふれられている。時代とともに進むべき教育であるから当然のことながら、この法的措置を境に視聴覚教育が大巾に充実することは喜ばしいことである。」とその重要さを強調されている。更にNHKでは放送に関して、改正放送法の施行に伴い、番組基準を定め、学校放送番組に関しては、㈠学校教育の基本方針に基いて実施し、放送でなくては与えられない学習効果をあげるようにつとめる。㈡各学年の児童の学習態度や心身の発達段階に応ずるよう配慮する。㈢教師の学習指導法などの改善、向上に寄与するようにつとめる。……等と学習指導要

領改訂に呼応している。しかしながらこのように法的基礎が出来ても教育内容や教材が変る筈はなく、現場における視聴覚教育推進の責任が益々重くなつただけで、我々教師は間違いのない指導を展開し、重要な教育の使命を果すべきである。「視聴覚教育といつても特別に魔術的なものがある訳でなく、子供の発達に応じて具体的な経験をできるだけ豊富に与えるというのが根本のねらいである。変化をつけるということは、人生に薬味を持たせることになる。これは教育の場合にも当てはまることで、我々は常に新鮮な創造性に富んでいる方法で児童生徒に接することが大切である。」とこの道の世界的権威者デール博士は言つている。かかるマスコミも最近青少年の犯罪や非行の激増傾向から、それに対する批判が強く、テレビの出現とともに一層その声が大きくなり、内地では一億総白痴化説まで唱えられる現状で、神経質に考えるものは、不可能なことながらマスコミから青少年を隔離しなければならないような錯覚にさえとらわれている。また家庭にテレビ受像機をつけて青少年の教育の上からいろいろな悩みを訴えていることも見逃せない。

文部省のテレビ調査委員会では「子供の生活に及ぼすテレビの影響」を調査した結果について、波多野完治氏は「勿論功罪両面あるが、総白痴化という非難よりも、むしろ博知化の方が当つている。」と言つている。何れにせよ、近代社会に生きる青少年を育成するに当つて我々はマスコミと無関係ではあり得ない。また科学技術の向上により、人間から電波と機械は離すことのできない時代となつた現実を無視することはできない。このような環境におかれている青少年に対して、マスコミに対する望ましい受けとめ方を指導することは理の当然と言えよう。消極的には、マスコミに対する対策としての視聴覚教育、積極的には、ラジオテレビ、映画、スライド等それぞれの持てる機能を生かして教科指導を行うことによつて、学習の能率化を計るばかりでなく、他の方法では求められない教育効果がある。単に知識を得るばかりでなく、極めて直接に近い体験として受けとめられるからである。前述のように良きにつけ、悪しきにつけ、とかくマスコミの影響の大きいことを認識し、綿密な教育計画(具体的)に立つて対処しなければむしろ有害にもなりかねない。内地では学校放送番組を教育計画の中に、次の観点に立つて取り入れている学校が多い。(1)現在の学習指導に関連あるもの。(2)過去並に将来の学習に関連があるもの。(3)全人的に教養を高め、人間性を啓発するものであること……学校の教育計画は地域性、適時性を重視するに対し、放送は統一性、同時性をその特徴としているので視聴覚教育群の総べてを学校教育の上に位置づけることはむづかしい問題である。併し、学校教育計画と放送との間には全く相反する特徴を持つているのであるから、その両者を関連づけるためには次の方法が考えられる。(1)放送を教育計画に合わせて分解する。放送は時間的制約を受けるからこれを録音教材として学校教育計画の中に挿入している。(2)教育計画を放送に合わせて分解する。放送の予定は変更できないので、放送内容に合わせて教育計画を変更し調整する方法である(3)放送番組の中で自分のたてたカリキュラムにふさわしいものだけを選択して利用する方法。その他、シリーズ物は教科カリキュラムと放送計画を両立させていく事も可能で特に歴史的なものはシリーズ物として聴取しなくては却つてマイナスを招くことさえあり得る。シリーズとして与えることにより、社会科の学習態度において、知的な面の啓培はもとより社会科に対する基本的学習態度が向上するのではないかという見解もある。併し何れも少い労力で多くを学び取らせる方法であるが、教育内容を甚だしく複雑なものにしてしまう恐れがあるのでそれらを選択的にかみ合わして視聴覚教材利用を含めた教育計画をたてることが望ましい。内地のこのような積極的視聴覚教材を利用した教育活動は教科書の完全消化に一段の効用を果していることは科学的判定の困難な状態にあつても、各地の研究会や学校訪問等で十分伺えることである。ただ、沖縄でこれを実施していく場合に、余りにも難事の多いことが問題であるが、NHKの電波が容易に各地で聴取できる、受像ができるためには今後あらゆる角度から研究していかなくてはならないことでしよう。勿論RBC番組にスポンサー無しの、或はそれに変わるべき方法で学校放送の中継を考えてくれれば事は至つて簡単に運ぶ訳であるが、その前に、録音教材として内地からテープを求め、それを他の視聴覚教材教具と併せて利用しその効果を実践の中から生み出すことである。更にその傾向が全般的に広がつて行つた暁に前述の方法云々がなされる手順が妥当かと思われるが、録音テープや映写フィルムを購入するためには沖縄の各地の教育財源の現状では、おいそれと手をのばすこともできないであろう。そこで各地区

毎にでも教育長事務所か社会教育主事室あたりを利用して視聴覚ライブラリーを作り、視聴希望の学校がその運営体となつてその経費を負担すると言うことにすれば、一校当りの予算も軽減できるし、多くの教材教具が入手できることになる。内地でもこのライブラリーを持つた地域が年々多くなつていく傾向にあり、現に私のいる学校（幸田中学校）でも一か月に十円（日円）宛を生徒から視聴覚教材費として徴集し、それをライブラリーと学校で折半で使つているが、学校では年に二、三本の自作八ミリフィルムの製作をする他、スライド作成費に充当して、各教科に多いに活用している。視聴をすることで今尚論じられていることは、時間割をどうとつたら支障なく両面を効果的に生かしてゆくことができるかにある。その面で小学校では割に利用しやすいが、中学校ではかなりの困難が伴つているようである。そこで当然一齊視聴の制約がある訳で多くは録音により適宜教科単元に合わせて利用している。何れにせよ視聴覚教育を教科学習に取り入れてその学習効果をねらう教師の基本的態度である。視聴覚教育と言う独立した教育はない。常に凡ゆる教科においてそれを利用すると言う立場に立つて対処していかなくてはならないと言うことになりましようか。

教師が真剣に教材研究をし最大の学習効果を念ずるその過程において必然的に要求されるものの一つにこの視聴覚教材利用という問題があるのではないか。そう言う教師の態度こそ視聴覚教材利用の望ましい自然の態度と言えるような気がする。とかく沖縄は沖縄という独自の環境と立場に立つて、それなりの新しい方法を生み出すことが必要だと思う。僅か二か月の見聞で全く面白くない方だが、熱のさめない間のうわ言とでも解しましようか。とかく教育というものは年と共にむずかしさを感ずるものであると思う者は私一人だろうか。広く教育に情熱を傾けて居られる先生方のご指導とご批判を仰ぎたい。最後に視聴覚教具教材を利用する時間の指導案の中から八ミリ映画を利用した指導案を附記してご研究の素材の一駒に供したい。

低学年の理科学習における八ミリ教材の利用

。指導案

東京都下府中市第四小学校

伊　崎　富士夫

単元「あめふり」

一、目標

(1) かたつむりのからだの動き方を注意して観察する。

(2) かたつむりなどの小さい生物を注意して観察しようとする。

(3) かたつむりのからだの構造を知る。

(4) かたつむりがどんなところにすんでいるかを知る。

二、準備

あきかん、広口びん、かたつむりに引かせる箱、学研八ミリ教材フィルム。

三、導入

。入梅にどんな動物が多くなつたかについて話し合う。

・虫の中にいい虫と悪い虫がいることについて話し合う。

。外に出てかたつむりをとるときの注意をする。

四、採集

。かたつむりを採集に行く。

。かたつむりを見たことや、いたことなどを話し合つて、いそうなところをさがす。

。捕えたかたつむりを飼育びんに入れる。

五、観察

。かたつむりを教室に持ちよつて観察する。からだの形、動き方。

。かたつむりをはわせたり、傾斜した所をはい上がらせたり、箱を引かせたりして遊ぶ。

。遊びながら、からだのようすや形動き方などを観察して話し合う。

六、映画

。学研八ミリ教材「かたつむり」を映写して子供たちの観察を客観的全体的にする。

。フィルムのたいせつなところを話し合う。

七、整理

。わかつたことをノートに書く。

。おもしろかつたところを話し合う

八、授業後の評価

低学年の観察のしかたは、この時期の子供の心的発達にもとづいているので、観察は主観的、部分的であり、正しい客観的な観察はできにくい。また、教師が観察の要点を話しても、六十人近い教室ではそれも不徹底で、一時間中遊んでしまつたという授業になる。そのことは以前に好きな動物の観察をやらせたときの経験上、明らかである。また、かたつむりのからだの各部分からだの動きも、子供たちの観察だけではむりである。これも八ミリによると、からだの各部分もからだの動きもよくわかり、子供たちが実物で観察したときは不明であつた点が、全員はつきりと理解でき、観察後のテストの結果を他のクラスと比較したら「平

均点」も高い。また子供たちの作文によると十六ミリの映画教室では、狭い教室に二百五十人の子供が入つて見る関係上、うるさくて困つたが八ミリ教材は「一クラスだけで二回も写してもらつたので、楽しくよくわかつた」という声が多かつた。

(実践記録より)

(学研社発行「教育新報」五月十五日発行号より)

配属校の概況について

東京都北区立神谷中学校
幸喜伝善

感じたことを簡単に書きます。

一　生徒について

(一) しつけの面

「すみません」「ありがとう」という〃ことば〃を自然にその場に応じて自由にうまく使いこなしている。私はこの〃ことば〃を、たつた二か月で沖縄での一年分を聞いたような感じがする。例えば、教師が授業に行くのが遅かつたりすると男生徒が「先生すみませんが数学の授業ですからいらつしやつて下さい」と呼びにくる。とにかく沖縄では、普通使わないような所で、より多く使つている。この短い、たつた五文字に過ぎないこの〃ことば〃は実に人の心をやわらげあたたかいヒユーマンリレーションが、こういう〃ことば〃で醸成されていくと思う。このような〃あいさつ〃が身について自然に素直になされているということはうらやましい。

尚、廊下で会う度毎の会釈など東京の学校では、どこでも行われている。「何故おじぎがしにくいか」「日常の礼儀」とかというような道徳教育の実践化などは、日本よりも、より沖縄の方で力を入れるべき問題のように思われる。都会の青少年の非行がマスコミで報道されているのをあまり大きく感じ過ぎて、都会の子どもの、ほとんどが、都会ずれした生意気な子供だという先入感を持つのは誤謬だと、つくづく思つた。これは私だけの感じでなく東京都の研究教員二〇名が異口同音にもらした感想であつた。沖縄の子どもの方が逆に素直を欠いたマスコミ就中映画等による輸入的(模倣的)都会ずれをしているのではなかろうか。

東京の子どもを手放しで決してほめるのではないが〃しつけ〃の教育は沖縄より良いのではなかろうか。

(二) 素直で明かるく何かしら心の支えがある

都会の精神的に健康な多くの子どもたちは、不良化した者や「愚連隊」「ヨタ者」等に対しては、自ら精神的な防衛の壁を設け、全く相手にしないという態度がうかがえる。即ち悪い奴は別な世界の者で縁遠い関係のない者共だ、という感じを持つているので、悪に対して興味を持つたり自らとび込む確率は少いように思われる。人口が多いのでそれに比例して多いことは事実だが、……

そして多くの子供たちは自分に適した相応の身近かな明かるい希望を比較的多く持つているのではなかろうか。

高校に進学しない子供でも、わりに有望な就職先が目の前にある(配属校の付近は工業地帯なので)

住宅難で六畳五・六名も住んでいる家庭の生徒も多いがそんな生徒とは思えない程明かるく素直さがある。

その理由はよくわからないが、沖縄の人よりも比較的明かるい日本的性格によるものだろうか、外人が日本人よりユーモアに富み明かるいように、……

(三) 服装面について

私の配属校では、制服というものはないが、男生徒は黒の学生服、女生徒はセーラ服を申し合わせたようにキチンと着ている。男生徒等もホツクやボタンを、はずしている者は見あたらない。又戦前の中学生のように学年と組の襟章がつけられている。週訓で「名札をつけましよう」「服装の整備」等の努力目標等は一年を通じてかかげてないようである(去年の週番日誌による)

二　相談室について

配属校には相談室があつて、問題児の早期発見と早期治療に努めている。問題児といつても、もてあます子供、目立つ子供、手のつけられない子供、等を指しているのではない、勿論それらの子供も含まれるが、……

問題性というものを多角的に程度の軽いもので見逃さず観察していく。その意味では案外「問題を持つ子」というのは学級の中に多い。子供の精神的な健康を伸ばしてやるという意味の相談室である。相談に使用している諸テストは

知能面　WISC知能診断検査法
　　　　田中ビネー式知能検査法

標準学力検査（田研式）算数
国語
学習面 読書レディネス
診断テスト
標準読書力診断テスト
基礎読書診断テスト
学習興味テスト
性格面 適性診断テスト
道徳性診断テスト
家庭環境診断テスト
田中向性検査
ロールシャツハ検査
親子関係診断テスト
クレペリン精神作業検査
T・P・A（竹内式パーソナリティテスト）
T・A・T（絵画統覚検査）

三 その他

進路指導就中受験指導や準備等沖縄と類似したいろいろの悩みや問題点があるようです。入試の準備指導等は止める方向にあるのですが、現実として多くのアポリヤを持っているようです。詳細は略します。

そのほか教育活動の事前指導や事前計画等は、なかなか徹低して行われています。例えば一日の遠足でも五枚乃至十枚の「校外教授のしおり」をプリントして前日一時間の事前指導をやる尚各教科のカリキユラム指導案学級経営等もよくかかれているようです。

以上良い面だけを書きましたが、沖縄の方がよいと思われる点も多々あります。

数量関係について

配置校 埼玉県川越中央小学校
勤務校 宮古平良市久松小学校
知念長助

改訂指導要領で設けられたものであるがほかの領域の内容、特に「数と計算」や「量と測定」の内容の指導と密接な関係をもつている。そのように教材が多面にわたつて関係があり、指導の上にもいろいろな手順や方法等に問題をもつています。そこで私が本土で見聞したこの面のことについて報告してみることにする。

㈠ 数量関係の意味と理解

数量関係を一応（割合）、（式、公式）（表グラフ）の三つに分けて考えることが出来る。算数ではものごとを数量や図形の面から主としてとらえその数量的考えを明らかにして能率よく処理することをねらいとしている。数えたり、測つたり、計算したりすることもそれを数量的に解決しようとするための手段であるということが出来る。それで算数では数量的な関係をとらえたり処理したりすることが重要な内容とならなければならない。数量関係は単に結果を求めるための手続をあらわしているだけでなく個々の数量にとらわれないで数量の関係をあらわすものと見ることが出来る。これが数量関係による式として重要な意味である。この数量的関係を文字や記号を用いて表わして、一般的な法則として用いるのがいわゆる公式である。

㈡ 関係的なみかた

(イ) 単に計算や測定だけでなく数量関係をとらえたり、これを能率的に処理する能力を身につけることは必要である、この関係的なみかたは低学年より取扱われているのである例えば何倍とか何分の一などである。即ち数量関係をとらえる指導をすることとは実際の場における問題の解決や文章題の解決の重要な要件である。数量関係の具体的な例をあげて見ると、

。買いものをするときもつている金は買いものをする物のねだんより多くなくてはならない。

。品物の代金を求めるのに買う品物の単価と数量とが必要であること、

。何種類かの買物をするときには払う金額はおのおの代金の総和である。

。おつりは渡した金高から支払う金高の総和を差し引いた残りである。

(ロ) 更に数量がどんな計算と結びつけられる関係にあるかというみかたの外にもう一つの重要なことは二つの量の間に共に変る関係にあるかどうかということに目をつけることが重要である。

㈢ 割合の考え

割合の考えも数量の関係的なみかたや考えかたの一つである、割合といえばふつう比とか百分率、歩合などが引合に出されて百分率歩合等に関する計算がおもなものと考えられがちである、勿論これらも必要であることは云うまでもない。然しながら割合の考えは基準とする量とそれを比べる量とをはつきり意識して量の大きさをあらわすにあたつて、基準とする量を適当にとり、それに対する相対的な大きさを用いるものである。いわば量の大きさを相対的なみかたでとらえたり数量関係を相対

的な大きさに目をつけて処理しようとする考えであるということが出来る。

四・同種の量についての割合

二つの量を等分や、累加の操作を通して比較したりその関係を数で表わしたりすることから始まると考えてよい。同じ考えを異つた形でとらえたり言い表わしたりしているのである。この指導は簡単なようでも児童の理解は甚だ容易でない、それを容易ならしめる方法としてはどうしても要素を完全にとらえ教師からそれに応じて指導すべきであろう。

△要素の類型

A　関係する数値が両方小さく記述形態が順なもの

例　三枚五円の画用紙十二枚ではいくらですか

B　関係する数値の一方が小さく一方が大きい場合で記述形態が順なもの

例　三個一〇〇円のかんづめ一五〇こではいくらですか

C　記述形態が逆なもの

例　四さつ三五円のノート七〇円では何冊かえるでしよか

D　関係する数値は共に大きく記述形態が順なもの

例　二〇〇g　一二〇円のあめ八〇〇gではいくらか

五　異種量についての割合

比較する二つの量が比例関係にある場合数量を用いて、比較したり計算したりするなどの数量的な処理が出来るようにする。数量関係や考察の処理に用いられるのは割合の考えだけでなく和や差についての関係を考察することも必要である。

この異種の量の指導も要素を分析して実際指導にあたるのがよいと考える。

(イ)　異種量の類型（A）

A　異種二量の関係を簡単にしてから考えるもので一について整数にならないもの

例　四さつ五〇円のノート六さつではいくらですか

B　異種の二量の関係を簡単にして考えるもので一及び一以外について考えられるもの

例　四個一〇〇円のりんご一〇個ではいくらですか

C　異種二量の関係を簡単にしてから考えるもので求めるものが少なくなるもの

例　五〇枚八五円の画用紙三〇枚ではいくらですか

(ロ)　異種の量の類型（B）

A　異種の二量の関係を簡単にしてから考えるもので記述形態が逆なもの

例　三〇〇円で九このかんづめがあります、このかんづめ十二こではいくらですか

B　異種の二量の関係を、簡単にしてから考えるもので求めることが先に表わされる場合記述形態が順なもの

例　バナナを一〇本買いたいと思います、このバナナ四本で一〇〇円ですいくらはらえばよいか

C　異種の二量の関係を、簡単にしてから考えるもので求めることがらが先に表わされていて、記述形態が逆なもの

例　えんぴつ六本買いたいと思います、このえんぴつ五〇円で四本買えますいくらはらえばよいでしようか。

●まとめ

数量関係は実際指導においては数についての理解や計算、量の測定図形などであるので低学年から教材内容に充分とりいれられている。そこで各学年に絶えず関係づけて指導していくことが大切である。そしてそれらの数量関係を記号を用いて表わしたりグラフや式、事実をよみとつたりする能力を伸ばすようにしたりして発展的に指導していくことがやがては割合、比の三法、函数の関係の学習系統に結びつけられていくのではなかろうか。

国語問答

「仕事」はあて字か

問い　文部広報二三七号の「国語問答」欄で「見舞」「仕事」「世話」などあて字の例にあげてありますが「仕事」がなぜあて字なのでしょうか。

答え　「仕事」（しごと）は「為事」（しごと）という意味なのでしよう。その「為」に「仕」の字をあてたのだということがこれまでの通説になつています。元来「為」はやまとことばで、それに「シ」という音の「仕」をあてたものだというわけです。「仕」はつかえる」という意味で、直接に「為る」（する）ということばとは関係ありません。

そのようなわけで、いちおう「仕事」と書くのはあて字だといえますが、それにしても「仕」も「事」もともに「つかえる」という意味の字ですから、あて字としても非常にうまいあて字であり、それだけに、あて字ということもちよつと気づかないくらいですから、そのまま今日でも広く行なわれているわけです。

四月のできごと

一日　朝日新聞社と沖縄タイムス社の共催、琉球政府文教局、琉球放送後援による一九五九年度中央美術選抜秀作美術展（タイムスホール、十日まで）

那覇高校、北海高校と対戦四対一で惜敗（第三十二回選抜高校野球大会甲子園で）。

二日　公立高校の政府移管式。

琉球政府創立八周年記念日

警察本部長に与儀達雄氏（警察本部次長）が任命された。

三日　沖縄タイムス社主催、沖陸協主管第三回タイムス駅伝。

本土就職の少年少女五十九人出発。

四日　関西汽船社の新造貨客船浮島丸（二六〇〇トン）泊に初入港

五日　立法院予算連合審査会で文教局関係の提出質問行なわる。

米国からの救援米三千トンの譲渡式（那覇港で）

七日　西表調査団七人を乗せた米軍ヘリコプター一時消息を絶っていたが今朝全員無事と判明。

八日　文化センター設置委員会の代表はアンドリック民政官を訪れ、設置促進について話合う。

新総領事ガーランド・リチャードソン氏着任。

九日　全島定例教育長会。

南極観測船「宗谷」の受入れに文部省大学学術局学術課長補佐、増田末太郎氏来島。

十日　琉大に内藤文庫三千冊届く。

十二日　来島中の文部省大学学術局増田末太郎学術課長補佐は中高校生を対象に「地球観測年について」講演（沖配電ビルで）

十三日　映画「裸の大将」でおなじみの山下清、その育ての親、式場隆三郎氏ら琉球精神障害者協会の招きで来島。

十四日　南方への漁業移民第一陣百九人二隻の漁船とともに宮古平良港を出港した。

第三十二回選抜高校野球大会に出場した那覇高校チーム帰る。

十五日　那覇市主催第一回観光総合展（十五日から三日間、沖縄タイムスホールで）

第十四回青少年不良化防止運動始まる。

式場隆三郎氏「山下清の人と芸術」について講演（教育会館で）

来島中の放浪画家山下清氏の個展開かる（山形屋で）

十六日　米琉親善陸上競技大会の空軍対沖縄（琉大を主体にして編成）の競技会（名護競技場）。

沖縄タイムス社主催、沖縄社会人野球連盟後援、第十九回春の職域野球大会始まる。

南極観測船「宗谷」那覇に寄港。去る三月五日現地に入った日本政府西表調査団（団長林四郎氏）那覇に帰る。

十八日　「宗谷」帰国

十九日　一九六〇年度補正予算案可決さる

第十次ボリビア移民三十八所帯百八十人出発。

アンドリック民政官、安里立法院議長あて、「核兵器持込決議」に対して回答。

二十一日　集団就職少年少女百七人黒潮丸で出発。

全琉教育長研修会始まる（二十二日まで那覇連合教委会議室）。

西表調査団林団長以下、団の代表者はアンドリック民政官を始め民政府職員に調査結果を説明した。

二十二日　石垣港湾建設起工式（八重山石垣市）

二十四日　護国神社春季慰霊大祭。

二十五日　那覇自動電話全通式（於国映館）

国際キリスト教大学教授の日高第四郎氏「科学と技術の教育」と題し講演（タイムスホール）。

二十六日　第九次集団就職少年少女三六人白山丸で出発。

二十七日　第十次集団就職少年少女七五人浮島丸で出発。

東陽バス争議、部分ストに入る。

二十八日　沖縄祖国復帰協議会結成大会（タイムスホール）

三十日　一九六一年度予算案を立法院へ送付

一九六〇年六月一〇日　印刷
一九六〇年六月一一日　発行

文教時報

（第六十七号）（非売品）

発行所　琉球政府文教局
研究調査課

印刷所　那覇市三区十二組
ひかり印刷所
電話(8)一七五七番

文教時報

68

1960. 8　　No. 68

琉球　文教局研究調査課

巻頭言

教育諸問題をたずえさて

小波蔵　政光

この度は全琉小中校長研修会が戦後はじめて開催され、二百九十有余名の小中校長が一堂に会合し、互に胸襟をひらいて、教育の諸問題について討議研修する機会を得たことは、誠に喜びにたえない。

戦後十五年、顧りみれば教育諸般の事情も、教育にたずさわるすべての人々の努力によつて、徐々に復興の扉を開き、なお不充分とはいいながら、施設内容ともに無の状態から出発した往時にくらべると、誠に感無量である。

わけても、今年は新教育課程の改訂に伴う重要な時期であり、教育の内容も、本土と足なみをそろえて充実発展してきた。

各種の講習会、実験学校、研究校による重要課題の研修、教員養成機関の充実と、教職員採用の為の選考試験の実施、本土指導委員の派遣、青少年問題に関する補導機関の連携等繁忙の年であった。

しかしながら今日の社会事象や その他教育諸般の現状は 決して油断を許さない。学力低下の声、青少年に関する諸問題等、われわれ教育にたずさわるものの一層の奮起をうながすものがある。

この時にあたつて、義務教育の総合実践の場である小、中学校の管理責任者が遠く海路をこえて八重山与那国方面からもこの計画に参加され、互に膝を交えて琉球教育ならびに、学校経営上の諸問題を提議し、これを研修して、より充実した教育実践の契機をつくり得たことは、琉球教育発展のために意義があるものと考える。

もとより、二日間の研修は、教育諸般の問題を解決するには、時間的にも不充分であり、その研究討議の結果も、未解決な点を残すことも多々あるものと思われるが、同一の職責を背負う学校長の集りは、必ずや全琉的な提携を密にし、互に切磋琢磨し、教育の困難な問題を解決するための基盤となることであろう。

最後に校長先生方のこれまでのご活躍とそのご労苦に対し厚く感謝を申しあげ本研修会の成果に期待をもつものであります。

（文教局長）

目次（第六八号）

全琉小中校長研修会の実施経過

学校教育課長　大城眞太郎

従来連合区単位に実施するように計画された校長研修会は、局内行事の繁忙と連合教育区の教育行事との折り合いが都合よく運ばれず、初期の計画を容易に実施することが出来なかつた。そこで今年は戦後十五年の才月を経た年であり、これまでの総反省の機会と、今後の課題解決の一応の段階として、全琉の小中学校長研修会が計画されたわけであります。

四月中旬、課内での協議研究の結果要項案が出来、局内各課の協力を得て、研修課題が設定され、五月七日次のような要項案をまとめ得たのであります。

一、主催　琉球政府文教局

二、目的

(一) 児童生徒の学力向上をはかる為、広い視野に立つて沖縄の教育の諸問題を検討する。

(二) 義務教育学校における学校経営上の諸問題を研究する。

(三) 学校運営の合理化をはかる。

(四) 全琉小、中学校長の連絡提携をはかる。

三、日時

一九六〇年六月四日(土)～五日(日)

自午前十時～至午後五時

四、場所　商業高等学校

五、参加者

全琉小、中学校長

文教局職員

六、研修方法

(一) 事前研究をする。

(イ) 全琉の校長を小学校九班(併置校半数を含む)中学校六班(併置校半数を含む)に編成する。

(ロ) 班別に各研修課題を与える。

(二) 準備委員会をもつ(現職小、中学校長による)

(三) 運営委員会をもつ(準備委員会できめる)

(四) 研修会の日程

(五) 研修課題と班編成

(六) 準備委員会とその仕事

研修会日程

第一日　日程

自 時分	至 時分	運営事項
一〇・〇〇	一〇・〇五	開会のあいさつ　学校教育課長
一〇・〇五	一〇・一五	文教局長あいさつ
一〇・一五	一〇・二五	行政主席あいさつ
一〇・二五	一〇・三〇	研修会日程及び運営について　学校教育課長
一〇・三〇	一〇・四五	分科会場へ移動
一〇・四五	十二・〇〇	研究討議
十二・〇〇	一・〇〇	昼食
一・〇〇	五・〇〇	研究討議(途中十五分休憩)

第二日　日程

一〇・〇〇	十一・〇〇	分科会のまとめ
十一・〇〇	十一・一〇	全体会場へ移動
十一・一〇	十二・一〇	各分科会まとめの発表(中学校)
十二・一〇	十二・五〇	昼食
十二・五〇	二・二〇	各分科会まとめの発表(小学校)
二・二〇	二・三〇	休憩
二・三〇	三・二〇	質疑応答及び要望事項
三・二〇	四・二〇	講演　青少年問題について　中央巡回裁判所判事　立津竜二氏
四・二〇	四・三〇	キンカー部長あいさつ

四・三〇　四・四〇　中央教育委員会
委員長あいさつ
四・四〇　四・五〇　立法院議長あいさつ
四・五〇　五・〇〇　閉会のあいさつ
学校教育課長

研修課題

◎小学校（　）内は班担当職員

1 児童生徒の学力を向上させるために学校長としてどうすればよいか
〔副題〕十二番課題
（一班）与那嶺主事・登川主事・平良主事

2 校長の勤務のあり方はどうあるべきか

3 学校運営の能率化をはかるために学校の一日のプログラムはどうあるべきか
（二班）仲本（朝）主事・渡慶次主事

4 学校長はどのようにして教員を指導したらよいか
〔副題〕十八番課題
（三班）大城課長・金城（順）主事

5 学校の事務の能率をあげるにはどうすればよいか
（四班）金城課長・安村主事・仲本主事

6 教育効果をあげる為に学級編成の仕方と教育の配置はどのようにしたらよいか

7 年間学校行事のもち方はどのようにすればよいか
〔副〕三番課題
（五班）当銘主事・親泊主事

8 学校生活における児童生徒の基本的行動様式をどのようにして確立するか
〔副〕十七番課題
（六班）徳山主事・石垣主事・安里主事

9 教育税に対する認識を深めるために学校はどのように協力すればよいか又学校教育予算の効果的運営をはかるにはどうすればよいか
〔副〕十四番課題
（七班）新城主事・安谷屋主事・富山主事

10 学校給食を効果的に実施するにはどのようにしたらよいか。
〔副〕七番課題
（八班）佐久本課長・謝花主事・米田主事・下地主事

11 安全教育を徹底させる為にはどのようにすればよいか
〔副〕十番課題
（九班）与那嶺（仁）主事・端山主事・城間主事

◎中学校の部（　）内は班担当職員

12 児童生徒の不良化を防ぐために学校はどのようにすればよいか
〔副〕十三番課題
（一班）清村主事・松田主事

13 中学校における進路就職指導はどのようにすればよいか
〔副〕八番課題
（二班）比嘉課長・玉城（盛）主事・玉城主事

14 PTAの健全な育成を図るにはどうしたらよいか

15 青年学級及び社会学級講座をさかんにするにはどうしたらよいか。
〔副〕四番課題
（三班）山川課長・大宜味主事・照屋主事

16 学校経営上健康教育を徹底させるにはどのようにしたらよいか
〔副〕十一番課題
（四班）喜屋武課長・屋良主事

17 学校長は学校の教育計画を立案実施するに際しどんな点に留意すればよいか
〔副〕七番課題
（五班）喜久山課長・島袋主事・知念主事・笠井主事

18 教師と児童生徒の人間関係をふかめる為にはどうすればよいか。
〔副〕八番課題
（六班）吉浜主事・石川主事

以上の要項にしたがって研修会がすすめられたのでありますが、三百名に余る多人数のため、二日間の研修の実施にあたつては、手不足のところもあつたと思います。けれども、各方面の協力と参加者の積極的な研究態勢によつて、無事初期の目的を達して終了することが出来ました事について誠に感謝にたえません。これから後も回をかさねるにしたがつて研修会のあり方を綿密に、合理的に進められるよう一層の協力方をお願いする次第であります。

——学力向上——

児童生徒の学力を向上させるために
学校長としてどうすればよいか

児童生徒の学力を向上させるためには教育の諸条件をあらゆる面から検討しなければならないが、第一分科会としては学力の向上を阻害している諸条件のうち学校長として解決できる項目を主体に討議をすゝめた。

小学校第一分科

一 教育計画について

1、年間授業時数の確保

△如何なる事態が起っても年間最低三十五週を確保するように年間計画をたて、各学級において毎日の授業実時間数を教科別に記録し、月末には集計をとって反省検討し、不足の場合は必らず不足分の教科授業の補充をしなければならない。

△一時限の授業は正味小学校は四十五分、中学校は五〇分を完全に、しかも無駄がないよう実施しなければならない。

2、教育計画を早期に具体的に立案して、教育の方針や目標並に努力点を職員にはつきり知らせて教育を年度初めにおいて軌道にのせるようその推進をはからなければならない。

△教育計画を具体化する方法については、毎年二月に校長、教頭、教務主任によって前年度の計画を反省検討し、更に各教科委員会にはかつて検討したものを印刷して四月に全職員によって討議決定する。又四月になって職員が分担して立案したものを職員会にはかつて決定している学校もあるが、できるだけ早目に計画を具体化することが最も必要である。

3、移行措置については教科別に年間計画をたてて全面的に忠実に実施する。

二 教師の指導力の強化

1、現在の教師がどのような指導をしているかということを具体的に知ることが最も大切である。

例えば、教室巡視、授業参観、学級管理の状況、教師の授業態度、児童生徒の学習態度

2、教師の校内研修会を数多くもって活発に相互に研修をする。

例(1) 毎週一回定例研修会をもって各教科の研究主任によって、指導の領域の問題、指導技術実験器具器械の取扱いなどについて指導をさせる。

(2) 教科研究部として研究テーマを設定して研究結果を発表させる。

(3) 直接に教員を個人別に指導する。

(4) 指導要領を進んで研究し、目標や指導ならびに基礎領域を十分に把握する。

(5) 教員が研究発表に対して重圧を感じている。それは研究テーマをもたないし、また研究を進めていく方法を知らないためである、それで校長は教師に対して、参考図書を与えたり資料を提供して、教師の悩みを解決するよう努力しなければならない。

(6) 教師が喜んで自己研修にとっくむ意欲を盛りあげるように指導することが必要である。

3、校長はたえず教員の教職意識を高めるように努力する。

△教育を楽しみ、意欲ある教育を活動させるには、教師各自の生き方についての確信を与えることが必要である。即ち

各個人が主体的に努力するように機会と場を与え、たえず指導助言して、激励する。

△最も必要なことは、校長の主体的な態度と努力が、教師の教育活動に大きな影響を与えるものであるから、校長は教育に対する情熱を自らもりあげて最善の努力をささげると共に、教員に対しても教育者として当然なすべき責務は自主的積極的に完全になしとげるように指導しなければならない。

△教師は常に創造的な授業をするよう指導法を研究改善することが大切である。

。生活と直接つながる具体的な実際的な指導によって児童、生徒の感覚を育てると共に、子ども

に印象づけるような授業になるよう指導法を研究工夫する。

。学校の総体的な学力の実態を分析して、学校全体としての欠陥をとらえ、その是正のために最善を尽くす。

。教師は学力向上の問題を直接自分の問題として考えなければならない。教師はあくまでも燃えるような師魂をふるいたたして、教育愛と情熱を盛りあげなければならない。

三　地域社会のていけいについて

1、教育隣組をつくって父兄や家庭の積極的な協力をはかる。
。子どものことについて親が余りに神経質になったり、子どもを不安感に陥れたりすることがないようにする。

。金銭徴収又は募金などは、できるだけ直接子どもから徴収しないで親から徴収することが望ましい。
2、母親又は成人学級をつくって父母の教養を高め家庭学習の指導を強化する。
イ、父母は子どもが家庭で自ら学習するような雰囲気をつくることが最も大切であることを理解せしめる。
ロ、家庭学習について、学校と父兄が緊密な連けいをもつことが最も必要である。
ハ、学校と教師と家庭が相提携して責任をもつような義務教育に対する父兄の理解と協力が最も必要である。
ニ、授業参観日を設け、学級PTA懇談会などによって新しい教育のしかたを理解せしめる。
ホ、親が子どもをどのように考えているか、教育に対してどのような関心をもっているかということが子どもの学習意欲に大きな影響を与えていることを理解させることが必要である。
3、共通語の問題については、言語表現の指導としてよみの指導をしっかりやることが最も必要である。
イ、共通語の使えない子どもには、発表意欲を抑圧しないために、共通語の使用を強用しない。しかしながら、学校としては正しい共通語の使用を奨励する。
ロ、ものを言わない子、勉強ぎらいの子も方言では発表するようになる。気長に、根気強く指導すれば共通語が使えるようになり、教科成績も優秀になった例がある。

四　設備備品の充実活用について

1、小・中学校の一人当りの教育費も教育予算を増額することによって高校の線まで引きあげるよう努力してもらいたい。
2、科学教育センターを開設して、実験器具器械の取扱いについての研修計画を推進してもらいたい。
3、小、中学校の特別教室も年次計画によって漸次整備してもらいたい。
4、備品の充実は学力の向上と深い関連があるので教師は、自ら研究工夫して、教具備品を自作するよう努めねばならない。
5、備品購入計画は学校ですぐ使えるものを購入すべきである。電気のない学校に電気実験用の備品購入などは、実際に役に立つ計画的な購入とはいえない。
6、教科主任によって、教具備品の取扱い方を全職員に指導し、十分に活用しなければならない。
7、教師自ら実験になれ、研修することも必要であるが、技術を磨き好きになることが最も必要である。
8、理科、実験器具の準備取扱いのために理科主任は過重な負担をしている。それで定員を一人増員する必要がある。

五　その他

1、毎月学校自作で問題を作成して学力テストを行う。また、本土で作られた模擬テストを行ない学力の実態を診断して授業にこれを生かすようにつとめる。
2、できるだけ知能テストを行ない学業と知能のアンバランスを発見して学力の向上を計る。
3、できるだけ教材研究の時間を生みだす工夫をする。
例1　PTAで高校卒の使丁を三名月給で雇い事務や学校の整備を手伝はしている。
例2　事務職員の居ない学校では、金曜日の授業を午前中にし、午後は事務整理や研修に当てゝいる。

漢字書き (1)

◎代名詞の例
私・彼女
◎副　詞
字音語の場合
突然　万一　非常に　比較的に
現に
音訓表に認められている場合
特に　必ず　少し　再び　全く
最も
他の語と関係のある場合
絶えず　始めて　夢にも　割合に
当用漢字表にない漢字で代用される漢字の例　↓は代表字
廻→回　廓→郭　稀→希　兇→凶

〔研修課題〕

一 校長の勤務のあり方はどうあるべきか
二 学校運営の能率化をはかるために学校の一日のプログラムはどうあるべきか

小学校第二分科

研修の基本態度

㈠ については

(イ) 学力向上、不良化防止に関連深いと思われる事項を重点的に

(ロ) 現在のありのままの姿に立って批判検討を加える。

㈡ については

(イ) ㈠の(イ)と同じ

(ロ) 時間と労力の「むり」と「むだ」の面について検討を加える。

研修内容の概略

㈠ の研修課題について

A 校長の勤務の領域を左記のとおりぬきだす

① 管理面(人的面、物的な面、事務的面)

② 指導面(教室訪問と面接指導、指導案 週案点検、教科指導、研修計画)

③ 研修面(自己研修)

④ 渉外面(委員会関係、PTA その他来訪者、社会)

以上とりあげた領域毎に、現実の姿に反省と検討を加えていった。

① 管理面では

△人的管理

◦出勤したら直ちになつ印する

◦なつ印しやすい場の設定

◦遅刻、早退の処置も委員会の歩調をそろえる。

◦「出勤したのだからあとでなつ印してもよいではないか」という態度から「公的な仕事にはいるのだ。」という態度へ。

◦出勤したら直ちになつ印する。

◦病休、年休の時は、教科の指導計画その他の学級活動の計画書をそえて届け出る。

◎職員、児童の出席欠席の状態を把握する。

◦全児童名簿の作成と傾向についての資料をもつ。

◦始業時刻を守り、合図の鐘とともに直ちに教室へ。

◦規模の大きい学校では、棟毎に休憩所をおく。

◎給食時は、勤務時間として指導にあたる。

※学校の雰囲気をよくするため、職員、個々の立場をよく理解して「民主的に対決して指導にあたる。

※校長として、人間関係をよくするための自己反省と自己研修につとめる。

△物的な面

◦放課後の学校管理に苦労している。そこで下校時と環境に応じて制定する

◦守衛を置いた那覇地区の委員会に敬意を表し、全校とも当直は教師に担当させないようにしてほしい。

◦経理の明確化にいっそう努力する。

◦公共物を大切にする態度に欠けている管理維持の対策を綿密にたてる。

△事務的な面

◦簡素化する→定形化、単純化する工夫が必要。

◦報告物の処理、活用法に工夫をする。

◦指導要録の記入と活用に一層の力を注ぐ。

② 指導面では

◦年間の教育計画を綿密に立案し実施と検討をつねに加える。

◦指導案 日案でもよい、週案でもよし(授業時数の確認、指導内容の適確な把握)

◦教室訪問と指導

・四月は新卒の先生の指導に重点をおく

・全学級一巡して概観して通る(雰囲気を知る)

・一学級一時間ゆっくり訪問

・学級参観の記録の必要(目あてをもって訪問する)

◦研修計画(現職教育の立場から)

・研究教壇実践は年一回は少なくとも実施

・毎週固定した曜日を決めておく

※固定した研修日を地区でもってほしい(文教局の助言指導計画樹立のため必要)

◦校長はつとめて補欠授業にあたる

。校長はできるだけ児童に接触することにつとめる。

問題傾向の児童名簿による特別の指導にあたる。

③ 研修面

。時代感覚にみがきのあるように

。校長研修会、教育視察に積極的に参加し、之を要望しよう。

。学校建築、学校保健の領域について

。読書の時間をもつことに努める。

④ 渉外面

◎商用者の訪問は午後四時以後に決めて成果をあげている地区ありその線で歩調をそろえよう。

。教育環境（学校の物面的）の不備からくる渉外活動は一層多くなっている。なんとかならんもんですか。

B 各領域にあたる校長の勤務のあり方

。勤務時間ののぞましい姿

助言指導　五一・〇％
行政管理　二五・〇％
事務処理　五・八％
学習指導　五・七％
その他　一一・七％

。千葉県での管理研修会でののぞましいものとしてあげているのは

管理面　二九％（二時間）
指導面　三九％（三時間）
研修面　一二％（一時間）
渉外面　一二％（一時間）
事務処理　八％（一時間）
計　一〇〇％（八時間）

。文部省で調査した実態では

管理事務　五〇・五九％
役職に伴う活動その他関連活動　一九・一七％
各教科等の直接指導活動　八・一一％
研修等の間接指導活動　二二・一三％

◎ここちらでは調査されたものはないが

話しあいで、おおよその見当がつけられた。それは管理面と渉外面に多く時間がかけられているということである。

学校の規模、学校環境の状況、教員組織、その他等で一率ではないが教育施設、備品が満足でない現状ではどうしても渉外関係で、校長が活動しなければならない状態にあることはたしかである。

そこで教育環境の充実がもたらされたら、自然指導助言の面へのはたらきかけが多くなることが、期待されると結論づけられた。

(二) 学校運営の能率化をはかるために学校の一日のプログラムはどうあるべきか

(イ) 従来行われた職員朝会、児童集会の持ち方と時刻についての批判検討

。職員朝会

・一時限の学習時間にくいこむことがある。
・朝のすがすがしい雰囲気をこわすおそれがある。
・登校して一時限までの時間が長い。（疲労）

。能率化をはかるため時間と労力の「むだ」と「むり」を省く。

・季節に応じた弾力性のあるプログラム
・ベルタイマー（自動時報器の設置）
・規模の大きい学校での休憩時の処置
・児童集会は週二回が適当

。具体的な事件をたくさんあげて検討されたが、のぞましい一日のプログラムとして次のようなものはどうかと提案がなされる。

(ロ)
八・二〇〜八・三〇　朝の話しあい（月、土児童集会）
八・三〇〜九・一五　一時限
九・二五〜一〇・一〇　二時限
一〇・二〇〜一一・〇五　四時限
一一・一五〜一二・〇〇　四時限
一二・〇〇〜一二・一〇給食準備
一二・一〇〜一二・四〇　給食
一二・四〇〜一・〇〇　休憩（学校放送）
一・〇〇〜一・二〇　清掃
一・三〇〜二・一五　五時限
二・二五〜三・一〇　六時限
四・〇〇　生徒下校
（遊び場の少ないまたはない校区では時刻考慮）
四・四〇〜五・〇〇　職員終会
五・〇〇　職員下校

漢字書き (2)

絃↑弦　鑛→鉱　洲→州　輯→集
綜→総　颱→台　托→託　智→知
註→注　畠→畑　扁→編　歿→没
熔→溶　慾→欲　諒→了　煉→練
聯→連

外国の度量衡・貨幣等の単位の名称は？

○ すべてかな書きにします。

例　メートル（米）　センチメートル
トール（粍）　キロメートル（粁）
ノット（節）　リットル（立）
グラム（瓦）　キログロム（瓩）

学校長はどのようにして教員を指導したらよいか

小学校第三分科

一 研究テーマ
「学校長はどのようにして教員を指導したらよいか」

二 テーマ設定の理由
「提案理由」
戦後校長はその職務の大半が行政管理の面に向けられ職員に対する指導助言の面への努力が足りなかったという反省から児童生徒の学力の向上、不良化防止について学校長は第一線に立つ教師指導の極めて必要かつ重要なことを認識してここに課題のようなテーマを設定した。

三 討議の内容および主眼点
(イ) 討議内容
1 教員の勤務についての校長の指導
2 学習指導についての校長の指導
3 生活指導についての校長の指導
この三点に焦点をしぼり校長はどのようにして教員を指導したらよいかを究明する。
(ロ) 主眼点―教員個々の自主性を高めながらいかにして協力体制をつくりあげてゆくかをよく確認して討議を進めてゆく。

四 教員の勤務指導について
学校長は服務規定を作成し一日の勤務の基準を示す。
(イ) 出勤簿の処理
校長は毎日検閲指導する。
置場―校長の手近かな所（指導の場を得る）
(ロ) 責任の所在を明確にする。
校外指導は事前に計画書を提出許可を得る。
(ハ) 事務分掌について
○協力体制を高める観点から
(1) 分掌事務の内容計画を全職員によく周知させ協力を得るようにする。
(2) 事務を類別し全職員に公平に経験させるように努めるが適材適所を考慮する。
(3) 特技を要する事務は主任を複数性にして転勤しても困らないようにする。
(4) 校長は職員のチームワークを取って積極的に参加させるように努める―困難な事務は事前に本人に連絡し承認を得るのも一方法である。
○事務の能率化の面から
学級、学校、PTA等についての基礎調査資料を保管し手数を省く。

五 教員の学習指導についての校長の指導
1 直接指導
(1) 教室訪問
意義＝教師の指導の実態を握り指導の手がかりを得るために必要
(イ) 訪問の主眼
管理面の指導―学習態度、しつけ
学習指導面―児童生徒の学習への参加状況
指導技術
(ロ) 教室訪問の受け入れ態勢をつくる。
方　法
訪問の意義をよく教員に知らしめる。
校長、教員間の人間関係をよくする。
(2) 訪問事後の処理
共通問題―全体的に取上げて解決を計る。
個人的指導―相手の人格を尊重し気軽るに話す。
寛容さが肝要
権力の代わりに指導性を持つ。
2 間接指導
(1) 研修会を活発にしお互いに磨き合うようにする。
校長の指導力は間接指導をフルに動かす事にある。
(2) 職員個々に活動の場を与え自主的に参加できるようにし向ける。
(3) 研修内容
1 未経験者の指導
2 目標を持った校内研修
2 一人一研究
4 女教師の指導
5 各種研修会への参加
(4) 女教師の指導
(イ) 校長は指導的立場にある人とよく語りあって他の女教師を間接に指導をする
(ロ) 女教師に活動の場を与え育成するために組織面の考慮が必要である。
(5) 各種研修会への参加

研修日を地区ごとに設定調整することが望ましい。

(6)　学習指導案についての指導
従来の反省―提出のための指導案ではなかったか同案に対する考え方を明確にさせることが必要
内　容
◦教壇に直結し直接指導のよりどころとなる内容
◦教材研究を主とし指導の重点を抑えた内容

六　生活指導に対する校長の指導

◦職員間の雰囲気づくりは生活指導の根元をなす
◦雰囲気づくりに当つて
1　職員室の持ちかた―教室に分散か、職員室を持つかは学校規模による。
分散の長所―生徒の管理指導がよい。
分散の短所―職員の融和をそぐ面がある。
よつて職員談笑の場となる席をつくることが必要
2　組織の強化
(イ)　全職員に生活指導の目標を確認させ、共通の立場で考える場をつくる―同一の価値判断の基準を得るため
(ロ)　職員、ＰＴＡ、地域社会、部外者の協力を得るように努める
(ハ)　研究の機会を多く持ち指導法を研究する。
(ニ)　生活指導の分野における児童生徒に対する指導原理を確立する。
3　指導特に校長は自己の言動を絶えず反省し教員の模範となるように努めることが肝要である。

要望事項　自主的立場から教育問題を解決するために小、中校長の校長協会の再発足を要望す。

漢字書き (3)

キロトン（瓩）　インチ（吋）
フィート（呎）　ヤード（碼）
マイル（哩）　ポンド（封度）
ドル（弗）　ポンド（磅）　フラン（法）
○ただし中国を除いた欧米からきたことばを外来語としています。
あて字はかな書きです。
例　うらやましく（浦山敷）　すてき（素敵）　めでたく（目出度）　めちやくちや（滅茶苦茶）　やはり（矢張）
熟字訓の場合にもかな書き
例　おしろい（白粉）　きよう（今日）　たび（足袋）　のり（海苔）　しぐれ（時雨）　もみじ（紅葉）

年間学校行事のもち方はどのようにすればよいか

小学校第五分科

○研修課題
「年間学校行事のもち方はどのようにすればよいか。」

一　設定理由
1　改訂教育課程で四領域の一つになつている学校行事等について、そのねらいや内容および計画の仕方について検討し、次年度からの改訂教育課程運営に万全を期すため。
2　従来の学校行事を再検討し、改訂教育課程における学校行事等の目標、内容にてらしてこれを精選することにより授業時数を確保し、もつて学力向上に資するため。

二　学校行事に対する考え方の反省
1　教科に通ずるからその教科の時数に計算してもよいという考え方は是正されるべきである。
2　行事の内容をよく検討して計画的に時間を配当し効果的に運営すべきである。一例をいえば始業式は
始業式　一時間
清　掃　一時間
教室入替　一時間
として実施し第四校時からは授業すべきであるし、運動会も当日であとかたずけをすまし翌日からすぐ授業するのが望ましい。

三　学校行事等の検討
◦検討の基準
1　学校が運営の主体となり
2　主として学校において行われ
2　主要な参加者が児童生徒であり
4　なんらかの意味で児童生徒にとつて教育的価値のある行事。
○検　討
上に○印するのは学校行事等と認めてよい行事。

×印はそうでない行事。

時数○とあるのは正課の時間をさかない、つまり授業時数をぎせいにしないということ。

1　儀　式……計七時間

◎始業式　二時間
○入学式　一時間
◎終業式　一時間
○卒業式　四時間(予2、当2)
◎新任式　離任式　○時間
○学校創立記念式　○時間
○一月一日　○時間
×赤十字団加盟式
×役員任命式
×学校移転式

2　学芸的行事……計一四時間

○学芸会　四時間(予2、当2)
○展示会　四時間
○音楽会　○時間
○童話会　○時間
○写生会　○時間
○珠算競技会　○時間
○映画鑑賞会　六時間(学期一回)
○クラブ発表会　○時間
×運針競技会
×書初競技会
×新入生を迎える会
×卒業生を送る会

3　保健体育的行事…計二五時間

○運動会　一四時間(予6、準2 当6)
○校内各種競技会　四時間
○身体検査　六時間
○体力測定　○時間(体育の時間に実施)
○寄生虫駆除　○時間
×校外各種競技会

4　遠　足……計一二時間

○遠　足　一二時間(年二回)
×社会見学
×修学旅行

5　学校給食……計○時間

○学校給食　○時間

6　その他……計一九時間

○大清掃……(整美作業を含む)
純衛生的…六時間(学期一回)
行事のための…始業式…三時間(学期一回)
終・卒式…三時間
運動会…一時間
○朝　会　○時間
○待避訓練　○時間
◎夏季施設　○時間
○交通訓練　二時間
○各種テスト　四時間
知能テスト　一時間
道徳性診断テスト　一時間
学力テスト　二時間
○植　樹　○時間

◎以上学校行事等の時間
計　七七―二週間と三日―

○その他の行事
1　家庭訪問一二時間(2×6)
2　地域行事　二時間
3　P・T・A関係諸行事　二時間
4　教師の研修　三六時間
(地区六、中央六、実発六、校内六、指導主事六　講習六)
5　教師の会合　四時間
(学初・学終)

◎以上　その他の行事時間
計　五六―一週間と四日―

四　三五週確保との関係

(年間授業可能日数)

	週 日	
	42・3	
−	35	
	7・3	
−	1・1	(特　活)
−	2・3	(学校行事等)
−	1・4	(その他の行事)
	2・1	
−	・5	(台風その他)
	1・2	

この1週2日は授業時数に活用されることを原則とする。(予備時間と考えてよい)

◎従来学校行事に要する時間にむだはなかつたか。
◎或教科の時間が他の教科の時間に流用されなかつたか。
◎三五週授業しても各教科の年間最低時数が確保されないものならば三五週確保も意味はないということになる。
◎学校行事等は他領域の授業時数確保との関連を常に考慮しながら実施することが望ましい。そのためには学級担任者が授業実施時数表を作成して学級経営に当ることが必要である。
◎行事その他のために欠課になつた時数は必ず補充すべきである。
◎もちこまれ行事にならないために地域社会の各種団体に学校行事等の計画をよく理解させて積極的協力を期待すべきである。

五　学校行事等運営上の留意点

1　計画の作成について

。教育的意義に富み、学校行事の目標達成に有効な行事をとりあげるべきである。

。つきあたりばつたりや、おつきあいの行事でなく、学校(教師児童)が教育的見地から自主的に判断した行事をとりあげるべきである。

。単なる慣行によつてではなく、教育的価値を充分検討し学校全体の教育計画を乱すことのないよう留意しなければならない。

。児童の負担過重にならないように考慮し、健康と安全の保持についての事前の措置が講じられなければならない。

。予定外の学校行事等も実施できる余裕のある計画であつてほしい。

2 実施の過程について
・児童が楽しく参加できるように
・規律、秩序がよく守られるように。
・教師の指導、助言が適切であるように
・児童の分業と協力がうまく行われる。
・特別な問題をもつ児童の参加状態にも考慮がなされなければならない。

3 実施結果について（反省評価）
・目標は達成されたか、どの点が不充分でしたか。
　その原因は何か。
・児童はどのような意義のある経験をしたか。
・児童相互間、児童と教師との人間関係は好ましい方向へ発展する傾向にあるか。
・特別な問題をもつ児童の生活態度にどのような変化が見られるか。
・計画は実施の過程からみて適切であつたか。用具はどうか。実施の時期はどうか。時間配当はどうか。

六 要望
・教員発令が三月の二五日までにできないものか。
◎現行法規では三月三十一日までに発令すればよいことになるので、それが改められるまでは四月六日に始業式をもつようにしたがよくないか。

中学校の移行措置と留意点 (1)

四月から一年生に実施

38年度の高校入学に関連

文部広報より

いよいよ、四月から中学校の第一学年に移行措置が始まる。新しい教育課程は、道徳についてはすでに昭和三十三年九月一日から小・中学校ともに実施され、それ以外の各教科、特別教育活動などは、中学校では昭和三十七年度から全面的に実施される。そこで、これまでの間は「別に定めるもののほか、なお従前の例による。」ことになつている。つまり、改訂前の学習指導要領により、従来の教科書を用いて教育が行なわれる。しかし、新・旧の両教育課程には内容の組織や程度などについて相当の違いがあり、一挙に新教育課程を実施すると、生徒に不連続の部分を生じて混乱を起すことになる。

そこで、このような急激な変化を避けるため、いろいろな準備をしたのち徐々に学習内容の程度の調整を図り、指導する事項を取捨選択して、新教育課程への乗り換えが円滑にできるようにしようとするのが、この移行措置である。

特に中学校では、小学校と異なり、教科担任制であるため横の連絡がとりにくい、ともすればむだな重複や間げきを生じやすい。また、他の年度の生徒よりも負担がかかるので、生徒に迷惑をかけないように特に注意を払わなければならない。

すでに昨年九月三日「中学校の教育課程に関する移行措置について」の文部事務次官通達が出され、昭和三十五年度および三十六年度の二個学年間にわたつて実施すべき移行措置要項が示されているが、実施の時期も近づいたので、ここに同要項の中から特に一般的な事項をとり出し、逐条解説を行なうことにした。

☆移行措置を行なう学年

> 移行措置は、昭和三十五年度における第一学年ならびに昭和三十六年（以下「移行学年」という。）について行なうものとし、昭和三十五年度における第二学年および第三学年ならびに昭和三十六年度における第三学年の教育課程についてはすべて従前の例によるものとすること。

この移行措置を行なう学年を図示すると、次のとおりである。

	学年＼年度 昭	34	35	36	37
小学校	1	○	○	◎	
	2	○	○	◎	
	3	○	○	◎	
	4	○	○	◎	
	5	○	○	◎	
	6	○	○	◎	
中学校	1	×	○	○	◎
	2	×	×	○	◎
	3	×	×	×	◎

（注）
◎印は、新教育課程の全面実施を示す。
○印は、従前の教育課程による教科書を使用しながら移行措置を行なう。
×印は、移行措置を行なわないことを示す。

昭和三十五年度の中学校入学者（現在の小学校第六学年）と三十六年度の入学者（現在小学校五年）とが、中学校において移行措置を受けながら新しい教育課程によつて中学校を卒業するのである。

なお、昭和三十七年度に第三学年となつた者で、昭和三十八年春に高等学校の入学者の選抜を受ける場合には、学力検査は新教育課程によつて出題されるから、昭和三十五年、三十六年の両年度は、ぜひ移行措置を行なつておかなければならないわけである。

学校生活における児童生徒の基本的行動様式をどのようにして確立するか

小学校第六分科

一　討議の本論に入る前の話し合い

(一)　本研修会の目的として四つの項目が設定されているが、その中の一、二、三の項目については各班で討議検討されるので第四番目の「全琉小中学校長の連絡提携をはかる」ということについては何れの班でも取りあげてない。そこで我々は主題を討議して後でこの四番目の目的に添うような話し合いをもつことにしたい。

(二)　指導要領をみると「日常生活の基本的行動様式を理解しこれを身につけるように導く」とあるが、学校生活における基本的行動様式は自然に社会、家庭へ延長していくから学校生活の範囲に限定して話し合いをすすめることにしよう。

二　日常生活中の基本的行動様式にはどんな内容があるかについての話し合い

「それは学習指導要領に示されている六つの項目をハッキリおさえ、具体的な指導計画を持つ必要がある」ということ。

三　指導上の要点（根本対策）

躾の問題は各学校でも常にやかましく言われている問題で子供にも絶えず注意し又研究された案も準備されている場合が多い。だのになぜうまくいっていないか。その点を私共はとくに考えてみる必要がある。そこで指導上の要点として

(1)　指導の場と機会をとらえて全分野にわたり全学年で実施すること

　基本的行動様式をいくつかの分野に区分してそれを学年配当で指導するようなことはよろしくない。

(2)　基本的には学級で指導してその徹底を期すること。

　学級担任は学校全体としての基本線に歩調を揃えながら学級の実情に即して指導していくように努めること。

(3)　基本的行動様式の内容を具体的に決定し指導の場と結びつけ、一日の生活の流れに即して指導の徹底を図らねばならない。

(4)　教科学習の時においてもそれは絶対に軽視してはならない。

(5)　校長は機会あるごとに強調し、教師に関心を持たせるようにするとともに、教師自体の基本的行動様式を確立するように努めねばならない。

(6)　評価を如何にするかを検討の必要がある。

以上六個条は指導上の基本態度と考えてよいと思います。

次に具体的な問題の討議の内容について御報告申し上げます。

四　具体的問題

1　時間を大切にし、きまりのある生活をする

(1)　大体教師に時間的きまりがないと、その担任学校の児童もきまりが乱れ、他の面もルーズになりがちで、我々教師自体の時間生活を確立する必要がある。日課表の鐘の合図と同時に行動を開始するキビキビした教師であるならば児童生徒も自らその習慣を身につけるものである。

(2)　学校における授業前のゴタゴタした小行事を整理して学習指導にタップリ充実した時間をとるようにしなければならない。

現在は「職員朝会」とかいうもののために常に第一時限目の授業がくいこまれている。学校はこの問題の解決にどう対処したらよいか

(3)　神原小学校の例―職員朝会はない。

(4)　学校の教育計画の中で時間を厳しく守ることが解決されなければならない。―特に改善を要する問題である。

例―職員朝会のけじめ（始まりと終り）授業時のけじめ

　行事の集会等の開始、終りの厳守

2　服装、言語、動作など時と場に応じて適切に礼儀作法を正しくする。

(1)　言葉―実態としては言葉が粗雑に使われている。敬語を知らないよい言葉を身につけさせるには…

○心の豊かさを持たすことが肝要

○君、さんで呼ぶとその次には方言は出なくなる。

○学校生活における機会と場をとらえて指導する。

例　子供の電話当番＝取つぎの機会に言葉や作法を身につける。

○教師の言葉が大切＝子供には要求して教師自身が実行しないようでは困る。

○すべて教師は児童を指導する機会を見のがさないようにする。校長は教員を指導する機会を逸しないようにしなければならない。

(2) 服装＝特に教師の＝

○履物、服装は活動に適して端正でなければならない―（根本の考え方）

○体育や作業の時は特にそれにふさわしい履物、服装を着用するようにし暑い時にランニングシヤツのままで授業に臨む等は問題である。

3 ものや、金銭をだいじにじようずに使う

(1) 実態―（ものや公共物、私物……等を）あまりだいじにしない。特に不思議な傾向は落し物をしても主が出てこない。行事の際靴、上衣、帽子等の落物が沢山集まるが主が届出ない。学級を回覧しても主の出ない場合が多い。これは全琉的な傾向で物を大事にする生活態度の確立が必要である。

(2) 掃除用具等が整備して後、十分使いもしないうちに破損し紛失することが多い。これは清掃の時教師がついていないことに大きな原因がある。教師がつくことが絶対必要である。

(3) 施設や備品は破損したら直ちに修理することが大切である。破損のまま放置しておくと破損がだんだん大きくなるばかりでなく子供に物を粗末に扱う傾向が増大してくる。

落書も直ちに消す。毎日消すということが落書を絶滅する最善の方法である。

(4) 学習備品を授業に使用して後は必ず定位置に整頓させる。教師はそれを確認するまで授業の一環として指導に当る必要がある

4 身のまわりを整理整頓し環境の美化に努める。＝特に話し合いの中心になつた点について＝

(1) 職員室の整理整頓

よく整理された職員室は落ち着いた感じを与えるばかりでなく仕事も合理的能率的に進められている学校の雰囲気を代表する職員室の整理整頓に留意すること

(2) 我々は学校でも家庭でも捨て上手にならなければならない。捨て上手は整理上手で価値あるものを残して活用することができる。従来のしきたりとして価値のあるもの、ないもの、その区別なしに雑然と後生大事にしまつている。この生活態度は改善さるべきである。

(3) 児童の持物や学校の備品等は整理整頓しやすいように条件を整備してやることが大切でこれは経営者として努力すべきである。このことは家庭教育の分野にその基礎をおくべきであるが学校においても特に配慮すべきである。

5 自分のことは自分でし他人にたよらない。

(1) 自分は集団から孤立した自分ではないという事を理解させる必要がある。

(2) この項の表現は「自分たちでやるべきことは自分達で相談してやり他人にみだりにたよらない」とした方が一層趣旨がハッキリするようにある。

(3) このような基本的な行動様式の確立は家庭における躾に多くの期待寄せられる。

結びとして学校生活における児童生徒の基本的行動様式の確立は校長教員が常に児童生徒の実態をとらえ同一の意識によつて情熱、意欲、持久力をもつて当ることが大切であるが、まず校長、教員の基本的行動様式の確立が先決である。

「次に全琉小中学校長の連絡提携をはかる」ということについての討議の内容は

① 全琉学校長協会は何年か前に組織されて一、二回会合ももつて活動したがその後開店休業になり現在におよんでいる。然し高等学校長は協会を組織し連絡提携を密にして活動している。

② 我々小中学校長は義務教育の段階における学校長という立場で組織をもつて共通の問題解決にあたり沖縄教育の向上を図ると共に研修―親睦を図る意味で全琉小中学校協会を組織した方がよいのではないか。

③ これは昨年の研修会でも今回の準備委員会でも提案され、全員の賛同を得ている。

④ 本土にも小中学校長協会があり経営者という独自の立場で組織をもつて活動している。本土の小中学校長協会との連絡提携をとる上からも必要である。

一　教育税に対する認識を深めるために学校はどのように努力すればよいか
二　学校教育予算の効果的運営をはかるにはどうすればよいか

小学校第七分科

与えられたテーマは「教育税に対する認識を深めるために学校はどのように努力すればよいか、」また「学校教育予算の効果的運営をはかるにはどうすればよいか」ということであるが、問題が二つになつているので先ず「教育税に対する認識を深めるには学校はどのように努力すればよいか」という問題について話し合つた。

教育税の徴収についてはほとんどの教育区が大なり小なり悩んでおつてその成績如何は琉球の教育の運命を左右する根本的な要因をなすだけに会員の発言は活発で、時間がいくらあつても足りないといつた感じがした。

まず、話し合いを進めてゆく上に、主題の性質上、教育税徴収の現状分析が先決だということで、一九五九年度の納税閉鎖期までの成績で九〇%以上の成績をあげている教育区の十一と四〇%以下といつた成績の悪い教育区四つを局の主事の方にあげてもらいさらに当該教育区の校長にその実態の説明をしてもらつて現状分析をしたそれを要約すると

1　徴税の衝に当たる市町村長の教育に対する理解と熱意の問題
2　徴税の組織と方法といつた技術面の問題
3　納税義務者の理解とか納税思想の高い低いかといつたこと

以上三つの面がとりあげられた。

いま、少し説明を加えると

成績のよい教育区では

1　市町村長が行政の理想や目標をかかげて村づくり村おこしに当つている。例えば東風平村の如く、「平和な村楽しい村、しかも教育の村」といつたことを村長の村づくりの目標としているところではもう「教育税完納運動」といつたようなP・R活動は必要としないということである。
2　徴税の技術面についても、成績のよい教育区では納税機構が確立されている例えば区長が中心になつてその下に班長がおり、更に隣組に分れて徴集するといつた、組織化体制化された徴税がなされており、あるいは納税組合のあるところではその機能を十分活用している。
　尚適当な褒賞制度をとるなど組織の強化に十分な配慮がなされている
3　「政争のない村」ということが納税成績を伸ばす大きな要因であることが指摘された。政争のはげしい処では組織の活用が思うようにいかないといつた理由からであるとのおおかたの見方である。
4　教育税納入成績のよい市町村はたしかに公民館活動といつたように社会教育が徹底している。このことは村づくり村おこしが着々と進みつゝあるからである。

こうした成績の良い教育区にくらべて、成績の悪いところの実態は

①　滞納処分を強行すれば選挙に影響があるということでなかなかこれを断行し得ないといつた実状で、それでいよいよ滞納額がたまつてぬきさしならない状態に追いこまれている。
②　予算公聴会も至つて低調で、教員や役場吏員合わせて十二、三名程度で開かれる場合がある。
③　予算編成が民主的手続でなされずに学校長が内容をわからないままに予算案が公聴会に提案されるといつた実状
④　全琉的運動であるところの「教育税完納運動」さえも実施されない
⑤　市町村税は税外収入でカバーされているために低いのだといつた事情をわからないで「教育税は高い」といつてこぼす村長……

といつたように深刻な悩みをもつている教育区もあるようだ。

一体「教育税に対する理解を深めよ」とはだれに向かつて言うべきか、「村長に対してか、教育委員に対してか、一般納税義務者に対してかあるいは自分自身に対してか」わからないといつた不満と焦燥を卒直に述べる校長もあ

った。そうした停滞性をぶちこわすためには単にその教育区だけの問題として放置せず、全琉の問題としてとりあげねばならないとの発言もあった。

以上が現状分析のあらましであるが、この分析から主題の核心である「学校はどう努力すればよいか」といった努力の方向も自ら明らかになったわけで、簡単に結論をまとめめると

① 社会教育を強化することによって理想と目標をもった村づくりを推進してゆく。

② 社会科教育やその他の教育活動で児童生徒に小さいときから納税思想を涵養し児童生徒を通して、父兄の啓蒙に当る。

③ 校長はいろいろの資料を準備しておいて、婦人学級や成人学級あるいはPTAの会合等を利用して納税思想の昂揚をはかる。特に徴税成績と学力との相関関係を強調する。

④ 教委予算が早く成立し早く賦課徴集できるような努力。

以上が大体学校の努力すべき点である。更に教育税に対することで第七班として市町村長に要望したいことは税外収入も全くなく、教育徴集も思うようにゆかないで悩んでいる教育委員会に対しては市町村もできるだけの補助をしてもらって委員会を育成してもらいたい」ということである。

つぎに「学校教育予算の効果的運営」の問題については局の安谷屋主事から政府補助金の消化に学校としても研究してもらいたいことで助言があり、その線に沿って話し合いがなされたが、結論として

① 学校長は各教科の最低施設基準をしっかりつかんで、三か年計画なり五か年計画なりの購入計画をたてる必要があること

② 委員会の事務の不手際から政府補助金の消化がおくれたりするので教育長は委員会の会計の指導監督をすることが必要である。

③ 同じ教育区で同一備品の購入先がまちまちであることは合理的でないので共同購入の方向に改善する必要がある。

④ 学年度と会計年度のずれのために校長の予算執行を阻害している面がある。そのためにはせめて教育委員会の予算でも早く成立させて早く賦課徴集すべきである。

要望事項　政府補助金により備品が充実しつつあるが「備品管理室」がなくて困っている学校が多い、備品管理室を政府でつくってもらいたい。

安全教育を徹底させるためには――どのようにすればよいか

小学校第九分科

一　設定の理由

1　人命尊重の教育理念から。

・基本法の第一条教育の目的に、凡ゆる教育活動は児童生徒の心身ともに健康な国民の育成を期して行われなければならないと明記されている。

・民主主義は一人一人の最大の人権を尊重し一人一人の生命を最大に尊重するにある。

2　沖縄の現状からあまりに事故が多い。

・一九五八年の警察局統計資料による。

（ただし外人車輌と外人事故を除く）

九州各県と沖縄の自動車台数と事故の比較台数は約半分しかないが事故件数は、約五倍になっている。

・一九五五年より五九年までの児童生徒の事故統計によると、溺死、交通事故、爆発死による事故、その他による、五九年度け死んだ者だけでも二四人おり、しかもこのような事故が年々ふえる傾向にある。

3　機械文明の進歩の上から。

・交通機関の発達や、会社、工場の機械化や生活の複雑化から、スピードと事故とは正比例している。

4　教育課程改訂に伴う、安全教育の重視

・指導要領の総則、社会、理科、図工、家庭、体育、特活、道徳、行事等で最低の基準がうちだされている。

5　文教審議会の答申が安全教育の重視であり徹底を要望している。

6　本土においては、昨年十二月十七日は法律百九十八号として、日本学校安全会法が公布され学校管理下における子ども達の傷害事故に対する保証がなされている。

二　現況をとらえるために

九班の十五人の先生方にそれぞれ学校事故の現況報告をしていただきその実態の上にたって次のような解

決策を討議した。

・校内、校外をとわず小さいのはカスリ傷程度より、二階の雨戸をしめるために下に落ちて重傷を負うたとか、又水泳や遠足などに起つた事故、特殊な例としては、不良青少年の為にあわや災難一歩手前などのことも報告され、又或地域によつてはハブの災難によるための恐怖、馬のりなどよりうける危険もみのがすことはできないと報告された。

三　討議したこと（対策）

。カリキユラムを編成すること

編成の態度として

1　学力の向上をはかるために安全な環境を整え児童生徒の安全が充分たもたれるように考慮する。

2　児童生徒を不良化からまもるための安全教育

3　いろいろな災害から児童生徒をまもるための完全教育

。指導計画として

1　各教科の単位に安全教育をおりこむ

即ち小学校六か年、中学校三か年間に何を徹底させるか。

。何を　。いつ　。だれが　。どのようにして

2　学校行事、特活、道徳教育、生活指導などに安全教育をおりこむ。

3　組織をつくること

・児童会の中の奉仕活動の一環として自主的、自発的に行動を通して指導をする。

・学校と父兄子どもの三者からなる組織をつくつて、定期的に話し合いをもち、運営や指導を強化する。

4　一般父兄への啓蒙と協力

・親子ラヂオを通じて徹底させる

・学校行事等（例えば水泳など）危険を予想されるものには父兄の参加がのぞましい。

・児童生徒の下校時に不審のあるときは学校にすぐ連絡をすること。

5　学校環境の整備

。校　舎

・二階以上の校舎で戸締り上の安全から観察台の位置変更を考慮した方がよい。

。校　地

・適当なところに危険物入れをおいて利用する。

・校地ならびに周辺にある危険地帯に標識をたてる

例　。井戸、橋梁、高圧線、崖崩れなど

。教　室

・机、腰掛にはみでている釘のしまつ

・子ども達のカバン、又はボーシかけなどの釘のうち方に注意をする。

・教室内にある不要な釘又はガラスなどをとりのぞく

。廊下と階段

・廊下および階段の中央に白線をひいて左側通行をさせる。

。固定施設

・使用する前にたえず注意をし、又定期に点検をし補強をする。

。学校のしまりをつけるために周囲に塀を設ける。

・不良青少年にすきを与えないためにぜひ必要である。

。児童、生徒に健全な遊びをさせるための施設用具をそろえる。

（雨天時における遊びも考慮に入れる）

6　休けい時の安全管理について

。週番は休けい時には安全な遊びの指導をなす意味において運動場を一巡する。

。たえず遊びの調査をして指導の手がかりとする。

。危険物をみつけたら、すぐとつて処理するように指導し児童、生徒相互の健康安全に注意する態度を育成する。

。定期に全員で危険物をとりのぞきつねに校庭を安全な状態にしておく。

。運動をするときには、必ず危険物がないか、どうかたしかめてから行うように指導する。

。休けい時には、場を広くとるような運動はさけるようにする。

例えば野球など。

7　警察及び交通安全協会と連絡をとりその徹底を図る。

漢字書き（4）

いなか（田舎）　あわてる（周章る）　くたびれる（草臥れる）　うるさい（五月蠅い）　ふさわしい（相応しい）

ただし、「仕事」「世話」「味方」「見舞い」などは、教科書をはじめ各方面で漢字を使っている。

特別音訓の使い方の例

字訓の整理

かな書きにしてよいものははぶいてある。

①　吉訓の整理

例　朝―あした　古―いにしえ

女―おみな　兵―つわもの

帝―みかど　集―つどう

児童生徒の不良化を防ぐために
学校はどのようにすればよいか

中学校第一分科

研究討議の基本態度

。方針

1 学校にもち帰ってすぐ実践に移せる具体的問題を取り上げる。

2 学校長という立場で全琉的な観点に立って討議を進める。

。順序

1 不良化の意義と討議の範囲
2 不良化の現況
3 不良化の原因
4 不良化防止の対策

研究討議

一 不良化の範囲

不良化といえば、犯罪少年、ぐ犯少年、不良少年、その他の不適応行動をもつものをふくめて考えられるが、この討議では、「問題行動をもつもの、問題行動をおこすおそれのあるもの」を中心として取り扱つていく。

二 不良化の現況

1 青少年犯罪者の本土との比較

(1) 全検挙者に対する青少年犯罪の占める割合は統計上では沖縄は本土より低い。(これは沖縄に少年院がないため少年犯罪者の実数がつかめないためではないかと思われる。)

しかし全人口に対して沖縄の青少年に犯罪者の数は高い方である。

2 青少年犯罪の傾向

(1) 全琉的に増加の傾向
(2) 悪質化
(3) 集団化
(4) 低年令層化等憂うるべき傾向である。

3 指導の対象になる問題行動

けんか、暴力、兇器所持、家出放浪、怠業、不純異性行為、飲酒喫煙

(無届欠席、欠課早引、盗み、金銭の浪費、言語態度の粗暴、服装の華美、買い食い、無賃乗車、無銭飲食、家庭の金品持ち出し、嘘言、不健全娯楽、不健全アルバイト、入質、常時映画館出入り、さかり場の出入り、エロ本雑誌のたん読、婦女子に対するいたずら、不良交友、不良団同盟、農場あらし、公共物破損、たかり、ボス的行動、反抗的、競技防害および独占、不潔な行動、火あそび、らく書き、諸記録の盗み見、カンニング、教師および両親に対する敬遠禁止地区立入

三 不良化の原因

1 警察署の原因調査

放任、悪友の感化、こづかい銭不足、出来心、貧困、親があまいの順で少年犯の原因がまとめられている。

2 児童相談所の調査

家庭、本人、友人

3 その他の意見

(1) 欲求不満
(2) 精神と肉体の発育のアンバランス(異論あり)
(3) マスコミの影響
(4) 家庭における親の指導力の不足
(5) 学校における教師の指導力の不足
(6) 一般社会の責任によるもの
(7) 政治力の貧困さからくるもの
(8) 学業不振

以上のものが遠因又は直接の原因となり。あるいはいくつかゞ一しよになつて問題行動をおこす。

四 不良化防止の対策

1 道徳教育を強化する。

(1) 教師の指導力の向上をはかる
(2) しつけ教育を徹底する。

2 問題児の早期発見と治療

問題行動の実態をは握して治療と予防の対策を講ずる。

3 特別教育活動を強化する。

自主的で自由な形で教師と生徒が話し合うことにより相互の理解と愛情にもとづいた明かるい雰囲気がかもしだされ、指導のよい機会が得られるようにする。

4 補導組織の強化をはかる。

(1) 教育隣組の結成促進
(2) 小・中・高校の緊密な連絡
(3) 長欠児の解消とアルバイト児の指導

長欠児については就学に関する法的手続きを厳守する。

(4) マスコミに対する適切な指導

5 学校環境の整備

(1) PTAの自主的活動を強化する。
(2) 学校施設を充実する。

進路指導はどのようにしたらよいか

中学校第二分科

　中学校卒業生の実態を一九六〇年三月の卒業生でおさえると総数が約一万六千人、その他高校進学者が約七千人家事を含む就職者五千人、無職失業者が三千五百人で二二・一％を示している。

　それらの卒業生が仕事につくことは極めて重要で、もし失業者にでもなったら社会の誘惑にまけ不良化する憂もあるし、いろいろの社会問題を惹起するかも知れない。

　その問題の解決には島内雇傭の拡大もさることながら、本土就職にその解決をもとめねばならないが、集団就職の現況については新聞等の報ずるように、離職問題、職場への不適応等いろいろな問題がある。

　さらに高校進学者の中にも二・八％が入学後課程や学校の変更を願出る現状で、進学就職共に適切な進路決定が出来るよう指導の強化が急務である。

　学校における進路指導は中学入学当初から始めて計画的に実施、少なくとも卒業期前までには適正なコースが決定されなければならない。

　本分科においては幸にして労働行政の責任者たる照屋労働局長、白川職安課長を交えて、有益な助言や資料提供のもとに研究討議が進められた。然し時間が足らないで充分な討議がなされなかったことを残念に思う。これから討議の順をおってまとめ発表をしたい。

研究討議の順序は

一　進路指導とは
二　進路の決定はどうしたらよいか
三　進学指導の問題点とその解決
四　就職指導の問題点とその解決
五　新教育課程と進路指導

一　進路指導についての概念を統一して討議を進めようとしその内容についていろいろ話し合われたが結局、上級高校へ進学するものへの進学指導と就職せんとするものへの就職のあつせん指導の二つを中心にして討議を進めることにした。

二　進路の決定を有利適切にするためどうするか

1　個人の適性をは握することが絶対的条件である。それをは握するために

　知能検査、学力検査、適性や興味検査のような心理学的検査が必要である。

　知能学力検査については文教局として実施予定であるし、適性、職業興味検査、クレペリン作業検査は職業安定所にあるので大いに活用したい。

　以上のような心理検査の外に身体条件の適否、性格、能力、興味検査、本人の志望、家庭事情等科学的資料に基いて適性をは握するようにしなければならない。

2　就職や進学についてできるだけ正確な知識、情報を教師が持ち生徒に理解させると共に進路の選択決定の援助をする。

3　それと共に生徒自体がそれらの知識情報に基いて進路を決定していく決断と選択をなし得る能力を育成し、主体的に適切な進路決定が出来るようにしなければならない。そのためにも生徒父兄に自体の能力実態をよく理解せしめそれなりに基礎学力、技術の向上に努力させるように指導する。

三　進学指導上の問題点とその解決

　無理な進学は問題である。高校卒は中校卒よりも沖縄、本土でも就職難であるし一考を要する。

　沖縄の現状は進学希望者が多くその中では親や本人の虚栄心や間違った立身出世主義から入学しさえすればよいという考えで能力の足りないものが無理な進学をするのもあるし普通課程を偏重する傾向と共にいい加減な学校や課程選択のため入学後学校や課程の変更を願出る者等いろいろな悩みがある。

　今後生徒の能力を科学的資料によって調査し生徒自体は勿論父兄にもよくわからせ、その生徒なりの適切な進路決定が出来るよう指導の強化がなされるべきである。

四　就職指導の問題点とその解決

　中学校では上級学年になるつれ、進学者と就職者との間に好ましくない雰囲気が出来る傾向にある。

　進学指導に対する熱意とエネルギーを就職指導にも傾けるべきである。そのためにも

1　中学校の職家施設の充実と教師の質の向上を図り魅力あるものにしたい。

―― 進路指導 ――

2　現実の問題として職業科の指導法を研究し講議中心から実技中心にしたい。

沖縄の中学校卒業生の就職問題は本土への集団就職に待たねばならないのは先に述べた通りで、政府においても移民促進と共に本土工場地帯への集団就職を大量に送り出そうと計画しているようである。然しながら、本年度本土からの求人が三千五百人あつたのに対し千人しか送り出せない理由は、職場に対する事情を知らないための不安から親も教師も積極的でなかつたというのがあげられよう。

父兄の中には中学校卒業生ではまだ幼くて心配だという考えと新聞紙上の悪い報道についての不安、戦前の女子哀史的取扱いを気にする考えもあるし、教師でも自信と責任をもつて進められない状況にある。その解決策として

1　本土就職先の職場の実態が充分理解されてないので職場紹介等の情報活動を盛んにすると共に担任教師が職安と緊密な連絡をとる。

2　各学校に職業指導主任を設け、積極的に活動させる。

3　将来各学校に職業指導主事を設置することを要望する。本土では設置されているが沖縄では本土以上にその制度は必要性がある。各学校で無理なら連合区単位にでも職業指導主事を配置して貰いたい。

4　離職等不適応者を少くするため選出にあたつては人選が必要である。

5　現場教師を本土職場視察のために派遣し、激励と共に情報を蒐集提供せしめる。

6　文通によつて激励する。

羽地村の本土就職者へ便りを送る会　あすなろ会の活動に認識を深めよう。

今までの本土集団就職者のつまずき悩み、欠点を取除いて本土の職場人にひけ目を感ぜず対等の人間を形成するため今後学校教育で次の点を特に努力しよう。

1　共通語の指導を十分に行う。

2　手紙がすらすらかけるよう指導しよう。

3　しつけの指導

礼儀作法、あいさつ、復唱と報告女子の生理教育等日常生活の基本的行動様式の 徹底 強化 をはかろう。

4　自転車のけいこ

5　職場や社会のきびしさをしらせて心構えをつくろう。

6　親の教育も充分行う。

すぐ送金を請求しないよう。

以上のように学校でも充分な教育を施すと共にそれを仕上げる意味で、集団就職送り出し前の準備教育機関を設けるべきではないか。

五　新教育課程と進路指導

新教育課程では特活の中の学級活動の時間に学級担任が内容に応じては他の教師の協力を得て指導し、毎学年計画的に実施し、卒業までの実施時間は四〇単位時間を下つてはならないと指導要領で述べてある。

本土と違い職業指導主事も配置されてない沖縄の現場ではいきおい学級担任者が進路指導の全分野を担当しなければなるまい。従つて校内研修会や地区同行会の組織を通して、個性調査法、職業の知識情報、相談あつせん、追随指導等の指導力を身につけるようにすべきである。

漢字書き (5)

② 解釈的な訓の整理

例 報―しらせ　喫―のむ・すう
効―ききめ・かい　酷―ひどい
治―なおる

③ 異字同訓の整理

例 見―みる・「視」「観」「覧」「看」などの「みる」の訓を認めない。
聞―きく・「聴」に「きく」の訓を認めない。
思―おもう・「念」「想」「懐」などに「おもう」の訓を認めない。
喜―よろこぶ・「歓」「悦」などに「よろこぶ」の訓を認めない。
楽―たのしい・「愉」「娯」などに「たのしい」の訓を認めない。
波―なみ・「浪」に「なみ」の訓を認めない。
道―みち・「路」「径」「途」などに「みち」の訓を認めない。
絵―え・「画」に「え」の訓を認めない。

もつとも、これには次のような例外がある。

換―かえる　替―かえる
倉―くら　蔵―くら
作―つくる　造―つくる
測―はかる　計―はかる
量―はかる　図―はかる
延―のびる　伸―のびる

④ 同字音訓の整理

例 主―ぬし（あるじ）（おもに）
入―いる（はいる）
認―みとめる（したためる）
戦―たたかう（いくさ）（おののく）（そよぐ）

P.T.Aの健全な育成をはかるにはどうしたらよいか

中学校第三分科

一　全員について

現在の会員は大部分が保護者と教師、それにP・T・Aの趣旨に賛同するものとなっていて、自然入会の方法をとっているが民主団体のあり方としてはよい方法でないので漸次自由入会の方法に改善されなければならない。しかし現状から直ちに望ましいあり方にもつていくことはいろいろの面から無理があるので段階的に改善する方法が考えられなければならない。そのためにはP・T・Aの趣旨の滲透をはかり会員意識の昂揚をはかり漸次望ましい方向にもつていく。

二　運営面について

(1) P・T・Aの本質的活動を促進し会員の参加を容易にし卒直な父兄の声を聞くには地域集会や学級集会を数多く持つのがよい。

(2) 会議における話し合いの題材については子どもの身近かな問題から入り、学年や地域で共通した問題を取り上げ個々の生徒の学業成績や行動に関するようなことは慎重な取扱いがなされなければならない。要は気やすく参加できるようにすることである。

会議の内容が、父母のなやみを解決し、P・T・Aの会合に出席してよかつた、という気持をおこさせるようになるとりつぱである。

(3) 問題はできるだけ父母側から引き出し（さ細なことでもよいから）みんなで研究するというゆき方で進み教師の説教ぐせに おちいらないこと。

(4) 父母が学校に遠慮気兼ねせずに話せるような人間関係をつくるためには、平素から父母と話ながら、機会をつくつておくことである。学校の帰り道に父母と会つたときなどこちらから気軽るに話かけて心の結びつきをかたくしておけば父母も心からうちとけてくる。

(5) あまり出席しない父母を出席させるには、区域を小さく区切つて気軽るに出られるようにする外、地域に世話人をおいてその人に誘つてもらうこともよい。

(6) 一般会員の出席をよくするには、でやすい日を検討し前もつて日取りを通知、なお親子ラジオなどによつて連絡の徹底をはかり、かつ司会者は魅力あるプログラムを用意しなければならない。

(7) P・T・A予算についてはP・T・A本来のあり方に基づいた編成がなされなければならないが、公費予算の少ない現状ではP・T・Aの肩替りも止むを得ない所がある。けれどもいつまでも後援会的性格を一掃できないのも考えものであるので、現段階においてもP・T・A本来の活動費と財政的援助活動とは一線を引いて運営なされなければならない。

(8) 校外補導について

学童の校外における生活補導組織として、近時各地に教育隣組が結成されて活発な活動を展開し、効果を上げて来つつあるので、ますますその組織の拡充をはかり青少年を不良化から守るように しなければ ならない。けれども運営にあたつては熱心のあまり子どもに監視の圧迫感を与え自発性をもぎ、卑屈感を生ぜしめない注意が必要であるから、父兄としては環境の整備や子どものよき相談相手となるようなゆき方がよいと思われる。

(9) 役員について

現状では校長は大方副会長となつているが、校長は校長としての資格でP・T・Aに参加することが望ましいとされているので、会則にも相談役として各種会合に参加できるようはつきり位置づける必要がある。

副会長が二人制度の処では一名は女子会員になつてもらいたい。

(10) 成人教育について

P・T・A活動の窮極のねらいは、会員の自己研修であるから母親学級や両親学級等の学習活動は盛んに行われなければならない。そのためには

。集会の持ち方、プログラムの編成運営技術面のしつかりした研究が大切である。

。学習内容については、教育現場から取り上げられたなまの問題を中心に取扱うことが肝要である。併せて学級生徒の要求も調査し、参考にする考慮も必要である。なお魅力ある運営をなすには適当なレクリエーションを取入れる注意を

忘れてはならない。更に自主的運営に仕向けるための指導も大切である。

「青年学級社会学級講座をさかんにするにはどうしたらよいか「

現状はいろいろあい路があつて、大方、不振であるがその対策として考えられることは

① 学習について

1 学習内容は直接生徒と結びついて役立つものでなければならない（就職や生活とのつながりで成功しているところがある）

2 学習、課程の編成には、生徒や地域の要求を地域で得られる講師の調査の上に立つて地域に即して作成されなければならない。

3 正しい物の見方、考え方を育成する面から一般教養にも力を入れることが大切である。

4 講義中心から話合い学習（共同学習、相互学習）の方向へ仕向け指導者は魅力ある材料を選択すると共に指導技術の研究が大切である。

5 年間計画を作成すること

② 関係団体や他団体との協力をはかる

1 管理運営面で町村公民館が協力する態勢を育てること。

2 各種団体がバラバラな運営にならないで相互連繋を保つていくこと。

③ 指導者について

1 現在の学校教師の数では負担が重く無理である上に兼任では効果もあげにくいので、財政が許せば専任者の設置が望ましい。

2 各市町村に専任の社会教育主事を配し、その仕事に専念できるよう政府は考慮する。

3 地域に得られる講師をもうらする外、会員自体から講師を求めるのもよい方法である。

4 学校長は指導者が円滑に得られるように経営的なはたらきに力をそそぐ。

④ 予算その他について

1 教育委員会の予算措置と文教局のたゆまざる指導助言が必要である。

2 社会教育委員制度も財政上の理由で設置されてないがその実現をはかることも大切である。

3 婦人会、青年会、成人会活動の活発な地域は、講座も盛んであるのでこれ等の団体との協力は大事である。

☆ ☆ ☆

―学校経営上健康教育を徹底させるには――どのようにしたらよいか―

中学校第四分科

一 提案の理由

㈠ 沖縄の児童生徒の体位、学力疾病の現状

1 体格

年々向上し殊に発育率はかえつて本土以上で特に男子より女子の発育率はよい。

原因

▲食生活の向上

▲パン、ミルクの給食

▲スポーツの普及

▲クラブ活動

▲発育を阻む様な労働からの解放

……等体格は向上したが運動能力および持久力は体格向上の割合にはいつていない。

2 学力

向上率が本土ならびに見られない体位と学力の向上は関連性があるといわれているのに沖縄においては体位の向上に伴う学力の向上が見られない。この問題点として

▲基礎学力の充実に対する努力が欠けてないか

▲スポーツ、体育行事の不適正な持ち方はないか。

3 疾病

寄生虫、トラホーム、虫歯、結核の陽転率等にも問題がある。本土に対する割合を記して見ると

▲寄生虫……小学校五％高い
　中学校一七％高い

▲トラホーム…小学校二・三倍
　中学校二・五倍

▲虫歯……小学校少い
　中学校多い

▲陽転率……小学校 1/3
　中学校 1/3

但し虫歯、陽転は本土では処置されているが沖縄においては放任

二 討議の内容

㈠ 健康教育の管理・施設

1 校医の検診

△定期の身体検査は学校保健を進めて行くのに最も大事なことで定期の身体検査を細密適確に実施しなければならない。

△臨時の身体検査も必要

△歯・眼の検診および治療も実施して欲しい。

2 校医の手当

現在政府補助による校医手当は年間一名につき拾弗である。この額では望ましい活動をお願い出来ない。もっと金額を増やして貰い度い。

(二) 施設面（多くの学校で困っている保健教育の施設）

1 給食に関する施設・備品

△炊事室

△倉庫・棚

△その他の給食用器具

2 給水施設

3 身体検査に使う器械器具

4 体育施設

現在学校一般備品と職家備品の購入費が政府補助金として予算化されているが同様にして保健体育施設・備品も充実を計る必要がある。

(三) 健康教育の指導面

1 実態調査の上にたつ年間指導計画

2 日々の健康教育計画

▲児童・生徒の健康観察

出席

欠課

早引

顔色や動作

▲教室環境

採光通風、姿勢

▲机、腰掛を計画的に体にあったものを

▲健康生活の自主的習慣形成

3 持久力を養う保健教育

▲学習時における正しい姿勢の保持

▲練える体育がより必要

▲体育の授業

カリキュラムによって正しい授業を行いはっきりと基礎を打ち込む授業

4 過度なスポーツ（時間と過労）

▲下校時間を定める

夏……六時

冬……五時

▲対外競技の適正化

中体連主催によるもの

中体連共催によるもの

他は応じない

5 体育科教員の拡充

計画的養成によって数を増す

6 学校保健委員会の結成

三 要望事項

1 寄生虫駆除

トラホーム治療を政府補助金で徹底的に処理して貰い度い

2 養護教諭の完全配置を要望する

3 保護教育の施設備品の充実を図るため政府より購入補助金を出して貰い度い。

▲炊事舎の建築

▲給食用備品の購入

▲給水施設の早期実現

▲身体検査の器具および体育備品の充実

四 提案事項

△パン給食の実現に当り、本大会の名でリバック委員会に感謝の意志を表現して貰い度いことを提案する。

教師と児童生徒の人間関係を深めるためにはどうすればよいか

中学校第六分科

中学校第六分科の研修結果をご報告申し上げたい。私たち第六分科に与えられた研修課題は、「教師と児童生徒の人間関係を深めるためにはどうすればよいか」ということである。課題研修の進め方として、先ず最初に、教師や児童生徒がそれぞれ望ましい教師であり、望ましい児童生徒であるならば両者の人間関係は自ら深まることは必定であるというところから、望ましい教師像と、望ましい生徒像はどういうものであるかを話し合い、次に現状をながめてこの両者の人間関係を阻害するものを挙げ、終わりにその対策を考察するという順序をとった。

望ましい教師像としては、**第一に教育観の確立、第二に生徒から信頼される敬愛される教師であること。**（実力あり計画性あり、人格の高い、行動に節度あり、約束を守る、服装も端正で性格の円満な、生徒から親しまれ易い）**第三に、生徒をよく理解する教師であること**（児童の家庭事情を知悉している教師、生徒に劣等感を持たさぬように指導する教師、生徒の美点長所を見出だす教師、生徒の失敗や不幸に対する励ましといたわりを与える教師）**第四に、生徒に対する愛情の深い教師**

であること。

第一の教育観を十分に確立している教師であることについてこの内容をさらにふえんするなら

① 学校教育はだれのためのものかを真に理解している教師

② 生徒の一人ひとりを育てることのできる教師

③ 生徒に対する先入観をなくし、その美点を見つけて継続的に指導し得る教師）

次に望ましい生徒像としては、

第一に自主的 自律的な 生徒 であること。

第二に正直で すなおな 生徒 であること。

第三に明かるい生徒であること。

第四に行動に責任の持てる生徒であること。

第五に合理的精神を持つ生徒であること。

第六に判断力のある生徒であること。

第七に協調性のある生徒であること等である。

更に一般社会や学校家庭の現状をながめて、教師と児童生徒の人間関係を阻害しているものを挙げると、

第一に明確な教育観の確立がなされていないことからくるもの。即ちだれのために教育はなされているかという教育の根本的なところをまだ十分理解していない向きが中にはあるということである。

第二に、教師の偏見、偏愛からくるもの。（つまり教師の生徒に対する先入観から偏見をもち偏愛するようになる。またそこから生徒の不公平な取扱いをするようになり、ひいては師弟の人間関係が阻害される）

第三に生活指導が個々の生徒に徹底しないことからくるもの。（即ち教科担任制のため、学級担任教師が、その生徒に接する時間が少くなる。あるいは教科担当時数や在籍数、ならびに雑務が多いために、教師の時間不足をきたしている。また行動面の指導上の難点があること。）

第四に教師の指導態度、指導技術からくるもの。（生徒が教師に対して何かしら威圧感を感ずることがあるということ等）

第五に教育運営上の困難性からくるもの。それは ①職員組織の上において必要教材の有資格者が少ないということ。②校舎の不備 ③学校施設設備の不備からくるもの。

第六に教師の生活の不安定からくるもの。（教師の生活がまだ十分安定しないために本当に教育に心魂を打ちこめない現状である。）

第七に家庭生活からくるもの。（これは父兄の無関心、無理解、父母の子どもに対する過度の信頼感等があげられる。）

第八に社会生活からくるもの。（それは主に交友関係をさす）

第九に生徒の劣等感からくるもの。（成績が悪い、身体的欠陥、家庭の貧困）等である。

終わりにその対策とするところを述べると、

対策の第一として明確な教育観の確立を図る事が根本であり、それには教師意識の昂揚を図ることが必要であり何はおいても先ず教師の燃えるような情熱とたゆまざる努力精進を傾注することが肝要である。

第二に適正な教員養成制度の確立を図ることである。即ち琉大における教生実習期間を延長して教員養成の実をあげるために付属実験学校を設置すること、教科担任の養成として、現在不足している芸能科、体育科、技術家庭科、美術科面の教員を養成して需要供給関係を調整すること、また大学における専攻科目（社会科、理科）と免許科目との関係をもっと適正にすること等である。

第三に現職教育の充実を図ること。それには指導案や教材の研究、生活指導の重視、教壇実践に直結するような研修等を重点的に実施し、又校内研修会（教育懇談会、読書発表会等）を開くこと。

第四に教員組織や教員人事の適正を期することである。すなわち教員定員をもっとふやし、学級在籍定員数を減らして教員の負担を軽減し、指導時間をふやして教師生徒間の人間関係を十分に深めさせることが必要である。学級編制上―主任と副主任をおいて学級以外の児童にも接触させること。

第五に校舎施設設備の充実を図ること。

第六学校内に学級作り仲間作りの気運を興して教師ならびに生徒相互の融和協調性を確立する事である。

第七校長対教師、校長対児童、校長対父兄の話しあいの場と時間とをくふうすること。全児童に面接する生徒個票の活用（宿直室、校庭）面接の場は職員室や校長室では固苦しく生徒に緊張感をおこさせるから特別室、宿直室校庭の一隅）

第八に教師の保護施設を創設し整備すること。

第九に教育隣組を育成して家庭教育を強化することである。

なおここで、学校の毎年行なう家庭訪問の方法を再検討する必要があると

の話し合いが行なわれた。
第十に社会環境を浄化し社会学級を振興し校外補導を強化して教師生徒間の人間関係を深めるために社会教育面から寄与させることも肝要である。
以上十項目が研究課題解決の対策である。終わりに、要望事項を申しそえたい。教師と児童生徒の人間関係を深め、真にその実をあげるために「全琉各中学校にカウンセラーをおいていただきたいということである。

中学校の移行措置と留意点 (2)

教科の名称は従前どおり

授業時数…数学など変えてもよい

文部広報より

☆移行措置の目標

移行措置は、昭和三十七年度における中学校学習指導要領（昭和三十三年文部省告示第八十一号）による指導が円滑に実施できることを目途として行うこと。

ここでは、昭和三十七年度から新教育課程による教育が全面実施となるので、各学年とも移行措置の期間中に必要な準備を整え、実施年度にはいつて混乱することなく円滑に新教育課程による教育が受けられるようにということを目ざしているのである。

☆移行期間中の教科等の名称

移行学年における各教科特別教育活動の名称は従前の例によること。

新教育課程と旧教育課程では教科区分と名称の違つたものが若干ある。

まず、従前の「図画工作」はその内容を芸術性創造性を主体として表現や鑑賞活動に関するものにしぼつて「美術」と改められた。また、従前の必修教科としての「職業・家庭」は、「技術・家庭」に改められ、従来の「図画工作」で扱われていた「工作」をその内容に含めた。さらに、選択教科の「職業・家庭」を廃止し、新たに「農業」「工業」「商業」「水産」および「家庭」の五教科が設けられた。

特別教育活 においては「生徒会活動」、「クラブ活動」は従前どおりであるが、「ホームルーム」は「学級活動」に改められた。

このような相違はあるが、移行期間中には、必要最少限の措置を講ずるということから、各教科、特別教育活動の名称は従前どおりとする。

☆移行学年の授業時数

移行学年における各教科の授業時数は、従前の学習指導要領一般編（昭和二十六年版）の「中学校の教科と時間配当」によるものとするが、国語、社会、数学、および図画工作ならびに選択教科の外国語および職業家庭については、移行措置を行なうために必要がある場合には、学校教育法施行規則（昭和二十二年文部省令第十一号）第五十四条別表第二を参考として定めることができること。

移行期間中は各教科の授業時間数の配当をどのように考えたらよいかを示したものである。

教科の名称を従前どおりとしたのと同様に、授業時数も従前どおりとするのが原則であるが「移行措置を行なう必要がある場合には「つまり、新教育課程が実施になつたとき困らないように準備を整えておく必要上からは、ここにあげた教科について、従前の基準時数を変え新教育課程の表によることができるとしたのである。

これらの教科は、教科の組織の変わつたものおよび最低授業時数の規定が変わつたものであつて、移行期間中、従前の時数配当を変更していく必要の起こりそうなものを示したのである。

参考までに新教育課程の授業時数配当表を下に掲げておく。

特別教育活動の時数は、旧教育課程では、毎学年七十～百七十五単位時間（週当り平均二～五時間）であつたが道徳の実施に伴つて、三十五～百四十単位時間（週当たり一～四）と改められた。そこで、移行学年もこの時数によるとされたのである。

新教育課程

区分		第1学年	第2学年	第3学年
必修教科	国語	175 (5)	140 (4)	175 (5)
	社会	140 (4)	175 (5)	140 (4)
	数学	140 (4)	140 (4)	105 (3)
	理科	140 (4)	140 (4)	140 (4)
	音楽	70 (2)	70 (2)	35 (1)
	美術	70 (2)	35 (1)	35 (1)
	保健体育	105 (3)	105 (3)	105 (3)
	技術家庭	105 (3)	105 (3)	105 (3)
	小計	945 (27)	910 (26)	840 (24)
選択教科	農業	105 (3)	105 (3)	105 (3)
	工業	70 (2)	70 (2)	70 (2)
	商業	70 (2)	70 (2)	70 (2)
	水産	70 (2)	70 (2)	70 (2)
	家庭	70 (2)	70 (2)	70 (2)
	数学			70 (2)
	音楽	35 (1)	35 (1)	35 (1)
	美術	35 (1)	35 (1)	35 (1)
道徳		35 (1)	35 (1)	35 (1)
特別教育活動		35 (1)	35 (1)	35 (1)
年間最低授業時数の計		1120 (32)	1120 (32)	1120 (32)

注 ①かつこ内の授業時数は年間授業日数を35週とした場合における週当たりの平均授業時数である。
②特別教育活動の授業時数は、そのうちの学級活動にあてる授業時数である。

日本生物教育会第十四回全国大会に参加して

沖縄代表
石川高校教諭　伊　波　秀　雄
（沖縄生物教育研究会監事）

このたびの日本生物教育会（会長中路正義氏日大豊山高校）の第十四回全国大会は昭和三十四年十月七日〜九日（三日間）群馬県高崎市において盛大かつ意義深く開催された。

群馬県には広大な関東平野と上信越の山々がぐるっと見わたせる眺めのよい世界一の〃白衣観音〃がある。高さ実に四一m、重さ六〇〇屯の巨大な白衣観音である。その体内(肩の所)の展望台からは足元の自然の松林と野鳥の楽しいさえずりが聞こえ、遠くには、煙を吐いている浅間山や、赤城、西名妙義の上毛三山、上越国境の谷川岳、関東平野が一望でき大自然の景観はすばらしいものであった。

この大会は去る七月下旬の沖縄大会（会場首里高校）にひき続き、本年の定例全国大会として開かれたもので、斯学に志す者の中から、沖縄代表として出席できたのはこれひとえに政府文教局、沖縄生物教育研究会をはじめ、石川連合区教育委員会、石川高校P、T、A、石川地区教職員会ならびに沖縄教職員会の関係当局のご好意によるもので誠に感謝にたえない。

帰任報告を早目に取りまとめてやるべきであるが今日までに長びき申訳ない。

十月一日午前沖縄丸にて沖縄を出て鹿児島に着き、東京を経て六日に群馬県高崎市に入り、早速、大会理事会に臨み、沖縄生物教育研究会を代表して沖縄支部加盟の承認方を中路会長を通して提案し、各県代表理事に沖縄における研究会の組織や事業など現状について説明した後、全員一致拍手の中に沖縄支部加盟が承認され全体会議に報告することになった。

大会初日（十月七日）

午前九時、各県から参集した高校生物担任教師、小中校理科教師の正会員約五〇〇名、来賓、傍聴人を含め約六〇〇名をようする高崎市立女子高校講堂にて開会式が行われた。

会務報告に際しては沖縄大会の宣言、決議の力強い模様が録音により会場一杯に放送され、また会場の壁には当時の沖縄タイムス、琉球新報の写真入り記事が貼り出されていた。

また沖縄生物教育研究会からの本大会に寄せられた祝電が声高らかに披露され沖縄代表として出席し感慨無量であつた。

午前中に文部省関利一郎先生の講演「理科教育の現状と問題点」と題し、生物教育の内容とその指導法と施設、設備について、引き続き、京大教授宮地伝三郎先生のサルの群(社会)を実地に調査研究されユーモア溢れる興味深い講演「動物社会の文化」が行われた。

午後からは五校（小一、中一、高三校）に分散して授業研究が行われた。私は市立女子高校一年生の「蚕の解剖」（指導者星野勝美先生、助手一名）に参加し実験ならびに観察の設備備品がよく整い教科書の内容が生徒に高度に理解できる現場を実際にこの眼この耳で見聞し沖縄における理科教育の嘆かわしい現状と学力低下の一つの原因を知らされた。

本日日程の終わりに全会員数台のバスを連れて白衣観音を訪ね各自礼拝を済ませ、四十一mも高くそびえた肩の展望台から関東平野を一望し、一日の疲れをいやし宿へ帰つた。

大会二日目（十月八日）

午前中研究協議分科会が七分科において行われ（小一、中　、高五分科）私は第二分科（理科教育課程と評価）に参加し、次の分科会報告にあげるような結論に達し全体会議においてまとめることになつた。要約すると高校生物は三〜五単位でき得れば、八単位として一学年(3)　二学年(2)　更にでき得れば、三学年において選択(3)単位とした方が望ましい。現在のように、一個学年で(3)又は(5)単位を履修したままで終つてしまうのは、大学入試や社会へ出る際の就職試験との関係から望ましくないとの意見が目立つて多かつた。

引き続き群馬大学教授堀正一先生の講演「湿原の形成過程と花粉分析」が講堂において原色スライドとフイルムの幻灯によつてわかり易く興味深くなされた。堀正一先生は昭和三十四年（一九五九年）沖縄における夏季教員研修の講師として政府文教局から招へいされ、私も七月の暑いさ中に普天間高校において理科（生物）の研修を直接受講し先生には事前に面識いただき群馬にて二か月ぶりにお会いし、沖縄では

見られぬ海抜一〇〇〇m以上の湿原を大会終了後、群馬大医学部学生、当銘金城両君等沖縄出身国費学生と一しょに紹介し案内され、実地に指導していただいたのは衷心から感謝にたえない。

その後の日程は群馬に誕生した有名なフィルハーモニーオーケストラの演奏が公開され、昼食休みには展示品見学、記念写真撮影と、高崎市の青年団員によるレクリエーション（日本民謡、八木節、その他の舞踊）の披露があり全国から参集した数百余の会員はにぎやかで情緒豊かなお国自慢を楽しんだ。

午後は三会場において会員の研究発表がなされたが、私は、第三会場における「沖縄の生物相と名所」と題する東京都立白鷗高校蛯沢由永先生のカラーフィルムによる幻灯に参加し会員の質問に答える役に当つた。又同会場で「群馬県の高山植物」が群馬県立中之条高校北沢浅治先生によつて同じくカラーフィルムで映写されたが、これ等両者の色彩を比較してみて温帯と亜熱帯の植物の相違がはつきりした。すなわち、沖縄のような四季の区別が不明な亜熱帯に見られる植物は一般に葉が厚く色彩が実に濃い緑で色つやがあり、さんさんと照り映える太陽にまばゆく光つている。また澄みきつた青空の白い夏雲や紺碧の海も日本内地のどんより曇つた灰色の空とはちがう。四季の移り変りがはつきり目立つ温帯の植物は葉は一般に薄く色も淡い草色に見えた。一方、山地の森林が広大で規模の大きいことに驚く。やはり国土の緑化は国力の富の源泉であろうと考えた。

大会三日目（十月九日）

午前九時から全体会議場に集まり、昨日午前中に行なわれた七つの分科会の報告が、別紙（後の綴り）の通り、各分科代表によつてなされた。日本全国の生物教育の振興をはかるため、各分科から提出された諸問題を取りまとめ、その解決策としては本会執行部が文部省や高校長協会など関係当局へ要請交渉するよう委任された。本大会の結論は日本全国から参集した数百余の会員の意志であり、早目に当局に要請され会目的が着実に達成されるよう念じてやまない。

引き続き、東大教授和田文吾先生の「細胞分裂」の講演が16ミリフィルムの映写によつて核ならびに細胞質の分裂現象が詳しく解説された。次いで次回全国大会開催地の決定の協議にうつり数年前からその計画が進められている四国高知県に全会一致で決定をみた。

いよいよ最後に三日間にわたる大会の閉会式にうつり、福岡県福岡商高の行徳兼市先生が全参加者を代表して会場高崎市立女子高校に対する謝辞が述べられ、続いて中路正義先生の会長あいさつでは「沖縄支部の加盟の件」について大会理事会の承認の意向が発表され、全会員の盛大な拍手により、ここに、「日本生物教育会沖縄支部」が正式に誕生し、郷土沖縄の生物教育界ひいては全教育界に大きな希望と光明をもたらした。郷土沖縄を代表して出席した私の任務が実を結んだ今、私にとつても何とも言い現わすことのできない喜びであつた。沖縄においてはこれから生物教育研究会の旧会長玉代勢孝雄先生（首里高校）、新会長仲宗根寛先生（コザ高校）を中心に全会員がその体制を整え実質的に沖縄支部が誕生し、沖縄教育を向上せしめる大役を担つて前進を続けよう。

中路会長のあいさつに次いで、会長の群馬県高崎市立女子高校校長井上忠蔵先生のあいさつが丁重に述べられ、最後に大会委員長群馬県立渋川女子高校長兼群馬生物教育研究会副会長齊藤勲先生の名残り惜しい閉会のことばがあり、次回高知大会における再会を約して本大会を無事にかつ意義深く終了した。この時、まさに昭和三十四年十月八日午前十一時である。

その後直ちに見学地へ二班に別れ（Aコース草津温泉へ、Bコース伊香保温泉へ）いずれも一泊二日の日程で数台の観光バスを連れて出発した。

私は草津温泉班に加わり、生まれてはじめて（私は南洋サイパン島生まれ）熱い湯煙りが一ぱい立ちこめ黄色い硫黄が一面に折出した広大な露天温泉を体験し数々の楽しい想い出を残した。翌朝はいろいろのお土産品を手にバスは温泉宿を後にし白い煙を吐く勇壮な浅間高原から白いテニスコートが林の中に並ぶ軽井沢を通り再び高崎駅にもどり午後一時全国の会員の方々とお別れし分散した。

それから個人の自由なスケジュールによつたが私は前橋市に住む沖縄出身国費学生当銘君、金城君等と一しょに群馬大学教授堀正一先生に案内されて赤城の黒檜山、地蔵岳の山々やふもとの大沼、小沼と名づけられた広い湖と周辺の素晴しい紅葉自然の美をながめながらまわることができた。次に訪れた日光の国立公園に見る神橋、いろに坂、華厳の滝、沖禅寺湖など一帯には長い歴史の中に育まれてきた日本の民族性の優雅なことと尊さがしのばれ

た。帰路は東京都内の名所めぐりと、大阪の夜の名所を観光し多面にわたる実地見聞によって視野を広め鹿児島から一か月間の研修を終えて郷里に帰つた。

――帰任報告――

一か月間にわたる日本生物教育全国大会の研修旅行に出て今なお印象に深く残ることは

1　広大な国土は、緑あり流れあり、実りがあつて実に豊かであつた。

2　住む人々の心は、寛大で、なすべき業を心得てコツコツと仕事に精出している姿は尊いものであつた。寸暇も書を読み知識と教養の向上につとめている。

3　大都市の高層ビル、電化された施設、あまたの人々の雑踏と相対して汽車の窓に見る農村の田畑の広大なこと。山林の緑濃い美しい自然、実に胸も広くすうつとする。

4　自然も素晴しく、また教育施設も教育振興法の施行にともない整い生徒の学力向上に適切であつた。

5　教育の道に志す私自身の人生遍歴に大きな発展と向上をもたらす尊い経験であつた。

この良き機会を与えて下さつた関係当局の好意に深く感謝する次第である。

研究協議分科会報告

第一分科会（科学教育の振興等基本的な問題について）

◎文部省に対する要望事項

第一　文部省の 高校 設備 基準を改正し、高校生物科において次の如く改めてもらいたい。

1　実験室　二教室

2　準備室、機械器具、標本室、飼育栽培室、教材園を置き必要な部屋には水道電気、熱源および暗室装置をつける。

第二　理科教育振興法の拡充と設備基準の改正

理振法の一〇〇％実施と現在の設備基準は、その内容と品目は現況に沿つていないので改正して欲しい。

第三　産業教育振興法手当を理科担当教官にも支給せられたい。

第四　理科各科目に助手設置を望む

実験観察を多くして理科教育の効果をあげるため助手はぜひ必要である。

第五　理科教育の特殊性にかんがみ教師の週担当時間を十五時間程度にして欲しい。

第六　生物科担当指導者の養成数を増して欲しい。

第七　学校使用の電気料金は割高であるので低額にして欲しい。

◎大会に対する要望

分科会討議は極めて重要であるので充分な時間をとり会場数も増加して充実した討議ができるよう次の大会からは考慮して欲しい。

第二分科会（理科教育課程と評価について）

1　教育課程の改訂について

A　福岡案（地学を廃止しない、学年固定をしないことを原則として）

第一案　理科四科目を必修とし十二～十八単位とする。

（物理三～五、生物三～五、化学三～五、地学三）

第二案　理科四科目は一時間増加し単位数は二十～二十八単位とする。

B　本部案（現行通りを堅持してゆく）

1　高校普通課程においては必修十五単位、選択を加えて二十三単位とする。

2　現行理科四科目は必修として全生徒に学習させること。

3　高校職業課程においては二科目必修として十単位とする。

C　大阪案

1　物理、化学、生物は併進法で五単位必修とする。

2　選択必修三単位を三学年にてする。

3　三学年では二科目を選択必修とする。

4　三学年では内容は、一、二年重複しないよう不足実験を充足せしめ創造性を養いつつ大学入試と関連させる。

D　広島案

福岡案に同じ

※教育課程の改訂のまとめは委員会付記となる。

2　分割履修｝について
3　学年固定

◎委員会案

1　高校普通課程においては、理科を四科目中三科目選択必修とする（十五又は十八単位）。

2　高校職業課程においては少なくとも二科目必修とする。

3　一科目の単位は三又は六となる

4　科目の学年固定はこれを行わない。

※上記の決定に基づき文部省ならびに全国高校長協会に対し本部より強く要望せられたい。

第三分科（実験観察とその指導法）

第一　どの程度の実験観察をすべきか

帰任報告

1 実験の項目については、別冊（・高校生物教育における群馬県の実態ならびに全国の傾向）の実験項目の頻数を考慮して学校の実状に即し実施する。

2 実験時間は五単位中二単位を（京都桃山）年間四十五時間をあて（うち遺伝六十七時間）学習内容は、分類生態応用を軽く扱う（京都堀川）基礎実験を二十時間（神奈川翠嵐）

第二 指導書、実験書の活用

1 県高校教科研究会理科部会編さんの理科実験の手引（（生物）使用、一部七十円県下十二校、二〇〇〇部使用（神奈川）

2 生物教育会で実験手引書作成、六十項目一部八十円（京都）

第三 実験費と助手

1 実験費として生徒より普通科三〇〇円、商業科二〇〇円徴集 計一二五、〇〇〇円その他を加え年間二十万円（京都桃山）その他京都府下高校これに準ずる。

2 実験費二万円

※本部において 実験 項目 必要時間数、必要実験費の実状を全国的に調査し取りまとめの上文部省当局に予算配布を強く要望されたい。

第四分科（生物教育と大学入試）

高校教育は大学入試によってかなりの影響を受けているがここ数年入試問題も次第に改良され好ましい方向に向いつつある。例えば基礎的な問題ですなおな出題が多くなってきておりまた実験観察の問題も実際に即した良いものが目立ってきた。しかし一部の地方大学や私立大学等においてはいまだに高校程度をはるかにこえた専門的難問や極めて複雑はん鎖にすぎる問題が多いのははなはだ遺憾である。

われわれは本分科会において、大学入試の出題に際しての希望事項として次の諸点を討議した。

1 問題作成の基準としてはいかなる方面から出題しても、あくまで高校程度を鉄則とすべきであって大学の先生方は高校の生物教科書を広く研究され、いずれの教科書にも記載されている事項を選んで出題されたい。

2 専門的難関によらず基礎的な問題をえらび、これを掘り下げることにより等差をつけるくふうをして欲しい。

3 問題はできるだけ多方面からとり多種多様な形式を組み合わせて出題してもらいたい。

4 学会で承認されないようなこと例えば、ヒトの染色体などについては出題を避けてもらいたい。

5 入学試験終了後、大学側で正解を発表すべきである。

6 入試問題については、大学側と高校側とでできるだけブロック単位以上の規模で話し合いの機会を持つべきである。

第五分科（実業学校、定時制、分校と生物教育）

(1) 職業課程と生物教育

1 農業校は通常、普通校に比べて能力が劣るのが普通であって（中には農家の長男もいて優れているものも混っている）これら劣れる生徒にいかにして生物に興味をもたせるか。

。一案として、現在三単位で教科書のままではますます広く浅いものにして興味を失うおそれがあるので植物はアサガオを動物はハイを材料に実験し徹底させるようにしているがどうか（愛知安城）

2 劣れる生徒にいかにして興味を持たせるかは同感だが材料の選択はその授業に最も適したものを選ぶべきだ。現象に重点をおいて選ぶことがよい（栃木）

3 最近の教科書は説明→実験の様式をとっているが問題の生徒の多い実業校では実験→説明の段階をとる方がよい。（埼玉）

4 植物の名をおぼえさせるのに、三科の植物を同時にグループごとに研究させて科の特徴などを自発的に指導して効果をあげた。（茨城）

5 生徒をわくにはめないで興味を持たせ自分から進んでやるように仕向けるために形態分類は野外において指導する方法をとった。又実験材料は広い範囲に求め生徒本位に選択し手に入らない場合は教師が与えてやるようにした。カエルの実験は広い範囲に渉って利用ができる。（群馬、桐生）

6 分類は生物学の基礎としてまず取りあげるべきだ。

7 数を多く採集することは、生徒に生物の種の多いことを知らせ興味をもたせる手段としてよろしい。

(2) 定時制の実験困難と打開策

1 地域的に多種の職業を持っている生徒の集まりなので（十七～二十八才位）校外授業など思いもよらない。かつ、夜間のため、実験も十分に行えない。このような環境にいる生徒をいかに指導すべきか。（兵庫、尼崎、城内提案）

――帰任報告――

一　対策として春秋の遠足をとらえて野外授業をした。（群馬、桐生）

2　定時制には特に環境整備の必要がある。陽の当らない定時制に対する認識が欠けていると強く不備が述べられた。（東京）

3　準備室すらない。その上に兼務の先生が多くて、その先生も専門職業をもつ人の内職であることすらある。このようでは生徒が可愛想だから専任の先生をも増員すべきである（兵庫）

4　定時制の先生には、専門以外に三〜四教科も持たせることがある。これでは職員もたまつたものではない。又施設の充実は定時制には特に急務と考えられる。（高知）

※定時制において施設の充実、専任職員の増強を特に考慮されるよう関係当局に強く要請されたい。

第六分科（中学校における生物教材の扱い）

問題点として新指導要領によるカリキュラムの作成と学習指導法が取り上げられた、まず、カリキュラムの作製に当つては季節的にちがう各植物の系列や比較の合理的取扱い、せきつい動物と無せきつい動物の指導、人体単元の能率的取扱い発芽と光合成の実験の合理化、気象天文教材と物理教材との関連、遺伝や進化の取扱いなど例ととして上げられ、特に新指導要領における細胞に関する学年配当がいろいろ討議された。

次に光合成の実験指導では、その堀り下げ方や指導技術の点、又、他の単元との関連など議論され、個々の結論は時間の関係で出されなかつたが新指導要領には計画の基準性はあってもそれに基づく現場の指導は自由であるから、その地域社会に立脚して教師の創意くふうにより、万全を期するのがよいのではないかという意見が出された。

第七分科（小学校における生物教育のあり方）

1　生物教材について各学年ではどの分野まで行うべきか。

指導要領をくわしく分析すること。

2　顕微鏡、模型、標本などの活用について

学校にある標本は、ほこりまみれにしておかないで、できるだけ活用すること、新しく標本を作製するには、単なる解剖だけのものでなく生物の生活を物語るような標本を作ること、また児童たちに自由に出し入れのできる標本を作ることが望ましい

3　飼育栽培と学習との関係について

生物の成長アクセントをしっかりおさえて指導すること、小学校で級担任が理科指導をしているのだから、まず学校の職場作りが必要で教師たちがよく話し合つて、成長のアクセントをおさえて指導することが望ましい。また成長の歴史を知らせるように各時期の材料を保存しておき比較させながら児童たちの興味を更新させ、将来につながるものとして継続観察させることがいい。

4　自然観察ならびに実験指導について

野外観察は単に生物の種名だけでなく、生活しているものとして取りあつかうのがよい。

生物の種名の指導については、各担任は、理科主任に聞いて確かめまた、もし難解なものがあつたら、市内に理科センターのようなものを作つておいて、はつきり理解できるようにするのが望ましい。

雑詠（その一）

喜瀬原小学校　玉木清仁

われもまた親とし嬉し月柱冠ふるまわられて年の瀬を越す

耳鳴りを知つてか医師《くすし》喉弱き人よと告げてチンキつけたり

わが家にてわが家にあらず子が居らぬ部屋は空虚に寒々とあり
（子は結婚して別居せり）

いつの日か母待つ家に争いてわが子帰るや夢よ来よかし

なだらかな丘の落ち合う溪合いの松翠濃ゆく静もりてあり

しんしんと冷えまさりゆくさ夜中にくたかけどりのきほいあうこえ

きほいあうこえに交りて遠鳴きのしやむのだみごえとおりて聞こゆ

けたたまし羽根打ちならして長鳴きを床に目ざめて品定めする

羽ばたきてかけい鳴きいづさ夜床に柱時計は四時をうちたり

なみよろう丘の雑木の黄にみどり朝の日影にさゆらぎてあり

露おける黒きとばりの外の面にはあけの明星輝きてあり

随筆

寸思

―ヒイチルということ―

森根賢徳

　自分は小学校一年生に入学して机腰掛で字を習い始めてから高等科、師範学校、教員とテーブル生活に親しむこと四十余年になつている。昔のことばに「四十にして惑わず」というのがある。たいしたものだと思う。そのことばからすると僕など学校や家庭を問わず執筆時の型も確立して何時でも何処でも腰掛で書いて居るべき筈だのに今もつて自分はしつぽく台を前に坐つて字を書いている。甚だ不がいない話ではある。

　思うに教育を生活にまで等と従来自他共に平気でしやべつたものであるが右の事柄から推してもそれが如何にむずかしく平気なものでないということがわかるのである。教育上ほんとにその人の血となり肉となるということはすなわち教育の生活化等ということは単なる施設や知識や年月だけではなさそうな問題であつて、それらを貫ぬく歴史性というかあるいは文化性とでもいうか、そういうようなものが前提条件として考えられなければならないように思われる。

　最近膝関部炎を患い、治つたとはいうものの病気前の状態には戻らず、どうも具合がよくない。片足をのばして楽に坐つて字を書いている今の自分がこれから次第に坐る生活と縁が深くなりそうである。

　沖縄で坐ることを「ヒィユン」といつている。それにつけて思い出されることは、子どもの頃独楽をまわしまわして福木の葉ですくい取り平たいなめらかな焼物のかけらの上に移してミーミチをよくかけつこしたものである。「マーキィラィ」ともいうていた。そうして独楽の品等をやつたものである。その時独楽がよくまわつて坐り澄むと「ヒイチチヨーン」と叫び合つたのである。独楽がよくまわつて坐ることを沖縄では「ヒイチチユン」というのである。独楽がよくまわつていて、まわつているとはどうしても思えず、見た目では突つ立つているとしか思えない状態に「ヒィチチヨーン」というのである。十分坐りきつているという意味に直訳される。

　まわりまわつている独楽のようすをかくいうことから考えると活動態そのものを沖縄では坐る（ヒィユン、ヒィチチヨーン）といつているわけである。

　独楽はまわるのが使命である、それの如くにまさになすべき使命に徹して、いや、使命そのものになつて一心不乱に使命を果すことにまつしぐらであることに対し沖縄では坐るという言葉で表現していると考えられる。鷹が空から地上の獲物を狙いまさに落下せんとする一瞬にも「ヒィチチヨーン」といつている。

　また私が教員になつてからのこと、父に転任のことをはかつたら「どこそこにいきたいなどと考えずに現在の学校に「ヒイチチヨーキ」（腰を据えて勤めなさい）とさとされたことがある。そのことからしても現に沖縄では「ヒィチチユン」ということばは、その人がその時、その場所において使命に徹し切る、純粋な活動態になりきるという意味につかわれていることがわかる。

　手づくりのクレヨンで色もよごれた粗末な独楽ではあるがくるくるまわつて一たび「ヒイチル」と純粋な活動態そのものとなりきり、素晴らしく美しい透明態になつてしまう、そういう状態を意味しているのがわが沖縄の坐るという言葉であると考えると「ヒィチチユン」ということは何という大変なスバラしい言葉であろうか。

　今日はいろいろな外来文化が入つて来て精神が一つのものに集中できず又マスコミが発達してすべてに娯楽的性格を帯びて間口の広いものとなり精神が分散状態におかれているといわれている。

　更に又今ヨの道徳教育の問題ではあれはするな、これはやるな等ということではない。知的な意味での忍耐力、一つのものに集中できる精神エネルギーが基礎的なものであるともいわれている。こういう場合、わが沖縄のヒィチルという言葉は今日の社会、および今日の道徳教育上味わい深い暗示に富んだ吾々の祖先がのこした尊い遺産ではないだろうか。

（与那城小学校教頭）

中学校の技術・家庭科 設備充実の参考例

学校規模別に3のとおり示す

本省では、三十七年度から実施される中学校の技術・家庭科に必要な設備の充実について参考例を別表のように作成このほど都道府県教委などに送付した。

これは、技術・家庭科を実施する上には、どうしても設備を整える必要があるとし、各方面からも要望されていた。このため本省では昨年秋、大学教官、指導主事、現場の先生などで構成する技術・家庭運営の手びき委員会を設け慎重審議してきたが、このほどその結論を得たものである。

別表の設備充実参考例は、中学校学習指導要領に示すところに従い、技術・家庭科の標準的に考えられる指導計画を実施するに際して必要と考えられる設備の品目や数量などを示したものである。また学校の規模を3～5学級・6～17学級・18～24学級の三とおりに大別し、それぞれ男女別生徒数がほぼ同数の場合を想定して作成されているので、実際の学校規模、男女の比率、学年別の学級構成などを考慮して、ここに示されている設備の品目や数量などを適宜増減する必要がある。

設備充実における留意点

各学校において、設備の充実を行なう場合には、次の諸点にじゅうぶん留意して充実計画を立て、実施する必要がある。

① 設備の充実計画は、当該学校において実施する年間指導計画や学習形態を検討した上で決定すること。

② 設備として示すもののうちには、生徒が各自所持することが好ましいものがあると考えられるので、これらのことについてもじゅうぶん配慮すること。

③ 現在すでに所有している設備との関連のもとに、学習指導上緊急度の高いものから適切に充実すること。

④ 義務教育費国庫負担法に基づく教材費または産業教育振興法に基づく産業教育設備費などによる財政的措置をじゅうぶん考慮した上で充実計画を立て、実施する必要がある。

なお、中学校産業教育設備費補助金の対象となる設備は、参考例に示したものによることとする。この場合、各学校の実情に応じて適切な配慮のもとに設備の充実を実施する必要があるが基本的な設備を充実しようとする場合には次のAに示す品目をそれらのものが充実している場合にはBに示す品目を、重点的に取り上げることが望ましい。

（A）

のこぎり類、かんな類、のみ類、げんのう、木づち、くぎ抜き、すじけびき、けがき針、けがき、コンパス、センタポンチ、鋼尺、直角定規、パス、ノギス、トースカン、Vブロック、定盤、金切りばさみ、押し切り弓のこ、平たがね、金しき、万力、片手ハンマー、やすり類、折り台、刀刃、電気はんだごて、タップ回、ダイス回し、自在スパナ、組スパナ箱スパナ、プライヤ、ねじ回し、ゲージ類、自転車修理工具、自転車、ペンチ、ニッパ、ラジオペンチ、ナット回し、組やすり、ハンドドリル電工ナイフ、回路計、ラジオ受信機、はかり、こんろ、裁縫ミシン、電気アイロン。

（B）

糸のこ盤、丸のこ盤（または電気丸のこ）かんな盤（または電気かんな）両頭型研削盤、卓上ボール盤、卓上旋盤、原動機、電気洗たく機。

このA、Bの二例は、いずれも最もわかりやすい極端な場合を想定して示されたものであるから、AとBとの間にはたくさんの使途例が考えられるわけである。いずれの品目から重点をおいて充実するかについては、各学校の実情に即して適切に考慮されなければならない。

中学校技術・家庭科設備充実参考例

栽培関係

品名	数量 3～5学級	数量 6～17学級	数量 18～24学級	備考
くわ	3	5	5	
シヨベル	3	5	5	
移植ごて	6	10	10	
噴霧器	1	1	1	携帯用
散粉器	1	1	1	手動式
じょろ	2	2	2	
木ばさみ	3	5	5	
ホーク	2	2	2	

やすり類	12 / 4 } 16	24	36 / 12 } 48	平やすり 18（荒目、中目、細目） 半丸やすり 6（中目）
折り台	2	3	3	
刀　刄	2	3	3	
電気はんだごて	4	6	12	150W
タップ回し	1	2	2	
ダイス回し	1	2	2	
両頭型研削盤	1	1	1	200W（1/4馬力）直結式
卓上ボール盤	1	1	1	200W（1/4馬力）直結式
卓上旋盤	1	1	1	200W（1/4馬力）直結式
万力台	4	6	12	

（注）①のこ刃、といし、ワイヤブラシなどの消耗的備品は省いてある。
⑵ペンチ、ねじ回しハンドドリルなどは電気関係備品としてあるものを共用する。

機械関係

自在スパナ	4	6	8	
組スパナ	4	6	8	インチ式3本組およびメートル式3本組
箱スパナ	3	4	6	インチ式5本組およびメートル式5本組
プライヤ	4	6	8	
ねじ回し	4	6	8	特大
ゲージ類	1 / 1 / 1 } 3	6	6	すきまゲージ 2 ピッチゲージ 2 ワイヤーゲージ 2
自転車修理工具	2	3	4	
自転車	2	3	4	
原動機	1	2	2	石油発動機またはスクータ用エンジン

（注）①油さし、ワイヤブラシなどの消耗的備品は省いてある。
②原動機は型式が多数なので、個々に応じた特殊工具・付属工具類は省いてある。
③裁縫ミシンは被服関係備品としてあるものを共用する。

電気関係

ペンチ	4	6	6	
ニッパ	6	9	9	
ラジオペンチ	6	9	9	
ねじ回し	6	9	9	大、中、小3本組
ナット回し	6	9	9	
組やすり	2	3	3	5本組
ハンドドリル	1	1	1	
電工ナイフ	4	6	6	
電気はんだごて	6	9	9	80W
回路計	3	6	6	携帯用
ラジオ受信機	3	6	6	交流式3球回路別

（注）①ラジオ部品などの消耗的備品は省いてある
②電気アイロンは被服関係備品としてあるものを共用する。

地温計	1	1	1	

（注）ふるい、はちなどの消耗的備品は省いてある

製図関係

製図板	30	50	100	
丁定規	30	50	10	
製図器具	30	50	100	中コンパスディバイダ

（注）①油といし、羽根ぼうきなどの消耗的備品は省いてある。
②大三角定規、大コンパスなど他教科と兼用の備品は省いてある。

木材加工関係

のこぎり類	8 / 4 } 12	18	24 / 12 } 36	両刃のこ 12 はそ引きのこ 6
かんな類	8 / 1 } 9	14	24 / 2 } 26	平かんな（2枚刃） 12 台直しかんな 2
のみ類	4 / 8 / 8 } 20	30	12 / 24 / 24 } 60	おいれのみ 6 むこうまちのみ 12 うすのみ 12
げんのう	8	12	24	
木づち	8	12	24	
くぎ抜き	4	6	12	
すじけびき	4	6	12	
糸のこ盤	1	1	1	200W（1/4馬力）直結式
丸のこ盤	1	1	1	昇降盤750W（1馬力）直結式
かんな盤	1	1	1	手押しかんな盤または自動かんな盤 750W（1馬力）直結式
工作台	4	6	12	

（注）①きり類（三つ目きり、四つ目きり、つばきり、ねずみ刃きり）塗装用具（とのこなべ塗料容器、はけ）、といし（荒と、中と、仕上げと）などの消耗的備品は省いてある
②鋼尺、直角定規などは金属加工関係備品としてあるものを共用する。
③丸のこ盤の代わりに電気丸のこ（電動工具）、かんな盤の代わりに電気かんな（電動工具）を当てることもできる。

金属加工関係

けがき針	8	12	24	
けがきコンパス	4	6	12	
センタポンチ	8	12	24	
鋼尺	8	12	24	
直角定規	4	6	12	
パス	2 / 2 } 4	6	6 / 6 } 12	内パス 3 外パス 3
ノギス	2	3	3	
トースカン	2	3	3	
Vブロック	2	3	3	
定盤	1	1	1	
金切りばさみ	8	12	24	直刄
押し切り	1	1	1	
弓のこ	2	3	6	
平たがね	4	6	12	
金しき	1	1	2	
万力	4	6	12	
片手ハンマ	4	6	12	

調理関係				
調理台	4	8	16	
なべ	8	16	32	
フライパン	4	8	16	
ボール	4	8	16	
蒸し器	2	4	4	
バット	4	8	16	
ほうちょう	8	16	32	
はかり	2	2	4	感度5gのものを含む
洗いおけ	4	8	16	
こんろ	4	8	16	熱源により適宜

（注）①食器類、また板などの消耗的備品は省いてある。
②温度計、てんびんなど他教科と兼用の備品は省いてある。

被服関係				
裁縫机	4	8	16	
電気アイロン	4	8	8	500W
裁縫ミシン	4	8	16	HA型
人台	1	1	2	
裁ちばさみ	4	8	8	ピンキングばさみを含む
染色器	2	4	4	
鏡	1	1	2	
洗面器	2	4	4	
電気洗たく機	1	1	1	

（注）霧吹き、はけなどの消耗的備品は省いてある

中学校の移行措置と留意点 (3)

学校の全体計画が必要

同じ内容…ねらいが異なる場合に注意

☆**教科内容の補充と省略**

移行学年における各教科等の内容については、移行措置を行なうため必要がある場合には、中学校学習指導要領に定めた内容で、従前の学習指導要領にないものは、これを補って取り扱うものとし、従前の学習指導要領に定めた内容で、中学校学習指導要領に示されていないものは、これを省くことができるものとすること。

新・旧両教育課程の各教科等の内容には、それぞれ出はいりがあるので、その取り扱い方を一般的に定めたものである。

第一に、新学習指導要領に新しく加わった内容で、旧学習指導要領にはなかったという内容はこれを補充して取り扱っておかないと、新教育課程の実施の際に困ることが多いので、必要な事項は移行措置の期間中に補うものとしたのである。

第二は、旧学習指導要領にはあるが新学習指導要領に省かれている内容は省いてよいのであって、この場合は、新学習指導要領にないからといって、必ずしも省かなければならないというものではないのである。

☆**移行措置の留意事項**

移行措置を行なうにあたっては下記の事項に留意すること。

① 移行学年に係る指導については、それが円滑に行なわれるように各教科等の間の関連を密にし学校全体としてまとまった計画を作成し、実施すること。

② 昭和三十五年度の第一学年および昭和三十六年度の第二学年については、移行措置を行なう二個学年間を通じた指導計画を作成し、実施すること。

③ 従前の学習指導要領に定めた内容で、中学校学習指導要領において、その取り扱いのねらいを異にするものの指導を行なう場合においては中学校学習指導要領の趣旨を考慮して指導すること。

ここでは留意事項として三点を示している。

①については、小学校の全教科担任制と違って、中学校では教科担任制であるから、各教科間の横の連絡をとり学校全体としてまとまった移行措置の計画をつくることが特に必要である。その際、教科間の指導事項の重複、間げき、脱落などがないように、じゅうぶん注意しなければならない。

②については、二個学年にわたって移行措置を受ける生徒に対する移行計画と、実施上の注意を示したものである。

この生徒に対しては、必ずしも第一学年の指導事項は第一学年のときに、第二学年のそれは第二学年でというように、新学習指導要領に即して計画指導をする必要はない。移行措置を行なう二個学年を通じ、無理のないよう適宜指導事項を配分するようにすればよい。

③については、さきにあげた新・旧の学習指導要領で、内容に加除がある場合の取り扱いを示したのに対して、ここでは、各教科などの内容の組織のしかたや、見方その角度を異にするものがあるので、その留意事項を示したものである。

すなわち、内容全体としては新・旧学習指導要領ともだいたい同じでありながら、取り扱いのねらいが異なる場合、新学習指導要領の趣旨を考慮して指導することとしたのである。

以上、三十五年度から実施される中学校改訂教育組織の移行措置の一般的事項にとって、その留意点を述べた。

（完）

34年度学校衛生統計

身長 前年比 戦後最高の伸び

―― 文部広報より ――

本省では、昭和三十四年四月に行なわれた定期健康診断の結果を調査していたが、このほどまとまつたので「生徒児童幼児の発育状況」として、その大要を次のとおり発表した。

発育の全国平均値　（表参照）

発育はいぜんとして上向きの状態で、各歳男女ともに前年より向上している。年次経過から発育の特徴を見ると戦前最高の年昭和十四年の値を越えた年は年齢により異なるが中でも十四歳が男女ともに最も遅れている。しかし、男女の十四歳は戦後二十三年から三十四年までの間で最も発育差が大きい。すなわち身長で十一歳が五・五センチ、十七歳が三・九センチの伸びだが、十四歳は八・三センチの伸びである。また女子では身長で十一歳が、体重で十四歳が戦後二十三年から三十四年までの間で最も発育差が大となつている。

給食実施状況発育の平均値

給食実施校と不実施校の児童について発育を比較すると、身長、体重については三十三年同様に給食実施校がすぐれている。胸囲についてはまだ実施校が全体的にすぐれているとはいえないが、男子の市部（行政区画上の市）で七歳、十一歳、女子の市部で八歳、十一歳で実施校がすぐれている点は、三十三年度の場合と比べて異なつた特徴である。

高等学校の昼夜別の発育の平均値

夜間の生徒とは、純然たる勤労学徒で、しかも夜間に授業を受けなければならない悪条件に生活している生徒であるが、男子女子ともに昼間の生徒より発育の平均値が劣つている。わずかに女子の胸囲で夜間の生徒がすぐれているのが見られる。一般に勤労学徒は一般学徒より発育の悪いことが見られる。十七才につい比較すると両者の差は男子では身長で一・九センチ、体重で一・一キログラム、胸囲で、一・二センチ、女子では身長で一・〇センチ、体重で〇・一キログラム、胸囲でマイナス〇・二センチとなつて昼間の生徒がすぐれている。

体位の各年比較

		昭和14年	（戦前最高を越えた年）	昭和23年	昭和23年	昭和34年
身長						
男子	11才	132.9cm	133.1cm（昭和28年）	130.4cm	135.1cm	135.9cm
	14才	152.1	152.3（昭和31年）	146.0	153.6	154.3
	17才	162.5	162.9（昭和28年）	160.6	164.3	164.5
女子	11才	132.7	133.1（昭和27年）	130.8	136.6	137.6
	14才	148.7	148.9（昭和30年）	145.6	149.9	150.3
	17才	152.5	152.8（昭和27年）	152.1	153.5	153.6
体重						
男子	11才	29.3kg	29.5kg（昭和28年）	28.2kg	30.2kg	30.5kg
	14才	43.6	43.8（昭和32年）	38.9	44.2	45.0
	17才	53.9	54.0（昭和28年）	51.7	55.7	55.9
女子	11才	29.5	29.9（昭和28年）	28.2kg	31.3	31.9
	14才	43.3	44.1（昭和31年）	40.1	44.6	45.1
	17才	48.8	49.1（昭和23年）	49.1	50.3	50.4

年令別身長体重胸囲座高の平均値

区分		（男）身長平均	体重平均	胸囲平均	座高平均	（女）身長平均	体重平均	胸囲平均	座高平均
小学校	6才	111.3	18.8	56.4	63.2	110.3	18.4	54.8	62.7
	7才	116.6	20.9	58.2	65.7	115.6	20.4	56.5	65.1
	8才	121.6	23.1	60.1	68.1	120.8	22.5	58.4	67.7
	9才	126.5	25.4	62.0	70.2	126.0	25.1	60.4	70.1
	10才	131.2	27.8	63.9	72.1	131.5	28.0	62.9	72.0
	11才	135.9	30.5	66.0	74.2	137.6	31.9	66.0	75.5
中学校	12才	141.0	34.3	68.4	76.5	143.1	36.5	69.7	78.6
	13才	147.9	39.4	72.1	80.0	147.6	41.4	73.7	81.3
	14才	154.3	45.0	76.1	83.4	150.3	45.1	76.7	82.9

＝教育課程審議会答申全文＝

高校教育課程の改善

第一　基本方針

高等学校教育は、中等教育の完成段階としてきわめて重要な使命をになうものであることにかんがみ新時代に対処すべき国家および社会の有為な形成者の育成を期して強力に推進されなければならない。そのためには高等学校の教育課程に改善を加え、そのいっそうの充実を図ることが必要である。

この際、小・中学校の教育課程の改訂に伴い、その基礎の上に小・中・高等学校の教育課程の一貫性をもたせるとともに、昭和三十一年度の高等学校の教育課程改訂の精神をいっそう徹底し、時代の進展に即応するようにすることをねらいとして、下記の方針により改善を行なう必要があると認める。

一　高等学校のそれぞれの課程の特色を生かした教育を実現できるようにするとともに、生徒の能力、適正、進路等に応じて適切な教育を行なうことができるようにすること。この際、大学との関連、普通課程と職業に関する課程との関係にも留意すること。

二　普通課程においては、その教育課程について二、三の基本的な類型を構想し、各学校においては、それぞれの基本類型に必要な変化をもたせて運営できるようにすること。また、科目の内容について、必要かつ可能なものには二種類を示して、いずれかを履修させるようにすること。

三　普通課程においては、教養の片寄りを少なくするため、必修科目を多くするとともに、その内容を精選充実し、基本的事項の学習がじゅうぶん身につくようにすること。

四　職業に関する課程においては中堅産業人の育成を期するため普通教育を改善充実するとともに、専門教育の基礎を徹底するように教育課程をそれぞれ編成すること。

五　道徳教育は教育活動のすべてを通じて行なうべきことはもとよりであるが、高等学校段階における道徳教育のいっそうの充実強化を期するため、社会科の一科目として「倫理・社会」をおくとともに、特別教育活動その他における生徒指導をいっそう充実強化すること。

六　基礎学力の向上と科学技術教育の充実について、次のように措置すること。

①最近の科学技術の進展に即応して数学および理科ならびに職業に関する専門科目について基本的事項の学習に重点をおいて再検討するとともに、理科ならびに職業に関する専門科目については実験実習を重んじ、学力の充実をはかること。

②国語に関しては、基礎学力を高めるため、現代国語の読解力および作文の能力の向上を図るような方途を講ずること。

③外国語に関しては、運用面の指導に重点をおき、外国語に関する基本的能力の向上を図ること。この際、第一学年において一か国語について若干の単位を必修とすること。

七　家庭科については、その内容を再検討するとともに、女子には原則として家庭科を履修させるものとする。

八　芸術については、情操の陶やに資するため、すべての生徒が原則としていずれか一科目以上を選んで履修するようにすること。

九　定時制の課程については、その実際的効果をあげるため、その実情に即応した措置を考慮すること。

十　教育にいっそうの計画性をもたせるため、必要かつ可能な教科・科目については、履修内容を学年ごとに示す必要が認められる。ただし、その示し方については、学校の運営に支障をきたすことがないようにじゅうぶん配慮すること。

第二　教科等に関する事項

◇高等学校の教育課程は「教科・科目」「特別教育活動」および「学校行◇事等」によって編成するものとし、それぞれ次の方針に基づいて改善す◇ることが必要である。

一　教科・科目

(1)国語

ア　国語の基礎学力を高めるため、

現代国語の読解力および作文の能力の向上を図り、かつ古典の指導が系統的に行なわれるようにすることを目ざして、国語を「現代語」、「古典甲」「古典乙Ⅰ」および「古典乙Ⅱ」の四科目とすること。

イ　「現代国語」は、すべての生徒に毎学年共通に履修させるものとし、その内容は、現代文および話し方・作文を中心とし、文学的な内容だけに片寄ることなく論理的な表現や理解をも重んじること。

ウ　「古典甲」と「古典乙Ⅰ」は、そのいずれか一科目をすべての生徒に履修させるものとし「古典乙Ⅱ」は「古典乙Ⅰ」を履修した後に履修させるものとすること。

エ　古典に関する三科目の内容は古文および漢文を主と、次のようにすること。

（ア）「古典甲」の内容は、古典に対する概観的な理解を得させることを主眼とし、平易に学習することができるように考慮すること。

（イ）「古典乙Ⅰ」および「古典乙Ⅱ」の内容については、現行の「国語乙」および「漢文」で取り扱っている内容を精選し、系統的な指導を行なうようにすること。

オ　古典の各科目で取り扱う漢文については、内容を豊富に学習させるため書き下し文などによる指導を考慮すること。

（2）社会

ア　科目間のむだな重複を省き、内容を精選し、基本的事項をじゅうぶん身につけさせるようにすること。

イ　国家および社会の有為な形成者として教養の片寄りを少なくし、かつ、能力、適性、進路等に応じて社会科を履修することができるようにするため次のようにすること。

（ア）科目は、「倫理・社会」、「政治・経済」、「日本史」、「世界史A」、「世界史B」、「地理A」および「地理B」の七科目とすること

（イ）「倫理・社会」においては、小・中学校の道徳教育の基本理念たる人間尊重の精神を継承し、高等学校生徒の発達段階に即応して、人生や社会について思索させ、民主主義社会における社会集団と人間関係についての正しい理解と自覚を得させ人生観、世界観の確立に資することを基本とすること。

（備考）

「倫理・社会」の内容については別途教材等調査研究会の研究にまつべきものであるが、さしあたり次のものが考えられる。

▼人間の心理の動き―青年期の問題を中心として―▼人生観の研究（古代から現代にいたるまでの東西の偉大な思想家を取り上げ、その思想家の時代的背景なども考慮し、その著作に親しませることなども考えながら、これらの先哲の人間や社会に対する基本的な考え方を理解させる。またこの場合、「人間の尊厳」、「個と全体」、「幸福」、「自由」などをテーマにして取り扱うことも考えられる。）

▲社会集団と人間関係

（ウ）「政治・経済」においては、日本の政治・経済ならびに国際政治・国際経済に対する客観的に正しい理解を得させることを基本とすること。

（エ）「日本史」は、日本の文化の流れを政治や社会との関連において考察させることに重点をおくものとすること。

（オ）「世界史A」は、基本的事項を取り扱い、世界史の大きな流れを理解させるものとし、「世界史B」は、基本的事項を取り扱い、特に政治、経済、文化の関連について総合的に考察させるものとすること。

（カ）「地理A」および「地理B」は、現行どおり人間活動の地理的考察に中心をおき、人間活動の環境としての自然の取り扱いを明確にし、また、世界の現勢を地域に即して理解させることをも考慮すること。その際、「地理A」は、基本的事項を経済との関連に特に留意して取り扱うものとし、「地理B」は、基本的事項をやや深く取り扱うものとすること。

（キ）「倫理・社会」および「政治経済」は、すべての生徒に履修させるものとすること。

（ク）普通課程においては、上記（キ）のほか「日本史」、地理A」または「地理B」および「世界史A」または「世界史B」の三科目を、原則としてすべての生徒に履修させるものとすること。

（ケ）職業に関する課程においては上記（キ）のほか、「日本史」および「世界史A」または「世界史B」のうち一科目以上ならびに「地理A」または「地理B」のうち一科目、合計二科目以上をすべての生徒に履修させるものとすこと。

（備考）

「日本史」または「世界史A」のいずれか一科目を履修させる場合には近代史ないし現代史にかかる部分については、できるだけ共通の理解に達することができるように配慮する

こと。

(3) 数学

ア　内容を精選充実し、基本的な事項をじゆうぶん身につけさせるようにすること。この際、生徒の負担過重にならないようにじゆうぶん配慮すること。

イ　生徒の能力、適性、進路等に応じて、数学を履修することができるようにするため、次のようにすること。

(ア) 科目は「数学Ⅰ」、「数学ⅡA」、「数学ⅡB」、「数学Ⅲ」および「応用数学」の五科目とすること。

(イ)「数学Ⅰ」は、すべての生徒に共通に履修させる科目とし、基礎的なものを内容とすること。

(ウ)「数学Ⅰ」を履修したのち、原則として、すべての生徒に「数学ⅡA」「数学ⅡB」または「応用数学」のうちいずれか一科目を履修させるものとすること。

(エ)「数学ⅡA」は、実用的で平易であるように考慮すること。

(オ)「数学ⅡB」は、引き続いて「数学Ⅲ」を履修することをたてまえとして内容を構成するが、必要によっては「数学ⅡB」だけを履修して終わることができるものとすること。なお「数学Ⅲ」の内容は、おおむね現行の数学Ⅲの範囲を限度とすること。

(4) 理科

ア　科目間のむだな重複を省き、内容を再検討し、基本的事項をじゆうぶん身につけさせるようにすること。

イ　生徒の自科学的な教養の片寄りを少なくし、かつ能力、適性、進路等に応じて理科を履修しうるようにするため次のようにすること。

(ア) 科目は「物理A」、「物理B」「化学A」、「化学B」、「生物」および「地学」の六科目とすること。

(イ)「物理A」および「化学A」は、基本的事項をできるだけ平易に取り扱うものとし生活や産業との関連を特に考慮して組織するものとすること。

(ウ)「物理B」および「化学B」は基本的事項をやや深く取り扱うものとし、系統的に組織するものとすること。

(エ)「生物」は、現行の三単位および五単位の内容を一本化し、基本的事項を取り扱い、生活や産業との関連にじゆうぶん留意すること。

(オ)「地学」は、特に内容の精選につとめ、内容を二部に分けて示すこと。

「地学」の履修については、独立の科目として履修させる方法と、その内容のうち第一部を「生物」と、第二部を「物理A」または「物理B」とあわせて履修させる方法を認めること。後段の場合、「地学」の科目を履修したものとすること。

(カ) 以上のいずれの科目においても実験、観察等をいっそう重視すること。

(キ) 普通課程においては、原則として「物理A」または「物理B」、「化学A」または「化学B」、「生物」および「地学」の四科目を、職業に関する課程においては、これらの科目のうち二科目以上をすべての生徒に履修させるものとすること。

(5) 保健体育

ア　科目は現行どおり「体育」および「保健」の二科目としすべての生徒に履修させるものとすること。

イ「体育」の内容については、この時期における発達の特徴などを考慮して男女の性別により適切な指導ができるように、男子向き女子向きに分けて示すとともに、男子については、原則として若干単位を増加して履修させることができるようにすること。

ウ　職業に関する課程および定時制の課程については、それぞれの実情に即応して、「体育」の内容および取り扱いを考慮すること。

エ「保健」については、その内容が多岐にわたることを避けて、個人および集団の健康、安全について基本的事項を精選するとともに、科学的な取り扱いをいっそう重視すること。

(6) 芸術

ア　芸術的能力を養い、情操を豊かにするため、原則としてすべての生徒に芸術の1科目以上を選んで履修させるようにすること。なお、普通課程においては、二科目以上を履修させるようにすることが望ましい。

イ　科目は「音楽Ⅰ」、「音楽Ⅱ」美術Ⅰ」、「美術Ⅱ」、「工芸Ⅰ」、「工芸Ⅱ」、「書道Ⅰ」、「書道Ⅱ」および芸術に関する専門の課程における専門科目とすること。

ウ　各科目のうち、Ⅰを付した科目については、楽しくかつ平易に芸術的な経験を得させるような内容とすること

エ　各科目のうち、Ⅱを付した科目はそのⅠを履修した生徒が、その興味や能力に応じて、さらに進んで履修しようとする場合の内容とすること。

オ　芸術に関する専門の課程における専門科目については、それぞれの課程ごとに、必要なものを別途研究すること。

(7)外国語

ア　外国語については読解の指導にとどまらず、聞くこと、話すことおよび書くことの指導を強化し外国語に関する基本的能力をじゅうぶん身につけさせるようにすること。

イ　生徒の能力、適性、進路等に応じて、外国語を履修することができるようにするため、下記のようにすること

（ア）科目は「英語A」「英語B」「ドイツ語」「フランス語」およびその他の外国語の科目とすること。

（イ）上記の外国語の科目のうち、いずれか1科目について、すべての第1学年生徒に履修させるものとすること。

（ウ）「英語A」は、英語の基本的事項を学習させるものとすること。なお英語初修者のための内容をも含めて示すものとすること。

（エ）「英語B」は、英語のやや進んだ内容を学習させるものとすること。

（オ）一つの外国語のほかに、他の外国語を第2外国語としあわせて履修させる場合には、その外国語の内容のうち、基本的事項について学習させるものとすること。

(8)家庭

ア　女子の特性にかんがみ家庭生活の改善向上に資する基礎的能力を養うため「家庭一般」をすべての女子に原則として履修させるものとすること。

イ　「家庭一般」においては、その内容が多岐にわたることを避けて基本的事項を精選するとともに、それを科学的、合理的に取り扱いまた地域の実情に応じて適切な教育ができるように考慮すること。

ウ「家庭一般」の内容は、家庭経営、食物、保育および被服とし、家庭経営については、食物、保育被服と有機的な一体として取り扱うことが望ましいこと。

エ「家庭一般」以外の家庭科の科目については、現行の科目が細分化しすぎているきらいも認められるので、再検討すること。

(9)職業に関する教科

ア　職業に関する各課程の特色を生かした教育を施すため、各教科ごとに科目の再検討を行ない、基本的事項の学習に重点をおき、実験・実習を重んじるとともに、地域の実情に応じて適切な取り扱いができるようにすること。この際、現行の専門科目は、細分化しすぎているきらいも認められるので、再検討すること。

イ　普通課程においても、生産の能力適性、進路等に応じて職業に関する科目を履修しやすいように配慮すること。

二　特別教育活動

（1）特別教育活動においては、生徒の自発的活動を助長するとともに、教師の指導の徹底にいっそう留意すること

（2）特別教育活動においては、主としてホームルーム、生徒会活動およびクラブ活動について指導するものとしそれぞれのねらいを明確にすること。

（3）ホームルームにおいては、特に道徳性の指導、進路指導その他の生徒指導の充実強化を図ること。

三　学校行事等

教育課程の一領域として、「教科・科目」「特別教育活動」のほかに、「学校行事等」を設け、その指導が適切に行なわれるようにすること。

第三　教科・科目等の単位数等に関する事項

教科・科目等の単位数等および教育課程の編成については、次のようにすることが適当である。

一　各教科・科目の単位数および特別教育活動の授業時数の標準は第1表のとおりとするが、卒業に必要な教科・科目の単位数は、現行どおり、八十五単位以上とし、すべての生徒に下記の科目を修得させるものとする。

（1）国語のうち「現代国語」および古典に関する1科目（2）社会のうち「倫理・社会」および「政治・経済」を含めて4科目（3）数学のうち「数学I」（4）理科のうち2科目（5）保健体育のうち「体育」および「保健」（6）外国語のうち1科目

二　普通課程においては、原則として次の教科・科目とそれぞれ次に示す単位数以上の単位数を含めて教育課程を編成し、すべての生徒に修得させるものとする。

（1）国語　ア「現代国語」7単位　イ「古典乙I」5単位ただし、特別の事情がある場合には「古典甲」2単位。

（2）社会　ア「倫理・社会」2単位　イ「政治・経済」2単位　ウ「日本史」3単位　エ「世界史A」3単位または「世界史B」4単位　オ「地理A」の3単位または「地理B」4単位

（3）数学　ア「数学I」5単位　イ「数学ⅡA」4単位または「数学Ⅱ

B」5単位ただし特別の事情がある場合には「数学ⅡA」を2単位まで減ずることができる。

(4) 理科　ア「物理A」3単位または「物理B」5単位　イ「化学A」3単位または「化学B」4単位　ウ「生物」4単位ただし特別の事情がある場合には3単位とすることができる。エ「地学」2単位

(5) 保健体育　ア「体育」7単位　イ「保健」2単位　ウ男子については、アの単位に2単位を加えるものとする。ただし、特別の事情がある場合にはこれを置かないことができる。

(6) 芸術　「音楽Ⅰ」、「美術Ⅰ」「工芸Ⅰ」および「書道Ⅰ」のうちいずれか1科目2単位

(7) 外国語　いずれか1科目につき9単位。ただし、特別の事情がある場合には、3単位まで減ずることができる。

(8) 家庭　女子については、「家庭一般」4単位。ただし、特別の事情がある場合には、2単位まで減ずることができる。

(備考)

普通課程においては、できうれば社会のうち「倫理・社会」または「政治・経済」のいずれかに1単位を加えて履修させることが望ましい。

三　職業に関する課程においては、原則として、下記の教科・科目とそれぞれ下記に示す単位数以上の単位数を含めて教育課程を編成し、すべての生徒に修得させるものとする。

(1) 国語　ア「現代国語」7単位　イ「古典甲」2単位または「古典乙Ⅰ」の5単位。

(2) 社会　ア「倫理・社会」2単位　イ「政治・経済2単位。ウ「日本史」および「世界史A」または「世界史B」のうち1科目以上ならびに「地理A」または「地理B」のうち1科目合計2科目以上について5単位。この場合において、「日本史」「世界史A」および「地理A」については2単位とすることができる。

(3) 数学　ア「数学Ⅰ」5単位。イ「数学ⅡA」4単位。「数学ⅡB」5単位または「応用数学」6単位のうち1科目。ただし、特別の事情がある場合には「数学ⅡA」については2単位まで、「応用数学」については3単位まで減ずることができる。

(4) 理科　「物理A」3単位または「物理B」5単位。「化学A」3単位または「化学B」4単位。「生物」4単位および「地学」2単位のうち、2科目について6単位。ただし特別の事情がある場合には「生物」については3単位とすることができる。

(5) 保健体育　ア「体育」7単位。イ「保健」2単位。ウ男子についてはアの単位に2単位を加えることが望ましい。

(6) 芸術　「音Ⅰ」、「美術Ⅰ」、「工芸Ⅰ」および「書道Ⅰ」のうちいずれか1科目2単位。ただし、特別の事情がある場合には1単位とすることができる。

(7) 外国語　いずれか1科目につき3単位。

(8) 家庭　女子については「家庭一般」2ないし4単位を履修させることが望ましい。

(9) 職業に関する教科・科目35単位なお実情の許す場合は40単位以上とすることが望ましい。また、商業に関する課程にあっては、上記の単位に外国語の単位10単位以内を含めることができる。

第一表　教科科目の単位数および特別教育活動の授業時数の標準

教科	科目	単位数
国語	現代国語	7
	古典甲	2
	古典乙Ⅰ	5
	古典乙Ⅱ	3
社会	倫理・社会	2
	政治・経済	2
	日本史	3
	世界史A	3
	世界史B	4
	地理A	3
	地理B	4
数学	数学Ⅰ	5
	数学ⅡA	4
	数学ⅡB	5
	数学Ⅲ	5
	応用数学	6
理科	物理A	3
	物理B	5
	化学A	3
	化学B	4
	生物	4
	地学	2
保健体育	体育	男9　女7
	保健	2
芸術	音楽Ⅰ	2
	音楽Ⅱ	4
	美術Ⅰ	2
	美術Ⅱ	4
	工芸Ⅰ	2
	工芸Ⅱ	4
	書道Ⅰ	2
	書道Ⅱ	4
外国語	英語A	9
	英語B	15
	ドイツ語	15
	フランス語	15
	その他の外国語の科目	15
家庭	家庭一般	4
	以下略	—
農業	〃	—
工業	〃	—
商業	〃	—
水産	〃	—
音楽	〃	—
美術	〃	—
その他の教科	〃	—

特別教育活動（ホームルーム）毎学年週当たり1時間

四　特別教育活動のうちホームルームについては、普通課程、職業に関する課程を通じ、すべての生徒に、毎学年週あたり1単位時間以上を課するものとする。

五　普通課程の教育課程を編成するにあたつては、次の事項に留意する必要がある。

（1）第一学年において履修させる教科・科目およびその単位数は、原則としてこれを共通とすること。

（2）第二学年以後においては原則として教育課程の類型を設け、生徒の能力、適性、進路等に応じていずれかの類型を選択して履修させるようにするが、生徒の能力、適性等に応じて、その類型において履修することになつている科目以外の科目を履修させたり、自由に選択履修することのできる科目をも設けることなどを配慮すること。

（備考）第2表は、各教科・科目の標準単位数をもとにして作成した全日制普通課程における基本的な類型であつて、各学校においては、生徒の実態や地域の実情に即応してこの基本類型に適宜変化をもたせた類型を設けて運営することが望ましい。

なお、文部省においては、この場合の具体的展開例を研究して示すことが望ましい。また定時制の課程については、授業の日数や時数の配当が

第2表　全日制普通課程における基本的類型

教科	科目	単位数	A類型（どの教科にも比較的片寄らないもの）1年	2年	3年	計	B類型（国・社・数・理・外の5教科に重点をおくもの）1年	2年	3年	計
国語	現代国語	7	3	2	2	12	3	2	2	15
	古典甲	2	—	—	—		—	—	—	
	古典乙 Ⅰ	5	2	3	—		2	3	—	
	古典乙 Ⅱ	3	—	—	—		—	—	3	
社会	倫理・社会	2	—	2	—	13	—	2	—	15
	政治・経済	2	—	—	2		—	—	2	
	日本史	3	—	—	3		—	—	3	
	世界史A	3	—	3	—		—	—	—	
	世界史B	4	—	—	—		—	2	2	
	地理A	3	3	—	—		—	—	—	
	地理B	4	—	—	—		4	—	—	
数学	数学Ⅰ	5	5	—	—	9	5	—	—	15
	数学ⅡA	4	—	2	2		—	—	—	
	数学ⅡB	5	—	—	—		—	5	—	
	数学Ⅲ	5	—	—	—		—	—	5	
	応用数学	6	—	—	—		—	—	—	
理科	物理A	3	—	—	3	12	—	—	—	15
	物理B	5	—	—	—		—	3	2	
	化学A	3	—	3	—		—	—	—	
	化学B	4	—	—	—		—	2	2	
	生物	4	4	—	—		4	—	—	
	地学	2	2	—	—		2	—		
保健体育	体育	7	男4女2	3	2	男11 女9	男4女2	3	2	男11 女9
	保健	2	—	1	1		—	1	1	
芸術	音楽Ⅰ	2	2	2	2	6	2	2	—	4
	音楽Ⅱ	4								
	美術Ⅰ	2								
	美術Ⅱ	4								
	工芸Ⅰ	2								
	工芸Ⅱ	4								
	書道Ⅰ	2								
	書道Ⅱ	4								
外国語	英語A	9	3	3	3	9	5	5	5	15
	英語B	15	—	—	—					
	ドイツ語	15	—	—	—					
	フランス語	15	—	—	—					
	その他の外国語の科目	15	—	—	—					
家庭	家庭一般	4	女2	女2	—	女4	女2	女2	—	女4
	以下略	—	—	男6 女4	9	男15 女13	—	—	—	—
農業	〃	—	—				—	—	—	—
工業	〃	—	—				—	—	—	—
商業	〃	—	—				—	—	—	—
水産	〃	—	—				—	—	—	—
音楽	〃	—	—				—	—	—	—
美術	〃	—	—				—	—	—	—
その他の教科	〃	—	—				—	—	—	—
特別教育活動（ホームルーム）		3	1	1	1	3	1	1	1	3
計			29	31	30	90	23	31（女33）	30	93（女95）
増加単位			5	3	4	12	2	3（女1）	4	9（女7）

（備考）

1　この表は、各学年とも標準として週当たり34単位時間の授業を行なうことを予想して作成したものである。

2　この表にいう増加単位とは、各学校においてその必要と裁量により適当と認められる教科・科目または特別教育活動の授業に適宜増加して課することのできる単位である。

一律でないので、それぞれに適する類型例については、今後じゅうぶん検討して示されたい。

6 職業に関する課程および職業以外の専門の課程（たとえば音楽、美術に関する課程など）における専門科目の編成および単位数については別途検討されたい。

付帯意見

一 新教育課程の趣旨を実現するためこれに必要な施設設備の充実、教職員の定数の確保とその充足に努めるとともに、教員養成および教員の現職教育について、今後格段の努力をはらわれたい。

二 高等学校の教育が大学の入学試験によって左右されがちである現状にかんがみ、大学入学者選抜方法について根本的な検討を加えられたい。

三 高等学校の教育課程の改善に伴いその基礎の上に大学における一般教育が適切に行なわれるよう、大学の一般教育について今後じゅうぶん検討されたい。

四 中学校における「技術・家庭」と関連して、高等学校における技術教育の充実についても今後検討されたい。

必修科目を増す 就職課程 中堅産業人を育成

（基本方針について）

解説

基本方針として示された十か条は、いずれも重要な事項であるがまず、一で述べているのは、昭和三十一年度高等学校教育課程改訂の際の方針を受け継ぎ、普通課程職業課程（農、工、商水産、家庭など）のそれぞれの特色を生かした教育を行なうことと、能力、適性、進路等に応じた教育を施すことである。わが国の単線型教育体系のよさを生かしながら、分科した課程ごとに、そのねらいとする教育を行なって、多様の統一を保つことがたいせつである。

また、中学校を卒業して高等学校に進学する者は年々増加し、最近では五六%に達し、この進学率は今後ますます伸びていく予想である。この多数の生徒の中には、能力の差など、適性の多様性がはなはだしく、それぞれに適した教育を考えてやらなければならない。さらに、高等学校から大学へ進学する者は全体で一六%、普通課程では四〇%ばかりが大学を志願すると考えられ、二六%が入学している。その他の者は社会に出てさまざまな職につき、あるいは家事に従事する。このような進路の多様性にもこたえてやる教育をしなければならない。

次に、二と三では、普通課程の問題を述べているが、科目の問題については、必修の科目を外くすること、同種科目に二種を設けたことが相表裏している。高等学校卒業者である以上、地理も、歴史も、物理も、化学も履修させたいというのは世の一致した要求であり、三十一年度の必修を多くする方針を、今回さらに一歩進めたのである。

この結果、普通課程男子は原則として必修六十八単位、女子は原則として七十単位（従来は三十九単位）となる。必修に加えられた科目としては、社会と理科が全科目となり、芸術と外国語が一科目以上、女子には家庭科などがある教養のかたよりはこれで避けられる。

二種類を設けた科目は、一般的な言い方をすれば、Aの科目はゼネラルな内容、Bの科目はややアカデミックな内容のものである。これらの科目を適当に配当して、基本類型を参考としながら、学校ごとに教育課程の類型を設けることになる。

四では、職業課程について、普通教育と専門教育両面の改善を考えている。専門の教育をいっそう徹底するたてまえから、専門科目の必修単位を三〇から三十五単位以上に引き上げるとともに、普通科目も三十九から四十四単位まで引き上げ、両者の調和をとるように考慮された。

五の道徳教育の充実策として中学校の場合のような道徳の一地域を設けないで、社会科の中の一科目を設けたことは、高校生の発達段階を考慮し、専門の教養ある教師が、倫理思想史的背景のもとに、人間はいかに生きるべきかを思索させるような指導をすることが、効果的だと考えられたからである。

六のうち、科学技術教育の充実では、普通課程では理科を現行の二倍の十二単位必修としたこと、基礎学力充実の点では現代国語の新設、外国語の必修などが注目される。

（各教科等について）「現代国語」を新設 数学Ⅱなど能力差を考慮

解説

小・中学校の新教育課程では、各教科、道徳、特別教育活動、学校行事等の四領域区分となつているが、高校では道徳の領域は前述の理由で設けられなかつた。各教科の科目構成で現行と改訂案とを比較すると。

①国語現行では国語甲（共通必修）国語乙、漢文の三科目だが、甲のうちに含まれていた古文や漢文が古典のほうに移され、現代国語が必修の新科目として登場したことが目新しい点である。

②社会現行は、社会、日本史、世界史、人文地理の四科目だが、社会（共通必修）が倫理、社会と政治経済の二科目に分かれたほか、人文地理が地理という一般的な名称に改まり、世界史と地理がＡＢに分かれた。

③数学現行の数学Ⅰの段階がＡとＢに分かれた。数学は能力差の現われがちな教科であつて、数学Ⅰから数学Ａへと進む者と、数学ⅡＢ、Ⅲへと進む者とに大きく分かれることが予想されている。

④理科現行の物理、化学、生物、地学の四科目の前二者がＡＢに分かれた。地学は、履修率も少なく、内容も雑多である現状からこれを解体して各科目に内容を分散せよという意見もあつたが、独立の科目として残すことにおちついた。しかし内容はうんと精選される。また、内容を二部に分けて担任教師の関係などから取扱いやすい方途も講じられた。

⑤保健体育科目は現行どおり。高校生は、女子は成熟期にはいるが、男子は成長期にあり、きたえることによつて成長を助ける必要から、性別により内容を分けて示し、男子に原則として増加単位を課することとなつた。この内容はフットボール系統や格技（すもう柔剣道）系統のものが主となろう。

⑥芸術現行の四科目は、内容が第一年次から第三年次まで三区分されているが、これを、Ⅰ、Ⅱの区分に変えた。Ⅰを付した科目は平易で楽しい内容のものとし、必修としてこの中から一科目以上が履修される。現行では履修させることが望ましいと言つていたのを、必修に強化された。

なお、高等学校の音楽専門の課程や美術課程などが最近多数設けられてきたので、これらの芸術課程の性格をはつきりさせるとともに、必要とする専門科目も研究して設けることとなつた。

⑦外国語現行では、科目を第一外国語、第二外国語としていたが、国語名を科目名とし、多く履修される英語に、Ａ・Ｂの区別を設けたこと、一か国語は必修となつたことが特長である。

⑧家庭現行では、家庭一般は女子に履修させることが望ましいとなつていたが、原則として必修となつた。

⑨特別教育活動現行では毎学年特活に週当たり一ないし三時間課することとなつているが、今回はそのうち特にホームルームだけ週当たり一時間の時間規制をし、クラブや生徒会は、中学と同様にあえて時間規制をしていない。ホームルームの生徒指導における重要性を考えてのことであり、そこでは道徳性の指導や進路指導その他の生徒指導の充実強化が要望されている。

（単位数等について）決め方に弾力性を

解説

現行の科目の単位数は、九ないし十単位とか、三または五単位というように示され、「ないし」の場合は、学習指導要領で内容を一種のみ掲げ、「または」の場合を二種を示している。いずれにしても、この範囲しか単位認定が許されず、これを下がつたり越えたりすると違反である。

今回の改訂では、第一表に示された単位数は、「標準」である。これは、この単位より上も下もあるという弾力性のある決め方である。五単位と示された科目に週あたり六時間かければ、六単位認定してよいのである。しかし、標準単位をどこまでも下がつてもよいとなると、必修科目を多くした意味もなくなり、教養のバランスをくずすから二と三において、普通課程、職業課程別に、それぞれ下がりうる最低限が科目ごとに示され、いわばすべり止めの役割を果たしている。この標準単位の考え方は、小・中学校の義務教育における最低単位の思想とも異なる新しいもので、高等学校の運営をじゆうぶん考慮したものである。卒業に必要な最低八五単位や特別教育活動をこの単位とは別に扱うこととしたのは現行どおりである。

一に示した科目は、絶対必修ともいうべきもので、いかなる高等学校でも、これだけは修得させるという共通性を確保するものである。現行に比べて、科目構成は違うが、実質的には外国語がひとつだけ増加している。

二と三に示された科目の単位数のただし書きには、「特別の事情がある場合には」とあるが、この事情は科目により必ずしも同一ではない。それぞれの場合について公立高校では、下げることを教育委員会に届け出、認可を受けるというような手続きも必要となるのではあるまいか。

普通課程における類型は、三十一年度改訂のときの考え方と同様であるが、そのときは五類型の例が示された。今回は、基本類型として二つだけを示している。これをそのまま学校に適用するのでなく、その基本の考え方をわかってもらうためのものであって、その具体例は、ABの折衷型もあろうし、Bを文科的教科重点、あるいは理科的教科重点に変化させることなど、いくつも展開できるのである。

科目の学年指定は、固定的なものではなく、内容を示す際、第二表に配当されたところを目安として学習指導要領が作成されるであろうし、またそれが教科書編集の際の目安ともなるであろう。たとえば、倫理・社会は、第二学年用の内容が示されるが、どの学校でも他の学年に配当してはならないというような強いものではない。

第二表では、週当たり三十四時間（現行と同じ）を標準として単位配当をし、最下欄に増加単位がある。これは、学校で、どの科目に増配してもよいという裁量の余地を示したものである。

昭和35年度体育局行事予定表

行事名	実施期	行事の対象
夏季大学体育指導者講習会	8月	大学教官が参加、菅平で
全国すもう指導者講習会	8月	小中高教員参加国立競技場
第14回全国レクリエーション大会	8月	北海道札幌
グライダー指導者講習会	8月3日	新潟飛行場で16日間
第17回オリンピック・ローマ大会	8月9日	ローマで、総員二三〇名の選手役員を派遣予定
教員保養所連絡協議会	8月	教員保養所の運営管理
栄養管理講習会	8月	日本学校給食会と共催
体育指導委員研究協議会	9月	体育指導委員が参加、国立競技場青年の家で
第15回国民体育大会夏季大会	9月24日	熊本市で四日間
学校保健技術講習会	9月	養護教員が参加、東京
社会体育優良団体表彰	10月23日	国体開会式で大臣表彰
全国社会体育研究協議会	10月24日	熊本で右表彰者を中心に
第15回国民体育大会秋季大会	10月23日	熊本県下で5日間
第10回全国学校保健大会	10月	福島県平市で3日間
学校給食研究大会	10月	兵庫県で
高等学校教育課程研究協議会	11月12日	指導主事参加全国三会場
第9回全国青年大会	11月8日	東京・4日間
ユースホステル管理者講習会	11月19日	国立中央青年の家5日間
学校保健講習会	11月	教委事務局学校保健技師担当主事、東京で二日間
体育主管課長会議	12月	東京で二日間
冬季学校体育指導者講習会	1月	菅平でスキー講習　小・中・高教員　六日間
冬季大学体育研究集会	1月	大学教官、菅平、八日間
職場体育指導者講習会	1月	職体関係者二百名参加、東京で、三日間
第16回国民体育冬季大会	1月下旬	スケート、青森県八戸
学校給食週間	1月24日	全国で30日まで
社会体育主務者会議	2月	教委職員、東京、二日間
第16回国民体育大会冬季大会	2月中下	スキー、新潟県高田
学校給食研究集会	1月2日	千葉および香川
冬季ユースホステル指導者講習会	2月下旬	冬山の事故防止を中心に会場未定
学校保健技術講習会	2月	学校医・歯科医・薬剤師、東京で二日間
社会体育地区別研究協議会	3月	二ブロック、会場未定

薩摩入りの歴史的意義
——(沖縄の封建社会)——

饒平名浩太郎

一 薩摩入りの前提

薩南の屋久、種子以南の島々は南島と汎称され、推古天皇の二十四年(六一六)屋久島民が大和に朝貢したのが、大和朝廷との通航の始めであつた。その後、種子、度感、玖美、信覚等の島々が続々来航して本土との交渉をもつていた。大宝律令(七〇一)の制定によつて九州に大宰府が設けられてから南島はその管轄内に入り、八世紀以後は本土との通航は頻繁に行われてきた。「だから、奈良時代の中期にかけては、南島の民は来貢のたびに朝廷から位を賜わり、方物は、伊勢の大廟に献ぜられる習わしとなつていたのである。そのころ南島の各島々は独立して自治経営をしていて全島の統一がいまだできなかつたから各々独自の立場で入貢をしていた。

鎌倉期に入つて天野遠景が貴賀井島(鬼界島)を征討したので文治三年(一一八七)奄美の島々は不安を感じて英祖の治下に参ずるようになつた。久米や慶良間、伊平屋がまた奄美と前後して沖縄に来貢するようになつたのを見ると十二世紀以後沖縄の政治がようやく整つて来たことを物語つている。応永の頃(一三九四年以後)から琉球が室町幕府を訪れたので幕府は南方に注意して、義教のとき琉球を島津の附庸にするときめてしまつた。

当時琉球は南方貿易を始めて異産至宝が充満していると誇つたときであるから、室町幕府が垂涎の地として注目したのは無理のないことであろう。島津氏が代々琉球を自国の附庸であると心得たのは応永以後のことであつたが、戦国の世では経営の手をのばすことは困難であつただろう。しかし、薩摩が自領として他藩の介入を許さない態度を堅持していたことは次の事実によつて証明される。

嘉吉頃幕府から琉球へ渡航する本土商船は必ず島津の許可を得よ、という特権を附与された。だから島津氏は琉球に対してその印判を帯びない商人を点検し、船材を没収せんことを要請してその特権の承認を得たのである。

十六世紀になると豊臣秀吉は国内の統一を完成し、征明を計画し台湾を略守しようと計り、南洋通といわれた原田孫七郎の言を用いて天正十九年(一五九一)フィリピン大守に書を与えて降服を勧めている。琉球を足場として台湾・フィリピンを略取しようとした意図は明らかであつた。

しかし、琉球を垂涎したのは島津氏ばかりではなかつた。永正十三年(一五一六)備中の三宅国秀が琉球を征討しようと願い出て許可され、兵船十二艘を坊津までやり、島津のために追払われたことがある。又、天正十九年(一五九一)かつて琉球守になつた亀井玆矩が秀吉に請うて琉球を征討しようとした。ところが島津はこれをきいて細川幽斎と石田三成に依頼して琉球は島津の附庸であるという理由を述べて亀井の願いをとりさげたことがある。

こうして薩摩と琉球は善隣関係にあることを強調してきたばかりでなく永正五年(一五〇八)島津忠治が襲封して以来薩摩は歴代襲嗣のことを琉球につげ、琉球からはこれを賀する紋舟を派遣するという慣例が行われるようになつた。

関ガ原の浮田秀家も慶長九年(一六〇四)島津忠恒に琉球を討つて自分の領にしたいと願つたが、忠恒が相手にせず一笑に附したため、秀家は家臣と謀つてひそかに船を出して琉球に向つたが暴風にあつて果せなかつたことがある。

そのために薩摩は琉球を特殊関係において彼等の関係を強化しようとする態度が強化され、一六世紀中頃までに琉球の海外中継貿易が衰微して西国商人を牽引する魅力を失つたときでもひとり島津の薩摩商人の琉球貿易は盛んに行われていた。これから察すると島津は十六世紀の初頭以来琉球入りをしようという野心があつたのである。それにひきかえ琉球ではこうした島津の野心には、われ関せずで対明貿易によつて巨利を博していた。

天正十六年(一五八八)八月島津義久は秀吉の命によつて、「海内すべて一統された今日琉球のみ独り貢を怠る旨をせめ、速かに輸貢すべきことを報じてきた。」秀吉は明らかに琉球を領土の一部として考えていたのである。だから朝鮮の役には諸侯同様に出兵及び兵糧の分担を命じ、また、改易転封をも命ずる態度であつたのである。島津の老臣たちはこの間、種々評議して兵糧のみを琉球に負担させようと謀りその旨を秀吉に上申して許可を得、とりあえず使者を琉球に遣

わして、「兵七五〇〇人分の十か月の糧食を肥前の陣屋に輸送するよう命じてきた。」ろうばいした琉球では早速この報を明に達し兵糧の輸送をおくらしたが、再三島津から督促を受け遂に、「文禄三年（一五九四）窮困の疲民兵賦の償出の途なし」と固辞しなければならなかつた。驚いたのは島津氏だ。秀吉の強制命令を断るわけにもいかず、琉球からの報を秀吉に即報する。秀吉は島津義久に命じて全島の実検をさせたが間もなく秀吉が歿したため、琉球の困難は一先づ除去された。

間もなく徳川の天下となり、慶長七年（一六〇二）琉球の貿易船が奥州に漂着したのを、徳川家康は島津に命じて送還せしめたが、琉球からは島津に対して謝礼なきばかりか島津の使節に対して侮辱を加えるという非礼をあえてした。

慶長九年島津家久は幕府に対するへい礼のないのを難詰したが、琉球はこれを冷笑に附して何等の誠意をも認めることができず、業をにやした薩摩に開戦の口実まで与えてしまつたのである。

慶長十一年（一六〇六）島津は幕府の意を受けて「明の商船を毎年琉球へ招致して、日本商人との取引をさせる。」という議を尙寧にもたらし、一方尙寧の冊封使として来琉していた夏子陽にも書を送つて「明船が薩摩にも来船し交易するよう求めた。」この招請状は何れも失敗に終つているが、秀吉以来琉球に対する政治的支配意識が強化したことと、貢を求めてもできなかつたために琉球を貿易の媒介にしようという意図は幕府も充分これを持つていたため、島津の方針に沿い琉球征討に内諾を与えてしまつた。

島津は幕府の内諾を受けるや国事探偵を放つて琉球の国情を探り、又明との関係を検討し、慶長十二年（一六〇七）朝鮮との講和が成立するのを見て、いよいよ琉球征討の準備にかかつた。薩摩はとりあえず慶長十三年（一六〇八）九月六日「琉球渡海之軍衆御法度之条々」なる布達を発し、翌十四年（一六〇九）二月二十一日三千の兵をのせた百余そうの軍船は、樺山久高、平田増宗を将として山川港を出発し、途中大島を討伐、三月下旬には沖縄についたが、那覇港に備えあることを見て北方に廻り、四月一日運天に上陸、四月五日には首里城を包囲陥落せしめている。

もつとも琉球では、久米村出身の支那思想家と鹿児島で学んだ僧侶や日本思想家とが相対立して政治にくちばしを入れるようになり、島津侵入の際は、親日派は平和論をとき、親支派は主戦論をといて争つたが、結局平和論に傾いて和を請うことになつた。ところが薩摩がこれを拒否したのでやむなく、沖縄では首里那覇の人民を招集して一戦を試みたが、もちろん武力ではとうてい薩摩の敵でなく、あまつさえ尙真以来武備のない琉球では手の下しようもなく、薩摩の新兵器鉄砲の偉力の前に跪くも破れて城下の盟となつた。

薩摩は五月尙寧以下二十二人を捕りよとして鹿児島に引きあげ、江戸と駿府に至つてその処分を申請した。家久に対しては特に七月七日「琉球を賜う」旨の書を与えている。王は二年後釈放されて帰国したが、薩摩は征服後直ちに琉球の経略にうつり、十五年（一六一〇）四人の竿入奉行と百六十八人の官吏を琉球に派遣して検地させ十七年（一六一二）にその報告書を提出している。

これによつて薩摩の琉球に対する歳貢の額が決まり、検地による高八万三千八十四石九斗四升五合と、芭蕉布三千端、上布六千端、下布一万端、唐苧一三〇〇斤、綿三貫目、シュロ百束、黒綱百束、莚三、八〇〇枚、牛皮二〇〇枚が報ぜられた。更に法令十五条にわたる盟約書に捺印させられた。

一　薩州御下知の外唐へ誂えもの停止の事。

二　履歴ある人といえども当時職なき人に知行を遣わざること。

三　女房衆へ知行遣わさざること。

四　みだりに人を奴僕にせざること。

五　諸寺を多く建てまじきこと。

六　年貢公物等定規を違えざること。

七　町人百姓より定租の外収斂する者あらば訴うること。

八　琉球より他国へ商船いつさい遣わさざる事。

九　日本京判（ます）の外用うべからざること。

十　ばくえき僻事をなすべからざること等。

琉球の八万余石は薩摩の七十二万石に含まれるもので、琉球王は約一割の八千石を租として島津に納めた。法令十五条というのは、慶長十六年（一六一一）九月十九日付で公布されたが、この法令を受けた尙寧はただちに島津家久にあてて誓書を差出した。その誓書には、

「琉球之儀自往古、為薩州島津氏之附庸、因茲琉球被破却、且復寄身、於貴国上者永止帰郷之思、宛如鳥籠中、然処家久公有哀憐、匪啻遂帰郷之志剌、諸島以錫我其履如、此御厚恩、何以可謝奉之哉。」とあり、のみならず島津は琉球を附庸として琉球王位の継承者を決定し、王位の呼称を廃して国司とし、（後王位に復す）そのつど幕府に報告する習わしとなつた。

寛永以後将軍襲職等のとき、また琉球王襲封の際は、通常支那の冊封を受けて後に、それぞれ慶賀し、謝恩使を参府せしめ、島津氏が同道し或は先導したので

ある。慶長十八年（一六一三）六月一日家久は更に法令を定めて琉球に示し、同時に渡唐銀（通商の資）として銀十貫目銅一万斤を給した。同年九月十五日重ねて法令九条を定めて琉球に公布し、「琉球は諸事日本風に変更してはならない。」「王子衆並に三司官の子を入質として差出すこと。」とあり、薩摩は更に那覇に駐兵したり沖縄人の武器所持を禁止したり、苗字、衣服等の日本化を禁止したりした。かくて薩摩の対琉方針は一面附庸国としてこれを現実に統ぎよすると共に他面独立の体面を保たせ中国と交易させるという矛盾を蔵して打樹てられるようになつた。

さて琉球は明初以来毎年或は二年一貢の進貢船を送り歴代冊封使の派遣を受けたのであるが、秀吉の頃から本土の支配力が浸透したことや、薩摩の商人の圧力が強化したことは明側もこれを察知していたらしく、万歴三十四年（一六〇六）冊封使夏子陽は帰国して「琉球における日本勢力が強く明の威信の衰えたことを述べている。」かかる際に、薩摩の来襲の報が伝わり、明ではそれが延いて明に対する策謀の関係があるかを懸念するようになつた。そのために、万歴四十年前例を改めて十年一貢を定めたが、尚寧が以外にも二年で帰国し、貢期でないのに進貢、謝恩の遣使が引続き渡来し、あまつさえ貢物中に倭物が混在するので、これはてつきり日本の指令によるものと信じた。だから元和二年（一六一六）の村山等安の台湾遠征派遣に至るまで、明の対日感情はすこぶる悪化し、琉球に対しても警戒を怠らなかつた。けれども、日本の希求するところが貢市にあるということが分り、或る程度の理解に達し、特に明船の日本の往市は禁防し難きものとする態度となつた。

こういう事情であるから、慶長十六年（一六一一）幕府が島津家久をして尚寧に命じて明と日本との互市通交を申込ましても明はこれに応じなかつたのである。そこで、寛永八年（一六三一）に至り、島津家久は「琉球に託して唐物を買い以て宿債を償う。」という理由から、琉球に滞在中の藩士川上忠通にその事務を監督するよう命じた。ここに在番奉行なる監視職が出現した。のみならず島津は琉球を政治的に利用し官位昇進ができた。

元来島津は従四位下の極位より、特に家久は征琉の勲功によつて従三位中納言に昇り、重豪は将軍との姻戚関係で三位に栄進した。正徳年間（一七一一〜）の島津吉貴と天保年間（一八三〇〜）の斉興とは、「琉球王から薩摩侯の官位が昇るよう歎願書を出させて、薩摩はこれを幕府に示し、運動して官位昇進に奏効したということさえ行われたのである。

貿易は薩摩人以後幾度かの変質を重ねている。薩摩入り直後明の布政使が「琉球新に残破を経、財匱きて人乏し、何ぞ必ずしも間関遠く来らむ。還つて当に厚く自ら縉聚し、十年後物力稍完きを俟つべし。然る後復貢職を修むるも未だ晩しとなさざる也」。といつて琉球の朝貢を十年一貢と決めたが、琉球は翌年も入貢し、又その翌年も入貢してどうも愁色がないのみか、もつて、福建守臣から拒斥されておうおうとして帰つた事実がある。薩摩のさしがねであつたことはもちろんである。

だから尚豊王のとき、二年一貢の旧例にして貰いたいと願つたら、明の礼部官は、「琉球の休養未だ久しからず暫く五年一貢と定め、進て更に議するところあるべし。」と諭されたが、その諭達もほとんど無視されていて、寛永九年には二年一貢となり、島津の思うつぼにはまつた。島津の財政が豊かになつたのはこれからである。にもかかわらず、島津は支那貿易の巨利が忘れられず（一六一六年支那からの利一万四千六百両）十四世紀以来続けられてきた琉球の南方貿易を厳禁して支那貿易のみに限つて許した。日本では家光以来鎖国政策をとつていたのであるから、薩摩の貿易は明かに密貿易であつたのである。

島津の琉明貿易利用は主としてお物銀則ち同氏の手許銀の出資によつてなされ貿易物は生糸を主とし、その他織物、陶磁器がある。これらの唐物ははじめ自家の調度物であつて、生糸の如きも贈答や自家消費のためであつた。

しかるに、薩摩藩の財政はすでに文禄慶長間に早くも疲弊し、元和以後も悪化の一途をたどつたのである。元来薩摩の財政は貿易（私貿易）によるものであつたが、貿易の制限によつて財政がようやく破たんしだしたのである。その救済を琉明貿易に求め、貿易拡充の方途として、寛永八年（一六三一）から琉球に在番奉行を設け、翌年から明への渡航船ならびに上納船の経費は、いつさい琉球方の負担であつたのを、以後は薩摩方でも分担することになつた。そのため、琉球王の貿易銀以外に隠匿銀の禁止を厳にし、また、渡航船の増加をはかり、寛永八年（一六三一）以後数百貫の御物銀が輸出されるようになつた。

寛永十一年（一六三四）に二年一貢への復活は島津氏の計画の一つが実現したものであつた。十三年復活の第一船たる進貢船二隻は御物銀一千余貫と銅と馬尾を積み、また琉球王銀二百貫をつんだが、これも薩摩よりの借銀であつた。輸入された生糸は京阪に転売され、一倍から二倍の利をあげていた。

しかし、私貿易は福州の牙行の手を経て行われ、彼等の中には銀両を詐取するものがあり、崇禎十年（一六三七）には明は白糸貿易を禁止するなど手段をとつたから琉球当局は苦境に立つた。琉球からは生糸三万斤の貿易許可と糸代銀一両につき三分の税納を求め、崇禎十七年（一六四四）に至り南京に即位した福王の裁可をようやく得たほどであつた。清朝に代つても進貢料銀、接貢料銀の名の下に藩銀を主とする薩摩方の銀を以て白糸その他の貨物を貿易した。

二　農村の変質

慶長の薩摩入りの真意は、薩摩が琉球王国の名にかくれて対支貿易を行うことにあつたので、琉球が薩摩の政令に服したことを秘し、朝貢国として恭順の態をよそわしめ、そのかげにかくれて実益を収めるのが統治の方針とされた。しかしその実は附庸国として統監していくのであるから政治機構も薩摩の領地として変革せざるを得なかつただろう。琉球における薩摩仮屋と鹿児島における琉球仮屋がそれである。

前者には薩摩の奉行二人、三年の任期の在番、後者にもやはり琉球の在番二人をおいた。薩摩仮屋には仮屋守、別当を各一人琉球側からつけて諸用を便じ、琉球仮屋には聞役二人を薩摩側からつけ両方密接な連絡を保つようにした。

こういう政治機構を確立するために、薩摩が第一に着手したのが検地である。封建領主のねらいは貢租の負担の定免制と村請制にあつたから、最初にこれを確立制度化するためにはどうしても検地にのり出さねばならない。即ち、連帯制の貢租賦課の制度とするために農耕地を村の百姓に共有させ、百姓の負担を公平にするために、その家族数、労働力、貢租負担能力に応じて各百姓に農耕地を分配した。この条件は変動するので、一定期間の後には各百姓の持分を変更する必要があり、また各耕地は生産力と耕作上の便否が一様でないから、公平を期するには、一定期間の後これを取りかえる必要がある。もつとも、地割の起源は沖縄においてもこのときに始つたものではないが文禄検地の精神が施行されたのはこのときに始つたといつてよい。即ち英祖王（一二六〇～一二九九）時代その領内に井田法を制して貢租を徴したことがありその後井田法は琉球全域に行われたが、定期地割はいまだなかつたのである。

地割には年限があるが、村々で一定していない。村々で随意に定める慣例になつている。琉球王府は地割年限に関し一八五五（安政二年）「田畑の儀十か年振りには厚薄段々出来致し、その上混乱の儀も有之べく候間、その心得を以て田方は四～五年、畑方は八～九年振りに時節見合わせ親疎なく割直おし候事」と訓令している。

地割をするには先ず各百姓の持分を改訂し、かつ耕作地の所在を抽せんによつて変更する。持分は百姓の家族数、労働力、貢租負担力を標準に改定する。次に全耕作地をその生産力と耕作上の便否により査定して幾つかの等級をつけ、かつそれぞれの等級土地につき一地当り、半地当り等の面積を決める。

次に二地持はどこの耕地から、田は何坪、畑は何坪、一持地はどこからと、各持分に対する耕地の組合わせを決め、最後にくじ引きで、地与に配分し、地与はまたくじ引きで与内の各百姓に配分する。配分が終つてから各百姓はお互いの便宜のため或程度まで交換は許容される。これらの持分の決定、耕作地等級の査定、耕作地の組合わせ等はすべて地人中の協議によつて決定するのである。

持分については、貢租及び附随する負担が過重だつたため、百姓はなるべく持分の少なきを望んだから村の有力者の意志によつて強制的に配分された。また耕作地は、もちろん等級の上を選んだのは当然で、これまた有力者の意志により不公平に行われたこともあつた。これに対し琉球王府はたびたびその弊なきよう訓令を発し、役人に監督せしめたが遂にその弊を絶つことはできなかつた。

村は貢租納入の単位であつて、土地所有の単位ではなかつた。従つて、検地帳（竿入帳）の百姓は作職地を単独で耕作してはいない。農業に固有の農繁期労働があり、とくに水田農業のための田植など季節的に大量の集中労働を必要とし灌漑用水の管理配分の必要もあり、肥料のための採草地管理も必要である。その共同も家と家の間で結ばれるが、村の内部で村全体の家が共同するのではなかつた。

年貢納入ができて農民は間切番所や公儀からの人夫としても徴発されるし、公儀の普請、地頭の普請なども規定もできる。かつ農民に種の改良作付の指導もする。又節約の訓令を出したり、税収入を増すことをはかつたりするのであるが、税収入の強化はもちろん農民を苦しめるし、そのため農村の動揺を深めることとなる。

土地を開墾して耕作地を拡大するとか、税収の増大というような面で成功は一時的に得られても、こういうことがいよいよ農村の変革を進めるような結果となつたのである。向象賢以後耕地拡大のために、仕明地（私有地）を奨励しても後からそろそろ貢租の対象として編入されてしまうし、村役人は百姓持地の良否を知つているからすぐ交換してしまうと

いう始末であつて、農民には安定した生活はできないのである。

元来沖縄の農村は幾つかの血族集団が集つて自然にできたものが多いから、誅求の強化が甚だしくなると血縁集団のみ、集団して生活のしよい場所に移動する。分村(村わかれ)するとこれまでの村単位の税収が減じなければならない。或は、単独で欠落するものがでる。こういう始末だから公儀としてはほとんど連年取締りの強化を村役人、間切役人に厳達し、責任をとらせるようにしたのである。

貨幣経済の面でも鳩目銭の改鋳で、税収入の増加を計つたのであるが、むしろ相場の上で大きなひらきがあることを知らない誤りを繰り返すだけで、根本的な解決案をたてることができなかつた。誅求の強化、監視の強化では多少の増収はあつたにしても、薩摩から課された年貢は、それで追いつくものではなかつたから、これまた農村に打撃を与える愚策でしかなかつた。都市に住む者でも定まつた収入で、しかも現物収入なのであるから、下級士族たちの都市生活はすぐ破綻がきた。貨幣経済は日ごとに進んでいたから、商人の利益にくわれもするし、相場の変動はどうすることもできないので、彼等は都市生活から逃避して屋取を形成するようになつた。もつとも十八世紀から政策的に下級士族の屋取は強制することもあつたが、屋取の形成で農村が変質したことは否むことはできなかつた。

監視制度や連帯責任制度が強化されると、どうしても欠落ができず土にしばられた農民は各々自村で自治的な規約を作つて、この苛酷な制度から脱しようとした。これが村内法である。村内法は村民の自治的規約であるが、その多くは不文の慣習法であつた。しかし中には成文化されて現存するものも少くない。(名護間切、兼城間切、豊見城間切、具志頭間切等。)成文の村内法は「村おきて、村ぎめ、覚、村吟味」等多くの名称が用いられている。多くは村民の集会不参や盗伐に関する制裁規定であるが、その表現には相当法的訓練の跡が見られ、慣習法としてこれに先立つて行われていたと思われる。

法度によつてしばられる農民にとつては、越えてはならないわくがあるから、ぜひ果さねばならない一線を限ろうとして、村々でいろいろ吟味されたであろう。だから内法を吟味するのには、間切惣揃(まぎりそうぞろい)「地頭代以下の間切重役各村所の下知人、夫地頭、掟、総代人、耕作当、山当)で組織される。」で審議されたものを村所の役人が村に持帰つて村吟味に附するのである。

村内法の内容のうちその性格をもつともよく表現するものは強制作用とその制裁である。ある範囲の制裁権は村法上の慣習として公儀によつて、承認されていたものである。制裁罰にはいろいろあるが、もつとも一般的なものは村八分、追放、過料、陳謝等である。中でも絶交の制裁である村八分はもつとも村法に独自的な制裁態様である。追放(所払)は内法上もつとも重い制裁罰であり、財産没収や妻子売払い、体罰を伴なう場合もあるが、村内法の性質上村外追放以上の制限手段は存しない。過料は量的には村法上もつとも適用の多い制裁罰である。陳謝は制裁ではないが、他の制裁を減免されて、書式又は口頭による一定様式の陳謝方法が規範化されてくると慣習法上十分な意義を有し、またその実効を持つようになつてくる。

かような村内法の施行も農民の貢租負担の義務をつつがなく履行できるようにという精神からであるが、それにしても連年令達される倹約令程百姓の生活を悲惨に陥れるものはなかつた。

倹約令は農民の生活水準の向上をつとめて抑止しようとする公儀の施策への随順を強要された悲惨な状態を示すものに外ならないが、慶長以後は生活のあらゆる面に倹約令達が行われているのであるから、生活上の進歩というのは薩摩入り以後三世紀間ほとんどなかつたといつてもよい。

それにひきかえ村の組織についての一般的な村法規定というのはほとんど見られないのはどういうことであろうか。村の唯一の裁定機関である村寄会はあるが、その協調事項というのは命令伝達のため出席義務を強制する規定が多く、特定の目的のための会合の場合はその決議事項の厳格なる遵守が要求されるのである。村は前述のように一定の村高を支配者から定められて、それを基準として年貢を割当てられた納税負担者であつたから、その村高を定める基礎となる土地測量には村が無関心でいられるはずはなかつた。従つて村では村与(くみ)を作つて生活上のあらゆる面に対策をとるようにした。与はいわば一定の地域団体であり、その機能は主として耕作、田植、葬式、祭礼、その他日常生活的文化的共同による欲求をもつものであつた。従つて組の中には同族だけで結成されているものもあり、(具志頭間切、具志頭村の前原与、仲間与や、新城村の新垣与、城間村の上里与、喜屋武与等)数同族が集つて一つの組をなすもの(城間村の中与、具志頭村の西組、東組)等があり、貢租の負担にたえかねてはこの与々が本村から分れて村分れをして別の耕地を求めて与ごと移住するようなことがおこつた。

伊波普猷氏はこれを村渠といわれ、主として経済的な分村と説かれ、東恩納寛淳氏は宗教的氏子関係によるものと説明された。分村である村渠は即ち入居繁栄につれて土地の狭あいを感じた場合、地割制度による拘束を受けた場合に隣接地を開発して移住したものと解されているが、多くは年貢強制による所払がその原因であつたに違いない。

年貢取立が苛酷をきわめていたことは各間切の村内法に明記せられた条々によつてその一端をしることができる。名護間切村内法六十九条によると

「地人中において貢租その他上納物未納いたすときは掟、頭にて本人の拒み、又は不在といえども、直ちに作毛、家財、畜類を引揚げ、売買し、未納分に差し向け、残余あれば、本人に還付し、もし不足を生ずるときは妻子を売り、親類にまで及ぼすべし、尚それにても不足するときは組中、村中、間切中に及ぼすべし、ただし以後も未納のうれいあるものは、現地引揚、他へ掛替候事。」

各間切がほとんど同様な手法で年貢を取立てていることは、明治十七年与那城間切地頭代、津嘉山力造の報告書によつて明らかである。

「年貢未納者があればその村掟、頭より与中に対し日限を以て督促し、右日限まで不納すれば、その者の畜類ならびに所有品共引揚げるよう令達してあるから、与中からはその趣を親戚にも通告し、日限を誤るようなことがあれば、与中から本人の畜類、所有品を引揚げ、もし不足を生ずる見込であれば、親類の畜類所有品を引揚げ、尚それでも不足すれば、村掟頭が与中の畜類、所有品を引揚げおき、皆納してから返すようにせよ。尚十四、五日間延滞すればそれぞれ公売に付して清算する。もつとも未納が二、三度に及べば、現地作物共引揚所払いとする。」

右記載之通り慣行相違無之候也。とかように悲惨な誅求をするのであるから、組中の連帯責任意識は極めて強烈で、百姓達は遂に「結（イーマールー）模合でこの難関を切り抜けようともがいた。結は即ち共同を意味するものであり、各組或は組内、各戸間の労働交換である。多くの場合個人の労力の強弱には拘泥しないが、一日出動の労力に対しては必ず一日の労力を返して、金銭や物品で相殺することは許さぬのが特徴である。与で行う結には公共「事業の土木工事（羽地川、国場川の改修比謝川の工事、福地川、平良川工事―蔡温時代）家の建築、屋根葺替、吉凶の手伝、がんの講災厄の援助、田植、刈入れ、山野（くみ林、村林仕立）祭祀、貢租の援助、等多岐にわたつて共同で行われる。模合は耕作用具、牛馬買入資金の調達のために行われたもので、結の一種として発達した。

それでもなおおつつかないというのが農民の生活であつたから、寛永期から享保期にかけてのちよう落はほとんど生きてゆくだけでも精いつぱいといわれていた。これを蔡温は次のように皮肉つている。

「薩摩の支配の下に生活して以来は国中万事意の如くなつて、政治のやり方もよくなり風俗も漸く改善され、今日では上下万民安心して生活することができるようになつた。」

と、蔡温はこの奴隷制度から脱するために種々方法を講じたのであるが、結局彼の儒教精神から発する政策は、ひたすら国元の命を遵法して屈辱を受けないようにすることが第一であると考えざるを得なかつた。万延元年彼は評定所から法条を出して、

「御当国の儀往古は万端質朴有之候処、唐、御国元御通融以来漸次品よく目出度御代と成儀は、畢竟御国元之御高恩故興、委細曲教条に示置候通に而、前々より御政道向段々被為入御念右教条御調べの上、国中島中へ渡し講読被仰付乍、其上、所俗取締罪人取扱向等に付ても、御両国の制度に準じ、被召行御事候得共、間々悪事をなし、重科に陥り、その身を苦め、父母を辱め、妻子を煩わし候も有之、昇偏に刑法を不知、愚痴蒙昧の所致与、主上甚御憂然、被恩召候因茲何れも申合、達御聴愚昧之者共、見懲可相成、罪科の条々右の通法条令編置候間、人々深く御仁意を奉体、認被教条を読て人道を弁へ、此法条を見て刑罰を恐れ、子弟末々も申諭し、悪を改め、善に遷り、追々無刑の御代罷成候様、精々可相嗜事。」

でとりつくろはねばならなかつた。こうした吉堅ばくされた生活から農村ではいきおい進歩を阻止され、封建的支配の意欲を維持するという矛盾せる役割を演ずるに至つたのである。（以下次号へ）

原稿募集

○主題　自由
・日ごろの教育研究の一端なりご意見なり
・随筆、詩、カットなど歓迎
文教時報のなかみをこんなものに……といわれるあなたの試みをまずあなたの玉稿で――
○月初め十日までに当課へ
○原稿用紙使用二〇〇〇字まで
教育研究の場合　六、〇〇〇字まで
なるべく写真も添えて

文教局研究調査課

丹沢分校と札掛部落のあらまし

神奈川県清川村立緑小学校・中学校の分校
児童数二八　教員数三　託児所一
水野茂一先生が中学校の担任で兼校長
　この山奥の分校へ十年前に赴任、ぼろぼろの校舎で何一つない教室で学ぶ子ども達を見るに忍びず、十五世帯位の谷間の人達を目ざめさせ学校の建てなおしに尽力。
丹沢分校卒業生のため、岩花会を結成、若き青年の修養の場と憩いの場を作り、毎月一回文集を発行し、貧しい山の生活を克服しながらこの指導的立場にある。
　青年は主に山の仕事に従事し、仕事のできない雨の日を選んで町の映画館や床屋へ出かけるのが唯一の楽しみ、帰りは暗い山道を歩き、家に帰りつくのは午前二時頃になるという。無医村で病人が出ると若い元気のある青年が下の町へ行つて医者を呼んでくるか、さもなければ背負つて往復五時間の山道を歩く。
　札掛の部落は海抜五〇〇mもある山と山との谷床にある小さな部落で主たる生活源は山仕事。私がこの岩花会に入会したのは昭和三二年十二月。文教図書で水野先生著書の〃谷間の教師〃を読んで感激し早速文通を始めた。その他〃親と教師の谷間〃〃子供のしつけ〃〃感動させられる話〃などの共著がある。
岩花会員はこの部落を中心にして至る所に散在し、約五〇人位いる。

札掛までのコース

札掛
徒歩　70分　（バスなし）
やびつ峠　海抜八百米
徒歩　40分　（登山コース　晴れた日はバス運行）
みのげ
バス　40分
大秦野
小田急　70分
新宿

札掛《ふだかけ》を訪ねて

東京都新宿区之四谷
第四小学校
伊波英子

　私が岩花を初めて手にしたのは昭和三十二月十二月であつた。あれから二年半。祖国日本の香を幾分なりとも吸おうと、毎月送られてくる文集が楽しみとなり、いつか本土へ行けたら是非札掛を訪ねてみたいと常に頭に描き続けてきたのに、その夢がやっとかなえられた。

　東京の学校、家庭、社会生活にもやっとなれた三か月後の六月二十五日に新宿から小田急にのり込んだ。土曜日の午後の電車はものすごく混んで、雨上がりの暑さと汗のいやな臭いとで電車は息苦しかつた。

　六月に入るとその連絡や問合わせも楽しく、みのげからやびつ峠でのバスは梅雨で運行しないとのお知らせであつたが、一日も早くお会いしたい気から歩いて行こうと決心した。大秦野の開札口を出て、さて、みのげ行きのバス停留所をさがそうとうろうろしている所を水野先生に呼びとめられ全くとまどつた。「みのげでお持ちになつていらつしやれば、必ずお迎えに参ります」との連絡があつたので下車したとたん呼びとめられ、精神的ゆとりもなく、突然のこと故、初対面の方にどうあいさつしたのか今考えてみるとゾッとする。でも先生は飾り気がなく、予想外にお若くて親しみやすく、人づき合いのよさそうな谷間の教師であつた。お若くてピチピチした発らつさと運動靴と、腰に下げた手拭が印象的であつた。

　みのげまでバスにのり、途中、大きなたばこの葉と小さな落花生の葉が対象的である。

みのげの茶屋で三〇分程休み、中村さんの車にのせてもらい、がたがたゆれる山道を登り始めたが、八〇〇米もの高い所へ車が走れるなんておどろいた。「あの山の頂上あたりの道を行くんですよ」と指さされた所を見ると、一体あんな高い山へどのようにして登るのか不思議でならなかつた。けわしい山道をジグザク風に進むのもいいし、深い谷底を見下ろしては身振いもしたが、中腹まで行くと馴れてしまい、かえつてスリルが味えて楽しかつた。頭髪は乱れとび水野先生は腰にさげた手拭を頭にきゆつと結びつけたので羨やましくなつた。

　真直ぐ伸びた杉の木立が美しく、お山の杉の子の歌がピツタリする。

　やびつ峠は海抜八〇〇米でとても冷えて肌寒く、もち合わせていたカーデイガンを着ようと思つたが、この冷たさにふれるのもいいと思い我慢した。さてこの峠から札掛まで歩くのだと思

うと一瞬愉快にもなつたが、でもけわしい長い山道は歩き馴れてないし、いよいよ心配になり出した。やびつ峠の登山案内所へ冷たい飲み物をおろし終えると「札掛までこの車で送つてあげましよう」とおつしやつたので、お言葉に甘えて車で下ることにした。

「下りはもつとゆれますから立つてつかまつていた方が楽ですよ」と水野先生がおつしやつたのでしつかりとつかまつた。

上りよりたしかに道が悪くひどくゆれた。

諸戸から札掛の分校まで通つているという幼稚園生の子どもには感心をせられると共にそのような往復六キロ米もの山道を通う山の中の子どもが気の毒にもなつたが、その芯の強さには全くおどろいた。

東京から僅か四時間の所にこんな不便な村があるのかと思うと、山の中で手をとり合つて強く正しく生きぬいている岩花会の皆様には頭が下がつた。

深い緑の杉の中にひときわ目立つて建てられた一棟の赤屋根校舎と一段と高い所にある水野先生の住宅。その校舎にとりつけられたテレビのアンテナが山の中まで文化の発達を象徴し、明かるく伸び伸びとした子ども達の顔が伺えてたのもしくなつた。

校門といういかめしい入口ではなく、何となく家庭的な素朴な木造りの門と小さな運動場をぬけて水野先生宅へ案内された。奥様がちやんと用意して下さつた風呂へ入り薪をくべたかまを見て沖縄での風呂たきを思い出した。水は柔かくサラッとして私のような色黒でもここで一年位住めば少々白くなりそうな感じのする程、澄み切つた山水である。風呂上がりの奥様手料理の夕食がとてもおいしく、かぼちやの初ものは又格別であつた。

まわりの札掛の雄大な山々が夕やみに迫られて静かな部屋で山の空気を思い切り吸い、高級別荘にでも来ているようなくつろいだ気持は何ともいえなかつた。東京のごみごみした騒々しい気ぜわしい生活に比べて何と平和な村なのだろうか。

七時三〇分頃学校の職員室へ案内され、ここで初めて会員にお会いした訳だが、初対面というかたくるしさは全然なく、それこそ真の人間の集いだと思つた。毎月の文集で皆の名前を覚え、一人一人自己紹介をされると無精に親しさが湧てきて、祖国の温かさにふれ、ほのぼのとしてきた。お菓子をつまみながら沖縄のことや上京した当時の私のもようなどを話し合つたり、昼間の山の仕事の疲れも全然見せず、輪になつている姿は実に美しい。

水野先生も十年の山の中の生活ですつかり札掛の一員になられたのか、言葉もなまりが強く、子ども達との話もへだたりがなく真の教師像が伺えた。十一時までの二時間半、大笑いの中に話に花が咲き、ほんとに愉快な一晩であつた。もつとも心ゆくまで語り合いたかつたが明日も又山へ働きに出かけるのでおひきとめする訳にもゆかず、八月の総会に又お会いしましようと静かな夜更けの中で散会した。

山はやはり冷えてね心地がよく、楽しかつた会を思い浮べながら床についたが、夜中薄い布団ではちよつと寒かつた。翌日日曜日は、学校の先生と製材所勤務の新井さんがお見えになり、水野先生のご家族も一しよになつて校舎の前で記念撮影をした。

十二時に学校の先生と水野先生のお嬢さん二人が見送りに行くとのことで、やわらかな日射しをあびながら、歩き出した。

三キロ米も行くとくたびれたが、四年生、一年生のお嬢さんさえ小走りの状態なのでその前で弱音をはいていられず、疲れた足を無理に早目に運ぶのに苦労した。

途中杉を積んでいるトラックに出合い、富士見で待ち合わす約束をしたらとたんに元気が出て来て富士見まで一気に登つた。

富士見の休み所でアイスクリームを食べ丹沢土産におさるの面を求めた。天気が良くて登山者も多くみんな頬を高潮させている。二台のトラックに分乗してやびつ峠までゆき、見送りの四人とここで別れを告げ、手を振る中を一人車にゆられて楽しかつた札掛を後にした。

六月三〇日午前一時十五分
むしあつき部屋にて

配属校展望

配属校
中野区立第四中学校
川崎治雄

桜咲く祖国に感激の第一歩を印してより、早くも二カ月を経過し緑の季節となりましたが、その間大都市のめまぐるしい環境に順応するのに精いつぱいで研究らしい研究もできませんで、この頃やつとその糸口を見つけたような気がいたします。

新学年度を迎え、移行措置や道徳教

育の研究や実践に日々ご精進なさっておられる現場の先生方には誠に申し訳ないとは思いますが、このたびは配属校の現況報告だけでお許し願い度いと思います。

○中野四中方式（ホームルーム・指導）

新学制の始めのころはホームルームの時間が単に事務連絡や教師のお説教の時間であったり、又たまには生徒の自主的な活動があっても著しく低調であったりして ともすると不振であった。その現場における活動が不振であることの直接の原因は、プログラムを演出してゆく技術の拙劣さにかかっていることに宇留田教諭は着眼した。しかし当時は適当な参考書もなく氏は Detjen のHome room Guidunce Program for Junior High School years と Mackown の Home room Guiduce の二著によって重要な示唆を受け、これに述べられている内容と方法を校内研究会で紹介すると共に自分の担任学級においても実験した。

その紹介及び内容は

一、ホームルームにおいてなぜ提示の方法が問題となるか。

ホームルームにおいてすべての生徒が発言し活動し、楽しい雰囲気をつくり出すには原理的な問題ではなくして方法的な技術の問題にかかっていることをアメリカの例をひいて強調した。

二、提示の原則

三、各種の提示方法

として要項をプリントし、区教育委員会においても発表されて当時のホームルーム研究に一応の方向を与えたものである。

昭和二十七年の十月には永島校長（女校長）を迎え、H・Rが中学校生活指導の基底であることを強調され、学校経営の主要目標として取りあげる方針をとった。前記の方針に従って着々体制を整えると共に、中野区におけるホームルーム研究校に指定され、区の研究補助金が交付されることとなった。生活指導研究協議会が中心となって各学年のプログラム作製をなし、学年を単位とした研究会が職員研修のプログラムに盛られた。しかし他分にも視野の狭いもの同士であるので斯界の権威であるお茶の水大学助教授の宮坂哲文先生のご指導を仰いでその充実をはかった。これらの研究協議会を通して一通り全職員が提示の方法について理解していった。この年度の三学期二月十八日に、区教育会主催の全校公開指導が行われ、多彩な提示の方法による指導が実施されて四中独自のホームルームの指導の形態ができていった。二十八年度の全校的研究は非常な成果を収め、都のホームルーム研究校として指定されることになった。しかし指定されると否とにかかわらずホームルーム指導を確立することはこの学校の既定の方針であるので、生活指導部が中心となって次のような研究目標を定めた。

一、提示の方法の継続的研究

二、ホームルームにおいて指導助長さるべき生活領域とその系列の研究

三、問題の取り上げ方の研究

上記の三目標を達成するために、理論・実践・整理の三段階に体制をつくっていった。

1 理論研究

生活指導部が中心となり、スコープの設定、プログラムの編成、調査、実験等、批判討議を重ねていった。

2 実践研究

a 月例研究会

毎月各学年ごとに一名あて研究指導を行い、共同研究批判をする。

b 特別研究会

学期一回ないし二回全校的な特別研究会を開き、指導部（都教委・区教委）ならびに宮坂先生のご指導を受ける。

c 特別教育活動全般の連繋

ホームルーム運営と表裏一体の特活につき、生活指導部の各部門でこれを指導助長する。

3 研究結果の整理

生活指導部のホームルーム協議会が中心となり、データーの集積、整理、組織等一応体系立ったものに仕上げる。

大体以上のような方針によって研究が進められ、都の発表がもたれたのであります。発表の当日は、都内の先生方はもちろん、全国各地からも多くの参観者が集まり、四中の生活指導は全国的に有名になり、その後見学者がぞくぞくと後をたたず、四中方式は雨後の竹の子のごとく全国津々浦々に芽を出したのであります。今ここに当時の研究物「ホームルームの展開」の全貌を詳述することは紙面の都合上できませんので、特に大事な提示の方法の要項だけをお知らせいたします。

○ホームルーム提示の方法

1 討議　自由討議。パネル、ディスカッション。ケース、コンファランス。
2 ゲーム　3 身の上相談
4 インタービユー　5 就任式
6 芸術鑑賞（音楽・美術・文学）
7 物語　8 説明（主としてオリエンテイション）　9 展覧会
10 講話　11 発表（好みの発表・

共同調査・読書発表）
12 学校放送 13 パーティ
14 親子ホームルーム
15 スライド 16 評価
17 劇 劇化・脚本朗読・紙芝居・人形劇・放送劇
18 通信

以上の諸方法の実践記録で研究物の大部分を占めていますが、これらに生徒の生活全分野が包含され、これらの実践を通して個々の生徒の自主性・社会性・道徳性は血となり肉となつて深く培われて行つたことでしよう。これがアメリカ式の直輸入でなく、それにヒントを得て、充分にそしやくされ、日本の現場に合うように改造され、創造されていつたところに生命があると思います。次にホームルームの組織ですが、経営活動を主とする奉仕グループと助け合いを主とする血の通つた仲間同士の生活グループを作り、各人が各々奉仕的仕事をすることによつて仲間の承認を得、成功感・満足感を味わい、悩みの解決を集団思考を通して、して上げることで安定感を得させ、集団への感謝と貢献しようとする意欲を盛り立たせるようにしている。かように小集団指導を通して学級集団指導を成しとげるようにもくろまれている。この研究物を見ると近頃市販されている道徳指導の参考書の実践例を凌ぐ程のものもあり、七・八年も前にホームルームを通して今日の「道徳」の時間の指導に匹敵する指導が行われていたことを知り全く驚かされます。現在では宇留田教諭は都の指導主事、文部省道徳委員に出られ、その流れを汲む若手後輩の方々が中堅として活躍し、道徳指導のスライドを作つたり、劇化についての論文を道徳の参考書に書いたり、NHKのテレビを通じて教育相談に応じたり、誠にすばらしい活躍ぶりです。このように教壇実践の研究を通して、先輩が後輩を指導し、次々と新しき指導者を輩出させてゆく学校は生き生きと創造の息吹きに燃え、全く羨しい限りです。只今では従来のホームルームの時間の外に道徳の時間も特設して、よく耕された畑に更にすばらしき作物を育てるべく、細密周到な計画の下に真しなる実践が営まれています。このように地についた「道徳」指導が行われるためには、ホームルームの指導が充分に行われて、教師と生徒相互が何でも打ちとけて自由に話し合える雰囲気になつていなければならず、この雰囲気づくりができてなければ、いくら立派な指導案をたてても、生徒が動いてくれず、結局教師のお説教となり、徳目主義・注入主義となり戦前の修身教育に陥いるおそれもあり、ここに正しいホームルーム指導が確立されなければならない意義が存するわけであります。正しいホームルームの指導と正しい「道徳」の指導が車の両輪のごとく相互に補い合つているところに、生き生きとした質の高い教科学習も展開されることでありましよう。沖縄のすべての学校がこのような学校になり、本土の学校と肩を並べて、文化国家、道徳国家としての祖国日本の建設に堂々の前進を続けることを祈念しつつ筆をおきます。

配属校寸描

東江幸蔵

私の配属校、山口県立水産高等学校は下関より山陰線で約二時間、日本海に面した仙崎という小さな街にある。この街の主な産業は水産業で、わけてもかまぼこは日本でも有名である。学校は仙崎湾の曲折した海岸線、緑なす天下の絶景青海島を望む静かなところに建てられている。この自然の防波堤となつて横たわる国立公園、青海島は毎年数万の観光者が訪れて賑わつている。

こうした本校の環境は申し分のない処である。この学校の創立は山口県水産養成所として昭和十四年県告示をもつて認可されたのにはじまり、歴史的にはまだ新しい方であるが、現在は五百余名を数える生徒を有し、本科（漁業科、製造科、機関科）の外に短期大学に相当する専攻課程が設置されており、本土では最も大きな水産高等学校の一つに数えられている。この学校の前身である水産養成所は青海島にあつて現在は水興寮として本校の寄宿舎に当てられている。昭和二五年現在地に移転したとのことであるが、当時就任された現校長北村先生の大きな構想によつて理想的に学校建設がなされ、尚今後予定されている新設の機関科教室や講堂等についても県教育委員会の施策に則り、年次的整備計画が樹立されていて、昭和三八年度にはすべて完成する予定とのこと、この点貧弱な財政下における沖縄の学校とは大分違うようであり、うらやましい限りである。

一方生徒の指導面では、学習、誠実、勤労、健康の校訓に基いて更に具

体的に打出された教育方針に従い、校長を中心に全職員が協力、親和の体制を固めながら教育活動を行つているが、教科面の指導はもとより、特に徳性面の指導が計画的に活発に行われていることはこの学校の特徴といえよう。尚毎日行われている職員朝礼、終礼では行事の伝達、諸諸の報告以外に生徒の行動や学習状態等についての話し合いがなされ、常に生徒の動向をキャッチし、適切な指導が行われている。

先生方は授業、クラブ活動の指導、校務分担事務の処理と連日忙殺されながらも、自分の研究や生徒の校内外における生活指導には常に誠実であり、教育愛にもえた職員ばかりである。前にふれた徳性面に関しては紙片の都合もあつて多くを述べ得ないが、次の二、三について特筆したい。

△**親学級**　この学校独得の学級で、その任務は補導課の側面的補導援助をすることになつており、学年、ホームルームのわくをはずして二〇～三〇名を一学級として編成している。親教官はクラブ、郷友会（通学途上の行動、態度、風紀の監視や交通道徳の指導をなし更に休暇中の連絡網の編成あるいは交友グループを構成させ、不良化を防止しようという目的で通学区別に組織編成されたもの）等の最も関係の深い生徒を入学時より卒業まで担任してそのめんどうを見ることになつている。個人指導がその主な目的で、愛情をもつて相談、補導、激励を行い特に家庭環境に恵まれない生徒の不良化を防正するというのがねらいである。毎月一回全校一斉に親学級ホームルームを実施しているが特に不良化の防止には著しい効果をあげているとのことである。

△**問題生徒の補導**　成績不良の生徒に対しては、補導の機会を多くし、その原因を指示して激励すると共に、学校生活に魅力を与えるため必ずクラブに配属して個性、趣味を伸長させ、また不良化のスキを与えないため常に家庭連絡を実施している。行動不良の生徒に対しては、欠席記録簿を厳正に記録し、所持品や服装、態度を監視することによつて問題の早期発見につとめ、かつ補導の機会を多くし各教員に連絡してその協力を求めるようになつている。また問題を防止し、愛校心を養成させるために、祭礼、休暇、学校行事あるいは他校の行事毎に仕事を分担させて希望をもたせるように努め、問題を惹起した時の処分にあたつてはできるだけ希望を与えるようにしているとのことである。その他盗難防止のために各教室に貴重品箱を備えてその使用を習慣づけ、また悪から生徒をまもり、社会人と区別するために学校独特の制服、制帽を着用させ、短髪を実施している。

△**クラブ活動**　クラブの編成は沖縄の学校とほとんど同じであるが、異なるところは毎日放課後クラブ顧問の教師、全校生徒が参加しているということである。（沖縄水産高校と比較した場合）クラブ活動は個性、趣味の伸長を図り、不良化を防止するということがねらいで、配属以来問題をおこしたという生徒はまだ一人もいない。顧問の教師が常に参加して指導を行つているだけにその効果が顕著で、赤銅色の堂々たる体躯は一見して他校の生徒と判別することができ、ラグビー、相撲、庭球、駅伝等は県を代表して国体に参加し上位の成績をおさめているとのことである。

なお保健体育面では全国で優秀校として文部省より表彰されている。一方情操面の教育活動もまた活発に行われ特に音楽部においては五〇名編成のブラスバンドがあつて、正科に音楽がないのにかかわらず、九州を含めた西部地区高校吹奏楽コンクールでは二カ年連続優勝をなし、九州、中国を含めた西部地区を代表して全国大会に出場、堂々第四位の成績をおさめていることは全国的にも有名である。ここの生徒は練習に泣き、試合で笑つているようである。

個性を伸長させ、不良化の防止を図ると共に将来の社会生活に耐え得る体力と精神力を養うための特別教育活動がいかに重要であるかを今更ながら認識を新たにした。

以上配属校についてその概略を述べたが、二ヵ月の期間を通して私の知り得たことは、学校経営が県教育委員会の重点的な施策と結びついてなされていること、生徒指導に対して教師が非常に誠実であり、そして生徒が極めて素直であるということである。

研究通信 (1)

東京教育大学付属小学校
嘉味元 潔仁

四月一日付文部省発表で上記の学校に配属されてから二ヵ月近くにもなりましたがその間、校内の授業参観、施設、用具の研究、都内見学、郷土出身の先輩訪問などでその大部分を過ごし

てきましたが、これから第二の計画（研究）に入るところです。

この学校は沖縄では見られない変った制度で幼稚園から小学校に入学する時もテストを受けなければなりません。今年度の入学も二〇〇〇有余名の児童がテストを受け、その中から入学を許可されたのは希望者に対し僅か一六〇名という少数ですから特に優秀な成績でないと希望してもそのまま入学できません。

一学級に知能に相当の差のある児童が一しょに学習していては教育効果もなかなか向上しないことは当然でありますが、しかし、一校に遅進児や優秀児や精薄児もいる場合のある沖縄の学校と違って、入学する時はみんな優秀児だけということにもなり、またある意味では入学後も総べて優秀児ということになります。

一方、精薄児の場合は、また知能指数七〇以下の精薄児でなければ入学できない同大学の付属があって、そこで教育されています。

私の配属された学校は前記の、いわゆる優秀児だけの集まる小学校ですので、（これまで自分の歩んできた学校とは環境の面でもずいぶん違いますが）そこを中心にして述べてみたいと思います。

この学校の児童数は九九七名です。各学年四クラスで計二十四クラスに対し職員数は、教官三六名・講師三名・保健婦一名・校医（歯科医）一名・給食係六名・作業員六名・事務職員八名で合計六一名です。

教室は普通教室二四、工作室一、図画室一、音楽室二、家庭科教室一、理科室二、算数教具室一、生物標本室一、資料室一、保健室一、歯科治療室一、工作準備室一、理科準備室一、図画準備室一、放送室一、児童会議室一、講堂一、給食調理室一、応接室二、体育館二、教官室（沖縄でいう職員室）三となっており、これは教室ではないが便所が九ヵ所にあり、それにプール（二五×一〇m）が一となっています

一九六〇年度の年中行事をみると—

第一学期

4月8日　入学式
4月28日　遠足
5月10・11日実験学校（図工家庭）発表会
5月27日　潮干狩
6月1日　更衣
6月2・3・4日　研究発表会（全教科）
7月1日　短縮授業実施
7月19日　成績会議
7月20日　終業式。

第二学期

9月5日　始業式
9月20日　短縮授業終了
10月7日　遠足
10月16日　運動会
11月　協議会
11月20日　保護者会
12月15日　入学児童募集広告
12月19日　成績会議
12月20日　終業式

第三学期

1月6・7日　入学願書受付
1月9日　始業式
1月14日　入学試験準備（休業）
1月16〜18日　入学試験
1月19日　入試決定会
2月
3月20日　成績会議
3月22日　終業式
3月23日　卒業式

となっていて、特に沖縄と違う点は、入試のあることと家庭訪問のないことでしょう。

家庭訪問がないから教師と父兄との連けいがじゅうぶんできないというようにも考えられますが、実際はそうではなく父兄の（といっても母親が多い）自発的な学校訪問が毎日あります。そういう機会を利用して、子どもの学習態度を観たり、担任の教師とじっくり懇談し合ったりしています。

よほどのことでない限り学校を訪問しない父兄の多い沖縄、子どもの教育については学校に一任する、しかもそれが美徳であるとさえ思っている父兄の多い沖縄とは教育に対する熱とか認識の面でも相当の開きがあります。ことに入学当初の一年生の場合は毎日、母親同伴で登校下校し、ゆっくり子どもの学習をみています。

沖縄の母親がそんなヒマはない、と言ってしまえばそれまでですが、実はそういう安易なアキラメに甘んじて、解決しようとしない、いわゆる教育に対する熱が沖縄の場合は足りないように思えます。

遠足や潮干狩などの校外教育活動の場合は、クラスの保護者の中から十名内外の運営委員を選出して面倒をみてくれるので、教師の精神的な負担が大部軽くなってきます。教師の負担を軽くするというよりも、一体となって子どもを教育するということに意味があると思います。

子どもの下校は六時限終了後で春・秋は三時間二〇分、夏は一時、冬は春秋と同様三時二〇分ですが特に指定された週一日の運動日・読書日でも午後四時になると一齊に下校します。こちらの学校の先生方は研修にとても熱心

で、毎週一・二回の研究会を開いています。研究組織は各教科ごとに研究部会を組織して、それぞれの教科の研究に当つています。

沖縄では一人の先生が全教科を担当しているので、思うようにできない点もありますが、こちらの場合は各教科専任の先生がいるので一人で全教科を担当するようなことはありません。図工科の研究を例にとつてみますと、五名の先生で研究部会を組織して、更にその中で描画・彫塑・デザイン・工芸などと研究をしています。

学習計画は教科書を参考にして児童と教師が互いに話し合いながら一ヵ年の計画を作ります。参考までに六年生の一ヵ年の計画を示しますと左の表のとおりです。（週二時間連続）

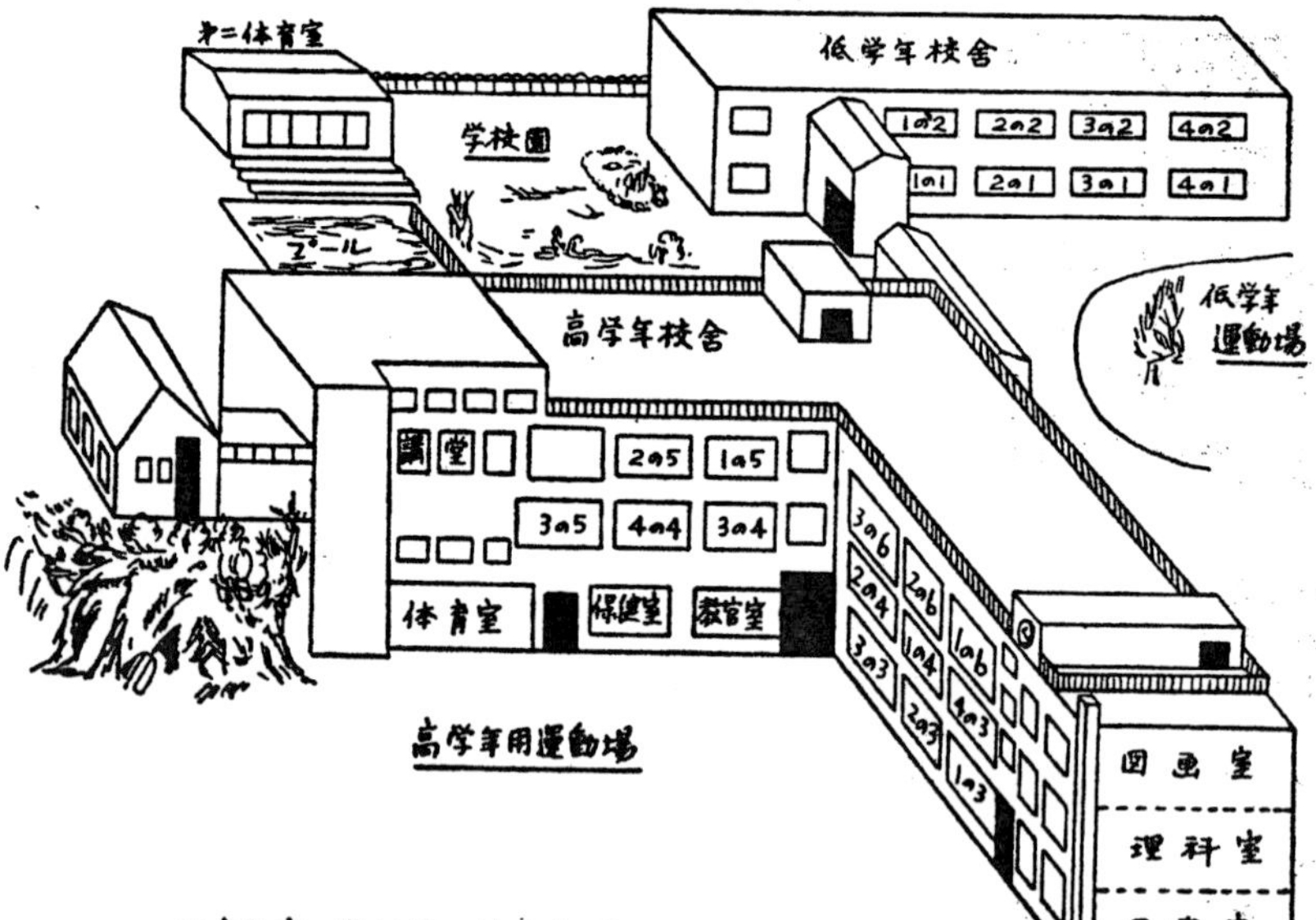

東京教育大学付属小学校全図

月日	題目	準備
4月12日	勉強の計画	筆記用具
19日	占春園（写生）	水彩用具
26日	思い出して描く	〃
5月10日	本立て（設計）	工作用具
17日	〃（製作）	〃
24日	〃 〃	〃
31日	〃（仕上げ）	〃
6月7日	ポスター（時の記念日）	水彩用具 製図用具
6月14日	人（クロッキー）	鉛筆・竹ペン・墨
21日	人（彩色）	水彩用具
28日	動くもの	工作用具
7月5日	〃	〃
12日	〃	〃
9月6日	自由なもの	水彩用具
13日	彫刻	ねんど・紙・石はん・木など
20日	〃	〃
27日	〃	〃
10月4日	焼物（原型）	ねんど・雑布・新聞紙
11日	大きな絵（計画）	水彩用具
18日	〃（製作）	〃
25日	大きな絵（製作）	水彩用具
11月1日	秋の生活	水彩用具
8日	焼物（素焼）	
15日	〃（絵付）	
22日	金属の工作（設計）	工作用具
29日	〃（製作）	〃
12月6日	〃 〃	〃
13日	作品鑑賞	
1月17日	ぬいぐるみ・モザイク その他	工作用具
12月24日	ぬいぐるみ・モザイク その他	工作用具
31日	〃	〃
2月7日	私の記念品（版画）	彫刻刄
14日	〃	〃
21日	〃	〃
28日	〃	〃
3月7日	作品鑑賞（スライド複製）	

図工科設備の実態

品名	数量
〔図工〕	
写生台	2
バック布	5
花びん	10
画架	7
画板	100
刷毛	20
皿	100
筆	30
額椽	40
〔版画〕	
バレン	40
彫刻刄	個人持ち
ルーラー	12
エッチングプレス機	1

図1. 〔工作室〕

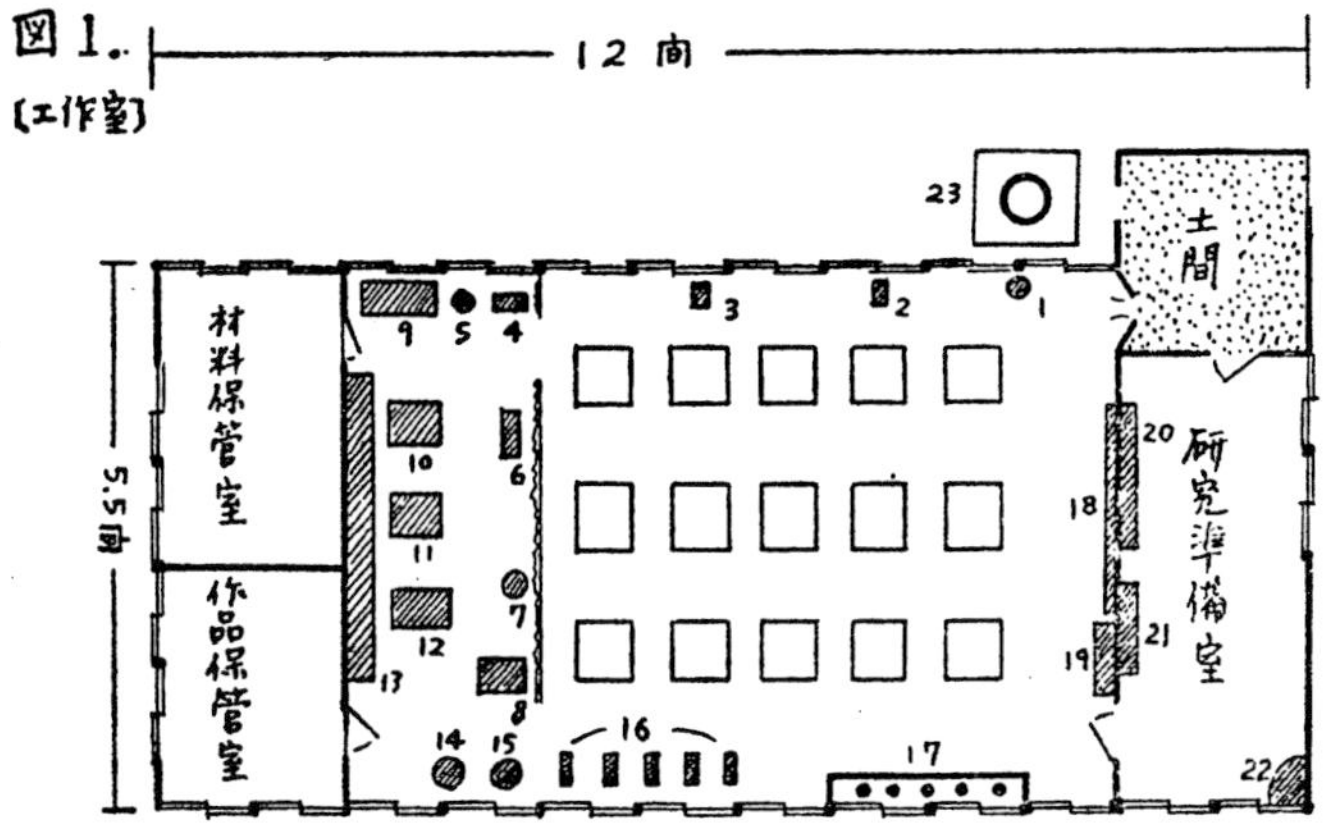

〔説　明〕

1. グラインダー（電）
2. 3. 卓上電動糸鋸機
4. 金工旋盤（電）
5. 電気焼窯
6. 木工せんばん（電）
7. ボールバン（電）
8. バンド鋸（電）
9. 10. 11. 12. 児童用木金工用具箱
13. 作品展示棚
14. グラインダー（電）
15. 板金切断器（紙兼用）
16. 電気糸鋸機
17. 水道じや口
18. 黒　板
19. 教師用工具棚
20. 作品展示棚
21. 図書棚
22. 水道じや口
23. 焼　窯

エッチング用小道具	1
〔粘土〕	
粘土板	100
粘土べら（3本1組）	100
粘土貯蔵かめ	1
釉薬溶器	10
電気焼窯	1
焼成用火箸	1
〔紙工〕	
紙工鋏	30
ラシャ鋏	2
押切	2
打抜	2
ホッチキス	1
〔竹工〕	
竹挽鋸	50
竹割鉈	10
〔木工〕	
電動糸鋸機	5
卓上グラインダー	1
教師用木工具セット	1
両刃鋸（個人持ちのほか）	50
片刃鋸	3
平鉋（個人持ちのほか）	50
小玄能（他入持ちのほか）	2
かなづち	30
手引糸鋸	5
木やすり	10

図2. 〔工作室机〕

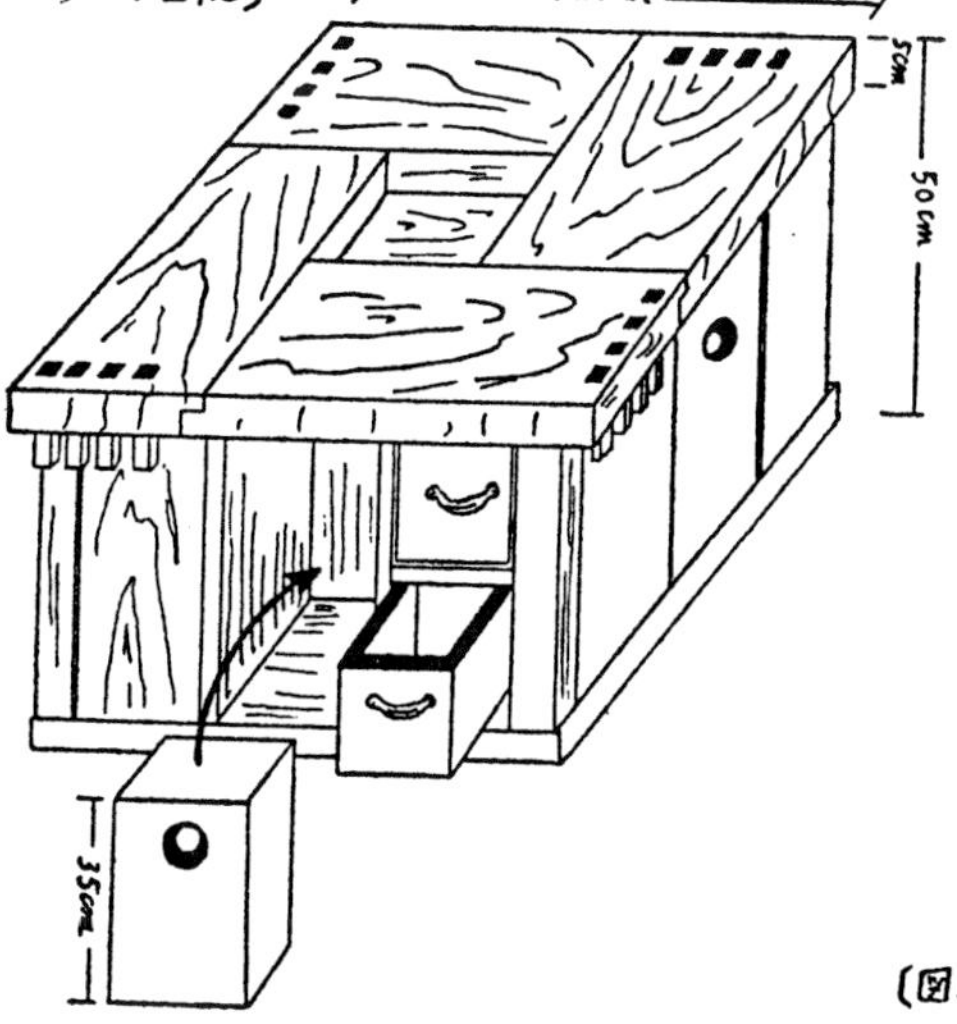

図3.

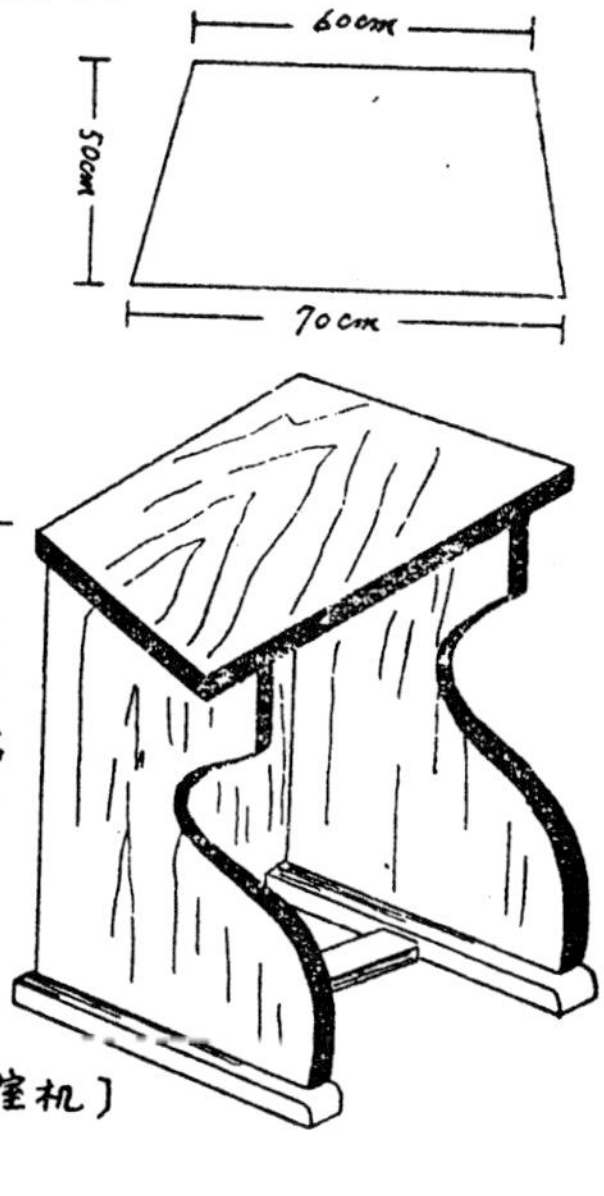

〔図画室机〕

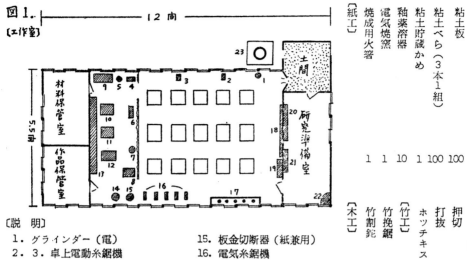

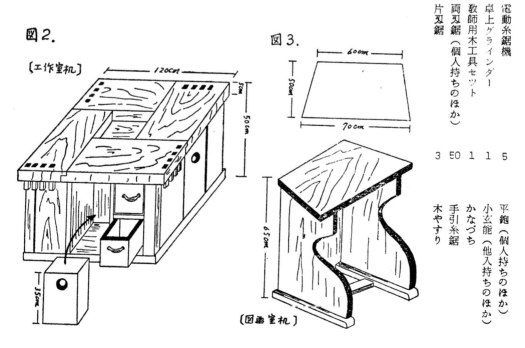

鑢けひき	5
さしがねステンレス	30
追入のみ	2
切出小刀	30
ねじまわし	10
釘抜	5
釘しめ	2
硝子切	2
電気焦給器	2
金剛砂砥	5
中砥	5
〔木工〕	
仕上砥	5
〔金工〕	
金切鋏（直刃）	50
〃　（柳刃）	10
折台	10
うち木	10
受付万力	10
ペンチ	10
ラジオペンチ	3
ハンダごて	5
コンロ	3
電気ハンダごて	20
金工ヤスリ	5組
モンキースパナ	1

備品は右記の表のとおりであるが、そのほか五、六年の児童は工作道具セットを個人で持つています。

前頁の図は工作教室内部の配置と工作用の机・図画用の机とをそれぞれ示したものです。

図2の工作用机は上の面は正方形で四人で使用するようになつていて、かんなを使用する時は、すみにある杭を下方から打ち出して板がそれるのを防ぎます。上面のくぼんだ所は作業をする時に釘その他を入れて仕事の邪魔になるのを防ぎます。

図3に示す図画室の机は上面が梯形になつていますが、室内での写生に、いくつも並べるとまるくなるように設計されたものです。

全国一を誇る生産額

東京都立農芸高等学校

北部農林高等学校
新垣善秀

学校は東京都杉並区今川町にあり、周辺は都内とも思われない程、閑静な地で、文化の香りが、床しく匂つている、しようしやな、郊外である。学校と道路をはさんで左右の実習地では男女生徒が、わき目を振らず黙々と実習に励んでいる、よく見ると指導者はついていない、これが農芸高校生の実習態度である。エゴイズムと放縦に堕しつつあると酷評されがちなティーンエイジャーが、ここでは何と新生の気に溢れ、発らつとして、勤労の意欲に燃えた蔭日向のない濁りに染まぬ十代であろう。これこそ国際水準に飛躍しつつある母国の日本の中核体をなす若人の真の姿であると、深く感銘させられあわせて本校の教育方針や校風がうかがわれた。本校に配属され日頃観察することによりいよいよ上記のうるわしい実習態度のへんりんを裏付けるよりすばらしい内容外観と特色が判然としてきた。

本校の特色

一、実習規模が広大で生徒は高度な技術を体得しているので就職難旋風のさ中にある東京でも卒業生の就職率は抜群である。

二、学習と実技が渾然融和しており実技がよくこなされ生産額及び予算も一千万円の巨額で全国一の農業高校として文部省折紙つきである。

三、畜産加工はまさに日本一といわれる施設設備を以つて高度の生産をしている。

四、農産物、畜産物のほとんどが加工されて販売される。

五、生徒は教養高く品位があり礼節を重んじプライドと自覚を持つている。

六、男女生徒は相互に尊敬しあい友愛と節度ある和やかな明朗闊達の雰囲気で仲良く共学している。

七、クラブ活動は自発的に行われ専門的に究明検討された知識を実践化に努めている。

八、学習に必要な教具や施設設備は他に比を見ない規模で完備されている

九、生徒は公共物の愛護と公衆道徳に徹底している。

運営状況

畜産課程

乳牛　二五頭（搾乳中の乳牛一四頭）牛乳はプラントで市乳その他乳製品加工の原料となる。妊娠牛七頭（六月現在）

※広大な面積に牧草（ライ麦、クローバー、イタリアンライグラース、トウモロコシ）が栽培されて居り地下式サイロが五基（直径六尺深さ九尺）本年中に更に同型のものが二基増設予定）

馬　二頭

※東条英機の乗馬で皇太子ご結婚式パレードに先頭馬をつとめた由緒ある名馬「若盛」が引退して本校でのんびり余世を送り生

徒の馬術訓練用として親しまれている。

豚　二五頭（肥育豚、仔豚を合わせると多い時は七〇頭に達するという、肥育豚は専ら畜産加工用に供せられる）

鶏　千二百羽（成鶏及び中雛）成鶏数五〇〇～六〇〇を飼育し、ひなは農協及び一般に販売される、卵は校内購売部で売却、孵卵は春秋行われるが春のみで五千～六千行われる。飼料は学校で配合されビタミンや酵素、その他の科学飼料が添加される。飼料試験は継続的に行われる。

畜産加工　乳加工、ミルクプラント、肉加工に別けられ、本校の施設設備の根幹をなし生産額も最大である。

乳加工　ヨーグルト一日約三百本（九〇ｃｃ入りビン詰め）。バター、月二～三回造る(百ポンド）チーズ、四石位醱酵中、酸乳月七〇〇本（三合ビン入り）

ミルクプラント　高度性能の最新式機械施設設備により一日牛乳三石を処理。

牛乳は学校の生産乳だけでは需要に応じ兼ねるので農家からも原乳を購入して殺菌、ホモジナイズして生乳として市販。牛乳は毎日一五〇〇～二〇〇〇本のビン詰として出荷。家畜及び畜産物のほとんどは畜産加工を経て換金される。

肉加工、ハム、ソーセージ等を造る。

※加工乳も近々の内に製造開始する予定、なお乳飲料やその他乳製品も製造予定。

※ボイラーは一三二万円の経費で四月に竣工し圧力七Ｋ、伝熱面積三〇〇Ｋ（従来のと取替える）燃料は重油使用

農産製造課程

ソース　ゼリー
醸造｛醤油　ジャム
　　　味噌　野菜加工
ブドウ酒　果実

リンゴジャム、一斗缶で三百本処理（年間）、ケチャップ、七百貫トマトを用いる（年間）、イチゴジャム、六〇～七〇貫（年間）

加工製パン　コッペ一日、四〇〇～四五〇クッキ一日一貫平均

園芸課程

野菜　一般野菜とキウリ、トマト等の半促成栽培に重点を置き主として青物市場に出す。

花き　露地切花用、鉢物用、造園用に分けられ 生産主体は 鉢物である。都市近郊では鉢物や株物が有利で従って温室を高度に利用している。十一月頃から三月迄が収入は多い。

※園芸圃場では温床用電熱ケーブル、ゴム被覆五〇〇Ｗを用いている。

※本校の電熱使用総量は月量一万ＫＷ。

教育方針

本校は高等普通教育及び専門教育を施すことを目的とし特に農業高等学校として農芸に関する専門教育に重点を置き農業自営者、農業技術者としての人格識見を高め専門的教養を培うことを目標とする。

教育方法

常に優秀な生産物を合理的に大量に作り安く売り生産から販売に至る所まで生徒の経験を通して理解させる。そして農場にできた生産物をよく売ることを指導する。又農業学校の教育効果を上げるために充分に作物や家畜を使って実験実習を行わせる。施設設備と規模を持つ。

指導目標及び重点

a　自主的で建設的な民主社会の農業技術者を育成することを目標とする。

b　農業技術の向上を計ると共に責任感強く実践力のある人をつくる。

c　心身共に健康で礼儀正しく情操豊かな人柄を育てる。

d　校内生活では時間を守り静粛な教育的環境を作る。

運営組織

農場主任（一名）

コース主任（三名）園芸、農産製造、畜産

経営部門（一三部門）作物、花、造園、野菜、果樹、農産製造（一部）、（二部）、（三部）ミルクプラント、鶏、牛、豚、畜産加工に分れ各部門に主任一名副主任一～二名技術補又は技術助手一名を配置。

運営部門（八部門）経理、農具資材、教科運営、農場整備、衛生、ホームプロジェクト指導、農業クラブ指導、調査編集に分れ各部門に主任一名、副主任若干名を配置、実習のホームルーム主任を各ホームルーム一名ずつ配置。

農場における生産指導

教科実習と当番実習に大別される。

教科実習　農業教科はすべて実験実習を伴うので教科時間内で必要に応じて適宜圃場、加工室畜舎等で実験実習を行う。

当番実習　継続的な経営の推進とその管理技術の修得のために行う実習で一部を除いては年間を通じて行われる。

① 農場当番
農具の整備と堆肥舎の整備、温室盆栽草花の管理

② 野菜当番　野菜の育苗及び日常管理

③ 加工当番　加工途上の品物の管理

④ パン当番　パン、ビスケット等の製造

⑤ プラント当番　牛乳の処理

⑥ 鶏当番　鶏の日常管理

⑦ 豚当番　豚の日常管理

⑧ 牛当番　牛の管理

学校規模

校地七六一a、都有地三九八・九a
民有地三六二・二a
校舎、木造瓦葺一棟一二教室
講堂　二七四㎡（八〇坪）、体育館三五六㎡（一〇八坪）、運動場五〇a

農場総面積　五五八a
内訳＝課程名
園芸　二二・八a
加工　七a
畜産　一六a
その他（水田）一〇八a

一、一九六〇年夏季認定講習会招へい講師名

番号	講師名	所属	職名	前期 連合区	前期 科目	後期 連合区	後期 科目
1	秋山　正次	熊本大	助教授	名護	国文学（国文学史）	那覇	国文学（国文学史含）
2	原　重一	三重大	教授	那覇	国文学（国文学史）	前原	国文学（国文学史含）
3	藤井　公明	香川大	〃	宮古	国文学（国文学史）	宮古	国教材
4	松田　正義	大分大	〃	石川	国教材	那覇	国教材
5	野村　正七	横浜国立大	助教授	コザ	社会（地理学）	名護	社会（地理学）
6	山崎　修	高知大	教授	那覇	社会（地理学）	知念	社会（地理学）
7	野上　弥文	埼玉大	〃	名護	社教材	普天間	社教材
8	西村　巌	岐阜大	助教授	那覇	数学（代数学）	コザ	数学（代数学）
9	中島　孝	金沢大	〃	糸満	数学（幾何学）	那覇	数学（幾何学）
10	中野　昇	広島大	教授	八重山	算数材	八重山	数学（代数学）
11	大山　正信	鹿児島大	助教授	コザ	算数材	名護	算数材
12	是沢　三郎	新潟大	〃	前原	理科（物理学）	名護	理科（物理学）
13	板谷　実平	新潟大	〃	那覇	理科（化学）	糸満	理科（化学）
14	青柳　兵司	文部省初等中等教育局	調査官	知念	理教材	宜野座	理教材
15	中山富士雄	東京芸術大	助教授	宜野座	音楽（器楽）	那覇	音楽（器楽）
16	齊藤　鉱吉	山形大	〃	那覇	音教材	前原	音教材
17	出水　勝利	宮崎大	教授	辺土名	図工（絵画・図案）	コザ	図工教材
18	鈴木三五郎	愛知学芸大	〃	名護	図工教材	糸満	図工教材
19	鈴木　勝衛	福島大	助教授	糸満	体育（体育管理）	那覇	体育（体育管理）
20	浅野　辰三	岡山大	教授	那覇	体教材	辺土名	体教材
21	稲垣　長典	お茶の水女子大	〃	前原	家庭（食品学）	那覇	家庭（食品学）
22	大森　和子	茨城大	講師	普天間	家庭教材	那覇	家庭教材
23	小川　芳男	東京外国語大	教授	名護	英語学（作文、会話）	那覇	英語学（作文、会話）
24	森沢　三郎	大阪外国語大	〃	那覇	英語学（作文、会話）	普天間	英語学（作文、会話）
25	井上　音松	富山大	〃	那覇	教原理	那覇	方法及び指導
26	竹内　硬	信州大	教授	那覇	評価及び測定	石川	評価及び測定
27	渡部　晶	東京学芸大	助教授	普天間	評価及び測定	名護	評価及び測定
28	林　三雄	富山大	〃	那覇	児童理	那覇	青心理

番号	講師名	所属	職名	前期 連合区	前期 科目	後期 連合区	後期 科目
29	橋本 勝三	青山学院大	教授	宮古	学校管理	八重山	学校管理
30	浅井 盛人	北海道学芸大	〃	那覇	教行政	那覇	教社会
31	志田作次郎	静岡大	講師	八重山	教社会	宮古	教社会
32	高桑 康雄	国学院大	助教授	那覇	職指導	那覇	視聴覚
33	青江 喜一	文部省管理局	文部技官	那覇	学建築	前原 名護	学校建築

五月のできごと

一日　全珠連沖縄支部主催珠算検定試験（真和志中学校）

三日　大田主席立法本会議にのぞみ施政方針演説を行なう。

四日　全琉高校長会（六日まで商業高校で）

五日　こどもの日、山びこの鐘鳴初め式（於那覇市役所屋上）

六日　日本政府貸付のブラジル呼寄せ移民二十三所帯百九人出発。

民政府一九六〇年度一般会計補正予算案を承認。

ハワイ嘉数観光団（団長嘉数トヨさん）一行二十六人来島。

七日　沖縄短大初の卒業式。

与那国島の考古学調査のため農林省水産講習所教授国分直一氏と都立大講師エリカ金子さん来島。

八日　沖縄タイムス、沖縄陸上競技会共催第十回リレーカーニバル（那覇高校グラウンド）。

青少年赤十字団では中南部の小中高校JRC代表約六百人を集め「世界赤十字平和デー大会」を開く（昭和会館で）。

九日　教育長定例会（糸満教育長事務所で）。

十日　中教委員会（十一日まで）台風災害対策費による校舎建築割当・体育振興施設補助金割当などの議案を可決。

立法院本会議でミサイル・メイス持込反対決議をなす。

十一日　立法院大田主席の施政方針に対する各派代表の総括質問はじまる。

中教委、要保護児童・生徒給食費補助金割当に関する規則・文教局へき地勤務手当支給規則案など五議案を審議可決。

十二日　中教委久米島の教育状況視察に出発。

十三日　文教局優良映画推せん協議会発足

十四日　白い羽根募金運動始まる。

十五日　集団就職少年少女百六十七人本土へ出発。

島産品展示即売展（タイムスホール・十八日まで）。

十七日　高校定時制校長、主事協会の総会（糸満高校）

十八日　沖縄教職員会中央委員会

十九日　第二回高等弁務官論文コンテスト入選者に対する奨学資金贈与式（民政府会議室で）。

琉球放送テレビ入れ式。

二十日　第二次長期経済計画について軍民合同で発表。

二十一日　ゴン　ザルベス駐日ブラジル大使夫妻来島。

二十四日　けさ津波襲来、羽地で死者三人　真喜屋小学校校舎被害甚大。

二十五日　文審十一氏新しく任命（五月二十一日付）

二十六日　琉米親善高校野球、クバザキ沖縄側に連勝（於那覇高校球場）

二十七日　琉米親善バスケットボール大会、クバザキチーム沖縄側に快勝。

二十八日　沖縄柔道連盟主催第六回一般対警察柔道大会（於那覇劇場）

三十一日　第十回琉米合同の記念植樹（与那原町で）。

立法院各派は財政の窮状を打開する対策を協議するため第二回各派交渉会を開く。

雑詠（その二）

喜瀬原小学校　玉木清仁

すき間洩る日影よろしも朝床に目あけ目とじ安らぎにあり（日曜の朝）

おくつきの除草をしたり家族して重箱供えておろがみにけり（旧正月十六日）

ふりそそぐ天つ光に静もれる校舎二階が透けくし見ゆ（八重瀬岳墓所にて）

包丁もて人を殺める青年のいたいたしき世相になりにけるかも（三面記事）

あき屋敷のことなど思いていねられぬあわれわれはも神経質になりぬ

三ヵ所に住居を持てばかかずろうこと多くして心休まず

あれこれと思い疲れてあかつきの車の音にまたねむりたり

羽ばたきて早起鳥のこえはよし里の静寂《しじま》にひびきわたるも

六月のできごと

一日　琉球放送テレビ開局

「増税反対共斗会議」の結成大会（沖縄会館で）。

第五回教育税完納運動始まる。

津波で害を受けた羽地村真喜屋小校授業再開。

三日　増税反対官公労職場大会（第二庁舎前広場）。

米国西表調査団リチャードM・フース博士先発として来島。

四日　全琉小中学校長研修会（五日まで商業高校で）。

第十回全沖縄戦没者遺族大会（那覇劇場で）。

総合競技場建設推進期成会の結成総会（教育会館三階ホール）

五日　故島袋源一郎氏記念碑除幕式（今帰仁村で）。

全国商業高校協会主催第七回全国高校珠算競技大会沖縄予選（商業高校で）。

七日　第三十四回文化講座国際短大招請東大教授法学博士植田捷雄氏講演「沖縄の国際的地位について」タイムスホール）。

九日　教育長会

十日　ホワイトハウス新聞係秘書ジェームス・E・ハガチー氏がアイゼンハワー大統領の沖縄訪問についての打ち合わせのため台北から来島。

文教局社会教育課主催社会教育主事研修会。

アンドリック主席民政官久米島の民情視察。

十一日　社会教育総合研修大会（十二日まで）

十四日　フリーゾーン操業第一号（琉球パラソル興業商事）。

十五日　道徳性診断テスト実施（全琉小校五年）。

臨時中教委。

十八日　夏の高校野球始まる。

十九日　祖国復帰要求県民大会（タイムス前広場）。

アイゼンハワー米大統領来島（滞在二時間）。

高校夏季体育大会（野球、ろう球、柔道、体操、相撲、排球、庭球、卓球、水泳、剣道）。

二十日　文教局指定学校行事についての研究発表会（佐敷小学校で）。

ブース高等弁務官南部市町村長二十人と懇談（ハーバビユークラブ）。

二一日　与世山宮房長パイン、砂糖の特恵措置、戦前の郵便貯金などについて日本政府と折衝するため上京。

中央教育委員会の佐久本委員長ら九人八重山の教育視察に出発。

二二日　教育長会で教育委員会法の一部改正案について協議した。

二三日　文化財護委員会伊江家の墓陵を調査。

糸満連合区PTA指導者研修会。

二四日　沖縄基地補強のため米軍空挺部隊一個部隊（千九百人が沖縄に配置された。）

今年はじめての文教審議会（文教局長室で）。

二五日　琉大学寮祭（二十六日まで）米側西表科学経済調査始まる。

教職員会総会会長屋良、副会長阿波根氏ら再選、事務局長喜屋武真栄氏承認。

上京中の与世山官房長岸首相を訪問沖縄への援助を約す。

「八汐荘」開所式列席のため大浜早大総長、森戸広島大学長、文部省福田管理局長一行七人来島。

二六日　高体連主催第五回高校陸上選手権大会（名護町営競技場）。

白梅の塔、師範健児の塔慰霊祭。

教職員共済会那覇宿泊所「八汐荘」落成開所式。

二八日　全琉へき地指定小中校知能テスト実施（小校五年、中校二年）。

二九日　文教審議会連合区の統合問題について審議。

三十日　米議会は二十九日琉球向けに年間六百万ドル経済社会開発費を支出する法案（プライス法案）を承認、大統領の手元に送ったと発表。

石川ジェット機事故一周年。

一九六一年度一般会計暫定予算案立法院で可決。

前島小学校文教局指定版画教育の研究発表会。

文教時報
（第六十八号）（非売品）

一九六〇年八月一〇日　印刷
一九六〇年八月一一日　発行

発行所　琉球政府文教局
研究調査課

印刷所　那覇市三区十二組
ひかり印刷所
電話(8)一七五七番

文教時報

69

1960. 9　　No. 69

琉球　文教局研究調査課

巻頭言

社会教育指導の心構え

山川宗英

社会教育は学校教育と異つてさだまつたレールが敷かれているのでもなく領域も対象も多様でその上苦労の割になかなか実績が上げがたいといわれている。このように困難視されている社会教育を進めていく上に大切な問題であると思われる点を考えてみたい。

まずとり上げねばならぬことは指導者が地域の実態や時代の推移の上に立つて綿密な指導計画を立て、その指導にあたつては大衆が自からの生活の中から課題を見出し自主的に協力的に解決していく生活態度を持たすことが大切なことであると思う。

更に考えねばならぬことは雰囲気によるよき環境をつくる運動を醸成することを考えねばならぬ。この指導にあたつて指導者の態度は、指導者が住民の中に溶けこんでその地域の実態をつかみ、住民のよき理解者となつて共に考え、共に解決してやるというなやみも楽しみも共にする指導態度が大切なことであろう。

そういう点から考えると社会教育においては指導者は教えこもう、指導してやろうという指導者意識を強く持つよりも刺戟や暗示を与え動機づけをするという面を強く持ち大衆自体に問題を発見させ自体で解決し、しかもまた一人一人でできない共通の問題は協同の力で解決していくという態度を持たして指導を進めることが大切なことではなかろうか。更に考えねばならぬことは、力強い雰囲気をつくり出すことがいかに大切なことであるかを考えねばならぬと思う。特に新生活運動のごとき物心両面にわたつて展開される運動のごときは個々の人に食い入つて個人の自覚の上に立つということも大切なことではあるが力強い雰囲気によるよき環境の力によつて個人の自覚を一層深め協同の力によつて解決するという自覚を与えるということも考えねばならぬ。そういう点から今回の新正実施運動は更に大きな全琉運動として展開せねばならぬと思う。

（社会教育課長）

目次（第六九号）

第七回社会教育総合研修大会

第二日目　行政主席大田政作氏「新生活運動推進協議会長」より表彰を受ける勝連村新生活運動実践協議会代表。

→

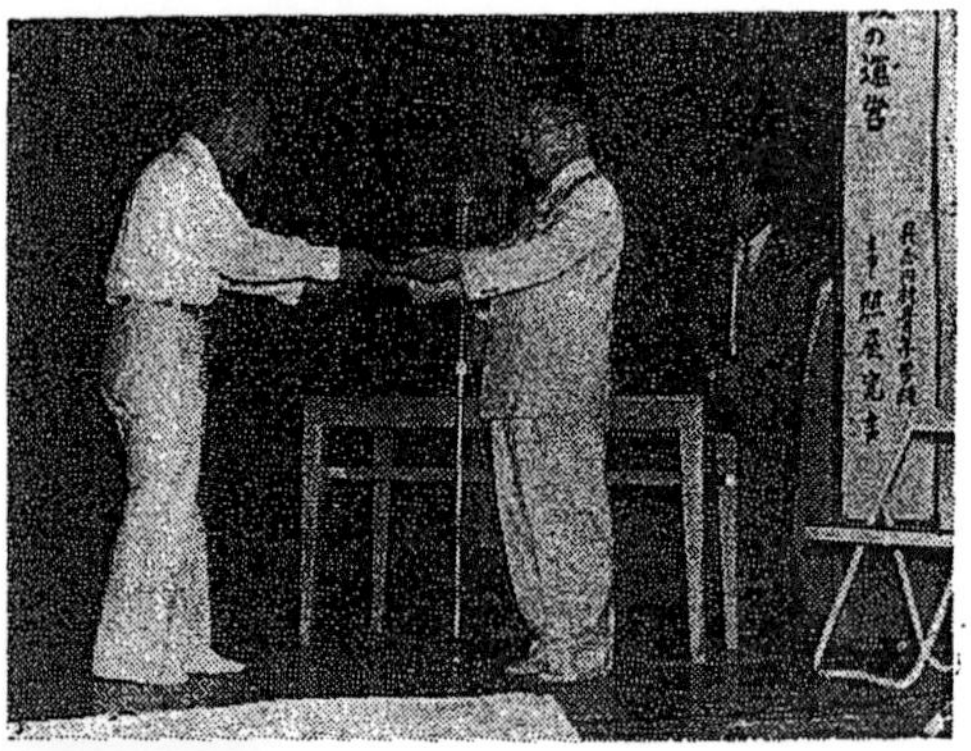

大会終了　行政主席、立法院議長を始め全参加者が「新生活の歌」を力強く齊唱。

←

第一日目　教育会館で開会のことばをのべる文教局次長阿波根朝次氏　→

第二日目　全体討議

階上から「新正一本化」を訴える参加者

←

。場所　教育会館

。日時　一九六〇年六月一二日

第二日目　那覇劇場での研究発表「教養の向上をめざす公民館活動」佐敷村馬天公民館瀬底正俊氏

第一日目　分科会討議「都市における青年会活動を盛んにするにはどうしたらよいか」討議メンバーと聴衆。

←

第一日目　分科会討議「P・T・Aの学習活動を盛んにするにはどうしたらよいか」討議メンバーと聴衆。

→

社会教育における 学級講座の諸問題

社会教育課 照屋善一

社会教育の方法はその形態を大きくわけて二つの型がある。すなわち組織されたグループのプログラムによつてなされるフォーマル（定型）なものと、いわゆる学校の型を脱したインフォーマル（不定型）なものがあるが、ここでは特に社会教育法第六章第四十八条の三、四項における学級講座すなわち青年学級、PTA、婦人等一般成人を対象とした社会学級のフォーマルな型で行われている学級運営の問題にふれてみたい。

この数年来地域の住民を対象として学校がその教員組織、学校施設を開放し相当な効果を挙げているのは現場の先生方が学校教育という大きな任務を持ちながら積極的に社会教育にも協力参加していただいたことと、一般成人の学習意欲がたかまつた事によると思われる。特に市町村教育区へ社会教育主事が設置されたのは学習活動を計画的、組織的なものへ進歩させたと思われる。

数年前から社会教育団体であるPTA、青年会、婦人会の研修会、講習会の研究討議に必ずと云つてよいほど「団体の学習活動などどのようにすすめたらよいか。」といつた共同学習がなされ、そういつた一般成人の要求が社会教育法に裏付けられたものだという。

社会教育における各種講座、学級も軌道にのりつつあるが又反面問題もあるので全琉的なものと思われる組織運営、講師の問題、学習計画、予算はどのように活用するかといつた点について私見をのべ学級の指導者の方々のご指導を仰ぎたいと思うのである。

一、組織運営について

社会教育団体等でよく聞かされる話に前校長や前会長の時は学級の活動が活潑であつたが転任や交替によつて学級運営がおもわしくない、なんとかならないものかと、これは指導者によつて学級運営が影響することを物語つているが指導者も受講者の方にも問題がある。すなわち指導者のみで運営され受講者が組織運営に参加してないところにある。

指導者のみが主動性を持ち受講者は常に教えられるもの、聞かされるところにあるので指導者の交替の時は困難にぶつつかつてしまう。

学級の組織運営については指導者は相談役と云つたところで受講者が積極的に組織運営に参加するよう自主性を持たす事が望ましい。

二、講師について

学級運営上講師が得にくいと云うことはへき地へ行くに従いその声は大きいのである。適当な講師を得る事は重要なことであるが、常にその筋の一流専門家を招く事は不可能であるので地域にいる講師を見出す必要がある。

私共の地域には作物の栽培に研究心が深く他人より優秀な作物を多収穫している方もいるし、手芸が特にすぐれた主婦の方の実技面の指導を受ける事も可能ではないか。

市町村役所には各種の指導員が駐在しているので前もつて連絡をやれば指導を引受けて下さるし、又社会教育主事をとおして各種機関や団体へ講師派遣を依頼し指導計画に入れてもらえば都合がよい

講師招請の際は受講者の要求、能力に応ずる講師を招くべきで或る学者グループが一流専門家を招き一期間集中的に講座を持つたが、受講者は指導が進むにつれて能力差があつて予期した効果が挙らなかつたことがあつたと聞いているが深く反省すべきであろう。

各種団体や学級から青年や婦人の集まりがあるからお話を願いたいという要請があるが、招請する講師の専門が生かされそれによつて受講者の悩みや地域の問題が解明せられるような慎重な計画があつて欲しいものである。

又へき地でも年何回か指導主事の学校訪問もあると思うがその時を利用して成人講座や親子ラジオを通じて地域住民へ聞いてもらうことも必要であろう。

三、学習計画について

政府の学級の補助条件として青年学級は年間百時間以上、社会学級は三十時間以上となつているが、青年学級の百時間以上とあるのは本土の青年が一か年で教養および読書の時間が百ないし百五十時間だという事であるので一般の成人はその二分の一か三分の一にあたるわけになる。右のとおり一般成人の学習時間は特定の人を除いて余り余暇がなく、殆んどの人が生きるために職業や家事について毎日朝から晩まで忙しく働いた人達であるので自から時間数に制約を受けるのであるので短時間に充実した指導計画が樹立され、いわゆる「食うこと」「もうかることにつながりがなければならない。学級講座の計画はあれもこれもといつた分量や時間を余り欲ばらず、一つの単元や課題を仕上げるのがよい。同時に指導内容が地域差があつてもよいし都市の学習計画が

※（次ページ下段へつづく）

新生活運動

社会教育課　嶺井百合子

新生活運動は沖縄住民の物心両面の健全な発展を必要としたことから唱えられたものである。

いまわしい戦争によつていためつけられた都会にビルディングが立ち並び、産業や交通もどうやら発達して、かたちのうえでは沖縄もりつぱに復興してきた。

しかしいまふりかえつて、わたしたちの身の周りを静かに反省してみるとき、わたしたちをとりまく社会に、そしてまたわたしたちの日々の生活のうえに、もつと深く考え、もつと改めなければならないような、いろいろの問題がたくさんあるのではないだろうか。

つまり戦後の沖縄は政治、経済、社会などの組織のうえでは民主化されつつあるが、たとえば一軒の家の中の家族のあり方とか、或は街や村の中でのしきたりやならわしによつてくると、まだまだ古い考え方や永い間の習慣から抜けきれないために、進もうとしても進めない、いろいろの悩みや障害が残つているのではないだろうか。

これらは人々の精神面、いいかえればひとりひとりの心がまえの問題であるから自分さえその気になつて改めようと思えば、たやすく改善できる事柄である。

しかし実際の生活には、それを取巻く環境とか条件などがあつて、どうしても自分だけでは解決のつかない場合もあるので、やはりみんなが理解のうちに気を合わせ、みんなの力をかりなければあらゆる社会の改善も向上も望めないことと思われる。

ただでさえ狭い沖縄に七十五万余の住民がひしめきあい、毎年やつてくる台風になやまされどおしで、こうした困難を克服して住みよい社会をつくるのにはどうしたらよいか、みんなでよく考えあい話しあい、創意とくふうをこらして何かよい方法を見出さなければならない。そこで精神面の向上と並んで、物質面の実際のくらしの上でも－お互いになんとか解決を図り、改善しなければならない問題があるわけである。

復興のかげにあるなやみやら問題を反省してそれらのチグハグなくらしかたを、物心両面から、より民主的に、文化的、合理的に改めて、健康で明かるく住みよい、国家社会を建設しようというのが新生活運動のねらいであり目標である

人間はだれでもこの政治、この経済生活をこのままでよいと思う者は一人もないと思われる。しかたがないとあきらめる前に、なんとかしなければならないと思うでしよう。わたくしたちの身のまわりには、まだまだたくさん残つている。非民主的（封建的）な考え方、不合理なしきたり、非科学的なくらしの営み方という意味から、問題になる点をとりあげ、めいめいが自分で考え、またみんなで話しあい具体的に解決していく、その自発的働きかけこそ新生活運動の理想としている人間像でもあるということになろう。

新生活運動は官民一体となつて推進しなければならないが、最も大事なことは自主性に帰着し、個人の生活態度やその問題が中心になり、それを建設していくことが新生活であり、これを仲間にひろめて協力し合うことが、その運動であると思う。

なせば成る、なさねば成らぬ、なにごとも、ならぬはひとのなさぬなりけり、というとおり、めいめいが心を動かし、お互いが、身を興して、実際にひとつひとつの問題を解決し、自分たちのくらしや社会が明かるく民主的に、合理的、文化的に改善され、向上進歩が遂げられたならば、そういう結果と実績が、とりもなおさず「新生活」と呼ばれるものであるから新生活運動で何よりも一番大切なことはただ、コトバとしてのかけ声よりも、おこないとしての実績が大切である

したがつて新生活運動は、ただ、派手にポスターを貼りめぐらしたり、チラシを配つて、一時的なお祭りさわぎに終わるような行事でなく、むしろ地域の実態をよくつかみ、地味ながらも堅実な営みをたどることによつて、くらしに花をさかせ、生活に実を結ばせる、文化国家への営みであると言いたい。

※（前ページより）

商売ぐささがあり、農村では土ぐさいものが盛られたのが望ましくないだろうか

四、予算の活用について

各種学級の開設はあくまで市町村教育区が主体であるので公課負担による予算が計上されなければ、政府補助金のみでは到底運営は出来ないので区委員会への理解を進めねばならない。地域の社会教育団体や機関ではこの種の予算を持つているので地域や全村的な教育計画のもとに一人の受講者が重複しないよう学習部面の分担を連繋し経費の効率を高める必要がある。

又学習する受講者の方々も可能の分は自己負担する事により我々の学習グループという気持を育てる事もぜひ必要なことである。

活動するＰ・Ｔ・Ａ

城西小学校　知念正光

城西小学校のＰ・Ｔ・Ａ・活動が新しいＰ・Ｔ・Ａ活動の有り方として注目をあびたのは、ここ二、三年前からではなかつたかと思う。

城西小学校は戦前、首里第二小学校、その前は「女子部」と呼ばれ、当時の多くの人々から親しまれた学校で、その静かな教育環境は、戦後旧首里王城跡に琉球大学が建ち、中学校、高等学校、更に竜潭をへだてて博物館、図書館、首里支所、学校の上側には守礼門、園比屋武御岳、霊御陵、その他観音堂、教会、バス会社や紅型、織物工房、沖縄産業界の第一線に立つ赤丸宗味噌醤油会社等歴史、宗教、産業、教育と、多くの施設機関の大部分が学区域内にあり、戦前にまさる生活環境を持つようになつている。

一方Ｐ・Ｔ・Ａ会員も、公務員や会社員が多く新しいＰ・Ｔ・Ａの組織活動に深い関心と理解をもち、Ｐ・Ｔ・Ａ役員の活動には頭のさがるばかりである。

城西小学校のＰ・Ｔ・Ａの機構内容が現在のような形に変つたのは一九五八年四月からである。当時より母親代表としてＰ・Ｔ・Ａ副会長である宮城文さんが日本Ｐ・Ｔ・Ａ協議会推薦のＰ・Ｔ・Ａ実務手帳を本土から取りよせられて参考に案を作り役員会に持ち出されたもので、同年四月からその案による新しい組織運営がなされ、活動を開始した。

まず役員は、会長一名、副会長三名（父母代表おのおの一名、学校長）、各学年の各学級から選出された学級委員（各級二名～四名）がそのまま常置委員（八十五名）となり、広報、児童福祉、校外補導、保健体育、学級、成人教育、施設の七つのグループに別れ委員会をつくり各委員会には、委員長、副委員長（Ｐ一Ｔ一）を置いています。この組織は更に正副会長及び正副委員長、教頭、Ｐ・Ｔ・Ａ庶務会計係職員とで企画委員会を組織している。予算や年間行事の編成並びに審議は役員全員で行い、これを更に企画委員会で検討し総会に持ち出す仕組にしている。

一方各町にはＰ・Ｔ・Ａ支部を置き、支部の下にはいくつかの教育隣組みが組織され、支部会長、同副会長、組長等の役員を置き運動していただいている。

支部並びに教育隣組み役員は、学校と支部活動との連係をたもち、活動内容がスムースに行われるようにするため大多数は、学校役員の方々が支部も運営していただいている。

以上簡単に役員組織について述べたが役員の選出方法、その他運営機構等くわしい説明は省略して次は実際活動面について述べたい。

新しい組織替えをした第一次、つまり五八年度は、

一、Ｐ・Ｔ・Ａについての理解を深める。
二、会員相互の親睦をはかり集会への積極的参加を促進する。
三、集会の時間励行

等を活動の総合目標にかかげ、各委員会では、広報が、Ｐ・Ｔ・Ａ活動報告、学校教育の報告、Ｐ・Ｔ・Ａ及び学校教育に対する批判、ＰとＴの会に対する希望調査等、児童福祉では、児童の福祉、社会施設との提携、福祉行事への協力等、校外補導委員会では、校外生活の指導、児童会活動への協力、登下校中の安全教育等を、保健体育委員会では、児童の体育保健向上、健康優良校への達成、衛生思想の高揚等を、学級委員会では、Ｐ・Ｔ・Ａ活動の徹底、学級Ｐ・Ｔ・Ａの親睦、会報への協力等を、成人教育委員会では、成人教育、Ｐ・Ｔ・Ａ運営研究、両親の教養を高める等を、施設では、学校施設の充実、営繕補助等の二項目を、それぞれ目標をかかげ、すばらしい活動計画を立てたのである。この年は教員の大異動が行われた年であつたため、約半数に近い職員が入れ代わり、充分な活動を見ることが出来なかつた。

あけて五九年度は、学級委員の組み替えを行い、Ｐ・Ｔ・Ａ予算の中に新しく各委員会運営活動費を特設し、ＰとＴの会員の委員相互の研修と親睦をはかる事に力をつくしたいことを新しく活動総合目標に加え、更に毎月、月初めに合同常置委員会を持つことにし、その月の行事予定の日時打合わせをなすことにしたので年間行事予定もほとんど月ごとに処理されていき会活動も軌道に乗せることが出来た。

さてそれでは五九年度の各委員会活動の主たるものをひろつて見ることにしよう。五月十五日に職員の委員編成が完了し、各学級から出された父兄の学級委員の名簿もととのい、五月二十三日午後三時、琉大の招請講師溝上泰子先生の講演会を皮切りに、五九年度のＰ・Ｔ・Ａ活動の第一歩が力強くスタートした。

引続き同日午後五時、第一回の合同常置委員会をひらき、新年度予算の編成、年間行事編成、会則の一部修正等三日がかりで審議検討し編成を終え、五月三十日には総会を行い、六月一日から各委員会の活動が始められた。

まず初めに会報であるP・T・A新聞「竜潭」編集、発行の大きな仕事を担っている広報委員会は新聞第四号（学期一回発行）の編集プランをまとめ、各委員会の本年度事業計画のまとめをするため各常置委員会代表者との懇談会をきっかけにして、各町教育懇談会を毎月一回、毎月一か町単位で催すことにしこれをすぐ実行した。その間引続き二学期（十一月に新聞第五号、三学期（二月）に第六号を編集発刊し、又十一月には新しく母親達の家計研究グループ（会長中今八重子）を誕生させ活動し、二月にはP・T・A紹介八ミリ映画の編集をなし、二月二十四日の文教局並びに那覇教育長主催のP・T・A研究会に発表した。

一方児童福祉委員会は六月に貧困児の調査をなし、この対策をねるため職員との懇談会を催したことを皮切りに、施設委員会と協力して学校の一般施設や福祉施設面についての懇談会を持ち、又校外補導委員会に協力してP・T・A支部、教育隣組結成委員会（七月二十一日）を催し、九月には子ども達の遊び場調査、十月には貧困児への運動会準備用品支給補助金募集有料映写会を行い、十一月には校外補導委員会と再び協力し、「不良化防止講演会」を催し、十二月には「委員の一日おまわりさん」を実施した。

校外補導委員会は、子ども達の遊びの調査、教育隣組活動の呼かけ、結成委員会不良化防止運動並びに講演会、「一日おまわりさん」等その他児童福祉委員会活動との関連が特に多く、一番活動範囲の多い委員会で、七月十一日には、「児童（校内外児童会役員）と父兄（委員）と職員の会」を催し、子ども達が父母や学校職員に何を希望しているかを調査して各委員会活動や学校教育全般にプラスすることが多く喜ばれた。その他バス通路の一部変更願、横断道路の設置、隣校小中校職員と校外補導についての懇談会（八月三日）を持つなど盛たくさんの行事をどしどしもつことができた。

保健体育委員会では保健講演会と映写会を学期一回ずつもち、父兄や子ども達の保健衛生知識向上に力をつくす一方、体育用具の充実を計ったり、施設委員会と協力して運動場の撤水施設をなす等、又夏休みを利用し、児童の各町対抗野球ドヂボール大会、PとTの親睦球技大会を催し、運動会への側面的協力等その功績は他の委員会活動におとらぬ立派なものであった。

学級委員会では、毎月（月末）授業参観日を定め、多くの会員が子ども達の学校生活を多く見ることにより子ども達の家庭学習指導や躾指導も充分なされてゆくというので、学期末には父兄と教師の懇談会を持つようにした。

又各学級担任から学級備品についてのいろいろな希望を調査して、本年度は学級用事務戸棚を購入し各学級に配付していただいた。

成人教育委員会では、六月二十四日、文教局社会教育課の山元芙美子先生に「新生活について」「子どもの見方」等の講演をお願いし、八月二十九日には日本夏季講師団の安藤先生に教育講演会、琉大の文沢義永先生の児童心理と躾に関する講演会、料理、生花の講習会、「母親の一日入学」等会員の研修の場を多くつくっていただき、会員の皆様に喜んでいただいている。

施設委員会では、六月の中旬に保健体育委員会の申し出で運動場の撤水施設に取りかかり、七月には、この基金募集映写会を行い、引継いで、八月には校地の西側クボ地の民家四軒立のき交渉にあたり、九、十、十一、十二月とあいついで校地周辺の石垣や塀作りを申請、交渉するため、地区教育委員、市役所とかけまわっていただきお骨折りいただいたのであるが西側クボ地の民家立のきは思うようにいかずそのため、次々の計画が進まずこれは次年度持ち越しとなってしまった。

その他施設委員会では、校内屋外灯の点灯、隣校施設の見学等を実施し、学校施設の充実を一歩々々やっていただいた。

右は五九年度の各委員会活動の状況とその重なものをひろい書きしたが、本稿の結びとして、最後に六〇年度の大きな努力目標の二、三を取り上げてみたい。

一、各委員会活動内容の充実を計り、数多くこれを実行に移したい。

一、過去における活動の主体は委員会に重点が置かれたが、早く一般会員の全体活動にもってゆくよう努力したい。

一、成人学級を作り会員相互の研修と親睦をなすよう努力したい。

一、学級、学年P・T・Aを盛んにし、今より以上に児童一人一人の教育活動にプラスするようつとめたい。

一、P・T・A支部、教育隣組活動の促進を計り学力向上、不良化防止につとめたい。

稿末ながら過去二か年間、私ども城西小学校P・T・A活動に側面的にご協力ご指導くださった文教局、地区教育長事務所、教育委員会、ならびに那覇警察署、その他の皆様に紙面をおかりしてお礼の言葉を述べさせていただき、更に今後のご指導ご鞭韃をお願いいたし稿をとずることにいたします。

あいさつ

行政主席　大田政作

ご挨拶申し上げます。皆さまにはお暑い所を、昨日から今日にかけまして、社会教育の部門について、ご熱心なご討議をいただきまして、わが沖縄におけるところの社会教育の進展、期して待つものがありまして、心から敬意を表する次第であります。社会教育の面におきましてだいたい法規は整備し、又施設、設備の骨組はできているのでありますが、私共社会教育行政の立場から申し上げますと今からというふうな言葉で表現した方が適切かと思われる状況にあるかと思われます。しかしながら、社会教育に直接携つております所の皆様のご努力によりまして、私たちのこの乏しい所の施設、設備の中にもかかわらず、着々その成果を上げましていることにつき、努めて皆さまに対して心から感謝を表する次第であります。

さて、最近特に私、考えております事柄の一つを研究課題の一つとして提案致しご検討をお願い致したいと思います。と、申しますのは最近、核爆発という言葉がはやつておりますが、一万人口爆発という言葉もこの世界にあてはまつていると思います。現在世界の人口は、二十九億と推定されていると言われていますが、学者の説によりますと、あと四十年でその倍になる、とかように言われておるのであります。わが沖縄におきましては、どうなつているかと申しますと、毎年二万人の人口が増加しておるのでありまして、そうしますとあと十年しますとどうなるかと言いますと、ただ十倍増えるというだけではないのであります。増えた方々がです、長い目でみますと、更にこれが沢山の子を産むのでありまして、丁度ピラミッド型で末広がりに、大きくなるのではないかと、こういうふうに考えられます。今年の就学人口を見ますると、中学校及び小学校で、昨年より差引いても一万五千人増えるのであります。そう致しますると、それに対する所の教育も考えなければなりません。教室も五百ばかり増やさなければなりません。財政を預つている者にとつては、この方面にも相当苦慮しているのであります。教育関係の、この昨年より増やさなくちゃならない分は、百三十五万程度増やさなくちゃならないという大きな額になつているのであります。そこで私は、特に、人工爆発といいますか、これを痛感しているのであります。昔でありますと人生四十年とか八年とかいつて産まれる者と、死亡するものと、ドツコイ／＼でありまして、従つて人口問題も現在ほど痛切に考えられなかつた時代もあつたかと思われます。ところが、わが沖縄におきましては、環境衛生、あるいは医療方面も発達致しまして、現在の平均寿命が七十五才にあいなつているのであります。過去十年の間に、相当、二十年ばかり年令が延びているのであります。今のような調子で衛生、医療の面が発達すると致しますと、あと十年たてば、今の七十才が老人だと、お年寄りだと、こう言われているのでありますが、十年たつとニーセーグワーで、年寄りではなくなると、いうことに相あいなろうかと思うのであります。そうなりますと、段々と寿命が長くなる、そうしますと、子供さんが産まれるようになりますと、昔のように新陳代謝ができない実情にあいなると思うのであります。それは例のマルサスという人の説によりますと、人口の増加と食糧の増加が伴わないのであります。人口はズツトと増加するのに反し食糧の増加はするけれども追つつかない。だから産児制限をしなければならないというようなことを言つているのであります。これに対して、例のマルクスの方は反対しておつたのでありますが、現在中国においては産児制限を実施していたして居ります。

私がいいます産児制限といいますのは、制限するというのではなくて、むしろ家族計画に基く、産児調節であります。つまり好きな時につくり、好きなだけ子供さんをつくり、われわれ自身の能力に応じて産むというのでありまして、誤解してはならないのであります。そこで皆さんにおきましては、日本においても荻野式の、排卵期を避けるということで、あまりデリケートなことは言わない方がいいでしよう。排卵期を避ける方法、あるいは性交に薬を用いる方法、こういうことがいろいろ用いられていますが、今から沢山繁殖されると思われる所の皆さんの方々にこの点、特に考えてもらいたいと思います。特にご婦人だけでなく男子にもお願いいたしたい。

インドにおきましても、非常に人口が増加し、平均寿命は十二才といわれていましたが、このインドの方も十年も寿命が延びていますが、インドは無学文盲が多いのでありまして、荻野式の排卵のこの期日を避ける方法を、図面に書いて壁に貼らしているそうでありますが、文字

は読めないが、貼るだけ貼らしていいますが、呪(うらな)いとして、けつこう産まないだろう。もう一つインドにおける方法とて、珠数の玉を数えて自分の排卵の時期を避ける、そういうことはやっているがなかなかそううまくいかないそうであります。こういうことになつていますが、日本本土におきましては、産婆の方がこの方面の相談相手になつているのであります。私が申しますのは、できるだけ受胎を調節するのであります。いつたんお腹の中に入つてからの仕末は禁物で、お腹の中に入る前に、いわゆる受胎の調節といいますが、この方にお互いに、真剣に考えなければならない。

人口増加と同様に、沖縄における諸産業や事業が勃興すればいいのでありますが、この通りいかないのは、はなはだ遺憾に思うのであります。そうなりますと、貧乏から追放され、解除され、又母胎の健全化を計るにしても受胎の調節につきましては女のかただけではなく男のかたも同様であります。どうか沖縄の繁栄のみでなく又立派な子どもを産みその子どもを立派に育ててゆく、という観点から言つてもこの問題は真剣に考えなければならないのであります。この社会教育の大きな課題として皆さまと共に重要なる研究課題としていただきたいと思います。以上をもちましてごあいさつと致します。

職業教育を中心にした「青年学級の運営について」

具志川村青年学級
主事　照屋寛吉

私は青年学級の運営について特に研究しているのではないが、現在青年学級を運営している者としてありのままをご報告申し上げて責任の一ぱんを果したい。

私共の青年学級が他の青年学級と異る点は村公民館が実施責任者となつていることであつて、村一円としての青年学級を運営しているところである。

私共の具志川村は人口三万四千を有する大きな村であり、昨年一月に村公民館が誕生した。公民館設置と同時に各部が活発な動きをしているが、教養部と事業計画の中に青年学級の開設運営の計画がなされており、その準備を進めているところへ一〇〇時間以上の青年学級の独立予算があるから早急に各地区で指定し、開設するようにとの公文が文教局からまいり、これ幸いと私共の計画を早急におしすすめることにした。

学級運営に当つて最初に考えなければいけないことは、対象と学習内容、集めるくふう、指導者をどこから得るかであるが、ここで最も大切なことは学習内容と指導者の問題である。

学習内容については、昨年の青年幹部研修会で、中、高卒業生が、在学中十分な職業教育を受けてないので就職に自信がない。又雇傭者の方でも帯に短くたすきに長しで採用をしぶるという、話しが出たことから今度の青年学級はぜひ職業教育を中心にしたいと考え、青年達の意見を聴取したところ非常に喜んで賛成してくれた。それで施設、設備をあまり必要としない珠算と簿記を中心にした学習計画を進めていた。ところがその中にラジオもやりたい、生花もやりたいとの声が出たので、これはグループ活動として取り入れることにして、次のような学習内容と時間配当をした。

珠算四〇H、簿記四〇H、グループ
ラジオ　二〇　一般教養二〇H、
生花、作法二〇
計　一二〇時間

次に指導者は、これ等の教科なら適当な方がいくらでもいると思つていたが、実際に当つてみますとなかなか承知してくれない。その理由は「青年はむつかしくてね、それに学力差がひどいしね、私ではどうにもなりませんから」とことわられるのが多かつたが、幸いにして適任者がみつかり、ほつとした。

講師のメンバーは高校教諭が三名、銀行員一名、その他中校教諭や指導主事の先生が当ることになつた。特にラヂオの分解修理班においては、先だつて来島した教育指導員の原田彦一先生が引き受けられて二月までには組立ても終り、自分達が組立てたラヂオを聞いて生徒達も非常に満足している。

次に学級の運営に当つて、学級運営委員会を組織した。委員のメンバーは公民館長、教養部長、講師団代表、生徒代表、社会教育主事の方々である。

経費の面で
村公民館五六弗、教委四一弗、政府一〇〇弗で　計一九六弗
その他図書、簿記用黒板、大算盤は公民館予算で購入している。

問題点
一、期間の問題
二、村青年会とのつながりを密接にすること。
三、グループの数をふやすこと。

☆　☆　☆　☆　☆

教養の向上をめざす公民館活動

佐敷村馬天公民館　瀬底正俊

私共の部落の公民館がどういうふうにやつてきたかお話したいと思います。私達の部落は半都市的部落でありまして戸数四五〇戸、人口が二、三〇二人で農家戸数が一八一戸で半数以上が農家でないわけです。その困難性をもつている部落をいかにまとめ、向上させるにはどうしたらよいかということになると、どうしても公民館活動を活潑にすることが必要だと云う事で、去る一九五五年十一月から公民館活動が始まりました。

その前に一九五二年二月文庫即ち図書館を設立いたしまして、公民館のさきがけとしたのであります。ご承知のとおり公民館活動と申しますと公民館を中心とし地域の住民が、文化、産業、体育、生活改善の向上に力をあわせ、愉快にやり個人の教養の向上、各団体の協力等によりり地域社会がよりよい近代生活をすることにあると思います。それで私は標題についてかいつまんで私共の公民館活動を申し上げたいと思います。

私共の公民館におきましては先ず、文庫を開設してからあしかけ九年やつておりますが、始め頃は子供達が四〇冊位の本を集めてみずや位の木箱にならべていたのですが、それに満足せず生徒達自らその当時スクラップ収集の全盛時代の事でスクラップを集め当時の金で約四千円あまりで本を購入し、文庫の運営は中学生がやつていましたが、そうこうしている中に部落の大人にも子供達のためもつと充実させたいと云う話が出まして、公民館の設立とともに、学生文庫であつたのが公民館の文庫として切替発展してきたのであるが、毎月公民館から当時の二五〇円（二弗八仙）の資金を貰つて運営したのであります。その間献本運動とか図書館祭りをいたし読書の普及と図書の充実に努力してまいりました。

一九五三年十一月三日に優良文庫として表彰を受け、現在にいたつておりますが、今の文庫の運営はどうなつているかと申しますと、成人が三名、青年三名、大学生三名、高校生六名で文庫運営委員会を作り、特に高校生は毎学期毎に委員を交替し現在六〇名の高校生がいますが三年を卒業するまでには皆が委員になるよう交替します。

次は部落のPTAについて申上げます。

去年の七月の夏休みの前にPTAが発足、生徒が約四〇〇名おりPTA二〇〇名で組織いたしました。子供が夏休みで学校を休んでいる間、家庭や部落ではどうすればよいかと云うので、夏休みの行事を持つて来たのです、行事としてはラジオ体操、これは休暇中とおしてやつてきましたが、冬春の休み、毎週日曜日の朝も継続してやつてきました。それから映写会、綱引、野球試合、作品の展示会これは一般成人の方も共に参加します。夏休の終る頃になりますと休みのしめくくりとして新学期への心構え、学習の導入として幼稚園小中学校生、父兄が四〇〇名あまりのものが、バスに乗らず一しよに歩いていける場所を決めて、昨年は大里村西原の高台へ遠足いたしました。

PTAのその他の行事として新正祭りと云つて元旦に行事をもちました。新正には子供は学校で式をあげてきますが部落に帰つては旧正であるので少しも正月の雰囲気がないので幼稚園小学校等の児童を集め綱引、遊戯、歌等をやり、晩は古典音楽会の人々や青年会婦人会の協力で音楽会等を実施しています。

不良化防止のために補導部があり部落は八こ班からなり、各班に一人の委員をおき、二人で一組をつくり一ヵ月八回以上当番を決め夜間の補導をやつて公民館に補導記録をするようになつています。

各班は大小あり小は九戸から大は五〇戸もあり委員が毎月一回集まりいろいろ検討します。実施については各班に適当する事柄や方法をもつて子ども達と話し合いの時間をもち、時には方言の問題等とりあげ、時には公民館の役員が各班に出かける事もあります、その時は幻燈、掲示物をもつていつて親子の座談会をやつています。先に新聞にも報導された「勉強中」の札を門にかかげて学習している所が八班でありますがもしこれが成績が良かつたら部落全体に奨励したいと思つています。その外教育隣組もぜひ作りたいと考えています。

公民館はボロの建物ではありますが、合同生年祝、公民館結婚式等もやつて参りましたがどうしても公民館の新築が急務であります。何ヵ年計画で建設するかは今後の課題ですが、公民館運営の努力目標として教育隣組の育成、定期講座の充実、文庫の充実活用、広報活動を盛んにする、公民館結婚式の奨励、納税思想を高めることをめざしております。六月十八日には文教局の研究指定を受けその実績を発表することにしていますが、皆様のご指導を仰ぎたいと思いますのでよろしくお願いいたします。

嘉手納村における婦人会活動

玉城信子

発表に先だち嘉手納村の概要をちょつと述べさせていただきます。

嘉手納村は、人口一二、三五〇人で戦前は純農村とも言つていい程平凡な生活を送つておりましたが現在では、土地の八五%は軍に使用され、わずかの土地で多くの人が生活を営んでおります。

しかし目前に東洋への飛行場をひかえこれに附随する軍施設は私達村民の日頃の生活のうるおいを与える唯一の働き場となつております。

近代的半都市の形態をおびた嘉手納村の行政区劃は十一区からなり、一九五九年度までは婦人会組織も一円として運営されておりましたが、従来の村婦人会の活動は上層幹部のみの婦人会におちいりがちで、事業活動も不活発になりがちでありました。

又宮前校区と嘉手納校区と地域的に差があり会運営をもつと活発にならしめるには、校区単位の婦人会組織にもつていくべきだと、他方面からの意見や要望があつて、一九六〇年度から宮前校区婦人会嘉手納校区婦人会が結成され、中央との連絡機関としては、村に連合婦人会をおき中央との連結をたもつております。

総務部…予算編成、会議の開催
　行事の実施計画
教養部…婦人学級の育成
　講演、講習会
生改部…新生活運動にのつとつて
　生活の合理化
補導部…不良化防止
レクリエーション部…レクリエーションの実施、講習会への参加
　コンクールへの参加等

次に会運営の経費としましては
会員より会費　一人二〇仙徴集
村補助金　各校区、二〇〇弗
教育委員会補助　各校区、五〇弗
事業収益金及び寄附等で運営しております。村補助金は前年度までは村婦人会に二〇〇弗補助を出してくださいましたが、今年度は各校区婦人会に二〇〇弗あて出していただき、婦人会活動に、積極的援助を与えています。以来、私達の会運営は盛んになり会員の参加も多くなつております。

次に私達村婦人会の今年度のスローガンといたしましては、

1　組織の強化充実
2　婦人学級の育成
3　授産事業
4　青少年不良化防止

この四項を取りあげて、努力いたしております。

下部組織を強化し、これまでの婦人会は上層幹部のみの婦人会におちいりやすく、下部の活動は不活発になりがちでありましたので、会員全体が喜んで事業に参加し、私達の婦人会であるという意識を高めてゆきたい。

ある一定期間、事業に参加、出席の状況を調査してみましたが
　役員集会　九〇%～九五%
　会員集会　七〇%～七二%
となつており、会員がもつと心やすく集会、行事に参加できるような運営をしてゆきたい。

2　婦人学級の育成は

一般教養と職業教育に大別し毎週土曜日をこの日に当ててあります。一般教養の内容は生活改善の問題、子どもの躾、社会科、迷信打破、新かなづかい、不良化防止と非行児の取扱い、保健衛生等、その面に見識の高い方々をお招きして指導をいただいております。

3　授産事業は

職業教育を盛んにし、手工芸、裁縫、料理等を取り入れ指導しております。前に述べたように嘉手納村では、土地が狭く、農業に代わるべき職業のいと口を見出すべく、授産教育を強化しています。文化刺しう、テーブルクロース、ビニール細工、人形等、個々の家庭生活にも役立ち、又、現在会員の中から十数人の方々は軍部、米人に品物を出して家計の大部分をおぎなつています。

現に、私達の村では米琉親善委員会が活発に動いているので、この機関を通して婦人会としても今後は、副業的製品の販路を斡旋していきたいと思います。

4　青少年不良化防止は

警察や区PTAと協力して補導部がその任にあたり、基地の町ともいうべき嘉手納村は、盛り場が多く、この附近のアルバイト児の補導や映画館の巡視等継続実施しています。

次に年間計画としましては、
七月　講習会　教養部
八月　講演会　総務部
九月　レクリエーション　レクリエーション部
十月　幹部研修会　教養部
十一月　講演会　総務部
十二月　講習会　教養部
一月　映画鑑賞　レクリエーション部
二月　講習会　教養部
三月　社会見学　レクリエーション部
四月　赤ちゃんコンクール　総務部

五月　展示会　総務部　レクリエーションコンクール

六月　米琉親善パーテー総務部総会、敬老会

年事計画のなかにある総合展示会は次の目的をもつて五月に実施いたしましたところ、会員も関心をもち、生活改善グループや婦人学級等で、学習したものや更に創意くふうされた作品を数多く出品し、主婦でもやればできるのだという自信をもちました。

展示会の目的

1　生活改善と向上
2　研究心と創造力の養成
3　近代的家庭生活レベル向上
4　研究と創意くふうにより合理的家庭生活

それから私達嘉手納校区婦人会がスムースに運営されているのは、嘉手納小学校ではPTA便りを毎月発行しておりますが、この機関紙を通して婦人講座や、婦人会の現状、希望、反省等会員に伝達する事ができ、婦人会運営の面に大きくプラスしています。

なんと申しましても、これまで述べたように私達の婦人会運営がこの線にまでこぎつけたのも、政府及び村当局、教育委員会、学校側その他団体の協力とご指導のたまものだと存じます。今後も会員の皆様が心から楽しんで参加できる婦人会を育成していきたいと思います。

以上発表したように嘉手納村は校区別に婦人会が結成されたのも、まだ月日もあさく、研究途上にあり、問題も数多くもつております。今後皆様方のご指導ごべんたつを得ましてより良い婦人会の運営をしていきたいと思います。

大変まとまりのない、不十分な発表ではありましたが、これをもちまして発表をおわらせていただきます。

祝辞

立法院議長　安里積千代

本日ここに第七回社会教育総合研修大会が開催されるにあたり、一言祝辞を述べる機会を得ましたことは、私にとつて最も喜びとするところであります。

教育がひとり学校教育だけでなく、それと同等に、否それ以上に学校外の青少年や全成人の教育を必要とすることは申し上げるまでもありませんが戦後政治、経済、教育が急激に変化のあつた沖縄においては、特に社会人の教育の必要さを痛感するものであります。

敗戦の打撃から、たい廃的な世相を現出した沖縄にも、今では住民の真しなる自覚によつて「自主自立」の精神がよみがえり、平和と福祉を熱望する数々の社会運動は、到る処で展開され教育基本法の精神にもとづき平和と民主主義を基調としてこの理想実現に住民の努力が払われておりますことは、皆さんとともに喜びにたえないのであります。しかしながら、特殊的な国際的地位にある沖縄の現状からして、この活動は決してなまやさしいことではなく、たいへんな努力を必要とするのでありまして、常に真の日本人としての育成を図ることは、一日もゆるがせにできないのであります。われわれは一段と社会環境の整備浄化を図り、教育文化を振興して青少年、婦人、成人等の教育活動を推進する事が最も大事な事だと考えられるのであります。

又、家庭教育は学校教育と相併行して、重要な役割を果すもので、青少年の犯罪を阻止し、われわれの子弟らを社会の混乱の渦中から守るためには、家庭にある、婦人や成人の高い教養から出る正しい理解が必要でありましてこの堅実な家庭環境の中から真の学校教育の成果も生まれ、社会教育と相俟つて明かるい文化社会がきづき上げられるものと信ずるのであります。

本大会が毎年われわれの実生活に直接関係の深い諸問題を研修テーマとして取り上げ関係者各位の真剣な研究討議によつて改善と解決の道が講ぜられておりますことは、生活をゆたかにし文化的向上を意味するもので、まことに喜びにたえず、各位のご労苦に対し衷心より敬意を表するものであります

本日表彰を受けられた、団体及び個人にありましては、平素教育基本法及び社会教育法に基く運営活動をしんぼう強く実せんされた方で、その優秀な業績が他の模範として認められたのでありまして、皆さんのご努力に対し心から感謝申し上げ、深く尊敬の念を払うものであります。

更に将来益々ご研究を積まれ世界平和と人類福祉のため貢献されんことをお願いし、私の祝辞と致します。

一九六〇年六月十二日

(この祝辞は六月十二日那覇劇場における第七回社会教育総合研修大会でなされたものである。)

農村における新生活運動のすすめ方

金武村伊芸公民館
仲間茂夫

部落で行われている諸行事の起源については、明かでないが昔の為政者が農民の慰安を考えて、制定されたと思われるが、中には行事の意義が不明であるのと、無意味のものも多々あり、又現今のような複雑な時代に即しないものもあって改善することにした。

改善するにあたっては制定の意義を失わずできるだけ合理的に行うようにした。

一　正月について

旧正を廃して新正月にした（一九五八年）それは、製糖の最盛期であり又一期水稲の植付準備、大豆の播種期、耕耘や肥料のすきこみ等で旧正の時期は、農家にとって一番忙しいときであるので精神的に落着かず一日もゆっくり出来ない大事な時であるので新正一本にした方がよいという結論に達したからである。ことに新正の時期は二期米の収穫がすんで骨休みをするのに、よい時期であるし、学校も冬休みで又軍作業員や公務員も休みであるので全家族が揃ってのんびりした新正月ができるわけである。

当日は日の丸をかかげ、一家の幸福を祈り村の繁栄を願う楽しいときであり、心のゆとりがあるので一年の計も樹立できるし、部落民がゆっくり話し合いのできる時期である。このことは当部落においては新正が最もよいという自覚をふえんするのに幸いしていた。

これを如何にして、早く実行にうつすかということが課題となったのであるが、実行する一年前（一九五七年）世論調査をいたしたところ、迷信に根強い老人の理解と自覚がなく反対者が多く賛成者は全区民の半数にも達しなかったが、公民館諮詢委員を先頭に部落有志や婦人会、青年会等が一丸となって反対者の理解と自覚の得られるまで話し合いをもち、徐々に啓蒙した。

反対の主な理由として新正の時期は野菜が少ない。又換金収入がなく、豚が新正に間に合わないという事である。

今日では野菜については戦後一般に野菜の栽培技術が向上しているので、正月に間に合うように奨励し、又経費節約の面では公民館において豚肉の需要をとり、共同屠殺して希望者に申込量の配給をなし値段も実費で提供し肉代の支払も収入の多い時期までのばし徴集する事にした。

元旦は午後三時から区民全体が公民館に集まり会費一〇仙を出し合い、新年宴会を開催し、青年会、婦人会によるレクリエーション等の催物があり、一日を愉快に祝うことにしています。

新正を実施して二年になるが今頃は区民全体が新正月をしてよかったと喜んでいる。

二　祝祭について

生年祝　生年祝は毎年一月五日に公民館主催で行い、生年祝いの対象となる年令は七十三才以上の者で、会員制にし会費を徴収した。会費の額についてはその都度定め準備及びレクリエーションに要する経費は公民館の負担となっている。生年祝に該当する家は当日祖先に報告する行事の外その前後を問わず他人に饗応する総べての行事はやらないことを申し合わせている。

払厄及び年日

払厄及び年日該当者の行事は廃止す。

米寿祝　米寿祝は公民館が主催し経費は会員より徴集し準備余興についての費用生年祝と同じく公民館が負担し、該当者の家庭は祝日の前後を問わず他人を饗応する行事は禁じられているが、部落外からの招待客には昼食を供与することは差支えない。

出生祝　出生祝は全廃し、世話人以外の訪問は遠慮すること。

結婚祝　結婚祝は公民館主催で夫婦双方の合同披露宴とし公民館で開催し、経費は参会者から会費を徴収し、結婚当事者の家庭は祖先に報告する行事を行う外、他人を饗応する事はできない。公民館で実施する結婚式の運営については別に定めてある。

祝儀　会費をもって行う行事の外祝儀は十仙とし公民館発行の祝儀券を使用し、祝儀は後日公民館において現金引換する。

時間制限　祝の時間は午後十一時を過ぎてはならない。

葬式　死体の火葬等に関する立法第三条の制限する時間を経過した後でなければ行わぬこと。一般の告別式は出棺のときとす、香典の外物品を供え又は棺の中に衣服もしくは葬具の外物品は入れない。

年忌焼香　年忌の焼香は一年忌を除き総べて毎年十二月公民館の定める日に実施し、特別の事情ある場合はその限りでない。焼香の主催者は前もって関係あるものに知らしめ参会は任意とする。焼香は酒肴を全廃する、ただし霊前に供える物品については任意とする。近親者及び

特別関係あるものの外参会者は焼香後は速かに退座する。

年忌以外の焼香　十六日祭は墓前において新仏に限る

洗骨祭　廃止

香典　香典料は葬式二十仙その他は十仙とし公民館の発行する香典袋をもつてこれに替える。香典代は後日公民館において現金に引換える、三日、七日の焼香は香典を供えない。

三　節酒会について

先ず節酒会設立の動機について一言ふれてみたい。明治時代から大正三年頃までは、区民の大部の者が山稼ぎを専業としており酒を飲む量も山稼ぎが重労働であるので農業専業者よりはるかに多く、北部地区の山稼ぎ専業者の特有の現象であつた。

当部落もその当時は、昼夜の区別なく酒飲みが多く、仕事がおろそかになりそのあげく田畑を売却して生活の資にし、公課を納めるといつた具合で倒産する者も少くなかつた。この状態が続いていたが大正三年金武村節酒会が設立するや部落の有志や、青年会が積極的に賛同し強力にこれを推進し戦前まで実行してきたが、戦争で中絶し酒が自由に手に入るようになると若い者が酒と親しむようになり酒による道義のすたれ、無責任の行為や、勤労意欲を失うことが目立ち、特に児童生徒の山稼ぎの手間賃を浪費するといつた状態が現われたので心ある人々は再び大正以前の憂慮すべきものが来るのではないかと、一九五五年二月婦人会の提唱により節酒会の復活が叫ばれ、部落常議委員会に提案し、これが採決され部落常会を招集し、その趣旨の徹底につとめ、即時実行することにして今日にいたつている。

節酒会の運営は婦人会が当りその利潤は婦人会とP・T・Aの運営費に充当されている。参考までに伊芸部落節酒会の酒の販売規定をのべると左のとおりである。

一　二十一才以上の男に一か月一人　二リツトル

一　女世帯主に一人一か月　一リツトル

一　区民以外の人に一日一人　四デシリツトル

一　雇仕事の晩酌は二十一才以上男子一人に付き　一デシリツトル

一　祝は招待客二十一以上の男一人には四デシリツトル

一　出生は当日だけ　一リツトル

一　祭は左記のとおり区分して販売する。

イ　葬式は　二リツトル

ロ　二日、三日、七日、四九日は各一リツトル

ハ　年忌祭は案内客二十一才以上の男一人に付き　一デシリツトル

ニ　その他の祭

1　家族のみでの場合　二デシリツトル

2　招待客のある場合　年忌祭と同じ。

一　門中主催の祝祭は参加者二十一才以上男一人に付き　一デシリツトル

一　団体主催の祝祭はその予算の範囲内で参加者満二十一才以上の男一人につき　二デシリツトル

一　区又は団体が祝祭以外の会合で酒を必要とする場合は参加者一人に付き一デシリツトル

一　区又は団体が主催する祝祭の会合に部落外の客を招待し酒を必要とする時は左記の区分による。

イ　区民以外の男一人に付き　二デシリツトル

ロ　区民以外の女一人に付き　一デシリツトル

ハ　同席の区民は二十一才以上の男一人に付き　二デシリツトル

一　部落の定例祭は　四デシリツトル

一　一か月以上の期間を置いて開講する場合は二十一才以上の男

一　正月は（大晦日を含む）各戸　二リツトル二十一才以上の男が二人以上ある家は一人を増す毎に　一リツトルを加える。

一　十六日祭は各戸一升初祭の家は一リツトルを増す。

一　彼岸祭（春秋）各戸　一リツトル

一　腰休二十一才以上の男一人に付き二デシリツトル

彼岸祭同時に行うときは一つの行事としてみなす（量の多いものをとる）

一　清明祭は各戸　一リツトル

一　畦払二十一才以上の男一人に付　四デシリツトル、女世帯　二デシリツトル

一　五月御祭二十一才以上の男一人に付き　二デシリツトル、女世帯　二デシリツトル

一　六月御祭各戸　二デシリツトル

綱引区の予算の分量

一　盆の十三日各戸　二デシリツトル

一　盆の十五日正月に同じ。

一　旧八月十一日二十一才以上の男一人に付き　二デシリツトル、女世帯　二デシリツトル

一　鬼餅二十一才以上の男一人につき二デシリツトル、女世帯　二デシリツトル

一　煤払各戸　一デシリツトル

一　人畜疾病の治療　四デシリツトル

一　農産加工製造　四デシリツトル

栄町婦人学級の歩み

大道小学校区婦人学級
我那覇ハツ

栄町の概況についてふれ、学級の歩みを申し上げたい。栄町は大道校区の一部落で元女子師範一高女の跡に戦後出来た町で町内には婦連会館、沖縄バス本社、沖縄劇場、市場等の建設があり人口約四千人内訳男一、九〇〇人、女二、一〇〇人世帯数八五〇戸職種別は多様で商業、旅館、事務員、食堂、小料理店、料亭、軍勤務、裁縫師、教員、運転手、美容師大工、助産婦、洗濯業、写真屋、その他となっている。

私共学級の発足は一九五八年八月大道小学校で初の学級の集会が開かれ、教育委員会、大道小学校の先生方の激励によって誕生したのであるが同年六月に与儀区婦人会の研究発表会に出席し初めて与儀区に婦人学級が開設されている事を知り教育委員会へ私共の校区にも是非学級を開設して欲しいとお願いした訳です。

当初の計画は月二回で第二、四木曜日に開講し会場は栄町会館に置くことにした。

学習内容として

1 子供の教育と躾

イ 児童心理学

ロ 映画による学習

ハ 体育のお話

ニ 食生活と健康

2 迷信打破を主とした新生活の講話

3 レクリエーション

4 料理、手芸の講習

で五八年八月から五九年十二月まで三二回にわたる学習を続けて来たが去年の末頃から学級生が少なくなって来たが、それは教科によっても受講者の偏よりがありその対策として学習の方法を各部に分けて系統的に学習した方がよいということで教養部、料理部、生花部、手芸部、演芸部の五部を設けることにした。

会員は希望により自由に各部に入るようにし組織を左のとおりとした。

1教養部　第四木曜日　夜五〇名　部長 副部長

2料理部　第二木〃　昼四〇名　〃

3生花部　第四木〃　昼三〇名　〃

4手芸部　第一木〃　夜三〇名　〃

5演芸部　第三木〃　夜二〇名　〃

各部の学習内容は

教養部　子供の教育と躾

胎教、乳児期、幼児期、入学前後、低学年、中学年、高学年、中学一、二年、高校入学準備の子供、高校一二年、高校卒業期、青年期

料理部　△各自の研究した料理法を発表し討議する。△実習をする。△一品料理を持ちより批評し合う。△専門的なものは講師を招へいする。（パン給食と副食物の与え方等）

いけ花部　△講師を招へいして基礎から指導を受ける。

手芸部　△琉舞を主体として会員の中から指導者を推せんする。△レクリエーション講習の伝達

各部の経費については材料費は各自負担とし講師謝礼は学級の予算から支出することにしている。

発足から一年十か月の学級の歩みが続いているがその効果のあった点は

1 子供の教育と躾面への関心が高まって来た。

2 会員相互の親密度がました。

3 学習活動が活溌で質問や意見発表をよくするようになった。

4 不良化防止に努力し子供の家へ帰る時間、就寝の時間を決めて全琉へ協力を求めた。

運営上の困難点

1 時間励行は部制にしてからよくなったが、商売人が多い関係でまた十分でないので努力したい。

2 学習の時間をサラリーマンの主婦は昼、商業の方は夜を希望してどちらも満足させるにはどうしたらよいかと悩んだが部制にし昼夜に分けたので或程度希望をかなえたと思う。

私共の学級の目的が社会人とし、主婦とし、母とし、又嫁としての教養を高め会員の相互の親睦を深め家庭の幸福を築くことにありますが、今後一層会員相互の協力と諸先生方のご指導によってその目的を達成していきたいと思います。

漢字書き (1)

⑤ かな書きすべき訓の整理

例〔副詞〕　先—まず　専—もっぱら　凡—およそ　剰—あまつさえ　徒—いたずらに　唯—ただ　寧—むしろ

〔接続詞〕　併—しかし　即—すなわち

〔助動詞〕　如—ごとき　可—べき

〔助詞〕　等—など　許—ばかり　程—ほど

しかし・「再—ふたたび」「全—まったく」「最—もっとも」「少—すこし」「必—かならず」などいくつかの副詞の訓や、当然かな書きにすべき動植物名の訓を採用したのもある。

私達の青年会運営から「見た会運営のあり方」

本部町青年会　石原昌佐

地域青年会は線香花火だとよくいわれている。

つまりよりよきリーダーを得た年は盛んになりその逆の時は火が消えた如く青年会の存在すら忘れられたように活動が断続するという意味である。

そういつた所に青年会運営の困難さと悩みがあるのではなかろうか。

そこで私は私共の青年会が数年歩んで来たさゝやかな道を反省し青年会運営の望ましいあり方につき申し上げ皆様のご批判を仰ぎたいと思う。

申すまでもなく青年会の目的は相互の親睦と自己の教養の向上を目指すと共に社会奉仕をなし地域社会に貢献するということであるが、云うはやすくなかなか平凡の事も継続的に実施する事は困難なことである。

役員が会運営に大きな役割をなすと申し上げたが、特に私は役員交代で常に考えることは、たとえ前に会長であつても、任期が終れば平役員にもどり、会活動の中核体となつて貰うことである。つまり会長が満期したから会を去るのでなく何かの役に居残り、前年度の運営とつながりをもたしめスムースな運営が出来るようにしたいものである。

第二には各分会の強化をはかることである。これは全役員が日中の忙しさを忘れ各分会を訪問し映写会やレクリエーション等を催し慰安の夕をかねた分会との懇談会を継続して持つ事である。じかに会員の心にふれ合う事はお互いを理解することであり青年会の目的にある親睦に通じここから会に対する真の強力なる協力が約束される。分会強化のための懇談が私達の青年運動の原動力となつているのである。

第三に会活動のための財源の問題である。すばらしい計画、立派な役員や会員でも金がなければガソリンの切れた自動車と同じである。だからといつて会員に過重なる会費を強制しては会の活動はかえつて期待出来ない。そこで財源獲得の方法として私共は町役所と相提携して町有地を青年会が緑化することを引受けその人夫賃を私達の事業収入として年間約五百弗の資金を獲得することが出来た。こういつた財源により町青年会や各分会の円滑な運営がなされる大きな要素となり、対外競技等も成績が向上し郡青協、沖青協への分担金も完納している。

第四に研修会についてであるが研修会の持ち方が会の運営並に会員の学習におよぼす影響の大きいことは当然の事である。従来は役員のみで立案する要項によつて研修会を実施して来たのであるが、一昨年からは会員の要望により、毎年会場を各分会に持ち廻り農業技術講座や文化講座をおり込んだ実生活にそくした研修の持ち方になつて来た。それと共に分会で問題となつているものを研修内容として多く取り挙げていることである。

第五はレクリエーシンについてゞあるがこれは私達の青年会発足以来とりあげたものであるがレクリエーションをとおして喜んで集る雰囲気を盛り育てゝ来たのであるが会活動を活溌にするかなめとなつている。

第六は自己の教養を高めるためには読書活動を盛んにし自己研修につとめようと四か年前より町青年会で造林、演劇会等に得た資金を図書を購入し巡廻文庫とし各区へ貸出しているが現在千余冊を購入して各分会が利用し読書熱がたかまつて読書会、グループが組織されるようになつたのは大きな収穫である。

以上述べたことは私共青年会が過去六か年間経験した事柄であるが一見平凡のことがらに見えるが実は今まで苦労の連続であつたような感がないでもない。平凡なる経験が非凡を生むといつたことを悟つたのである。青年会の中に五つのサークルが出来、小集団の学習活動が芽生えて来た事は喜ばしい事であり、よい結果が生れることを期待したい。

このような私共の歩みは決して「派手」なものでなく地味な道の継続であつたが平凡な努力の集積が会発展の大きな原動力となるということを最後に強調したいのである。

文教時報

原稿募集

○主題　自由
・日ごろの教育研究の一端なりご意見なり
・随筆、詩、カットなど歓迎
文教時報のなかみをこんなものに……といわれるあなたの試みをまずあなたの玉稿で！
○月初め十日までに当課へ
○原稿用紙使用二〇〇〇字まで
教育研究の場合　六、〇〇〇字まで
なるべく写真も添えてください

文教局研究調査課

みんな こぞって新正月に

新生活運動推進協議会

正月は一年の始めの意義深い日として全住民がこぞって新正月を実行し、互いに祝福しあいたいものであります。

ところが今日まで私たちは、新旧何れの正月でもよいという古い観念で社会の慣習にまかせている状態であります。

現在世界の文化国家の生活も一層合理的な太陽暦によつて行われています。このような現状にありながら今だに旧暦によつて正月を祝つていることは、大きな矛盾であると思います。

人工衛星が月の裏側も撮影できる今日、時代の進歩と共に近代的感覚を身につけ物の見方考え方を更に一歩進めて生活をあかるく豊かなものにしたいと思います。

それでは新正月にしたい重な理由をのべてみましょう。

1 学校教育 との つながりから みて

教科書もすべて太陽暦に進度をあわせているし一月一日が正月だと教えられています。そういう教育をうけた子どもたちに対し、旧暦の正月が正月だと思いこますことは、教育的にもマイナスになるのではないでしょうか。こうしたちぐはぐな考え方を改めて、家庭や社会が学校の教材と行事に歩調をそろえて、新正月を実行することができたら、教育的にも大きな意義があると思います。

2 世界共通の太陽暦による正月を祝い、旧暦による二重生活を改めて暦の一本化をはかりたいと思います。各官庁役所が公休であり、学校も冬休みで、家族そろつてゆつくり楽しい正月ができます。

3 時間からいつても、農家は取り入れもすみ、製糖の最盛期でもなくゆつくり正月を祝うことができます。むしろ旧正月の頃が稲や豆の植付準備のために忙しいので農家の人は家におちつくことができません。

この三つの事を念頭において新正月一本化を実行していきたいものです。一九六〇年経済局農務課の調査によると新旧何れにしたいかという問に対して新正月にしたいという希望が八〇・一%を占めています。住民の大半が新正を支持していることがはつきりと伺われます。その理由を先に述べましたように教育とのつながりや時期、暦の一本化という点からであります。新正月の一本化は困るという理由として換金収入がない、野菜がない、豚が間に合わない、としよりがまだ理解できない等をあげています。

それではこの問題点について検討してみましょう。

1 換金作物による収入が問題になつて地方でもその声はよく聞かされます。全琉旧正月費用の平均額が二十一弗三十仙であまりにも大きい、ふだんの生活から考えても正月は金を使いすぎます。こういう不合理なことを改めていくならば、換金作物による収入はそう苦になりません。このような生活態度を改めて、ふだんの生活を主体に考えていきたいものです。

その点経費の使い方や行事のもち方も、いま一度考えてみる必要がないでしょうか。

ふだんから正月費用のためにいくらかでも予定して、生活を計画的にすることが、大切であると思います。

2 野菜と豚について 戦後は一般的に野菜づくりの技術が向上して十一月頃からは野菜も出廻つています。もしできたら町村駐在の農業改良普及員にご指導をお願いして、努力したら困難でないと思います。料理も昔のように野菜を

たくさん切りこんで、油つこい料理をつくるのでなく、新しい料理法は野菜も適当に配慮されています。

豚も新正月目あてに最初から計画的に養つたら、間に合うのではないでしようか。

３　としよりの理解のないことについてはたえず話合いをし、啓蒙することによつて徐々に解決されてゆくものだと思います。

このように考えますと、旧正月に困執する理由は薄弱になつてきて、そこに農村の保守性という問題だけが残されています。過度期における新しい改善は、昔からの因習を一掃するのに、相当無理なことだと思います。要は各個人が主体性をもち、自らの、はっきりした考え方、計画によつて行動を律するようにしなければ個人も社会も前進しないと思います。

新生活運動推進協議会では三か年前からこの趣旨のもとに新正月実施を提唱してきました。

住民の理解と認識は年々高まり、去る六月十二日の全琉社会教育研修大会において、「新正月実施の機運は、全琉的に盛り上つているので、これを実施するためには、市町村会その他の各種団体が相提携して歩調をそろえ強力に推進してもらいたい」とのつよい要望のうちに万場拍手をもつて決議され、つづいて沖縄市町村会、沖縄婦人連合会、全琉教育長会においても決議されました。現在地区や市町村をはじめ婦人会、青年会等でも逐次決議され相当活発な動きで体制がつくられつつあります。

運動の方法

この運動は全住民が総ぐるみとなつて推進しなければならない運動であるからそのためには組織を強化し有機的つながりをもつことが最も必要なことであります。

１　市町村のつとめ

(1)　市町村実践協議会（未組織は市町村）が中心になつて、関係機関、団体の協議会をもち趣旨の徹底及び浸透方法について協議する。

(2)　部落では公民館が中心となり婦人会、青年会、生活改善グループ、ＰＴＡ等の協議会をもち趣旨の徹底及び実践方法について協議する。

留　意　点

(1)　指導班を編成する。

(2)　指導の期間を九月末日までとする。

(3)　十月からは準備期間とする。

(4)　正月用野菜の植付、豚の飼育についての技術指導者をきめる

(5)　市町村が発行している新聞、親子ラジオ、ポスター、リーフレット等を利用して趣旨の徹底及他地区の事例などを紹介し実践意欲を高める。

(6)　決議した市町村及び部落は新生活運動推進協議会に報告し新聞に掲載する。

(7)　絶えず反省検討すること。

２　推進協議会のつとめ

１　関係機関団体の連絡調整をはかる。

２　商工会議所、各通り会への協力依頼する。

３　資料の作成頒布

４　推進状況の調査情報の交かんにつとめる。

５　社会教育総合研修大会における表彰条件に入れる。

備　考

全琉教育長会における決議事項

１　新正月一本化を推進する。旧正月の休業、代休、早引を認めない。

青年学級紹介

沢岻青年学級

沢岻部落は、浦添村の南端部でその境は首里末吉町と相対している。

軍用地のない農村部落の青年の職種は農業が四三人、公務員五人、会社員三人、バス車掌九人、沖縄繊維従業員九人その他となつているが、いずれの青年も農家出身であるので農業には関心は深い。ここの農業青年は畑三段歩に、家畜を飼い、野菜を作れば軍労務よりましだと云う程、農家経営に自信を持つている。青年学級に男二六人、女一六人が籍を置き、講師陣も農改普及員と営農指導員が農業経営を担当し、農産加工、料理は生改普及員、和裁は女子クラスの要望で「仕立から着付まで」の指導を一主婦が担当し、最終時は自らの仕立したものを着付をなし記念写真と茶話会を催したと学級主事の又吉氏から報告があつた。一般社会とレクリエーションは又吉主事が担当している。学級開設後特に区長や部落の成人方からも青年が酒を飲まなくなつたと喜ばれ、隣り部落からも評判もよいと云うことだ。学級の開講が夜間であるので講師に村在住の方が主体であること、学級生が生産に従事する青年であるので積極性があり学級経営もスムースにいつていることである。

夏休みの成績物の処理と活用

北谷中学校　末　吉　英　徳

夏休みの成績物の処理と活用を書く前に当校における課題の与え方について簡単にのべてみたいと思います。よく夏休みは子ども達に自主性を培い、己の計画に則つて生活せしむるべきであるのに課題になやまされ云々……の話がよく聞かれます。そこで、当校においては、休みに入る前に職務会で課題の与え方について次の事柄を申し合わせます。

一　課題を課す事によつて負担を感じせしめ、楽しかるべき休暇がいやな休暇にならないよう課題の内容と量を充分考慮し、適切で効果的な課題を与えること。

二　二学期に入つて夏休みの成績展示会を開催するか、否か、もし開催するならば「いつ」どのような方法で実施するか。

三　作品締め切りをいつにし、どのように処理活用するか。

この三点について協議します。各学年においては、学年主任が中心になつて各教科担任より、あらかじめ各教科の課題をまとめ、一覧表を作成しプリントにして各教科担任を交え学年会を開き、教科担任よりその内容をくわしく聴取した上で、学校行事等もにらみ合わせ課題が負担過重にならないように課題の内容と量につい充分検討を加え調整し決定します。

各学年では決定された内容により

㈠　毎日毎日継続的に少しづつ行うべきもの

㈡　相当な期間を要し天候その他のせいやくを受けるもの

㈢　準備と機会を必要とするもの

の三つに分けて　㈠については日々おこたらずこつこつやつていくこと。㈡㈢については準備を周到にし、機会をとらえて早期に実行するように計画表を作成せしめると共に各教科においては、内容をよくは握し容易に手がつけられるように、充分話し合う場をもつようにしています。なお生徒自体の計画によつて実施してゆくのが立前であるが課題の解決を容易ならしめるために、教科によつてその機会を与えるため次のような問題解決の機会を作つてやつています。

例えば、生物クラブ、園芸クラブ等による植物採集の日、貝殻採集の日、図工科における写生大会等ピクニックをかねて引率指導の日を設けだれでも自由に参加してもらう機会をつくつています。例年夏休みの成績物を、夏休み終了一週間前に締め切り、休暇中に成績処理を終り二学期早々展示会を催し、優秀作品に対しては賞品を授与しています。

成績物の締め切りを早めた理由は、休暇中に成績物の処理を行い、二学期の学習活動に支障をきたさないようにとの配慮からであります。

簡単に当校における成績物の処理と活用について述べましたが、図工科を担任するものとして、その処理と活用について書いて見たいと思います。図工科は日頃時間せいやくをうける教科なるが故に夏休みは長時間継続して、一きかせいに仕上げの出来る恵まれた機で、りつぱな作品を生むのに良いチャンスだと思います。よつて私はなるべく既習教材を基盤として、生徒自体がくふう出来るいろいろな技法や材料を使用して、思い思いに描けるような課題を与えることにしております。

㈠描画一点（働く人々）㈡デザインや版画の中から一点計二点を課してありますが、デザインや版画については具体的な作品例をプリントで示し、よくはなし合い自己の趣味にあつたものから選択してやつてくるようにしてあります。

処理の方法は、締め切つた作品を学年別種類別に分け、更に五段階に選り分け各段の作品を一対比較法により優劣をきめ、順序よくならべて評価し、教育手帖の採点欄に記入し作品には検印を捺します。優秀作品は選り抜き短評等をつけ展示会に出品し、種別学年別に配列し生徒の鑑賞に資するようにします。

展示会がすむと学年別学級別に整理されたものを取り出して、学級ごとの鑑賞会を開きます。

鑑賞会は次のように行つています。各自の作品を一応生徒に返し、司会者を置いて運営しています。一人一人作品をもつて壇上にあがり、自己の作品について表現するのに苦労した点、又は良いと思われる個所、もつと努力すれば良かつたと思われる個所などはなさせた後級友の批評を仰ぐようにし、あとで教師の意見を述べるようにしています。始めの程は充分訓練がゆきとどかず、なかなか時間をとり、スムースにゆかなかつたが現在ではよく批評し楽しい鑑賞会が出来るようになつています。ときには、他の学級の作品も優劣にかゝわらず特徴あるものを取りあげて鑑賞会をやります。デザインの部はいろいろポスター、絵地図、案内図、統計表等は社会科の資料として提供し説明図等は、理科その他の教科の資料に活用していただいています。

防火デー、交通安全週間、体育祭等のポスターは、その行事の都度利用するようにしています。尚優秀作品はとっておき、タイムス展その他の展示会に出品したり、本土との作品交換等やっています特徴のある作品は優劣にかかわらず参考品として授業や鑑賞会に使用します。

以上の私の学校における夏休みの成績物の処理と活用について簡単に述べましたが、研究不充分で資料に値するか疑問ですがこれで責任を免かれたいと思います。

夏休みの成績物の処理と活用について

石川市石川中学校　知念仁幸

夏休みになると、毎年きまって宿題が出されるのが年中行事のようである。では宿題の与え方としての望ましい方法や成績物の処理方法をどのようにすれば教育上効果的であるか本校の実施した具体例を主にして述べてみたいと思う。

夏休みのねらいについて

夏休みの計画を考える場合、夏休みのねらいをどうとり入れるかが問題になつてくる。根本問題が忘れられてしまい、習慣的な学校行事のようになり、形にはまつた計画が立てられて実施されていくと、相互に矛盾したものがおこり、生徒達に過重な要求を強いたりする場合もあり得るので、じつくり夏休みの意味を考えてみる必要がある。生徒達はいかにして夏休みをおくつていくであろうか。彼等は心から夏休みをまつているに違いない。一学期終業式の日の生徒達の顔は一年中で一番楽しそうで、しかも活気に満ちあふれている。夏休みに入つてみるとどうであろうか、山程積まれた宿題に悩まされ、中には親に泣きつくような子どもも出てくる。又中学三年になると受験準備の勉強に追われているにもかかわらず過重な宿題を課せられたのでは息つく暇もない。又父兄側も毎日遊んでいる子ども達をすつかりもてあまして一日も早く休みがおわつてくれればよいのにと思うようになる。これでは一体何のための夏休みかその「ねらい」がわからなくなつてしまう。このような実態を生み出してくる原因について考えてみると学校における指導計画の立て方にも問題があるように思う。指導計画を問題にする場合個々の計画だけでなく全体として休みはどういうねらいをもち、どこに重点を置くかを明らかにせねばならぬ。本校の夏休みのねらいを整理してみると次のようである（生徒手帳の休暇中の心得より）

㈠ 保健衛生に注意し進んで体を鍛えよう。

㈡ 計画を立て積極的に勉強しよう。

㈢ 学校生活においては果し得ない体験や、学習をする事によつて労働の意味を体験し、成長のはばをひろげるようにする。

以上の三点にしぼつて考える事ができる。この中でどの項目に重点をおくかは学校の種別、地域差等によつて異つてくるが、本校においては第一義的なねらいを保健におき、学習指導はそれらを阻害しない限りにおいて計画がなされている。もちろん一か月余りの長期にわたつて学習から全く離れてしまう事は教育という継続的な営みにとつて、望ましい事ではない。従つて保健という第一条件を見出しながら、しかも楽しく学習ができるようにくふうされている。

夏休みの宿題について

毎年の行事のように宿題が出される。宿題は子ども達の自主的な計画に従つて毎日少しずつ全期間平均に行われる事が期待されている。教育の継続的な営みという点から当然な事である。しかし実態はどうであろうか、比較的成績のよい生徒は始めの一週間位で終らせて、この期間をのびのび過そうとするし、劣つた子どもは気にかけながら、殆んど手をつけずに最後の一週間で何んとか形をつけようと苦労する。それでも一応まとめる子どもはよい方であつて全く何もせずに終つてしまう子どももかなりある。劣つた子どもにとつては、夏休の宿題は重荷であり、考え方によつては、ますます勉強嫌いの子どもを育てているといつても過言ではない。つまり逆効果を生む恐れが多分にあるとすれば、夏休みの宿題については、余程慎重に考えねばならない

宿題の与え方として三つほどにしぼつて考えられる。㈠継続性を必要とする課題。例えば天候測定、飼育栽培等である。
㈡頭の中のみで考えるような課題でなく、作業をともなつた学習課題。
㈢家庭で出来るという原則にたつて課題が出される事。特別な子どもの家庭でなく、ごく普通の家庭で出来る課題でなければ、子どもばかりでなく親達までも苦しめる事になつてしまう。これらの点を考慮しながら全体として過重な負担にならず夏休みの楽しさが失われないよう計画されることが必要である。

夏休みの成績物の処理と活用について

夏休みが終るとどこの学校でも大なり小なりの展示会、発表会が行事的に行われるのであるが、これは夏休み中の反省と共に作品を尊重する態度を身につける上では大変必要であるが、教育的な効果をより以上に上げるかは、成績物の処理と活用いかんにある。こう考えた上で、それにふさわしい具体例を探してみた。無理に探したので、本テーマにふさわしいかどうか半信半疑である。ただ本校の実践した例をいくつかにまとめて述べてみたいと思う。

(1) 夏休みの生活記録について

生活記録は夏休み中の生活、一日中での主な出来事、経験、反省、感想、意見等を通して一日の生活を綴っていくものであると考える。提出が宿題として要求されているのだから、出来れば生活をみつめさせるような指導というものが大事で、即ち自己をみつめさせる事が大切であるが、むしろ他をみつめていく。例えば母の生活とか、他に対する疑問、意見、感想等が要求されるわけである。

生活記録は単なる夏休みのものだけでなく今後の学級づくりの題材、資料として生活指導ばかりでなく教科指導の面からも大いに活用できる。子ども達の秘密をさぐるのでなく、一人一人の子ども達の問題を共通化して皆んなの問題として集団思考の形で大いに活用できる。又子ども達の四〇日間の表現活動も相当に高めていく事も出来る。作品は九月の初めのホームルームの時間迄は一通りさつと読んで、夏休の生活について考えるべき問題点

例えば〃宿題が少し残つている〃とか〃あんまり勉強しなかつた〃とか〃体に異状をきたした〃とか色々の事がでてくると思う。そういう数多くの問題を幾らかにしぼつて「夏休みの生活の反省」として共通な問題として集団思考の形で九月の初めのホームルームに取上げたのである。要は教師が生徒一人一人の生活記録をざつとでもよいから読み通して彼等の夏休みの生活における問題点というものを幾つかにまとめて生きた問題点を基にしてみんなで話し合つていくという事は忘れてはいけない。

(2) 諸成績物の処理と活用

夏休みが終つたならば生徒達は力の結晶を提出するが夏休み中の生徒達の貴重な成績物の処理は、どうにかすると雑務に追われて、ほつたらかしにされる傾向が多分にある。おそくなつても、採点されて生徒達の手に返されるのは、まだまだよいほうであり、二、三か月も戸棚の留守番をしてほこりにまみれ、しまいには、紛失し、破損してしまうのが現状でなかろうか。

本校が生徒の成績物をどのように処理、活用してきたかというと、九月初めに学年別展示会、クラブ、グループ別展示会、発表会を開き、互いの成績物についての反省や、審査をし、全校の展示会提出準備を行う。この準備の総べては学校生徒会の生活指導部会、学習部会の計画に基づいてなされる。その際に長期を要する共同研究物や、個人研究物に対しては、更に深く、更によい研究物にするために早目に処理して、更に発展させるように指導助言をなし、継続研究をするように仕向けた。学年、クラブ、グループよりどのような作品が選ばれたかというと、周到な計画によつて製作されたもの、創意くふうされたもの、長期間にわたつて努力を重ねたもの、いわば優秀作品のみでなく、新しい感覚でもつて新分野を開いたものであつた。全校発表会は九月初旬に行われた発表に対して質疑応答が活発に行われ、その研究内容が各生徒に理解されるよう充分時間を与えるようにした。

生徒の在籍が多いので標本類、継続観察記録物、工作品、絵画と書道、被服と手芸品等に分類し陳列した。標本類は、蒐集、採集した生徒を中心に昆虫、植物鉱物、貝殻類に整理分類させた。例えば種類の異つた雄雌を一しよにして標本としてまとめさせた。学習部会の計画した説明書が各標本に張られてあるので、見学する生徒達には参考になつたようである。

理科作品は、実験、観察、記録が伴つているので成るべく時間を多くとつて製作者の苦心談とか結果報告等をさせた。展示会や発表会には生活指導部会の計画により父兄や、一般の方々を招待し生徒達の努力の結晶の理解がもたれ大変な好評であつた。

発表会、展示会終了後は、学校新聞を発行して、苦心談とか、実験観察、記録、反省談をのせ、父兄や各クラスに配つて発明発見、創意くふうの芽を成長させるのに役立たせ、又、研究の方法、実験、観察の記録のまとめ方や研究テーマの取上げ方等の参考にせしめているが、結晶としては全校生徒の意欲をそそつているので、次期夏休みの成績物の期待が大きいように思われる。標本類は分類整理されているので、適当な期間展示したら、取りはずして資料保管室におさめておき単元導入、学習活動等の教材の資料としたり、次期研究への参考にしたり、更に進んでよりよい研究の基礎として活用している。

(3) 処理に当つての問題点

成績品の処理に当つて感ずる事は、親の作品である豪華なものがある。これは親達の過度な干渉によるものである。その成績品を展示会に陳列すると、あたか

も商品見本市のように、観衆の目を見張らせるようなものであって、完成品のみを見て処理する弊害である。これに金、銀、銅賞等がはられると、実に大きい問題が起るのである。もしよい成績品を奨励の意味で表彰するならば、長期間中において本人が楽しみながら汗を流し、苦労の結果完成したものを賞讃してやるべきである。生徒には技能にも差があり、本人が本当に汗を流して完成したものは下手であっても、大いに賞讃してやるべきで、完成品のみで評価はしてはいけない。

よい成績品のみに金、銀、銅賞は張らずに技能的にはいくらか劣っていても、提出した生徒全員に対しては、予算の許す範囲内で賞讃した方が教育上効果的ではなかろうか、もし父兄に手伝ってもらった箇所があれば詳細な説明書をそばに張り出して、合作とか、連作とかで展示するのが望ましい。本校においては、完成品を陳列する時には製作の意図、計画努力点、経費、製作日数、製作者名等を書いた説明書をそばに張り出している。

まとめ

生徒の成績物を本当に生きたものにするためには夏休み後の処理、活用だけでなく年間を通しての発展的な活用にもっていかねばならぬと思う。

夏休み後の生活指導の一端

糸満地区兼城小学校　金城　実

九月にもなり二学期の始めともなれば夏休みの四十余日の解放された自由生活の中から規律正しい生活にもどるわけであるが、毎年の夏休み後に思うことは二学期になっても休み中の惰性がぬけきれないで、だらだらの二学期を迎える児童が多いということである。

そこで私は二学期の始めにどうしてもかような面を「生活指導」の立場で取り上げてみたい。

私は去った七月の中旬に学年PTAを開催した。そのPTAの集いは主として四十日余の子ども達の休暇中の生活指導の面について話し合った。

例年いつもりっぱな計画立案はするものの結果はあまりにも子ども達に負担をかけすぎ教師中心主義で行なわれたように思われた。それで農村において、もっとも父兄と子ども達が一体となって生活をするための努力が必要であり、それには、父兄と子ども達が満足出来るような指導計画がなされなければならぬと思いPTAに協力を求めたところ、父兄にも指導出来るような計画を立てることができた。

昨今新聞紙上によく掲載されている教育隣組が私達の農村「兼城村」にも出来る気運がみえてきたと意を強くしている計画の一つとして家庭学習はどのように仕向けたらよいかの問題の解決に当たって各部落毎に連絡係「部落代表の父兄」をおくことにし、更に各班ごとに子ども等をいくつかのグループに分け、学習の面、健康生活面、安全教育面、それぞれ輪番に父兄と子ども達が一体となって一日ごとに交替で巡視してもらうことにしたその係をおいて指導した結果は出校日に学校側に調査報告することにした。これら報告による指導の具体例をあげると

① 日中の昼寝指導

② 水難予防について

(イ) 一人で水泳に行かない

(ロ) かならず両親にことわって行くとか

(ハ) 道で水泳に行く子どもに出会った場合更に注意する。

③ 交通安全の指導について

(イ) 車道にとび出さない

(ロ) 子どもの一人歩きに注意をする「幼児も含む」

(ハ) 路上遊びをさせない

(ニ) 横断する時の注意

④ 夜間外出について

(イ) おそくても十時までには寝る

⑤ 不良化防止について

(イ) 家庭環境をよくする

(ロ) 親は子どもの良き相談相手になる

(ハ) 子どもを放任しない

(ニ) 小づかい銭のやり方、買い食いをさせない

等々夏休み中による父兄の協力で昨年の休暇よりその指導の効果が期待される。

本校の子ども達は昨年より今年にかけて溺死とか轢死の事故なく無事に過ごしつゝある。しかし、

本村「兼城村」では七号線の舗装が完成し軍用道路になっていて交通量がふえて行くことを考えるとやはり父兄の指導の重要さを痛感するのである。

そこで第二学期における指導に際しては父兄との連繋を一層密にし、指導を双方から強化してゆきたい。ことに指導の趣旨は校内放送を通して知らせるとか、或は全校朝礼等に係の先生から注意を促し、父兄には村内の親子ラジオを通じて直接に協力を求めて防止すべきことなど未然に、その十分な対策をたてて指導したい。

以上まとまりのない抽象的な面ばかりですが、つたない私の指導の一端をお話申し上げました。皆様からご指導とご鞭たつをいただければ幸いだと思います。

学力向上策

私はこう考える

――とくに中学校国語科の場合――

那覇中校　上間正恒

はじめに

学力低下の原因がさまざまな角度から取り上げられて、研究や討議が行なわれ対策処置が講じられている時、現場にいる教師に与えられた課題解決には、自分の毎日の授業の体験を通してくふうし修正した適切な指導と情熱の二つが最も大切であると私は思う。これは言い易くして行い難いものである。しかし、私たちはそれを着実に自分の能力の範囲内で努めなければならないと思う。そこで、もし国語科担任としての意見はと聞かれたら次のように答えたい。

一　自主的学習と辞書指導

学力の向上を図るためには自主的な学習でなければならない。自主的学習といえば、すぐに辞書利用がその一方法として取り上げられる。今、手許にある第四次教研大会第二分科「中高校国語班」の報告書の最初に「自らの力によって読みとらせるために辞書による指導を強化する。」とある。小学校五年で辞書利用の指導を受けた生徒たちは、中学校の二年になっても辞書の利用がじゆうぶんできず、指導の効果があがっていないのである。この事は中学二年において自主的学習の大きな障害となっており、辞書指導の基礎訓練の必要性を痛感する。

現在、私の受持つ二年生の大部分が漢和・国語の両辞書を各自携帯し使用しているが、その使用方法に次のような欠点が多く見受けられる。

。漢和辞書の場合

ある語を探し出そうとする際、部首による引き方と音訓索引による方法があるが、部首による引き方をしようとするのが、生徒の大部分である。部首による場合は時間がかかる、部首のはっきりしない字の場合は引けないなどの欠点がある。生徒は表紙見返しの部首を調べ、そのページ数の箇所をあけ、画数を数えるか、あるいはその部首の漢字のはじめからずっと順を追って語を探し出しているのである。このように一語探し出すのに長い時間をかけたのではとても間に合わないし非能率的である。すばやく探し出す技能はぜひとも身につけなければならない。

それでなるべく音訓索引を利用することによって、漢和辞書の場合のつまずきの大部分は解決されると思う。だいたい中学校二年程度なら一字読みの場合音訓いずれか見当がついているのであるから もし、見当がつかないようなら文字の構造を手がかりとしておおむね正しいだろうと思われる音訓を、極力かんを働かせて想像させるような指導をまずしなければならないと思う。

。国語辞書の場合

この場合のつまずきは

㈠　変形しなければ引けない語―主として用言の終止形以外の活用形やその他長い語句

㈡　意味が多い場合が見られる。

㈠の場合は主として文法指導によって解決しなければならない。

㈡の場合、これができないのであるから読解力の足りなさが想像される。その実情として、語意とその文脈とのつながりを全く無視した処理、すなわちノートに書き写すことが行なわれている。これはたいへん、重要な問題だと思われる。文脈の中にあてはめてその語の意味を選び出すためには、短い文を正確に読解させる指導が必要であり、また文を深く読みとろうとする意欲を出させるよう努めるべきでしょう。

次にどう利用しているかを見ると、読めない字を漢和で、意味を調べるのに国語を使って、書く時には全く使用しておらないのである。それで辞書は持っていても、かなで書いたり当字、誤字が多い。こうした辞書の使用も、もっといろいろと使えるようにあらゆる機会をとらえて指導しなければならない。

以上のように辞書利用としては、辞書のひき方を十分に徹底させなければならない。徹底した基礎訓練を経て経験を多くさせて、はじめて効果的な利用が可能になり、自主的学習の いと口が つかめる。そして、更に自分で疑問を解決しようとする意欲のある態度を育成するよう指導しなければならないと思う。

一　学習の場を多くとらえる

多く読み多く書くことが必要なわけは周知の通りであり、読書指導がとりあげられ、図書館利用の指導も行なわれ、徐々に軌道に乗りつつあると思うが、もっと手近かな身のまわりにある材料を使って基礎力をつけるのも大いに効果があると思う。たとえば私の具体策の一例は、「読み」の機会を多くさせるため、外部団体から配布されたいろいろの趣意書・パンフレット・宣伝ポスター等を材料にする。最も手軽に用いられるものは、用

紙一枚程度の趣意書である。これを裏打ちして余白をとり、文中の難語句に朱線を施して後、教室に掲示する。そして余白の所に傍線の字が読めるかとか、これはどういう意味かとかの簡単な問題を投げかけておく。このように掲示すれば、生徒は興味をもって読み、討論しあい、辞書を引くようになってくる。

こういうさ細なことではあるが、多くの機会を持つことによって自然に読める漢字が多くなり語いの増加をはかることができる。

次に「多く書く」ことであるが、生徒にとって一番重い負担は「書く」ことにあるようで、作文に対する興味関心は驚く程少ないものである。その原因は相当深く根ざしたもので、一朝一夕に可能にすることはとうていできないものであるが、それに近づける一歩として学級日誌を通して作文力、表記力の養成をはかることができると思う。書くことが学習指導の中では、常に実際の必要感があり、深く関心のある材料でなければならない。そして具体的に相手を意識した表現でなければならない。そのように学級日誌の内容記述を変えていくのである。

これまでの学級日誌は生活指導面では利用しても国語科の面では一部面しか利用されておらない。それで一応形式的な面を削除して日記体ふうにする。そのために一定のわく組のある用紙から普通のノートにかえ、わくの制限をはずして自由にかけるようにする。ただ順序として欄外に日付・曜日・天気・日番生徒名を書かせ、(一)朝礼やホーム・ルームでの話し (二)授業の内容—何を習ったか (三)感想の三つの順に並べ。(一)には、話しの要点、伝達事項 (二)に毎時限の授業の内容を簡潔に書かせ、(三)には要望事項・反省事項・備忘のための記録を記入させる。大体一ページを使っており、ときには、二ページに及ぶこともある。そして終りのホーム・ルームで発表させる。ここで指導できる事項として表現力・表記力・要点のとり方・発表のしかた・ノートの使い方等、国語科学習の重要な面が現われてくる。そして、この日誌の中には、情報を伝達する文、希望を表わす文、備忘を目的とする文、反省を目的とする文等が入りまじっているわけであるから、もっと適切な指導がこころみられても良いと思う。

二 家庭学習

「自分でできる学習は自分で」ということは、自主的学習の大事な心構えである。生徒はそれを知っていても、なかなかたやすく行なえない。刺激を適当に与える理由がそこにあると思う。この刺激—テスト—を与えることによって、生徒を「自分のできる学習」の範囲内に追い込んでやる。国語の場合であると、読めない語句を調べたり、語意を調べたり、漢字の練習など、生徒自身でやる範囲を明瞭にしておく。そして新教材に入るとすぐにそこの読みのテスト—十分程度で新出漢字や難語句の読み—を行なう教材のまとめを終えて後、漢字の書取り（十語）テストを行なう。この一連の処置をあらかじめ生徒と約束しておく。このように豆テストを利用することによって学習が促され、自主的学習の動機づけになると思う。

おわりに

教師の仕事は根気のいる仕事であり、地道でなければならない仕事だと思う。毎日の営みが未来の社会を形成する人間の育成であることを思えば、今日の仕事が明日につながる最も大切なものであることを認識し、自らにむちうつのである。学力低下が云々されている昨今、最も平凡な言い方ではあるが、百の理論より一の実践を現場の私たちは心がけるべきではないでしょうか。

※（二九ページよりつづく）

生徒一人当たり市町村純負担額の多寡と人口一当たり市町村才入との多寡を比較すると、両者の間にはかなり密接な関係のあることがわかる。両者の都道府県順位の相関度をスペアマン係数によってみると、〇・八二というかなり高い数値である。しかし、これは都道府県純負担額の順位と都道府県才入の順位の相関係数〇・九一に比べてやや低い。

その理由としては都道府県の負担する小・中学校教育費が主として教職員の給与費であり、経費の必要性が恒常的であるためその支出額の多少は、財政力の大小をかなり反映することが考えられるのに対し、市町村の負担する小・中学校費は主として物件費であり、なかでも建築費の占める部分が大きく、建築費支出の度合いは、必ずしも市町村の財政力の大小を伴わないことが考えられる。

新生活運動

自粛しましょう、合理的に行事をもちましょう、の合い言葉は戦後盛んになった。おかげで盆も正月も中味を形式ばらなくなってきた。

しかし、理解しているはずの方々も、やはり気がねをするし、ふだんの値段の倍になっていても平気で行事用の果物を買い込む度きようの人がとても多い。

くされかかった品がとぶように売れたというのはまだまだ本気で新生活運動につとめていない人の多い証拠でもあろう。いっそう深く考えてみたいことである。

指導委員の足跡

糸満地区理科研修会長
真壁小校　福里広徳

本土の指導員派遣問題が紙上に度々掲載されているがまだその見通しがつかないようである。現場から非常な期待で要望し、各関係組織を通し折渉しているが民政府は検討するの一言でそらし、とりつくしまのない状態である。民政府の検討するということは明瞭でないが、紙上で散見するところでは指導内容にあるらしい。そこで糸満地区理科研修会の状況を発表して検討の資料にしていただき、更に指導員派遣の実現を見た場合の参考にされ研修会の効果を充分にあげてもらいたい。

米国が世界の先進国として、リーダー権を握つているのは確かにその国の科学の進歩によることは確言できると思う。その科学の恩恵によつて多くの米国民は幸福な生活を享受している。日本においても近代科学の進歩は著しいもので、我々沖縄としても羨望の的になつていることは衆知のとおりである。科学の進歩は生産に大きな力を持つもので資源の少なくない沖縄では科学の振興は急務中の急務と考えられる。故に科学の振興に日米の強力な援助を欲しているし、また両国とも可能な事である。潜在主権を持つている日本もこれに協力するにやぶさかでない態勢であり、またその予算もちやんと出来ている由である。しかし政治の担当者である米国がこれをしぶることは大統領行政命令に違うもので沖縄住民の福祉の奪取としか考えられない。民政府に反省を求めるべきである。

資　料

指導員　兵庫県教育委員会指導主事
嵯峨山実次郎

実態調査　先生は九月中に各校（中校七、小校一三）を訪問されて糸満地区の理科教育の実態を調査され研修会の計画をたてられた、その結果は、設備について、管理について、薬品管理について、に分けて懇切丁寧に報告され、紙数も十余枚にのぼつているので、報告は出来かねるがその要点をあげると

1　設備は基礎的な使用度数の高いもので自作のできないものから年次計画により購入してもらいたい。

2　一個ずつの見本的なものはあるが生徒実験ができない。

3　必要以上に精度の高い高価なものがある。

4　関連のある器具機械が揃えられてない。（例バーナーはあるがフィゴがない）

5　器具機械はあるがそれに使用する消耗品がなく宝の持ちぐされとなつている。

6　手入れや小破損の修理ができていない。

7　高温多湿の地での注意がたりない。

8　薬品ラベルの表示にくふうが必要。

等で沖縄の理科教育が本土と比較し随分の開きがあることを嘆かれた。

計画　理科教育を振興するには教師の問題があるし、また地域の協力態勢の問題がある。

A　教師の面研修会規約を設ける

1　組織　会長一、副会長一、会計二（一人は金銭の徴集、一人は支出面の担当）代議員七（各中学校区より一人）顧問三、（小学校長より一、中学校長より一、高校々長一）購入蒐集係まで規定する。

2　会員は各校より一人か二人

3　研修日は毎週土曜、午前から午後まで（後程は土曜の午後から日曜まで）

4　事業

(イ)　簡易器具の製作大工道具の使用から塗料で完成するまで、性能が高くしかも美的に製作するように心掛ける、全児童が実験観察に参加出来る数を製作する。材料は全部共同購入

(ロ)　器具機械による実験製作した器具機械を使用しての実験

(ハ)　研究授業　指導員の研究授業、各中学校理科主任の研究授業

B　地域の協力態勢　理科教育の振興の気運をつくる。

1　校長会をたびたびもつ

(イ)　科学教育の現況を話され学校一体で精進してもらうようお願いする。

(ロ)　製作実験の現場を見てもらい、研修会への理解を深める。

(ハ)　徴集金の使途を明確にし疑問のおこらないようにする。

2　教育委員、ＰＴＡへの働きかけ

(イ)　科学の世界的現況を話し、沖縄の現状では取り残されるおそれがあることを知らしめて科学に対する認識を新にする。

(ロ)　製作実験の説明会を持つて、財源の援助を願う（センター及び各学校で）

経　費

1　収入　全収入　千百弗

(イ)　五百二十弗（各校分担金）

(ロ)　五百八十六弗（製作資材費）

2　支出

事務費二三弗一八仙。共同工具五五・八八。共同器具費三・七七。共同資材

費一四六・七二。製材料費四七九・八八。運搬費一七・四七。試作実験費一〇・四五。試作材料費二四・六六。混合三八・二〇。通信費〇・四六。試作実験器具費七一・一二。謝礼手当送別会費一一六・〇〇。その他となつている。

3　資材費予算のたてかた

品名／単価／学校名	びん切り	スクリーン	インジケーター
単価	49	68	16
A	0	0	0
B		0	
C	0	0	
D	0		0
計	25	20	50

上記のような一覧表をつくり注文品が直ぐわかるようにする。

単価は資材費にその二割の諸経費を入れてきめた。

研修結果

(1)製作種類　四五種、(2)個数　一六五七個　一校平均　八三個

(3)価格面比較（例をあげる）

品名	製作単価	島津単価
バーナー	〇・一五仙	一・一二弗
斜面実験器	〇・三八	一八・三〇
パスカルの原理	〇・一四	五〇・〇〇
水の側圧	〇・六八	二・五〇
連通管	〇・二八	一・五〇
浮波子	〇・二三	二・〇〇
毛細管実験器	〇・三三	二・〇〇
モノコード	一・二六	二六・七〇
金属線膨張	〇・三九	一九・三〇
り光実験器	〇・五四	三三・三三

計　製作単価　四・三六　島津単価　一五六・六七

島津単価は約三十数倍になつている

研究授業　指導員三四　各中学校で七回計十回もつたわけだが、その成績は回を重ねるたびに向上した。

製作品を使用しての実験。二月、三月をこれに当てたのであるが、会員は自作のものですから実が入つた。殊に危険防止には気を配つたので、危険な実験も自信を持つて出来るようになつた。

その他各学校ではその学校なりにくふうし適切な理科環境をつくつている。

(1)　各中学校は理科特別教室をもち理科用、机腰掛が完備した。

(2)　教室の廊下を利用し便利な準備室が出来た学校がある。

(3)　学校職員のくふうによつて必要な機械器具がどしどし製作され、六十四種四百点出来た学校もある。

(4)　気象観測所が職員の手だけで出来観測に取組んでいる。

(5)　一九六〇年度文教局指定の理科実験学校を二校も引受け、更に継続して発表しようと計画している学校がある。

このようにいろいろ指導員の来島によつて大きな収穫を得ましたが、それに増して喜ぶべきことは、教師が理科教育に興味を持ち理科振興態勢が出来たことである。研修期間中会員は製作のかたわら糸満、那覇を歩きまわり螢光燈やリンゲル瓶を求め更に古道具屋を歩きまわり、何かに使用出来る品を求めた。おかげで器具は性能の高いもので美的で廉価のものが出来た。

反省

(1)　顧問、何につけてもよい相談役でした、研修中金銭面や研修面で苦境に立つた時は適切な助言をして下さつて会がことのほかよく進行した。

(2)　教科指導員青木先生（糸満中校）の献身的な努力はこの会を成功させた大きな要因である。

(3)　会計係……一番大きな役で夜遅くまで励んでもらつた。幸に二人で仕事を分担したため、大きな仕事を間違いなく完了した。

(4)　試作費に相等額の経費が入つているが、つくり出すことは多くの努力と金がかかる、今後会を持つときは軽減出来ると思う。

(5)　びん切り、アルコールバーナー、円板くり抜き器等はじめて使用した器具だが非常に有用だつた。

結び　さて以上の過程を通つて来たのであるがこのような気運を醸成するには、一朝一夕に出来るものでなく、また人なしでできるものでもない、指導員を派遣してもらうことは何より大事なことだと理科教育部面から叫びたい。

ある校長先生の話

「缶詰のよく売れる部落」と赴任したばかりの校長先生は首をひねつた　これでエンゲル係数は高くなるはずだと調べたら文化的内容は家庭生活のすみへ追いやられている仕末だつた。おどろいたことに体位がどの部落よりもおとる。

校長先生が生活の合理化、改善を食生活よりと強調したのはそれからである。

二年にして子どもたちの弁当が完全に改まり、島内産の鮮度の高い食品が摂取されるようになつた。子どもたちの生長は目に見えないほどであるにしろ一段とよくなることは大いに期待しているところだと言う。

現場における教育課程の編成
（文部広報より）

＝上野初等教育課長説明要旨＝

関東・甲信越静地区小学校教育課程研究協議会の第一日目、全体会議で、本省の上野初等教育課長は「現場における教育課程の編成について」約一時間半の説明を行なった。

これは①学校教育の性格 ②教育課程行政のしくみ ③学習指導要領の改訂④学校における教育課程編成上の留意点等に関するもので、公教育としての学校教育の性格、教育の機会均等の問題から説きおこし、教育課程の基準と現場における教育課程編成との関係について、その筋道を明らかにし法令その他の基準の意図のもとに、現場の実情に即応する教育課程を編成することは、公教育の性格から当然のことであると強調した。これは、教育の本質とその公的管理機能との関連を解明したものであり、参加者に多大の感銘を与えた。

学校教育の性格 ①

実質的均等目指す
学校教育は公教育

教育の機会均等

近代国家は、どの国でも国民の福祉や国家の発展を目ざして、公教育を整備してきております。その整備の段階はその国の歴史的事情によって、いろいろの差はありますが、公教育が教育行政の対象となっていることは近代国家の特性であり、めいりような事実であります。

近代国家では各個人の人格の平等・尊厳を基調として政治なり統治なりが考えられているが、教育においてもこれらの個人の能力に応じて、最も適切な教育がひとしく与えられねばならぬとする「教育の機会均等」が、その理想として掲げられているわけです。

この教育の機会均等の理想実現への進め方は国によっていろいろ違っていますが、形式的観念的段階からしだいに実質的な段階に深まりつつあるのが現在の情勢であろうと考えます。つまり、教育の機会均等とは、

被教育者の素質や生活環境に即して最も適切であり、じゅうぶんである教育―そういう教育を受ける権利を承認して、国家社会がその実現に努力することでありましょう。

現実のこどもたちは、第一に特定の家庭に生まれています。封建時代には、この家庭の社会的地位である門地・門閥によって受けるべき教育にも制限がありました。しかし、これは社会の民主化とともになくなってきました。第二に家庭の経済的条件によって、教育に差等が生じます。

この条件が不利なために、受けるべき教育が受けられない者のために、国は育英制度や社会保障の方策を進めているのであります。第三の条件として、こどもたちの能力の問題があり、第四に生活環境の問題があります。教育の機会均等という理想実現のために、この第三、第四の問題について現在学校教育ではどんな対策がとられているでしょうか。

教育の機会均等は、初め同年令のものは、同年限、同じ学校に入れるという形式的観念論から出発しました。しかしこれは教育というものが、こどもの能力や生活環境に即して与えられなければならないという考え方からすれば、まだ低次のものであり、真に教育の機会均等が確保されているとはいえません。身体の不自由その他心身に故障のあるこどもたちのために、特殊教育諸学校や特殊学級があり、天才児のために天才教育が問題とされますが、そうした極端な場合だけでなく、一般の学級内でも優秀なこどもと普通のこども、とかく遅れがちのこどもがいる。このようにこどもにはそれぞれ能力差があるわけでありますからそれぞれの能力に即応する教育を充実する方向に、公教育は努力されていかなければならないと考えます。そして能力即応の教育を充実することは世界の学校教育発展の傾向でもあろうと思います。

要するに学校教育は、被教育者の個性なり能力に対応して対処する点に二つの問題があり、もう一つはこどもたちの生活環境に即応してこれに対処することが教育の本質から考えられなければならないものと思います。

公教育ということ

これと同時にもう一つの問題は、学校教育は公教育であるということです。いまや学校教育は私塾ではないことです。今の学校は国の行政の対象となり、国民の意思に基づいて法律によって設置づけられた学校であります。ここに国の統一的な理想ということが出てきます。

学校は公的機関として、国民の意思に基づく学校教育法やその施行規則等によって、教育の目的や目標、内容が規定され、その管理、助成、指導が教育行政として行なわれます。しかし具体的な個々

の学校の教育実践は、公務員たる教師によつて、公務として教育活動が行なわれるわけです。

教育課程行政のしくみ ②

編成の原理示す

学習指導要領総則の「一般方針」

教育課程行政のしくみは学校教育法や同法施行規則、地方教育行政の組織及び運営に関する法律（以下地方教育行政法という）などに基づいて成り立つています。

まず国の段階としましては、学校教育法二十条に、小学校の教科に関する事項は、監督庁がこれを定めるとされています。またその百六条には、監督庁は当分の間これを文部大臣とすると定められています。これは新教育発足当時からの考え方です。つまり学校教育法の委任に基づいて文部大臣は同法の施行規則を定め、学習指導要領を定めているわけであります。このようにして教育課程の国家的基準を定めています。

都道府県の教育委員会の段階では地方教育行政法の四十九条に基づいて、法律や文部大臣の示す基準の範囲内で教育水準の維持向上を図るため、地方の実態に即した基準を設けることができることになつています。ですから、教育委員会規則で都道府県の教育課程の基準―いわゆる県基準―を設けることができるわけです。

第三に市・町・村の教育委員会の段階ですが、これも地方教育行政法の二十三条、二十五条、三十三条の規定によつて、文部大臣および都道府県教育委員会の示す基準の範囲内で、地域や学校の実情に即した基準を設けることができることになつています。

第四に現場の学校の段階、これは、学習指導要領の第一章総則第1教育課程の編成の中で一般方針として次のように述べています。

各学校においては、教育基本法、学校教育法および同法施行規則、小学校学習指導要領・教育委員会規則等に示すところに従い、地域や学校の実態を考慮し児童の発達段階や経験に即応して適切な教育課程を編成するものとする。

このように、学校は国や都道府県市町村の教育委員会という行政機関の定める基準や指導助言を受けて、具体的に適切詳細な教育課程を編成して指導を行なうことが学校の任務となつているわけです。

教師の独断専行

これに対して「今度の改訂によつて、教育課程の編成権が学校の教職員から吸い上げられてしまつた」という批判が行なわれています。「教育課程の編成権」ということばは法律の上ではどこにも定義されていないのですが、教育は現場の学校が行なうものだから、現場が教育課程を編成するのは当然のことであります。学習指導要領に述べられている前記の一般方針はまさにこのことを述べたものです。

ただ公教育において、教育が無制限に教師の独断専行によつて行なわれると考える人々にとつては、このような批判が起こるかもしれませんが、そういう公教育というものはあり得ない。基準の示し方は国によつて異なつているが、公の意思表示のない公教育、それに対する管理の行なわれない公教育なり学校行政というものはいずれの国でもあり得ないことであります。

指導要領はいかに変つたか ③

基準性に注意

学習指導要領すみずみまで読むこと

改訂によつて学習指導要領はいかに変わつたかということですが、これにはまず文部省著作物が告示に変わつた点があげられます。

昭和二十二年にはじめて学習指導要領がつくられました。これは当時の学校教育法二十条および同法施行規則二十五条によつたものですが、ただ当時の学習指導要領は文部省が出版権を設定して著作した本であつたのです。そういう著作物によつて基準を示したのですところが今度の改訂では、学習指導要領は、改正された学校教育法施行規則二十五条によつて

小学校の教育課程については、この節に定めるものの外、教育課程の基準として文部大臣が別に公示する小学校学習指導要領によるものとする。

とされ、告示として示されたわけです。

次に、学習指導要領の法的規範性は従来と変わりませんが、その中に示されている基準が今までよりも整理されて明らかにされました今までの指導要領では、各教科によつて記述の内容構成が異なり、示し方・用語などもまちまちでどこまでが基準でどこからが参考なのかあいまいで、現場の指導に混乱をきたし、全国的な水準の維持向上に支障がありました。

今度は、これを改め、基準とすべき事項だけを示しています。これに関連して、今度の改定についての批判では、基準性に関するものが非常に多く、「教師をかなしばりにするものだ。」とよくいわれます。しかし、そんなことは絶対にないのであります。

学習指導要領総則第2「指導計画作成および指導の一般方針」の中の1の(2)で、

第2章に示す各教科の内容に関する事

項は、特に示す場合を除き、いずれの学校においても取り扱うことを必要とするものである。

と述べ、最低基準であることを示しています。しかし、これも、第2章以下の内容の示し方を詳細に見ていくとよくわかるように、基準としての拘束性が物によつて違つています。

用語に注意

これは地域によつてその特殊性に応ずるような弾力性をもたせているからであります。用語にしても次のような使い分けがしてあります。

「……とする」「……しなければならない」＝そのとおりしなければならない要求度の高いもの。

「……を原則とする」＝原則を示して理由がある場合に例外を認める。

「……が望ましい」＝一般的推奨で、できるだけそう努められたいというもの。

基準性について、もう一つよく問題にされることをあげます。

いねときんぎよ

五年生の理科で、内容（1）のアに、いねを栽培して、その育ち方を調べ、環境との関係に関心をもつ。……

というのがあります。これについて、「都会ではこんなことはできるものではない。むちゃだ。」という学者があります。これも、よく学習指導要領を読むとわかるように「3指導上の留意事項」で次のように述べ、「できるだけ……望ましい」とゆるやかな表現にしています。

内容（1）のア「いねの栽培」は、都会地においても、その栽培規模の大小は問わず、できるだけ内容に示したような経験を得させることが望ましい。

また、理科の一年生の内容で（1）のエで

（イ）きんぎよやめだかなどをガラスの水そうに入れてえさを与え、その食べ方や泳ぎ方に気づく。

というのがあります。これに対し「どこの学校でもきんぎよなど飼えるものではない。」と批判する人がいますが、これも理科の指導要領の最後にある、「第3指導計画作成および学習指導の方針」の4で次のように述べており、この批判の当たらないことが理解できると思います。

「4内容中にあげた生物の種名や岩石名などは、その例を示したものであるから、地域の生物や地質などを考慮して、それを学習に生かすようにし……」

要するに、指導要領を注意深くすみからすみまで読むことがたいせつでこれをしないと、基準性がどの程度要請されているか明らかにならないし、いたずらに基準性の幻影におびえることになる思います。指導要領の作成にあたつては、水準の維持と現場の多様性に即応するため、細心の配慮がなされているのであります。

学校における教育課程の編成 ④

公的意思と実態を調整 有効な課程を 編成するには

各学校における教育課程編成の原理は、さきにも述べたように、学習指導要領の第一章総則の第1の一般方針で、「各学校においては……」と示されています。

これによつて学校が教育課程編成のときに受けとめるべき公的な意思はどういう段階でどういうふうに示されているかを示すと、およそ次のようになります。

まず第一に前記一般方針に明らかなように、教育基本法なり学校教育法によつて教育の目的と目標が示されています。教育における人間像はまず第一に教育基本法に示され、また学校教育法でも、小・中・高等学校別にその教育の目的が示されています。

だから学習指導要領には人間像を示していない、教育の目的、目標を示していないといわれが、この批判は、前記一般方針をよく理解しないためであると思います。

とにかく国はこのように法令なり学習指導要領によつて一般的な基準を示し、都道府県はその基準の中で県の事情に即応する地方的基準をつくる。さらにこの県の基準を受けてその弾力性の中で市町村の教育委員会規則が定められその地域の社会事情に即応する教育課程の基準が定められる。このように基準はしだいに一般的なものから具体的なものに、地方的なものになつていく。そしてこれは国民の意思に基づいて国民のために行なう公教育で、国なり府県なり市町村なりの行政機関が国民の信託に基づいて意思表示をしているわけです。

そこで学校では、こうした公的意思を体して、一般方針にも述べてあるように、「地域や学校の実態を考慮し、児童の発達段階や経験に即応して、適切な教育課程を編成する」わけであります。

地域や学校の実態を考慮し、児童の実態に即応するということは、一面からいえば、先生がたの創造的な活動によつて編成されていくものであることを意味しています。そして地域や児童の実態をはあくする力とそれに即応する力とが、先生がたの熱意と能力にかかつてくる問題となります。どこかの学校の教育課程を写してきても、それはほんとうにその学校のこどもたちの発達段階や経験をふまえてその物の見方考え方を伸ばしてゆく教育にならないのです。

要するに学校における教育課程の編成は、一方において公的意思を体するとい

うことと、現場の実態に即応するということの、二条件を調整することによつて特色のある有効な教育課程は編成されるものです。これは公教育における基準と裁量の問題ともいうことができましょう

この問題に対し、極端な意見として、「教育内容については国も地方も干渉すべきでない。基準もいらない。教師に丸まかせよ」という人があります。わたくしどもはこのような意見を出す人に対し「現在どこの国でも行なつている公教育行政というものをどう認識しているか」疑いたくなります。

教育はだれのものでもなくして、国民のものであります。ですから国民の意思をどういう形で体していくかという手続きや示し方の相違は国によつてあるとしても、まつたくこれのない公教育はいまだないのであります。

なお「教育課程の自主編成」ということがよくいわれるのですが、これは公的基準を認めない。教育を私する立場なのではないかと思います。しかし、教師にこどもの教育を白紙委任する国はない。親もいません。教師は医者と違つて国なり地方なりの機能としての公教育のわくの中で、地域やこどもの実態に即応して適切な教育を行なう専門職であります。そこで国は免許制度を通じて教師の能力を国民に保証しているのであります。

地方教育費の実態を見る

（文部広報より）

十年間に三・七倍増

小学生一人当たり 約一万五千八百円

◇公立の義務教育諸学校や高等学校の教職員給与費や学校の維持費・修繕費建築費などにいつたい一年間どのくらいの経費がかかつているだろうか、またこの経費を国や都道府県や市町村がどのように支出しているだろうか地方債やＰＴＡなどの寄付金がどのくらいあるだろうか—こうした経費の実態をもれなくはあくするため本省では昭和二十四年度から毎年地方教育費調査を実施しているが、このほど、その昭和三十三会計年度の報告書を刊行した。これは、調査実施十年目にもあたるので、二十四年以来十年間の教育費の比較・分析なども行なつている。

◇そこで、本号では、この報告書によつて地方教育費の実態をお知らせすることとした。なお、地方教育費の上での重要な問題点の一つとなつている父兄負担教育費については、本年四月三十日、地方財政法の一部が改正され、本年度から改善措置が講ぜられることになつたが、これは号を改めて解説する予定である。◇

総額四、三五五億円

学校教育費が九四％

昭和三十三年度の地方教育費の総額は、四千三百五十五億円。昭和二十四年度に比べると、第一表のとおり三・七倍に増加している。

第一表　地方教育費総額の推移

年度	実額（百万円）	指数
昭24	117,849	100
〃25	149,203	127
〃26	196,741	167
〃27	247,816	210
〃28	296,887	252
〃29	333,330	283
〃30	337,974	287
〃31	360,036	306
〃32	401,582	341
〃33	435,525	370

教育分野別

この地方教育費の内容を分野別に見ると、三十三年度は次のようになつている。

学校教育費約四千八十三億円で九三・八％を占め、教育行政費が約百五十九億円で三・六％、社会教育費が百十三億円で二・六％となつている。学校教育費のうち小学校費は約二千百二十九億円中学校費は約千百十五億円であるがこれら義務教育費に特殊学校費約三十八億円を加えた合計額は学校教育費の約八〇％を占めることになる

第一図　地方教育費の財源別百分比の10ヵ年比較

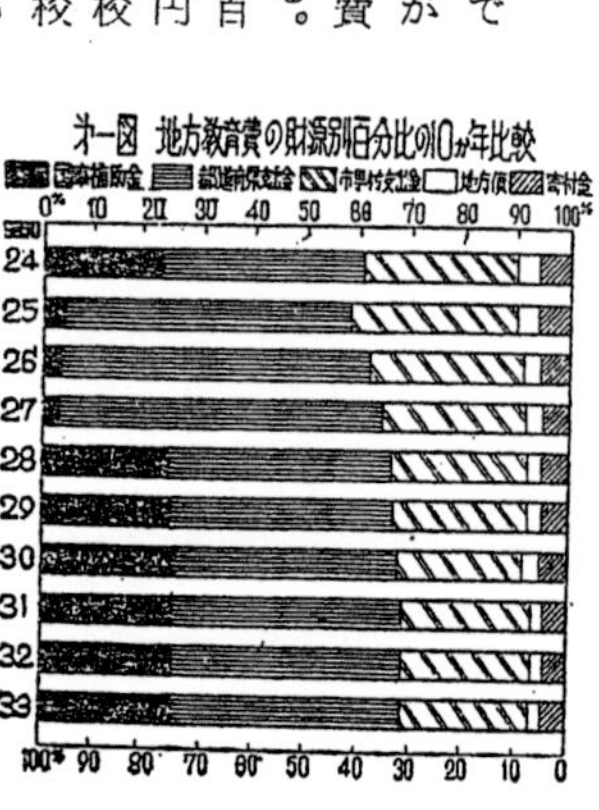

これを昭和二十四年度から十年間の変遷についてながめると、まず、いちばん大きな比率を占める小学校費は、二十四年度の四一・六％から年々増大して三十三年度には四八・九％に上昇、次いで大きな比率を占める中学校費は二十四年度の三六・一％から三十三年度の二五・六％へと逆に毎年減少している。

これは、学制改革に伴う中学校の拡充が最優先にとりあげられていた時期を基準年度（昭和二十四年度）としたために見られる現象で、中学校が整備されるにつれてしだいにある程度押えられていた他の教育費に経費がふり向けられるようになつた事情を物語つている。

幼稚園・特殊学校・高等学校の教育費は年々ほぼ順調な増加を見せているが、特に幼稚園の教育費の伸びの度合いが大きい。これは戦後における幼稚園の施設数、園児数の増加、施設の整備拡充の結

果を示すものということができよう。

社会教育費と教育行政費については特に顕著な傾向は見られないが、ただ教育行政費が二十八年度に著しく増加しているこれは、二十七年十一月から地方教育委員会が全市町村に設置されたことと結びつければ理解されよう。しかしながら教育費全体に占める比重は近年低下の傾向にある。

支出項目別

一八%は消費的支出

昭和三十三年度の地方教育費総額を支出項目別に見ると、消費的支出が約三千三百八十七億円で七七・八%、資本的支出が約八百八十四億円で二〇・三%、債務償還費が約八十四億円の一・九%、国・私立学校委託費が約四百万円という順になっている。

消費的支出とは教職員の諸給与、教材用消耗品類、学校行事費宿日直手当や電気水道ガス費などの維持費、校地校舎などの修繕費、給食職員の給与や奨学費などの補助活動費等である。また資本的支出とは、土地費、建築費、教材用設備、備品費、図書購入費など。

そして消費的支出は、二十五年度の七〇・七%を最低とし、三十年度の八〇・二%を最高として、漸増の傾向線をたどつたが、三十年度以降漸減の傾向に転じ、資本的支出は、これと逆の傾向を示している。また償務償還費の比率は年々上昇している。

財源別

都道府県が45%支出

このような地方教育費はどのような財源でまかなわれているだろうか。まず第一図を見よう。国庫補助金や都道府県の支出金の割合などがよくわかる。国庫補助金の比率が二十五、二十六、二十七年度に四%以下に減少しているのは、義務教育費の国庫負担が、地方財政平衡交付金のなかに組み込まれていたためで国庫負担の実質的な減少を意味するものではない。

昭和三十二年度について、財源別の実額を見ると次のようになつている。(単位百万円)

国庫補助金	一〇四、一三三
都道府県支出金	一九五、〇八〇
市町村支出金	一〇三、八四八
地方債	九、九八九
寄付金	二二、四七五

都道府県支出金が約四五%、国庫補助金が二四%、市町村支出金が約二四%といつた割合である。

なお三十三年度の寄付金のうち「公費に組み入れられない寄付金」は約百八十七億円で、「公費に組み入れられた寄付金」が約三十八億円であつた。

二十四年度の約三倍

生徒1人当たりの教育費

次に各教育分野別の教育費が生徒または人口一人当たり経費においては、どのようになつているかを見る。

まず、生徒・人口一人当たり三十三年度の教育費の実額を見ると第二表のとおりで、学校教育費全体としては、三十三年度は、二十四年度の六千二百九十円の三倍となつている。またこの十年間の増加度合は、二十四年度を一〇〇とすると、三十三年度は小学校が三五三、中学校二五四、幼稚園三四七、定時制高校三一五、全日制高校二九一となつている。また社会教育費は二五四、教育行政費は二九二となる。

第二表　昭和33年教育分野別の生徒1人当たり経費の推移(実額)　単位円

教育分野	金額
学校教育費	**19,431**
幼稚園	12,531
小学校	15,888
中学校	22,152
特殊学校	121384
全日制高校	36,003
定時制高校	28,210
各種学校	14,674
学校通教部	4,352
社会教育費	**122**
教育行政費	**172**

寄付金

小・中学校で百三十二億円

本来、公費によつてまかなわれるべきものと考えられる公立学校経費が毎年その五%前後を寄付金に依存してきたが、昭和三十三年度でこの状況を見ると、前にもふれたように総額は約二百二十五億円で、そのうち学校教育費関係が約二百二十億円を占め、社会教育関係が約四億円となつている。

学校教育費関係のなかでは、小学校が最も多く、約八十二億円で、次が全日制高校の約七十六億円、中学校が約五億を占め定時制高校などは非常に少なくなつているが、それで約八億円、幼稚園は約三億円である。

これの増加度合に目を転じて見ると、寄付金の実額は、中学校費、社会教育費および教育行政費を除いて、各分野とも十年間に二倍以上の増加を見せている。すなわち増加率の最も高いのは全日制高校費で昭和二十四年度を百とすれば、三十三年度は六百六十二となり、定時制高校費(五百五十二)幼稚園費(五百十六)がこれに次いでいる。

ところで、生徒一人あたりの寄付金額の昭和三十三年度分を学校種類別に見ると全日制高校が約四千四百円でいちばん多く、定時制高校は約一千七百円、中学校約一千円、小学校が約六百円である。

〔学校徴収金〕

学校教育のために支出される経費としては、国・地方の公費でまかなわれる経費およびPTAなどの団体や個人による寄付金でまかなわれる経費のほかに、学校が生徒から徴収する学校徴収金がある。

これは、たとえば生徒会費、自治会費、学級費、実験・実習費、給食費、修学旅行費などであるがこの学校徴収金による経費は、公費や寄付金による経費と性格を異にしているので、これまで述べてきた教育費の中には、はいっていない。まず三十三年度の学校徴収金の額を見ると小学校は約二百八十二億円、中学校は約八十二億円、全日制高校は約四十八億円、定時制高校は八億円である。

学校徴収金の支出項目のうち最も大きなものは、小学校では補助活動費の約二百六億円で、これは大部分が給食費（約百九十五億円）であった。教授費は、約六十三億円である。この中には消耗品費約十六億円、その他三十六億円がある。教授費の「その他」には、修学旅行費や特別教育活動費・学校行事費などが含まれている。

中学校においては、教授費の約六十三億円が最も多く、そのうちでも「その他」が約五十六億円を占め、給食費は約十億円となっている。

この傾向は、修学旅行費や特別教育活動費が小学校よりも多くなることと結びつけて考えられよう。これを裏付けるように、全日制高校になると、「その他」の教授費の占める部分が圧倒的に大きく、学校徴収金額約四十八億円のうち、約三十億円を占めている。

〔施設に伴う収入〕

教育施設に伴う収入とは、都道府県または市町村の収入のうち、授業料、入学金、教育機関の生産物売上収入、基本財産収入、教職員の恩給納付金などの教育機関に伴う収入のことであり、これは、二十九年度以降調査してきたものである。

昭和三十三年度の教育施設収入の総額は約二百十五億で、このうち、約百六十九億円は、全日制および定時制高校の収入によって占められている。そうしてその大半は授業料収入である。

東京二万三千円　宮崎一万三千円

小中学校公費

最後に都道府県別比較を小・中学校費で見ることとする。まず昭和三十三年度における小・中学校生徒一人当たり教育費（公費）総額を財源別に見ると、第三表のとおり東京の約二万三千円から宮崎の約一万三千円まで、都道府県によってかなりの開きがあることがわかる。

そして小・中学校の生徒一人当たり経費の高い都道府県は、国庫補助金はもとより都道府県純負担額または市町村純負担額が比較的大きいためである場合が多い。

それにしても各都道府県における生徒一人当たり経費の多寡は、都道府県純負担額や市町村純負担額の多寡に強く影響されているということができ、これを左右する要因としては、まず都道府県や市町村の財政負担が考えられる。またそのほかの要因として、教育を受ける人口（生徒数）の多寡や、学級規模の大小が考えられるすなわち、財政力が大きくなれば教育費への支出も多くなり、人口に対する生徒数の比率が低く、学級規模が小さくなれば、生徒一人当たり教育費は高くなることが一般的に考えられるわけである。

※二一頁下段へつづく

（第三表）　昭和33年度の都道府県別の小中学校生徒1人当たり財源別経費　（単位円）

都道府県	公費合計	国庫補助金	都道府県支出金		市町村支出金	
			交付税充当額	純負担額	交付税充当額	純負担額
全国	16,339	5,434	1,937	4,840	670	3,458
東京	23,456	4,488	0	14,090	679	4,199
鳥取	19,063	7,186	4,403	3,143	990	3,341
滋賀	18,930	6,523	2,637	4,822	753	4,195
長野	18,605	6,240	2,705	4,222	1,045	4,393
和歌山	18,223	6,770	2,459	4,929	809	3,256
石川	17,672	6,037	2,622	3,887	648	4,478
京都	17,648	6,254	3,698	5,413	461	3,822
山形	17,521	6,408	3,160	2,848	1,233	3,872
奈良	17,460	6,129	2,639	4,092	984	3,616
新潟	17,427	5,973	2,715	3,728	1,499	3,512
大阪	17,077	4,723	0	7,551	137	4,667
北海道	17,077	6,265	2,427	3,666	927	3,792
福井	17,031	5,927	3,007	3,547	801	3,749
群馬	16,734	5,333	3,251	4,540	683	2,927
島根	16,593	6,307	3,097	3,321	1,003	2,865
三重	16,575	5,669	2,260	4,461	623	3,562
秋田	16,518	6,009	3,548	2,878	999	3,084
富山	16,466	5,704	2,134	3,913	534	4,171
岩手	16,455	6,003	3,552	2,681	1,232	2,987
高知	16,243	6,136	3,532	3,401	734	2,442
山梨	16,202	6,392	3,443	3,126	921	2,320
神奈川	16,187	4,745	140	6,169	134	4,999
山口	16,160	5,629	1,851	4,210	441	4,029
広島	16,124	5,702	2,066	4,237	623	3,496
愛知	16,102	4,898	193	6,337	178	4,496
兵庫	15,874	5,799	836	5,237	249	3,753
香川	15,666	5,727	2,822	3,216	787	3,114
岐阜	15,509	5,564	2,107	3,855	619	3,364
徳島	15,414	5,534	3,058	3,200	862	2,760
福岡	15,298	5,546	1,102	4,661	333	3,656
福島	15,022	5,523	2,816	2,995	922	2,766
青森	14,913	5,419	2,830	2,700	1,151	2,813
岡山	14,913	5,501	2,537	3,511	563	2,801
大分	14,873	5,667	3,215	3,163	673	2,155
静岡	14,871	5,080	923	4,564	468	3,836
千葉	14,536	5,228	2,012	3,626	681	2,989
埼玉	14,506	5,172	1,720	3,746	668	3,200
鹿児島	14,423	5,917	3,539	2,417	791	1,759
栃木	14,400	5,181	2,474	3,248	740	2,758
宮城	14,122	5,2-6	2,701	2,908	745	2,522
愛媛	14,002	5,272	2,781	3,014	600	2,335
熊本	13,785	5,283	2,770	2,522	763	2,447
佐賀	13,776	5,114	2,703	2,666	656	2,637
長崎	13,500	5,138	2,141	3,228	638	2,355
茨城	13,185	4,962	2,115	3,001	877	2,230
宮崎	13,105	4,944	2,618	2,723	584	2,236

昭和35年度社会教育局行事予定一覧（文部広報より）

行事名	実施期	期間	開催地	行事の対象
青年団体指導者研修	9月	4日	青年の家	青年団体指導者各県二名五大市各一名
全国青年学級生大会	10月	4日	青年の家	青年学級生各県六名
全国青年大会	11月	4日	東京	各県青年
青少年教育担当主事研究集会	3月	3日	東京	県青少年教育事務担当者各二名
全国婦人団体幹部研究集会	5月	2日	東京	婦人団体役員各二名
婦人教育研究集会	6～9月	各3日	大分外三県	婦人学級担当主事と運営委員など
全国婦人教育研究集会	11月	3日	東京	婦人教育指導者事務担当者
全国社会通信教育大会	4・9月	各3日	東京・秋田	社会通教受講生実施団体関係者など
同和教育事務担当者会議	5月	2日	東京	モデル地区などをもつ都道府県担当者など
同和教育研究協議会	10・12月	各3日	兵庫・山口	関係都道府県・市町村事務担当者
全国社会教育委員研究大会	5月	3日	大阪	都道府県・市町村社会教育委員
第八回全国PTA大会	未定	2日	福岡	未定
社会教育研究協議会	6～2月	各3日	青森外三県	県社教主事・市町村教育長など
社会教育職員研修	7・2月	各7日	東京	県教委課長補佐などと・市町村教委関係職員
社会教育主事講習事務担当者会議	5・9月	各2日	東京	幹事県社教課長・実施大学の主任事務担当者など
社会教育主事講習	7～9月	52日	7会場	
社会教育主事講習打合せ会	3月	1日	東京	幹事県教育長、実施大学の学部長など
巡回美術展らん会	9・5・3	各15日	全国六会場	
全国芸術文化指導者研修会	6月	3日	東京	県・市の芸術文化担当者
第六回高校演劇指導者講習会	8月	3日	愛知	高校演劇指導者
四回中学校演劇指導者講習会	8月	未定	東京	中学校演劇指導者
青少年歌劇指導者講習会	未定	未定	〃	社教団体・学校等における音楽指導者
社会教育指導者合唱講習会	未定	各3日	4地区	社会教育指導者
青少年演劇指導者講習会	未定	各3日	7地区	青年演劇指導者
新作教育映画研究協議会	年4定	各4日	各府県	社会教育職員・学校教育教職員
テレビ教育指導研修会	5・6月	各2日	島根外一県	県指導主事・社会教育主事各一名
日本学校視覚教育夏期研修会	7月	3日	東京	学校教育関係教職員
全日本視聴覚教育夏期研修会	8月	3日	〃	社会教育関係職員等
日本学校視覚教育研究大会	10月	3日	京都	学校教育関係教職員等
全国視聴覚教育研究大会	11月	3日	岩手	社会教育関係職員等
放送教育研究会全国大会	11月	3日	京都	学校教育関係教職員等
視聴覚教育技術研修会	2月	3日	東京	県視聴覚教育（技術）関係者一名
著作権講習会	5～2月	各2日	全国六地区	県職員・県教職員・大学・図書館・新聞・出版・放送関係者、興行関係団体その他一般参加希望者
社会教育施設事務担当者会議	4月	3日	青年の家	県社教施設事務担当者一～二名
都道府県・五大市立図書館長会議	5月	2日	東京	
三十五年度図書館大会	5月	3日	福島	全国図書館関係者約千名
図書館職員研修会・博物館職員研修会	6月	3日	東京	図書館・博物館関係者五〇～六〇名
アジア太平洋地域博物館セミナー	9～10月	28日	東京・京都	関係者約五十名
第13回優良公民館表彰	11月	1日	東京	優良約十館準優良約十館
公民館主事研修	11月	5日	青年の家	公民館関係職員各県一～二名
学芸員資格認定	2月	2日	東京	
博物館相当施設の指定	3月		〃	
第九回全国公民館大会	未定	3日	未定	公民館関係者約二千名
第八回博物館大会	未定	3日	神奈川	博物館関係者約二百名

研究教員
嘉味元氏提供

第六回 全国版画教育研究大会に出席して

——会場の鳥取県倉吉市明倫小学校の一部——

↑ 木版
共同製作
小学校六年 8人
170cm×90cm

小学校六年
—四つ切り画用紙—

ドライポント　　中学校2年　　四つ切り画用紙

ドライポント　　小学校四年　　四つ切り画用紙

静岡からの便り

配属校　焼津市立小川中学校

上原　政勝

先日テレビで沖縄のようすが紹介されました五月に入つてからは、二十七、八度の気温が続き、海浜は河童天国で賑わつているとのこと……波の上あたりでしたろうか？

故郷は遠く離れて思うもの……とはよく言つたもので、とかく国際的にゴタゴタ続きの沖縄が無性に恋しくてならない今日この頃です。先生方が日夜明日ある生徒達のために不自由をかこちながらも、懸命に努力しておられる姿が眼に浮んでまいります。

私の方も、配属校の校長先生始め諸先生方のご好意と励ましによつて、思つたよりも早く、こちらのふん囲気にひたり、研究の方もかたつむりの歩みのごとくではありますが、先輩諸氏の手引きによつて、どうやらやつていけるようになりました。

種々さまざまな知人を得たり、先輩を紹介していただいたりしておりますので、今まで断片的な理論の裏づけのない教壇実践のみに終始しておりました私の生活にも、やつと曙光を見つつあります。

ただ懸念されますことは、私自身の問題として、この恵まれた環境で、どの程度私の研究意欲を燃焼させ得ることができるか……についてでありますが、惰性に陥ち入りそうな場合は、激励して下さつた先生方や、生徒のことなどを思い浮べて、精々、己れに鞭打つて、がんばり通してみるつもりです。

× ×

それでは静岡県焼津市立小川中学校を中心にして、教育状況をご報告いたします。

（ご参考になれば幸いですが、なにしろこちらへ配属されて、まだ二月しか経つていませんので、その点うがち過ぎたり、浅い見方だつたりして、真の姿に程遠い点も、多分にあろうかと存じますので、そこはご承知おきの上ご覧下さい）

一　学校職員の雰囲気と指導体制

去つた四月に約半数近くの職員の入れ替りがあつたとかで、校長、教頭他二人以外は、二十代、三十代の新進気鋭の研究意欲旺盛な先生方ばかりです。そのために職員室は意気沈滞することなく、朝から活気がみなぎり、職員会議など意見百出して、少し大げさな言い方をすれば、側にいる私がハラハラする位の状態に陥ち入る場面もありますが、結局まとまるまでは、その場限りのものとせず、二日も三日も論議を続ける傾向にあります。結論が出れば、皆それに従つて行動していくといつたいわゆる民主的ルールをふまえたあたり前の方法ですが、そのあたり前のことをあたり前と感じさせないくらい、実に見事であり、あざやかです。

特に新任の先生の場合は赴任になつたその日から、遠慮することなく、大いに意見を述べあつている点、まことに参考に価するものだとつくづく感心させられました。

今一つ考えさせられますことは、中学校の場合、各教科や、事務分掌による各自の職務を忠実に実行していく傾向が見られ、ややもすれば、それが孤立した領域を作り勝ちですが、こちらでは教科については、その特殊性から沖縄と同様ですが、他の面は全員総がかりといつたすばらしい協力体制と指導体制がみられます。

もちろん、すべての仕事には、それぞれ係がいて、その係から案が出されるのですが、こと全体の問題となると全職員が自分の仕事をピタッと止めて、いかなる問題も自分の問題として真剣に考え、発言を求めています。このことがとりもなおさず、結果的には、あの和気あいあいたる雰囲気を醸し出しているのではないかと思います。

この学校では、職員の同和教育ということが、言葉としては出てこないが日常の生活の中から、その意義を発見し、充分体得しているように見受けます。従つて、こちらの学校の教師の歩調は進み過ぎるのもいないかわりに、遅れるのもいないといつた整然とした体制で、学校教育の目標へ邁進しています。

㈡　生徒の活動状況

この学校に入学した日から、校風にあう生徒として、学校の規則を守る生徒として少しすごみがあり過ぎるくらいピシッとしつけているようです。申すまでもなく、その大事な時期は、入学当初の一年生で四、五月の二月間で徹底した教育をしています。決して「自由奔放」との安易な妥協をしないようです。

（入学当初の一年生は、教師からも上級生からも鍛えられて、多少オドオドしているようにも見受けられま

すが………）

このような訓練を経てくるので、生徒の態度には、しまりがありキビキビしており、そして、とても礼儀正しい生徒になっていくようです。

そのようなことから、沖縄の場合は新教育という七難しい言葉の蔭にかくれて、守るべき人間としてのルールをふまえず、生徒本位になっていたような傾向がありはしなかったろうかと私自身反省しているような次第です。

それでは具体的にこちらの生徒の様子をご紹介しましょう。

① 生徒朝礼

週一回ー月曜日（臨時もある）

整列体形は左図

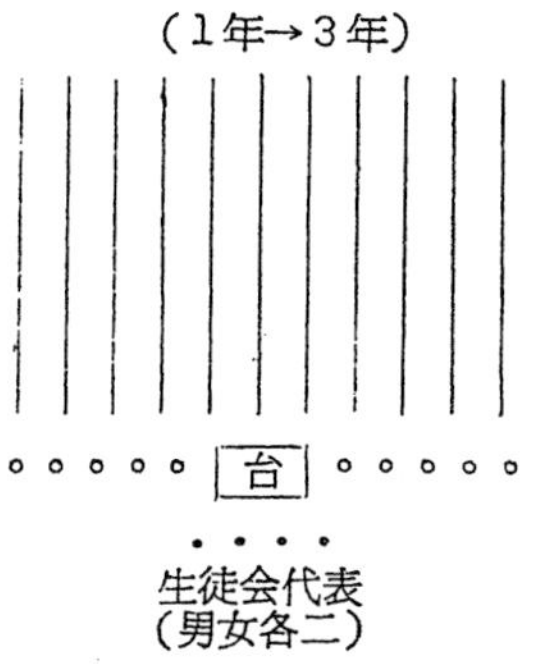

ブザーが鳴って、私達職員がゾロゾロ朝礼場へ出ますと、生徒はキチンと整列し「不動の姿勢」の号令がかかつています。職員も図示されているように、式台を中にはさんで、横にキチント並びます。

（列の中に入ったり、後に立ったりする必要がないのです）

戦前の合同訓練さながらの、この徹底ぶりを見て、驚きました。

（しかし、実際にこの姿を見せつけられると、不思議と批判がましい気持が起らず、やはり学校教育は、このようにスッキリしたものの中から生まれるのではなかろうかと思ったりしております。もし、このことについて、ご意見が伺えたら幸いですが………）

生徒会役員の四人はこれまたてれず、臆せず、威厳があり、新入生など緊張して、いともまじめな顔をして、次々と連絡その他についてのことに耳を傾けています。

さて、このように申し述べてまいりますと、本土の教育は、まるで戦前そのままではないか？と疑問も出てくると思いますので、少し断っておきますが、私がこのようなことをとり立てて、書き綴ってまいりましたのは、新教育の波に押し流されて、ある面での欠陥が学力低下や道徳意識の頽廃の近因をなし、ようやく近年になって、批判され勝ちになってまいりました沖縄の新教育を再検討してみたい底意から抽出してみたわけでして、本土の教育は、逆コースをたどっているのだときめつけて下さらないようご了承願います。

ついでに、沖縄における新教育のよさはよさとしつつも、絶えず、批判することを忘れずに真の教育に向って、互いに歩みたいという念願から、かかる面をとりあげた私の気もちもご了解下さい。

② 掃除について

朝の職員打合わせの前に一回、六時限終了後に一回と、それぞれ二十分ずつの掃除の時間があります。一時限目の始業時間は八時三十分ですが、生徒の登校時間は七時四十五分です。それでも遅刻者がなく、その時間には、全員がキチンと登校し、上衣を脱いで、せっせと掃除にかかります。

教室はもちろん担当区域、職員室、校地のすべてが、朝の二十分間でキレイに掃き浄められ、床はピカピカ磨かれていきます。

わけても気に入ったのは、この学校の東側と北側に普通道路があるのですが、その道路まで庭ほうきで掃き、撒水までしていることです。道行くおとなたちにも、すがすがしい気もちを与えるこの生徒たちの愛らしい行動とその教育信条に全く感激しました。

このように掃き浄められた中に、スマートにそびえたつグレーの校舎、ここで子ども達はスクスクと育っていくのです。

そして、この校舎をふり返える父母達の眼には、幼い頃の想い出がよみがえり、自然に学校との協力の約束が生まれてくるのではないでしょうか。

掃除の時間は、生徒の強制就労の時間ではない。教師による生徒をののしり罵倒する時間ではない。あれもこれも教師たる者にはわかりきったことである。しかるになぜ………？

それは何かが欠けているのだ。確かに何かが欠けているのだ。

これは、いそがしそうにせっせと立ち働くこちらの生徒を見ながら、私のいつもくり返えす「つぶやき」です。

③ 職員室で

生徒「○○ホームですが、先生の明日の一時限目の数学、何かご用はございませんか」

教師「グラフ用紙と三角定規を忘れぬよう伝えて下さい」

これは、日直と名づけられた係が、入れ替り立ちかわり、職員室に来て、担当の教師とかわされる対話です。

いつだったか、病欠の先生がいて、教務主任に私がその補欠にいくよう頼まれたことがありました。職員室の小黒板に補欠指示が書かれて三十分もた

つた頃、二人のリンゴのようなほっぺたをしたかわいい一年生の男の子がひどくまじめな顔をして私のところへ来ました。

「上原先生、今日の五時限目の国語をお願いします。」

語尾が実にはっきりしているのです。

「承知しました。今日の国語にかえて、沖縄のお話をしましょう」

みるみる緊張感がほぐれて、私へ近ずき、あれこれと沖縄のことを聞きたがるのです。

このはっきりしたけじめと、教師に対する親和感には、たとえようもないほのぼのとした感じをもちました。

ホームでは、この係たちが連絡用の背面黒板に書き記します。学級全員の生徒は、ポケットから豆手帳をとり出し、写しとって、明日の準備をするのです。

④ クラブ活動について

中学校におけるクラブ活動は表面ではともかく、裏ではその「存廃論」もでる程まちまちであると思います。沖縄では週一、二時間、クラブ活動の時間が特設されているのが普通だと思いますが、予算上の問題やその他のことで、積極的にやっているところもあれば全く放任の形で、一向見栄えのしない形式的に流れているところもあるのが実状だと思います。(見聞のせまい私の偏見かも知れません)

こちら本土でも、私の見た範囲ではご多聞にもれず、クラブ活動は著るしく学校差があるように見受けました。

しかし、私の配属小川中学校は県下でも屈指のクラブ活動の盛んな学校です。クラブの種類は沖縄と大体似たようなものですが、サッカー等という特殊なクラブもあります。実際の活動内容はちょっと比較になりません。毎日放課後行っていますが、軽装して、さも自分達の時間だといわんばかりに楽しんでいるようです。顧問の先生は、時たま運動場にでる程度でどの部も自主的に行っています。

もっとも異彩を放つのは上級生の下級生に対する指導ぶりです。背も全く同じ位で、制服制帽の場合は、上級生下級生の判別がつきにくいのですが、クラブの時間になると、全くその格(?)が違います。三年生は教師然として下級生の指導に当るのです。

野球部の例を申しあげますと、入部早々の一年生は真新しいユニホームを着て、ボール拾いや基本練習の明け暮れです。

先日隣校試合がありましたが、下級生はベンチの前で、互いに肩を組み、腰をかがめ、盛んに先輩選手の声援に声をからしていました。練習が終われば、クラブの薬缶に水を汲んできたり野球場の小石を拾ったり、雑草を払ったりしています。見るにつけ聞くにつけ、この豆部員達の態度にはいじらしいものがあります。それでも彼等はその辛さをじっとこらえています。否〃将来を夢見て現実の苦しさに甘んじているかのように見えるのです。

放課後ともなれば運動場は一だんと活気が盛りあがり、生徒達は学校生活の楽しさを心ゆくまで味わっているのです。

男子女子、色とりどりのユニホーム、青空にとぶ白球、若鮎の如き発らつさです。

しかし、対外試合ではバレーと卓球以外はそう強くないそうです。

私は思います『対外試合はまあどうでもよい。あんなに健康で、あんなに楽しんでいるのだから勝敗にこだわる必要はないのだ。中学でこれ以上のものを望むことがひいては、クラブ本来の姿をゆがめてしまうのだろう……と

クラブ活動へ失いかけた私の自信をとりもどした感じです。

ちなみにテニスに熱中している二年生の女の子に尋ねてみました。「学校生活でいちばん楽しいことはなんですか」「それは先生、ダーンゼンクラブ活動です」……と、

中学生の興味、要求の一つがここにあったのです。このことをゆめゆめお忘れにならずに、不活発な沖縄のクラブ活動に一だんと拍車をかけて下さい

⑤ 会食について

教科担任制の中学では、教師と生徒との関係が、ややもすれば疎遠になり勝ちですが、この欠点を補い、生徒がなにを考え、どういうことに興味を持っているかなどの心情を知って、有機的なつながりを持続していくためには、どうしても生徒と接触する機会をより多くもたねばなりません。その点、私達の学校でも、会食の意義をみとめ、実行してきたことは非常によかったと思います。

こちらも私達のねらいとそっくりの立場に立っている点、大いに意を強うしている次第です。ただ一つだけ違っている点は、週に一度、あるいは臨時に学年会食というのがあって、その日は学年の先生は宿直室等で食事を共にしながら、学年共通の問題を語り合っています。先にも述べました、一人の悩みを皆の悩みとして考えていくところにこの学校の特色があるといえましよう。

⑥ 沖縄への関心

こちらへ配属されてから今日までの

日誌を繰つてみますと沖縄紹介をした回数が左のようになつています。

(1) 配属校では十五クラスに平均二時間程度
(2) 小学校五六年生二校
(3) 教職員組合の定期大会で二か所
(4) 一般成人の集会で一回
(5) 社会学級開講式の特別講座として一回
(6) 教育雑誌、静岡県出版文化会主催による「沖縄の生活と教育」をテーマとした座談会、静大助教授田中鉄也先生と指導主事富永先生（名護地区派遣主事）と私の三人出席

以上、盛りたくさんの機会が与えられましたが、どの会場でも、異状なほど沖縄に対する関心が深く示され、やはり祖国同胞の温情に感激しております。時まさに安保条約の世論の沸とうしておりますだけに、戦争に対する恐怖心はその雰囲気からも充分感じとられました。特に「戦争の話」は戦争を知らぬここの生徒達の童心をゆすぶり、『ぎせいとなつた沖縄の子ども達をなぐさめてあげたい。ぜひ沖縄の子を紹介して下さい。文通をしたいのです』と申しこむのが後を絶ちません。

どうぞ沖縄の先生方、前途を思い悩んでいる沖縄の子ど達。民俗意識のや薄らぎつつある沖縄の子ども達と、本土の子ども達としつかり手を握らせて下さい。それがおとなたちによる「血の叫び」よりも一面でははるかに現実的であると思うのです。

以上、赴任して二か月間、私の眼に飛びこんできたさまざまなことを書き綴り『静岡からの便り』と題しました。むろん、お読みになつてお感じのとおり、長所のみを意識的にとりあげました。その理由は説明する必要もないと思います。とにかく、この〃便り〃が沖縄の教育にいささかなりとも貢献できれば幸いです。最後に故郷沖縄の先輩諸氏のご健斗を祈ります。

良い品を多く生産する技術教育

配属校　東京都立農芸高等学校
第一回派遣技術研究教員
宮古農林高等学校勤務
与那覇　健

本校の内容については新垣先生からも紹介されておりますので私は畜産の部面だけを書くことにします。「家畜なしは農業なし」と昔から言われているように、いかに高度の園芸農業においても養畜の伴わないものではその経営は少くも土地改良の面において合理化しがたいことは言うまでもありません

従来農業の要素として、土地、資本、努力とされた。しかし近代農業は次第に複雑化してその要素として、合理的な経営とそれを招来する科学知識が加わらなければ他種産業と互して企業性を向上せしめることは困難である

本校はご承知の通り、農業学校として、名実共に日本一を誇つている。先づ畜産課程においてはその目標として、実態に即した高度の畜産経営を行い又畜産物を加工して、優良製品をつくることのできる技術を修得し地域の要望に応じうる自営者、又は技術者を養成している。最も本校は多くの家畜を有することによつて思いきつた実習や実験が行われている。

私は現在鶏の部門、渡辺主任の下で日常管理や、クラブ研究、実験等と毎日多忙な生活をしています。どうやらこの生活にもなれてきたようです。さて、まづ本校の畜産経営の在り方を紹介いたしましよう。

本校では、畜産とそれにつながる畜産加工が農場経営の根幹をなしています。

産業教育として、ある程度の実習規模を持たなければならないことは言うまでもありませんが、本校は有畜農業を営む一農家として生活して行ける程度の規模を目標にして、畜種は畜産加工と結びつけて考えており左の如くなつています。

乳牛＝二五頭、内現在搾乳できるもの十四頭、プラントで市乳製造の原料提供その他、ヨーグルト、バターチーズ加糖練乳等に加工されている。

豚＝五〇頭（大小合わせて）
肉加工、ハム、ソーセージ等の原料を提供する。

鶏＝一二〇〇羽、（成鶏、雛、合わせて）
卵肉の生産、雛の販売、（主に農協へ）

これだけの家畜を維持し日常管理をするには担当教師を始め、生徒達も、苦労しています。教科実習の外に、当番実習があつて理論と実際とが渾然融和しています。一年生は、園芸農産製造、畜産の別なく、牛、豚、鶏、加工に各一回づつ一週間当番につきます。この間に、生徒は各家畜におけるアウトラインがつかめているようです。当番生徒は、朝早くから、日暮れまで、

授業時間を除いて、土日曜に限らず、家畜の世話にあけくれています。二、三年は、二人づつ指導的な役割をおびて、畜産課程の生徒が当り、一グループの人員は、各場とも六、一七、各名程度です。

次に施設々備についてでありますが、本校には目新しい設備の数々が目につきます。鶏の部でその種類と用途を列記してみましょう。

(1) 飼料撹拌機
ねりえを自動的に作る外飼料の配合にも用いている。容量、二石五斗(1/2馬力)

(2) ミキサー
緑餌の細断
五〇〇程度の緑餌なら五分間でできる。(一馬力)

(3) フィード、グラインダー
餌を細かくする、トウモロコシ、や大豆稲等を粉細する。

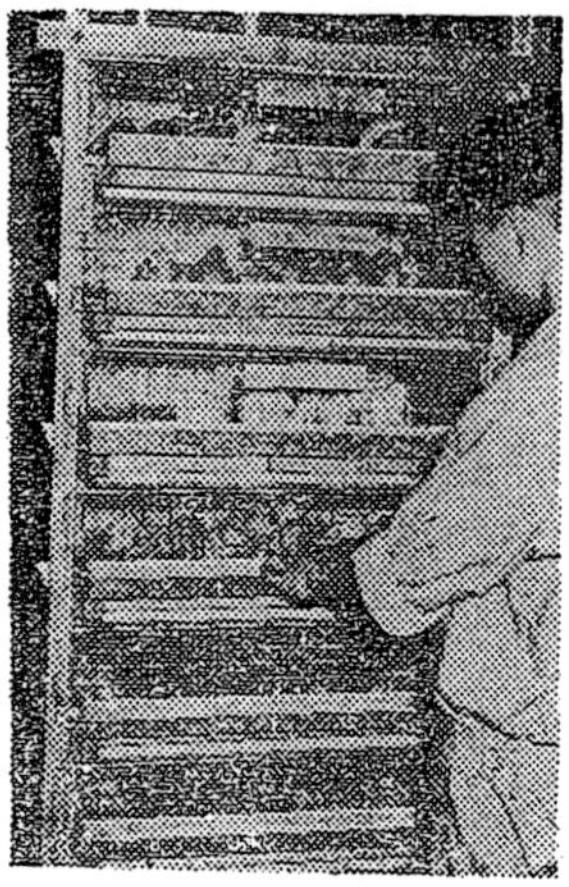

A　(試験区の管理)

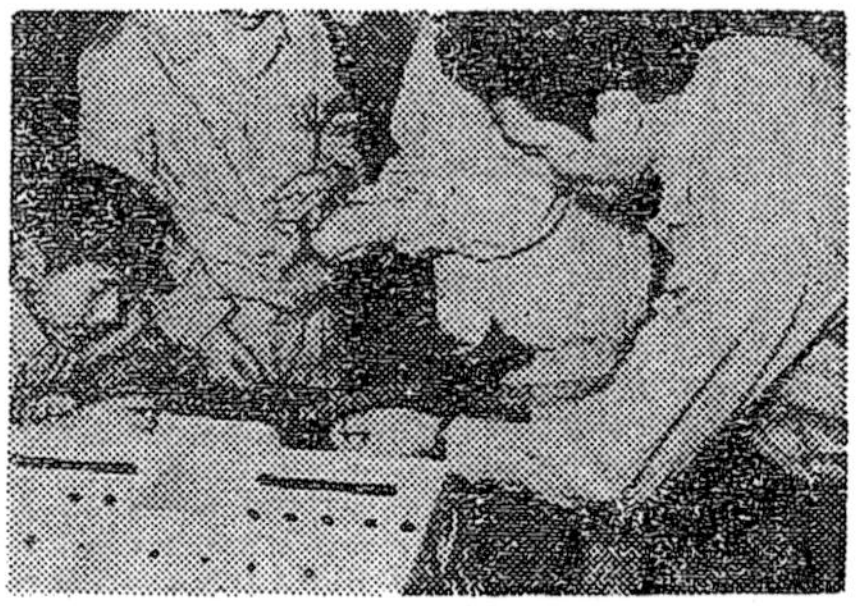

B　(初生時の体重測定と脚帯取付)

(4) 孵卵機(TPT六五〇〇個入)
これにはマイクロスイッチや、オートターナーなどの新しい部品が取付られている。

(5) バタリー育雛器(小、中、三〇〇羽収容四台)
熱源は石炭ガス、ドウコの水をあたため給温している。(写真Aの通り)

鶏舎は二〇年前の建築でやや老朽化していますが管理しやすいように通路管理式に改善されています。その他、コロニー式も四台利用されている。今明年中に鶏舎新築は予定されているそうです。このようにして

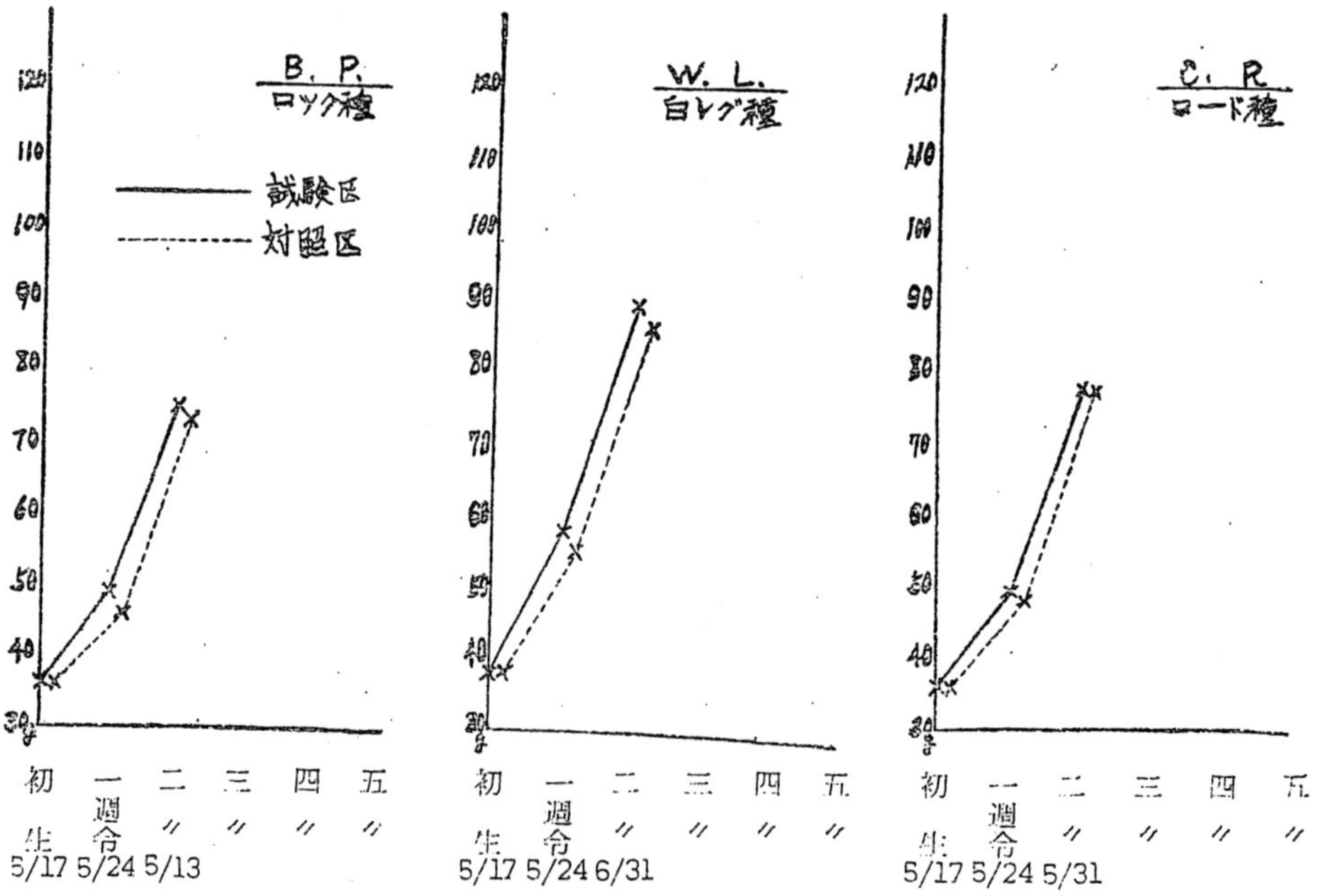

※科学飼料(酵素)添加による発育と飼料効率試験

(2週間までの結果)

試料(酵素は大塚薬品株式会社作
製蛋白質分解酵素(Pro＋case)
澱粉分解酵素(Amylase)
脂肪分解酵素(Lvpase)
現在の処大差は現われないが3週間頃から開きが出てくると思う。

飼料効率
試験区　2.74
対照区　2.6

諸設備が毎日、あます所なく活用されて、本当に予算が生かされていることを感じます。

終りに鶏クラブの活動計画と私が目下行つていることをお知らせします。

(1) 酵素添加による発育と飼料効率の試験

(2) 新品種によるブロイラーの肥育試験

(3) 肉用鶏の肉質改善のためのホルモン試験（オイベスチンヅル、及粒状オイベスチン）

(4) 卵肉授精の研究

人工授精に伴つてこのようなアイデア、も研究している。

現在、私は(1)(2)の研究に従事しいろいろ新知識の吸収につとめています。(1)の二週間の結果は別紙の通りです。こうして一年間各家畜の部門と畜産物加工の面（特に沖縄における飼料と、生産物の問題については計画によつて研修する心算でおります。幸いに校長始め全職員が私達の研修のために特別なご厚意によつてご援助下さいますので敬服いたし毎日楽しく励んでおります。

校長は戦後、アメリカなどにも派遣され「コト」農業に関する限りは博学多識卒先垂範して指導に当られ、積極性に富み、人間性に満ち溢れる人徳の方であります。なお本校は農業生産物商品化の経営技術指導という問題をとりあげていますが、この問題は単に都市近郊だけのものではなく農業振興のため重大な問題であります農業教育の中で技術の教育は特に大切であります、この技術教育をりつぱな商品を生み出す技術でなければ意味がありません。

本校ではこのテーマの下に各部門ごとに特徴のある指導を試み、そして現在も更に続けています。

生徒から受ける感じは都会の中とは思えぬ、真面目さがあり毎日の活動にいきいきとした生気がみなぎつています、これも本校が誇りうる幾多の実績をもち、この学園で真面目に学習すれば、就職に、進学に、又自営に明日の発展が約束されているからだと思います。

今年は創立六〇周年を迎えていろいろの行事が計画されています。去る五月二十九日は都内でもトップを切つて、記念体育祭が行われ、さすがに、都立農芸の土に生きる汚れなき若人の力の競いが有意義に催されました。

では、また折をみて研究の報告をいたしたいと思つています。

配置校紹介

配置校　静岡県立焼津水産高校
勤務校　宮古水産高等学校
与座住安

四月七日配置校である静岡県立焼津水産高等学校の門をくぐつて案内を乞うた。

私がこの学校を訪ねるのはこれで三回目である。一回目は鹿児島大学水産学部の聴講生として航海・運用の実習で日本一周のとき立寄つた三十三年八月のときであります。二回目は昨年十月練習船海邦丸のドック実習のため清水港にきたとき生徒を引卒して見学にきたときであります。三度目の気安さとなつかしさで、自然に応接間に足が向く、応接間では校長先生が机に向つて仕事をしておられたが、私を見るなり、「やあしばらく、いつこられました。」と研究教員で配置されたことを知らないようすであります、事情を話すと、「前から研究教員を配置するからとの話はきいて、見えるのをお待ちしていましたが、文部省から名前も通知していないので、どの先生が来るだろうかと思つていましたが、先生でしたか、遠いところご苦労でした。まあ、自分の学校だと思つて勉強して下さい」。という心安さ、

各先生方にも紹介してもらい、下宿のことについても、いろいろ親切に、心配して下さつて自分で探す苦労もせず、又各先生方が何かにつけ、気を配つて下さるお蔭で、未知の土地でありながら、何の心配もなく現在まで過ごしている次第です。

焼津水産高校は日本の有名な漁港、焼津港を目の前にし、四〇年の古い歴史をもつ、水産の名門校であることは私がいうまでもない、職員数六二名、生徒数七八〇名で、漁業、製造、増殖機関、無線の全日制課程と普通定時制課程、漁業、機関の専攻科に分れ規律と不屈の精神、和を目標に職員、生徒が誇りと、自信をもつて、努力を続けています。

設備について

学校の設備備品は水産関係大学に比べても劣らないと、いわれる程充実しており、どの課程でも、よくこれだけのものを備えられたものだ、と、うらやましく思う位です。

一、漁　業

航海計器室、二十坪のこの室には大型船に備えつけてある、すべての計器機械器具、が室いっぱいに配置され、計器や器具が実際に操作学習できるようにされております。

計器類の主なものは、レーダー、ロラン、ヂャイロコンパス。コントロールスタンド。磁気コンパス。音響測深儀、等その他、船舶に備えつけてある器具を生徒が自由にその技術を習得するのに役立てています。

その他に漁業実習室。製図室、標本室等があり、それぞれの効果をあげています。

二、製　造

八〇、五坪の製造工場に最新式の缶詰機械があり、魚類の缶詰、果物の缶詰、さらに鰹節の製造に必要な設備、すべての工程が学習できるようになっていますが、なお今年は工場の新築と機械の増置計画が決定しています。

三、機　関

五〇〇馬力のデーゼル機関を初め発電装置、まったく、船の機関室をそのまま、学校にもってきた状態。その他「せんばん」やいろいろな機械器具があり、始動から全速、停止までの操作分解組立。部分の製造、修理等の専門技術が学校で習得できるようです。

四、無　線

発、受信に必要な器具機械及び練習用機械が幾台も並べられています。

このように各課程にわたり近代的な実習や技術習得に必要な設備が備えられ日本唯一の設備の充実した学校として各方面から羨望されているようです

五、増　殖

二、〇〇〇坪の養魚池を有し、鯉、鮎、金魚、、ウナギ等あらゆる魚類の養殖やプランクトンの調査研究、餌料効率試験。魚病研究。害敵調査と駆除の研究にわたり、すべての研究調査ができるようになっています。

しかしこのような良い、設備や環境にあつても学ぶ生徒の学習意欲と努力が目的達成に必要であることは論をまたない。

生徒の行動

放課後図書館に集まる生徒、運動場で運動する生徒、各工場に集まる生徒について調べて見た。

図書館　全体の五分の一
運動場　〃　五分の一
各工場　〃　五分の一

図書館にくる生徒のほとんどが専門書を手にしているし、各工場や計器室の生徒は本を片手に機械、器具と取組んでいる。

しつけの面でも礼儀はもちろんのこと、責任感、規律等、船舶の一乗員として実際に役立つ教育が行われています

規律正しく節度ある動作を訓練することは、或る面では軍国主義的だと批判される傾向もあるが、しかし船の安全（航海の安全）といわゆる人命と貨物を安全にして航海するためには、必要であつて、そのため定められた事、なすべきことは最後まで責任をもつて行う、責任感の養成に徹底した方針で進んでいるようです。

このような環境で教育された生徒達がやがて水産業界の中堅として七つの海に活躍し、水産界の原動力となつて漁業発展につくすであろうことを思うと共に、私達もこのような充実した設備で生徒を指導できるようになれば、こちらの生徒より優るとも劣らぬ、りつぱな中堅者を育て上げることができるものを、と、心ひそかに考える、反面、設備の充実していない私達の学校で、どういう方法で、こちらより以上の力をつけてやるかを、いろいろ考えたりしています。

いろいろと良い面ばかりを書いて見たが、それでは、すべてが完全なのかと、いうと、そうではない。悪い面も多い、しかし悪い面を書きたてても別にプラスにならない。我等は悪い面を知るより、良い面を学んで、それを自分のものにすることが大切だからであります。

このような良い面をすべて、生徒達のものにさせると共にそれを土台にして、さらに成長発展させ、すくすくと伸ばしていくことが、我等の願いであり又目的でもあるからであります。

以上、配置校全体のあらましを述べましたが、水産王国としての日本で有数と数えられるこの学校を、いたずらに羨望の念のみをもつて見るのでなくいかにして、将来発展性が、あるといわれながらも、貧弱な歩みを続けている沖縄の水産教育に活を入れるべく、その方法の研究に専念していきたいと思います。

新指導要領けおける

小学校図工科の「役にたつもの」

配属校
東京教育大学付属小学校
嘉味元絮仁

来年度から実施される新指導要領の特色として考えられるのは、感情を軸

とした自由表現の学習と知性、合理性を軸とするデザインと製作の学習、高学年における鑑賞、と大別されていることである。前者の自由表現の学習はもつぱら、絵や版画や粘土その他の可塑材料によつて自分の感情を自由に表現していくのであるから、主観的な学習であるとも言える。後者の知性、合理性を軸とする学習は、自分の感情だけでは処理できない、いわゆる客観をとおして造形的に処理しなければならない学習であるから、客観的な学習であるとも言える。

感情を軸とする自由表現の学習には・絵をかく
・版画を作る
・粘土を主材料としていろいろなものを作る。
（以上は一年から三年までの項目であるが、更に高学年にいつては次のように発展する）
・心の中にあるものを絵で表現する。
・外界を観察しながらそれを絵で表現する。
・版画を作る
・彫塑を作る
などの内容事項があげられ、
・知性合理性を必要とするデザインと製作の学習では、
・模様を作る（一・二年）
・デザインをする（三・四・五・六年）
・いろいろなものをつくる（一―四年）
この項、高学年では、
・役にたつものをつくる、
・構成の練習をする、
・機構的な玩具・模型の類をつくる。
作品鑑賞として・
・作品を鑑賞する（五・六年）

五年生の作品　状差し（1）

と、以上が新指導要領の内容になっているが、旧指導要領の工作が新指導要領では自由表現の「版画を作る」「粘土を主材料としていろいろなものを作る」項目と、客観的な造形処理を必要とする「いろいろなものをつくる」項目とに分割されている。

前述の内容の中にもあるとおり「いろいろなものをつくる」という項目は五・六年では「役にたつものを作る」「構成の練習をする」「機構的な玩具・模型の類をつくる」と三つの項目にわかれているが、ここでは、それらの中の「役にたつものを作る」の項目だけについて述べてみたいと思う。

「役にたつもの」ということはおとなの側からという場合と児童の側からという場合とに考えられるが、学習の場としては、児童の側から役立つものとして考えた方がよいのではないか。更に、児童自身の立場であつても、遊びに役立つものであるか、学習に役立つものであるか、装飾に役立つものであるか、その他いろいろな役立てる目的は違うと思うが、いずれの題材にするかは、児童の欲求、教師の指導のねらいによつて変わると思う。

どの題材を取り上げるにしても自由表現の学習ではないのであるから、どこまでもその題材の機能上の条件を吟味しながら、その条件に合うように学習を進めていかなければならない。

更に、「美と機能の調和」ということも大きなねらいであるから「デザインをする」の項目との関連を考えて、美と機能の調和を一層はかりたいものである。以上のことから言えることはこのような題材の学習は「条件吟味の学習」であり、それに「美」との調和

五年生の作品　状差し（2）

をはかる学習と言える。

そこで、製作上のサンプルとして状差しを取上げてみたいと思います。

先にも述べたように、製作に当つて最初に考えなければならないことは、児童との話合いによつて状差しの機能や製作上の条件などを列挙すること。施設・設備・費用の問題で材料も限られると考えられるが、新指導要領の「役に立つものをつくる」の五年生では、使用させる材料として各種の紙・粘土・竹・木板・針金・板金その他身辺にある材料とあり、木材の切り方・削り方・曲げ方、接合方法などの初歩、板金・針金の切り方接合方法などの初歩を会得させ塗装の経験をさせる、ということが示されているので、一定の材料や用具に固定することなく、できるだけ広範囲にわたつて学習の場をもち、種々の材料、用具についての経験をさせて各々の性質を体得させるべきだと思う。

もちろん、ここでは状差しであるから材料としては厚紙や板など容易に手にいれやすいものでできる。或いは竹や針金などを使用したら、もつと変つたデザインの作品ができることも予想される。板を使用する場合の塗装仕上げは、割合簡単な方法として、砥の粉を塗つた後に絵の具で着色し、その上を透明ニスで着色すれば、りっぱに仕上げることができる。厚紙を使う場合は、品物のレッテルや包装紙などを適当に組み合わせて貼れば効果が出てくる。なお板の接着は市販のボンドで児童でも容易に接着できる。

写真の状差しはいずれも板を使用し右の方法で接着し、絵の具で着色して透明ニスで塗装した作品である。

（五年生の作品）

私の研修生活

上野忍岡高校
知念トシ

産業教育振興のための第一回技術研究教員として「テーラードの技術研修とデザインの研究」をテーマに渡日してからもう三か月になります。その間、文教局と文部省側との考え方の相違もあつて期待していたような充分な技術の研修はできないけれども、配置校のご厚意で当初の研究に手をつける事ができるのをありがたいと思つています。

本土では産業教育の振興は以前から行われいて、私の配属校である上野忍岡高校も昭和二十八年六月に産業教育研究指定校としての内示を受け、三十年六月には研究の成果を発表しています。校長は家庭科教育に深い理解と関心を持たれ担任の先生方もそれぞれベストをつくして指導にあたつていられるが、施設設備等は貧弱で同じ産業教育振興の対象の中にありながら他の課程にくらべて家庭科の比重がいかに軽いかを思い知らされてがつかりしました。

以下配属校の概要とテーマ選定の理由と研究内容を簡単にお伝えして私の責をはたしたいと思います。

一　学校の概要

上野忍岡高校は家庭科課程が設置されている東京都に四つしかない都立の高等学校のうちの一つで、それも都内にあるただ一つの学校です、他の三つの学校は都心から近い所でも電車で約一時間はかかる隣接市にあります。上野駅から西南に徒歩で十五分位の中小企業の工場と商店のある何時も煙でうす汚れている街の中にあつて、学校環境としては余りよい場所ではないように思えます。創立は昭和十二年に女子商業学校として出発し現在は商業課庭（二）家庭課程（一）が置かれています。元来が女子系の学校のために現在でも男生徒の数が非常に少なく在籍九百名の生徒数に対してその1/10にも満たない数です。

校舎は鉄筋コンクリートの三階建で堂々としていますが特別教室の数が少なく教室も小さく。家庭科の教室（被服室）も不足ですし設備等もあまりととのつていません。その上研修室がないために職員室は荷物の山でどの先生の机の上も半分は教科書やその他の書類に占領されて向いあつた先生の顔も立ち上らなければ見えない位です。

そんな職員室に四十人の先生方が出入りしているので落着いて本も読めない状態です、それでも体育館、更衣室保健室、便所等の設備はととのつて生徒の保健衛生面には充分な注意と管理が行われているのがわかります。

通学地域は広く随分遠距離（国電で九十分位）からの通学生もいるようです。

父兄の職業は商業や勤め人が大部分のようで経済的水準は中位、性行面では一般的に見て男女共におとなしくこれはと思われるような生徒は見あたりません授業態度も真面目で時間内の仕事はその場でやりとげる習慣がつけられています。

クラブ活動等も盛んで毎日放課後一二時間程度集まつては、楽しそうにや

つています。科目の選択で普通高校と変つていて面白いと思つたのは男生徒が食物を選択していて女生徒と一しょに調理実習等をやつている事です。この学校の男生徒は少ないせいか多分に女性的な感じがいたしますがそれでも矢張り男の子で、先生が実験用に大切に取つておいてあるブドウ酒をこつそり頂戴して赤い顔を見つけられ先生をあわてさせたりもいたします。一般に普通高校の生徒と違つて割合にのんびりした高校生活をおくつているようです。

二 テーマ選定の理由

被服課程の卒業生が農工商水産等の高校卒業生と比較してそれぞれの専門技術において何等そん色のない状態で社会に進出し被服産業人として活躍するためには現在の教育課程によつて修得する事ができる技術以上に幅の広い高度の技術の錬磨が必要でありそのためには女子にはまだ未開拓の分野である男子服の技術修得が必要であると考えます。

三 研究の方法

(1) 自ら男子服の裁断縫製の技術を修得する事によつて、実際のカリキュラムの中にどのように取り入れるかを研究する。

(2) 被服課程設置校のカリキュラムの実態調査を行いカリキュラムの検討及び専門教科必要単位数の検討をなし、適切な技術指導を行ないたい。

(3) 大学、高校の施設設備の見学、及び職業訓練所、既製品工場等の見学、研究発表会、講習会等へ出席する事によつて指導法を研究する。

(4) 生徒の実力向上のための技術検定の研究

以上を目標に研究を進めていますが、果してどの程度までやりとげる事ができるかと、あせつたりもいたしますが、ともかく、できるだけの努力をして帰りたいと思つています。

小学校の教科時間外の体育管理について

配置校
東京都中央区立日本橋城東小学校
大城朝正

一九六〇年度の小学校体育指導書に示されている体育学習の時間数は一か年の総時間数一年一〇二、二～六年一〇五、と示されている。またこの時間の中でも雨天とかその他の気候異変によつて、思うような活動のできない時間、行事その他で全然学習することのできない時間、この僅かな時間において体育科が目ざす目的を達成するように努力はするが、これのみで達成されるとはだれも考えないし、また指導要領も教科時外（自由時間）のことも述べているのであるから、教科時、教科時外を含めて体育科の目標達成を望んでいるわけである。

学校における教科時以外の時間（自由時間）をいかに捉えるか、この考え方からくる経営管理の基本的態度がはつきりされていないで、漠然として惰性で自由時といえば、クラブ活動がなされたり、校内競技の運営がなされたりして右に左にさ迷い歩くような過程がくりかえされているだけである。そこで教科時以外の時間をどのような基本的態度で運営し管理しなければならないかが問題になるのである。しかし現場では十分了解していることであるけれども理論と実際の板ばさみになつてしまつて常になやまされている幾多の困難な問題が横たわつているのである、

先づ第一に考えられることは毎年毎年新しい仕事は増加してくるのに古い仕事は全然整理されないで、研究することよりもこれらの仕事から派生する雑務に忙殺され、無駄な会議を数多く開かなければならないような状況である、このへんで行事や事務やその他全面的に整理をし簡素化、能率化ということを考えなければならない、

第二の条件としては運動や遊びの場所の場からくる制約が非常に多くて、全児童がいつしよに遊ぶという場所的な余裕がない、したがつて教科時以外はほとんど運動場も運動具も使うことはできない、この問題については地域によつてかなり相違があるとおもうが都心特に千代田、中央、港、台東などの各区は条件がほとんど同様だとおもうわずか三〇〇坪そこそこの運動場に千人も千二百人もいるのであるから、一坪三人乃至四人ということになる、児童は旺盛な運動欲求を持ち、運動に対する興味や関心が強いのであるが、このような身動きもできないようではとても児童の運動意欲を満足させることができない、

第三条件としては児童の安全という立場から、予定時間が終了すれば全児童が下校して、それ以後は絶対校門をくぐらせないという厳則を定めるような処置をとられる処もあるようであ

る、しかしこうした処置の安全性には疑点を持つものであるが、仕事や研究のために児童を管理するということができなければ、安全教育の立場から全児童を下校させるという処置をとるよりほかに方法はないのである、やむを得ない処置かも知れないが、下校した子ども達はどうなるであろうか。

児童にとっては自由時間でも自分たちの興味や欲求に応じて思う存分行動のできるこの場は封鎖されてしまって身動きのできないようになってしまう日曜、祭日も、もちろん校門を堅く閉ざしてしまって、児童たちは垣根越しに眺める校庭は富士の高嶺的存在になってしまう。こうした日には、友だち同志でまたは家人と映画に行く。パチンコをやる。道路で遊んで叱られる。公園の片隅でグループを作って不健全な遊びに一日をすごす。または一日中家の中で読書とか、その他非活動的な遊びで終日をすごすということになる。暑い時にせよ、寒い時にせよ、何という児童のためには悲惨なことであろう。

こうした児童のやるせない気持は生活の多面に善悪の別なく表われて、新聞紙上をにぎわす問題にまで発展するようなことも間々あるので、私達は禁止をする前にもっと打つべき手を研究しなければならない、しかしこれらの処置も決して方法がないではない。児童のことを十分考え、安全教育という立場に立っての最後の処置であったことにはちがいない。

しかし、反省されることは何といっても消極的な方法であったことだけは認めなければならないのである。こうした問題のかげから子どもたちは救われようとつぎのような動きが現われてきた。

或る日の放課後である、一人の児童が「先生いらっしゃいますか」とたづねて来た、そして、第一の質問が、「先生、私たちは運動したくてしたくてたまらないのです、どうして運動場をかしてくれないのです」と、その顔はいかにも不満と憎悪で一ぱいである。それもそのはず、まばゆい程の太陽の光を受けた校庭は人一人いない、ひっそりとした絶好の運動の場である、「そうだね、君の質問もわかるが全校児童会でもそのようにきまっているので、君にだけ貸すわけにはいかないから、お帰りなさい」、と答えた。けれどもその児童は帰る様子はなく、なおも何事かを聞きたい様子である。そして次にでてくることばには切々と胸に迫る苦悩が語られていた。

「先生、私のお家はお店でしよう、品物が一ぱいで、私たちの居るところもない位なんです、お勉強もその荷物の上でやるようなしまつです。お家の人に外へ行って遊んでこい、おこずかいをやるからって、おいだされてしまったんです。公園へ行けば大きい人たちがキャッチボールをやっていて私たちの遊ぶ所は少しもないのです。しかたがないから道路で遊んでいたら、あぶないから道路で遊ぶのではないと巡査にしかられる、友達のお家のろじでパチンコをやっていたら、学校の公安部のお友だちから注意される。映画にも行けないし、何から何までみな禁止されたら、遊ぶことは何にもないのです。しかたないからこの間は公園の木にのぼっていたら、よそのおぢさんが『学校の先生がそんなことをしてもよいといったか、あぶないからやめるんだ』なんていうでしよう。私たちの遊ぶことは何にもないのです。あばれたくて、あばれたくてしかたないからぜひ校庭を貸してください」、という訴えに何とも云えないのであった。

そこで、「君の話はよくわかる、けれども今日すぐ君に貸すというわけにゆかない。しかしこれから先に貸りようとすることはできないことではない。方法さえ考えれば君の希望はかなえられる、その点を考えたらどうか」、

「先生それでは学級児童会で問題として取り上げ、全校児童会に持っていって問題として出し、よく相談してみればよいのですか」

「そうです、そうなれば何とかなるでしよう」、こうしてこの問題は直ちに学級児童会に提出され、おたがいが活潑な意見をだして、ぜひ、運動場の開放をと叫ばれ、問題は全校児童会に提案され、審議の内容は極めてしんけんでこれ程熱のある児童会は稀であった、そこで児童会としては、

㈠　私たちの遊ぶ場所がない、そのためによくない遊びをするものが多い、であるからぜひ運動場を開放してもらいたい、

㈡　遊び方についてはよく先生と相談してやるようにする。ということで学校に申しいでがでた、そこで学校では直ちに職員会議がもたれた、そして全校児童会よりの提案について全員一致了承した。ただそこに問題として残されたことは責任問題、最終責任は学校長にあることは今更のべるところでないが、それ以前の責任問題である

第二の問題は指導管理の問題でそれについて、(イ)運動の場をどうするか、校庭だけか、体育館か、なお屋上もか(ロ)指導する内容を一応限定すべきである。そして指導者を専任すべきである(ハ)職員の時間的問題、そのためには事

務の簡素化、能率化を図る。(ニ)開放時間をなるべく長くしてやりたいが、そのために起こる種々の事象を考慮して時間を定め、これを確実に守らせる。(ホ)以上の問題点をよりよく検討し具体案作製のため委員会が設置される、同時に全校児童会にこの旨回答がなされ全校児童からも代表者が選出され、ここに職員児童一体となつての特別委員会が組織され、微に入り、細にわたつて検討される。そして委員会によつて作成された実施計画は次のようである。

①開放の場所は校庭、体育館、屋上とする。②開放の時間五、六、七、八九月は五時、四、十、三月は四時半、十一、十二、一、二月は四時とする。③運動種目は野球型式のものは遠慮する。④運動用具も全面的に開放する。ただし学年に適さない運動はやらないようにする。⑤自由時間だからといつてしつけをみだすようなことはやらない。以上のようなことで運動場開放が実施された。児童の喜びは言語に絶するものがあつた。ところが数日の後にはこんな問題が発生した。

「先生○○さんがぢやまをするんです」「先生大きい人たちが来てボールを取つてしまつたんです」男の子は私たちに鉄棒をやらせないのです」「先生、何年生は、ここは僕たちの場所だから、はいるのじやないといつて占領してしまうんです」、こんな苦情が毎日毎日何十件となく持ち込まれてくる。

そこでこのような問題であるから、全校児童会で話し合えば解決することなので全校児童会に苦情処理をする。公平に、安全に、そしてよりよい体育的な経験を通して体育の目標達成に協力するように指導した。それで一応今までの苦情も解決したかに見えたが、またも数日の後には、申し合わせの事項を利用する一団の動きができて再び苦情が持ちこまれて来た。「先生、男の子が私たちのやつている所へきて野球をやるんだから、お前たち屋上へ行け」、つて云うんです。屋上はほかの組がボールをやつているんです、私達のやる場所がないのです、」「先生、私達はどうしたらよいですか」、その児童たちの顔には悲痛な色がただよつて今にも泣き出さんばかりの哀れな表情には大都市の悩みを痛感する。

そこでこうした場合の問題の処理はいろいろある。簡単に数秒で解決する方法や、またよく話し合つて解決される方法と、まず野球のグループ（A）と苦情のグループ（B）との話し合いから、（A）からは「野球も体育だ。この間先生からいろいろな体育を経験して体育の目標を達成するんだとお話を聞いた、だから野球もりつぱな体育であるから野球をやつたのだ、第一こんなおもしろい運動はない、放送を聞いていても頭がすうつとするよ。それを実際に経験しているんだもの、おもしろいにきまつている。女の子の遊びはどこだつてできるんだ屋上でやればいいぢやないか、と話の裏をかかれる。（B）グループは「こんな狭い場所で野球などとはとんでもないことだ、わずか二〇人足らずの人数で校庭を占領してしまうなんて横暴だ」、と逆襲する。

再び（A）グループからは二〇人足らずじやない、こんなに大ぜいよろこんで見ているじやないか、僕らのファンだぞ」、と応戦する。（B）グループからは、「見る体育、聞く体育では意味がない、行う体育でなければだめだ、と一歩もゆずらず対戦した。

さすが（A）グループの男子組も理論においては旗色がわるくなつてきて歩みよりの状態を見せた。「体育の時間には絶対にやれないのだから、せめて自由時間だけは野球をやらせてくれ」、と哀願していた。ここにもまた文化都市東京、都心の中央区の現滅の悲哀を感じる所である。

（B）グループは、「あなたたちのいつていることはわかる。気の毒だとおもう。けれど大ぜいのお友だちを犠牲にして自分たちだけ満足するということは民主的でない」、とまたまた大上段から一刀むくいられる。ことここにいたつて（A）グループも、最初の申し合わせを守ることになつて一段落ついたわけである。

話を一転して体育目標が身体活動を通して、身体的、精神的、社会的発達を目標に最高の自己表現を目標としている。しかし前述のような短時間では単に体育の基本的な運動法の指導とその運動に対しての興味のいとぐちを作る程度の時間しかない。ここに活動力の溢れる児童の要求を満たし、健康のための生活も満足させるためには、教科時間外の体育指導が重大な使命を持ち、その指導が重要視される所以である。

前述の児童の要求は単なる遊び、単なる遊びの場の問題にすぎないが、指導者の位置にあるわれわれは、これに位置づけをしてその指導の効果をねらうことが教育的であるわけである。しかし現在の職員の仕事も実に多忙であることはよくわかるのであるが、事務屋でなくして、児童をしてよりよい生活がなされるように指導することが大切である。

そこで、先づ始業より終業までの自由時間、休憩時間、これを一単元としさらに放課後一定時間までを一単元ときめ、前の一単元はいかなる理由があるにしても、体育という立場を離れても安全教育ということで指導し、全員がこの単元には各々の場において指導監督をしなければならない。教室内にとじこめられた雰囲気の中で児童の自由時間こそは天国である。思う存分あばれまわる運動をする、この時こそ十分な管理をして事故の防止、安全教育の徹底を期さなければならない。そのため各学校とも全職員で管理することを立て前にしていることと思うが、事故を起したその場に先生が一人もいなかつたということをよく耳にするわけであるが、事故はこのような目の届かない処に起るものであることを明記しなければならない、そしてその遊びの場ごとに責任者を配置して、管理状況児童の活動傾向、その他くわしく記録しておいたらば、いろいろの参考資料となつて意義あることと思う。しかし往々にして型の変つた看護当番などということで数人の係で一日中管理に当る方法でやつているところもある。

この方法には何等積極的な面はないそのような義理ですませるような方法は改めてもよいのではないだろうか。

次に第二単元、放課後の指導管理については児童数も少なくなることと思うので、できるだけ何名かの職員が指導と管理をかねて校庭に出ることが望ましいように思う。

次に運動場の開放とその管理の面とそれと並行して用具の開放と管理の問題とが考えられる。例えば鉄棒から落ちたのであぶないから使わせないとか、跳箱で足首を痛くしたのであぶないから使用禁止をしたというような極めて簡単な理由で一切を禁止するというような処置をとることが非常に多いようである。予算その他の種々の関係で思うような施設をすることのできない現在、無理をして作つた用具位は最高度に利用させてやりたいものだ。

教科時間中では多くても数回位しか手をふれられないような器械もあるはずである。こういうことでは児童も興味もなければ親しみもわかない。また大きい友達のやつているのを見て、全然経験のない自分、おもしろそうだからやつて見るということで思わぬ失敗をして、他に迷惑をかけることもあるのである。

前述の管理の方法と指導過程を重視し、循環漸進、基礎を身につけて順次発展するならばこれらの事故は未然に防止できる思う。仮りに千人の児童数の中で不幸にして一人の事故者を出したと仮定して、他の九九九人はそのために一切を禁止されてしまつたとしたら、これらの児童の体育的な面から来る恩恵には皆無である。

その事故がどんな理由で発生したか、今後に予想されることは絶対に防止することは無理な状態にあるか、そして今後も度々発生するようなものであるかどうかを十分考慮して最後の処置をしなければならない。

教科時以外の体育の重大なことを考え正課体育と相まつて、綿密なる実施計画を作り、予期の体育効果の発揚につとめてほしいものである。思考行動の迅速確実度の発達の場面は一つには行動の場面であると共に、この行動を生み出す思考の場面である。状況に応じて適確に思考し、行動することは体育の場において極めて重要なことであろう、であるからこのような精神的、理知的な機能の向上に対する運動を加えることも大いに必要なのである。特に都市学童の交通事故による傷害度の高い車を見ても、この安全教育の徹底ということが痛感されるのである。このような意味からも、単なる一、二の傷害から、一切の用具器具の使用を禁止することは妥当な方法とは考えられないことである。

次に運動場の開放としつけの問題について簡単に述べたい。いままで校舎の内外にちり紙一つなく整理整頓されていた場所が、下校の合図と共に三三伍々子どもは家路に急ぎ今までのそう音はハタと止んで、コチコチきざむ時計の音が聞えるような静かさになる。

子ども達の遊んだ後には淋しく取り残されたボール、あちこちにかすかにゆらぐ風に時々体を起す紙屑がある。なぜ折角清掃された場所がこんな風情を残すのであろう。ちり紙、キャラメルの包み紙、あれ程子ども達がだれに云われることもなく、そつと拾つた紙屑が放課後となると拾おうとするものがないのか、それならばあれほど愛らしいと思つた子ども達は、内面には何を考え悪意を持つて仮面をかぶつていた悪童であつたか、しかしあの純真な彼等にはそんな気持はみじんもないのだ。それは完成途上にある児童の一断面であつて、学校生活においての指導は徹底していたが、それ以外の場所においての指導には、不幸にして力が及ばなかつたと見るよりほかにない。それは児童は一度家に帰つている。そのために学校内ということに錯覚を起していると善意に考えるとしても、この辺に体育指導と離れて生活指導の面も反省できる。こうしたことから彼等

の心理的傾向を見た時に前記のような傷害の起る直接原因にもなつてくるのである。

教科時は申すまでもなく、教科時外自由時間といえども常に一本に結びつけて、しつけにおいて、態度において技術の進度において十分考えて、指導の任に当るよう強調してやまない次第である。

最後に、明日への明るい祖国を描いて、現実に四肢をふまえて、常に理想への到達を希望し、心からの喜びの中に刻々の命を健かに開拓して社会性を健やかに指導しようと念願して止まない。体育は、児童の全生活に目を配り身体的な諸領域に豊かな実を結ばせようと努力に努力を重ねていかなければならない。体育がその成果を十二分に挙げ得なかつたことには、無理からぬ理由はあつたであろう。しかし祖国をして平和な文化国家として、世界の先進国に追い着こうとするならば、日本人の真に健全な精神と、頑強な身体が要求されなければならない。そのためには体育が生活へまで深くくい入つていかねばならない。どこまでも科学的な理論、合理的な基礎の上に立つて具体的な体育を打ちたてていかなければならない。

道徳教育について共通の理解をもつにはどうしたらよいか

東京都北区立神谷中学校
幸喜伝善

道徳指導上の困難点として実態調査の統計でも、「共通理解の不徹底、道徳観の相異云云」と大部分の教師が指摘しているように実施以前の問題が残されている現状だと思う。

先ず私たちは校外校内の研修会に参加し、全職員の道徳教育に関する考え方の最大公約数を、生みだすことであると思う。もとより道徳的価値に対する考え方は、各個人によつて異なるのは当然なことであるが、しかし公教育としての学校教育では、全職員が道徳教育に関しての基本的な考え方を、一応理解して共通の広場をもたなければならない。お互いに共通の広場をもつためには、先ず教師の人間関係を、スムースにすることであり、お互いに自由に物が言えるような状態でなければならない。また教師がお互に、はだかになつて自由に物を言える状態でなければ、教師と生徒の間の人間関係もうまく行かないと思う。道徳教育の研修には、特に先ず第一に望ましい人間関係をかもし出し、その上に立つて、道徳教育に対する考え方や方法について共通の広場をつくることが大切である。考え方や方法の共通の広場をつくりあげるには、いろいろの方法が考えられる。そのひとつの方法としては、理論的に道徳教育について話し合つていくやり方である。理論的に深めていくことは、大切なことであり、その学校の道徳教育を質的に高めていく、有力な方法と考えられる。しかし理論的な方法だけにたよると、往々にして各教師の人生観、世界観、イデオロギー教育観によつて、甲論乙駁で議論はつきないようである。この方法に対して眼の前にいる子どもの問題をとりあげて、話し合つていく方法である。現実の子どもの問題はまつたなしで毎日のように発生してくる。たとえ世界観はことなつても、具体的な子どもの問題になると、一致した見解が成りたつ場合が多いことは、われわれの経験するところである。理論的には対立した場合でも、具体的な問題については一致するところに、共通の広場を求める機会をとらえることができる。道徳教育に関した共通理解が成りたつてはじめて具体的計画や目標も、組織も可能になつてくる。そのために次のことをしたらどうだろうか。

。他の学級などの問題も、ぜひ知らせてもらいたい。行きづまつた問題は同学年で応援してもらいたい

。実践現場の実状を話し合い、理論化しさらにそれを実践にうつし、向上させて積み重ねていく。

。道徳の授業をお互に参観し合い、批判し研究をすすめる。

。話しよい職員会議にしたい。単なる伝達だけで決定になつてしまつたりしないように。

※ローマオリンピックは盛会のうちにすんだ。金メダルが皆無かと心配していたところ体操で有終の美を飾つた。

※競技の記録は国際舞台では最早人間の限界だと言う。科学的研究と修練が高くかかわれ、体位を更にあげねば国際記録の壁を破るのは無理だと聞いている。

※さて、これから第二学期、学力にしろ体位にしろ学習環境にしろ一年で一番油ののる時期、ステップ、ステップ、またステップに科学的、合理的指導の重要なことを痛感する。隘路多い日々でありながらも……(T・M)

薩摩入りの歴史的意義 (2)

──（沖縄の封建社会）──

饒平名浩太郎

三、農民生活

琉球入後琉球の農民は二重に租税を払わねばならなかつたから、その凋落は甚だしいものであつた。その結果、王府の財政は窮乏を告げざるを得なかつた。向象賢は薩摩と琉球との間に精神上のつながりをつけて難局を切抜けようとする消極的な政策を講じた。即ち、日琉同祖論を唱え、自分の邸内に大和御神を祭り、祖先を同じうし、神を一にすることを意識することがこの苦痛を半減する所以であると着眼した。又、「諸芸能を相嗜候様堅被仰渡置候、尤日本之字を用得、鹿児島之御例格御政道も被遊候故、諸士彼の御例格諸芸稽古仕、鹿児島之御例格根本にて諸士御奉公に候、御政道肝要成根元に候」といつて、どうせ一つの政治の下に生活しなければならぬから、その政治を徹底させるためにはその諸芸術を嗜ましめることが肝要であるし、一芸に秀でた士でなければ門閥の出であつても官吏としては採用しないという触令を出している。特に、謡や、茶の湯、活花のごとき日本の芸術を奨励した。しかし、彼の政策の前にも幾多の障碍が横たわつていた。

「国中仕置改可然儀は大方致吟味、国司へ申入置き候、前々女性巫女風俗にて多候故、巫女の偽に不惑様にと如期御座候、今少相改度儀御座候得共、国中に同心の者無御座、悲歎之事に候、知我者北方に一両公御座候事。」

巫女の呪咀を恐れることの甚だしいのに鑑み、迷信打破の運動にのりだしたのにかかわらず、この運動に賛成するものがなく、已むを得ず新納又左衛門に私信を出してその心事を訴えたりした。にもかかわらず薩摩の真意は、向象賢宰相の考えとは凡そ無縁なものがあり、この触令がだされた途端に島津は令達を出して、慶長十八年（一六一三）「其国之儀諸式日本に不相替様可被成法度事」差止めるよう警告したかと思うと、元和三年（一六一七）には、「琉球生国之者日本人之髯髪衣裳に相替える事曾而可為停止、自然此旨を令違背、日本人のなりを仕もの有之者、調之上行罪科事。」と令達して、日本の風習をまねないよう厳達してしまう始末である。

続いて、寛永元年（一六二四）には、「琉球人は日本名をつけ、日本支度仕候者堅可為停止事。」と勝手な触令を出して苗字さえ本土にまぎれ易い二字のものは三字に改めろと強制してしまうのである。あきらめた琉球人は御国元を模倣しても叱られるのであれば、支那風をまねた方がよいと支那に心酔し、つとめてその風を取り入れようとした。

そうすると又寛永十五年（一六三八）には薩摩が不安の念を起して、「琉球之儀ここもと就御奉公、疎意有之様其聞得、左様には有間敷と存候処、漸くに其色致顕然、無心元存候事。」と訓令して、琉球がお国元と離れているようでは心許ないことだと叱りつける。薩摩の方では、琉球がいつも宙ぶらりんですこぶるあいまいな人間であることを望んだのである。（琉球ではこれを二かちやの世という。）その方が密貿易には都合がよかつたのである。

こうなると評定所としても薩摩の政策に即応するよう腐心せねばならないから、宝暦六年（一七五六）五月二十三日には、令達して、「大和年号、にほん衆の氏名、大和書物、器に至るまで唐人に可見咎物は深く可取隠置事。」といつて島津の指令のまま隷属していると知られては始末が悪いと心得えるようになる。又天保七年（一八三六）の令達には、「大和歌、やまと言葉仕間敷候、もし唐人共やまと言葉にて何か申聞候わば不通体可仕候。」と出したり、「やまとめき候風俗なきよう相嗜候事。」といつて、ひたすら唐人に薩摩との関係が知られないように苦心するのであるが、これが小国の井蛙政策の悲しさで、支那側がその事情を知らぬはずはない。「尚敬王のときの冊封副使としてきた徐葆光の中山伝信録にその事情が見えている。冊封式典の日には薩摩の在番奉行は、赤田御門から入つて南殿に簾を垂れてこつそり、戴冠式を見ていたそうであるが、例の徐葆光がこれを指して、南殿有客とやつたので通事はこれを聞いて色を失つたという話さえある。

冠船は半年間滞在して翌年帰つたが、数百人の支那人が食いつぶす物資は大したものであつたし、その上支那人が持参した品物一切をまとめて買わねばならないときているから、琉球経済は困り果てたが、薩摩がこの費用を弁済するはずは

ないから蔡温が自叙伝に、「冠船御渡の時その御物入大分至極に候、漸く相畜置不申ば不叶事に候。」といった通り、琉球では冠船渡来の数年前からその準備にとりかかった。それにしても不足がちだったので、その都度薩州から借金して埋合わせをしていたのである。のみならず、冊封使が来琉する際は、薩摩の官吏はすべて商人に至るまで浦添間切の城間村に移住させ、泊港の薩摩船は運天港に移し、支那人の目をさけさせた。その斡旋や費用も琉球側の負担であるからばかにならない。

国内では寛永銭を普段は流通させていたが冠船渡来と共に収めかくし、官庫に収め、鳩目銭を出して流通させるというのであるから、冠船渡来のとたんに経済界もすっかり混乱してしまう始末であった。

官衙や寺院にある掛軸、鐘銘、碑文等に日本年号、人名、事実等の日本と交渉のあるものはことごとくかくし、国中所用の物品、器具類で日本産のものはトカラ産であるといってすましていた。いかに為政者が苦心したかあたかも薄氷を踏む思いがしたであろうことが察せられるのである。にもかかわらず薩摩の琉球に対する隷属意識はいよいよ高まるばかり、尚豊王が薩摩使臣のすすめるお茶を飲んで即刻薨じた例があり、三司官（向国用北谷親方朝暢）が薩州の罪を得て誅りくされた例などがあって国人は戦りつした。

そのために、薩摩の命とあればいかなる難題でも抗せず履行したが、尚敬時代になって宰相蔡温のすすめで支那風をならうものが急に多くなった。こうなると薩摩側で黙っているはずはなく、支那風模倣をやめろと咎められて又々旧式に改め、ようやく薩摩の猜忌を解くことができた。「尚敬の遺言として残したといわれるものに「琉球が支那の咎を受けても弁解はできるが、薩摩のけん責は一片の紙でもゆるがせにできない。」というのがある。いかに薩摩の琉球に対する隷属政策が徹底していたか想像されよう。こういう次第であるから農民に課された貢租取立、耕作取締は徹底した厳罰主義であった。

一　農業は百姓の第一の仕事であるから間切中には、入念にするよう申渡してあるが、百姓等は山工、漁業ばかり専らにして耕作は女子に委しておくため耕作は不行届となり年貢諸上納物さえ調えかねているむきがある。これは下知人が監督を粗略にするからこういう始末になる。自今以後農務帳やその都度出される令達の通り厳重に守り諸毛作を増産するようにし、年貢上納物をとどこうりなく相納め余分は貯え凶作にそなえるように厳重な下知を加える事。」と間切役人に厳達し、

二　村々地組合については上納物を未納せざるよう田地奉行から令達があったがこれは容易ならざる事である。未納者が出るのは、村々地与に対する下知人の下知不行届によっておこるものであるから与合頭は耕作方に精々励むよう厳達し、責任を以て与合の上納を差引き皆納せしめるようにせよ。もし未納者を出す場合においては、与合頭は厳重なる科を申付ける。」というから百姓には到底貢租からのがれる方法はない。

とくに、山林制度は厳重を極め各村ごとに令規罰則がたてられているから、うっかり、山林には手がつけられない。国頭間切の山林証文によると。

一　科銭二百貫文
お仕立敷の杉木を盗取った者は右木を取揚げた上番所に引立て流刑おおせつけ組合の者も科銭を申しつける。

一、科銭二百貫文
自生の椡（つぐ）檔木を盗取った者は流刑、隣組の者も科銭仰付ける。

一、二百貫文
松や指定の木を盗取った者は木を取揚げた上、番所に引き流刑を申し渡し隣組の者も科銭をいいつける。

一、三百貫文
砂糖車木を案内なく盗取った者、及隣組のものも前条の通りおおせつける。

一、科銭三百貫文
杣山を開いて耕作している者は、三百貫の科銭をいい渡した上隣与も科銭二百貫文をおおせつく。

一、同二百貫文
松御仕立敷から私有で松を伐り取ったり、又は片割させたり枝を伐取った者は、二百貫文の科料その上隣組のものは科銭五十貫文おおせつける。

一、同百貫文
御仕立敷や保護林杣山など、又は、山中の通路から諸木を伐取った者は、大小にかかわらず一本につき百貫文の科銭を行った上、隣組も科銭 一百貫文をいいつける。

一、同百貫文
御仕立御用木や道路の諸木に刃物を掛けた者は、百貫文の科銭及隣組は二百貫文いいつける。

一、同二百貫文
御仕立敷保護林杣山内を焼いた者は、二百貫文の科料ならびに隣組も前条の通りおおせつける。

一、同二百貫文
山林の雑木や薪木の類を村案内なく諸船や商売人へ売渡した者は、その薪木を取揚げ二百貫文の科銭をいい渡し、隣組も百貫文の科をおおせつける。

一、同二百貫文

諸上納物補用や借銭返済用として雑木や丸きや薪木の類割あてのときは、御仕立敷や保護林又は山中筋道通の外の與入の所から伐取るべきでもしこれを守らない者がでたら、二百貫文の科料をいいつける。

一、同百貫文

唐竹仕立敷から竹を伐取つた者や、保護竹林から伐り取つた者は、科料百貫文をおおせ渡す。

更に各間切ごとに左記の禁止木を売買した者に対する罰則があるから、木一本といえども自由に使用ができないのである。

禁止木

一、樫木、イク木、ヨスノ木、松、杉、桑、秋木、山黒木、さをん、樟、梧木楊梅皮、から木皮、三年目の真竹、いちよう丸木、

右法度の諸木を盗取売買した者は売手も買手も法度の通り科料おおせつけ、これを見つけてひろうした者には科金の半分を与え、半分は山仕立料とする。盗取つた木は取揚げて普請奉行所に納めるよう申渡す。この法度は、全間切を通じて布達されたもので、その結果、あげられたもの数知れず、中には既に家普請に使われたものさえ、家を打壊してとりあげるという悲惨な状景さえ現出した。

こういう有様であるから百姓の住居というのは、自然制限を受けてしまい、百姓は瓦で家を葺くことはできない、広さも六畳以下という制限である。だから田舎住居というのは、四間に三間の母屋と二間角の台所一棟に限られ、材に樫その他の禁止木を利用することをかたく禁じられた。百姓は家敷の周りの石垣さえゆるされない。竹や木の生垣である。

生活のあらゆる面で、拘束を受けるのであるから、衣服とてもその例にもれるものではない。だから百姓は芭蕉布以外に着けることは法度である。冬の寒さにも芭蕉布の袷を着たが、漸く木綿布の着用を許されたのは天保以後のことである。

それにしても、着物の模様まで定つたおきてがあつたのだからやりきれない。即ち、百姓は花織、絽織、色糸むで縞、碁盤縞などや絣は許されない。のみならず、百姓女は、細かい形付しか許されなかつたのである。

履物に至るまで制限される。農民には履物は法度である。傘をさすことさえできないから、いきおい、百姓が用いるのは久葉笠と簑だけである。旅行の場合でさえ藺草であんだ面垂笠を被ることだけで満足せねばならない。髪にさすかんざしでさえ、百姓は真ちゆうがきまりで、百姓は木のかんざしでがまんせねばならない。行事や、婚姻のときでさえべつ甲を差許すといつた状態である。若い百姓娘たちに許されたのも髪油として、豚、脂、ビンヅケ膝まで仕立てられた短かい芭蕉布か、木綿布の筒袖ばかりである。

租税は、土地の石高即ち生産高を標準にして村を単位に賦課されるから、百姓はおのおの配当の百姓地の石高に応じて分担した。百姓にはこの外に青年男女の人頭に課される夫銭というのがある。

この貢租、夫銭は米、粟、麦、大豆などの雑穀で納めることになつているが、更に、代品納、代金納と称して、砂糖、布、帛、又は、現金で納めるよう規定が設けられていた。その代品納なるものの公定価が、又、数十年、百数十年経ても改定しないまま定つたままであるから、生活に及ぼす影響は大へんなものだ。

いつでも、収税者側には都合がよい王府も地頭も、土地の役々も、薩摩も、何かと臨時に起る経費を補うために、百姓に対して御加勢金などという美名の下に、決つた貢、租、夫銭の外に供出を申しつけることがひつきりなしにでてくる。こうなると百姓はもはや農奴として生きる外に道はないからこの世はそのまま「生後生」（いきごしよう）であつたのである。百姓たちが「チムンテーンナラン」とあきらめの生活をするようになつたのもこういう時勢のためであつた。

王府では百姓の納付する貢税が唯一の財源であるから耕作取締については特に厳重を極めた。薩摩入以後貢租が苛酷であつたため、向象賢は耕地増強の目的で薩摩の許可を得て仕明地（私有地）を開墾させたが享保以後は農民が競つて仕明を拡げるようになると、薪炭木材に事欠き牛馬の飼料にも困まるから差止める」と法度を出すようになつた。一八四七年（弘化四年）の訓令では

一、肥料を入念に作るようにせよ、そのためには畑の行帰りに手ぶらで行くな
二、農民は山工や漁業をやるな
三、田のあぜをこわしてうなぎをとるな
四、塵芥は肥壺に入れて肥料とせよ
五、ジャーガル地は二、三回起しをしてよく風化させてから植付けよ
六、甘藷は切干にして貯蔵せよ、畑中で腐らしてはならぬ
七、豚や、山羊を飼い肥料造成につとめよ
八、百姓は酒をのむな旅商人を家に泊めるな
九、僅かの用事で首里那覇にでるな、用事があるなら往還の商人にたのむこと
一〇、畑地の傾斜地で上流のあるところはイフ返しをこしらえよ、
一一、風水のため田畑のあぜがさだかでない所は両方の持主で早急に修理せよ
一二、田草取りを怠つて荒した者は科料に処す

一三、百姓地の売買質入は厳重な法度であるから犯すものがあつたら、売手も買手も遠島に処す、又

一八五五年（安政二年）の訓令によると

一、諸間切で破産したものがあればその間切村で引負うべきものである。

一、上納が調べかねるものがあれば、与（くみ）の者は自分の上納を差出した上米銭を出し合つて助勢せよ

一、居住人（屋取りの者）でも、他間切の者の質取りをした者は法度であるから村内のものは田畑取りあげ、本銭は無利息で年賦で返済せよ。

一、質入れの場合は夫地頭、下知人、頭地人連署で証文を請け取るべきである

この訓令より百年も前享保十年（一七二五）耕地統制のため高所を出した訓令によると、

一、土壌の流れる畑地には小溝をこしらえ畑の童々にはススキを植えて土壌を保護せよ、

二、ジャーガル用は深耕をせよ、

三、田のあぜを両方から削り取るな、

四、畑の周りには五穀の外に木綿、芭蕉等を植えよ、

続いて雍正九年（一七三一）には甘藷の管理について布令を出している。

一、芋に虫がついたら充分手当をくふうせよ。

二、芋蔓が縮むと芋つけが悪くなるから縮まぬようくふうせよ。

三、芋の収穫が多いときは調製にくふうして保管するようにせよ。

三、干芋はアッペ糁として利用せよ、

四、干芋は祝儀、家作、会合のときの食事にせよ

五、折目のとき食事、葛粉として利用せよ、

六、旅行のとき飯米にせよ

七、味噌、紺、酒、酢、カスサイを造るようにせよ

農耕取締にふれて科人となつたものの処罰規定が又大変である。

一、寺入十日に準じて、科料粟六升、科松百本を植えさせ、科鞭五つ、科籠三日、日晒一日とす。

二、日晒科鞭の者或は老衰懐胎で扱い難い者は籾粟にかえて取り立てる、懐胎者は産後百日を過ぎてから科を申しつける。

三、日晒の科人は冬は四つから六つまでとす。春秋は九つから六つまでとする夏は八つから六つまでとする。

四、科人の枷掛、日晒のときは佐事一人立会いの上晒場で刻限通り行う。

五、科鞭は罪の重い者は晒場で行い軽いものは法廷で係の在番筆者、頭出合い見届けの上行う。

六、科鞭を行うときは科人の簪を抜かせ着物の袖を両方結えつけ、佐事が打ちつける。

こうした生活のあらゆる分野にわたる公儀のおきてにひつかかる者は男ばかりではない、女も同様であるが、苦しいのは又男ばかりではなかつた。

女には田畑仕事の外に薪とりかて草つみ、三度の食事も用意せねばならず、苧うみ、芭蕉布糸とり、織布の雑事がひかえている。日暮れてから重い荷物を頭にのせ、或は腰につけて、腰をくねらせながら、夕餉の仕度に急ぐ、夕餉をすませてほつとする間もなく夜なべ仕事がまちかまえている。縄ない、俵つくり貢布の糸つむぎ穀物の調製もする。掃きだめのような労働ばかりだ、乳呑子を抱えていようなものなら、それこそ四六時中自分の体でおれる隙とてはほとんどないという有様である。時たまおとずれる折目の行事や祝宴に腰休みの折を見出そうとすると、途端に村法に触れて、あらぬ科とがで恥をさらさねばならぬ可憐な農民たちである。彼等には油断も隙もない。どうせ運命だとあきらめる外はない。運命のまにまにしがないなりわいを続けていくというのが農民の生活の実態であつたのだ。

農耕によつて貢租の確保が保障されると、今度は唯一の換金作物である甘蔗に目をつけた。これから莫大な利廻りがあることは大島の例に徴して明らかとなつたからである。薩摩は一六二四年（寛永元年）から二九年（寛永六年）までに大阪に砂糖定問屋をおいていよいよその売りさばきに奔走した。そうして利廻充分と分かると一六四四年（正保元年）貢糖、買上糖の制を指令した。

一六五五年に砂糖脇商売の訓令を出して住民の砂糖販売を禁止した。

「砂糖製造のときは各村へ検者を出し、製造初めから首里那覇道筋の所々には木屋をこしらえ、番人を数十入つけ、昼夜巡検し、横目を数人おいて取締り脇商売は堅く禁止する」というのである。

正保四年琉球政庁は冠船入の費用が重なり、薩摩から銀九千両を借財したことがある。六年の返済の期限にもかかわらず約束の返済が履行されなかつた。当局では大いに憂えて衆議にはかつた。そのとき古波蔵親雲上賀親が発議して「農民に製糖の義務を負わせ、政府において砂糖の専売をなし、薩摩に輸出するならば多大の利益を得て返済の資を得るだろう。」と建言した。農民こそよい面の皮だ

こうして古波蔵の意見が納れられて、政庁は直ちに在番奉行諏訪木工左衛門に謀つて島津氏と交渉をとげさせ同意を得た。製糖の義務を負わされ、二重の責苦で四苦八苦しているとき、成豊十年（一八六〇）には政庁から又又々次の指令を発してきた。

「砂糖を上納し焼過の模様が見え、前払代金を受取つたときは、下知人、掟、耕作当の証文に惣耕作当、さばくり、地頭代の奥書をつけて誓書をとれ頭役共がその事なくして内々に受けとつたら流刑おおせつける。」

一七六六年（明和三年）から田地奉行に砂糖製造の監督権を与えて取締りを強化させたが、そのとき以来一八一八年（文政元年）までに次のような訓令が発せられている。

一、砂糖の製造が始つたら下知人、掟、製造人、検見人、耕作当どもは昼夜砂糖屋に詰めて下知し、毎日製造高を取りまとめ、惣耕作当は端書で間切番所にその事情を通知すること。

二、砂糖を樽につめるには樽口から一寸程下げてつめること、それ以上詰めないようにし封縄をかけて上面を破らぬようにする。

三、砂糖汁を溜める桶やそうけには塵、芥を入れないようにすること

四、砂糖鍋の上には天井張や付切りをつくりちりが入らぬようにすること

五、砂糖車の中道には間垣をつくり車の前に悪水が流入しないようにこしらえること

六、砂糖取締については去る申年から掟書で達しておいたが去る冬製造した砂糖の前金を受けとりその首尾が不行届で困つている村もあるときく、厳重に取締つて前金を受取るときは上役は証文を出し、地頭代副書の上頭役が受取るようにせよ。

といつてきつい達しを出している。

（以下次号）

校長十戒

いかがでしよう。東京都世田谷区発行の「花」からちよつとおかりしました。

① 校長の出勤下校の時刻は刀の湯加減と同様と心得るべし。

② 同郷、同窓、縁故、学歴などにより、職員の待遇にユメ差別あるべからず。

③ 酒食により職員をねぎらうことはほどほどたるべし。

④ 校長室は、職員の身の上相談室たるべし。

⑤ 校長は五分間の朝礼訓話に、一週間の熟慮推考を重ぬべし。

⑥ 校長は映画を見、文学を味わい、音楽をきくロマンを失うべからず。

⑦ 職員をひきずるより職員にひきずられるよう指導するが名校長たるべし。

⑧ 父母の歌にサオさして流るるはやすく、父母に信を築きてなおみずからの真に動かざるはかたし。

⑨ 校長は呆呆として空気の如く、その奥にカチンと動かざるものをひそめ、常にヌクヌクと背にしみる冬陽のごとき存在たるべし。

⑩ 校長の椅子を去りたるのちも、ハダカにて通用できるよう。日ごろより心がくべきなり。あなかしこ、あなかしこ。

（東京都世田谷区教育委員会編集 —花—より）

☆ ☆ ☆

—— 著書紹介 ——

書名 **現代の道徳教育** 著者 松田義哲

発行所 協同出版株式会社 価格 日円一六〇円

松田義哲先生は一作年夏季の講習の講師として来島された方。著書の中に当地で講演されて感銘を与えた論文が含まれている。新しい道徳は歴史的苦難から生まれてきた人間性に支えられるものでありそのような道徳教育が問題解決的性格を堅持するための在り方をくわしく説いている。

目次をあげると

七月のできごと

一日　沖縄タイムス賞（体育賞知花朝信氏、文化賞嘉数昇氏）贈呈式（タイムスホール）。
三日　第四十二回全国高校野球沖縄第一次予選で工業高校優勝。
四日　米国独立記念日。
本場の空手道研究のため早稲田大学空手部六君来島。
五日　第八次ブラジル移民青年隊二十人出発。
六日　夏季認定講習受講者の受付開始。
八日　ことし後期の本土派遣研究教員十三人決定と発表（沖縄タイムス）。
九日　畑地灌漑用の風車落成式（豊見城村）
琉球海外移民公社発足。
小中高校の教科書展示会始まる（各地区教育長事務所）。
十日
十一日　沖縄定時制高校振興会総会（商業高校体育館）。
新教科書研究委員会（那覇教育長事務所）。
文化財保護委員会は美里村知花の知花焼窯場跡と知花ノロ殿内、西原村の内間御殿の下調べをした。
十二日　第十六回立法院定例議会閉幕「一九六一年度一般会計予算案」可決
十三日　琉大女子寮譲渡式。
東洋大学沖縄学生会主催、沖縄タイムス社後援第二回本土小中高校書道入選作品展（十三日から十五日まで（タイムスホール）。
沖縄の古文化財を調査するため「沖縄の歴史」の著者、ハワイのホノルル美術博物館のジョージ・H・カー博士久米島の調査を終え首里博物館にて研究。
十四日　大阪歯科大の一行十四人が沖縄のライ患者に歯科治療をやるため来島。
十五日　南連関係の次年度予算打合わせのため石井特連局長来島。
十六日　早稲田大学の劇団素描座の座員十八人来島。
六一年度教科用図書目録編集委員会（開南小学校で）。
十七日　沖縄卓球協会、沖縄中体連共催沖縄タイムス社後援第三回全島卓球選手権大会
来島中の石井特連局長高嶺村大城森の壕を視察　手投弾や白骨を発見。
沖青協文教局共催全島青年排球大会（名護高校で）。
十八日　夏の交通安全運動始まる。
第四十二回高校野球第二次南九州大会に出場する工業高校チーム出発。
十九日　京都大学探検部の八重山群島学生調査団四人来島。
道徳教育研修会（本部小学校で）。
二十日　米国留学生三十七人出発。
二二日　糸満連合教育区学力向上推進協議会結成大会。
中教委定例会で高校入試選抜要項。
六一年小中高校校舎割当、へき地学教職員住宅割当決議。
来年度アメリカ留学生の第一次合格者九八人発表。
二三日　台風六号ポリ警報発令中とあって学校はほとんど休校。
二五日　糖業審議会七工場の新増設認む
二六日　台風第六号ポリー宮古久米島間を通過。
小中学校第一学期の授業を終了。
立法院安里議長はアメリカ人権協会長ボールドウイン氏へ書簡を送り日米琉共同委の設置を要請。
二七日　文教局主催高校カウンセラー研修会（琉大教育ビルで）。
那覇地区中学校家庭科教育研究会の結成（八汐荘で）。
中教委は来年度の使用教科書を一本化するよう助言する方針をきめた。
二八日　琉大、文化財保護委員会、琉球衛生研究所の科学陣を動員した金武鍾乳洞学術調査団の学術調査（二十八日から三十日まで）。
沖縄赤十字病院主催全島JRC指導者講習会（那覇中校で）。
夏季講師団一行三三人（団長埼玉大学教授野上弥文）午前零時半那覇着
二九日　大田行政主席上京。
三十日　体協主催社会人野球連盟後援第十二回職域野球大会始まる。
大田主席マッカーサー米国大使を訪問会談。
文教局主催第六回全日本中学校放送陸上競技沖縄大会（名護町営競技場
第四十二回全国高校野球南九州第二次予選で沖縄代表工業高校は宮崎代表大淀高校に一六対零のスコアで大敗す。
三十一日　台風八号シャーリーひるすぎ与那国に最接近して通過、瞬間最大風速六〇、六米、死者二人、負傷者二人、例壊家屋二百戸。

一九六〇年九月　九日　印刷
一九六〇年九月一〇日　発行

文教時報
（第六十九号）（非売品）

発行所　琉球政府文教局
研究調査課

印刷所　ひかり印刷所
那覇市三区十二組
電話(8)一七五七番

文教時報

70

1960.10.11　№.70

琉球　文教局研究調査課

巻頭言

最近の職業教育

職業教育課長　比嘉信光

琉球政府においては経済振興計画を立案し米国政府の援助を求めている。経済振興の前提条件としての人材の養成は急務となっている。それと相まって文教局では職業教育五か年計画を樹立し、（一九五八年－一九六二年）米国からの施設備品等の援助や、アジア財団による技術者の導入、琉球職業高等学校関係者の台湾への教育視察を行つた。更に文部省から派遣された専門教師による生徒および教員に対する指導等、施設面や、内容面、実習面において強力に推進されている。

われわれがねらつている職業教育の一般目標は、

1　経済振興計画に即応して琉球の資源を開発し生産を振興し得る人間を育成する

2　琉球における消費と流通の合理化をはかり国民経済に貢献できる人間を育成する。

3　外地に進出して開拓できる技術ある人間を育成する。

以上の三点である。

まず中学校に於いては、農村地域、半農半漁地域、半都市地域、都市地域に区別して地域の特性と生徒の進路に応じた進路指導をすべく準備をすすめており、高等学校に於いては、農業に関する課程、工業に関する課程、商業に関する課程、水産に関する過程、家庭に関する課程に分科され七二課程、三四二クラスに編成されている。これらの専門課程にそそがれた備品費は、高等学校で約一百一万弗、中学校で約二五万弗であり、高等学校は目標額のほぼ四八％に達しており完全ではないが一応教育課程の学習及び実習をすすめるのにさほど事欠かないようになつている。今年度は中学校教員養成に力を入れ、担当教師の技術訓練計画をすすめており、来年度あたりから逐年中学校の職業実習教室を充実していきたい。また高校卒業生の進路状況も多少のずれはあるが、だいたい各課程の性格にそう産業人として琉球内の職場及び本土や海外においてそれぞれ活躍をしている。特記すべきは、工業高校の電気、機械、水産高校の製造増殖、無線通信、機関等でこの課程に学ぶものは卒業の日を職場が待つ状態になつているので、大変よろこばしいことである。中学生の就職についても労働局のご尽力によって年に千人以上の本土就職をさせているが、それらの生徒に対しても在学中にみつちりと仕事に対する考え方、職場の様子基本的な実習のあり方等を指導して職場の求人にこたえたい。

以上の計画を強力にすすめるため、米国政府に援助をお願いすると共に学校現場の職業教育に対する受け入れ態勢と父兄の理解協力、これをすすめる教育財政のうらづけ等に対して、ご指導とご支援をいただきたいとおもう。

目次

工業高校のカリキュラムの改善

琉球大学教育学部
崎浜秀栄

去年の九月から五か月間、アジア財団の援助によって、台湾省立師範大学工業教育科で研修する機会を与えられ、得るところが多かつたと思つて感謝にたえない。

台湾では一九五二年まで工業教育の目標は〃中級技術人員の養成〃であつて専門科目の時間数が多く、その内容も程度が高く学生は努力をしても、これをよく了解することが困難な状態であつた。(1)その上実験実習の設備が不十分であつたので、理論の指導に多くの時間と努力が払われていたので卒業生の技術のレベルが低く産業界の技術的要求に応えることができず、従つて就職も困難な状態であつた。この状態を研究し改善するために同年ペンシルバニア大学から顧問団が派遣された。その報告書の中で第一に指摘された事は教員養成の問題と教育内容及教育の方法の 改善に 関する 問題であつた。(2)又一九五三年には産業界の要求する技術者の数、技術の内容、その程度及び傾向等を調査するために省政府教育庁の指導のもとに、工業職業調査が実施された。これは中国に於て職業教育のために実施された 最初の 科学的調査 であつた。その結果各種類の技能工が早急に必要であることがわかり、機械工、電工、電子工、自動車工、建築工、木型工、鋳造工、配管工、印刷工、板金工等十種類の技能工を養成する目的で、米国の工業職業高校の教育の方式を取入れて八つの工業高校でユニット・トレイドの訓練（Unit Trade Training）が始められたのである。その後更に一九五八年の調査によつて十二種類三十四の課程が以上の工業高校に 増設されて 現在に 到つている。(3)

ユニット・トレイドの訓練（単位行業訓練）というのは範囲の広い中堅技術者の養成というのではなく、機械工、電工等のように狭い範囲で理論的にも実技の点でも、もつと専門化した技能工（Skilled worker）を養成することを目標とする米国の教育の方式である。この訓練が始まつて以来、多くの青年達が次第にこの教育方式に引きつけられるようになつて来ており、技能工を希望する青少年が増加して来ている。これはユニット・トレイドの訓練を受けた卒業生の技術の程度が高くなり、工業界の技術的要求によく応えることができるようになつたので、就職率がよくなり、多くの工場がこれらの卒業生に支払つている給料が非常に高いということが、この若い世代を引きつける動機 となつて いるかも 知れない。例えば工業高校でユニット・トレイドの訓練を受けた卒業生は就職してすぐ彼等の教師達よりも高い給料をもらつているのが普通である。

ユニット・トレイドの訓練をしている台湾の工業高校と沖縄の工業高校のカリキュラムを比較してみると次の通りである。

台湾の工業高校のカリキュラム

区分	科目	1年	2年	3年	小計	計(%)
実習	工場実習	15	15	15	45	45 (42.6%)
相関科目	識図	3	3	3	9	27 (25.3%)
	数学	3	3	3	9	
	科学	3	3	3	9	
普通科目	三民主義			2	2	34 (32.1%)
	公民	1	1		2	
	国文	4	4	4	12	
	英文	2	2	2	6	
	体育	1	1	1	3	
	軍事訓練	2	2	2	6	
	公民訓練	1	1	1	3	
	計	35	36	36	106	106 (100%)

（註）
課程によつて時間数は変らない。

沖縄における工業高校のカリキュラム

（沖縄工業高校機械課程）

区分	科目	1年	2年	3年	小計	計(%)
実習	工場実習	4	5	6	15	15 (14.3%)
専門科目	設計製図	4	4	4	12	53 (50.5%)
	数学	6	3	3	12	
	理科	2	6		8	
	機械工作	2	2		4	
	応用力学		2	1	3	
	工場経営			2	2	
	原動機		2	2	4	
	電気一般		2	2	4	
	自動車一般			2	2	
	機械材料	2			2	
普通科目	社会	3	3	3	9	37 (35.2%)
	国語	3	3	3	9	
	保健体育	3	3	3	9	
	英語	3	3	4	10	
	計	35	35	35	105	105 (100%)

（註）数学理科は普通科目であるが台湾では相関科目に入れてあるので比較のために専門科目に入れた。

両者を比べると普通科目の時間数はあまり差はないが、実習は台湾の四二・六%に対して沖縄では一四・三%となつており、教育の重点が実習におかれていることがわかる。これは総時間数の五〇%を実習に割当てている米国の工業職業高校(Vocational Industrial High School)と同じ傾向である。之に対して専門科目（相関科目）に於ては台湾の二五・三%に対して沖縄では五〇・五%となつており沖縄の工業高校では理論の面に重点が置かれていることがわかる。

一九五九年五月文教審議会は沖縄の工業教育について、将来熟練工の養成を目標とし技能の習得に力を注ぐべきこと、従つて実習に大巾の時間をさき、専門科目もその技能に必要なものを主とし学習指導が実習を中心に展開さるべきことを答申している。理論は技術の裏付けとして重要ではあるが之を偏重するために多くの時間がそれにさかれ、そのために技術の訓練がおろそかになり、卒業生の技術の程度が低く、産業界の要求に応ずることが出来ないというのが沖縄の現状ではないだろうか。理論と共に技術の習得の面に一段と力を入れ、いわゆる台湾の〃手脳併用〃或は〃学以致用〃即ち学んだことがもつと役に立つような教育をめざすべきではないだろうか。理論や知識の面に多くの時間がさかれ、これが実地とかけはなれて内容もむづかしいため生徒は多くの事を教授されているけれどもじゆうぶんにこれを消化することが出来ず興味を失い勝ちになり教育の効果も上つていないというのが実状ではないだろうか。与えられた知識や理論は生徒がよく消化して実際の場面で活用出来るような状態になつて始めて学習の意味があるのではないだろうか。又沖縄においても大学を出る卒業生の数は年々増加しているのであるから理論を主とする面はこれを大学の教育に期待し工業高校では大学の卒業生や中学の卒業生に期待の出来ない技術の面に一段と力を注ぎ社会の要求に応ずべきであろう。現在のように理論的にも技術的にも中途半端な卒業生を送り出しても産業界は之を歓迎しないであろう。職業教育の範囲内では飽くまでも知識の実際化をはかり、実地に即した理論、生徒がじゆうぶんに消化して応用の出来る範囲に重点をおくべきではないだろうか。但しここで注意すべきことは現代の工業の科学化と関連のある基礎的な知識や将来工業を科学的に高めるために必要な基礎的な理論は是非取上げる必要があるということである。これは日進月歩の工業界の発展に取残されないために不可欠なものであるからである。そのためには現在各学校に設置されている課程の内容について、じゆうぶんに分析を行い、取上げるべき知識、理論、技術の内容や深さの程度を吟味し、本質的なものと末梢的なもの、重視すべきものと軽く扱うべきもの、必要なものと不必要なものを明らかにし、今までの伝統や惰性にとらわれることなく、不必要な理論や装飾的な知識は之を廃し、基礎的な事項の学習に重点をおき実験実習にもつと多くの時間をかけて指導すべきであろう。

今一つ現行の教育課程について考慮したい事は実習と専門科目が切り離されて指導されていることである。〃Learning by doing〃なすことによつて学ぶことが特に技術の教育ではよい方法であるといわれているので実習を中心に授業を展開し、実習と専門科目を密接に関連させて指導するという事がもつと強調さるべきであると思う。

台湾には二三の工業高校があるけれどもその中で省立の七つと市立の一つの工業高校けがユニット・トレイドの実習中心の訓練をしており残り一五の工業高校は実習設備や実習費、指導する教師の不足等の関係で実習が十分に出来ず、理論偏重の教育を行つている。従つてその卒業生達は技術的レベルが低く就職率が悪い。条件が許すならは実習中心のカリキュラムに改善したいと願つている。

次に職業分析と教育課程の編成について述べてみたい。

産業社会の要求を分析し之を教育課程に反映させ工業教育を社会の要求に適合

させていくために職業分析が極めて有効な手段とされている。職業分析は米国で発達し技術教育の面で広く採用されて成果をあげているのだが工業教育の課程を編成する時に必ず実施しなければならない手続きとされている。

職業分析は或は一つの職業課程の中に含まれるべき技能や知識や理論の項目を分析しその中から基礎的なものを選び出しそれを教育的に構成しなおす手続きである。重要な点を見落したり混乱に陥つたりすることがないように、普通次の順で分析が行なわれている。

1 学校の目標、当該工業課程の目標、具体的で達成可能な目標を決定する。

2 当該課程の中で指導すべき分野を決定する。今電気通信課程を一例にしてその分野を考えてみると

a ラヂオ受信機
b テープレコーダー
c レコードプレーヤー
d トランスミッター
e テレビジョン
f ―――――
g ―――――

等が上げられる。

2 次に各分野についてどんなジョブ（工作又は仕事）が含まれているか、を分析する。例えばラヂオ受信機の分野では

a 受信機用シャーシの製作
b パワートランスの修理巻替
c 整流回路の組立
d 低周波増巾回路の組立
e 中間周波増巾回路の組立
f 周波数変換回路の組立
g 受信機の調整
h 受信機の故障発見及修理
i ―――――
j ―――――

3 次に各のジョブを仕上げるのにどんなオパレイション（基礎的な技能又は操作）が必要であるかを分析する。例えば受信機用シャーシの製作というジョブについてオパレイションを考えてみると

a けがき用具がアルミ板にけがきをする。
b アルミ板を切断する。
c アルミ板を折り曲げる。
d ハンドドリル又はボール盤を使用して孔をあける。
e シャーシパンチ及びリーマを使用してソケット用の孔をあける
f 金鋸で四角の孔をあける。
g やすりがけをして仕上げる。

4 各分野についてどんな機械工具を使用するかを分析し列挙する。

5 各分野についてどんな材料消耗品が必要であるかを分析して列挙する

6 上述のジョブ、オパレイションを行い、工具材料消耗品を取扱うのにどんなインフォーメイション（知識や理論）が必要であるかを分析し列挙する。

以上のようにして教材となるべき資料が出来たならば課程編成をするのであるが不必要なものが取上げられたり、重要なことが見落されたり、同じことが重複して取上げられたり、することがないようにし、又易から難へ、既知から未知へ生徒が理解しやすいように、教師が指導し易いようにジョブ・オパレイション・インフォーメイションを配列し組合せるのである。次に指導に要する時間を考慮して一年から三年まで学年毎に教材を配当し学習内容を組織化してコースアウトライン(Course Outline)を仕上げるのである。台湾では一九五七年にカリキュラム研究室が師範大学工業教育科内に設立され、ユニット・トレイドの訓練をしている工業高校の教師達の協力を得て機械工、電子工、電工、印刷工等の課程については既に職業分析が終り課程編成がなされジョブシーツ（Job Sheets 工作指導票）やオパレイションシーツ(Operatic Snheets 操作指導票）インフォーメイションシーツ（Information Sheets 知識指導票）が完成され、教師達は極めて能率的に実習の指導にあたつている。

沖縄においても現行の各課程について職業分析を行い教材を精選しそれを組織化することは実習工場の整備、実習費の確保、実習教師の問題等とともに極めて大切なことであろう。これは忍耐を要する困難な仕事ではあるが各課程の教師達が協力しあつて早急になしとげなければならないことであろう。

参考資料

1 林清輝 〃単位行業訓練在台北市工〃
中国工業職業教育学会編
工業教育第二巻 中華民国四七年

2 Poen Koo "Vocational and Technical Educatin of the Republic of China"
中国工業職業教育学会編
工業教育第三巻 中華民国四八年

3 台湾工業職業調査総報告書
台湾工業職業調査団編 中華民国四七年

工業職業教育における機械課程

工業高校　豊岡静致

㈠ 高校職業課程における教育原理（前言）

沖縄の工業職業教育不振の要素をわれわれは多くの場所で発見する。即ち工業技術課程の卒業生が専門の技術面に就職出来ず、又就職出来たにしても技術の程度ですぐに使いものにならないために各職場で技術再教育のうき目を見ている事実はその一例であろう。之は工業職業教育の原理から来る教育目的と現行の教育措置に大きな距離があるからである。沖縄の産業界も一段の進歩を遂げ、職業においても先進国と同程度の分業化はされて、頭脳の良い実際に手を使って仕事の出来る熟練工や職長を必要とし、又この教育方法が工業職業教育の原理であるのに、沖縄の現状では教育目標と教育の実際内容にくい違いがある。つまり分業化される前の教育内容をもち、現行の機械科ではわずか三年間でしかも週五時間という実習で数種の（機械工作、鍛造、木型、鋳造、溶接、板金、自動車修理職業技術と知識をマスターしなければならない難関をかこっている状態で、結果的に見て沖縄の工業職業課程卒業生は沖縄の中少的業界では敬遠される様になり、ために産業界は外国から技術員を招いたり、或は徒弟訓練的に養成している状態は、工業職業教育関係者の猛省を促し、六二年度から改正されるべき中学校技術家庭科教育（工芸 Induslrial Arts）の在り方にも廻り道をしない為の充分な研究と検討が必要であることを予告して余りあると思う。そこで私は台湾で研修した工業職業教育と沖縄の工業職業教育を比較検討して、機械工課程に例をおき、関係課程 のあるべき具体策を 提示したい。

㈡ 高校職業技術課程で機械工養成の原理

(1) この課程は特別な職業技術教育に根拠をおくべき「単位職務訓練」の課程である。

(2) 機械工とは一般的職業用語でその職業での、手工具や測定器具の使用に熟練し、旋盤、セーパー、ドリルプレス、ミリング、研磨機等を使用して、金属加工、仕上、組立の技術に熟練した工員を言う。

(3) 平削盤、中ぐり盤、自動旋盤、や他の特殊な工作機械は、技術知識の対象としない。

(4) 機械工の職務に不必要な木型、鋳造、鍛造、溶接、板金、自動車修理の技術実習は必要でない。それは三年間の機械関係工員養成コースにはこれ等はそれぞれ単一の独立したコースとして存在し、機械工コースには含まれないからである。

(5) 工場実習教師は機械工員に直接必要な技術や知識を学生に授けなければならない。

㈢ 課程の一般目標

(1) 中学卒業程度の学力と体力を持つ学生を入学させ、工場安全の管理や実習に興味と知識をもち、機械工員として生産技術に従事し得る技術と知識と態度と体力をもつて卒業出来るような計画と訓練を行わなければならない。

(2) 工場実習は一日三時間の一週間五日一年に四〇週の三年間行われなければならない。

(3) このコースは三年課程で右の工場実習の外に週に関係数学三時間、関係科学三時間、関係識図三時間、他の時間で一般教養科目を満てるような時間配当で三年間を通し、学生の技術と関係知識の向上に主力を置く様に有効な時間配当がなされなければいけない。

㈣ 課程の目的

学校教育で技術工養成の可能性は、右項で示す通り「単位職務訓練法」でも最少限三年間を要するという職業教育原論によつて、次の機会を有効的に生徒に与えるような計画と実施が必要である。

(1) 機械工としての必要な手先の技術の向上を図ること。

(2) 機械工作や仕上、組立の操作を行うのに良い判断と、本質的に正しい知識の向上を図る様な計画がなされなければいかぬ。

(3) 良い労働態度や安全性、作業の正しい習慣や 技術習得の 態度の 向上を図る。

(4) 工場実習教師によつて、必要な工作や関係知識や操作法は正しく分析され実習を通して直接役立つ生産技術や知識が与えられるようにする。

(5) 実習工場は一般社会の生産行程に最適の配置や人事組識等に範をとり、工場に附随する種々の管理法を学生自身に体得させるような実習方法を研究し行うこと。

(6) コースに関係する関係識図、科学、数学等は、一般社会で直接役立つよう

に分析され、無関係の知識は与えないように、つまり有効的に与えられること。

(ｲ) 実習教師は、生産に有効な工作、関係知識、正しい操作法等を有効的に分析し、ショップトークやデモンストレーションで有効的に与えられる様なレッスンプランを樹て、学生の技術知識の向上を図るような掲示物品や安全規則、学生工作進度表を工場内に掲示すること。

㈤ **コースの特殊的目標**

(1) ベンチワーク、ドリリング、レイスワーク、ミーリング、セーピング、グラインデング、熱処理等の機械工不可欠の作業を簡単な順に、関係知識も同様に分析して、技術向上に有効的な教育を施すこと。

(2) 金鋸、やすりがけ、研磨、切断、けがき、タップ立て、ねじ切り、リーミング、分解、組立等の作業は明確な手先の技術として習得させる。

(3) 自動鋸盤、ドリルプレス、旋盤等の工作機械を使う技術の向上を図る。

(4) セーパー、ミーリングマシン、平面研磨盤、工具研磨盤等で果される操作技術の向上を図る。

(5) 熱処理行程における基礎的技術と知識の向上を図る。

(6) 関係知識の分析は、工作理論に関係のある実際的知識、関係用語、安全実習知識、材料的認識、工作に必要な数学、工作に必要な図面の読み方、機械工不可欠の工作機械、工具類に関する知識、工作操作の連続的知識等に亘りその向上を図る。

(7) 学生の能力的見識を刺激し向上を図る。

(8) 労働作業の態度、知識、良い工作者としての判断を向上させる。

(9) 同寮や指導者との協力的態度の向上

(10) 指導性の向上を図る。

㈥ **理想的工場と要求される設備**

(1) 一年生の実習工場面積は最小限一七〇〇スケーヤーフィート

(2) 二年、三年の工場の面積は二〇〇〇スケーヤーフィート以上とする。

(3) 各工場は衛生、光線、温度、安全度等を考慣し、手仕上作業、機械工作々業、熱処理等の作業が各学年の行程に応じて有効的に、安全に作業の出来る状態に機械類、ベンチ類は配置され、安全作業に有効な色別等を施さねばならない。

(4) 実演やショプトーク映写等に使うスペース、学生の成品展示、読書製図に使う室、工具室及び材料倉庫等を有効的に工場内に設置すること。

(5) 工作に直接に使用される設備々品、仕上台、工具箱や黒板、机等の様な必要な工場稼具を適確に備え、更衣室、手洗場も適確に配置されること。

(6) ドライバー、ヤスリ、金鋸、タガネ、タップ、ダイス、リースー、スクラッパー等の様な手工具類、定盤、トースカン、定規、内外パス、縮尺、分度器センターゲイジ、ポンチ、組尺、指圧器の様なけがき、或は測定用器具類。動力鋸盤、ドリルプレス、セーパー、旋盤、ホリゾンタルミーリング、バーチカルミリング、平面研磨盤、工具研磨盤、ベンチグラインダー類の様な工作機械類、熱処理に要する設備や工具類は、最高二〇名の学生が同時に実習出来るように揃えること。

㈦ **教学方法と実習人員のサイズ**

(1) 実習教師は生産的工作を有効的に分析し、工作表、操作表、知識表を各々の学生の独立的進度によって準備しなければならない。能力的に進歩した者や、遅れた者には、適当に仕事を分配して技術知識の向上を図る。

(2) 実習教師は分析された工作表、操作表、知識表によってレッスンプランを作り、実演や、ショップトークを学生の技術と知識向上のために有効的に行うこと。

(3) アサイメントシートを作り、学生が読書室や映写室を利用して研究出来るような計画をたてること。

(4) 各クラスは二〇名以下のグループに分けて グループ単位で 実習を 行うこと。

㈧ **結　び**

一九五八年八月統計局の出した就業実態資料によると沖縄本島内の軍、民合わせて、機械工 一八〇〇人、板金工溶接工、八〇〇人、鋳造鍛造工二五〇人、自動車修理工二六〇〇人、機関運転員（自動車運転手以外）八〇〇人鉛管工六〇〇人という統計が出ている。毎年これの七％の技術員が学校で養成されねばならないので、これを以てしても高校程度の機械工科、自動車 修理工科、溶接板金工科、鉛管工科等の単位職務訓練課程は技術高校で設置 されて しかる べきであろう。それと共に工業高校職業課程は従来の技手養成的カリキュラム編成法を熟練工養成のための単位職務訓練法に改め、之に応じ得る進歩的な教員を養成し、実習工場を整備することが沖縄における工業職業教育の緊急事である。又中学校のインダストリヤル、アーツ教育も之に根拠をおくことによってのみ発展し得ると信ずる。

本土の農業教育をみて

研究教員配置校　千葉県立安房農業高等学校
長浜真盛

(一) まえがき

今年度から新らしいテストケースとして実業高校教員の内地派遣技術研修教員を募集する事になつた。いうまでもなく技術研修は私達実業高校教員の宿願であり又大いに期待している明るいニュースであつた。早速沖縄で最も立遅れている「花卉園芸の栽培技術」を研究テーマに一か年の研究教員を希望し書類を提出した。はからずも愚かな自分が候補決定の通知を受け、三月二十四日大望を抱き胸をはずまし泊港を出発研修の途につく、四月七日配置校千葉県立安房農業高等学校の校長先生を始め諸先生方や、ＰＴＡ役員の方々の心暖まる歓迎を受けて無事赴任した。桜花の満開した四月とはいえ南国育ちの我が肌身にはうすら寒さがしみた。一か月目までは生活環境の変化で雰囲気に馴れるに精一杯であり、あれやこれやで二か月目を夢のように迎えた。突然文教局研究調査課からの研究報告の御依頼を受け、ふと今迄の自分を反省し原稿を書こうと筆をとつたものゝ、赴任二か月足らずの月日では満足する文が綴れず、それに自分の研究テーマが花き栽培という少々技術的、専門的な面が含まれて居り、テーマの研究報告を書いても味けない文章になるのではないかと思い、此の度は紙面の都合もございますので、簡単に私の印象に残つている内地の農業教育を視て、という題で纏めたいと思う。勿論私は全国の農業教育を全部視ているわけではございませんので、私の配置校安房農校の実状をかく事にします。

(二) 研究テーマ設定の理由

我が沖縄は戦後広大な農耕地を失い、狭隘な面積に八〇万人の人口をかゝえ、耕地面積四万町歩に対し、およそ九万戸の農家が一戸当り僅か三反余の耕地面積で、超零細規模でありながら、経営状態は依然として甘蔗作や稲作中心の単純な農業経営である。労働生産性、土地生産性とともに低く、農業でもつて生活を支える事が出来なくなり、離農者が多くなるおそれがある。そこで沖縄の農業経営も急速に改善されなければならない。経営規模が小さく、労力過剰の沖縄に於いては、集約的花卉園芸を、沖縄農業経営の中にとり入れても、あながち不利ではなかろうと思う。そもそも花卉栽培は、集約度に対する反応性が著しく高いものである。従つて沖縄の農家のように、所有地面積に対して労力過剰の場合、その労力を百パーセント消化し、現金化していく上に最も効果を発揮する栽培である。しかも第二次大戦後我が沖縄に於いても、文化の向上と、米軍家族部隊の駐留とにより、花卉の需要量は年々増加の一途をたどり、年間六十万弗の花卉の消費高を示している。その殆んどが輸入品である。たとえ産業的には微々たるものであろうとも、何一つとして輸出産業のない消費経済の沖縄の現状からすれば、大いに花卉園芸を研究し沖縄産業振興に役立つよう心すべきだと思う。花卉園芸は営利的、生産的な目的だけでなく、学校教育面、即ち小中高校に於ける理科教育、情操教育という立場からも実に重要な役割を果すものである。以上の見地から私は花卉栽培の技術を研究テーマに選んだ。そこで私は沖縄と最も気象条件の似た、千葉県立安房農校に配置された。房州は無霜地帯で冬期温暖で古くから花卉の生産が行われ、暖地切花地帯としては屈指の地帯である。沖縄と同様耕地面積が比較的少ない、然も労力を消化する他の生産がなく花卉園芸、蔬菜園芸、酪農経営を合理的に織込んだ集約経営を営んでいる。以上の観点に立つて、安房農校を中心とする房州花卉園芸の実態を調査し、沖縄農家の花卉栽培を改善し、経営様式の合理化に資するため微力をつくしたいと思う。

(三) 配置校

四月一日文部省で山内事務官より、配置校の決定通知を受ける。自分の一か年の研究の足場が如何なる学校であるか、ある心の動揺をおぼえた。安房農校は千葉県の最南端に位し、西は東京湾に、南

及び東は大平洋に臨み、気候も温暖である。安房郡は耕地面積が割合少く五反以下の小農である。殆んどが純農村で、蔬菜園芸、果樹園芸、花卉園芸、酪農等の集約的多角経営が発達している。

創立四十周年という輝かしい歴史をもつ此の学校には、地域社会の実態とマッチした課程（農業、園芸、畜産、農村家庭）の四課程が設置され、六十名の職員と、一〇六七名の若き農学徒達が、明日への房州民主文化農村の建設のために勉強しているのだ。本校に一歩足を踏み入れるや、一番強く感ずる事は環境の整った実にすばらしく美しい学校であるという事である。校門の両側には、亜熱帯植物の、きみがよらんや、フェニックスが一糸乱れず整然と植付けられ、玄関には巨大なソテツが葉面一杯に暖かい日ざしを受けて、あたかも南国を忍ばさせている。校庭にはツバキの花や桜やふじの花が色とりどりに咲きみだれ、ガラス室内には今を盛りに、カーネーションや、金魚草の花が満開して夢のような花ぞのを思わせる。一木一草凡べて私を歓迎しているような感じを受けた。環境人をつくるとよく云われているが、此のような立派な環境で学ぶ事の出来る生徒諸君は如何程幸福であろうか、木や花の少ない沖縄の校庭、あまりにもすさんでいる沖縄、我が沖縄の学校も先ず環境の美化から着手しなければならないと、大きな刺激と深い感銘を受けた。情操教育が大切な事は今更申す迄もない、環境の美化が道徳教育の基ばんとなるというても、敢えて過言ではなかろうか。とにかく学びの庭に木を植え、花を植え、児童生徒の心をいやす環境の整美こそ急務だと思う。

(四) うらやましい地域社会と連けいをもつ施設設備

農業教育は、その地域社会の実態に基いて、明るい農村を建設する中堅人物育成が、主な目的である。故に安房郡の地域社会の実態に基づいて、近代的営農人の育成を目標に農業課程、地域園芸育成に園芸課程、地域酪農人育成に畜産課程、明るい農村家庭婦人の育成に農村家庭課の以上四課程が設置されている。申すまでもなく、それぞれの目標達成には施設設備の充実が大切な要素である。さすが農業県とあつて、実に素晴らしい施設設備だ。農業実験室、農業博物館、球根冷ぞう室、図書館、体育館その他の特別教室等もすべて完備されている。沖縄のそれを考えるとほんとに淋しい気がする。特に感ずる点は、こちらの施設設備は地域社会と密接な連繋を保つ、常に協力し合い農業高校は農業センター的役目を果している実状である。以下主な活動状況を紹介しましょう。房州花卉組合連合会が本校敷地内に、工費一二〇万円を投じて、花卉球根冷蔵庫を建設し、学校に於いては技術を提供し、冷ぞう庫の直接の運営と管理に当り、実際栽培の指導と注文に応じ冷蔵処理を実施し、栽培技術の面についても相談に応じている。地域社会より視察参観のため来校するもの殆んど連日であり、必要ある時は出張して、直接指導と助言をあたえている。その他畜産協同組合、酪農組合等と常に連繋を保ち、情報の交換、家畜の防疫、講習講演会等も行つている。又昭和二十九年に二、八八〇個入電気孵卵器を設備し優良種鶏の配布並に孵化の委託を受けている。尚農作物病害虫防除班を編成し、企画、予察、防除、宣伝の各班をおき、常に農業試験場、農業改良普及等の農業団体と連絡し、情報の交換、予察及び早期発見、共同防除及び防除思想の普及啓蒙等に優れた機動性を以つて協力している。生徒達は放課後の寸暇をも惜しんで施設設備を活用して実験実習を行い、自主的に自己の技術の練磨に余念がなく、ひたすら明日の文化農村建設の指導者たる誇りと自信をもつて、勉学に忙しんでいる。学力低下の叫ばれている今日、特に実業高校における施設設備の完備は重要だ。純朴な農村では、封建性が強く、科学性にも欠けている。在学中に生徒をして科学的処理能力を体得させて置かねばならない。玆に実験実習の重要性があげられる。私達沖縄の農学校の施設設備が一日も早く内地の水準に近付くよう関係当局に熱願するものである。

(五) 合理的な実習評価について

農業高校においては、教室学習で得た知識を直ちに実践に移す場として、農業実習が最も重要であるが、本来実習と云うものは、夫々の教科に包含されるべきもので、指導要領にうたってない。故に実習の評価方法は、各学校まちまちで、やゝもすると妥当性を欠くおそれがあり、大いに研究する余地がある。以下安房農校の実習評価法について紹介したい。

本校では特に生徒に認識を深めるため次の様な方法で通知表に記入している。その内訳は実技態度五〇点、出席率三〇点、農具農装一〇点、農業録一〇点、計一〇〇点としている。その具体的方法としては、先ず実技態度の評価であるが農業教科全職員の会議により、全生徒を個人別カードに依り最低を一〇点、最高を五〇点とし、その間を五点差により合議の上決定する。安房郡の農業経営は前に述べた通り、単純な形態ではなく、主穀、園芸、養畜等いくつかが混在している実態である。故に生徒は如何なる課程であつても実習時は、実習配当計画により各部門を通り各種の技術を体得し、全農業職員の技術指導を受けるわけである。

次に出席率点であるが、すべて経験は大切であり、その意味からも農業実習の出席が特にあげられる。一回の実習欠課は（一）一点の減点で少ないようであるが、実は此の学校では農業実習並びに、当番実習欠席した場合には、一定期間内に補充する事になつて居り、生徒は素直に厳守している。次は農具農装点である。これは沖縄の農学校において非常に問題点となつている。戦後の沖縄の青少年は道具を粗末にし、取扱いが乱棒であるという事は否めない事実である。自分の農具すら農場に捨てゝ平気であり、手入れをする生徒は殆んどいないであろう。農具は農学徒の魂であり、農具を見てその学校の評価対象になるというても過言であるまい。此の学校では毎月第一土曜日に全校生徒を校庭に集め、記名手入、清潔度その他検査を実施する。不完全なものは直ちに完全を期するように注意を受ける。此の点検の結果一〇点満点を以つて表現する。次に農業録であるが生徒は実習時に必らず農業録を持参して居り、常に問題意識をもち自主的に問題解決を行うよう心掛けている。農業録は随事提出させて、農業職員によつて記入内容等を検討し十点満点で評価を行つている。以上のような方法で実習評価を実施しているが、多くの教師があらゆる角度から観察して評価するものであるから最も妥当で合理的な方法であると考えられる。生徒自身もよく評価内容を認識しているので、実習をしやぼるという事もなく、積極的に実習を好み技術の体得に努力している。

㈥　よく働く内地の農学徒

戦後の青少年は勤労意欲に欠けていると、よく耳にするが、こゝ内地の農学徒は非常に働きよく学んでいる。勤労は如何なる人間、如何なる職業においても大切な要素であり、勤労によつて人格が育成されると思う。私は今日まで此の学校の生徒達と、実習作業の機会を得て大いに感激している。彼等は教室内の授業よりは、むしろ働きながら研究しようとする意欲が充ちあふれている。週六時間の実習時間が設けられているが、実習時の五分前にはすでに集合して教師を待つている。実習開始の前後にも必らず教師の説明を熱心に聞いている。実に規律正しい実習が行われ、彼等は体験を通して、その学習を深化する為の実際の場として農場を愛し、勤労を愛している。教室における単なる観念的理解だけでは地域社会が要求するような、学理と実際の一致した実践力ある農業人になれない事を、生徒各自が深く胸にひめている。実習の時間だけで満足な研究が出来なかつたものは、各自のホームプロジエクトで研究を続行している。ホームプロジエクトは特別に学校で時間を設けているのではなく、帰宅後、あるいは土、日曜を利用して一生懸命に働いている。それ故教師に対する質問も多く、毎日のように農業教師の所に相談を受けにくる。とにかく生徒に教師が一身一体となつて、研究に励んでいるのを見ると、実にたのもしく思う。私は生徒達の研究心に感激の余りある教師にその理由を尋ねてみた。この学校では三年の卒業時には、卒業論文を提出しなければ、卒業認定が出来ないとの事、それ故生徒は入学と同時に、ある一つの研究テーマを設定して、在学中継続的に研究しているとの事であつた。

㈦　断然多い農校卒業の自営者

農業教育の目的が、文化農村建設の中堅人物養成にあるとすれば、当然卒業生は農村に帰り、学校で学んだ新技術を導入し、経営の合理化を図り自営者になるべきである。しかるに沖縄に於ての農校卒業生の動向はどうであろうか、あいにく私は資料を持ち合せていないので、数学的に示す事は出来ないが、あまりにも自営者が少なく、進学あるいは他の職業に就職するというのが、沖縄での実状ではなかろうか、大いに沖縄の農業教育に反省させられる点であると思う。これは単に学校や生徒父兄の責任のみでなく、色々の社会問題や農政問題に関係してくると思う。沖縄の農家自体の考え方が、旧態依然として、科学性に欠け、封建的思想が多く、創意改善の意欲を喪失して青少年の魅力を全く失つた世界に化しつゝあるという事を、私は内地の農村を視察している間に強く感じた。われわれ農業教育者は、農村後継者が大きな抱負と将来への明るい希望に燃えながら、農村に突入するよう心すべきであると思う。

以下安房農校卒業生の職業趨勢について説明しましよう。昭和二九年度までの卒業生男子二、一四三名中農業自営者が一、五〇〇名で七〇パーセントで殆んどを占め、次に勤人四五五名で二一・二パーセントでこの半数以上は農業関係の公務員である。此の学校では入学時に、進路希望調査を行つているが、在校生の自営希望の六九パーセントは、卒業時の自営者七〇乃至七三パーセントの比率と比べて大体一致している。即ち彼等は入学以前に、自分の進路を決定し在学中殆んど浮動しないで、勉強している。卒業後は専業農家の経営者として成長し、地域社会に於いて力一杯活動している階層である。事実上安房郡農村の中堅として、指導者として大いに活動している。私は連日のように農村を巡回し実態を調査している関係上卒業生の活動状況を知る機会が多い。彼等は学校で修得した知識と技術を生かし、主穀農業及略農業に経

（24ページへつづく）

安房農業高校
本土の農業教育

研究教員
長浜　真　盛氏提供

← 実習前後の説明を聞く生徒たち

整列して教師を
待つ生徒たち →

←
農具農装の検査を
受ける生徒たち

↑ ホームプロジェクトで
牛耕に忙しい男生徒

← 5,000冊の図書館

↑ 電熱温床

↑ 校内の温室

←― 温室内の土壌消毒

↑ ビニールハウス内の金魚草

↑ ガラス室内でのメロンの移植

職業教育原論

台湾省立師範大学工業教育学系
系長　顧　柏　岩

目　次

まえがき

文教局職業教育課
城　間　正　勝

台湾省立師範大学は戦後、旧台北高校を拡張改築して省立師範大学を名乗り、台北全省の中校、高校の教員養成に当たつている。工業教育学系はその中の中校工芸科教員の養成を使命としているが、戦後における全島の職業学校の発展にも大きな指導的役割を果してきた。

筆者はアジヤ財団の援助によつて同系に五か月間学び、系長顧柏岩氏の含蓄ある講義を開く機会を得た。

帰郷後、興ののるままに同氏の講義のノートを整理してみたが、米国における永年の研究と、戦後の台湾における工業教育の改革という血のにじむような体験を通しての氏の所論は傾聴に値いする多くのものを含むものと思われるので、折を見てこれを発表しようと思うようになつた。

しかしもとより浅学非才の身、氏の広くして深い想いを余さず捉える力もなく、又、氏の所論を誤り伝える恐れもないではないが、今回のご来島を機に、原稿を見ていたゞき、そのお許しを得て公表することにした。島内の同学の志の、何らかのご参考にでもなれば幸いである。

註　文中、行業とあるのは trade の中国語訳で、数年の経験を得てはじめて一人前になれる技能を主とする職種をいう。例えば、電工、機械工、自動車修理工などのごとくである。

なお予定の講義内容は別掲のごとくであつたが、時間の都合で後の方は軽く触れたのみであつた。

(一) 職業教育の定義

(1) 職業教育の定義

一体、人間にはどれほどの種類があるであろうか。

といつても分類の基準がなければ、分けようにも分けられないであろう。人類学者は人種によつて分けるであろうし、心理学者は精神の発達段階や性などによつて分けるであろう。

さて、われわれは職業教育を対象としているのであるから、人間をその職業によつて分類しよう。それでわれわれは、職業を心を労するものと肉体を労するものとの二つ、労心と労力に分けることにしよう。といつても全然心だけとか、或は全然肉体だけを使う職業といつてはありえないから、労心を主とする職業、労力を主とする職業ということになろう。

ところで「主とする」といつても、それだけでは余りに非科学的で莫然としているから、その多寡を時間で測ることにしよう。つまり一日の仕事の中で、労心と労力とが時間的にどつちが多いかによつて決めるのである。例えば自動車の運転手は労力である。これは、運転手は走路の状況判断など気を使うことが多いという理由で異論を唱える人もあるかも知れないが、熟練した運転手のシグナルなどへの反応は、一種の条件反射と見なすことができる。門番はどうであろうか。これは一日中坐りきりで、奥への連絡や記録などが多く労心に屈する。かくこの種の分類は地位

には関係ない。

つぎに、待遇についてはどうであろうか。一般的には労心の方がよいが、必ずしもそうとばかりはいえない。例えば自動車の運転手も、初期の頃は労心で、数年も経てば労力に屈すると考えられるが給料は後者の場合が多いであろう。米国では木型工、機械工、左官などの給料は、一般学校教員のそれと殆んど同額である。又、バレーのダンサーも労力であるが、この人達の待遇は相当なものである。

両者の待遇の比較を図示すれば次のごとくになる。

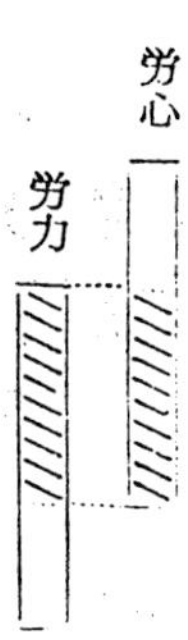

これは米国の例だが、両者の相対的位置は国によって違うであろう。例えば台湾においては、

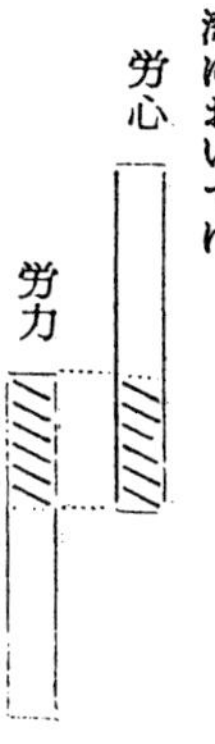

のごとくになるが、東洋においては一般的に労力が低い。この第一の原因は生産技術の落伍ということである。

世界の労働運動はこの二つを同じ位置にしようとする努力であるともいえよう。しかしこれを強いて同列にしようとするのは不合理である。物以稀為貴という言葉があるが、神の人間創造は極めて合理的で、ノーベル賞をもらうような人は数少いが、機械工、電工などといった人達は無数であるからだ。しかしわれわれの東洋においては、猫も杓子も労心の方に進みたがる傾向がある。これには歴史的背景があって、孟子の言にこんなのがある。「心ヲ労スル者ハ人ヲ治メ、力ヲ労スル者ハ人ニ治メラル」。これはもちろん正しい。人間一個の場合でも大脳が手足に命令するのである。しかし、人間対人間の場合はどうして労心者と労力者と相争うのであろうか。これは一個人間の場合は一身同体であるが、人間対人間の場合は奴役するからである。人間が自分自身を奴役しないと同様に、労心者が労力者を奴役するのはあくまでも不当であって、「職業平等」の概念はこれによって発達させなければならない。で民主主義国家においても何故争いは絶えないかといえば、それはいま一つの因素、「他の利益の搾取」という考え方があるからである。こういうことがなくなれば、物以稀為貴という原則は充分に公平であろう。しかして理想社会は有機体でなければならぬ。ちょうど一個の人間のように。

さて教育とは何であろうか。教室における授業も教育であるし、広義にいえば路を歩くことも教育である。デューイーは生活即教育であるといっている。しかし、われわれの職業教育は狭い意味での組織ある教育を指すことにしよう。つまり学校の中であると、工場の中であるとを問わず、目的を有する組織ある教育ということである。

で、この教育の定義に基いて、私は職業教育を次の如く定義したい。即ち「労力を主とする職業に従事せんとする者を養成すること、及び、労力を主とする職業に関して、就業者の技能を増進する為の補習教育、これを職業教育という。」

かく定義する理由は、此の社会には肉体労働に従事する人が多いということ、又、肉体労働者の養成法と精神労働者のそれとは異るということ、及び東洋においては現在、農業生産から工業生産中心に移りつゝあって、後者の場合、大部分の働き手は、職業訓練を要する肉体労働者であるということの為である。

広義にいえば、就職の為の準備教育はすべて職業教育であろう。そうすると大部分の学校教育はすべて職業教育ということになるが、義務教育、大学入学準備教育は例外である、大学程度においても哲学、語学、歴史、純粋科学などの所謂リベラルアーツは、この場合でも職業教育ではない。

「注」現在、アメリカにおいては、テクニカル教育も職業教育に属する。しかし私個人の考え方によれば、この種の教育は労力を主とする者の教育とは方法的に異るところがあり、又、東洋においては伝統的に工業学校ではテクニカルに訓練に近い方式を採っている為今まで、社会で多数要望される労力を主とする職業従事者を訓練する学校が少ない実情にあるので、この種の教育を提唱せんが為に、前記のような狭い定義を下すものである。テクニカル教育を職業教育に含めないのは何もそれを軽視するのでないことはもちろんである。

(2) 職業の分類とその教育機関

社会の各種職業は普通つぎの五段階に分類される。

労心↑ ……… ↓労力

1.	専門的職業 Professional level
2.	半専門的職業 Teachnical or Semi-Professional level
3.	熟練的職業 Skilled level
4.	半熟練的職業 Semi-skilled level
5.	非熟練的職業 Unskilled level

もちろん、理論的にはその段階は無数

にあつて、明確な境はない。この境は教育上問題ではないが、教育を行うに際しては、どの段階の職業を目標にしているかを明確にする必要がある。

あくまでも一般論であるが、技師などの専門的職業は四年の大学訓練を必要とし、技手などの半専門的職業は一年乃至二年の専門学校教育が必要である。熟練的職業と半熟練的職業は高校、或はそれより低い程度の学校において訓練さるべきで、筋肉労働を主とする非熟煉的職業は学校教育の対象にはならない。

ここで、われわれの定義によれば、この熟練的職業と半熟練的職業を目標とする教育が、職業教育だということである。

専門的職業と半専門的職業の訓練を高校以上の学校で行う理由は、これらの職業は労心を主とする精神労働であり、この種の仕事は知識にまつところが多く、知識は主として蓄積によつて得られるからである。

なお、こゝで強調しなければならないことは、これら四種の教育はそれぞれの職業の基礎を作るものであるということである。

因みに、熟練的職業を高校でやることについては、米国においては中学まで義務教育となつているので異論はないが、台湾においては、中学で行うべきだとする意見と、高校を主張するのと二説ある。前者は、義務教育が小学校までだから、義務教育終了者に対する機会の提与を理由とし、後者は生徒の身体的発育の程度をその根拠としている。しかし私は中学卒の労力の上に教育すべき職業ならば高校でやるべきだし、そうでなければ中学で訓練してもよいと考える。

(二) 職業教育方法論

(1) 職業教育実施の順序

何事も理論をそのまま実際に移すことは困難であるが、職業教育は社会の需要に応じて行うのであるから、先ず需要の調査が先行しなければならない。

各種職業に対する社会の需要は、綿密に計画され実施された職業調査によつてこれを知るのであるが、この調査は予算や時間の許す限り全面調査をやつた方がよいであろう。しかし止むを得ない場合はサンプリング法でもよい。そして正確な調査を行う為には、調査要員の訓練が必要である。

(一) 調査項目(A)

1 全人口の状況
2 職業の分布状況
　イ 種類
　ロ 仕事内容
　ハ 地域
　ニ 趨勢
　(例えば鋲打工が漸減しつつあり、溶接工が漸増しつつあるなど)
3 現従業員の経歴
4 職業学校の数とその訓練種目、或いはその他の訓練所
5 他に職業学校設立計画の有無

ここでわれわれは重要な見落しをしていることに気がつくであろう。即ち、訓煉対象となるべき青少年の調査である。しかしこれは、或る品物の生産計画の際先ず市場調査があり、次に材料調査があるように第二の段階だといえよう。

(二) 調査要目(B)

1 教師の調査
2 学生調査
3 父兄の意見
4 経費の出所
5 学校敷地附近の交通状況
6 その他

こうして(A)によつて社会の需要を知り、又、(B)によつて学校設立の目安を立てるわけであるが、家を建てる時まず青写真と施行説明書が必要なように、職業教育においても、こういうような計画的教育を施してはじめて成功を期することができるのである。つまり近代的職業教育は必ず、近代的計画性がなければならぬのである。

(2) 各種学級類型

米国における職業教育の型をつぎに挙げてみよう。

(一) 全日制クラス

職業を選択しその準備をする生徒に、職業準備教育と一般教育とを与える中等教育である。

これには次の四種がある。

(1) 単位行業訓練 Unit Trade Training

機械工、自動車修理工、板金工などの如く、一種のトレードについて訓練する

(2) 多種行業訓練 Multiple Trade Training

狭い地域などで、その地方の職人の熟練度がそう高くない場合など、二、三のトレードについて訓練する。

(3) 技術訓練

技手養成であるが、この傾向は徐々になくなりつつある。日本の工業高校はすべてこれである。

(4) 一般職業訓練

種種の職業について訓練して、半熟練工にする程度のもので、定まつた訓練目標を持たない。

(二) パートタイムクラス

正規の就業時間の或る定つた時間、学

校へ戻つて勉強したい就業者の為に設けられたクラスである。

(1) 行業研修教育

従事している仕事に関する知識や技能の増進の為に行われる。例えば徒弟の為のクラスがあり、技能は工場で、関係科目は学校で教える仕組になつている。

(2) 職業準備訓練

工場の都合や本人の都合による転職希望者の為に行う訓練である。パートタイムを利用して職業に必要な技能と知識を与える。

(3) 普通職業教育

労働組合が、組合員の福利などについて、終業後行う啓蒙教育である。

㈢ 夜間クラス

このクラスの目的は、就業者の作業能力を高める為に、現在の仕事、或いはかつて従事していた仕事に関する知識、技能の指導を行うことである。このクラスは普通、夜間に設けられるが、受講者に便利なその他の時間に行われることもある。例えば夜業する工員は昼間この種の訓練を受けることができる。但しこの場合も夜間クラスという。

なお、上述のパートタイムと夜間クラスの差異は、パートタイムの場合、雇用主から正規のサラリーをもらい、夜間クラスの場合はそうでないというところにある。

さてわれわれの社会には各種各様の職業があるのであるが、これらの職業教育はすべて学校でやらねばならぬであろうか。答は否である。

先ず第一に、機関手の養成などのごとく設備の面で学校では不可能な場合がある。

第二に新らしい職業の場合教師の採用が困難で学校での訓練を不可能にする。

第三に、需要される人数が少ないときなどのように、学校で訓練するには余りに不経済の場合がある。たゞしこのときには、各種の職業の人達を集めて、学校では関係科目のみを教え、技能は夫々の現場で訓練することがある。

第四に学校で訓練する必要がない場合がある。就職してその仕事にたずさわりながら短期間に習得できるような仕事はこの類いである。

第五に、学校で訓練することが好ましくない場合がある。芸者やバーテンダーなど、確かに職業訓練が必要であろうが学校はこれらの訓練を行うことを欲しないであろう。

つぎに、職業教育を学校で行う場合と産業界で実施する場合との優劣についてはどうであろうか。

第一に、文明社会における職能の分業化という立場から、教育は学校に一任した方がよいと私は考える。産業界はその本来の使命である生産に専念した方がより効果的であろう。

第二に、学生の健康の面からいつても品徳の面からいつても、学校環境の方がはるかに良いであろう。こうして品徳高く養成された卒業生が、将来の工場の浄化の上でも、少なからぬ役割を果すことが期待されるのである。

しかし、ここに述べた学校教育の長所は、あくまでも初歩的な事柄であつて、更に進んでは、実際に産業界に進出したあと、実際的なより高級な仕事にぶつつかつて、大いに切磋琢磨することが望まれるのである。

(3) 職業教育課程

カリキユラムとは何であろうか。これはいくつかのコースを持つている学校の教育計画であり、コースとは、機工科とか電工科などのごとく実際に学生を集める分野をいう。綜合高校の場合には、プログラムオブスタデー（学校計画）は、大学準備、工業、商業、農業等のカリキユラムからなり、更にその下にいくつかのコースがあるわけである。コースの具体的内容がコースコンテントであり、われわれがこれから討議しようとするのはこのコースとコースコンテント（内容）の二つである。

さてわれわれがコースを決める場合、これは地域社会の需要によつて決めなければならぬ。そして需要性といえば、われわれはこれを職業調査によつて知るのである。そうして決定されたトレードの分析を行い、必要な知識技能を知り、これらを科目に組織し、更に科目を組織することによつてコースコンテントができ上がるのである。このことは、脂肪、蛋白を組織することによつて食物ができ、食物を吸収することによつて生活が生まれる人間の生活と似ているといえようか。

ところで食物は天然に存在しているが、この科目は人為的に作らなければならぬ。しかしそのいくつかは、長い文化の蓄積によつて、物理、化学、数学等の如く天然に存在するといつていゝであろう。とはいえ、人工の食物が存在するごとく、この科目もわれわれは人為的に作ることができる。又、他人の食べている食物が、何人にも適するとはいえないがごとくに、科目の場合にもわれわれがそれを消化できるかどうかチェックする必要があろう。

さてわれわれはこの科目を、工場実習関係科目、普通科目の三つに組織することができる。関係科目は、普通、関係数学、関係科学、関係製図（或は読図）より成るが、何れの国でもこれでやつていけるであろう。又、普通科目は、公民、

地理、歴史、国語、外国語などであるが、これは当然国によつて違つてしかるべきである。

しかしこの分類は、ぜひともこの分け方でなければならぬという種のものではなく、職業分析によつて得た必要なるものを含んでおればいゝのである。ともあれ私は、職業分析との照合に便利であるという理由で右の分類法を推薦したい。

ところでわれわれの科目を職業分析と照合する場合、われわれは工場実習が主であるということを忘れてはならぬ、(普通科目はわれわれの討論から除外する）このことを図示すると、

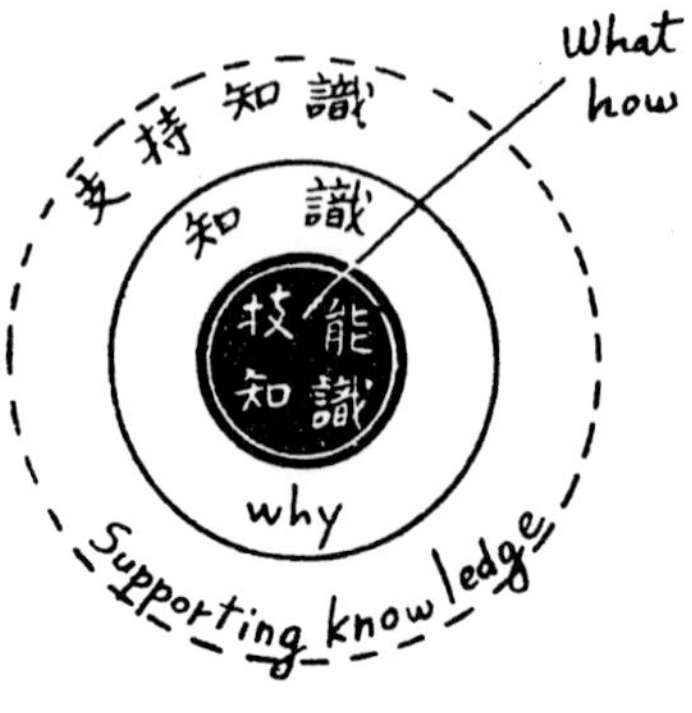

学生が習得すべき知識は、技能を発揮するための知識が核心になつている。如何なる技能も知識なくしては発揮できず「何を」「如何にして」という、技能の中に浸みこんでいる知識である。

この知識は旧式の徒弟教育を経てきた人達も持つているが、近代的な工員を養成するにはこれだけでは足りず、「何故に」という知識を与えなければならぬ。例えば熱処理やダイカストにおけるがごとくに。

更に又、「何故に」という知識を支持する知識が必要である。

これらの知識は、理論的には分類し易いが、実際的には非常に難しい。果してこれだけで将来充分であるかという決定も難しいのである。又、生徒各人のバックグラウンドも違うが故に問題は一層複雑になつてくる。それで伸縮性を持たせる意味で最外線は点線で表わしたわけである。

この問題は現在、米国でも討論の課題になつているが、ここで私は一つの提案をなしたい。

即ち、関係教材を、関係知識（Related Information）と、関係科目（Related Subjects）の二つに分けることである。

さて、この関係教材を誰が教えるかという問題であるが、米国には二説あつて一は、「何を」「如何にして」という知識は実習教師が、「何故に」及び「支持知識」を他の教師が教える。二は、「何を」如何にして」及び「何故に」を実習教師が、「支持知識」を知の教師が教える、べきだというのである。しかしこの二の説は、現実の問題として、「何故に」ということを充分教え得る実習教師が少いために困難であろう。それで私は、「何を」「如何にして」及び「何故に」の一部を実習教師が、残りを他の教師が教えることを提案したい。そして実習教師と他の教師は、双方の教えることが重複したり、ギャップを生じないために連絡を密にする必要があろう。そして又、他の教師はそのトレードについて充分な知識を有する人でなければならないのである。

(4)　職業科教育法

首題について一般的なことを述べてみよう。

一、職業教育のための設備は、現在産業界で設備されているものと同等か、或いはそれに近いものであること。産業界での使い古しを学校へ払い下げるなど凡そ意味がない。又、工芸科の設備も使えない。われわれの養成する生徒の技術は実際に産業界で通用するものでなければならないからである。とはいえ、平削盤やラヂアルボール盤などのごとく大きく過ぎるものや、使用頻度の少い機械を強いて設備する必要はない。

二、実習材料は産業界で使用するものと同等でなければならない。家屋の縮尺模型を作つたりすることで大工の養成はできないし、鋼材であるべきものをアルミを削らしたり、すべて不可である。

三、工作法は産業界で最も使われているものを用いること。時代遅れの工作法を教えたり、又余り産業界から行き過ぎた工作法を用いてはならぬ。

四、学校の中の環境は理想的には産業界のそれとなるだけ同じにすること、建物の様式、設備の配置、工具の出し入れ、及び工場内における生徒の人事組織など全て産業界で行われていることをできるだけ取り入れるべきである。こうすれば卒業後、工場へ入つた場合、比較的容易に適応できるのである。

五、生徒の実習作品の品質は、産業界の製品と同等に近いものでなければならぬ。

六、できるだけリアルヂョブ、ライヴジョブを探すこと。かくすることによつて実習費の解決にもなるし、生徒に自信を与えることにもなる。ただし、職業分析により作られた授業計画を余り損わぬよう注意が必要である。

(註）職業分析は技能教学の基礎である。但し単調なる練習法では教学の効果を挙げることはできない。(時たま基本的練習をすることは必要ではあるが）ついでに一つの例をあげると、家具工の職業分析の結果、読図、計画、材料の撰択準備、寸法の測定、けびき、鋸びき、鉋か

け、孔あけ、にかわづけ、組立て、みがき、塗装等々であるが、椅子を作る場合も、机を作る場合もすべてこれらの基本的操作を含むものである。理論的にいえば、生徒にこれらの基本操作をやらせばよいのであるが、ただこの方式では教育心理学的要求を満足できない。現代的職業教育法によれば各種のプロジエクト、例えば、机、椅子などを設定する必要がある。生徒はこのリアルプロジエクトを製作することによつて、基本操作を学ぶと共に、㈠責任感をうえつけられ、㈡仕事を完成する際の満足感を味わい、㈢精密度に意を用うるようになるのである。この三種の条件が、技能教育を成功させる要素である。なおこの他、こういうリアルプロジエクトを設定することにより材料の浪費を防ぐことができる。

このリアルプロジエクトの計画は実際容易なことではなく、次の諸点に注意をする必要がある。

(1) たくさんのプロジエクトの中に含まれる基本的操作は反覆練習をする程の数だけ含まなければならない。

(2) 各種のプロジエクトの計画は各種基本操作を平均に発達させるようくふうすること。

(3) 各種プロジエクトの順序は易しいものから難しいものへとならべ各生徒の程度に合うよう計画する必要がある。

(4) 学校備品の能力がこれらプロジエクトを使うことができること。

(5) 生徒の興味をひくものであること。

(6) 材料の使用をできるだけ経済的にくふうすること。

(7) 各種操作技能はその地域で行われているものであること。

以上の考慮を見ても、プロジエクトの設定は容易ではなく、学校内の教員の相互の研究協力によつてのみよいプロジエクトを作ることができるのである。

産業界から注文を学校がとるのは非常によい生産プロジエクトである。ただし教師は、以上述べた各種の要求を考慮してからでなければこの種の注文を受け入れてはいけない。教育は畢境生産とは違うのである。

七、実習の作業は反覆させること。技能はただ一回の経験で習得されるものでなく、何べんも繰りかえすことによって習慣化されるものである。このことは先に述べたように非常に重要である。

(5) 職業教育教師

前述のごとく、職業教育教師には、実習教師と関係科目教師の二者があるが、この二者の養成法について論じてみたい。

先ず実習教師については次の四つが考えられる。

一、永年の行業経験を有する人に教師としての訓練を与える方法

台湾では六年以上の行業経験と規定しているが、その人が真にその行業に関する技能を有することが必要である。

ここに行業経験とは技能プラス判断力である。（行業経験があつて始めて、仕事を完成できる技能と判断力が具わるものである。）

二、四年生の大学で同時に行業技能と教師としての専門知識を与える方法

この方法の欠点は、実習の時間がやはり足りなくて、行業上の判断力が充分でないことである。又、この種の教師は工業界に対する認識の点でも欠くるところがある。

三、工場から熟練工を雇つてくる方法

こういう人達は教育法を全然知らないので、時々休暇などを利用して教師としての専門知識を与える。

四、大学の工学部卒業生を採用する方法

右のごとくであるが、私見によれば、四は全く不可で、二はやゝ疑問、一、三がよいと思う。

次に関係科目教師については、

一、実習教師が関係科目を兼ね教える法

これは実習教師の数が不足している国では勿論不可能であるが、よしんば実習教師の数が充分であつても、一つの工場に二人の実習教師を配置して余分の時間で関係科目を教えるとすれば工場の管理に不便を感ずるだろう。

又、熟練した実習教師は往々にして学理的な面に欠けることが多い。

二、大学工学部卒業生を採用する法

この方法の欠点は、こういう人達は普通、トレードに対する理解が足りないため、取りあげる教材が適切でないか或は難し過ぎることが多い。

三、二年以上の行業経験を有する人達に四年の大学訓練を与える法

三が最も理想的で一、二は疑問に思う。

(6) 建教合作

学校と産業界との協力ということであるが、その目的は次のごときものである。

一、生徒の就職の便宜をはかる。

二、現在行つている職業教育の方法を支持してもらう。

三、学校及び教育課程の欠点を指摘してもらい、その改善をはかる。

方法としては、

一、各種諮問委員会の設置

二、学校を定期的に開放して観覧せしめる。

三、努めて産業界と協力して職業訓練を実施する。

四、技能コンテストなどを行い、産業界

界人士に出題や審判をしてもらう。

などがあるが、一の諮問委員会についてもう少し詳述したい。

諮問委員会の種類

（a）　一般諮問委員会

これはトレードの専門家でなくてもよいから、社会的影響力のある人で職業教育に関心を持つ人で組織する。目的の㈡と㈠の一部を果すことができる。

この会を運営する時の注意としては、もし委員の一人でも欠席すると、その人の地位が高いから他の人にも影響を与え易いので、予め注意が必要である。従って回数も余り多すぎては不可で、年四回ぐらいが適当である。

そして会は内容がなくてはならず、開校記念日だとか、新工場落成の折など招集するのも適当であろう。

しかし、過度の要求は控えるべきで、会をして竜頭蛇尾に終らしめないためには、当時者は誠心誠意仕事に当たらなければならない。

（b）　工業諮問委員会

工業界の見識ある人達で組織し、工業界の需要を知り学校の政策決定の参考にする。目的の㈠の大部分と㈡の一部を果たす、この他、学校の課程設置、課程内容を決定する参考にする。人数は少い方がよいが、（a）（b）二種類を混こうすることは禁物である。

（c）　行業諮問委員会

熟練工や技師などで組織する。人員は六、七名ぐらいがよい。目的の㈢を達成できる。㈡については精神的な支持は可能である。

（三）　職業教育と普通教育及び専技教育との関係

職業教育は職業に従事せんとするものに必要な技能と知識を与えればこと足れりと考えられるのであるが、しかもなおその教育課程において、時間にして四分の一以上が普通教育に割かれているのは如何なる理由によるのであろうか。

それは狭義にいえば職業教育の基礎として、又、広義には公民教育としての普通教育の重要さが見落すことのできないものだからである。

たとえば日本の職業教育は成功とはいえないが、その工業水準が高いのは、普通教育が徹底しているため工場へ入つてからの学習能力が大きいためと考えられるし、広義における公民教育としては、理性が未発達で身体的にも成長期にある青少年に、良き市民たるべき基礎を与えることが絶対に必要なのである。

かく普通教育の重要性を認識した上で如何にして普通教育を職業教育の理想的基礎たらしめるかということが問題になるであろう。

前述の如く、普通教育全般が職業教育の一般的基礎をなすことは論をまたないのであるが、もつと直接的貢献をなしうるものとして職業指導と工芸教育があげられる。

(1)　職業指導

職業指導は職業教育の一部であるか、或は又、職業教育が職業指導の一部であるのか、米国では色々議論のあるところであるが、一体指導とは何であろうか、又、教育とどう違うのであろうか。

簡単にいえば、公民教育などの如く、個別差異を有する個人を同一の目標に向つて導いていくのを教育といゝ、各個人の特性に従つて別々の目標を指示することを指導というのであ。

もちろん指導には、社交指導、進学指導、婚姻指導など数限りない種類があるが、米国で一番発達しているのが職業指導である。

さて次に、米国の全国職業指導協会の職業指導の定義を紹介しよう。

「職業指導は、個人が職業を選択し、その準備をし、就職し、その職業において進歩向上することを援助する過程である。」

つまり職業指導の範囲は

1　職業選択（中学校）
2　職業教育（高校）
3　就　職（高校）
4　就職後の協力（卒業後）

の四つを含むわけであるが、われわれは1の職業選択を普通教育に含め、残りの三項は普通教育の枠外に出すことにしよう。

で、各中学校には、生徒が最善の職業選択が行えるよう職業指導相談員を置くことがのぞましい。

職業指導相談員の仕事

1　各個人の資料を集める。

これにはテストなどによる客観資料と個人自身により記入される主観資料とがある。

2　職業に関する資料を集める。

書籍、パンフレット、目録、フイルムフイルムストリップなど。

3　個人をして職業に関する理解を深めしめる。

4　個別的に職業選択、進学或はその他について相談にのる。

学校における職業指導は、その他の指導と協調する必要がある。指導には職業教育者が当ることが望ましい。というの

は職業指導は各種指導中で最も重要な役割を占め、職業教育者にはその他の指導の方法と比べ内容を比較的容易に理解できるが、その他の教育者には職業指導は理解し難い。

　職業に関する理解を深めしめる方法として、読書、講演、討論、映画、職場参観などがあるが、その他に個人が自らその職業を試してみるということが考えられる。その為の一番いい方法は学校の中に工芸教育の科目を持つことである。

(2) 工芸教育

　米国で産業教育（Industrial Education）といえば職業教育（Vocational-Industrial Education）と工芸教育（Industrial Arts）とを含むように、近年米国における工芸教育の普及は見るべきものがある。

工芸教育の目標

　1　青少年が工業を認識することを手伝う
　工業文明の時代に生をうけた若い人達は、学校において工業文明を理解するような教育をうける必要がある。
　2　青少年に各種工業職業の探求の経験を与える。これは終身職業を選択するのに必要である。
　3　基本的な技能を訓練し、家庭の技手として現代生活の必要に応ずるようにする。
　4　消費者としての常識を与える
　家庭用機械器具の手入れ、品物の判定などの知識を与える。これは工業を発達させる為にも非常に重要である。というのは消費者の品物に対する鑑定力が高くなればなる程、生産者は競って品質の向上に努めるからである。
　5　建設的趣味、副業的興味を育てる。
　仕事の余暇を家庭用具の製作、修理など建設的に過せるよう、建全な趣味を養うことができる。
　6　協力、或いは相互扶助の精神を養成する。
　協力して生産活動に従事することによつて、分業の意義を知り、労働の尊さを悟り、自ずと協力精神が養われる。

(3) 専技教育

　狭義における産業育は、職業教育と工芸教育を含むのみであるが、広義においては、この二者に専技教育と技師教育を含む。

　さて工業職業は、
1　専門職業（技師）（Engineer）
2　専技職業（技手）（Technician）
3　熟練職業（熟練工）（Skilled Worker）
4　半熟練職業(半熟練工)(Semi-Skilled Worker)
5　非熟練職業（非熟練工）（Unskilled Worker）
の五段階に分けられ、熟練職業及び半熟練職業に従事せんとする人達を養成するのが職業教育であることは前述したとおりだが、それぞれ技師、技手と呼ばれる専門職業者及び専技職業者の教育について一言したい。

　これら技師、技手とよばれる人達の知識の状態を図示すれば、次のごとくである。

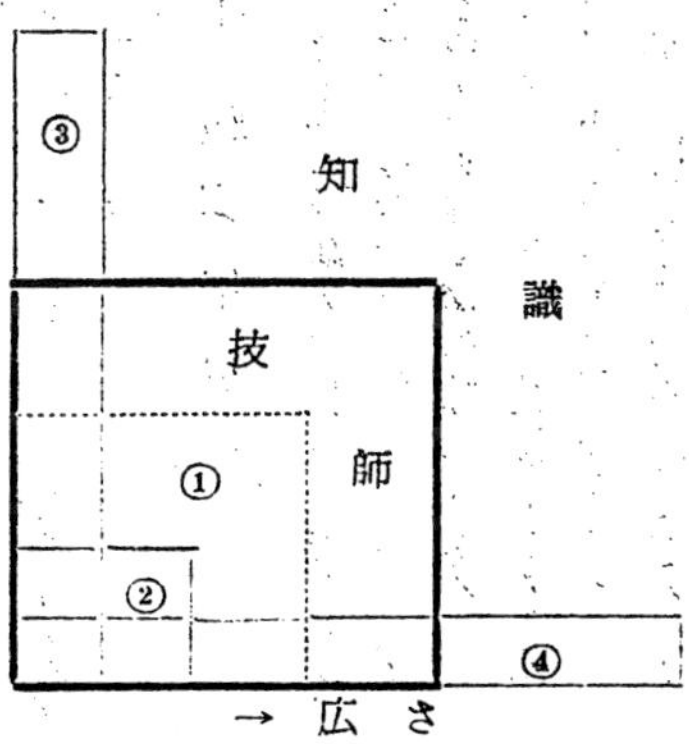

①の種類の人は普通、技師補佐（Engineers Aids）などと呼ばれる人達で、手先の技術は余り必要でないが、相当程度の工業専門知識及び科学知識が必要である。
　②は、生産及び整備監督（Technical Production and Maintenance Superviser）と呼ばれる人達で、技能は熟練工以上である。
　③は技術専門家（Technical Specialist）と呼ばれる人達で、或る1つの分野に深い知識を持つている。熱処理専門家や、飛行機の性能テストの専門家などである。
　④は半専技手（Semi-Technical Men）と呼ばれる人達で、浅く広い知識を持つている。工業製品販売員、原料購買員、工場会計などであるこれら四種の人達を技手と呼ぶのであるが、これらの技手を養成することを専技教育というのである。
　この技手教育については米国に二説あつて(1)Engineeringtechnical edfu cation を主張する人と(2)Vocational technical education を主張するのと二派ある。

　主として工科大学の方は(1)を主張し、職業学校の方は(2)を主張しているが、しかしこの二者は相容れないものではなく前者は技師補佐を、後者は生産及び整備監督者を指しているのである。

　一般的にいつて技手に必要な知識は熟練工より高い必要があるから、高校以上のレベルにおいて養成さるべきである。

　因みに③、④の種類の技手は必ずしも学校において養成される必要はなく、補習教育によつても訓練できる。

(四) 職業教育の考評

中国には行政の三連制と称して、①計画、②執行、③考核というのがあるが、何事にもあれ、物事を為すに当たつては、この三要素が必要であろう。

さて考評 Evaluation とは何であろうか。これは単なる測定 Measurement 或は試験 Examination とは異り、測定プラス研究、及び発展を意味するものである。つまり考評とは、結果を測定し、研究し、今後の発展を計ることをいうのである。

米国においては、物事を計画する時の原則的な尺度として 6Ws というのがある。これは Who, Why, When, Where, What, How の六つの素因を指すのであるが、考評の際にも、それぞれこれらの事柄について考評すればよいであろう。

ところで、考評といつてもたゞ印象によるだけでは不可で、科学的な表を作つてその前後の状況を判断する必要がある。その具体的方法については、拙訳、「工業職業教育之考評」によられたい。

(五) 職業教育のすう勢

多くの人達が、オートメーションの発達により職業教育の前途は暗いという。事実、元シカゴ大学長ハッチング博士は曾て職業教育定論を出している。

しかし米国労働省は一九五三年、過去十か年に亘る統計の結果を発表して職業教育の将来を肯定している。

オートメーションは、以前より多くの電気技師、機械据付工、工具製造工、鋳型製造工、機械製造工、及び修理整備工を必要としており、若い人達が熟練を要する仕事について働ける機会は以前よりずつと多くなつているというのである。又、製造工場自体ではオート化されて熟練工は減るが、製造工場そのものは増えることも考えられるのである。

ともあれ、職業教育の将来は決して暗いものではなく、殊に工業的後進諸国では、職業教育の充実により産業界のため最大限の熟練工を作り出すことが最大の急務だといわなければならない。

機械課程における問題點

沖縄工業高等学校
機械課程　具志堅　政　芳

第一章　課程とは何か

現在の課程という言葉は『工業課程中の機械課程』というように、その表わす概念が、全部と一部の二つの場合に使われて、混乱を起しやすい。工業課程という場合の課程は普通課程、農業課程などに対するもので意味する所は明確であり此れを性格づける規定も示されている。これに反し、小課程ともいうべき機械課程の課程は、いくつかの課程例が示されているばかりで、特別な定義も規定もなく、従つてその内容も甚だ不明瞭である。例えば（a）課程と教科科目との関係はどうか。課程の枠が決定して教科、科目の内容が盛らるべきなのか、逆に教科、科目を選択して結果的に課程が定まるのか。（b）職業分析によつて課程編成がなされているか。（c）機械課程以外に機械に関する課程は有り得ないのか。機械課程の中から独立せしむべき小課程に関するものが有つてもよいのではないか。他の課程との中間に位置する課程も考えられるべきではないか。（d）学校の運営管理上課程はどんな位置を占むべきものであるか等の問題は、すべて課程とは何ぞやという事と結びつくのである。

第二章　課程の新設

機械課程については、今後新課程の設置またはコース制採択の必要が益々加わつてくるものと予想される。即ち第二の産業革命の中心的推進力となつている機械工業界は、急速にその領域を拡大しているので、これに伴つて新課程の生れて来るのは当然である。反面機械工業界内部の発展と変革、例えば生産種目の変化と増大、材料の進歩或は生産方法、生産技術、管理方式などの変革に応じて課程の細分化が必要だと信ずる。自動車課程は既にあるわけだが、機械工業の一分野とか生産過程中の一部門、更には工場内の一職分（例えば生産管理課程とかなど）等を対象領域とした課程の出現を充分期待されるのである。その上機械課程の第二機械の発展に伴つて既に内地では電気機械、建設機械、化学機械など他の課程との中間的課程の必要も認められている通りである。かゝる際課程の性格を

従来のまゝにして置いたのでは、その新設に非常な困難、非能率、不経済、混乱等を伴うことを避け難い。しかし課程の性格は変え、これに機動性を持たせておけば、極めて容易且つ経済的に、どんな新課程をも増設することができ、混乱を起す憂がない。むしろ多々益々弁じて生彩ある教育を行なうことが可能なはずである。課程そのものゝ究明を是非行わねばならない理由の一つはこゝにある。

第三章　学校管理と課程

学校管理から見るとき、課程は以前に科と呼び、或は学科と言つたものと殆んど同じものである。機械科長の実体の有無は別にしても、その観念なり呼称は残つているが、課程長という呼称は生まれていない所を見ると管理の実際上は殆んど機械科時代と変つていないのが実情であろう。即ち工業関係の施設設備は総ていずれかの科に属し、教師も科目を担任して何れかの科に所属する。科長は所属の施設、設備を管理し、教師を監督して在籍生徒の教育指導に当る。これが科の原理である。時には教師が他科の生徒の授業にも当り、施設設備も時に、他科の実験実習の用に供せられることもあるが原則はあくまで科専属である。人と物を専有するところ工業教育に於ける科の障壁は極めて強い。これに積年の慣習が加わつて、分割主義の弊に陥つていた所も少くなかつた。従つて課程を新設しようとすれば、既存のものと重複しても常に新しい施設設備が必要であり、所属の教師が必要という結果になるのは当然である。最近共用が奨励され、次第にその傾向に有るが工業界の趨勢に応ずるためには、共用がむしろ原型となつて然るべきではあるまいか。少くとも科は課程に変つたのである。その在り方を充分に吟味検討して改むべきは改め、以つて学校の管理運営が工業界の進歩発展に応じて能率的にしかも機動性をもつて行われるようにすべきである。しかも工業教育に占める比重の大さと、その特質から考えて機械課程に於てその必要が最も大きいわけである。

第四章　単位実習工場と操作分析

教育しようとする工業領域を分析して、どの課程にも専属しない、共通的な実験、実習場を設定することが、如何にその利用度を高め、且つ機動的にすることも可能であるが、しかし更に進んで、同じショップ内にも作業の種別に応じて幾つかの小区分を設け、各区分の一つ一つに対し要素実習場の性格を与えて置くと、更に便利である。またこの要素実習場で行われる実習は、勿論作業指導と関係知識の学習を含んでいるが、更に必要な教室授業をも附加したものを、単位課程または要素課程として置くのである。その単位の大きさは各種の課程を作つて行く場合の細小部分となるもので、此れ以上細分の必要のないものがよい。従つて作ろうとする課程により、その学校の地域性等の実情によつて、単位課程は違つていてよいのである。例えば機械ショップについて言えば、機械工場をそのまゝ一単位とし、此れに若干の教室授業（数学、理科、管理など）を加えて機械ショップ課程を設定し、此れを単位課程とする場合もあるし、旋盤作業場と其他の機械作業場とに二区分して、単位工場とし、此れに応じて単位課程を作つてもよし、旋盤、フライス盤、ボール盤、形削盤などと小区分してそれぞれ単位実習場単位課程を設定することもできるわけである。かくすれば、課程は結局、単位課程で組み上げたもの、または単位実習場を組み合せた実習に、他の科目を加えてでき上ったものとなるわけである。そうすれば、単位課程の組み合せにより、無数の課程の編成が可能である上に、僅かな単位実習場を新設しただけで、新設できる課程の性格にも適合化するしその数は驚くほど多数になるはずである。また課程の名称は変えないでも、工業の変革進歩に伴い変転自在に之に即応する課程編成を行うことも極めて容易となるのではないだろうか。第二章に述べたように近来機械課程を中心とした。課程新設の要望と機運は極めて盛んであるが、その新設の方法には大いに検討を要するものがあるが、現況に於いて言える事であるが本校機械課程と名護高等学校機械課程とは地域性からしてもその内容は当然違つてくるのではないか。また上述のような課程の編成法が採られるならば、僅かな単位実習の新設のみで事足りるはずであつて経費の節約は莫大である。ショップ制の立案主目的もこゝにあるのである。既に述べたように機械課程は横に拡がる機能を持つと共に、中学の職業教育に対する現職訓練援助などのように、縦に拡がる機械に対してもその必要益々加わつて来るに違いない。

此の時、旧来の課程の性格では、その新設が容易ではない。此れに反し単位課程の行き方をすれば事は極めて簡単である。

定時制の実習は、生徒が勤労青年で、それぞれ特殊の経験、技術を持つのであるから、個々の実情に応ずる指導計画を立てるべきで実習の選択制等も考えられるべきであろう。更に短期の講習会、成人教育講座等も用いて、社会教育にまで及び、技術教育センター的役割を果すことも、単位実習場の設定によれば殆んど施設設備や指導者を増すことなしに容易に実施可能なわけで、将来の問題として見るとき課程の性格をこのように置きかえる必要は絶対であると信ずる。

第五章　管理技術

工程管理は勿論、工場管理、工具管理及び倉庫管理、運搬管理から、品質管理原価管理等に到るまで、実習作業の一部として実践的体験的に学習させ度いものである。即ち管理実習を如何に取り入れるかゞまた大きな問題点となるわけである。次の諸点は、その際注意されねばならない。

(1) 管理実習を如何に取り入れるかの問題は、同時に科目としての工場管理は如何に在るべきかの問題である。機械工作法と作業実習との関係に比すべき緊密な連関が、その間になければならない。それがためには両者を一体として検討し実習と学習を選別、配当し、計画的に推し進められることが望ましい。

(2) 実習中、生徒に機械班、工具班、材料班、作業班等の職務を与え実習工場の管理に協力せしめつつ、日常に於て管理技術の学習に資することは、最も適切な一方法である。此の際職務指導票を用いることは、作業指導に呼応する意味でも、是非採用されねばならない。

(3) 算盤、計算器など事務用器機の取扱、簿記関係の技術、数学的処理等を、事情の許す限り取り入れて、その効果を大ならしめたい。

(4) 生産実習を採用することは、管理実習に生命を吹き込む意味でその価値が大きい。特に原価管理は然りである。工場能率の必要を、随所に感得させて、能率生活にまで昂揚する機会は、生産実習に於て始めて与えられるであろう。

(5) 人間関係の訓練が、如何に重視されねばならないかについては説明の要は既にないと思うが、学校教育としては、これは単に労務管理の一実習というだけの意味にとどまらず工場道徳の教育、技術者精神確立の中心となつて、実習工場全体を律するほどの責任を負うべきである。

(6) 安全教育を安全管理の実習を核心として、態度習慣の養成から、精神、生活規準にまで亘る大事な教育の一部門として、取り入れられねばならない。

第六章　教師自身の問題

『教育は人にあり』とは言い古された言葉であるが常に真理である。如何に問題点は解決されても、教師に人を得なければ、その実はあがならないであろうし、教師にその人を得れば、問題は問題として、教育としての成果はあがるはずである。今まで挙げて来た数多くの問題も、結局は教師の問題である。この意味ではこれ等すべての問題は即ち教師の問題であつて、改めて教師自身の問題を挙げる必要はないわけである。従つて次に挙げる若干の問題も、結局既に見て来た事柄を、教師の側に立つて見直すに過ぎないとも言えるのである。また実際問題としては、教師に人を得ようとすれば、その待遇の問題、資格の問題、さては教員養成の問題再教育の問題など制度、文教施策に待たねばならない根本問題が山積して居る事をつけ加えておく。

一九六〇年度教科指導委員配置さまる

一、教科指導

連合区名	教科		配置校	指導委員名	教科研修委員名	配置校校長名
名護	小学校	国語	今帰仁小	賀根　俊栄	渡久地　繁	島袋　喜原
〃	中学校	家庭	屋部中	河合喜代子	宮里　苗	宮城　清一
石川	小学校	算数	宮森小	山崎　運吉	伊波　善治	仲嶺　盛文
前原	中学校	家庭	川崎中	若田　せつ	池端美恵子	伊波　信光
コザ	〃	理科	コザ中	尾世　悦美	玉城　吉雄	島袋　良繁
普天間	小学校	算数	大山小	白石　三郎	我如古盛仁	与座　成一
那覇	〃	国語	神原小	野田　弘	徳川　渙	中山　興真
〃	中学校	音楽	那覇中	橋本　喬雄	高江洲良吉	真栄城朝敦
〃	〃	理科	上山中	永島　正雄	浦崎　康裕	島袋　正輝
〃	〃	家庭	真和志中	小池　絹恵	与儀　敏子	渡久地政功
知念	〃	理科	与那原中	牛久於菟彦	上原　順	新垣　庸一
糸満	小学校	算数	糸満南小	船用　徳寿	玉城　真則	伊敷　喜蔵
宮古	〃	国語	平一小	田中　久直	松原　清吉	平良　寛
八重山	中学校	音楽	石垣中	川合　恒雄	仲嶺　栄祐	新垣　信用

二、学校保健指導

ブロック別	教科	配置校	指導委員名	研修委員名	配置校校長名
A	学校保健	壺屋小	小粟一好 杉浦守邦	天川幸一 神谷和枝	親泊　興輝
B	〃〃	普天間小	小林和夫 杉浦正輝	知念清 山城富美子	大里　朝宏
C	〃〃	東江小	武田壌寿 桐元武一	津波古浩 上地匡子	安井　忠松

「註」A班（糸満、知念、那覇、久米島地区）B班（普天間、コザ、前原、読谷嘉手納、石川、宜野座地区）C班（名護、辺土名地区）

漁業労働の特殊性に関する実態調査にもとずく一考察

ー練習船「海邦丸」実習随行レポートー

沖縄水産高等学校教諭　運天政一

序

私は去つた七月十四日より三六日間練習船海邦丸に乗り込み、生徒の綜合実習に随行した。練習船における実習は海上労働の云わば綜合的なもので陸上における各種の労働と全く趣きを異にする。水産業が陸上における諸産業と趣きを異にし、経済上しめる位置が異るのもこの労働の特異性から来る処が大きい。私はこの三六日間で海上労働の困難さをこの眼で見、書物から得たわずかばかりの知識に潤活油をそそぐことが出来たような気がする。

漁業経済研究における中心的な課題は資本主義経済の中における資本漁業の生成発表過程と就中漁業労働問題及びそれに附随する賃金問題等の研究であると云える。したがつて漁業労働の特殊性に関しては、すでに理論的に体係化された著書もある。私はこれらのものを原典として、参考にし、この度の実習で得たとぼしい調査事項を検討し、原典の真ずいを他面から再確認し、あわせて生徒の実習問題と経済界の渦中にある水産業と職業教育と云うものをむすびつけて、ぎこちない私見の一端を結語にまとめるべく、次のような過程をたどつてレポートをしたためてみたい。

1　漁業労働の特殊性について
順序として、漁業労働の特殊性(困難性)について理論的に既に体係化されたもののあらましを述べる。

2　延縄漁業における労働の実態
次に沖縄における遠洋漁業の主柱であるマグロ延縄漁業についての労働の実態についてまとめた資料と既述のものとを比較してみる。

3　生徒の実習労働の実態
生徒各自より提出させた日課表及び私のメモを中心に労働時間を考察さらに労働強度の問題にふれる。

4　漁業における過重労働と実習とに対する雑感(まとめ)
資本主義経済社会の現段階における漁業労働の現状と実習労働とに関して私の経済的と私見をまとめる。

I　漁業労働の特殊性について

水産業が他の産業に比して特殊な産業であると云う事は一つには第一次産業としての原始抽出産業であり、その点では常に農業と比較対照させられるのであるが、さらにこの農業とも相違する点は次の二つにまとめられるようである。

1　生産の場が海である事
2　栽培課程がない事(増殖業と云うのはあるがこれらはまだ産業的見地からみた場合微々たるものである。(真珠は別)

漁業労働の特殊性(困難性)はこの生産の対象が海であると云う点につきつめれば終結される。

この観点から、漁業労働の特殊性が大体次のようにあげられている。

(1) 危険性の多い労働である。
(2) 中断性のある労働である。
(3) 瞬間性を必要とする労働である。
(4) 移動性のある労働である。

さらに又労働を次のようにわけて考えてみると漁業労働はいずれも後者の要素を多分にふくむ。

(1) 頭脳労働と筋肉労働
(2) 中枢(主幹)労働と附帯労働
(3) 普偏継続労働と汲動的集中労働
(4) 常雇労働と臨時雇労働
(5) 分業労働と単純協業労働

これらのことを要約してみて、漁業労働の特殊性と云うことは困難性と云う言葉とおきかえて考えてもよいとある著書には示されている。

しかし、さらに今一歩この労働について立ち入つてみるに、漁業労働と一概に云つても、日本漁業の零細的な性格から漁業労働者の性格は種々雑多であり、漁法がその性格をほぼ決定して行く点からその線にそつて類別し、個々別に検討してみなければならない。全体的に見たものと個々別にみたものとでは統計においてもかなり、うつたえるものが異るのである。

(イ) 漁業労働は他産業労働に比して一週間の平均労働時間がはるかにすくない。

A表は産業別労働時間の割合であるがこれによると一週間の平均労働時間が一般産業の平分にしかすぎない。これは日本漁業の労働力構成が主に家族労働の上に立つていることを裏書きするものであり、全漁業従事者の八〇%が漁家漁業に従事する零細漁民であることがうなずける。季節により、天候により零細農業との兼業により、労働時間がすくなくあらわれるのであり、一日の労働時間となると問題は別である。

(ロ) 業態により、漁業労働者の性格は

ことなり一日における労働時間はかなり長い。

B表は漁業種別年間労働日数、労働時間についてまとめたものである。すくなくとも一日十時間労働の線が出ている処から、A表からのように結果はうかがわれない。しかもこの十時間労働が陸上における十時間労働とは打つて変る。例えば最も近代化されている漁業であると云われるトロール、以西底引でさえ、三時間網を引いて、四時間休み、或は四時間引いては四時間休むと云う昼夜兼行の労働であり、操業中は甲板員は漁業労働と航海当直との二重の労働のためこの休憩の四時間がさらにさかれるのである。

A表　産業別にみた一週間の労働時間の割合

	34時間以内	35～38時間	40～59	60時間以上
総数	5.1	52.6	20.3	22.0
水産業	10.8	36.2	26.5	26.5
鉱業	1.0	72.4	16.0	10.6
建設業	2.8	53.3	25.3	18.7
製造業	2.4	59.4	22.3	17.5
卸・小売業	5,0	37.8	19.9	37.3
サービス業	8.0	54.1	17.6	20.3

（漁業経済概論より抜萃）

さらに又カツオ釣り漁業にしてもその釣り揚げる時間と云うものは瞬時に等しいものであるかも知れぬが、その間に労される極度の労働力の集中と技能の発揮は尋常なものではなく、さらに釣り上げた漁体の処理整理等、いずれの漁船にもつきものの準備、附随労働の時間を加えると相当な時間になる。

B表　漁業種類別、年間労働日数、労働時間

		年間出漁日数	年間出漁回数	一出漁の日数	その内航海に用する日数	一日曳網回数	一日の労働時間
		日	回	日	日		時間
1	トロール	180	15	10～20	5～7	5回	8～12
	以西底引	170	10～15	10～20	7～9	7	7～9
2	マグロ延縄	150	5	33	10	20日間	10～12
	以連底曳	240	70	3～4	1～2	5～6回	11
	揚繰	93	100	1		4～5	10
3	定置	100	1日 2～3			4～5	7
	地曳	65	〃			2～3	10
5	小漁業	149	1日 1～2			不定	8～9

（日本漁業の経済構造より抜萃）

一方、近時漁業生産手段の中にも徐々に文明の利器が入つて来、旧来の個人的技能を用する労働は姿をけしつつある。ラインホーラーの出現は延縄漁業の革命であり、母船式漁業の出現は漁業労働者の近代労働者への仲間入りであつたとも云える。だが、かような形態は日本漁業においても資本制漁業の頂点に立つものでピラミツドの底辺には無動力船、船なし階層と云う大多数の漁業者の存在がある。

通常、資本の導入と機械生産手段の導入の割合によつて、各種の漁業は次のように分類されている。

1　工場制工業的漁業…捕鯨、トロール、以西底引
2　マニユフアクチユアー的漁業…カツオ。マグロ揚繰
3　封建的漁業…定置　地曳
4　小漁業…沿岸雑小漁業

以上のように漁業を分類することが出来るようであるが、近代産業として伍して行けるものは (1)の部類に入る漁業のみであり、あとはいずれも資本の導入力も弱く、かつ旧来の封建的漁業経営の子つぼの中からぬけきれず、弱小経営者は共同経営と云う名目の下で歩合性賃金＝船頭制度の上にあぐらをかいて苛酷な労働を強制している。これが資本主義社会の底辺にすむ、漁業労働者の実態と云えるようだ。

Ⅱ　延縄漁業における実態

漁業労働の特殊性はその困難性とおきかえられること、又業態により労働者の性格の異ることもすでにのべた。次にここでは沖縄における遠洋漁業の主柱とも云える延縄漁業について練習船船員から集めたデーターをもとにしてのべその他の例にも一部ふれてみよう。

(1)　練習船「海邦丸」における乗組員の労働について

海邦丸における船員の労働は一般会社船のそれに比べるとはるかに軽く又時間的にもみじかいと云える。しかし公務員として一定の給料のみをもらつている人々の労働として考えてみなければならない時間題は自ら別のものとなろう。

船員の労働は、漁場向け航海中、操業中、帰途の航海中と三つにわけて考えられると思う。

（a）漁場向け航海中の場合

船員の主な仕事は甲板、機関ともに一日二回ずつ各四時間の Watch（当直）である。これが〇時、四時、八時の交代時間で昼夜くり返される。甲板当直は操舵、諸観測、位置測定等とかなり頭脳労働的要素が入る。機関は船底の機関室にとじこもり、エンジンを見守るのであるが、室内気温、三八度～四十度Cの中での四時間勤務は素人には一寸考えられな

いほどの苦痛である。

本船員の当直は次の〔C表〕のように行われている。

甲板当直（士官は固定的、その他は本航海の場合）	
4～8時	一航士、甲板員S・S，甲板員Y・S
8～12時	船長、甲板員N・甲板員O・甲板員N・Y，
0～4時	二航士、甲板員K・甲板員B
機関当直（甲板の場合と同じ）	
4～8時	一機士、機関員B
8～12時	三機士、操機長、（機関長）
0～4時	二機士、機関員H・B

上表でわかるように乗組員二十一名のうち十七名がこれに従事している処を見てもほとんどの船員がこのWatchに参加することがわかる。通信関係は三名いるが、これも交代でWatchにあたり、甲板員の一部と炊事係関係の人のみ除外されている。ゆれる船体の中では、これだけでもすでに陸上労働者並み以上の労働量である。さらに加えて本船は出航（宮古）三日目から操業に入る前日まで当直にあたらない時間に船員は縄の手入れダルマ燈、ビンダマ網作り等と午前九時～午後四時頃まで労働に従事している。

左に掲げた〔表D〕は今春水高を卒業した最年少の一甲板員の航海中の日課表である。労働時間が十二時間程度になっている。さらに表をみてわかる事は七時間睡眠をとり、食事とその後の一ぷくする時間をぬくとあとは全部労働時間と云うことになる。この表では〇時～七時半睡眠となっているが、当直を〇時におえて、〇時にすぐねるわけには行かない。体を洗って寝台にもぐり込む時には一時をまわっていると考えられよう。

〔D表〕

7月23日

日課表　甲板員K・O

時刻	事項	時刻	事項
1	睡眠	13	中食
2		14	漁具整備作業（ビン玉網作り）
3		15	
4		16	
5		17	夕食及び雑談
6		18	
7	起床	19	
8	朝食（7：30）	20	
9	当直	21	当直
10		22	
11		23	
12		24	

だが、これは航海中の事であり操業時になると労働時間、強度は一段と増大されることをまぬかれない。

（b）操業中の場合

本船海においては十六日間の操業が行われ、その労働時間はその日の漁獲高によって長短があったが、その概略を示せばE表の如くである。

下に〔E表〕を示そう。

〔E表〕　操業に要した時間　〔10日間分〕

月日	投縄開始	終了	揚縄開始	終了	所要時間
7月25日（操業第1日目）	4時47分	7時57分	14時30分	22時5分	10時間35分
26日（第2日目）	3時20分	6時43分	14時40分	23時43分	12 〃 3〃
27日（第3日目）	3時23分	6時35分	14時30分	22時40分	11 〃 22〃
28日（第4日目）	3時25分	6時40分	14時30分	21時55分	10 〃 40〃
29日（第5日目）	5時30分	8時55分	14時5分	20時40分	10 〃 00〃
30日（第6日目）	3時23分	6時35分	14時30分	21時40分	10 〃 22〃
8月4日（第11日目）	5時25分	8時45分	15時5分	22時43分	10 〃 58〃
5日（第12日目）	3時21分	6時38分	15時	22時5分	10 〃 22〃
7日（第14日目）	3時30分	7時20分	15時	22時37分	11 〃 27〃
10日（最終日）	3時25分	6時45分	15時25分	22時32分	10 〃 27〃

上表によれば毎日の操業に用した時間は平均十時間四十九分となる。しかしこれはあくまで縄にたずさわっていた時間で、そのあとには魚体の整備の時間がつづくわけで作業は終ったのではない。例えば七月二十六日の操業は午後十一時四

十三分に終了しているが、この日は漁獲最大であつたため、ダンブルの始末をした時すでに午前二時近かつた。このようにしていわゆる附帯労働を加えると、十四時間近くの労働となる。

さらに機関の場合は航海中同様の当直でその手はゆるめられない。甲板の場合でも揚縄終了と同時に当該時間の当直は位置についている。これらを加えると実労働時間は実に十四～五時間になる場合もあるのである。

その一例をF表によつてたしかめてみよう。

三等機関士は七月二十六日十三時間の実労働にたずさわつていることがわかる。甲板員の元気な若手連中はこの他にいろいろの雑役に追いまわされどうしても労働オーバーになる可能性が多い事はつぶさに私がこの目でみた実感である。

〔F表〕

日課表

7月26日　3等機関士

時刻	事項
0時～2時	夜食、休憩
2時～7時	睡眠
7時～8時	朝食(洗面)
8時～12時	当直
12時～15時	中食及休憩
15時～20時	揚縄作業
20時～24時	当直

(c) 帰途路の航海の場合

普通の場合には帰途航海中の労働としては前述の当直と機関関係ではエンジンの整備、甲板関係では次航海の操業に対する準備が行われるようであるが、本航海に於いては、次はドック入りと云う年一回の事情と、陸続と去来した低気圧のため、Watch 以外の事を観察出来なかつたのは残念である。

(2) **漁業経営体における漁船乗組員の労働概況**

練習船における乗組員の労働は大量の実習生によつておぎなわれる点が多大な処から会社船乗組員の労働の量とは比較にならない。ごく大ざつぱな見地からしてもF表がこれを如実に物語つている。

F 表　「海邦丸」と営業船「T丸」の比較

船名	屯数	乗組員数	使用鉢数	航海操業日数	1鉢の長さ
海邦丸	207 t	22人 生徒37人	300鉢	36日	140尋
T丸	175 t	25人	430鉢	48日	200尋

先づ練習船「海邦丸」の場合は二十二人の船員の下にたとえ一人前とは云えなくとも三十七名の生徒が労働を提供する。これだけの労働力で三〇〇鉢の縄を入れるわけだが、「T丸」の場合二十五人の船員で四三〇鉢の縄入れをする。したがつて投縄に四時間半揚縄に十二～十三時間はかゝると云う。これだけをみても営利会社の漁船乗組員の労働強度がしのばれるのである。これはたんに鉢数と人員の割合の比較ではなく(操業時間数にそう大差はないから)一つの Position を一人でしめるか、二～三人でしめると云う労働強度の問題が時間の事にも増して注意されねばならない。

とにかく漁船乗組員の労働ははげしい。それに加えて大切な事は船の近代整備化にともなう船員の頭脳労働量の増大である。漁船が大型化され遠洋化されればされるほど船員は重労働(長期の)と頭脳労働の二つの問題につきあたつて来る。ここにも漁業労働の困難性の一つがうかがわれのである。

Ⅲ　生徒の実習労働の実態

実習生の労働は前述の乗組員の労働とほぼ同様のもので、航海中は当直が主であり、縄整備が加わり、操業中には主に船員の補充的な仕事にあたつた。しかし日を追つて技能的な仕事にもあたるようになつたが、Critical な仕事、例えば Side roller のそばに立つ仕事や、投縄する仕事はほとんど船員がこれにあたつた。

まずG表から生徒の労働時間にさぐりを入れてみよう。

〔G表〕　生徒日直割当表

	漁場むけ航海中2	帰途への航海中
甲板	2人1組(2時間交代) 全員7直に配置	3人1組と2人1組 (4時間交代制) 全員　5直に配置
機関	全期間を通して 5人1組(3組) 4人1組(2組)	5直 4時間交代制 (操業中1部変更)

(G表)から考えることは甲板当直の場合、漁場向けの航海中に於いては一日四時間あたり、そして四日目ごとに六時間の日が入り、甲板の帰り航海の場合と機関当直は一日各員四時間あたり五日目ごとに八時間当直の日が入ると云うことになる。これは船員の当直時間から考えると安易なことであるが、これが未成年者の深夜作業と云う観点から考えるとなまやさしい労働ではない。それに(H表)をみてもわかる事はこれらの日課表からほとんど一日八時間～十時間労働が算出されている処をみても労働過重な事がしのばれる。しかし未来の船乗りたらんとする者とあつてみれば当然の準備運動と云うべきか。当直中時折り居眠りをする生徒をかいま見やりつついろいろの感慨があつた。

実習中における生徒の日課表抜萃

	航海中における場合		操業中における場合	
日付	7月20日	7月24日	7月25日	7月27日
科・氏名／時間	漁業科 金城信幸	機関科 新垣和夫	機関科 慶田城信欣	漁業科 当真嗣英
2時			機関当直	魚体の整理
4時	睡眠	睡眠	2.30 睡眠	航海当直
6時			4.20 投縄作業	睡眠
8時	ワツシユデツキ 洗面 食事	ワツシユデツキ 洗面・朝食・休憩	ワツシユデツキ 朝食	
10時	作業（抜縄）	機関当直	8.30 休そく せんたく	漁具整備
12時	航海当直			
14時	食事	休憩 赤道祭準備	中食	中食 休憩
16時	作業 （幹縄手入）	赤道祭	睡眠	漁具の整備
18時	自由時間	雑談	食事	揚縄作業
20時	夕食・休憩	水浴び、センタク 日記づけ、読書		
22時	航海当直	当直中の記録整理	揚縄作業	夕食 2.30
24時	読書・睡眠	睡眠	機関当直	自由 睡眠

Ⅲ 漁業における過重労働と実習とに対する雑感

以上とぼしい資料にもとずいて雑文をしたためて来たが、漁業労働の特殊性＝困難性と云うことについて、陸上労働を常識的に考えに入れる見地から主に労働時間を主眼点にしてのべて来た。どうやら漁業労働の困難性がうなづけることかとも思う。

簡潔に云って漁業労働は前近代的労働と云う事が出来よう。だが進歩した文明の計器をあつかいながら、単純協業的な肉体的重労働の要素からはなれられない労働と云う点にチグハグな処がある。

このチグハグな処が学校の実習と云う。云わば啓蒙的な、子弟を教育する場において少年等を深夜業の予行演習にたずさわらせる結果をまねく、ただしこれはヘリクツかも知れない。

けだし学校教育たりと云えどもモデル共産部落の完成は不可能であると云う事だ。

所詮、教育は社会経済と切りはなせず社会経済の過中におこる矛盾の中に時におぼれそうになりながらも教育の目標を失なわず牛のような歩みをつづける…。

水産高校における練習船での実習がかような形態をとらねばならない事、（特に労働と云う事を考えて）かなり苛酷な労働を強制することこれも止むを得ないものなんだろう。

乗船していながら痩身にして薄弱な小生には、これらの事が何よりも痛切に感ぜられた事だ。（終）

（8ページより）

営の重点を置き、それに市場の変動が激げしく、常に消費者の好みに投ずる品質品種、時期等を考慮に入れて鋭い市場感覚を働かさなければならない促成、抑制の蔬菜栽培、花卉栽培、ビワ、柑橘等暖地向き果樹の栽培、ビニールハウス、温度室等による高級花卉、蔬菜栽培等暖地安房の有利性を充分利用した生産性の高い経営に進んでいる。安房郡の特殊性の基盤の上に、暖地房州の新らしい農業分野を開発しようとして、必死の努力を傾けている人々は此の学校の卒業生である。一方女子卒業生についてはどうであろうか、昭和二九年までの農村家庭課卒業生一、一八七名中農業に従事している者が、九七〇名で八一パーセントを占めている。殆んどが農家に嫁いでいる実情である。今日農業教育に於いて当面する問題は農家のよき後継者の育成である事は勿論であるが、それ以上に重要な事はこの後継者達が農家の生活等よく営農の立場を理解してくれる自己のよき伴侶として迎える配偶者について、深刻に悩んでいる問題を解決する教育である。此の問題の解決なしには真の農業教育は振興しないであろう。

寄宿舎運営のむずかしさ

與那城朝惇

ねらいは今生かされた

薄幸の運命を背負わされた盲ろう児は普通学校より五年後一九五一年七月沖縄盲ろう学校が開校したが、その意図するところは、福祉施設としての色彩を多分におび、教育は寧ろ軽く取扱われ、そのため学校と表裏一体である独自の寄宿舎をももちえず、いろいろ教育面に支障を来たした。来る年毎の校舎割当期にかけた希望のかけ橋は、貧困財政の谷間に陥没して、八年間陽の目を見ず、かからぬままに終始した。全琉いまだに教室の不足の現在、限られた予算のワク内でのやりくりのむずかしさ、政府の苦労もわからぬのでもないが、希いがかなわぬと、つい職員生徒は不平不満をいだき、愚痴をこぼし、怨嗟の声となり、こじれた感情ばかりが、頭をもたげて怒りのやりばもなく、ひたすら苦悩と焦躁の中に明けくれ、耐えきれぬほどの苦難の連続であつた。それが、理解と愛情によつてやつと一九六〇年度校舎割当で、寄宿舎の割当が中央教育委員会を無事通過し、五九年七月にはややつこしい土地の接渉もすませ、整地、入札、着工と、ことは案外順調に工事は進捗し、六〇年三月下旬建坪二九〇坪ブロック二階建の寄宿舎が竣工し、四月には一四五人が喜々として入舎した。

今眼前にみる巨大な偉容は、われわれの胸を心から明るくしてくれる。こうして本校教育史上特筆すべき寄宿舎は落成した。待たされじらされた果のものだけに、その喜びは強く、これまで波状的に訴え繰けながらやつてきた成果は、牛の歩みのようではあつたが、こうして実を結ぶと、ほんとにこれでよかつたと感激があらたに甦る。六一年度の新割当で更に九五坪の増築がきまつたことは二重の慶びである。これで今後の特殊教育推進に大きな転機を画し、拍車をかけるようになつた。

私たちの ねらいは今 完全に生かされた。特殊教育の本然の姿が築かれ、明日の期待が約束されるようになつたことは何んと愉しいことであろう。

寄宿舎の性格

九〇パーセントの子どもが琉球遠隔の地から来ているので、この子たちに宿泊の便と与える寄宿舎が必要となる。この寄宿舎が子どもたちに安全感、安心をもつて生活する安全地帯である。寄宿舎の意図するねらいは集団生活によつて人間的接触をはかり、人間関係を深め、情操の純化をはかると共に、具体的な生活経験をつませ、社会生活への関心をひろめる教育の場であり、又大きな家庭であるといえよう。ここに寄宿舎生活のよさがある。『学校的家庭』『家庭的学校』が寄宿舎のもつ 性格で あると 言われている。寄宿舎の教育的意識が過剰すると学校臭さが強くなり寄宿舎は単なる宿泊所となることから『学校臭』『教育臭』のない教育的家庭的雰囲気を寄宿舎にくまなく充満させることが寄宿舎運営のキィ・ポイントであろう。しかし何十人何百人と集合して構成された大家庭であるので、必然的に一般家庭よりも『規則的』『拘束的』『統制的』であることは免れない。したがつて『学校臭』『教育臭』をおびやすいが、そうした情況の下にあつて、できるだけこの臭みを意識をすてて、家庭的雰囲気を醸しだすことが、寄宿舎運営のむずかしさであり、至難といえるようだ。

新しい運営に直面して、新しいものを作りだすのだから、幾多の労苦はやむを得ない。しかしたゆまざる職員の親和と協調によつて軌道にのりだしたら、このことも昔物語りとなるであろう。

寄宿舎生活

① 寄宿舎の人的構成

	盲 男	盲 女	盲 計	ろう 男	ろう 女	ろう 計	計 男	計 女	計 計
寄宿舎生	一六	一九	三五	六六	四三	一〇九	八二	六二	一四四
寮母			(担任)四			(担任)八		一二	一二
舎監							四		四
事務職							一		一
炊事婦								四	四
計							八七	七八	一六五 内一は事務職が舎監兼任

一六五人を抱えた大世帯で賑かであるだけに、多くの問題をふくみ、それだけ運営のむずかしさがある。

② 舎　室

舎室は盲五、ろう一〇室計一五室で、一室五坪、盲は一室に九人ろうは十一人で、一室に年令、学年の異なる舎児を男女別に収容し、一人の寮母が専属するのを本体とする。窓ぎわには上級生の学習用長机と腰掛をおき、室の中央には下級生が四方から囲む一台の大きな机がおかれ更衣室がカーテンで区切られ、持ち物は押入れに整理されている。各室思い思いの思考をこらして室内を美しくし、家庭的勉強室の雰囲気をつくりだしている。

舎生室の外に次の室がある。

	寮母	舎監	事務	保健	食堂	炊事	炊事婦	浴室	便所	マキ小屋
室数	七	一	兼	一	一	一	一	一	一	一
坪数	二八・五〇	二・五〇		六・三〇	一八・二〇	一四・〇五	三・七五	四・七五	六・九〇	五・〇〇

（便宜上坪を用いた）

③ **精神的強い結びつき**

子どもたちは学校がひけると、寮母の温かい出迎えをうけて寄宿舎に帰える。家庭に帰えったという開放感を感じてか子どもたちは一応おちつくようだ。真昼間閑静だった各室からは、話声、笑声、走る音が聞えて、寄宿舎はにわかに活気ずく。これから午後の生活がつづく。男女協力の姿や、上級生の下級生をいたわる兄姉の情がみられるのもこれからである。年毎に入ってくる新入生の泣きわめくのをなだめすかして、子守の労をとるのも上級生である。こうして寄宿舎生は生活によって、お互の立場をよく理解し、親和と協力の意識を高め、集団の中であたたかい人間関係をつくり個人を磨く。

④ **愛情を注ぐ寮母**

多くの子どもは、家庭で望ましく躾けられていない。望ましくない生活態度や習慣を、望ましい躾けにつみあげてゆかねばならないので、二重の負担に、子どもだちも寮母も舎監も、共に大きな抵抗を感ずる。このことは寄宿舎生活指導の困難な点である。寮母は一つの部屋の母生的存在でありながら、全寄宿舎の母性である。寮母は人間愛ないし教育愛を軸とし、こどもの健全な成長をめざす社会的な献身的の職務であると言われているが、けなげにも親の膝下を離れてきたこの子たちは、寮母になつつこく甘え、愛情を求める。それだけに寮母をてこずらせることもある。てこずらせをかければかけるほど、感受性の強い子どもたちは寮母への親愛感は深まるようである。こうした人のあたたかいお互の愛情の触れあいは、人間を陶冶し、形成していくことは、昔も今も変わりはない。起床から就寝まで、生活指導で休む暇もなく、就寝中も常に、子どもたちへの愛情が注がれている。愛情の尊い姿はこの寮母にみられる。

⑤ **生活指導設計ととつくむ舎監**

寄宿舎生活指導は、学校生活指導とは別に、寄宿舎独自の計画にもとずいた、集団的に個別的になされて、生活指導はその使命を、能率的に果たせる。

子どもに生きた問題をもたせ、それを積極的に解決実践させるため、月一回定期に、又は臨時に舎監会議を開いて、指導面、施設面の研修を重ね、時には寮母を交えて生活設計にとつくむ。毎日の寮母朝会は、熱心な討議がなされる。舎監は親しい父がわりとなって話し相手となり、学習、看護の外、寄宿舎の警護にも一段の注意を払うなど、重大な責任を背負わされ、突発事件などがあって、その労苦は並大抵でない。寄宿舎運営のむずかしさは、舎監だけがよく知っている。長い目で効果を期待し、一歩々々つみ重ねることにしている。

⑥ **炊事婦のおばさんありがとう**

「今晩のおかずはおいしいね。」とか「私にはたくさんいれて頂戴」とか、冗談するほど、炊事のおばさんは、子どもたちから親しまれている。それだけに炊事婦たちも、わが子のように可愛がってくれる。三度々々の食事にお皿やおわんがからっぽになってくる時は嬉しいが、残しがある時には気になって仕方がないと話している。親心がこの子たちにもあらわれるようである。ひもじい思いをさせまいと、時間まぎわまでせっせと立ち働いている炊事婦の苦労も思いやられる。こうして食事の世話をしてもらった炊事婦への感謝の気持は 生忘れないであろう。子どもたちは炊事婦の温かい心ですくすくと育てられていく。

⑦ **寄宿舎の日課**

（朝）

六・〇〇　起床

六・〇〇—七・〇〇　床上げ、体操　洗面、清掃

七・〇〇—七・三〇　朝食

七・三〇—八・〇〇　登校

（昼）

三・〇〇　おやつ

四・三〇—五・三〇　自由時間（洗濯）

（夕）

五・〇〇—六・三〇　夕食
六・三〇—七・〇〇　食器片付け（当番）
七・〇〇—八・〇〇　自習
八・〇〇—九・〇〇　自由時間、就寝（下級生）
九・〇〇—一〇・〇〇〃（上級生）
一〇・〇〇　消灯

⑧ **寄宿舎の行事**

(イ) **清掃日**（週）

毎週月曜日放課後の一齊清掃は各室子どもたち各分担区域を掃き清めて美しくしてくれる。いやがる子、怠ける子が一人もいない。勤労を喜ぶ精神は、この子たちに見られる尊い美点である。十月から着工になる寄宿舎増築のため庭園作りは未完成だが、来春には花園も作られ、花がさき楽しい生活の場となろう。

(ロ) **自治会**（月）

月一回又は臨時に自治会が自主的に開かれ、いろいろのことが子どもたちで話合われる。決定するまで子どもたちは気のすむまでもみあい、舎監、寮母の助言などで納得して、やがて決まってしまうと、一人も文句なしに直ちに実行に移される。

(ハ) **誕生会**（月）

舎監、寮母は子どもたちの誕生日を忘れずに、その成長祝福の会をひらく。部屋毎に、又は全員が一堂に集まり、その月生まれの子どもを祝ううるわしい会である。

(ニ) **体育日**（月）

毎月第二金曜日、舎監、寮母、教師、舎生合同体育会が放課後校庭で開かれる。野球（盲生も）バレーの種目が、教師対生徒、生徒対寮母、寮母対教師と幾組かに編成され、熱戦が夕暮時まで続き和かな体育日であると共に、寄宿舎全員の懇親の楽しい一日である。

(ホ) **入舎式**（四月）

入学式にはどの父兄も涙をうかべて、わが子を見守っている。この子にも人なみに教育をうけることができるのかという喜びから出た感激の涙であろう。受持教師との懇談後、引続き寄宿舎で入舎式が行われる。寄宿舎生活の内容について説明の後受持寮母につれられて各室に入舎、ここで寮母との懇談後、父兄は子どもを残して帰宅するのだが、親も泣けば子も泣くという風景がどの室にもある。これは本校だけに見られる姿であろう。寮母も教師も元気をつけ、励ましてはやるものの、目頭がいつのまにかあつくなる。泣きわめくわが子に心を残しながら、逃げるように帰えって行く親の後姿には涙が落ちる。当日は一日中泣きつづける子や逃げだして探しまわることもあって、寮母や舎監をてこずらせる。

(ヘ) **端午の節句**（五月）

寄宿舎の屋上に高く鯉のぼりが青空におよぐ。朝九時になると、貸切バス四台に分乗して予定地へ遠足にでかける。夕食は赤飯を炊き、いつもよりおいしい夕食で舌鼓をうち、夕食後約一時間のど自慢、話自慢で、レクレーションで賑わい、舎は笑声でどよめく。こうして一日中男児が祝福されて一日おくる。

(ト) **母の日**（五月）

いつもより早く起床、寮母や炊事婦の手伝、飯炊き、食器洗い、片付け、洗濯、アイロンかけ、清掃、下級生の世話で忙しい。晩は寮母、炊事婦への感謝の演芸会がおそくまでなされる。母への通信は忘れない。

(チ) **七夕祭**（七月）

玄関には低学年生の手によってつくられた若笹竹が二本立てられ、夕食後は寮母から七夕星の話を聞いて子どもたちの心は童話の国をさまよい、楽しい気持で星の夢をみる。

(リ) **月見会**（九月）

月が東天に上がる頃、中庭にはもう円形に机腰掛がならべられ、ススキをかざり団子菓子が供えられ、子どもたちの机の上にはお菓子が配られて月見の会がはじまる。月はますます子どもたちの顔を明かるくし、寮母舎監のかくし芸の出る愉快なレクレーションで幕をとじる。

(ヌ) **退避消防訓練**（十二月）

火事の災難に備え、寄宿舎全員を幾組かの班別に編成し、下級生の退避誘導と、上級生の消防訓練が必要となる。その具体案は計画作製中。

(ル) **成人の日**（一月）

成人の日をむかえた上級生を祝福し、発展を祈る。夕食は赤飯が炊かれ、お菓子がくばられる。夕食後校庭でホークダンスが繰りひろげられる。

(ヲ) **ひな祭**（三月）

部屋毎に子どもの手によってひな人形が飾られ、赤飯を炊き、寮母を中心とした思い思いの遊びがなされて女児が祝福される。

さまざまに心をとらえる問題

おそまきながら願いかなったこの寄宿舎は、これで理想的な完全な姿であるとは未だ言えない。どうしても外観にふさわしい教育的に家庭的に望ましい。内部の設備や人的要件が大切である。内部設備として各棟にラジオ、食堂にテレビ

（三〇ページ下段へ）

話しことば雑考

大城立裕

はじめにおことわりしたいのですが、私はなにぶんにも教師でないので、ここにのべることが、国語教育理論あるいは技術上どういうことになるのか、あるいは今日学校教育の現場で考慮されているのかどうか、よく分りません。この文を書く気になつたのは、ちよくせつには、高校演劇をみてまわり、あるいはラジオを通じてこどもたちの童話実演をきいたりして、「どうもちがう」と疑問をもつたからです。

×

手ッとりばやく実例をもつてくるならたとえば、

「あなたは、あした東京へ飛行機でいくのですか」

ということばが語られるとします。これだけのことばを、これだけ抽きだしてきて、その意味をじゅうぶんに理解しうるひとは、いないとおもいます。印刷されたことばには、重点のおきどころがみえないからです。これをたとえば、つぎのようにさまざまの強声（太字部分）をつけて話しかけてみたらどうでしょう。

「**あなたは**、あした東京へ飛行機でいくのですか」

「あなたは、**あした**東京へ飛行機でいくのですか」

「あなたは、あした**東京へ**飛行機でいくのですか」

「あなたは、あした東京へ**飛行機**でいくのですか」

これで、この文は四通りの意味に語ることができることを発見します。印刷されたものたとえば小説などの一部分ですけれど、わたしどもはそれを前後の関係で右の四通りのうちのどれかに限定して判断します。しかし、かりにこれが戯曲のセリフであつて、舞台でしやべつたとして、演技者がその強声部分をとりちがえて発声したとすると、そのけつか観客にはその意味がはつきり通じないか、あるいはなんとなく違和感を生じる、ということになります。

高校演劇や童話、実演に接してみて、沖縄ではこの錯覚がひじように多くおこなわれていると思いました。

今日、演劇あるいは童話を指導するさいに、標準語としてのアクセントによく気をつけて指導しておられるとおもいますが、そのばあい、単語のアクセントだけを考えて、文全体のアクセントを考えてないのではないか、と疑問をもちました。（アクセントのことをべつにストレスともいいます。本稿では、便宜上単語のそれをアクセントといい、文全体におけるそれをストレスとよぶことにします。日本語には音声の高低だけあつて、強声がないという考え方もあるようですが、話が面倒になるから略します。わたしの考えでは、話しことばにおいてはアクセントよりストレスのほうが大事だと思うのです。

はやい話が、わたしたちの実生活における会話をきくと、アクセントはいわゆる沖縄アクセント（あるいは、那覇アクセント、山原アクセントなど）でけつこう自然に通じています。が、この通じている理由のひとつにストレスが正確におかれているという事情があると思います。たれでも、自分の考えをあいてに伝えようとするのに、話の重点はしらずしらず分つているわけですから、自然にストレスがききます。それで、話しているほうの理屈や感情が正確にあいてに通じるのです。

この春におこなわれた、第三回高校演劇祭（琉球新報社主催）で、おもしろい現象だとおもつたのは、工業高校の演技です。アクセントはじつにでたらめでした。おそらく参加諸校のうちでも下位でしよう。ところが、舞台にはひじような感動が生みだされた。人物が生きて交流していた。これはストレスがきいていたのです。かれらの会話にはストレスが正確にでていて、それに応じてからだ全体の緊張緩和も自然に示されて、共感をよんだのです。入選したゆえんです。この反対にある高校などは、アクセントだけに神経をつかいすぎて、ストレスを全然考えてない。ストレスに注意をはらうとは、言おうとすることの重点を認識することからはじまります。そこに話しことばの迫力や実感が生まれるのです。

×

ここでわたしは、学校における演劇教育の重要性に思いいたらざるをえません。もともと演劇教育の重要性はいろいろに説かれています。国語教育の一環として、あるいは国語教育と他のたとえば図工教育との関連における総合教育、あるいはチームワークによるガイダンス、社会訓練等々というところでしよう。わたしはここで、こうした概念のなかに往々にしてみのがされがちな「生きたことば」の教育としての効果をうつたえたいと思います。

たとえば、さきに例としてあげた、

「あなたは、あした東京へ飛行機でいくのですか」

　ということばが、一ぺんの戯曲のなかのセリフとしてあるばあいを想定します。このつぎのセリフを、すこし仮定でつづけてみます。

「はい」

「そうですか。わたしはまた船でいくのかとおもいました」

　こう想定してみると、第一のセリフでは、ストレスが当然「飛行機」におかれ、第二のセリフでは「船」におかれるべきです。ところが、今日の沖縄では往々にしてとくに低学年児童が演じるばあい、全然ストレスがないか、あるいはおどろくべきことに「いく」にストレスがおかれることがあるようです。いわゆる棒読みというのは、わたしの感じでは、全然ストレスがないというより、最後の述語動詞にかけられていることが、沖縄では多いようです。このことは、沖縄方言やら発声学あたりと関係があるのか、わたしには興味のあることですが、よく分りません。

　こうなると、その演技者は、そのセリフの意味を、実感としてほとんど理解していないといつても過言ではないでしよう。そのけつか、舞台の上で、表情や動作がセリフにともなつて自然にうごかない、ということがおこりますが、このばあいまちがえていけないのは、表情や動作がないという結果的現象が大切なのではなくて、ストレスにたいする認識がない、つまりセリフの重点を理解してない、という原因のほうが大切なのです。

わたしには、演劇教育は、この問題をふくんでいるから重要であるし、演劇指導にあたつては、その点をじゆうぶんに考慮しなければならないと思われます。

「表情をだしなさい」「手をうごかしなさい」

と指示するのではなくて、

「あなたは、いまあいての人に、なにをしてもらいたいと思つているのですか」

などと、セリフにたいする理解を深めさせることです。

　ことばというものは、ひとつの単語にしても、じつにさまざまのヴァリエーションをもつものです。それは、文のなかで前後関係をもつものとして用いられてはじめて限定された意味をもちます。

×

　岸田国士先生は、その著「新しき演劇のために」で、つぎのような紹介をしています。

「ああ、あなたですか」という一句はつぎのような、さまざまな感情を言いあらわすことができる。

—おや、こいつは珍らしい。

—君は、約束をしといて、なんです、今頃。

—ああ、やつと来てくれたんですか、待つてましたよ。

—なんだ、こんなところへわざわざ来なくつてもいいのに……君は。

—やあ、とうとう来ましたね、それでも。

—へえ、君はよくそれで、おめおめここへ来られたもんですね。

—や、ちようどいいところへおいでなすつた。

—さあ、それじやひとつ、よく話をきめておこうじやありませんか、君が来た以上は、ね、そうでしよう。

—なるほど、君はこんなところにいたんですか。僕はまた、もつとずつと遠方に行つてるんだと思つてましたよ。

—ひどい目にあいましたね、さぞお困りでしよう。お察しします。

—じつは弱つたことができたんですよ。

(等に、このほか無数。)

—どうもはや面目しだいもありません。

(ブレモン「物言う術と演劇」)

　ついでに、もうひとつの例を紹介しましよう。内村直也先生の「ドラマトウルギイ研究」から……。

　一つの言葉は、その使用法によつて、さまざまな情感を表現します。つぎに訳す例は、ジユスビエーブ、ワードが創作し、現在でも英米の俳優たちによつて使用されているものです。

女優　あたくし、なにも用意してこなかつたんですけど、
プロデユーサー　かまいません。………「ここへいらつしやい」つて言葉をしやべつて下さい。

女優　ここへいらつしやい？

プロ　そうです。ぼくが要求する人物になり、環境、感情、条件等をそなえてこの言葉を言つてみて下さい。

女優　やつてみましよう。

プロ　あなたは母親です。あなたの子どもが恋人を連れてあなたの前に来て結婚の許しを乞うています。母親にとつて、それを承認するのは喜ばしいことではありません。しかし、あなたは腕をひろげて云います。

女優　ここへいらつしやい！

プロ　ないか悪いいたずらをした小さな子どもを、母親がよびます。

女優　ここへいらつしやい！

プロ　その子どもが、自分の本当の子どもでない場合は？

女優　ここへいらつしやい…

プロ　子どもが通りで遊んでいます。車が通るので、危なくて見ていられません。母親は心配のあまり、
女優　ここへいらつしやい！

プロ　夫の出征に際して、悲嘆にくれた妻が、お別れを云うために、子どもたちをよびます。

女優　ここへいらつしやい！

プロ　夫が無事生還するのが見えます。妻が歓喜して子どもたちをよびます。

女優　ここへいらつしやい！

プロ　夫の腕に抱かれている時に、召使が挨拶にきたのが目に入ります。喜びを分ちたくて、彼女は腕の中から、

女優　ここへいらつしやい！

プロ　夫亡人が夫の新らしい墓の前にしやがんでいます。夫を死に追いやったのは、夫の弟のためだつたのです。その弟が墓参りにきます。

女優　ここへいらつしやい！

×

こんどは、わたしの即興で、児童が「先生」とよびかけるばあいの、ヴァリエーションをながめてみましょう。

―先生・この字はどう読むんですか。

―先生　本を忘れました。

―先生・ぼくの筆入れがなくなりました。

―先生・お姉さんがあそびにいらつしやいつて。

―先生・こんどからしません。

―先生・背中に虫が……

―先生・あの子は傘がないんですつて

―先生・気分がわるいから、体操を休ませてください。

このようなヴァリエーションは、実生活では児童も正確に表現できるのです。それが演劇や童話になると、往々にしてくいちがいを生じます。こういうことに思い及ぶと、演劇教育は生きた言葉の教育であり、感情生活、心理生活の教育であると、いえましよう。

そこでわたしは、さらに、これまでの学校劇の経験を思いおこすのですが、たとえば、わたしたちは、「桃太郎」という劇をやりました。

△　桃太郎さん、桃太郎さん。どこへおいでになりますか。

○　鬼が島へ鬼退治に！

△　お腰につけたものは何ですか。

○　日本一のキビダンゴ！

△　ひとつください、お供しましよう。

この一連のセリフは、じつにリズミカルにできています。これは国語教科書の文そのまゝで、このテキストの作者は、それなりにたしかな理由あつてそうしたことでしようが、さてこれをそのまゝ舞台にのせて学校劇にしたてあげるというばあいには、考えざるをえません。

リズミカルにできているので、児童はカンでそれを感じとるでしよう。そして「桃太郎さん桃太郎さん」と一気によみくだしましす。ところが、これを感情教育と結びつけて創造するならば、はじめの「桃太郎さん」とあとの「桃太郎さん」とは、多少ニユアンスがちがうでしよう。まず一度よびかけてふりかえらない、そこでもいちどつよくよびかけてみるばあい。あるいは、一度のよびかけでよいものを、つい気もちが浮きうきして、二つ続けてしまう。このばあい、あとのは軽くそえることになる。それは、このよびかける者と桃太郎とのこれまでの交際のありかたが影響してきます。しだいによつては、その点まで児童と話しあつて理解を深める必要がありましよう。演劇の勉強の重要性の第一はこうした実生活分析にあるのです。

それから、こまつたものは、桃太郎のセリフです。「鬼が島へ鬼退治に！」「日本一のキビダンゴ」では、まるで実生活のセリフではない。これでは、演技する児童は、この劇で実生活の感情を学びとることができません。「鬼退治にいくんだよ」とでもなるべきではないでしようか。もつとも、演劇の様式としては、詩劇というものがあり、シユプレヒコール（小学校で「よびかけ」といつているもの）というものもあるから、このようなセリフもそれなりに存在意義がないとはいえますまいが、実生活上の生きたことばすら会得しえてない沖縄の児童のばあいは、写実的な生活語で演劇を創造させる必要があろうと考えます。

こうしてみると、わたしは、沖縄の国語教育の「読みかた」や、それとの関連における演劇教育では、標準語のアクセントなどはこのつぎにして、児童の生活している地元のアクセントで奔放に読み、話し、そのけつか、そのテキストにある日本語で生活感情を編みあげていくように方向づけることが人事だと思います（ですから本土の方言劇は望ましくありません）。わたしたち沖縄に生まれ育つた者は、八才にしてはじめて、文字を通じて言葉を「おぼえ」させられたのであつて、生活のなかから言葉を発見したものではありませんでした。で、感情と言語表現とが別々になるばあいが、多くあります。本をよめば棒よみ、あいさつをすれば演説口調、というのがひじように多いゆえんです。

この貧しい意見をだしてみて、国語教育の現場の先生がたの体験からわりだしたご意見と、交流できれば幸いとおもいます。

（六〇、四、十）

（二七ページより）

を備え、舎内外に遊戯場を設けて運動用具をおき、図書室は多くの図書を備えいつも自由に閲覧できるようにして研修の場を与えるなどが必要となる。大時計自動車は是非なくてはならない備品である。大勢の子どもの生命をみている寄宿舎として、いつ病人やけが人がでるかわからない。自動車によつて人命が救われることになるからである。

人的要件として専任の舎監、書記、養護教諭、看護婦、栄養士、運転手、警備員がいて、寄宿舎機能を十分に発揮できる子どもの喜び、教師の願いを一つにつないで、明かるい寄宿舎にしていただきたいと願つている。この願いはあながち夢でもなかろう。

（沖縄盲ろう学校長）

道徳性診断テスト結果の概要

研究調査課

一　調査の目的

沖縄の児童、生徒の道徳的心情および判断の一面を、標準化された道徳性診断テストを用いてとらえ、道徳教育指導の基礎資料に供することを目的とした。

二　調査の方法

1　使用した標準テストの名称

田研式、道徳性診断検査（改訂版）

（発行所　日本文化科学社）

2　調査の対象

この調査の対象となった学年は、小学校の五年生で、標本抽出を次のとおりとなった。

実学級数	実施学級数	備考
1学級の場合	1学級	
2学級の場合	1学級	ただし1村1校にして2学級の学校に対しては2学級実施する。
3学級の場合	2学級	
4学級の場合	2学級	
5学級以上の場合	3学級	ただし1市町村内に3学校以上級学級数10学級を越えるときは1学校2学級とする。

割当てられた学級数をどのように指定するかは一応各学級が均等に編成されているという前提に立って、各学校において抽せんして決めるようにした。全数に対する標本数および比率は次のとおりである。

全数＝二六、六五八名

標本＝一三、〇三八名

比率＝四九・二八％

3　その他

調査は、一九六〇年六月一五日（水）午前中に、各学校、各学級において、当該学級担任が実施し、採点処理をしてもらい報告をもとめた。

三　結果の概要

1　児童の道徳性偏差値平均

調査全数の偏差値を分布表にまとめ簡便法で平均を求めてみると次のとおりである。

	標準	全	男	女
偏差値	49.2	39.2	37.4	41.0
標準偏差	9.45	11.81	12.07	11.41

この結果からみると小学校第五学年一学期の標準とくらべて一〇点の差があるということになっている。このことについて読解力のハンディキャップからくる問題やその他の諸要因が考えられるとしても、一〇点も差があるということは一応道徳的判断力において全国平均より劣っているということは認めざるをえないであろう。

次に男女間の平均値の間に有意な差があるかどうかについて、次のとおり検定をおこなってみることにした。

まず二つの平均の差の標準誤差を次のように求める。

$$\sigma D=\sqrt{\frac{12.07^2}{6544}+\frac{11.41^2}{6394}}=2.056$$

次に臨界比を求める

$$CR=\frac{41.0-37.4}{2.056}=1.75$$

この臨界比が、だいたい2（正確には1.96）以上の場合には五パーセントの危険率で、また3（正確には2.58）以上の場合には一パーセントの危険率で、二つの平均値の間には有意な差があるというのである。したがってこの結果から男女の平均値の間には、有意な差がないということができる。このことは「男女の平均が母集団では等しい」ということを意味しているのではない。

〔注〕栃木県教育委員会調査課でおこなった結果を田中教育研究所編著の「教育テスト」によると、小学校では女子が優れ有意差を認めており、中学校では有意差がなく、高校では男子が優れ有意差があると報告されている。

全数の度数分布表と分布図を示すと次の（三四〜三六頁）とおりである。

さらに偏差値平均を各連合区ごとに示したのが次の表である。

連合区	受験人員	偏差値 男	偏差値 女	偏差値 全
糸満	1,238	35	37	36
那覇	2,026	42	44	43
知念	855	37	41	39
普天間	844	35	39	37
コザ	813	39	42	41
読谷	521	37	45	41
前原	1,027	32	39	36
石川	432	37	39	38
宜野座	423	37	40	39
名護	1,741	37	42	40
辺土名	506	36	41	39
久米島	326	37	41	39
宮古	1,258	35	38	36
八重山	1,028	34	39	37
全琉	13,038	37.4	41.0	39.2

2　パーセンタイルによる領域別の平均

このテストはA「自己」、B「家庭」C「友人」、D「社会」、の四つの領域から、それぞれ道徳的な問題を含む具体的場面を一〇問あて、計四〇問を選定し各問題には四つずつの選択肢が設けられて、一番よいものには〇印を、一番悪いものには×印を一つずつ記入させ、いずれも正解の場合には、それぞれ一点ずつ計二点が与えられる。従って満点は八〇点ということになる。この総点を偏差値（道徳性偏差値）に換算したのが、先に述べたものであったが、ここでは更に四つの領域ごとの粗点平均をパーセンタイルに換算してみると次のとおりである。

領域		男	女	全
A（自己）	パーセンタイル	15	15	15
	粗点	76	8.4	8.0
B（家庭）	パーセンタイル	15	25	15
	粗点	10.8	11.9	11.4
C（友人）	パーセンタイル	25	35	25
	粗点	8,9	9.8	9.4
D（社会）	パーセンタイル	15	20	20
	粗点	9.2	10.3	9.8

この四領域について、手引書によると、「A（自己）は、自分自身に関する問題についての判断を求められたものであり、B（家庭）は、家族および親戚、先生などの親しい間柄にある長上、知人に対するもの、C（友人）は、学校の同窓の友だちに対するもの、D（社会）は、一般の社会に対するものである」。と説明されている。そこでこの結果から各領域とも道徳的判断が低い数値を示していることがわかる。その中でもA（自己）、B（家庭）、の数値がかなり低いということについては大いに検討されなければならない。一概にここでそのことに触れることはできないが、自分自身に関する問題や、家族および親戚先生など親しい間柄にある長上、知人に対する適確な判断ができないと云う結果から、更にこのことについて分析的に各面より検討して、そのような傾向があるかどうかを検討する必要があろう。

3　問題項目別に見た反応状況

今まで述べてきた偏差値やパーセンタイルは全体としての傾向をとらえることができたが、更に各問題に対してどのように反応しているか、その反応状況を調査しようとして、三七ページに示す表を作製し報告を求めたのであるが、各学校からの報告に疑義が多く、集計できなかったのが残念である。このことについて、次に述べる地域別の概要で多少触れることにしたのでそれを参考にしてほしい。

この表への反応状況によってクラス、学校、地域、全琉の傾向を問題項目ごとにとらえ、具体的な道徳教育指導上の資料の手がかりがつかめるものと思われたのである。各学校現場におかれては、この表をもとにして実際指導に活用されるよう望みたい。

4　地域別にみた結果の概要

ここでは次に述べる四地域について作為抽出した学校（一学級あて）についてその結果をまとめたのであるから、これらがそのままその地域を代表しているかどうか、つまり標本抽出の妥当性については多少の問題はあろうが、一応ご参考までに述べることにした。

a　都市地域（二九八名）
壺屋、開南、城岳、城西、久茂地、大道

b　基地地域（二七九名）
コザ、北玉、北谷、中の町、美里、読谷

c　本島内農村（三三六名）
奥間、大宜味、東、羽地、今帰仁、南風原、真壁、玉城

d　へき地地域（三八五名）
伊平屋、粟国、大岳、座間味、平安座、伊良部、佐良浜、与那国、波照間

(イ)　偏差値平均

次の表は、地域別にみた偏差値平均である。

	人員	道徳性偏差値	標準偏差
都市地域	298	45.75	11.71
基地地域	279	41.0	10.88
農村地域	336	39.0	11.70
へき地地域	385	36.5	12.61

この表から偏差値平均は、都市、基地、農村、へき地の順になっている。このことについて、社会的、文化的環境の相違が多分に左右されているということがいえるだろうか。その他教育的諸環境および要因についても今後の研究にまたねばならない。

次の図は度数分布表から度数多角形をつくり、四地域を比較してみたものである。

(ロ)　領域別

次の頁の表は、地域別にみた領域別の粗点平均とパーセンタイルである。

(ハ)　問題項目分析の概要

○積極的に難問に対して解決しようとする意欲が乏しい。

3のハに○した者　五一・八%
5のロに○した者　三五・四%
5のニに○した者　二七・七%

●協調性に乏しい

6のロに○した者　四六・三%
6のハに×した者　四〇・四%

○物事を合理的に処理しようとする態度が乏しい

10のハに○した者　六六・二%

○報酬をあてにしての行為は観念的にいけないことだという意識が強い●

12のニに×した者　五二・七%

○友人を尊重する態度がうすい。

16のハに×した者　三五・〇%
16のニに×した者　三四・九%

○尊師のふうは農村、へき地にいくに従つて強くなつている。

地域	A（自己）パーセンタイル	A（自己）粗点	B（家庭）パーセンタイル	B（家庭）粗点	C（友人）パーセンタイル	C（友人）粗点	D（社会）パーセンタイル	D（社会）粗点
へき地	10	7.3	10	10.2	25	8.9	20	9.6
農村地域	15	8.1	15	11.4	25	9.3	20	9.7
基地地域	20	8.5	25	12.0	35	9.6	20	10.4
都市地域	35	9.5	40	12.9	50	10.7	30	11.9

○親の指示をことわることは悪いことだという意識が強い。

18のイに×した者　三六・九%
18のロに×した者　二七・五%
18のニに×した者　二一・〇%
19のハに○した者　二三・七%
19のニに○した者　五三・九%

○寛容の態度が女子よりも男子に乏しい。

○友情に対する判断が漠然としている。

22の○×の反応状況が分散している。

○風俗習慣について割合に無批判である。

24のイに○した者　二七・〇%
24のロに○した者　三九・四%

○都市、基地においては権利を主張する態度が農村やへき地の子どもよりも強い。

	都市・基地	農村・へき地
29のイに○した者	三八・〇%	四四・五%
29のハに○した者	四〇・六%	三二・四%

○反省する態度に欠け、過失の責を他に転嫁しようとする態度がうかがわれる。

30のイに×した者　一七・〇%
30のハに×した者　五七・二%

○公共物愛護の念が薄い。

32のイに○した者　三一・〇%
32のハに○した者　四五・一%
32のイに×した者　二一・〇%
32のニに×した者　四五・〇%

○人から家を尋ねられ知らなかつた時の態度として、「その人と一しょに探します（六〇・〇%）。他の人に聞いて下さい（一八・七%）であつたが、この問題については、わたくしたちの郷土の人々について、本土の人々が来沖しての感想としてよくいわれる「親切だ」と云う言葉と関連して、親切心を如実に表現しているものであるが、道徳的実践場面における適切な指導が望まれる。親切心が深いと云うことは36、38の判断が適確に反応していることからもうかがわれる。

○秩序を保つことへの積極的態度が乏しく、それらの世話をする人に対する協力性の欠如がうかがわれる。

40のイに×した者　二〇・六%
40のニに×した者　四一・五%

以上述べたことは、あくまでこのテストの結果であつてさらに各面から検証されなければならないことは云うまでもないことである。なお問題番号のみを附し内容の記入がないのであるがこれは、田研式のテスト用紙を参考にしていただきたい。

四　結び

このテスト結果を分析するにあたつて無答数が終りになるにつれて多くなつており、しかも偏差値平均が一〇点も差があると云うことからして、読解力に対する抵抗がかなりあつたのではないかと云うことは直接テストにあたつた現場の先生方から耳にしているが、さらに次のことが云えると思われる。

●問題解決に対する意欲は、疲労度が加わるにつれて低下している。

○テスターの実施に対する万全な処置がなされていなかつたように思われる学校もあつた。

以上ごくおおまかに分析を試みたのであるが、多少でも現場にお役に立てば幸いに思います。

田研式道徳性診断検査（改訂版）

道徳性偏差値分布表と分布図

実施年月日　1960年６月15日

対象学年　小学校５年生　（全琉各学校より 1～2学級宛抽出）

（小５男）

道徳性偏差値	人員（F）	%	D	FD	FD_2
4以下	34	0.5	−7	−238	1,666
5～9	21	0.3	−6	−126	756
10～14	99	1.5	−5	−495	2,475
15～19	316	4.8	−4	−1,264	5,056
20～24	759	11.4	−3	−2,277	6.831
25～29	629	9.5	−2	−1,258	2,516
30～34	912	13.7	−1	−912	912
35～39	999	15.0	0	0	0
40～44	1,024	15.4	1	1,024	1,024
45～49	755	11.4	2	1,510	3,020
50～54	640	9.6	3	1,920	5,760
55～59	326	4.9	4	1,304	5,216
60～64	90	1.4	5	450	2,250
65～69	36	0.5	6	216	1,296
70～74	4	0.1	7	28	196
75～79					
80～84					
85～89					
90～94					
95以上					
	N 6,644	100.0		ΣFD −118	ΣFD_2 38.974

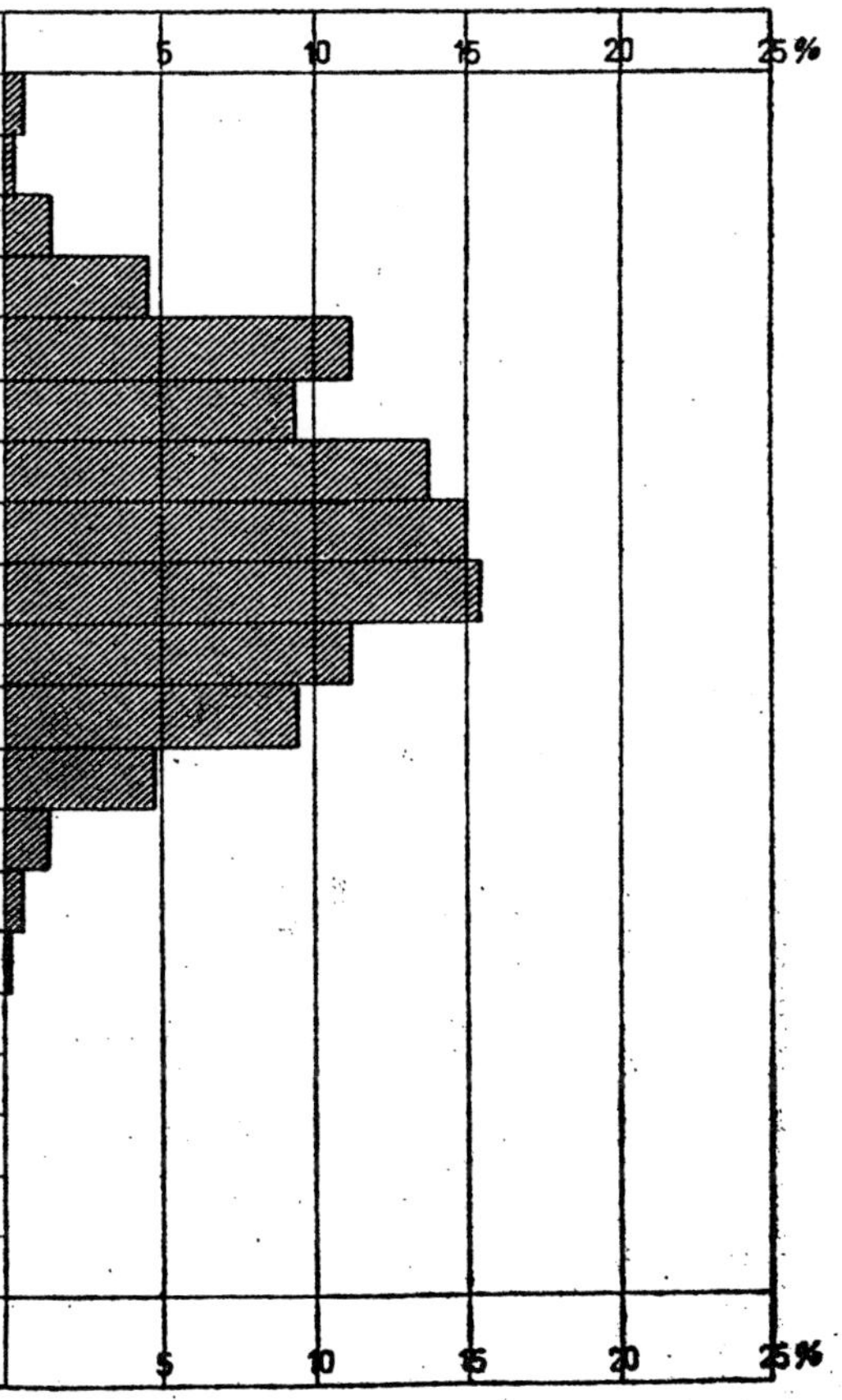

道徳性偏差値平均（M）

M＝37.4

標準偏差（SD）

SD＝12.07

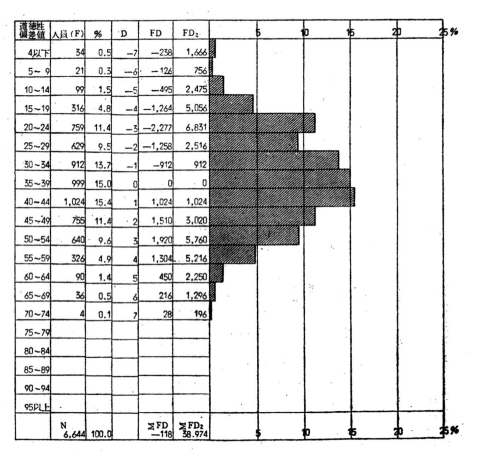

田研式道徳性診断検査（改訂版）

道徳性偏差値分布表と分布図

実施年月日　1960年6月15日

対象学年　小学校5年生　（全琉各学校より1～2学級宛抽出）

（小5女）

道徳性偏差値	人員（F）	%	D	FD	FD^2
4以下	22	0.3	−7	−154	1,078
5～9	20	0.3	−6	−120	720
10～14	48	0.7	−5	−240	1,200
15～19	135	2.1	−4	−540	2,160
20～24	403	6.3	−3	−1,209	3,627
25～29	433	6.8	−2	−866	1,732
30～34	749	11.7	−1	−749	749
35～39	1,036	16.2	0	0	0
40～44	1,159	18.1	1	1,159	1,159
45～49	892	13.9	2	1,784	3,568
50～54	808	12.6	3	2,424	7,272
55～59	492	7.7	4	1,968	7,872
60～64	153	2.4	5	765	3,825
65～69	38	0.5	6	228	1,368
70～74	6	0.1	7	42	294
75～79					
80～84					
85～89					
90～94					
95以上					
	N 6,394	99.7		ΣFD 4,492	ΣFD^2 36,624

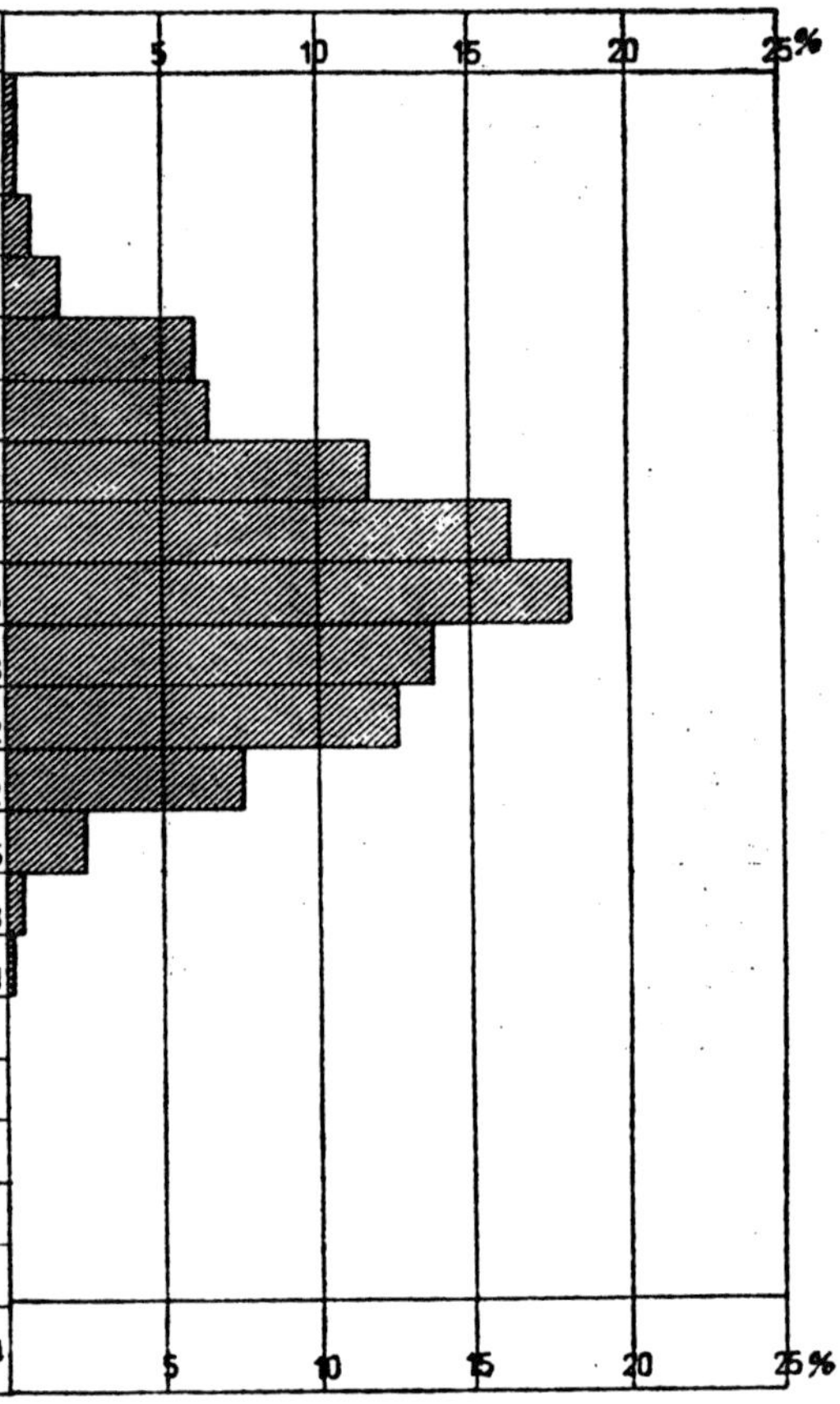

道徳性偏差値平均（M）

M＝41.0

標準偏差（SD）

SD＝11.41

田研式道徳性診断検査（改訂版）

道徳性偏差値分布表と分布図

実施年月日　1960年６月15日

対象学年　小学校５年生　（全琉各学校より 1～2学級宛抽出）

（小５全）

道徳性偏差値	人員(F)	%	D	F D	FD²
4以下	56	0.4	−7	−392	2,744
5～9	41	0.3	−6	−246	1,476
10～14	147	1.1	−5	−735	3,675
15～19	451	3.5	−4	−1,804	7,216
20～24	1,162	8.9	−3	−3,486	10,458
25～29	1,062	8.1	−2	−2,124	4,248
30～34	1,661	12.7	−1	−1,661	1,661
35～39	2,035	15.6	0	0	0
40～44	2,183	16.7	1	2,183	2,183
45～49	1,647	12.6	2	3,294	6,588
50～54	1,448	11.1	3	4,344	13,032
55～59	818	6.3	4	3,272	13,088
60～64	243	1.9	5	1,215	6,075
65～69	74	0.6	6	444	2,664
70～74	10	0.1	7	70	490
75～79					
80～84					
85～89					
90～94					
95以上					
	N 13,038	99.9		ΣFD 4,374	ΣFD² 75,598

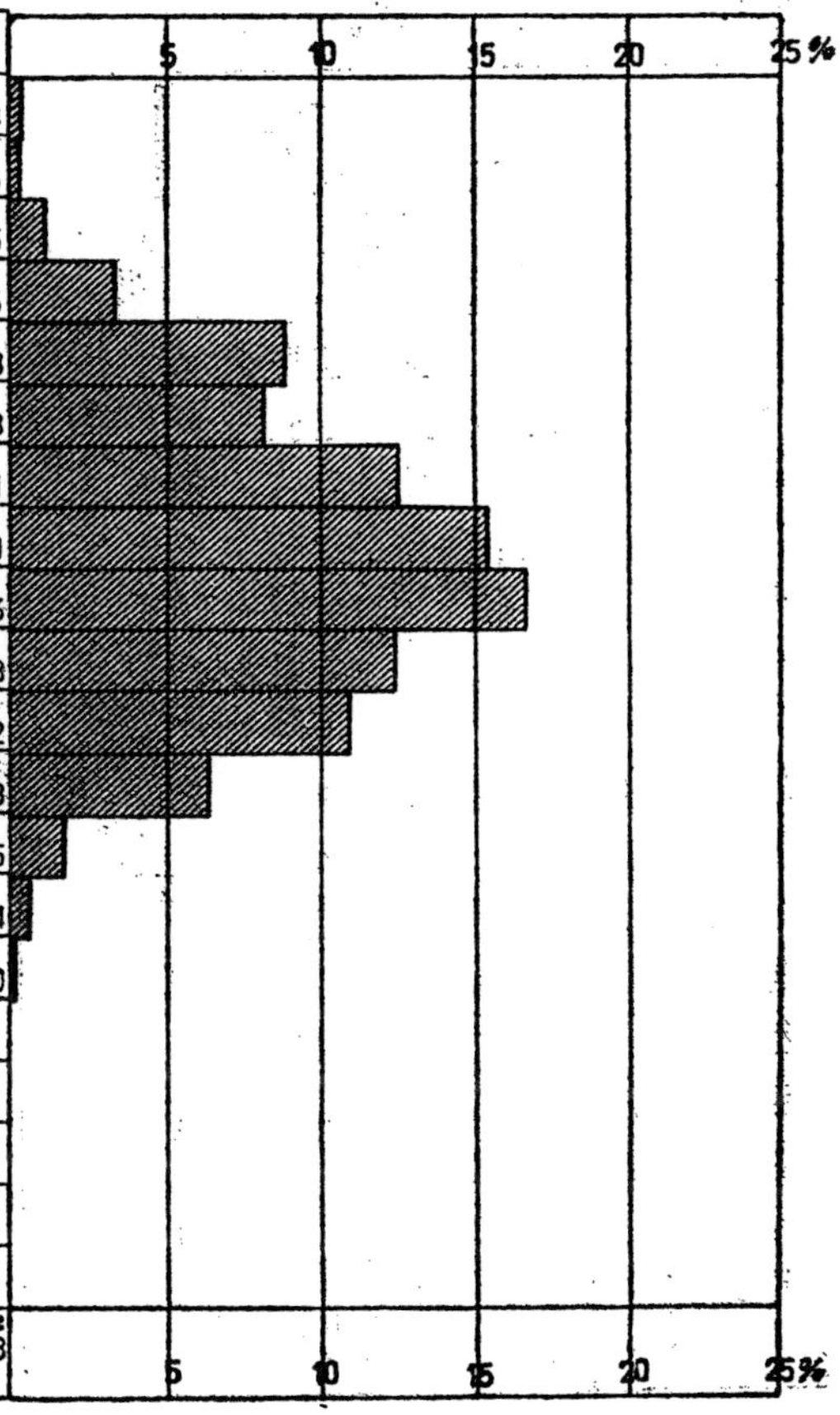

道徳性偏差値平均（M）

M＝39.2

標準偏差（ＳＤ）

ＳＤ＝11.81

問題項目別に見た学級の集計表（No. 3）

学校名			
受検人員	男	女	計

番号	選択肢	○数		×数		無答数		番号	選択肢	○数		×数		無答数		番号	選択肢	○数		×数		無答数	
		男	女	男	女	男	女			男	女	男	女	男	女			男	女	男	女	男	女
1	イ							15	イ							29	イ						
	ロ								ロ								ロ						
	ハ								ハ								ハ						
	ニ								ニ								ニ						
2	イ							16	イ							30	イ						
	ロ								ロ								ロ						
	ハ								ハ								ハ						
	ニ								ニ								ニ						
3	イ							17	イ							31	イ						
	ロ								ロ								ロ						
	ハ								ハ								ハ						
	ニ								ニ								ニ						
4	イ							18	イ							32	イ						
	ロ								ロ								ロ						
	ハ								ハ								ハ						
	ニ								ニ								ニ						
5	イ							19	イ							33	イ						
	ロ								ロ								ロ						
	ハ								ハ								ハ						
	ニ								ニ								ニ						
6	イ							20	イ							34	イ						
	ロ								ロ								ロ						
	ハ								ハ								ハ						
	ニ								ニ								ニ						
7	イ							21	イ							35	イ						
	ロ								ロ								ロ						
	ハ								ハ								ハ						
	ニ								ニ								ニ						
8	イ							22	イ							36	イ						
	ロ								ロ								ロ						
	ハ								ハ								ハ						
	ニ								ニ								ニ						
9	イ							23	イ							37	イ						
	ロ								ロ								ロ						
	ハ								ハ								ハ						
	ニ								ニ								ニ						
10	イ							24	イ							38	イ						
	ロ								ロ								ロ						
	ハ								ハ								ハ						
	ニ								ニ								ニ						
11	イ							25	イ							39	イ						
	ロ								ロ								ロ						
	ハ								ハ								ハ						
	ニ								ニ								ニ						
12	イ							26	イ							40	イ						
	ロ								ロ								ロ						
	ハ								ハ								ハ						
	ニ								ニ								ニ						
13	イ							27	イ														
	ロ								ロ														
	ハ								ハ														
	ニ								ニ														
14	イ							28	イ														
	ロ								ロ														
	ハ								ハ														
	ニ								ニ														

無答率

$$\frac{\text{無答数}(\qquad)}{40\times\text{人員}(\qquad)}\times 100$$

男＝（　　　　）
女＝（　　　　）
合計＝（　　　　）
※小数第三位四捨五入すること。

※ ○数、×数の欄は正答のいかにかかわらず反応した項目のところ（イ、ロ、ハ、ニ）に記入する。
※ 一問に○印が二つ×印が一つの場合、○印は記入せず×印のみ記入する。その逆も又同じ、○印二つ×印二つの場合は無答欄に一人と記入する。
※ 問題番号ごとに○、×ともに反応がなかつたものを無答数の欄に記入する。

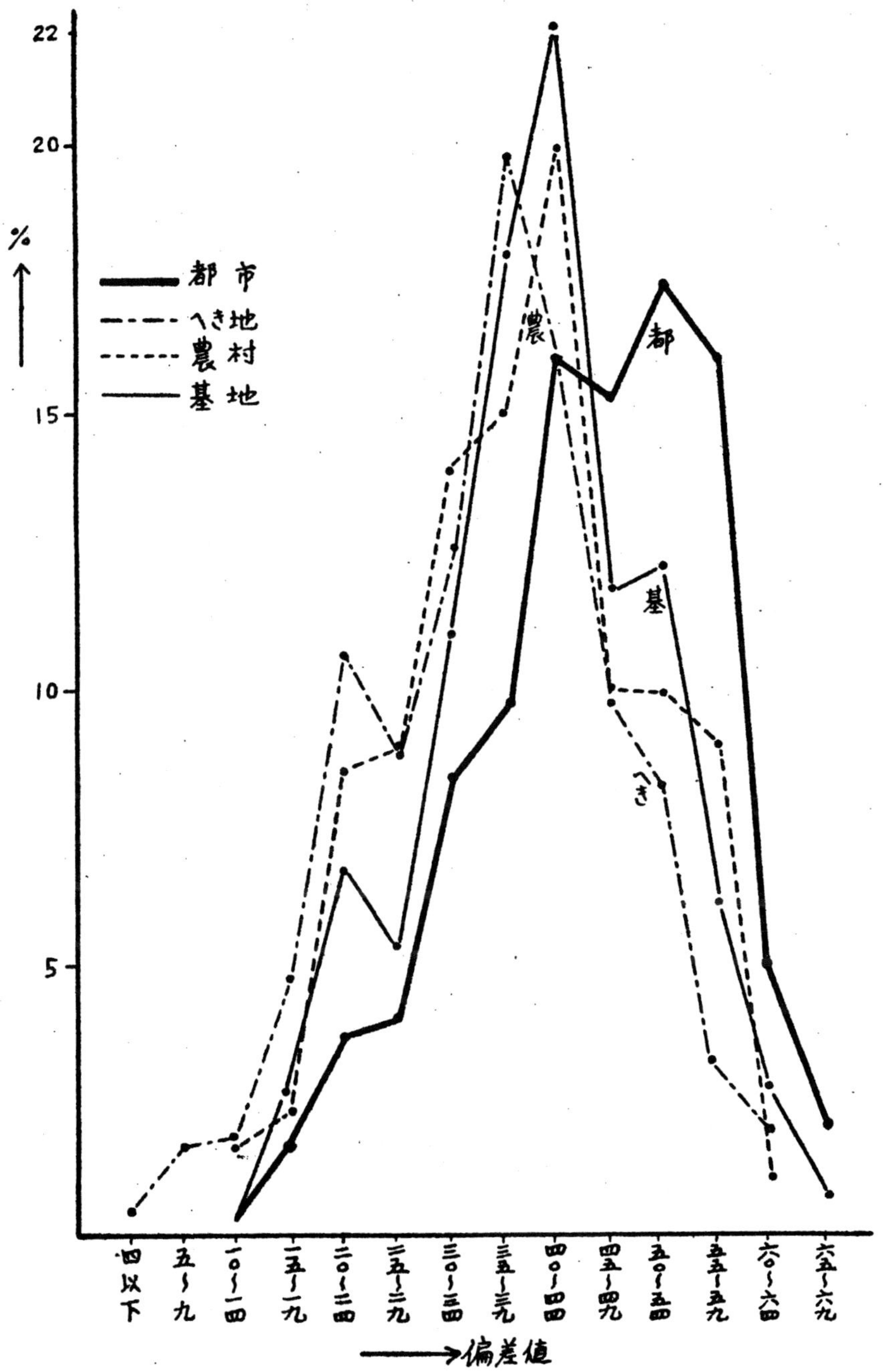

22
20
15
10
5
%
都市
へき地
農村
基地
農
都
基
へき
四以下
五～九
一〇～一四
一五～一九
二〇～二四
二五～二九
三〇～三四
三五～三九
四〇～四四
四五～四九
五〇～五四
五五～五九
六〇～六四
六五～六九
偏差値

読解指導を中心とした

―教材研究とその指導案―

豊見城中学校　上原政勝

〔教材〕**非凡なる凡人**　作者　国木田独歩

一、主題

※表現の意図

一読して誰でもすぐ感ずることは、「非凡なる凡人」というこの小説は考えさせられる小説であるということである。この小説の主人公桂正作なる人物はたしかに「非凡なる凡人」であるにはまちがいない。一見、矛盾も甚だしいこの題名のもつ意義は何か。それを知るには主人公桂正作のもつて生まれた気象やその生い立ち、行動、その他を解剖していけば、おのずから納得のいくものである。

偉人伝に胸をとどろかせ、空想に耽りともすれば足が地面から離れがちなこの期の生徒たちにとつて、独歩特有の少年取材のこの小説は、生徒の心性の発達に応じた興味ある小説であり、かつ人生観の基礎づけ、人間形成のための問題意識をかなりもつた小説である。

私はこの作品に一貫して流れている作者の意図を、社会はいかなる人物を求めまたいかなる生き方をするものが幸福であるかを追求し、考えさせることを目標としているとみる。従つて、この小説は主人公桂正作は平凡な人間には違いないが、非凡なところがある。どこが凡人であり、どこが非凡なのであろうか。そして、われわれが今日の社会によりよい社会人として生き、役立つていくためにわれわれは非凡人として生きようとしているのか、また凡人として生きようとしているのか。あるいは非凡なる凡人として生きようとしているのであるかについて、その意味を深く考えさせたい。

そして、それが契機となつて人生や社会について考え、自己の今までの生き方の反省の手がかりとなるならば、この課の目標の大半は達せられることになる。しかしこのことは、あくまでも修身的な作為的なものでなく、文学自身としての目標を堅持しつつ指導にあたらねばならない。

※意図表現の素材

作者は二人の主要人物を登場させる。一人は桂正作であり、今一人はその友人「私」である。

……桂正作のごときは平凡なる社会が常に産出しうる人物であり、また平凡な社会が要求する人物である……として、西国立志編によつて、大いなる感化を受けた桂が、父や祖父から譲り受けた敢為の気象に一層の訓練を加えて、誰にでもできるようなことを周到に計画し、着々実行に移し、しまいには、自分の欲する仕事を見出して、そこに天職を感じ、真剣につとめる。

そのような正作を描きだしたところに「一人の有能な人物よりも、多数のまじめな平凡で有為な人物」という作者の考えが潜んでいる。つまり、作者のこの意図を表現せんがための人物が正作である。

一方、「私」は、常に第三者の立場において、正作の竹馬の友である関係をもたせ、「非凡なる凡人」である正作の言動、行動を語らせている。

結局この「私」は、せんじつめれば、ナポレオンのみを偉人と仰ぎ勝ちなわれわれ文字通りの凡人に眼を開かせてくれる役をつとめる人物ではあるが、正作を認め、そして尊敬できるりつぱな心情をもつた、これもまた非凡なる凡人として見逃せない存在の人物である。

※意図の表現

作者は桂正作の生活態度を通して「平凡ではあるが、わが信条とする道」を設問的につき進んでいく。

凡人とはどのような人が、非凡なる凡人とは……と興味を盛り上げつつ、ぐいぐい読者をその境地に引きずり、そして考えさせるのである。

しかし、生徒にとつては、文は分り易く、難解なところは少ない文章ではあつても、作者がいいたいことが何であるか過不足なく理解することはむずかしい。それに今時の青少年の眼には、桂正作なる人物は、作者の意図はどうあろうと、非凡なる平凡というよりも、むしろ非凡な人として移りはしないだろうか。そこで、字句に従い、文脈を辿つているうちに、自然にその目的が達せられてくると思う。

以下、作者の意図が強く表現されているところを摘出してみる。

…………………

（一七九ページ）

〔桂正作のごときは平凡なる社会が常に産出しうる人物である。また平凡なる社会が常に要求する人物である〕

まず作者は社会というものを基盤にすえてかかる。社会というものはその九割九分までが、平凡人の構成するものであ

る。そのような社会にあって、やはり一平凡人に過ぎない桂正作が浮彫りされ、しかもその社会に要求されるという真の意義はどこにあるのだろうか。

（一八〇ページ）

「テーブルというのは、粗末な……すぐこれだけのことを実行したのである」

誰でも一応は口にし、実行もしたくなる平凡な一事に過ぎないが、実行となると中々むずかしいことである。至難なことの実行も尊いが、平凡なことを、毎日繰返し実行することは、なお尊いことではなかろうかと作者は強調している。

（一八一ページ）

「その後、桂はついに西国立志編を一冊買い求めたが………常にそれを座右に置いている。」

ひたむきな少年らしい情熱の露出である。正作は少年にありがちな空想もするが、自分でもできるものは実行して満足感を得ようとする少年である。やがて西国立志編が彼の心の支柱として芽をふき出してくるのである。そこにも、友人をして「生ける西国立志編」と概嘆させたかれの面目躍如たるものがある。

（一八二ページ）

「天の与えた性質からいうと、かれは率直で………」

自然に備えた徳は決して目立つものではないが、人間的に珍重すべき好もしい性格である。そして、かれはこの気象に「訓練」を加えたのであった。

（一八五ページ）

「桂正作の計画はすべてこの筆法である」

すべて、計画をたて、やりぬいていく正作。あせらず、ひるまず、目標とする方向へ一歩一歩近ずいていく正作である。

（一八七ページ）

「けれども黒くないものがある。それは書籍」

正作こそ学生の典型である。そのような環境にめげず、かえって、環境を克服して、勉学に適したところにかえていくところに凡人の凡人でないゆえんである。

（一八八ページ）

「彼は決して自分と他人とを比較しない。自分は自分だけのことをなして運命に安んじて、その運命を開拓しつつ進んでいく。」

実に淡々とした態度である。生活競争に血眼になっている現代人から見れば正作は全く聖人に近いものをもっている。

この文は、いきなり凡人を超越した非凡人としての正作を描いているふうにみえるが、心を沈めてよめばこれが凡人としてのほんとうの姿ではなかろうか。作者は「非凡なる凡人」の真意をついている。

（一九〇ページ）

「ああ、この飯は有為なる……涙をのんだのである。」

少年二人の間には、完全なる人間対人間の魂の交流にまで高まっていた。そして、その夜二人は薄いふとんに寝て、行く末を語りあったのが、少年らしい少年という感じを読むものに与える。

（一九二ページ）

「わずかの給料で、桂みずから食らい、弟を養い、三年の間……」

兄弟愛のにじみでたところである。だがこの兄弟愛を単なる兄弟愛として簡単にかたづけられないのはどうしたことだろうか。

（一九二ページ）

「桂の顔、様子！かれは無人の地にいて、われを忘れ世界を忘れ、身も魂も、今なしつつある仕事に打ちこんでいる」

偉大な人とは発明発見その他によって、世界にその名を謳われる人だけではない。独立自活の道を開いてとうとう仕事を見つけ、そこに天職を感じ真剣につとめている人ほど社会に益する人はない。そういう人がより集まってこそ理想的な社会が形成されるのである。桂正作はそういう意味で真の偉人といえる。正作はありきたりのことばでいえば「まじめな社会人」の一語に尽きる。

そこで生徒がひとみを輝かした時、次々と別の正作が生まれてくるのである。さらに、友人が正作をみて一種の荘厳さに打たれたところなぞ、やはりこの少年もそれを認め得る非凡なる凡人であることにも着眼点をもっていくべきではなかろうか。

………………………

以上の外にも生徒の側から、もっと大なり小なりの考えがでてくるに違いない。生徒自身の読みの力でそれらを発見させ、作者の意図を充分感得させたいものである。

二 文書の機構

※構　想

1 「非凡なる凡人」桂正作を登場させる。

2 「西国立志編」に耽溺した幼少時代の正作を描く。

3 多分に山気の多い家庭で育くまれた正作を描く。

4 「ところ」を得ずと悶々と暮す正作との再会、上京準備の正作の描写

5 独立自活の道を、ゆっくりと歩む今なお変らぬ着実型の正作と少年との東京での再会。

6 帰省の準備をしていた正作、弟達を根気強く世話する正作を描く。

7　真の偉人となった正作が精魂をうちこんで大職に奉じる姿の描写

※段　落

（上）一、初め…一八〇ページの一行…桂正作という男

二、……一八二の六行…西国立志編に耽溺する正作

三、…一八四の一行…正作の血すじ

四、…一八六の九行…小学校卒業後のめぐりあい。

五、…一八六の終り…正作の上京

（下）一、…一九〇の十二行…東京での再会

二、…一九二の四行…その後の正作

三、…終り…現在の正作

※作品の構成

（上）

（第一節）五、六人の年若い者たちにたちのぼったうわさの人桂正作がなぜ非凡なる凡人であるかを、その友人が説明する。

（第二節）小学校の頃、西国立志編をよみふけり、平凡なことを着実に実行していく。西国立志編を終生のバイブルとして、将来にひとみを輝かす小学校時代の正作の姿が生き生きと描かれている。

（第三節）一転すれば冒険心となり、再転すれば山気となる父の血を受けついで、正作もまた敢為の気象の持主となる。けれども西国立志編によって、この気象に訓練を加えていく。ここでは主として、正作の血すじについて述べているが、見逃せないのは少年時代によんだ一冊の書が正作の人生にいかにプラスしたかということである。

（第四節）中学校に入れなかった正作がたえず工業で身を立てようという青雲の志を抱いてその計画を立てていた。そのような正作と友人のめぐり合いが述べられている。

（第五節）ついに正作の上京、このことがいよいよ正作の人生舞台の展開となる。音信ははっきりせずとも着々目的へ向っていく正作を、父母を初め、すべての人が疑わなかった。かれの人間性のよく表われた箇所の描写である。

（下）

（第一節）有為なる、勤勉なる独立自活して、みずからを教育しつつある少年正作と再会した友人の感動は読者の感動でもある。

（第二節）平凡な暮しの中から、平凡な人にはとてもできないすなわち正作の帰省の様が描かれている。

また、山気のためにを家とび出した二人の弟を根気よく世話する正作が描かれている。そのいずれも、正作の人間性の愛情であり、内に秘めた進取の気象に富む正作の行為である。

（第三節）無人の地にいて、われを忘れ世界を忘れ、身も魂も、今そのなしつつある仕事にうちこんでいる桂の容貌の荘厳さの描写

三　表現の特質

センテンスとテンス

物語としてのこの文の表現は、作者が日本の開化期に生まれ、明治の年代のみを生きてきたがために、擬古文的なところが多い。一例を挙げると「桂正作は武士の子、今やかれが一家は悲運の底にあれど、要するにかれは紳士の子」といったぐあいである。しかし、それが抵抗として感じられないくらいに、平明なよどみのない調子は、きわめて、読みやすい文章となっている。

しかし、指導にあたっては、全文が古ぼけたトンビをつけたような表現方法であることを常に念頭にはおくべきであろう。

会話と地の文との関係

会話は友人同志ということから、非常に親しみがこもっている。おもしろく感ずるのは、物語的な形態をもったということも近因するだろうが、全体的に急迫するようなところがなく、実に淡々とした文章である。別の言葉でいえば、大人くさい。しかし、それが地の文との調和がとれ、少しも嫌味を感じさせられない。

地の文は、「語られる文」としての性格をおびているが、読んでいるうちに明治にさかのぼっていくような錯覚を起す流ちょうな文である。

指　導　案

一、教材〔非凡なる凡人〕

二、目　標

(1)主題からみた目標

この作品の内容的価値は、凡人としての生活をいかに生くべきかに触れさせることである。平凡ではあるが、心の中に燃えるような敢為の気象をみなぎらせて、それを黙々と計画し、実行していく桂正作の徹底した人間的信条を、文脈を追うて理解させる。そして、生徒がこの小説や他の小説から、発展的に人生や、社会について生き方に反省と夢をもつように指導する。

(2)　文章の機構からみた目標

この作品の構想は一の平凡な人間を語ることによって、平凡な生活の中からもやがて社会に要求されるたくましい人間が生まれることを感得せしめていく。この構想を大づかみに感得せしめる。また段落（八つの段落）を追って、筋の運びを理解させ、漸層的に発展している作品の構成の巧妙さに触れさせる。

第八節がこの作品のヤマであり結びであると思う。

(3)　表現の特質からみた目標

イ 会話も地の文も平明ではあるが、擬古的な文や地方語が入っている。

ロ 知らず知らずのうちに、読み手であるわれわれも、この聞き手の中にひきこまれるような親近感に富む表現である。

ハ センテンスが比較的短かく、文脈の流れがスムースで生き生きしていること。

※以上のようなことを表現の特質として理解させる。

(5) 学習者の反応(仮定)から見た目標

理想を追いがちなこの期の生徒にあつても、平凡な日常生活の明け暮れの小説に接すれば、やはり現実にかえつていくであろう。そして、次のような問題を意識するであろう。

イ 平凡な人とはどんな人か

ロ 非凡な人とはどんな人か。

ハ 非凡なる凡人とはどんな人か。

ニ われわれは正しく人間として生きるにはどうしたらよいか。

ホ 人間の幸福とはどういうことなのか

ヘ ほんとうの人間生活を知るために、もつとよい人生に触れたい。もつとよい文学作品を読んでみたい。

この作品では、桂正作の「非凡なる凡人」として、生きていく姿を、自分と対比させつつ考えさせていきたい。

三 指導すべき能力

※〔知識〕①漢字(新出漢字)

麻◎糸・藩閥◎・殖◎産・豪傑◎・訓戒◎・修繕◎

(特に読みにくい漢字)

請う・足継ぎ・粗末至極・敢為の気象・露骨・周旋・破顔一笑・成就・虚栄心・静粛・奔走・荘厳

② 主要語句の一般的な意味省略(生徒用プリント参照)

③ 作者独歩の人となりと他の作品について

④ 小説の読み方の一般的原則

(主題・構成・叙述―時・所・人物・事件―感想・問題意識)

※〔技能〕

① 作品に即した語義の理解や語感などをつかむこと。

② 主題をつかみ、それについて自分の意見をもつこと。

③ 作者の意図が表現の上で、どのように生かされているかを知ること。

④ 文体の特徴に注意してよむこと。

⑤ 作者の表現に注意して、味わってよむこと。

⑥ 作品をよんで鑑賞し、まとまった感想や問題意識をもつこと。

※〔態度〕

① 作品をよみとおす態度を身につけること。

② 作品の内容をよくよみとつて批判する態度を身につけること。

③ 作者をよみ、人生や社会の問題を考えていく態度や、文学を愛好する態度を身につけること。

四 学習時間の配当と展開総時間七時間

導入 独歩の作品「しか狩」について(二年次での既習教材)

(1) 全文一斉通読

・障害になる漢字、語句のよみの板書

・国語辞典、漢和辞典の利用を企てる。

・個別指導のための机間巡視 }……一時限

・読後の話し合い(筋について、主人公について)……二時限

・あらすじを書く……(家庭学習)

(2) 作者の意図、作品の主題、表現法等の把握のためのよみ。

・語句の意味を調べる段落の研究(語句解釈のプリント配付)(辞書利用、教師の補足) }……三時限

・味読(意図、主題、表現に注意し、主人公の平凡ではあるが非凡なるところをノートに抜き出す)……(家庭学習)

◎話し合い(作者の意図表現の研究)

桂正作を「非凡なる凡人」と評するわけ……四時限(本時取扱い)

・主題をとらえる。文体の特徴を考える。……五時間

・この作品を中心として、社会および人生を考える。

文学のもつ価値について考える。 }……六時限

(3) まとめ……七時限

・全文をよんで、感じ得たものをよりたしかなものにする。

・感想文を書く。

・教師の話をつけ加える
　・作者について―(特に幼少時代の年譜)
　・作風について―(追憶から芽生ゑた作品)

・国木田独歩の作品の紹介をする。

～「山の力」～「画の悲しみ」～「馬上の友」～「独歩全集」

(4) 評価

・この文の内容がどのように理解されたか。

・このような文学作品をよむことに興味をもつようになつたか。

・小説が人間形成に役だつものであることが理解されたか。(六九ページへ)

縦笛の指導

名護小学校　宜名腰　義　幸

他県では、昭和三十六年四月一日から新教育課程が実施される運びとなり移行措置、新しいカリキュラムその他の準備に努力しているようである。沖縄では、文教局にしろ現場にしろ、部分的な研究活動は見られるけれども、一体となった活発な研究活動が立ちおくれている事は一考を要する問題である。又一般的傾向として、教師も父兄も「学力低下を云々する時、いわゆる「主要学科」?を対象に語り、国語、算数、社会、理科、英語等以外の教科を軽視する風潮が無意識の中にあらわれたりするのは残念である。音楽は歌唱でじゅうぶん、図工はクレオンと画用紙で間に合う、体育はボールを与えておけばよい、とまではいかないにしろ一部の人々を除いては案外無関心ではなかろうか。特に音楽の場合は、学校備品以外の個人持楽器が教科書やノート、クレオンや鉛筆等と同じくぜひ必要な学習用具であるにもかかわらず普及率が悪いのは残念である。もちろん経済的な面、指導者の面等いろいろあい路はあるであろう。しかしオルガンの二、三台、二、三の木琴や貧弱な備品だけに頼っていては「興味のない音楽学習」がくりかえされていくであろう。しかし反面楽器や施設さえ揃えれば、すぐ、すばらしい音楽教育ができると考えるのはつつしまねばならない事で、学校運営の面、教師の指導技術の面、家庭の理解の面等から種々努力研究の積み重ねが必要になってくることは言をまたない。

では、新指導要領から各学年でどの程度の器楽学習がなされなければならないかを簡単に抜き出してみると左表のようになる。(小学校)

学年	内容
一年	1 木琴でリズム奏をしたり、簡単な旋律をさぐりびきする。(鉄琴を加えてもよい) 2 ハーモニカでリズム奏をしたり、簡単な旋律をさぐりぶきする。 3 オルガンで、ごく簡単な旋律をさぐりびきする。 4 歌唱教材を編曲した簡単な曲を年間二曲以上リズム楽器で合奏する。
二年	1 ハーモニカで習った歌や簡単な旋律を吹く。 2 オルガンでリズム奏をしたり、簡単な旋律をさぐりびきする。 3 木琴や鉄琴でリズム奏をしたり、簡単な旋律をひく。 4 歌唱教材を編曲した簡単な曲をリズム楽器に旋律楽器(ハーモニカ木琴または鉄琴など)の部分奏を加えて年間一曲以上合奏する。 5 歌唱教材を編曲した簡単な曲を年間二曲以上リズム楽器で合奏する。
三年	1 ハーモニカで習った歌の旋律を吹く。 2 オルガンで簡単な旋律をひく。 3 木琴や鉄琴で習った歌の旋律をひく。 4 歌唱教材を編曲した簡単な曲を年間三曲以上合奏する。
四年	1 ハーモニカで習った歌の旋律を吹く。 2 オルガンで簡単な旋律や主要三和音をひく。 3 アコーディオンで、簡単な旋律をひく。 4 木琴や鉄琴で習った歌の旋律をひく。 5 たて笛で習った歌の一節を吹く。 6 歌唱教材を編曲した簡単な曲を年間三曲以上合奏する。
五年	1 ハーモニカで習った歌およびいろいろな旋律を吹く。 2 オルガンで簡単な旋律や主要三和音をひく。 3 アコーディオンで簡単な旋律をひく。 4 木琴や鉄琴で習った歌およびいろいろな旋律や分散和音をひく 5 たて笛で習った歌や簡単な旋律を吹く。 6 歌唱教材を編曲した合奏曲を年間二曲以上合奏する。 7 歌唱教材によらない器楽曲を年間一曲以上合奏する。

六年	
	1―4は五年に同じ。
	5 よこ笛で習った歌やいろいろな旋律を吹く。
	6 7は五年に同じ。

表を見ると、各学年に応じて種々の楽器の指導がなされなければならない事がわかる。しかしこれだけの楽器を揃えてじゆうぶんな指導をなすにはいろいろな困難があまりにも多すぎる。もちろん指導の方法によつては、机の上をたたかして小太鼓の指導をしたり紙鍵盤によつて木琴の奏法を指導したり、交代制によつてオルガンをひかせたりその他の方法で経験させる事も或程度可能ではあるし、又やらねばならない事ではある。が旋律楽器の指導を紙の上だけでやる程味気ないものはない。

そこで、これらの問題点を除去しつつ、より楽しい音楽学習を進めていく上に「どのような地域でも取り組みやすい」という面からクローズアップしてきたのがハーモニカと縦笛である。他県でも現在すばらしい勢いで普及しつつあり、沖縄でも教育指導委員の先生方のご指導や熱心な教師達の努力によつて次第に学習の中に取り入れられつつある事は喜ばしい事である。では縦笛が音楽学習の面からどのような利点があるかについて簡単にのべてみたい。

一　価格が六十五仙（一括して購入すれば）で、計画的に購入すればほとんどの児童が購入可能である。

二　プラスチック製で熱や湿度、温度に対する抵抗が強く、沖縄のような高温多湿地帯に適し、長年の使用に耐え得る。

三　器楽の面から

1　学習用具として持ち運びに便利である。

2　半作音楽器で小学校教材に必要なハ、ニ、ヘ、ト長調、イ、ニ短調及び日本旋法の音階が完全に吹け、指使いも容易である。

3　個別指導及び集団指導が便利である。

4　独奏、重奏、合奏と多面的に利用できる。

5　学校音楽が家庭と直結する機会を作り、児童一人一人の自主的意欲的学習の場と機会も多くなる。

四　歌唱の面から

1　歌唱教材と直結させる事によつて意欲的な興味のある学習ができる。

2　変声期の児童又は音程の不安定な児童も楽しみながら学習できる

3　楽譜と直結しているので読譜力音程感に好結果をもたらす。

4　重奏、合奏等により和声感が養われる。

五　鑑賞その他の面から

1　きれいな音をつくり出そうと努力するようになる。

2　友達の演奏を聞いたり、自分で演奏して聞かせたりしている中に音の美しさを感覚的にとらえるようになる。

3　合奏、重奏をしている中に調和に気をつけるようになる。

4　歌唱教材のみでなく、音楽性の高い曲に楽しみをもつようになる等々。指導してゆく中にいろいろな面でよい影響を与え、現在までの歌唱中心の音楽学習に活気を生み出してゆくものと思われる。

次に、本校児童に縦笛（本校ではスペリオパイプを使用）の指導をした結果から、どんな事に注意を払わねばならないかの具体例を二、三あげてみたいと思う。

一　**笛の持ち方について**

1　右手と左手の位置をはつきりさせる。これは簡単のようであるが四年生の初期にはまちがうのが出てくる。

2　指に力を入れすぎる児童が多いやわらかいものをそつともつている感じで持たすように注意したい。力を入れすぎると運指にも支障を来たす。

3　穴をふさぐ際はじめての児童はほとんどが指をまげすぎ、指の最先端でふさごうとする。そのため完全にふさげず息もれのため安定した作音をする事ができない。指をかるくのばし指の腹でおさえるように指導したら効果的であつた

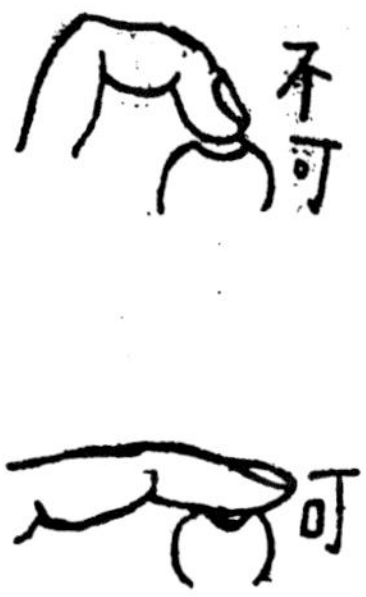

4　ひじは軽くひらいた姿勢が正しいが、ひろげすぎたり、体にぴつたりつけすぎたりするため笛の角度がとれず作音が不安定になる傾向も強い。指導の結果からみて、体に対して四〇度から五〇度程度が良いようである。

5　吹き口を含みすぎる児童も多いリードはないのだから唇にあてる要領を会得させる必要がある。含みすぎるとタンギングができない。

6　穴をふさいでいる以外の指が穴

からはなれすぎる傾向はほとんどの児童にみられる。これは次の作音の際の運指に不便であるばかりでなく、ふさぎ方の不安定の原因であり、徹底した指導が要求される。

7　つばを払うために吹口を抜き取るくせは男児に多く見られる。抜き取りはできるだけ禁止したい。つぎ目に隙間ができると運指、作音に支障を来たす。又つばをはらうために笛を振る事が多いが、その際吹口を抜かしたり、机の角等にぶつけて割る。つばは吹口の窓をふさいで強目に息を吹き込むととれるものである。

二　作音の指導の面から

1　縦笛は、低い音程作音しにくいようである。これは、息の吹き込みの調節の要領が会得しにくい事指を多く使うために穴が完全にふさがれずに息もれの機会が多い事等に原因している。

本校での指導結果から左の順序で作音指導した方がよいように思われる。

2　音の出し方の面から

イ　息の吹き込み方の傾向として口先だけで（即ちあついお茶などをさます時のように）吹き込むのが多いが、これは徹底的に指導してなおしたい。喉の奥から口蓋に息をふきあてる気持で吹き込む要領を指導したい。

ロ　息の吹き込み方が強すぎて一オクターブ上の音が出る事が多い。やわらかく吹き込む事に注意したい。

註。五線の上の数字は指導順　下の数字や記号は運指の記号
。歌唱教材に直接入るのはさけるべきである。作音の基礎指導や運指の練習が不徹底の場合には、よい演奏は出来ない。

ハ　高い音程は強めに吹き込み低い音程はやわらかくそつと吹き込ませる。

ニ　息の吹き込みの強さが一定しない場合には同一音でも、中高、尻下りになる傾向が見られる。横隔膜の支えで一様な強さで吹き込む練習が必要である。これには、ハやマア等の口形で静かに同じ強さで息をはき出す訓練をすると効果的である。

ホ　ブレスを無視する傾向が強い。これは横隔膜の支えが不十分なため、無駄な息づかいが原因している。

ヘ　タンギングについて
（舌つき）

四年の教科書には「したを吹口にあててテューとはなし、ふき終ったらまたしたをつけましよう。」となつているが、この方法ではうまくいかない。本校では、タンギングの練習として「トー」や「tu」の発音練習をさせ、その際の舌の動きを充分会得させるようにしている。「トー」や「tu」の発音の要領でタンギングさせると効果的である。次に大体の児童が吹き終わりのタンギングを忘れたために尻下りの音になる傾向が強い。これは常に注意する必要がある。又運指に気をとられるとタンギングを忘れる場合も多いが、吹く曲を「ト」や「tu」だけでうたわせる練習の積み重ねによって解決できる

ト　スラーについて

スラーのついた音ははじめの音の吹き出しにタンギングを行ない中間の音はそのまま吹きつづけ、一番終わりの音の吹き終わりにタンギングをする。

3　その他

イ　故意にヴィブラートをつけようとして指をふるわせたり、喉をふるわせたりする事はさけるべきである。

ロ　つばがたまると表面張力で瞬間的に穴をふさぎ、よい音の邪魔をするので注意する。

ハ　風の強い場所では、風圧の関係で音が狂ったり、出なかったりする事があるので屋外演奏等の場合は風向きその他考慮する

（69ページへ）

学等高校

学習指導要領 改訂草案の要点 （文部広報より）

本省では、六月十五日、高等学校学習指導改訂草案の中間発表を行なつた。これは本年三月三十一日、教育課程審議会が行なつた高校教育課程の改善についての答申を受け（本紙第二七〇号掲載）、教材等調査研究会の各教科別小委員会で、延べ約三百回の会議を開き、各教科等についての具体的な研究の結果作成されたもの。この改訂草案については、今後各方面の意見を聞いてさらに検討を加え、十月には成案を制定する予定である。なお、実施は三十八年四月の高校第一学年から学年進行で実施することになつている。

第1基本方針

各課程の特色生かす

能力進路等に応じた教育を

小・中学校の教育課程の改訂に伴い、その基礎の上に小・中・高等学校の教育課程の一貫性をもたせるとともに、昭和三十一年度の高等学校の教育課程改訂の精神をいつそう徹底し、時代の進展に即応するようにすることをねらいとして次の方針によることとした。

① 高等学校のそれぞれの課程の特色を生かした教育を実現できるようにするとともに生徒の能力・適性・進路等に応じて適切な教育を行なうことができるようにした。

② 普通科および職業教育を主とする学科のうち商業科などにおいては、その教育課程について類型を設け、いずれかの類型を選択して履修させるようにした。各学校において類型を設ける際に参考となる基本的な類型およびその展開例については、別途に示すこととする。（基本的類型は本紙第二百七十号掲載）

③ 普通科においては、教養の片寄りを少なくするため、必修科目を多くするとともに、その内容を精選充実し、基本的事項の学習がじゆうぶん身につくようにした。

④ 職業教育を主とする学科においては中堅産業人の育成を期するため、普通教育を改善充実するとともに専門教育の基礎を徹底するため、専門科目の内容を精選充実し、その必修単位を増加した。

⑤ 道徳教育は教育活動のすべてを通じて行なうものとし、これをいつそう充実強化するため、社会科の一科目として「倫理・社会」をおくとともに特別教育活動その他における生徒指導をいつそう充実強化した。

⑥ 生徒の能力・適性・進路等に応じて教育を行なうため、国語の古典、社会の世界史および地理、数学Ⅲ、理科の物理および化学ならびに外国語の英語については、それぞれA・B（古典にあつては甲・乙）の二科目を設け、そのいずれかを履修させるようにした。

⑦ 基礎学力の向上と科学技術教育の充実について、次のように措置した。

ア 最近の科学技術の進展に即応して数学および理科ならびに職業に関する専門科目については、基本的事項の学習に重点をおくとともに、理科ならびに職業に関する専門科目について実験・実習を重んじ、学力の充実を図つた。イ 国語に関しては、基礎学力を高めるため、「現代国語」を新設し、現代国語の読解力および作文の能力の向上を図つた。ウ 外国語を必修とし運用面の指導に重点をおき外国語に関する基本的能力の向上を図つた。

⑧ 家庭科については、その内容を改善し、女子には原則として「家庭一般」を必修とした。

⑨ 芸術については、情操の陶やに資するため、原則として一科目以上を必修とした。

⑩ 定時制の課程については、その実際的効果をあげるため、その実情に即応した措置を考慮した。

⑪ 教育にいつそうの計画性をもたせるため、必要かつ可能な教科・科目について履修内容を学年ごとに示したが学校における運営については弾力性をもたせるようにした。

⑫ 教育課程の一領域として「教科・科目」「特別教育活動」のほかに「学校行事等」を設けその指導が適切に行なわれるようにした。

⑬ 各教科・科目の単位数については、標準としての単位数を示し、学校における教育課程の編成に弾力性をもたせた

第二 総則の要点

「現代国語」「数学Ｉ」など
すべての生徒が修得

一　教科・科目とその標準単位数等

現行では最低・最高など限定しているが、改定では標準としている。（これは教育課程審議会答申の際示されたものと同一で、本紙第二百七十号へ掲載ずみ）

二　教科・科目の履修

卒業に必要な単位数は、現行と同じく八十五単位以上とし、次の一の教科・科目とその単位数を含めるものとした。

一　すべて生徒に修得させる教科・科目

次の教科・科目をすべての生徒に修得させるものとする。①国語のうち「現代国語」および「古典甲」または「古典乙Ⅰ」②社会のうち「倫理・社会」および「政治・経済」を含めて四科目③数学のうち「数学Ⅰ」④理科のうち二科目(5)保健体育の「体育」および「保健」⑥外国語のうち一科目

二　普通科の生徒に履修させる教科・科目およびその単位数

普通科においては、原則として、次の教科・科目とそれぞれ次に示す単位数以上の単位数を含めて教育課程を編成し、すべての生徒に履修させるものとずる。

① 国　語

ア「現代国語」七単位、イ「古典乙Ⅰ」五単位、ただし特別の事情がある場合には「古典甲」二単位

② 社　会

ア「倫理・社会」二単位、イ「政治・経済」二単位、ウ「日本史」三単位、エ「世界史A」三単位または「世界史B」四単位、オ「地理A」三単位または「地理B」四単位、カできれば「倫理・社会」または「政治・経済」のいずれかに一単位を加えて履修させることが望ましい。

③ 数　学

ア「数学Ⅰ」五単位、イ「数学ⅡA」四単位または「数学　B五単位、ただし特別の事情がある場合には、「数学ⅡA」を二単位まで減ずることができる。

④ 理　科

ア「物理A」三単位または「物理B」五単位、イ「化学A」三単位または「化学B」四単位、ウ「生物」四単位、ただし特別の場合には、三単位とすることができる。エ「地学」二単位。

⑤ 保健体育

ア「体育」七単位、イ「保健」二単位ウ男子については、全日制の課程にあっては、アの単位に二単位を加えるものとし、定時制の課程では、できれば加えることが望ましい。

⑥ 芸　術

ア「音楽Ⅰ」「美術Ⅰ」「工芸Ⅰ」および「書道Ⅰ」のうちいずれかの一科目につき二単位、イ上記アにより履修させる科目のほか、一科目以上を履修させることが望ましい。

⑦ 外国語

いずれか一科目につき九単位、ただし特別の事情がある場合には、三単位まで減ずることができる。

⑧ 家　庭

女子については「家庭一般」四単位、ただし特別の事情がある場合には二単位まで減ずることができる。

三　職業教育を主とする学科の生徒に履修させる教科・科目およびその単位数

職業教育を主とする学科においては、原則として、次の教科・科目とそれぞれ次に示す単位数以上の単位数を含めて教育課程を編成し、すべての生徒に履修させるものとする。

① 国　語

ア「現代国語」七単位、イ「古典甲」二単位または「古典乙Ⅰ」五単位。

② 社　会

ア「倫理・社会」二単位、イ「政治・経済」二単位、ウ「日本史」三単位および「世界史A」三単位または「世界史B」四単位のうち一科目以上ならびに「地理A」三単位または「地理B」四単位のうち一科目、合計二科目以上について五単位。この場合において「日本史」、「世界史A」および「地理A」については二単位とすることができる。

③ 数　学

ア「数学Ⅰ」五単位、イ「数学　A」五単位または「応用数学」六単位、ただし、特別の事情がある場合には、「数学ⅡA」については二単位まで「応用数学」については三単位まで減ずる事ができる。

④ 理　科

「物理A」三単位または「物理B」五単位、「化学A」三単位または「化学B」四単位、「生物」四単位および「地学」二単位のうち、二科目以上について六単位、ただし、特別の事情がある場合には、「生物」については三単位とする事ができる。

⑤ 保健体育

ア「体育」七単位、イ「保健」二単位ウ男子については、アの単位に二単位をできれば加えることが望ましい。

⑥ 芸　術

「音楽Ⅰ」、「美術Ⅰ」、「工芸Ⅰ」および「書道Ⅰ」のうちいずれか一科目につき二単位、ただし特別の事情がある場合には、一単位とすることができる。

⑦ 外国語

いずれか一科目につき三単位

⑧ **家庭**

女子については、「家庭一般」二ないし四単位を履修させることが望ましい。

⑨ **職業に関する教科・科目**

三十五単位、なお、事情の許す場合には四十単位以上とすることが望ましい。また、商業に関する学科にあっては以上の単位に外国語の十単位以内を含めることができる。

四 現行では、特別教育活動に当てる時数は、毎学年一ないし三単位時間としているが、改訂では、特別教育活動に当てる総時間数は費さず、そのうちのホームルームについて、各学年において週当たり一単位時間以上をこれに当てるものとした。

（備考）右の原則の例外的措置や特別の事情により単位数を減ずる場合など、単位数の増減などについては各都道府県教育委員会などの指導によって適切に運営させるように別途通達する予定である。

Ⅱ 教育課程編成上の留意事項

一、普通科の教育課程を編成するにあたっては、次の事項に留意する必要がある

① 全日制の課程にあっては第一学年、定時制の課程にあっては第一学年および第二学年間または第一学年において履修させる教科・科目およびその単位数は、原則としてこれを共通にするようにすること。

② 生徒の能力・適性・進路等に応じてそれぞれ適切な教育を施すため右①の学年のあとにおいては、原則として教育課程の類型を設けいずれかの類型を選択して履修させるようにすること。この際、その類型において履修することになっている教科・科目以外の教科・科目を履修させたり、生徒が自由に選択履修することのできる教科・科目をも設けるように配置すること。

③ 職業に関する教科・科目を設け生徒に履修させる場合には次のようにすること。

ア 生徒の必要や地域の実情を考慮して、食物Ⅰ、被服Ⅰ、保育家庭、経営作物、園芸、畜産、農業一般、林業一般、製図、機械・電気、自動車一般、電気一般、機械一般、商業一般、商業簿記、計算実務、水産一般などの教科・科目のうちから適当なものを設け生徒に履修させることが適当である。

イ 職業に関する教科・科目にある程度まとまった時間を配当することができる場合には、右アの科目以外の科目を加えるなどして系統的に履修させ、専門的な知識と技術が得られるように考慮すること。

二、職業教育を主とする学科のうち、商業科その他特に必要と認められる学科において、教育課程を編成するにあたっては、右一の①および②の例にならい教育課程の類型を設けることが望ましい。

三、定時制の課程の教育課程を編成するにあたっては、生徒の勤労や生活の状況などに即し、負担過重になることを避け実際的な効果をあげるよう適切な配慮をしなければならない。

四 職業教育を主とする各学科の目標については、現行では各教科編の中に必要に応じて示されていたが、改訂では、おもな学科の目標を総則に明示した。

第三 各教科・科目等の要点

国語

現代国語と古典 二科目必修に

Ⅰ 教科全体に関するもの

一 科目の編成

現行	単位（限定）
国語（甲）	（九ないし十）
国語（乙）	（二ないし六）
漢文	（二ないし六）

改訂案	単位（標準）
現代国語	（七）
古典甲	（二）
古典乙Ⅰ	（五）
古典乙Ⅱ	（三）

二 現代では「国語（甲）」が必修であるが、改訂では「現代国語」および「古典甲」または「古典乙Ⅰ」の二科目を必修とした。

三 国語の基礎学力を高めるため現代国語の読解力および作文の能力の向上を図り、かつ古典の指導を系統的に行なうことを基本とした。

四 中学校国語科の改訂の精神に沿って国語の学習に片寄りがないようにするとともに、中学校国語科の学習の基礎の上に立ち、生活と密接な関係のある現代国語を指導するものと、さらに言語文化を広く深く学習させるための古典（古文と漢文）を指導するものとに大きく分けてそれぞれの指導を徹底し高等学校としての特色を明らかにした。

Ⅱ 科目に関するもの

○「現代国語」

一、「現代国語」は、すべての生徒に毎学年共通に履修させるものとし、その内容は、現代文の読解および話し方、作文を中心とし、文学的な内容だけに片寄ることなく、論理的な表現や理解をも重んじることとした。

二、内容を「聞くこと、話すこと」「読むこと」、「書くこと」および「ことばに関する事項」とし、それぞれについて指導すべき事項と学習活動とを明らかにし、学校における指導計画を立てやすいようにした。

三、中学校との関連を考慮して、話し方作文の内容の発展を図り、特に、作文ではその授業時数を毎学年十分の二以上となるようにし、話し方についても十分の一程度を当てることが望ましいこととした。

○「古典甲」

一、「古典甲」と「古典乙Ⅰ」はそのいずれか一科目をすべての生徒に履修させることとした。

二、「古典甲」は、古典としての古文や漢文について平易に学習をさせ、古典に対する概観的な理解を得させるようにした。

三、漢文の学習については、訓点をつけたやさしい漢文を取り扱うとともに書き下し文などによる学習を活用して内容を豊富に学習させるようにした。

○「古典乙Ⅰ」

一、「古典乙Ⅰ」は、古典としての古文や漢文を系統的に学習させることをねらいとし、それぞれについて指導すべき事項と学習活動とを明らかにし、指導計画を立てやすいようにした。

二、内容は、古文と漢文とに分けて示しその学習の比率は、およそ三対二の程度とした。

三、漢文の学習については、訓点をつけた漢文を学習させるとともに、教材によっては書き下し文などを考慮して、内容を豊富に学習させるようにした。

○「古典乙Ⅱ」

一、「古典乙Ⅱ」は、「古典乙Ⅰ」の学習を発展的に指導するものとし、「古典乙Ⅰ」を履修させた後に履修させることとした。

二、「古典乙Ⅱ」の内容の分け方、示し方などは、おおむね「古典乙Ⅰ」と同様であるが、古文と漢文との学習の比率は、およそ二対一の程度とした。

社会

人生観・世界観の確立に「倫理・社会」二単位

Ⅰ 教科全体に関するもの

一、科目の編成

現行

	単位（限定）
社会	（三ないし五）
日本史	（三ないし五）
世界史	（三ないし五）
人文地理	（三ないし五）

改定案

	単位（標準）
倫理・社会	（二）
政治・経済	（二）
日本史	（三）
世界史A	（三）
世界史B	（四）
地理A	（三）
地理B	（四）

二　現行では、「社会」を含めて三科目以上を必修としているが、改訂では、現行の「社会」を「倫理・社会」、「政治・経済」の二科目に分け、普通科では五科目（①「倫理・社会」、②「政治・経済」、③「日本史」、④「世界史A」または「世界史B」、⑤「地理A」または「地理B」）、職業教育を主とする学科では四科目以上（①「倫理・社会」、②「政治・経済」、③「日本史」および「世界史A」または世界史B」のうち一科目以上、④「地理A」または「地理B」）を必修とした。なお、普通科にあつては、できれば「倫理・社会」または「政治・経済」のいずれかに一単位を加えて履修させることが望ましいこととした。

三　高等学校段階における道徳教育のいつそうの充実を期するため、社会科の一科目として「倫理・社会」を設け、学校の教育活動の全体を通じて行なう道徳教育の強化に資することとした。

四　中学校社会の基礎の上に、国家および社会の有為な形成者としての教養の片寄りを少なくし、かつ、能力・適性・進路等に応じて社会科を履修することができるようにした。そのため右二で述べたように必修科目数を多くするとともに、世界史および地理にはそれぞれA・Bの二科目を設け、そのいずれか一科目を履修させるもとした。

Ⅱ 科目に関するもの

○「倫理・社会」

一、人間尊重の精神に基づき、高等学校生徒の発達段階に即応して、人生や社会について思索させ、民主主義社会における社会集団と人間関係について正しい理解と自覚を得させ、人生観・世界観の確立に資することを基本とした。全体を通じて、民主主義の倫理を明らかにすることに努めた。

二　現行の「社会」の内容のうち心理的および倫理的領域ならびに「農村生活の向上」の一部を含めた。

三　人生観・世界観の確立に資する点を徹底するため、古今東西の代表的な先哲について、その著作や言行の一部などを取り上げながら、それらの先哲の人生に対する考え方考えをさせるようにした。

四　現代社会の特色や文化の問題につい

ても、科学的、合理的に理解させるとともに、そこにおける人間関係のあり方について考えさせるように配慮した。

五　なお、「倫理・社会」の内容全体として、新教育課程におけるホームルームの果たす道徳教育上の役割との関係に留意した。

○「政治・経済」

一　日本の政治・経済ならびに国際政治・国際経済などに対する客観的に正しい理解を得させることを基本とした。

二　現行の「社会」の内容のうち政治的領域・経済的領域に関する事項を含めるとともに、社会的領域のうちの「労働関係の改善」「社会福祉の増進」ならびに「農村生活の向上」の一部をも含めた。

三　地理や歴史の学習との密接な関連を図り、日本の政治・経済・国際政治・国際経済などに関する基本原理および基本問題を精選して取り上げ、それらを中学校の場合よりもさらに深く掘り下げるようにした。

○「日本史」

一　日本史の文化の流れを、政治・経済社会との関連において考察させることに重点をおき、中学校でじゅうぶん学習できなかったものについては、理解を深めるようにした。

二　日本史の発展を常に世界的視野に立って考察させ世界における日本の地位を理解させるようにした。また、近・現代史の内容においても、世界史の内容と密接な関連をもたせるようにした

三　内容を精選し、基本的事項について系統的に理解しやすいようにした。

○「世界史A」および「世界史B」

一　現行の「世界史」の内容を精選し、基本的事項について系統的に理解しやすいようにした。

二　近・現代史においては、アジア・アフリカ諸国の歴史的背景に留意させるようにした。また内容においても、日本史の内容と密接な関連をもたせるようにした。

三　「世界史B」は「世界史A」の場合よりも深めて取り扱うこととした。その際、適当な主題（たとえば、シルクロードと東西交渉、イギリス議会政治の発達、西部開拓と南北戦争、露土戦争と列強の世界政策、ワイマール体制とその崩壊など）を選び、政治的、経済的、社会的な観点から総合的に学習させることも考慮するものとした。

○「地理A」および「地理B」

一　科目名を「地理」と改称したが、現行どおり人間活動の地理的考察に中心をおいた。

二　現行と同じく系統地理的学習を本体とするが、改訂では、世界の現状を地域に即して理解させること（地誌的理解）をも考慮した。

三　日本の地理的事象および地理的問題についての考察をいっそう重視した。

四　「地理A」は、基本的事項を産業や経済との関連に特に留意して取り扱うものとし、「地理B」は、基本的事項をやや深めて取り扱うものとした。

数学

「数学I」に球の方程式

微・積の一部「数学II」へ

I　教科全体に関するもの

一　科目の編成

現行	単位（限定）	改訂案	単位（標準）
数学I	（六または九）	数学I	（五）
数学II	（三）	数学IIA	（四）
数学III	（三または五）	数学IIB	（五）
応用数学	（三または五）	数学III	（五）
		応用数学	（六）

二　現行では、「数学I」が必修であるが、改訂では、次のように二科目を必修とした。

①「数学I」は、すべての生徒に共通に履修させる科目とした。

②「数学I」を履修したのち、すべての生徒に「数学IIA」、「数学IIB」または「応用数学」のうちいずれか一科目を履修させるものとした。

三　生徒の負担加重にならないように配慮して、内容を精選充実し、基本的な事項をじゅうぶん身につけさせるようにした。

四　中学校の数学との一貫性を図り、内容を精選充実した。すなわち、現行の内容のうち、中学校の内容となったものを除くとともに、内容を精選し、若干新しい事項を加えた。

II　科目に関するもの

○「数学I」

一　主として代数および幾何の基礎的なものを内容とし、全体として次のような内容とした。式とその計算、方程式と不等式、関数とそのグラフ、図形と式、空間図形、数学と論証。

二　現行の「数学I」との比較

①現行の「数学I」の内容のうち、中学校の数学の内容に移したおもな事項
代数のうち、一次関数、二次関数の一部、一般の比例関係の一部、整式の加・減・乗法、二次方程式の一部および統計の大部分、幾何のうち、図形の性質の大部分。

②新しく加えた事項

ア　現行の「数学I」の内容のうち次の事項

（ア）分数方程式、無理方程式および簡単な高次方程式（イ）分数関数、三角関数の一部、指数関数および対数関数（ウ）直線の平行関係・垂直関係および円の方程式。

イ　現行の数学では、取り扱っていない次の事項

不等式と領域、空間の座標、球の方程式および集合の考え。

○「数学IIA」

一　「数学IIA」は、「数学I」を履修した後に、これで数学の学習を終わる生徒に履修させる科目とし、実用的で平易であるように考慮し、全体として次のような内容とした。

計算法、確率と統計、数列と極限、微分法と積分法。

二、現行の「数学II」との比較

①　現行の「数学II」の内容のうち改訂の「数学IIA」では取り扱わないこととしたおもな事項

ア　改訂の「数学I」に移した事項（右○「数学I」の二の②のア）、イ三角関数の加法定理、二次曲線。

②　新しく加えた事項

ア　現行の「応用数学」のうちの計算法、イ　現行の「数学III」のうち数列と極限、確率と統計および微分法・積分法のそれぞれの一部。

○「数学IIB」

一　「数学IIB」は、「数学I」を履修した後に履修させ、引き続いて「数学III」を履修することをたてまえとし、全体として、次のような内容とした。

順列と組み合わせ、数列と級数、三角関係、図形と座標、微分法、積分法

二　現行の「数学II」との比較

①　現行の「数学II」のうち、改訂の「数学I」に移した事項（右○「数学I」の二の②のア）

②　新しく加えた事項

ア　現行の「数学III」のうちの順列と組み合わせ、数列と級数の一部、微分法・積分法の一部　イ　現行の「応用数学」のうち複素平面、極座標および媒介変数、ウ　現行の数学では取り扱っていない事項、ベクトル、簡単な座標変換。

○「数学III」

一　「数学III」は、「数学IIB」を履修した後に履修させ、全体として次のような内容とした。

微分法とその応用、積分法とその応用、確率と統計。

二　現行の「数学III」との比較

①　現行の「数学III」のうち、改訂の「数学IIB」に移した事項（右○「数学IIB」の二の②の（ア）。

②　新しく加えた事項

ア　現行の「応用数学」のうち、指数関数、対数関数の微分、指数関数の積分ｘ分の一の積分、簡単な置換積分および簡単な微分方程式、イ　現行の数学では取り扱っていない次の事項

簡単な部分積分、対数関数積分および正規分布。

○「応用数学」

一　「応用数学」は、「数学I」を履修させた後に履修させるものとし、その内容は、職業教育を主とする学科において、その必要に応じて、その中から適切ないくつかの事項を取り出して履習させることとした。

二　「応用数学」の標準単位数は、六単位であるが、その内容の示し方は、現行と同じように六単位の内容より多くの内容を示し全体として次のような内容とした。

三角関数、計算法、図形と方程式、数列と級数、微分法、積分法、確率と統計。

三　現行の「応用数学」との比較

新しく空間座標、直線・平面・簡単な二次曲面の方程式、ベクトル、簡単な部分積分、対数関数の積分、および正規分布を加え、また、学科の必要により、行列式、画法幾何、球面三角法を指導してもよいこととした。

理科

界面現象が「化学A」に

物理に電子工業など加わる

一　教科全体に関するもの

1　科目の編成

現行

	単位（限定）
物理	（三または五）
化学	（三または五）
生物	（三または五）
地学	（三または五）

改訂案

	単位（標準）
物理A	（三）
物理B	（五）
化学A	（三）
化学B	（四）
生物	（四）
地学	（二）

二　現行では四科目中二科目以上を必修としているが、改訂では普通科においては、原則として「物理A」または「物理B」、「化学A」または「化学B」、「生物」および「地学」の四科目を、職業教育を主とする学科においては、これらの科目のうち二科目以上をすべての生徒に履修させるものとした。

三　内容については、中学校理科および高校理科の科目間のむだな重複を省いていっそう精選し基本的事項をじゅうぶん身につけさせるようにするととも

に、実験・観察・観測などを重視して学習させるようにした。生徒の能力・適性・進路等に応じて履修させるため物理および化学については、それぞれA、Bの科目を設けた。

四　「物理A」と「物理B」および「化学A」「化学B」の相互の関係については、単位数の違いによる指導内容の量的な違いだけでなく、Aにおいては基本的事項をできるだけ平易に取り扱い、かつ生活や産業の問題を豊かに取り入れ、Bにおいては基本的事項をやや深く取り扱い、系統的に学習させるなどの配慮をして、それぞれの科目の性格を明確にした。

Ⅱ　科目に関するもの

○「物理A」

一　中学校理科との重複を避け、現行の「物理」(三単位)よりも内容をいっそう精選し、実験・観察をじゅうぶんに行ないうるようにし、かつ平易に学習しうるようにした。

たとえば、平行力の合成、円運動、気体の圧力、表面張力と毛管現象、大気圧、状態の変化、音の三要素、静電気、電流の化学作用、X線等を省き、かつ個々の事項の取り扱いを平易にした。

二　基本的事項と生活や産業との関連を重視した。基本的事項のいずれについても、この関連を重視し、新たにこの関連から次のような事項を加えた。

簡単な直流の実用回路、三相交流、電力輸送、電子工学など。

三　実験・観察事項と指導内容との関連をいっそう図るようにした。物理量と単位、誤差と有効数字等についても、実験に際して指導するようにしたことなど。

○「物理B」

一　現行の「物理」(五単位)よりも内容をいっそう精選し、実験・観察をじゅうぶんに行ないうるようにし、また基本的な事項のまとまった理解が得られるように図った。

たとえば、弾性率は基本的な伸び、縮みにとどめ、動圧、表面張力、状態の変化、熱の移動、音の三要素、照度、光度、電流の化学作用、地磁気、直流電動機などを省いた。

二　最近の物理学の進歩を理解するための基本的事項として、次のような事項を加えた。

たとえば、電子のe/m、固体中の電子、電子工学など。

三　具体的な事象から帰納的に考察させまた原理・法則と応用とのつながりを理解させるようにした。

各事項についてこの点を重視するとともに、この観点から新たに直流回路、X線と結晶などを加えた。

四　実験・観察事項と指導内容との関連をいっそう図るようにした。

たとえば、物理量と単位、誤差と有効数字等についても、実験に際して指導するようにしたことなど。

○「化学A」

一　中学校理科との重複を避け、現行の三単位の化学よりも内容をいっそう精選し、かつ平易に学習しうるようにした。

二　生活や産業との関連を重視して、学習を具体的、帰納的にするとともに、基本的事項の理解を容易にするように図った。

三　実験を重視し、また、実験事項と指導内容との関連をいっそう図るようにした。

四　現行の「化学」(三単位)との比較

ア　物質の種類を減らして、代表的なもののみを概括的に示し、各論的取り扱いが多くなりすぎないようにした。**イ**　基本的事項を明示し、これらの取り扱いが高度になりすぎないように配慮した。**ウ**　物質の状態変化、ボイルシャルルの法則、アボガドロの法則、加水分解、反応熱、放射能などを省いた　**エ**　生物現象や生活や産業の理解の基礎として、たとえば、界面現象核酸、酵素などを加えた。

○「化学B」

一　現行の「化学」(五単位)が四単位となったことを考慮し、特に内容を精選した。

二　現行では、生活に関係の深い物質の種類が多くあげられており、これらと化学の理論との関係が明確を欠いていたことを改め、化学現象の系統的理解と物質の性質との関連を図るようにした。

三　実験を重視し、また、実験事項と指導内容との関連をいっそう図るようにした。

たとえば実験事項の一つとして代表的な陽イオンの系統分離を加えた。

四　現行の「化学」(五単位)との比較

ア　物質の種類を減らして代表的なもののみを概括的に示し、各論的な取り扱いに片寄らないようにした。**イ**　化学現象に関する概念や法則を明示し、これらの取り扱いの重点を示した。**ウ**　たとえば、物質の状態変化、結晶の構造、放射能、原子核反応などを省いた。**エ**　金属結合、界面現象、核酸などを加えた。

○「生物」

一　現行の「生物」(五単位および三単位)の内容を一本化し、できるだけ基本的な事項を重視するとともに、生活や産業との関連に留意して内容を構成したまた中学校との関連に留意し、む

だな重複や飛躍がないようにした。

二 生物のはたらき（機能）を重視し、生命現象の本質を理解させるようにした。たとえば生物の本質的なはたらきである物質交代やエネルギー交代を重視しこの観点から生物体の機能を理解させるようにつとめた。また形態（器官組織など）は機能と関連して有機的に扱うようにした。

三 現行の「生物」（五単位および三単位）との内容的な比較

ア 葉の構造、根と茎の構造、動物の消化器とその構造などは項目に出さず、機能と関連して扱う程度とした。

イ 本能と知能、生活形、再生花の構造、生物資源の保護と増殖、生物学のあゆみなどは項目に出さず、中学校との関連から削除したり、必要に応じて関連的に扱いうる程度とした。

ウ 病原体、抗生物質などの病気と関連ある事項は「保健」にゆずった。

エ 物質交代とエネルギー交代の項を加え、生物体の有機性を重視した。

○「地学」

一 内容を〔地球上層の部〕と〔地球下層の部〕の二部に分けて示し、独立の科目として履修させる方法と、上記の前者を「物理A」または「物理B」と、後者を「生物」とあわせて履修させる方法とを認めた。

二 基本的な事項に重点をおいて内容をきびしく精選し、二単位で無理なく指導できるものとした。なお、中学校理科との関連に留意し、むだな重複を避けるように努めた。

三 地学的なまとまりに留意して内容を選び、地学的自然環境を関連的、統一的に理解させるように配慮した。

四 現行の「地学」（五単位および三単位）との比較。

ア 月の概観と運動、暦、太陽系の天体の距離と質量、日食と月食、星の等級・距離、巨星とわい星、星と変光星恒星の数・分布、星団と星雲、銀河系宇宙観の変遷、地球の質量・密度、地軸の運動、大気の組成、気温、気圧、湿度、風、雲、雨・雪、海水の塩分・温度、火山の噴出物、火山の形・構造分布、地震波の性質、震源と分布などは項目として取り上げず、中学校の程度にとどめることとして削除したり、必要に応じて関連的に扱いうる程度とした。 イ 岩石、鉱物、地質構造、地史等については、細部にわたる項目を削除し全体を縮めて単純化した。

ウ 気候とその変動などの事項を加えた。

保健体育

『功技』を『器械運動』に

運動種目は六領域から選択

Ⅰ 教科全体に関するもの

一 科目の編成

		単位
現行	体育	（限定）（七ないし九）
	保健	（二）
改訂案	体育	（標準）（男九・女七）
	保健	（二）

二 現行どおり「保健」および「体育」を必修とし、体育の男子の単位数については、全日制の課程の普通科にあつては九単位と、全日制の課程の職業教育を主とする学科および定時制の課程にあつては原則として七単位とするができれば九単位とすることが望ましいこととした。

三 内容については、中学校の保健体育の学習の基礎の上に発展させ、「保健」と「体育」の科目間および他教科との関係についていつその調整を図るとともに、基本的な事項がじゆうぶんに学習できるようにした。

Ⅱ 科目に関するもの

○「体育」

一 現行の「体育」との比較

① 小・中学校との一貫性を考慮し、運動の分類について現行では三領域としているが改訂では現行の「巧技」を「器械運動」と改めるとともに、六領域とした。

＝現行＝

▽個人的種目 徒手体操、巧技陸上競技、格技（男）▽団体的種目 バレーボール、バスケットボール、ハンドボール、サツカー（男）ラグビー（男）▽レクリエーション的種目 水泳、スキー、スケート、テニス、卓球、バドミントン、ソフトボールまたは軟式野球、ダンス。

＝改 訂＝

▽体操 徒手体操、器械運動。▽陸上競技走、跳、投。▽格技（男）すもう柔道、剣道。▽球技 バスケットボール、ハンドボール、バレーボール、テニス、卓球、バトミントン、サツカー（男）、ラグビー（男）、ソフトボール。▽水泳 泳法、とび込、救助法。▽ダンスフオクダンス、舞踊創作。

② 体育理論については、現行の内容を精選し、運動についての科学的な考察および生活における運動の重要性の理解を重視するようにした。

③ 運動種目ついて、現行では三領域のうちからそれぞれ適宜選択するようになつているが、改訂では、運動のかたよりを少なくするため六領域のうちからそれぞれ選択するようにした。

二 男女の性別と課程や学科の特性に応じて、適切な指導ができるように次の

ように配慮した。

① 男子については、この時期における発達の特徴を考慮し体操、陸上競技格技、球技などの領域に含まれる運動種目をより多く選択できるようにさせ体力の充実を図るようにした。

② 女子については、この時期における発達の特徴を考慮し体操、球技、ダンスなどの領域に含まれる運動種目をより多く選択できるようにさせ、女性としての 健全な 発達を 図るようにした。

③ 定時制の課程については、生徒の日常生活や学習環境などの実態に応じて適切な指導ができるように配慮した

④ 職業教育を主とする学科については、実習との関連を考慮し、適切な指導ができるように配慮した。

○「保健」

一 現行の「保健」との比較

学習内容を精選し、健康・安全に関する基本的事項について科学的、系統的な理解を与えるようにした。すなわち次のように、現行では九項目となっているのを、改訂では五項目に統合整理した。

＝現　行＝

①高等学校生徒の生活と健康 ②高等学校生徒の生活と健康障害、③精神とその衛生、④疾病・傷害・中毒とその治療および予防、⑤健康と生活活動、⑥公衆衛生、⑦労働と健康、⑧国民生活と国民健康、⑨健康の本質

＝改訂案＝

①人体の生理 ②人体の病理 ③精神衛生 ④労働と健康・安全 ⑤公衆衛生

二 理科における生物の学習と密接な連絡をとり、その成果を活用して、学習の効果があがるようにした。

三 中学校の保健学習においては、個人の健康に重点をおいているが、その基礎の上に、内容を深めるとともに、労働と健康・安全、公衆衛生なども広く取り扱うようにした。

芸術

音楽は表現鑑賞の二領域に
「美術」に「デザイン」を加う

Ⅰ 教科全体に関するもの

一 科目の編成

＝現　行＝　　単位（限定）

音　楽　（二または四または六）
美　術　（二または四または六）
工　芸　（二または四または六）
書　道　（二または四または六）

＝改訂案＝　　単位（標準）

音　楽　Ⅰ　（二）
音　楽　Ⅱ　（四）
美　術　Ⅰ　（二）
美　術　Ⅱ　（四）
工　芸　Ⅰ　（二）
工　芸　Ⅱ　（四）
書　道　Ⅰ　（二）
書　道　Ⅱ　（四）

二 現行では、「芸術」二単位を履修することが望ましいことになっているが改訂ではすべての生徒に一科目以上を必修とし、普通科では二科目以上履修させることが望ましいこととした。

三 現行の第一年次、第二年次および第三年次の示し方を改め、Ⅰを付した科目は、中学校の学習経験を基礎にして楽しくかつ平易に芸術的な経験をさせるような内容のものとし、Ⅱを付した科目は、そのⅠを履修した生徒がその興味や能力に応じてさらに進んで履修するような内容のものとした。

（備考）芸術に関する専門の学科における専門の教科・科目については、別途研究し、示すこととする。

Ⅱ 科目に関するもの

○「音楽Ⅰ」

一 特に中学校との関連を考慮し内容の精選を行ない、合唱や鑑賞の指導に重点をおいて、平易にかつ楽しく音楽を学習することができるようにするとともに音楽に関する一般的教養を高めるようにした。

二 現行の「音楽」は、「表現」（声楽・器楽・創作）、「鑑賞」および「理論」（音楽通論・音楽史）の三領域に分かれているが、改訂の「音楽Ⅰ」では、これを整理し、「表現」および「鑑賞」の二領域とし、「理論」は「表現」と「鑑賞」の中に含めて取り扱うようにした。

○「音楽Ⅱ」

一 「音楽Ⅰ」を履修した生徒がさらに進んで学習し、個性的な実現を行ないうるよう、独唱、重唱などを加え、鑑賞に際しても、個性的な解釈に対する能力の伸長などを重視した。また、音楽文化の伝統や動向を理解させ、さらに高い音楽的教養を身につけさせるようにした。

二 領域については、「音楽Ⅰ」と同様にこれを整理し「表現」と「鑑賞」の二領域とし、指導が理論のみに片寄ったり、技術偏重となったりしないようにした。

○「美術Ⅰ」

一 中学校との関連を考慮し、内容を精選し、楽しくかつ平易に学習させて、美術の基礎的能力を養うように配慮した。

二 現行の「美術」は「絵画」、「彫刻」および「美術概論」の三領域に分かれているが、これを改め「表現」および

「鑑賞」の二領域とし、「表現」の中には「絵画」、「彫刻」のほか、新たに「デザイン」を加えた。
なお、現行の「美術概論」は、「表現」と「鑑賞」の中に含めて一般常識的に取り扱うようにした。

○「美術Ⅱ」

一 「美術Ⅰ」の内容を分化し、程度を高めて示すこととした。

二 現行の「美術」は、「絵画」「彫刻」および「美術概論」の三領域に分かれているが、これを改め、「美術Ⅰ」の内容の示し方とも関連をとり、「表現」「鑑賞」および「美術理論」の三領域とし、表現の中には、「絵画」、「彫刻」のほか、新たに「デザイン」を加えた。

○「工芸Ⅰ」

一 中学校の「技術・家庭」および「美術」の学習経験の基礎の上に、内容を精選し、楽しくかつ平易に学習させ、工芸デザインの基礎的能力を養うように配慮した。

二 現行の「工芸」は「デザイン」「製作」および「工芸概論」の三領域に分かれているが、これを改め「デザインの基礎練習」「デザインと製作」および「批判・鑑賞」の三領域とし、豊かな構想に基づくデザインと製作とを一本化して指導できるようにした。

○「工芸Ⅱ」

一 「工芸Ⅰ」の内容を分化し、程度を高めて示すこととした。

二 現行の「工芸」は、「デザイン」、「製作」および「工芸概論」の三領域に分かれているがこれを改め、「工芸Ⅰ」の内容の示し方と関連をとり、「デザインの基礎練習」、「デザインと製作」および「工芸理論」の三領域とした。

○「書道Ⅰ」

一 中学校の「国語」（書くことのうち書写）の学習経験の基礎の上に、内容を精選し、楽しくかつ平易に学習させて、書の基礎的能力を養うようにした。

二 現行の「書道」「表現」「鑑賞」および「理解」の三領域に分かれているが、これを改め「表現」および「鑑賞」の二領域とし、書写能力を高め書の表現力を養い、それらの学習を通して書の特質や書質などの理解を学習させるようにした。

○「書道Ⅱ」

一 「書道Ⅰ」の内容を分化し、程度を高めて示すことにした。

二 「書道Ⅰ」の「表現」「鑑賞」のほかに「理解」を設け、書の変遷や理論についての学習をさせ、さらに高い教養を身につけるようにした。

外国語

三単位以上を必修
単語は三千六百程度「英語A」

Ⅰ 教科全体に関するもの

一 科目の編成

現行	単位（限定）
第一外国語	（三ないし十五）
第二外国語	（二ないし四）

改訂案	単位（標準）
英語A	（九）
英語B	（十五）
ドイツ語	（十五）
フランス語	（十五）
その他の外国語の科目	（十五）

二 現行では、外国語は選択教科としているが、改訂では、いずれか一か国語について三単位以上とした。

三 現行では、第二外国語は、第二学年以上において履修させることとしているが、改訂では、第一学年からも履修できるようにした。

四 読解の指導にとどまらず、聞くこと話すことおよび書くことの指導を強化し、内容を精選し外国語に関する基本的能力をじゅうぶん身につけさせるようにした。

五 中学校との関連において、文に関する項目を設けたり、文法事項に関する項目を充実した。

Ⅱ 科目に関するもの

○「英語A」および「英語B」

一 「英語A」では、英語の基本的事項を平易に学習させ、聞き話し、書くなどの実際的な能力や積極的な態度を養うことに重点をおき「英語B」では、英語のやや進んだ内容を学習させ、聞き、話し、読み、書く能力を総合的に養うこととした。

二 「英語A」の新語数はおよそ一千五百語程度であるが、「英語B」はおよそ三千六百語程度とした。また、題材は、Aは説明文、対話、日記、手紙など実際的なものを主とし、Bは随筆、論文など思考力を深めるものを含めた。

三 「英語B」では、現行よりも文・語いおよび文法事項などの言語材料を明確にし、題材を整理し、学習活動も精選して標準的なものを明示し、英語の基本的能力がじゅうぶん身につくようにした。

四 初修の場合の内容は、現行では別の組織として示しているが改訂では「英語A」の内容に含めて示した。

○「ドイツ語」・「フランス語」など

一 現行よりも聞くこと、話すことの学習を重視した。

二 文法事項を充実して、その程度および範囲を明らかにした。

三　学習活動は、特に必要なもののみを示した。

家庭　新設四科目　廃止五科目

一　科目の編成

＝現　行＝

科目	単位（限度）
家庭一般	（四）
△被　服	（二ないし十）
△食　物	（二ないし十）
○保有・家庭	（二ないし五）
家庭経営	（二ないし五）
被服材料	（二ないし六）
被服経理	（二ないし十）
意　匠	（二ないし十）
△被服史	（二ないし四）
○仕　立	（六ないし十八）
○手芸・染色	（二ないし十四）
栄　養	（三ないし八）
食　品	（三ないし八）
食品衛生	（二ないし六）
食物経理	（二ないし六）
献立調理	（六ないし十八）
大量炊事	（三ないし六）
小児保健	（二ないし六）
△小児栄養	（三ないし六）
児童心理	（二ないし六）
○児童問題	（二ないし六）
保育原理	（二ないし六）
保育技術	（四ないし十四）
△保育実習	（六ないし十八）
家庭に関するその他の科目	

＝改訂案＝

科目	単位（標準）
家庭一般	（四）
◎被　服Ⅰ	（二～六）
◎被　服Ⅱ	（二～六）
○食　物Ⅰ	（二～六）
◎食　物Ⅱ	（二～六）
○保　育	（二～六）
家庭経営	（二～六）
被服材料	（二～六）
被服経理	（二～六）
意　匠	（二～六）
○被服製作	（六～二十）
○手　芸	（二～十）
栄　養	（二～六）
食　品	（二～六）
食品衛生	（二～六）
食物経理	（二～六）
献立・調理	（六～二十）
大量炊事	（二～六）
小児保健	（四～十二）
児童心理	（二～六）
○児童福祉	（二～四）
保育原理	（二～六）
保育技術	（八～二十）
家庭に関するその他の科目	

（◎新設　△廃止　○名称変更）

新設した科目四　廃止した科目五
名称を変更した科目四

二　家庭に関するおもな学科の目標を明らかにし、専門科目の内容を精選充実して、指導の重点を明らかにした。

三　普通科においても、家庭科教育を充実指導することの必要性を考慮し、「食物」、「被服」、「保育」、「家庭経営」などの科目の単位数および内容に改善を加えた。

○家庭一般

一　中学校技術・家庭科女子向きの内容との重複を避け、内容をいっそう精選して、すべての女子が学習しやすいようにした。

二　「家庭一般」を女子に必修としたことにかんがみ、家庭を経営する者の立場において、食物に重点をおき、家庭生活に関する知識と技術を総合的に習得させるようにした。

三　内容の おもなものは 次の 通りである。

①家庭生活と家庭経営　②計画的な経済生活　③能率的な家庭生活　④食生活の経営　⑤衣生活の経営　⑥住生活の経営⑦乳幼児の保育　⑧家庭生活の改善と向上

農業　食品化学など新設

一　科目の編成

＝現　行＝

科目	単位（限定）
作　物	（二ないし十二）
園　芸	（二ないし十二）
畜　産	（二ないし十二）
△家　畜	（四ないし十二）
土・肥料	（二）
作物保護	（二）
農業機械	（二ないし四）
△農業工作	（二ないし六）
農業経営	（四ないし十二）
総合農業	（十二ないし三六）
野菜園芸	（四ないし八）
果樹園芸	（四ないし八）
草花園芸	（四ないし八）
○家畜飼養	（二ないし六）
○家畜衛生・診療	（二ないし六）
飼料作物	（五ないし十）
栽　桑	（一ないし六）
養　蚕	（二ないし八）
○蚕体生理・病理	（二ないし五）
○製糸・機械	（一ないし四）
蚕種製造	（二ないし四）
農産加工	（二ないし十五）
畜産加工	（二ないし十）
応用微生物	（三ないし六）
△農産化学	（三ないし六）
○農林測量	（六ないし十二）
△農業造構	（八ないし十二）
農業水利	（八ないし十二）

△農地造成（三ないし五）
△森林生産（五ないし十五）
△森林土木（五ないし十）
△林産加工（五ないし十五）
○林業経済（五ないし十）
造園計画（四ないし八）
造園材料（三ないし五）
造園施工（三ないし五）
都市計画（二ないし四）
造　園（二ないし六）
農業一般（二ないし十）
林業一般（二ないし十）
農業に関するその他の科目

=改訂案=

単位（標準）

作物（二〜十二）
園芸（二〜十二）
畜産（二〜十二）
土・肥料（二〜四）
作物保護（二〜四）
◎農畜産加工（二〜六）
農業機械（二〜六）
農業施設（二〜四）
農業経営（四〜十二）
総合農業（二十四〜四十）
野菜園芸（二〜十二）
果樹園芸（二〜十二）
草花園芸（二〜十二）
○家畜栄養・飼料（二〜六）
○家畜衛生（二〜六）
飼料作物（二〜十）
栽桑（二〜六）
養蚕（二〜八）
○蚕体衛生（二〜四）
○製糸・製織（二〜四）
蚕種製造（二〜四）
農産加工（三〜十五）
◎製造機械（二〜十）
◎農産加工経営（二〜四）
畜産加工（三〜十二）
応用微生物（三〜十）
◎食品化学（三〜十）
◎加工原材料（二〜六）
○測量・応用測量（二〜十二）
◎応用力学（四〜六）
◎農業土木設計（五〜六）
◎材料施行（三〜四）
◎水理学（四〜六）
農業水利（五〜八）
農地造成（三〜五）
◎育林（二〜十五）
◎伐木運材（二〜十）
◎砂防（二〜十）
◎林産製造（二〜十）
◎木材加工（二〜十五）
○林業経営・林政（二〜十五）
造園計画（四〜八）
造園材料（三〜五）
造園施工（三〜五）
都市計画（二〜四）
造園（二〜六）
農業一般（二〜十）
林業一般（二〜十）
◎総合実習（二〜十二）
農業に関するその他の科目

（◎新設　△廃止　○名称変更）
新設した科目十六　廃止した科目七、名称を変更した科目六

二　農業を学ぶ生徒の最近の進路傾向および農業界の技術や経営の専門化する傾向に即して、次の点を改めた。

① 農業に関するおもな学科の目標を示した。

② 栽培、飼育、農産加工、農業土木に関する科目については生産技術に重点をおく科目と、その科目を学習するのに必要な基礎原理的、生産補助技術的な科目との関係をいっそう明確にするとともに、後者の内容を精選充実し特に農産製造科、農業土木科、林業科の専門科目では、新科目を設けた。

三　生産技術に関する内容と、経営管理に関する内容との関連をいっそう緊密にするとともに、経営管理的な科目の内容を充実した。

四　農業の各学科における実験実習は、各科目内で実施するものと、特別実習として行うものの二つであったが、農業の技術的能力をいっそう高めるため総合実習を設けた。　（以下次号）

（61ページより）

市場ではあらゆる日用雑貨や食糧品が売買された。そこで売買に従事するものは殆んど女に限られ後には士の子女も多くなった。男は市に立たないで専ら地方行商に出かけた。即ち首里には知行役地役俸によって生活する士が多く、那覇の士族は主として商業により町百姓は家内工業と商業によって生活した。もっとも士と町百姓中には大名や士の家従、家僕となるものもあり、又都市周辺の農耕地たる浮得地で農業をするものもあった。

十八世紀から都市商品貨幣経済がさかんになって、通貨も各種のものが利用されるようになった。慶長頃から享保の頃まで（一五九六〜一七三五）は永楽銭、洪武銭に寛永通宝が同一率で流通していたが鳩目銭、当間銭が入るようになって通貨の比率に大きな開きをもつようになり経済上の混乱を来たすようになった。

参考文献

一、孤島苦の琉球　伊波普猷氏
一、琉球の歴史　東恩納寛惇氏
一、近世地方研究資料　九巻
一、日本の民族文化　有賀喜左衛門氏
一、近世経済史の研究　藤田五郎氏
一、日本農業史　古島敏雄氏
一、日本民俗学大系　一巻
一、琉球農村社会史　拙著

薩摩入りの歴史的意義 (3)

—（沖縄の封建社会）—

饒平名浩太郎

四、行政制度の確立

十七世紀の初中国貿易の利を狙う島津の侵略にあつて琉球はその附庸国となつたがそれから一世紀半の間に向象賢や蔡温のような政治家によつて、新情勢に適応する政策がたてられ、苦難の中にも国内統治の体制が整えられた。

〔中央官庁〕

○政　庁

国王—摂政—三司官
- 物奉行（十五人役）
  - 所帯座—物奉行吟味役
  - 給地方—物奉行吟味役
  - 用意方—物奉行吟味役
- 申国座
  - 鎖之側—鎖之側日帳主取
  - 双紙庫理—双紙庫理吟味役
  - 泊地頭—泊地頭吟味役
  - 平等所—平等之側吟味役

一、所帯方物奉行＝取納座、宮古蔵、仕上世座、銭座、米蔵救助蔵、田地方、先島方

一、給地方物奉行＝勘定座、船手座、用物座、給地蔵

一、用意方物奉行＝高所、砂糖座、山奉行、料理座、大台所、用意蔵

一、鎖之側＝系図座、御状方、日帳方、異国方、那覇里主、久米総役

一、双紙庫理＝下庫理書院、納殿、小細工奉行所、貝摺奉行

一、平等之側＝平等所、御獄方、三平等大与頭

一、泊地頭＝大与座、寺社方、総与方、総横目方、普請奉行所、鍛冶奉行所、瓦奉行所、泊頭取、鳥島方

○役人—士、大名の中から任用する。

奉行—主取、—大屋子—筆者、
　　　中取

〔地方官制〕

○番所（間切）

物奉行—吟味役……

地頭代
- —首里大屋子……文子
- —大掟……文子 〃
- —南風掟……文子 〃
- —北掟……文子 〃

（大文子・脇文子・相付文子 各六人）

この外に仮文子（番所の使役）あり

地頭代　任期三年

首里大屋子、大掟、南風掟、北掟は任期一年

一年毎に上位に累進し、首里大屋の任期が終れば夫地頭か惣耕作当か惣山当になる。

勘定構、横目は任期三年

地頭代
1 首里大屋子
2 大掟
3 南風掟
4 西掟

役目
- 番前方
- 蔵当方
- 札改め方
- 砂糖当方
- 耕作方
- 山当方

5 総耕作当—農政
　仮惣耕作当一人

6 惣山当—林政
　仮惣山当三人

7 勘定構—財務

8 横目（小横目・津口横目・遠見番）警務

○村

夫地頭—（元老格）

○掟
- 惣頭＝農事営林を掌る
- 頭
- 耕作当—農事所掌
- 山当—山林所掌
- 掟取—貢租収納

地頭代は士分のものを取り立てることが多かつたが中には領内百姓の中から抜き任用する方法もあり、地方と中央の政治の円滑化を図る。その選抜については王府から派遣された惣地頭が王府にその人物を内申し、形式的に首里王府の辞令がでるようにした。しかし実質的には

その任免の権限は惣地頭にあつた。従つて間切内の身代持の階級は将来の手引きの機会を得るために競つてその子弟を惣地頭、脇地頭の御殿、殿内の奉公人として入れ、長期の奉公や金品の消費をも惜しまなかつた。これらの子弟は奉公の期間中文筆を習い儀礼を伝習し、教養を身につけた。

御殿、殿内の出仕適令は十八才であるが、番所での選抜試験に合格したものが両家の何れかに配置されるのである。地頭家に出仕奉公が叶えられても最初は従者となり次で庫理(こり)、道具当(どうぐあたり)守役(やかー)と累進する。その人員は両家とも四十人位を定員とした。恐らくお殿殿内の経費は莫大なものであつただろうけれども、奉公人は被服、小遣等はすべて親許から仰ぎ両家は粗末な食事を給せられるに過ぎなかつた。そうして彼等は幾年かの年功をつんで間切捌理に任用されていくのである。西掟にも任用されてしまえばもう累進して地頭代になることは請合である。

地頭代は地方の最高職であるから、至上の受命者であり、惣地頭の肝入で任用されたものであるから惣地頭家をバックにして、その地位は保障されていたから強大な権限を行使する独裁者でもあつた。

だから番所の前を通る農民は襟を正して、地頭代の座に向つて両手を合せて遙拝した。地頭代の直接の行政は王府の物奉行吟味役の指揮監督に従い諸令達を執行し、行政各般の事務を総攬、番所の事務分課は番前方、蔵当方、札改め方、砂糖当方、耕作方、山当方があつて、その事務は地頭代とその補助機関の指揮監督下に処理される仕組である。補助機関として監視取締にあたるものには、農政に惣耕作当、林政には惣山当があり、両役とも本役二人、仮役一人からなつているが、監視取締繁忙の際は臨時に加勢惣耕作当、加勢惣山当がおかれた。

常置の行政官には捌理というのがおり地頭代の下に首里大屋子、大掟、南風掟、西掟があつてこれを五捌理(さばくり)という。首里大屋子以下何れも任期一年であるが、一年毎に上位に累進し、終には夫地頭か惣耕作当、総山当に任用配置される。捌理の下に文子(てくご)がおかれる。文子には大文子、脇文子、相付文子の職階があつて各六人づつの定員であり、その外に仮文子という事務見習小僧が出向して御用聞を勤めた。番所の事務はこれら文子職によつて行われ、彼等はそれぞれ地頭代=筆者、首里大屋子筆者、大掟筆者、南風掟筆者、西掟筆者として専属し補助の役を果した。

惣耕作当惣山当は、比較的閑職で毎月朔望の二回定例の間切総会に出席するだけでそれぞれ該当事務の農事、営林の事務は筆者に委任されている。文子の禄は年間給与で大文子が米四斗、脇文子が二斗相付文子が一斗、仮文子は七升五合という僅かな給与である。百姓の子弟がその薄給に甘んじて番所の出仕を志望するのは、役人がその地域社会の最高の栄誉であり、それに過重な夫役負担が免除されるからである。

村毎にある村屋には地頭代の任ずる夫地頭と掟が配置され、村屋を役所として常時勤務し財政、勧業、営林の事務を処理した。

貢租や夫役も村単位に課せられたのであるからたとい家又は個人が貢租を負担するにしても、それは連帯責任として負担するに過ぎない。

その他行政各般に亘る命令事項も、村の責任に於てなされたから、不始末な廉があれば当然その頭役が処罰を受けるという仕組である。村の長である夫地頭又は村掟の下に惣頭と頭がおり、農事監視や取締には耕作当、山林監視取締には山当があり、財務の収納には枡取という役がいてそれぞれ分轄事務に当つたのである。

夫地頭、掟以外の村役は夫持を給せられることはない無給であるが、夫役が免除されるという特典があつた。

農民の社会生活を統制したのは村内法であるがこの立案者は勿論地頭代以下の間切役人である。彼等は最初不文律であつた村の慣習法をもつて取締つていたがそれを成文化していつたから、各間切村によつて、その内容は幾分の相違はあつても、法の精神は一貫していた。

農民の村落における精神生活や食生活等時勢によつて常に改変する。だから「地頭代が替る毎に負担が多くなる」となげいたのも無理のないことであつた。即ち村役人、地頭代は自分達の都合次第で統制取締りがたやすくできるように改めていくのであるから、村内法は最初から農村生活の全部について規定せられたものではなく、その都度改められていつた村内生活法ともいうべきものであつた。

地方機構の間切は羽地按司の執権中、慶長後の弊政刷新にあたつて、従来あつた七代官制を改め(首里代官、東代官、島尻代官、浦添代官、越来代官、今帰仁代官、久米代官)万治三年(一六六〇)四管区制(島尻代官、中頭代官、国頭代官、久米代官)とし、寛文(一七三〇)から享保十五年までに新設された間切を加えて三十間切

。新設された間切

1 本部間切(寛文六年=一六六六)
2 美里間切(寛文六年=一六六六)
3 宜野湾間切(寛文十一年=一六七一)

4　恩納間切（延宝元年＝一六七三）
5　久志間切（延宝元年＝一六七三）
6　大宜味間切（同年）＝一六七三）
7　小禄間切(寛文十二年＝一六七二)
8　与那城間切(延宝四年＝一六七六)

四百十五村となった。管区は与(くみ)と唱えたらしく、琉球国由来記には「此代官役先此七与也、順治十七年（一六六〇）庚子年四与に相定也」とある。与は大小いろいろに使用され、首里三平等の長官をも与頭と唱え、又切支丹改等の時には与中という語が名主買内を総称する場合にも使用されている。

首里二十ケ村、那覇四ケ村
真和志間切十一ケ村　南風原間切十ケ村
西原間切十九ケ村　小禄間切十五ケ村
豊見城間切二十一ケ村　兼城間切九ケ村
高嶺間切五ケ村　真壁間切七ケ村　喜屋武間切五ケ村　摩文仁間切六ケ村　具志頭間切七ケ村　東風平間切十ケ村　玉城間切十四ケ村　知念間切十二ケ村　佐敷間切九ケ村　大里間切十九ケ村　浦添間切十四ケ村　宜野湾間切十四ケ村　中城間切二十三ケ村　北谷間切十二ケ村　勝連間切十ケ村　与那城間切十ケ村　具志川間切十五ケ村　美里間切二十ケ村　越来間切十ケ村　読谷山間切十六ケ村　恩納間切十二ケ村　金武間切　七ケ村　久志間切十三ケ村　名護間切十一ケ村　羽地間切十九ケ村　大宜味間切十六ケ村　国頭間切十六ケ村　今帰仁間切二十一ケ村　本部間切十九ケ村
伊江島三ケ村　伊平屋島八ケ村　粟国島二ケ村　慶良間座間味間切五ケ村　慶良間渡嘉敷間切四ケ村　久米島具志川間切九ケ村　久米島仲里間切十ケ村
宮古島三十八ケ村（砂川間切、平良間切下地間切、狩俣間切）
八重山島四十九ケ村

寛文以後は仕明地が多く出来て間切の新立、村の廃合等が頻繁に行われ或は三ケ村を併合して新村を立て、二ケ村を併せて旧村名を用いてそのまま新村名とした例も多い。

中央官制は薩摩入後直ちに設置されたのが仕上世座で、

○一六一〇年早くも置かれて薩摩への貢納米や事務を掌り、続いて
○一六一二年　目揩奉行
○一六一三年　御茶道官
○一六一七年　平等之側官（断獄之官）
○一六二二年　国当役
○一六二五年　算用奉行（諸役座御物勘定、進貢船出入改）
○一六二八年　那覇里主、総山奉行　御書院親方部
○一六三七年　大和横目、山奉行　御典薬
○一六四五年　申口座吟味役　御物奉行吟味役
○一六五六年　御振舞奉行
○一六五七年　総横目、異国奉行
○一六六七年　寺社奉行、御物座
○一六六九年　高奉行（算用奉行政）
○一六七一年　三平等大与頭（長官）評定所日帳主取
○一六八六年　系図奉行
○一六八九年　御書院親方部、御書院当役をおく

こうして十八世紀初には行政機構はほぼ確立した。

五　経済の動揺

通貨は寛永銭のでる前までは、支那の永楽銭が殆んど基本貨幣のようになっていて、永楽銭一貫文が金の一両に当っていたのである。僅かに宋銭も通用していたがその相場は殆んど永楽銭の十が一にも及ばぬものであった。慶長役の頃から支那銭がと絶えてしまった結果流通の上に不自由をきわめるようになった。その結果洪武、宣徳等の明銭を贋造したのが加治木銭といわれる和銭であった。加治木銭は悪質の貨幣であったからその通用は一般にきらわれて市から駆逐されて廃銭同様になったところ薩摩商人伊地知当間がこの廃銭を琉球に持ちこんできたのである。本土では室町期から江戸幕府にかけて選銭の法令がしばしば出されてカケ銭コロ銭（磨滅した銭）等は京阪方面に駆逐されてしまい、これを京銭と唱えていたが、その京銭の中での悪銭が海を渡って琉球に流れこんだから、冊封副使として来琉した徐葆光伝信録にも「間々旧銭あり、磨滅する処或は洪武の字あり」とあり、これがコロ銭といわれた悪銭であった。

当間銭(鳩目銭の一種)はこの種の加治木銭を改鋳したものであったから原銭とは勿論話にならぬ程悪いものであったに違いない。後に薩摩が天保型銭と丸型銭の二種の琉球通宝を造ったときに、天保型三十六文の相場を百二十四文に通用させようとしたが、市では僅かに二文にしか通用しなかったのであるから薩摩の改鋳になる琉球通宝も余程悪銭であったことが察せられる。それが明暦二年（一六五六）の事であるから薩摩入から四十七年しか経っていない。

その頃であればどんな無理でも通ったに相違ないが百二十四文の胸算用（即ち天保型一文の実価は金四文相当）が僅かに半値にしか当らなかったから、悪質であったことは間違いない。鳩目銭についい元禄十年（一六九六）の廻文に、

「鳩目銭印古申候につき、御改被仰付候間、六月十八日より九月三十日限に貫調奉行阿嘉親雲上、湧慶次親雲上引合、印可被申請候。勿論一貫之内に前々之鳩目、当間親雲上鋳出之物と貫交不仕

別々貫調候様に、那覇久米村中堅被触渡候。此旨御差図如此候。

八月八日

とあり、鳩目銭には五種あつたが、このうち第一種が当間銭であつたのである。

第一種　直径六分　重量四分
〃二　〃五・一分　〃　三分弱
〃三　〃四・一分　〃　二分
〃四　〃四分　〃　二分弱
〃五　〃三・一分　〃　一分

従来京銭の一貫文に対し、銀十二匁の交換歩合であつた処、銅が払底したため十三匁替となつたが、これまでの十二匁替でさえ、当地では不当の相場であるのに此上銭相場が上がつて十三匁替となつては、甚だ難渋するから、銀一匁に対し三貫七百文の歩合に定めるという事になつた。

京銭一貫文銀十二匁の交換歩合は、通り相場であつて、これは伝信録に「寛永銭毎百値、国銀一銭二分」というのにあたつている。この相場によると銀一匁は京銭八十三文強に当る勘定である。ところが銀一匁で三貫七百文の歩合になると琉球で行われていた京銭の価は約四十四分の一の価しかなかつたということになる。つまり寛永銭一枚に対して四十四枚という勘定になる。

当間銭は普通銅銭同様一貫で十二匁替に通用されていたのを、さらに銀十三匁替に引きあげられたため色々歎願して実価通りに引き下げたことになる。

銭相場が高くなるとなぜ迷惑するかというと、琉球では銀は建相場だけであつて、一般には通用しない。市場の取引はある。各島持といわれる按司、地頭、総地頭、脇地頭などは夫遣(ふづかい)という銭だけでつて領内の人民に対して、一種の庸役を課する特権を有していて、通例は物品代納をしている。つまり領内の百姓から物品を徴発する制度であるから、銭が高くなることは、物が安くなることであつてそのために百姓の負担は増してくることになる。この関係は薩摩の課税に対しても同様なことがいえる。だから薩摩側では度々貨幣の改鋳によつて銭の価値を高めようとあせるし、そのとばつちりを喰つて農民の物納はいよいよ増加するのであるから苦悩は深まるばかりである。

薩摩入後は農民負担の限界を示すと共に、薩摩への貢租を定めたので、一般経済は益々窮屈になり、十八世紀半ばの尚敬時代までの農民の生活は困難となり、知行を与えられた士族でさえその生活は悲惨なものであつたから、知行や禄の刷新を図る意味から系図座(一六八六年)を設け、身分を審査して家格を厳格に定めると同時に、士族にも農、工、商、船頭等になることを許可した。又都市の過剰人口を抑制するための便法として農村への移住、商工業への転職を奨励した。

尚敬時代に如可に貧窮の武士が多かつたかは組踊花売の縁や、貧家記等にも暗示されているが、球陽には実際に陰惨な生活をしている下級武士や百姓の例が多い。従つて士も百姓も子女を売り、又生活を求めて田舎落をするものが多くなつた。享保十五年(一七三〇年)の蔡温の御教条によると役職につけない士は技能のあり次第細工人になつたり、商店を開いて商売することを勧めている。これは専ら士の数が増えて彼等に支給する禄米が不足したり、役職がそれだけないという言い分であるが、その実が薩摩入以後の経済の動揺がその原因であつたのである。そこで首里、那覇の士分階級のものを細工人として王府の御用をつとめさせるという苦肉の策さえとらねばならなかつた。

又王府財源の涵養の上から田舎百姓の都市移住は十七世紀初尚享時代から禁じられ、尚象賢も蔡温も取締りを厳重にして来たが、これを細工人にまで及ぼしたわけでこの事は又都市の士、町百姓の中にすでに十分の技能者がいたことを示している。都市における諸細工はすべて手工業で家内工業であつた。首里では金、銀、銅、錫の細工、織物、染物、紺屋、傘提灯、ろう燭、紙などで、他に酒、醤油醸造等があり、那覇泊では挽物、指物、彫物、塗物、木細工、桶細工、皮細工、大工、左官、鍛冶等であつた。那覇は内外交通の要衝であるだけに商取引の中心地となつたから経済活動も活溌であつた、進貢、接貢船は勿論、薩摩との間の楷船薩摩船の往来があり、公儀への上納物や地方の生産品が島々や遠い間切からは御物船や商人の持船により、近い間切からは宿道を馬背、人肩により那覇に運ばれた。又那覇、泊には船持と称して山原船を所有し、両先島、久米島を始め各離島並びに山原の港々を往来して、その地の生産物の取引を行い、時に貢納品の委託運送にあたるものもあつた。

地下諸間切には、貢納督励端書逓送、指令布達その他の公用で絶えず首里那覇に往来し滞留したが、そのために那覇には間切宿、島宿、村宿というものができ、彼等の定宿となり捌理連中のみならず、地方の物持ちにも利用された。これらの間切宿、島宿は都市と地方の物貨の交流の仲介所となり商取引の場所となつた。市場は十五世紀頃国際市場の観を呈していたが、南方諸国との貿易の衰頽で幾分さびれたのを、薩摩入によつて支那交通が積極的に行われると、一七一五年(正徳五年)から首里の町端にも市場が開かれ、その他にも各地に市場ができるようになつた。

(57ページ下段へ)

配属校の姿あれこれ

配属校　東京都千代田区立
永田町小学校
山里芳子

○すばらしい施設

四月七日不安と期待の交錯する気持を抱いて配属校に赴任してから早三か月――月日の過ぎるのは全く早いものである。

当時裸のまま立つていた校庭の藤棚紫の花もいつの間にか咲き終わり、今ではすつかりみどりの葉をまとつて涼しい木蔭を作つている。その下で子ども達は今日も無心に遊びまわつている。所せましとばかりにはん登棒や雲梯、廻旋塔に――子どもつてどこの子も同じだなとつくづく思う。でもその学習環境たるや雲泥の差がある。

こちら永田町小学校の現校舎は、鉄筋コンクリート三階建で、昭和十二年の建築らしいが、戦前のそれとしては最も優れた特色とすべきいくつかの施設がある。強製温湯循環暖房装置、保健室のレントゲン装置、給食物資運搬用エレベーター装置、パン工場を持つ給食施設、体育館、講堂の諸施設、外気室、プール、、放送室テレビ室などと全くすばらしい。そのため国内各地はもちろん、外国人（中国、アメリカが特に多い）の参観者も多く絶え間がない。今日もアメリカの高校教員が十一人、昨日は静岡、栃木両県から十数人、一昨日は埼玉県の先生方が数人と今年度に入つてからでも二〇〇人近い数に上つている。

玄関はおよそ八一平方米の広間になつていて全学級の靴箱があり、登校した子ども達はそこで内履きのズックに履きかえている。

運動場は沖縄より狭く、一六七一、七五平方米しかないが屋上でも遊べるようになつているのでさして狭くは感じない。そこは軟かいアスファルトが敷かれ、砂ぼこりがたつということもないので、内履きのまま出入りしているが廊下や教室などとてもきれいである。もつともそこは油がぬられ、汚れがしみるのを防いでいる。その上作業補助員が毎日廊下と便所を丁寧にそうじしているのも沖縄ではとても見られない情景であろう。便所の話で恐縮だが、沖縄では殆んどの学校が階上から降りてきて用をたすのに比べ、こちらは階下はもちろん、二、三階の両側にも設置され、その間六教室しかない。しかも水洗でタイル張りなのは羨しい限りである。手洗いも便所の出入口や階段のおどり場などに備えられ至極便利である。

特別教室として音楽、図工、理科の各室とその備品も整つている。特に理科備品は完璧で顕微鏡（六〇〇倍）が十二台といつたぐあいにあらゆる実験器具がずらつと並んでいる。またその整理棚や各種の標本棚がすべてガラス製であるのも一目瞭然として感じがいい。

以上こちらの施設についてのあらましを述べてきたが、とても筆では表わせない程すばらしく都内でも上位に属するとのことである。七月八日突然お見えになられた視察教員城北小学校の与那覇先生もやはり「わあつすばらしい！」を連発なさつたものである。ところでこのように理想的な施設を見るにつけ思い出されるのはふるさとの学校施設――りつぱな外観にふさわしい内容が伴うのはいつのことだろうか。教育予算の関係ですぐにとはいかないだろうがひとつびとつ整備していきたいものである。子ども達の幸福のためにぜひ――。

○視聴覚教育

学習面で変つているのは視聴覚教育がさかんだということ。各学級にラジオやテレビが備えられ、計画的に日常学習にとり入れて利用している。

その番組は十五分から二〇分程度のもので各級とも時間割に明示されている。その内容は多かれ少かれ教科と関連があつて時には予習、復習になつたり、または時事問題などと有意義なものばかりで子ども達は地図帳でたどりながら聞いたり、メモしたりしてなかなか真剣にかつ興味をもつて学習し、すつかり溶けこんでいる。でも教科の進度にさしつかえることはないかと二、三の先生方にお尋ねしたがその心配は全くないらしい。かえつて変化があつて楽しくふだんの学習に張りが出るとのことである。その学習方法をとり入れてから今年で三年目になるらしい。

放送施設も本格的なだけに校内放送も「NKR」と称して順調に運営されている。組織は五年生以上の各級から選出された男女各々一名ずつ計十四名の児童と担当教師一名で構成している。運営は全教師が学年別に曜日当番を決めて原稿作成にあたり、子ども達は機械の調整係とアナウンサーを分担して定期的に実施している。朝はお知

写眞による本土の学校紹介

研究教員　山里芳子氏提供

↑　テレビのある教室（2年生）

↑　給　食　の　時　間（1年生）

給　食　室　の　一　部　→

↑　屋上で遊ぶ子どもたち

↑　一心に見ている幼稚園生（年少組）

↑　標　本　棚

↑　理　科　備　品

らせニュースで全学級一斉聴取、昼は関係学年のみ、下校時にはレコードをながしてさつさと帰るように呼びかけている。アクセントが本場であるだけにこの上もなくきれいなのもまた楽しい。

○号令のいらない集会

子ども達は学校はもちろん、家庭環境も恵まれたのが多いだけにとても伸び伸びと明かるく、ことばづかいも丁寧で態度もみごとである。毎週月、木曜日は朝会、火金は体操会、水土は歌の会とごく平凡な活動が持たれるが、その集会に職員の号令がめつたに聞けない。ひとりびとりの児童が自覚してベルや放送係のレコードで行動している。今までずつと朝の諸活動にのぞんできたが教師が躾がましいことなど話したこともないのに!―これが伝統的な校風なのだろうとしみじみ思う。それから体操会には最初から体操体形に開いて始め、すめばその場から教室へと全く無駄がない。行進曲も一定して一小節をきいて次に左足を踏み出すということを一年生までが心得ているのには本当に感心する。

○教師の週担当時間数

児童数男子五〇〇人、女子三一六人

1学期　テレビ学校放送継続視聴番組

学年＼曜	月	火	水	木	金	土
1の1	一年生の理科教室	大きくなる子				うたいましょうききましょう
1の2	同上	同上				同上
2の1		同上		理科教室二年生		同上
2の2		同上		同上		同上
3の1	理科教室三年生			わたしたちのくらし		
3の2	理科教室三年生					
4の1		理科教室四年生		わたしたちのくらし		
4の2		同上		同上		
4の3	理科教室四年生			同上	テレビ図書館	
5の1		くらしの歴史	理科教室五年生	テレビの旅		
5の2		同上				
5の3	くらしの歴史				理科教室五年生	
6の1						
6の2	くらしの歴史					理科教室六年生
6の3						同上
6の4					理科教室六年生	

1学期　ラジオ学校放送継続聴取番組

学年＼曜	月	火	水	木	金	土
1の1	音楽一年 お話玉手箱	けんちやんのたんけん	よつちやんのえにつき	国語教室一年	うたのかばん	こねこミー
1の2	同上	同上	同上	同上	同上	同上
2の1						
2の2	お話玉手箱				うたのかばん	
3の1	みんなのくらし		音楽三年			国語教室三年 仲よしグループ
3の2	同上				ひろがる理科室	国語教室三年
4の1	国語教室四年				仲よしグループ	みんなの図書室
4の2	同上		あの村この町	ひろがる理科室		同上 仲よしグループ
4の3	みんなの図書室					仲よしグループ
5の1	明かるい学校	国語教室五年				ラジオ図書館
5の2	同上			この頃のできごと		同上
5の3	マイクの旅	このごろのできごと 国語教室五年			ラジオ図書館	
6の1	明かるい学校			日本のあゆみ		ラジオ図書館
6の2			国語教室六年			明かるい学校
6の3		この頃のできごと	同上		ラジオ図書館	同上
6の4	明かるい学校	同上	同上	日本のあゆみ		ラジオ図書館

計八一六人の十六学級に対して教員数は二二名、学級担任と校長教頭の外に専科が、理科、音楽、図工保健と四人もおられる。したがって教員の週間数は沖縄に比べてずい分少ない。一番多い方で二八時間、少ないのは一八時間平均二五時間弱とずい分ゆとりがある。

学年組	授業時数	担当時数
1の1	23	23
〃 2	23	23
2の1	25	25
〃 2	25	25
5の1	27	27
〃 2	27	25
4の1	30	26
〃 2	30	26
〃 3	30	26
5の1	32	25
〃 2	32	25
〃 3	32	25
6の1	32	28
〃 2	32	25
〃 3	32	25
〃 4	32	25
図		20
理		18
音		22

あきの時間は教材研究やテスト、事務処理などにあてその仕事を翌日に持ちこさないように努めておられるらしい。それに沖縄に多い児童に直接関係のない金銭徴集なんてものもない。しかし学用品や海水着などの共同購入の世話はしているが、PTA会費や給食費でも教師は受け取るだけで、その整理はすべて学級PTAの委員があたつている。沖縄では特に授業担当数も多いので金銭徴集などPTAの協力を求めるのもいいことだと思う。そしてういた時間を少しでも多く教材研究や事務処理にあてたいものである。同時に教員数もできるだけ増やしてもらいたいし、そうすれば児童の学力向上にだつてひびいてくるにちがいない。

終わりに、配属校を中心に都内や静岡、大阪、鳥取県など本土教育の現場にのぞんでいろいろ参考になることが多々あつたが、教師の教育熱というか沖縄の教員が恵まれない施設や待遇にもかかわらずよく頑張つていることを改めて思う。私達は今後ますます子ども達のためにあらゆる困難を克服して一歩たりとも本土の学力水準に近づけるべく努力したいものである。

このつたない小文がいささかなりとも本土教育の一端をお知らせすることができたらこの上もなく幸に思う。

昭和三五年七月十日記す

施設備品の活用について思う

神奈川県中部伊勢原小学校
安谷安徳

校長の頭の中で常にういたりしずんだりしている共通の問題は「どうすれば自分の学校の教育を向上発展せしめることができるか。」ということでしよう。そして来る日も来る日も庭や校舎をながめては、こうしたいとかあゝしたいとかいろいろな策を思いうかべるに違いない。

教育効果を上げるためには、環境をどのように整えたらよいかということについては一人校長のみの問題ではなかろう。そして、この古くて新しい問題は今後も大いに研究されなければならない。校舎校庭やそれにまつわる施設などを見てまわれば、およその学校の教育程度や教育に対する熱心さを知ることができる。そういう意味で、学校経営の施設と備品の購入およびそれらの活用が順調にいつている学校は教育程度が向上し、また将来も大いに発展することが期待できる。

けれども、施設や備品は備えられていてもそれらの活用が充分にいつていない学校も少なくない。かような学校では一体どんな目的で備品を備えるか検討していない。カタログにあつたから買つたとか、他の学校が買つたからとかでそれらの備品の殆んどは戸棚の中でほこりにまみれて見るにあわれな状態である。

施設や備品を整えることはまことに結構なことである。しかし、それよりも大切なことは、「活用と運営」だと思う。そこで、施設備品を備えるときは、まず活用と運営のことについて大いに検討し、それが教育活動の中において常時活用されるよう研究すべきであろう。

今回私は理科の学習指導をテーマに研究することになつていますが、配置校を中心にできるだけ多くの学校を見てまわりたいと思う。この問題については、小さな学校であればあるほど貧乏な学校であればあるほど真剣に考えねばなるまい。そこで、地域の事情のことなる学校規模の異なる学校などといろいろ見たいと思つている。

これまで町内は、もちろん県外へも足をのばし十校はみて回りました。そ

して、それらの何れもが、私達の学校とは比較にならないほど立派でスムーズにいっている。今回は町内の中学校について簡単に紹介してみたい。

1　応接室と校長室

外来者は、まずこの部屋へ入らなければならない。そして、まずはじめに眼につくのは戸棚の中のいろいろな優勝旗やカップである。これらは必らずスポーツ関係のものではなく、理科工作・新聞などいろいろあります。

各種の催しに対し如何に積極的でまた優秀であるかがわかる。

部屋全体が明るく整然として、実に気持ちがいい。図の①のテーブルは両端が半円のものは組み合わせてあつて必要に応じて円卓と長方形のテーブルができる。二の部屋の隣は職員室（それのあつてしかるべきか否かは別として）と事務室になつていて、職員は出勤するとこの部屋にはいつて出勤簿の捺印と出勤板のかけかえをしてから職員室へいき帰りは出勤板のかけかえをしている。

なお職員室の隣は保健衛生室になつていて、養護教諭のもとに生徒会の中に保健部があつて、これらの生徒によつて四月の身体検査結果を家庭に連絡したり、治療の結果をグラフにして新聞や校内放送、掲示板を利用して皆さんに知らされる。家庭連絡には健康カードを用いているが、この保健室がフルに活用されていることには頭がさがる思いでした。この学校は学校新聞コンクールでは毎年優秀な成績をおさめている。

2　図書室

生徒数約一二〇〇人で図書数は七千余冊で一人当り七冊はあるという。図書費として生徒一人月十円を徴収し、分割購入はできるだけ避けている。こうすることによつて安く多く購入できる。放課後は司書のプランのもとに生徒達は思う存分に本を読んでいる。実に羨ましい。学力の向上もこういうところから生れたのではないか。

3　理科室家庭科実習室

くわしく図にすることのできないのが残念だ。何れ機会をみてじつくり研究してみたいと思う。家庭科室は、染色室・調理実習室・作法室（和洋両式）があつて調理室は家庭で使用されると同様な設計で農村的なものと都市的（近代化したもの）なものがあり実生活に結びついた実習をしている。

理科室は準備室と実験室とが隣合つていてドアで出入りできる。教卓は図（省略）に示めしてあるように両側から引き出しがついて表にはラベルをはつておく。生徒用机は図（省略）のように四人一グループの机が二つあつてその間に流しを設け半固定していて実験中の机の振動を避けるように工夫している。腰掛は直方体の箱のようなもので上面と側面の二個所は板ばりにして四本の指がはいり簡単に持ち運びしたり、腰掛の高さを自由に変えるようにできている。

実験室の両窓側には観察台があつて北側（コンクリート）は水準器をあて水

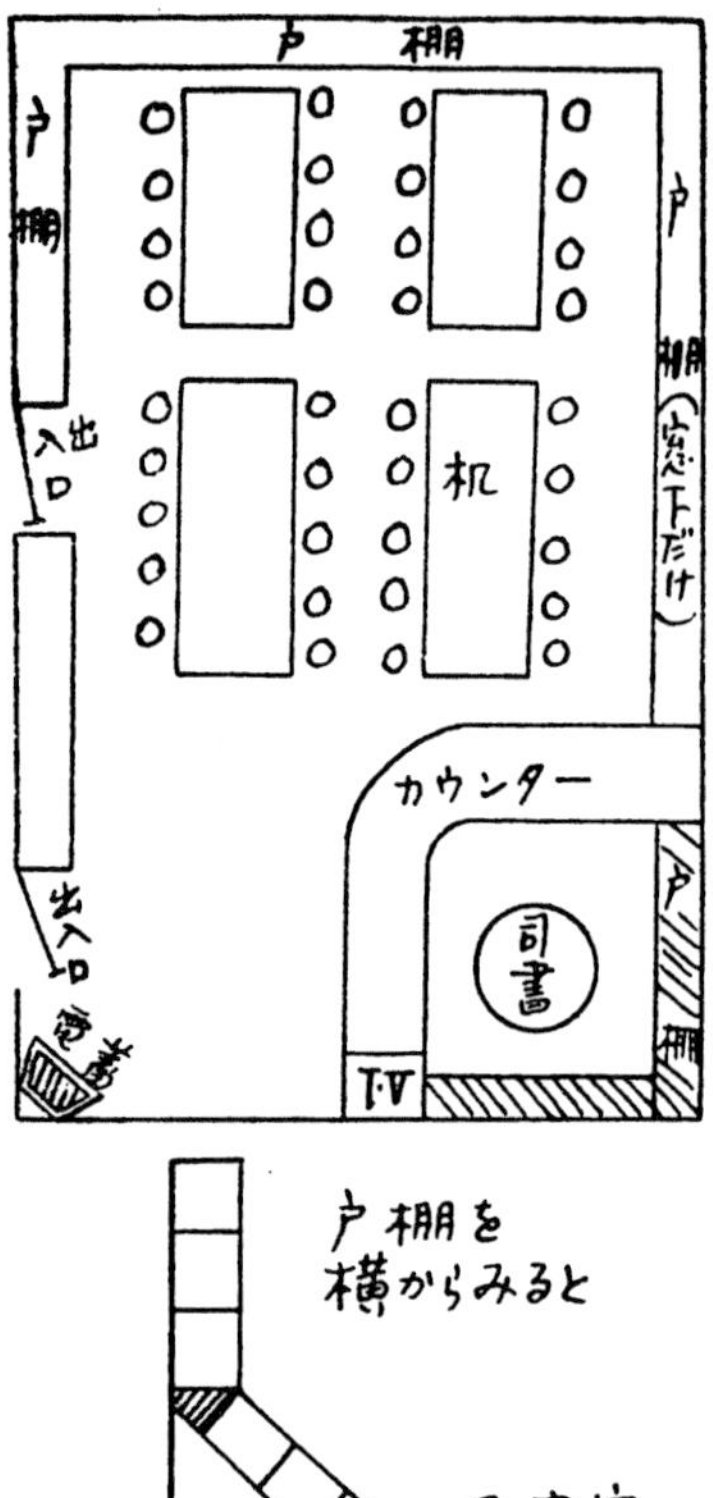

図書室

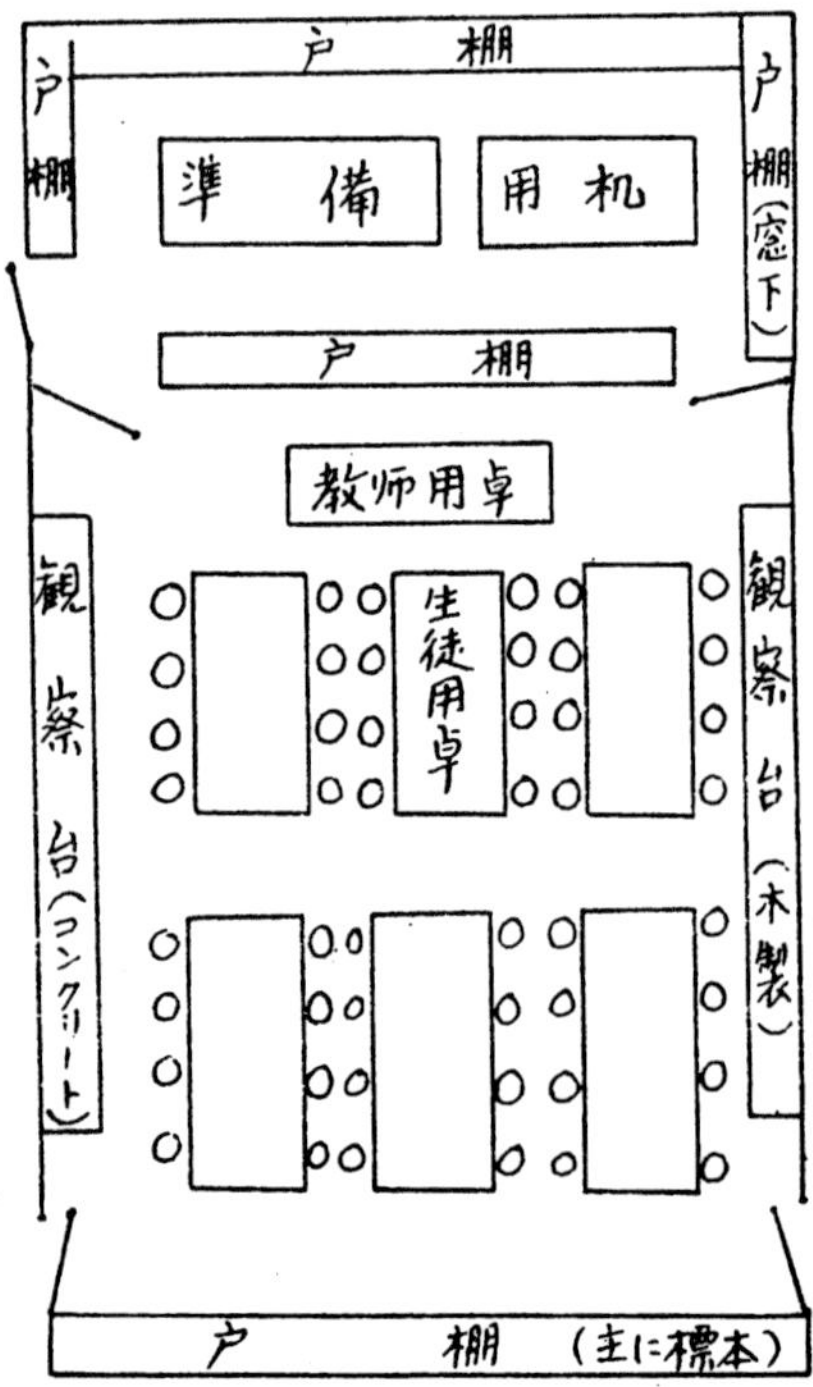

平にしておく。

準備室には戸棚と準備机の間に、塩酸硝酸硫酸等の薬品を保存する穴が設けられてその中に砂を入れ鉄板でふたをして床同様にできる。（五〇センチ四方に深さ六〇センチ）

4 技術科実習室

この実習室でみられる設備は、沖縄のどの高等学校でもみることが出来ないと思う。思いつくままに書いて見よう。工作実習室と隣合つて車庫がありそこには実習用の自動車とスクーター二台オートバイ七台その他にエンジン二、三台が備えられて常時使用できるよう整備している（技術科担当教師は運転免許をもつている）工作実習室は準備室と工作室とからなつていて準備室の工作道具の多いこと、しかも一つ一つちやんと整頓され金物道具は油がひかれてさびている道具は一つもない工具や作品は殆んど戸棚を利用して整理しているけれども整然としている。案内してくださつた教頭先生は「五円しかしなこんなブラシ（器具を磨くもので歯ブラシで代用）もちやんと、このように整えて、一のもこんなに大切にする先生には頭がさがります。ですから、学校はもとよりＰＴＡもその施設々備には積極的ですよ。」と話してくださいました。先生は、なお続けて「金が無いから設備ができないとか備品が購入できないとかいう考えは捨てて、必要と思つたら、まず備えることです。そしたら、必らず父兄や教育委員会などから協力が得られます。要は学校全体が熱心であることです。」とつけ加えてくださつた。教師の熱心さが生徒や地域の人々に与える力の偉大なることには全くおどろきました。

こういう学校には必らずやよき校風ができまた、これは永久に消えることはないだろう。そして、われ〳〵教育する者から欠くことのできないのは「熱心」だということを今深く胸にして校門を後にした。

家庭科・技術科などについてもつとくわしく知りたいと思う方がいましたら紹介します。

雨天体育指導

配置校　都京都中央区立
日本橋城東小学校
大城朝正

地域により場所により月によって一様ではないが体育学習で雨の日の処置、特に梅雨期の処置を年間計画の上で位置づけておくことが必要である。私の配置になつている中央区ではどこの学校を参観して見ても体育館やプールが整い運動用具がそろつていることを羨ましく思つた次第である。雨天の場合も気にせず体育学習が行われているのであるが、予算のひん弱な所では本土のそれに及ばない所である。そこでせめて雨天の日の体育指導でこうあつて欲しいと思うところの二、三を述べてみたい。

年間計画で梅雨期にはどんな学習内容を予定できるか。体育実技では、単元の始めの段階のグルーピンク等のこと、ルールの研究、柔軟度や握力等の測定、体育についての調査、健康安全についての指導等である。

運動場での体育を常体とすると室内体育は変体である。他の教科と交代してもらえるのだつたら交代して後日やるのもよい。しかし、思う存分体育のできない教室でも、教室なるが故に利点もあるわけで、利点を生かす指導が必要である。黒板や掛図、教科書、幻灯等が使えて説明に便利である。徒手体操などでは矯正指導や示範説明等によいし、床上独特の体操ができる。楽器の音がよく伝わる。球技・競技その他基礎技術の示範をしたり説明したりできる。球技の規則などは運動場で興奮している時より冷静に理解できてよい。黙つて仕事をしたり運動したりできる。タンブリング、徒手体操、マット運動など友達の演技を観賞するのによい。教室の作り方もふだんのままで椅子に立つ者、床上に立つ者で徒手体操、机、腰掛を一隅に移動して積み上げ、出来た空間を利用する（一部はろう下に出す）この方法は多くの運動ができる。机、腰掛を全部ろう下に積み上げることの出来る場合には尚都合がよい。教室内であるから用具も制限されようが机や椅子、とび箱の上段、マット、ボール類（数を少くし基礎的指導だけに使い、反復練習は運動場でさせる）。小さなゴムマリ等を使つていろいろなボール運動の指導もできるでは室内でどのような運動が実際にできるかを二、三述べよう。

徒手体操の場合ですと、半数者が実施、半数者が観賞批評等の方法で行いすべての徒手体操は実施できる。特に座臥姿勢での運動を行うようにしたいし、徒手体操には教師に対して正面向きで実施する方が指導矯正に便利なものと、側面向きの方が便利なものがあるので使い分けて指導するのがよいと思う。鉄棒運動では机や腰掛を利用

して腕立の両側けんすいをしたり、腕を屈げ伸ばしたり軽く足を振ったりする。床上をきれいにして床上に仰向けに寝、手拭又は棒を両手に持ち上がりの蹴る練習もある。とび箱運動では、とび箱上段だけを使った前転または後転のようなものはできる。マット運動では座ぶとんで前転してもよいし、マットを持ちこめば殆んどの運動ができる。転回、倒立運動などは室内体育の花形教材といっても過言でないと思う。

陸上運動では、短距離走のスターティングブロックを使っての発走法、腕の振り方、両足を前後に開き後足の引きつけ練習、腕立て伏臥のままでかけ足練習、リレーでは腰掛の上に立ってのバトンの受け渡し（そうでなくともよいと思う）これらは室内ゲームとして面白い。障害走等に於てはハードルの補助運動として体前屈、体のねんてん、机につかまって前足のふり上げ、後足の動作等があろう。立ち巾跳、三段跳の三つの跳躍のリズムを指導や砲丸投のフォーム練習もできるであろう球技に於てはバスケットの基本練習としてパス、ドリブル、ターン等個人防禦技術練習できるし教師のそう意工夫によっては色々の基礎練習が考えられる。ダンスにしても机間を利用していろいろなステップの練習もレコードに合わせてできる。その他縦体や横体の整頓、気をつけ、廻れ右、右左向け等ゆかであれば線にそって使ってもよい。セメントであれば何らかの補助線でも引いてできる。

最後に雨天体育で教室を使用する場合には他級に迷惑をかけないよう静粛等一に行うようにし教師のベルでの合図はなるべくさけるようにした方がよいと私は思う。次に、知的理論的、基礎的指導に重点をおき、よく他人の技を観察させると共に個人指導を徹底するとよい。教師や生徒の模範を出来るだけ多く取り入れ具体的に指導する。次の机、腰掛の配置、移動や利用も研究する必要がある。特に校舎が鉄きんコンクリートのため、ゴミがよくあるので散水等したりして特に清潔、整頓、換気に注意する。服装は運動同様又は上衣をとった程度としてもよい。

とにかく各学校に体育館が必要であり、雨のあとでもすぐ使えるように排水等が十分整っているような運動場作りが大切である。

とかく体育館などの整っていない沖縄の現状では室内体育の研究も、これからの教師の大切な研究部面といえよう。

運動会のメモから

東京都新宿区立
四谷第四小学校
伊波英子

十月九日の東京の空は、どんよりと曇った運動会に最適の天候で、照らず降らずあつらえむきの運動会日和であった。秋の風は肌寒く、沖縄の十一月頃のうすら寒さを思わせた。

職員は七時半に出勤し、給食調理人による豆腐の味噌汁と生卵の軽い朝食をとり準備にとりかかる。児童は手伝の他は邪魔にならぬよう教室で待つことになっている。予定通り八時半に開会し、君が代の曲につれれて国旗が掲揚される

得点板は皆の目につきやすい所にかけられている

私の係は記録であるが、児童と教師の仕事の内容打ち合わせの時出張していたので詳しいことは知らなかった。先生に伺うと、「生徒がちゃんとしますから先生は時々見てやって下さい」とおっしゃり要点だけがいつまで教えて下さった。記録なら沖縄の運動会のように用紙をかかえ、運動場をかけまわる忙しいものだとの先入感があるので、折角の本土の運動会をゆっくり見学することも出来ないし、尚、カメラにおさめることも不可能故何か別の仕事に代ることは出来ないものかと少々不満に思っていた。然しあにはからんや、それは私にとって最高の仕事で二階の窓辺に腰かけ、のんびりと見ながら勝負が決まると校舎の壁に下げてある赤白の採点箱に数字を入れてゆく実にいい仕事であった。児童が一齊責任をもってやるので、私はカメラをぶらさげて全く自由な立場になり、思いきり見学することが出来た。この係を割当てて下さった体育主任の思いやりに初めて気がつき感謝に

たえなかつた。

児童の係（児童席、準備、応援団、記録、プログラム、審判、出発、衛生）は前日に仕事の内容説明を聞き、準備を整え運動会に臨むのである。応援団は男子で大きな赤白の旗を持ち、「フレフレ、アカ」と音頭をとり正々堂々と応援をする。子供達は採点板の数字に関心が深く、一喜一憂、しつかり応援もするが、相手の感情と書するようなことをするのでもなく、気持のよい実に徹底されたスポーツ精神で、この点感心させられた。

カメラにおさめるため、方々かけまわつたが昼食以外は一人としてつまみ食いをしている者がなく、各自の席（むしろ）について楽しそうに見、しつかり応援している態度には殊更驚かされた。この点沖縄は大いに見受うべきではなかろうか。

父兄も又大変協力的で保健部など一週間前に運動会用の服を販売したり、当日は売店も開いて稼ぎ、去年と今年の利益を見こしてテントを購入している。その他、賞品、召集、接待、受付案内などの係があつて献身的に働き、自発的に各係の仕事に当つている。

二年生のつなひき

他の学年はきめられた席で見学している

物売りは校内に入らず、校内の近くで幼児向きのお面や色とりどりの風車を売つているが、児童は殆んどのぞきこんでいない。

遊戯、演技の選択の方法は沖縄とほぼ同じであるが、全学年を通じて男も楽しそうに遊戯をし、いやな素振りを見せるのでもない。殊に六年生のユーモレスリなど、はたで見ていてほおえましくなり、PTAのフオークダンスにも参加した程であつた。五年生のミリタリマーチ以外はどの学年も男女組を作つてやる遊戯であり、競技に於いてはルールをきちんと守り、進んでやりなおすグループもまたまたあつて却つて同情したい場面も見られた。徒競技は一年生三〇米、二年生四〇米、三年生八〇米、五、六年は一〇〇米で一位は赤、二位は緑、三位は黄のリボンが配られる。

父兄の参加も割と多く、売店にいる婦人など前かけ姿でかけつけ、だるまひきをしている姿など気軽に参加出来

6年生のユーモレスク

温かい雰囲気をつくつてくれた。

進行がスムースにいき、十二時に午前の部が終り、給食としてドロップ、キヤラメルがあり、待ちに待つた楽しい昼食が始まつた。職員はあたたかいライスカレーで給食のおばさん達は一日中調理室で立働いている。

三年生の遊ぎ　楽しい遊園地

沖縄では演技などに使う用具やその他の装飾などで先生方も児童も忙しく働き、夕方遅くまでやつているが、総ての物が永久的或は半永久的に作られさし迫つてから慌てて間に合わせ的に作るようなことはしない。万国旗にし

ろ劣製であり、アーチ入退場門も鉄製ではめこむようになっており、その他運動会に使用される共通的なものは総て揃っている。これらは経済面にも関係するが何といっても保管が一番大切でなかろうか。毎年球入れの時の球や、紙の万国旗装飾用の花、立札などを作ったりしたも

ＰＴＡと６年生のフオークダンス

のだが、これは一時的なものに過ぎないのでこの点大いに学ぶべきことだと思った。備品を大事に取り扱う習慣は総ても通じて云えることであろう。

寄附の受付けもなく、プログラムの冊子の裏に商店の広告を募り、今年は六万円近く集まつた。この募集も保健部がやり、商店街である当学校区に於いてはプログラムの利用度も高く習慣になっているらしい。

観衆が熱狂するのはやはり学年リレで午前、午後の終りはこの競技でしめくくりがつけられ、このリレーの優勝チームにはカップが授与される。優勝は総会で決められ、今年度は二八対二二で赤組が優勝旗を獲得した。三六回のプログラムは予定通り三時三十分に終了し、国旗が降納され、万才三唱で秋の運動会の幕は閉じられた。

十月十三日　秋深き四谷にて

※（42頁より）

○小説やその他の文学作品を愛し親しめるようになったか。

指導計画案　〈第四時〉

本時の目標	作者の意図が強く表現されているところの研究
準備資料	不要

展開の予定

時間	おもな学習活動	指導の観点
5	一　本時の目標の確認 二　主人公正作が「非凡なる凡人」と評されるわけ	
10	1　家庭学習によって調べてきたことについて板書（多数の生徒で）	○要点をとらえる能力
15 20	2　その語句や文についての意見を述べる（句読点にも注意）	○正しい表現
25 30	3　板書した生徒から、その事から抽出の理由を述べさせる。	○適格な発表へ近ずける。
35	4　全生徒で意見を述べて主人公について考える。	○批判的な能力
40 45	5　作者の意図を明確にするためのまとめをする。	○主題に迫るようしむける。
50	次時予告（主題をつかもう）	

※（45頁より）

以上大まかに、本校児童の指導結果から生まれた留意点をあげてみた。

次に文教図書その他の楽器店に要望したい事をのべてみたい。現在本校の悩みは（これは沖縄全体的なものであろう。）吹口がすこし割れたために使用不能になった縦笛やリードが一、二本折れたハーモニカ等をどうするかと言う事である。他県では吹口だけを取り替える事もできるし、ハーモニカのリードも修繕可能だとの事である。沖縄でも何とかしてそのような事ができないものだろうか。

美しい音を生命とする音楽において音程狂いの楽器の害は言をまたないし、一本のリードの狂いのために新たに四〇仙も出してハーモニカを買わねばならないとしたら経済的にも痛手である。これらの事が解決されないとしたら将来の器楽教育に大きな影響を及ぼすことはまちがいないと思われる。これは、他の楽器についても言える事で早急に解決されなければならない問題である。

こうほう

一九六〇年十一月二五日に全琉中学校第二学年各校一学級あて道徳性診断検査が実施されます。前回の結果を本誌に掲載しましたのでご活用願いたい。

こうほう

※一九六一年度高校入試の問題作成も第一段階から細部にわたる検討の段階へ入った。十年このかた最少の受験生を対象に厳選を迫られるとすれば作問者の気苦労もまた異ったものがあろう。

※再度教育指導委員を迎えることができた。教育界は云うに及ばず全琉あげてその制度の継続を希望し、理にかなつた熱心な運動が達せられた結果である。初回にまさる成果を期して待ちたい。

※教育指導委員を迎えた学校長、教科指導員ならびに学校職員の熱心な研修は既に始まっている。研修に当たる皆さんが地区ひいては全琉の教育進展のためにはやはり教育研修のセンターになるであろう。皆さんのご苦労に深謝したい。

※一九六〇年度の全国学力テスト（社会・理科）の結果の報告がぞくぞくまとまりつつある。十一月より早速全琉のまとめにかかるが、慎重に該教科の実態を分析したい。いずれ中間発表なり結果についての報告なり来春になると思うが、それにしても各校独自でテスト結果についての考察、指導の反省、今後の指導計画などに自校の資料を役立ててほしい。

※一九六〇年度の教育要覧をこのほど各連合教育委員会事務局を通じて各校あて発送した。お互いに過去一年を顧りみて次への飛躍へ資していきたいもの……

あとがき

職業教育の重要さは皆さん一応知っているつもりでいてなかなかその通りいってない。施設や教員構成ではことに悩みが大きく、いろいろあい路がことごとくかべをなしている。勇敢にそれと本誌も対決したいと思いつつ本号も高校の職業教育の一端を紹介するに止まった。

先生方のご健斗を望みつつもこの面に対する・意見・希望・研究結果の紹介。とうとう心待ちにしたい。

本誌は、記事が ふくそうし、 印刷のつごうで 十月、十一月の合併号とした。

八月のできごと

一日　教員夏季講習（前期）開講
青少年不良化防止運動始まる。
上京中の大田主席は藤枝総務長官と会談
第七回全国高校珠算競技大会の読みとり暗算の部で首里高校一年比嘉康弘君が二位、商業高校二年玉元広一君が三位を射止めた。

二日　上京中の大田主席池田首相と会見沖縄に対する経済援助に協力を要請す。
中央高校第一回卒業式
給食用のメリケン粉が国際カトリック奉仕団から一五六万ポンド入荷

五日　日本書道連盟沖縄総支部主催第一回全琉書道展（五日～九日、壺屋小学校で）

六日　全日本自治団体労働組合沖縄県連合会の 結成大会（那覇市民 集会所で）

七日　台風九号トリックス沖縄宮古間を通過、平均風速二十三米、与那国で突風三七米

八日　教職員会、上京中の大田主席に対し本土指導委員の派遣を強力に推進してほしいと打電
米国国防次官補フランクリン・B・リンカーン氏（会計検査担当）来島副主席と会見

九日　全琉教育長定例会で一九六一年度用教科書採択について協議（八汐荘で）
沖縄中体連・文教局共催全琉中校バレーボール大会（寄宮中校で）
NHK主催沖縄水連沖縄中体連主管の第六回全日本中学校水泳通信競技の沖縄大会（首里プールで）

十日　夏季講習前期終了。
教育長研修会（那覇教育長事務所で）

十一日　教職員会主催第二回母親と女教師大会（教育会館ホール）

十二日　教職員会主催南部地区器楽講習会講師東京都文教区立明化小学校教諭友利明良氏（教育会館ホール）

十三日　自民党代表ブース高等弁務官と会見、指導委員派遣等を要請

十五日　屋良教職員会長、喜屋武同事務局長はアンドリツク民政官、キンカー教育部長と会見、指導委員受入れについて要請

十六日　第四回全琉社会福祉大会（教育会館ホール）

十八日　米国軍要員労働組合民政府支部組合の結成大会（教育会館で）

十九日　文教局、沖縄青協主催の青年指導者研修会（糸満高校で）

二十日　全琉教育委員長研修会（商業高

校で）

二十二日　首里、那覇両高校主催第一回模擬試験

二十三日　那覇市幼稚園教師協会主催造形教育講習会（久茂地小学校で）講師は愛知学芸大教授鈴木三五郎氏

二十四日　文教審議会で連合教育区の統合問題について主席に答申

二十五日　早稲田大学考古学教室大川清氏は文化財保護委員会多和田主事とともに高麗瓦を発掘

二十六日　フリーゾーンでトランジスターラジオの製作操業開始

二十七日　開港六周年泊港「港まつり」人民党大会）沖縄会館）

二十九日　夏季講習後期終わる。

三十日　文化財保護委員会で玉陵（タマウドン）の現状一部変更申請を許可

三十一日　文教審議会文化センター設置について答申内容をまとめた。

九月のできごと

一日　ノースウエストジエット初就航

二日　夏季講師団との座談会

三日　文化財保護委員新しく任命さる。

五日　皆既月食あらわる。

七日　第二学期始まる。

琉大教育学部教育実習始まる。

琉大農家政工学部教授島袋俊一氏は北海道大学に学位論文を提出中であつたが同大学の教授会をパスした。（農学博士）

八日　パン給食再開

フリーゾーン内で操業を開始した琉球軽機のトランジスターラジオ二千四百個アメリカ向け初出荷

九日　中央教育委員会教育長定例会（コザで）

十一日　沖縄タイムス社主催日本棋院沖縄支部後援第六期本因坊戦で新鋭山田潔三段が本因坊のタイトルを勝ちとつた。

十二日　中央教育委員会定例会は改築校舎の割当補助金交付に関する規則可決

十三日　中央教育委員会で高校長の小異動行なわる。

十四日　中央教育委員会では本土指導委員の継続派遣を再びブース高等弁務官、アンドリツク首席民政官、ギーリス副民政官に要請した。

十五日　文教局主催の工業高校の機械、電気、自動車三課程の実習公開と実習作品展示会。

十七日　文教局で中校の教育課程審議会始まる。

十八日　本土政府派遣教育指導委員を民政府が受入れ決定して主席が発表した。

大平洋地区 米陸 軍最高 司会官L・D・ホワイト大将は在沖米陸軍部隊を視察するため空路来島

第十回高校新人野球大会始まる（那覇高校で）

沖縄高体連、中体連共催の第八回全島高校水泳大会と第二回全島中校水泳大会（糸満プールで）

十九日　小波蔵文教局長本土指導委員受入れについて発表。

二十日　沖縄PTA連合会の定期総会

第十八回日留研究教員十三人出発

二十一日　教職員会婦人部長会開く（教育会館で）

二十五日　沖縄生物教育研究会主催高校生物展示会（教育会館ホールで）

国民指導委員教育関係に比嘉信光（文教局職業教育課長）当銘武夫（豊見城中校教頭）国吉有慶（中教委副委員長）が決定した。

大田主席アンドリツク民政官との定例連絡会議で発表、

小波蔵文教局長本土指導委員派遣折衝のため上京

二十五日　第四回全島定時制高校陸上競技大会（知念高校で）

二十四日　琉大農家政工学部教授島袋俊一氏の農学博士学位授与祝賀会（八汐荘で）

二十八日　沖縄タイムス主催第八回全琉小中高校図画作文書道コンクールの小学校図画の部展示会（タイムスホール）

琉大理事会で普及課を廃し、記録課の新設を決定。

二十九日　社大党第十三回定期党大会（沖縄劇場で）

上本部村議会堂焼ける。

三十日　教育指導委員派遣の事務打ち合わせのため上京中だつた小波蔵文教局長帰任。

文教時報

（第七十号）（非売品）

一九六〇年十月十二日　印刷
一九六〇年十月十五日　発行

発行所　琉球政府文教局
研究調査課

印刷所　那覇市三区十二組
ひかり印刷所
電話(8)一七五七番

文教時報

71

1960.12　　No.71

琉球　文教局研究調査課

巻頭言

非行少年と学校教育

研究調査課長　喜久山　添采

六、三、三、の新学制によつて、義務教育の年限が、一挙に三ヵ年も延長され、満十五才までのこどもが、ひとしく教育を受けることになつた。このように戦前にくらべて年令の面でも、数の面でも拡大されるようになつたので、青少年児童の非行問題について、学校教育が関与する分野が、いちじるしくひろがるようになつたといえよう。児童保護法にいう「児童」というのも満十八才未満のことであるから学校の生徒でないものは少数しかないのである。しかもかつては、非行少年は、知能が低かつたり、性格が異状だつたり、家庭の貧困や不和などの事情があるものだとされていたが、最近では知能も普通で、家庭も正常な場合にも、非行をする子どもが多くなつている。このような少年非行の一般化の現象は、学校教育としても重要な問題で、都市、農漁村、或いは小、中、高校と言わず、いずれにおいても教師の充分な注意が、なされなければならないだろう。

この対策は単に学校ばかりでよくなしうるところではなく、各機関、各団体が相互に連けいして、保護指導してこそはじめて充分な成果をあげうると思うのであるが、学校としては非行化した少年の善導はもちろんのことながら、最も大事なことは非行を未然に防止すること、すなわち放置すれば非行につながるおそれのあるこどもを早期に発見し、指導することが最も重要な仕事と言えよう。

学校としての非行対策の本道は実に問題児の早期発見と早期の指導にあると言わなければならない。ある人が非行児を調査したところ、その八十パーセントが、すでに小学校五、六年の時に問題行動があつた、と言っている。もしその時に「悪の若芽」をつむことができたら、非行化を防止することができるはずである。しかし学校で教育する児童、生徒は能力、性格、環境等それこそ千差万別で、これらの児童、生徒のいずれをも放任することなく、すべての者を望ましい方向に発展させようとしながら、しかもその間において問題児を早期に発見し、早期に指導するということは生やさしいことではない。燃えるような熱と愛を児童、生徒にかたむけてこそ、はじめてその成果をあげうるのではないだろうか。

目次

道徳教育の底辺は何か

学校教育課　松田州弘

去る十二月一日から三日間にわたつて行なわれた指導主事研修会の席上、文教局長は「教育は、もつともつと魂のふれあうものでありたい、形の上での学級担任でなく、ほんとに自分の学級の子どもたちとしかつかり心のふれあう教師でありたい。沖縄の教育も、不満足ながら一応の形の上では整備されつつある時、今後は、子どもたちをしつかりは握しようとする師魂こそふるいおこすべきである。」と、声を大にして話された。

今度の指導委員の方々がある場所で沖縄教育についての所感を発表しあつた。その席上で、「とかく教室をのぞいて感ずることは、教師と生徒がこまがあつていないように思われる。教師は教師のカラにとどまり、生徒の中にとびこんでいない。教師の心のむかつていることと、生徒の心のむき方がまちまちであるように思われる。いいかえたら教師はしつかり子どもたちをは握しているのか、また、は握しようとつとめているのか、その点について心掛けているかもしらないが表面キャッチすることができない。」

この二つの話の中に、われわれが当面する教育の重要点をとらえなければならない。道徳教育は、教育の全領域で行なわれることをたてまえとしながらさらに領域をととのえて、一層の深化拡充をはかるために時間を特設しているのである。それは道徳に関するすべてのことが特設された領域にうつされたことではない。道徳教育の底辺は、むしろ学級生活の中の生徒と生徒、生徒と先生の人間関係の中にこそ基礎づけられているのではないだろうか。いくら道徳教育をさけび、いくら特設道徳の時間的分量を増したとしてもふだんの学習活動や学級の諸活動、あるいは学校全体のきりつがそれと反する場合は、学校における道徳教育はまさしく画餅のようなものである。学級の備品用具は乱雑におかれ、落書きの後はあるままに放任され、それに対する適切な補導がほどこされず、学校全体の生活の中に何らの規律もさししめされず、学習の態度も補導されないままに、すすめられ、ただ教師は、時に教科書のためのテープコーダーのような役目をはたすだけにとどまるとするならば、人間形成どころかむしろ人間性悪説を肯定するわけではないが全く性悪の培養の場所にしかならない。

道徳教育は決してむつかしい教育技術の中にひそんでいるのではない。決して広い内容をもつ年間計画の中にあるのでもない。その底辺は教師と生徒との間にかよう人間的なつながりの中にひそんでいるものであり、その効果はよりよい学級としての集団生活のいとなみの中にあるものと考える。

この底辺なくして道徳教育はありえない。局長の「魂のふれあう」ということばはこのようにうけとりたい。

指導員の「教師は子どもたちをしつかりは握しようとたえず心掛けているのだろうか」という所感の意味も、その底辺の所在をさしているように思う。

特に小学校においては生活の基本的行動様式という大きい目標が重要な内容としてとりあげられる時であるだけに前述した道徳教育の底辺にしつかりたたない限り充分の効果は期待できない。

学級づくりやよりゆたかな人間関係が不良化しようとする一歩手前の子どもを救つた例はよくきくことであるが、反面そのことがうまくいかなかつたことが原因してとりかえしのつかない結果になつてしまつた例もまたみのがしてはならない。

もし教師がその担当の子どもたちを身近かには握しようとする心構えがないとするならば、これこそその学級の子どもたちにとつて最大の不幸なできごとであろう。もち論ここでいう道徳教育は学校教育という領域の中でのことであり、担任教師としては指導に当たつていろいろと制約される場面や機会もあろう。いろいろの家庭環境や、十人十色の子どもたちをかかえているだけに、子どもたちの実態をは握することについては、予想以上の困難もある。そのようにより困難なことであるが故にこそ、そのための一層の努力がはらわれるべきである。定期的にきまつたように行なわれる家庭訪問の時だけだではない。学校の校門を一歩ふみこんだら、私たちの「子どものありのままの姿をは握しようとする心掛け」をもつことが常にその機会をつくつてくれると思う。道徳教育の底辺は子どもたちの実態のは握であり、その上にたつて魂のふれあう場所をもち、その中からより適切な領域としての計画や指導の方法が見出されてくるにちがいない。

（指導主事）

実務学園をたずねて

編集部

―教室全景―

最近の少年非行の傾向は、悪質化したこと、集団化したこと、低年令層にも及ぶ様になつたこと等であるといわれる。

非行を事前に察知して教化することの大切なことや、非行児の適確な取り扱いについての意見はしばしば耳にするところである。しかし、正直にいつてだれがいつ非行化するかわからないという緊迫感は、私たち多くの教師には感じない。それは取り扱つている児童生徒のほとんどが安定した日々を送つており、非行化するおそれを感じさせないからである。

ところが非行は思わぬことが動機となつたりする。その幾つかは未然に防ぎ得るものでありながら、容易に複雑で教化困難な結果をまねくものである。

社会から取りのこされ、社会のやつかいもの扱いにさえ考えられている彼等非行児を、更生させるために寧日ない実務学園を一日たずねてみた。以下に紹介することはこの一部である。客観的な記述をと考えていたことが、説教めいた文になつたことと、具体事例を全く紹介することができなかつたことは残念である。

普通学校の特殊学級的 実務学園の存在

那覇市大名町の現在地に実務学園が設置されてから十年近い。学園のある一帯は眺望のよい高台で、耕地に囲まれた閑静な所である。約七千坪の広い園地には教室、職員室、事務室、児童宿舎、職員宿舎等の恒久建物が建ち並んでおり、園児全員が合宿するために、風呂場、医務室、被服室、物置、炊事場等が完備している。そのほか職業指導のための木工室と塗工室、レクリエーションホーム等があつて、これ等の設営に並々ならぬ努力をはらつたあとがうかがわれる。

運動場とテニスコートで一八〇〇坪、農場は一四〇〇坪といわれ、甘藷やきびの耕作が行われているようである。

実務学園は社会局に属している。児童福祉法によつて設置されたもので、教科に関する以外は文教局と直接かかわりをもつことは少ない。児童福祉法は、小学校就学の始期から、十八才未満の児童で保護更生を必要とした児童のためのものである。社会福祉事業が専ら児童のために行われるものである。

実務学園が社会局によつて設置され、その事業が同局職員によつて行なわれているとは言え、入園する児童は、ほとんどがかつては学校に籍をおいていたはずである。また学園で教化されてよくなつた児童は、当然学校へ戻されねばならない。学校（市町村駐在の福祉主事）→中央児童相談所→学園といつた一連のつながりは、非行児の更生のための一時的措置であるに限ぎない。したがつて義務教育学校において教育することが望ましくない児童の教育を、ある期間依嘱されることで、義務教育学校の教育をセーブしてあげているとも言える。知名園長が、「学園は文教局の特殊学級だ。」と言われたが、学園存在の意義をよく表現していると思う。

それで学校と学園の両者は密接に連係を保たねばなるまい。即ち学園は義務教育学校から孤立してはその存在がまつたく異なつたものになると考えるのである。学校から学園へ入園する児童を学園が快く受けることも、学校へ復帰する園児に対して学校側の積極的な協力が要請されることも当然のことである。

義務教育学校を一時脱落した児童を更生させ再び義務教育学校へ送る。それが社会不適応児であるだけに、その教化は苦労の連続である。それは地味なつとめである。教育という任務を負いながら社会問題とも対決しつつ果さねばならない性格をもつている。苦労のあげく更生した児童が再び入園することもある。だか

ら退園した児童にもたえず教化の目を注ぎつづける。

実務学園は実にそのように私たち教育者と共通な任務をもち、しかも学校の果せないところの使命をになっている。

どんな児童が入園するか

さて学園にはいかなる児童が入園するか。下表を見ると現在入園者のほとんどは、既に不良行為の習癖化している児童である。園児の多くが非行を幾度か重ねている。たいていは入園前長欠であった

児童の宿舎、中央は炊事室と風呂場

り、不就学であったりしている。要教護児としては強度の者が多数を占めている。

このことは学園が、危険な性格異常児で満たされ、不穏な空気のただよう。おそらくは教護より看視することを主とする所であろうとの、一般の誤解を生むもとにもなろう。事実、教護もなかなか困難である。しかし柵がなく全く開放された学園はむしろ自由な親和感をかもしだしている。入園してから、よくなろうとする努力が多くの児童に表われ始めるのは見逃せない。

入園前の経歴はさまざまである。在園期間はもち論一定しない。退園の時期も不定である。学校へ復帰する児童もおれば、治療の効果がなく少年刑務所へ送られる児童もいる。施設の現段階では専ら不良行為を行った児童の教化に集中しているから、児童福祉法第四十九条の示す非行をなすおそれのある児童を入園させるまでにはいたっていない。

非行をなすおそれのある児童といえば普通学校でも幾人かいる。非行へおいやる条件、例えば家庭が非行化の誘因をもっているといった家庭、その家庭の児童も非行をなすおそれがあると見なすと、対象は学園の収容能力ではとても教化できないことになる。

入園している園児の一般的特性をあげると、

。家庭的ふん囲気を知らずおちつきがない。
。強情でけんかばやい。
。公共物の愛護の念に欠けている。
。日常生活における基本的しつけがほとんど身についてない。
。協力性が欠けている。などである。

園児たちは感情制御とか持続性とか、忍耐性とか節制など、意志的欠陥が目立っており、衝動的で即行的なのが園児の

花だんのある宿舎の外観

入園児（年令別）（一九六〇年）

才	人数
9	1
10	4
11	0
12	1
13	1
14	4
15	3
16	3
17	1

入園理由

理由	人数
せつ盗	九
せつ盗（軍裁）	二
乱暴	一
家出浮浪	六

退園

内訳	人数
独立	三
就職	四
家庭復帰	七
少年刑務所	五

退園者の在園期間

期間	人数
〇・五年未満	三
一 〃	一
一・五 〃	一
二 〃	三
三 〃	二
四 〃	三
五 〃	二
五年以上	四

現在入園中の児童の入園前の所在地

市町村名	人数
那覇	一二
豊見城	一
糸満	三
玉城	一
南風原	一
コザ	四
嘉手納	六
西原	一
具志川	七
北中城	一
北谷	一
浦添	一
宜野湾	一
読谷	一
金武	一
名護	一
本部	一
八重山	二
宮古	二
知念	一
美里	一
石川	一
施設	三

入園前の最終学歴

学歴	人数
小学一年在校	二
二	六
三	四
四	一一
五	八
六	七
中学一年在校	四
二	五
三	五
中学校卒	一
不就学	二

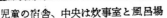

一般的性格とでも言える。

一九五九度は一八名が入園し、十九名が退園した。五一年四月から六〇年三月までに二九三名の児童が学園で教化されている。五八年、五九年の退園者の内訳は、家庭復帰四八・九%、就職二九・八%、施設変更二・一%、長期の無断外出九・三%、少年刑務所四・九%となづている。

教護の第一は生活指導
道徳教育の重視

学園の教護方針は、端的に言つて、児童を社会の誘惑や不良環境から遠ざけ、情緒の安定をはかり、学園生活の日常訓練で性格を改善し、よい習慣を身につけ、早く学校へ復帰させることにある。そのために教護の第一に生活指導の強化をあげている。また道徳教育と日常の生活訓練が最も重視されている。教科や学習内容は義務教育学校と異ならないが、入園者のほとんどが長欠で、知能が低いため学習指導はスムーズにいかない。それで学園では主に個別指導が行なわれる。グループをつくることや指揮者を固定することはボス化のおそれがあるためにつとめて避けている。しかし児童たちは常態では孤立している。個々ばらばらに行動する。共同生活の態度が身についていないからであろう。

個別指導の指導経過はケース台帳に記録される。それは極秘の文書であるだけに教師の主観をまじえずに客観的事項が克明に記録される。一人一人ケースワークを辿るからケース台帳がたえず指導の際に使われる。

ケース台帳とともに大切な記録は指導要録である。しかし学校から園児の入園の際送られる指導要録には概して不備が多い。家庭環境の記録を欠いたのや、性行に触れないで送られるのが多いのである。問題行動のある児童の家庭こそ詳細に記録されるべきであるから、一齊に行われる家庭訪問の時期を待たずして、早期に調査、記録し、未然に児童の非行化を防ぐことに役立てて欲しいものである。長欠児の場合ならなお一層適切な処置が一刻も早くなされねばなるまい。

園児の父兄の大部分は、教育に関心がない。在園中その父兄が教育に関心を示すのは極めてまれである。それは更生のむつかしい原因の一つになろう。入園児の一般的特性としてみられる。生活態度のよくないことや社会性の欠除は、家庭生活が遠因している。学園が家庭的ふん囲気に包まれるよう配慮されているのはそのためと解される。

生活指導、道徳指導、教科指導、それに職業指導と保健指導が教室と宿舎とで一貫して行なわれていることは、指導の効果が大きい反面問題がいろいろある。それは学園が今後解決せねばならない問題でもある。

児童と職員の宿舎全景

整備された、テニスコート

家庭状況保護者

保護者	人数
両親	一二
実母	六
実父	八
実父継母	八
実母継父	六
祖父	二
祖母	四
実兄	二
実姉	二
おじ	二
おば	一
いとこ	一
親せき	一

扶養者の生活程度

程度	人数
費用負担有	八
普通	四
貧困	一四
極貧	二
生活扶助	五

年令別園児数

年令	人数
七～一二才	九
一三～一五	二四
一六～一七	一五
一八才以上	七

田中ビネ式
在園者の知能状況
（四八名）

知能指数	人数
六〇以下	八
六一－七六	五
七七－九二	九
九三－一〇八	一

W・I・S・C

知能指数	人数
六九以下	五
七〇－七九	五
八〇－八九	四
九〇－一〇九	九
一一〇－一一九	二

更生する者しない者

早期治療は更生の重要なかぎ

環境を浄化し、児童が、自由な気分で衣食住ともに満ちたりた生活の送れるよう、先生方が献身的につとめても、やはりおちこぼれる児童がいる。

治療効果のある児童とない児童について概して言えることは、

。治療効果のある児童は、

イ 単純な家庭環境によつて問題になつたもの。

ロ 知能指数があまり低くなく、または性格異常の軽度のもの。

ハ 思春期にはいらない児童、問題の早くみつかつたもの。

運動会準備にいそがしい園児と教師

ニ 更生することを自覚したもの。

ホ 家庭との結びつきができたもの。

。治療効果のない児童は、

イ 入園して二年以上にもなるが、何等心情に更生の努力を見出さない遺伝的素質をもつもの。

ロ 無断外出をくりかえし学園におちつかないもの。

ハ 性格異常、精神薄弱または精神病質なもの。

ニ 不良癖のとくにあるもの。

ホ 家庭が全く無関心なもの。等である。日頃多くの児童を指導している学校の先生方にとつて、ここで直接かかわることは問題を早期に発見するということである。早期治療が更生の上に最も有利であることから、早い時期に問題行動の発見、その適切な診断と治療または措置を施すことが何よりも必要になつてくる。したがつて治療の時期、それは更生の重要な鍵であるといえる。それをにぎつている者の一人として私たち教師は、少年非行の問題にさらに関心をもち努力を払わねばなるまい。

学園から学校への要望

学園から学校への要望は少なくない。治療の効果を増大するためと、退園した児童のために学校へ配慮してほしいことを列挙してみると、

。園児は例外なくひがんでいる。外部へ出ると園児であることが知れるのを極度におそれている。しかし、園内では、更生のために努力しているという自負心がある。園児が外部で非行を働くと微妙にそれをキャッして、学園の対面にかかわると気にする。この両面にひそむ心理を十分理解せねばならぬ。

。園児は普通学校へのあこがれをもつている。反面にがい思い出や普通児との間にできた心のみぞを意識しすぎる。したがつて退園して学校へ迎えられた児童の不安を排除することがまず必要である。

。問題の児童はなるべく早期に送つて欲しい。

。教科指導がここでは普通学校のようにスムーズにはいかない。したがつて個別指導がどうしてもある期間必要である。

。義務教育学校の卒業期を学園で迎えて実社会へ出ると、多くの人から危ぐの目で注目される。将来のためにはやはり元の学校の卒業生だという喜びと誇りをもたせてやりたいものである。

。学園に送つた方がよいか、学校で指導する方がよいか、その決定はなかなか微妙である。しかし普通学校で指導上問題である児童があれば、ちゆうちよすることなく訪問教師なり、中央児童相談所なりの指導と意見を仰ぐ方が望ましい。

おとなに望む子どもの声

子どもはおとなに何を要望するか次のことは、その調査をしてみて得た結果の一例である。

1 **おとなともつと楽しく話し合う時間がほしい。**家でも、学校でも社会でも、まじめに親しく話合えるおとなの存在は子どもの非行化をきつと未然にふせぐでしよう。

2 **親がもつと私たちの生活に関心をもつてほしい。**服装や、読物や、小づかい銭などにもよく気をつけてもらいたい。

3 **親や先生はもつと私たちの気持を理解し愛情をもつて導いてほしい。**叱る前に、もう一度子どもの身になつてみる。反抗期には反抗期の、思春期には思春期の、といつた年令の上からと、内向的外向的といつた子どもの性格の面をよく理解してほしい。

4 **私たちに害のある社会のいろいろの事がらをおとなの人たちが力を合わせてとり除いてもらいたい。**

5 **何が善いことで何が悪いことかがよく理解できるよう指導してほしい。**

6 **おとなは何でも直接導こうとばかりしないで親しみある兄さん姉さんたちを与えてほしい。**

学園内の刺傷事件を契機として

那覇地区訪問教師　当間賀助

刺傷事件のもよう

これは一九六〇年十月十五日土曜日の朝那覇市内のN中学校で起つた生徒間のナイフによる刺傷事件のてん末である。

当時日本国中を震憾憤激させた浅沼委員長刺傷事件の直後であつたので、マスコミをとうして速報されたこの事件は、関係者並びに世人に一大衝撃を与えた。青年に戒むべきは血気の勇であり、少年に戒むべきは衝動であることを今更ながら身近に見せつけられた感じであつた。事件の概要は次の通りである。

加害者N被害者Kとは二年の同級生である。当時始業前二人はいつもの通り運動場で簡易野球をして遊んでいた。時あたかも職員朝礼で先生方は職員室に集まつていた。バッターはNの番になつた。そこへ順番を無視してKが棒ぎれのバットを奪つてバッターになろうとした。この順番あらそいから口論してけんかになつた。NはKに尻をけられあごをつかれ、バットで耳の後をたたかれた。そこでNはカットとなつて学校近くにある下宿先の叔母宅へナイフをとりに行つた。ナイフをポケットに入れて学校にひきかえし校門を入るとそこにKがいた。

Kの感情は再び燃えさかつてNを見るなり「こつちこい」と云つて運動場の西側にひつぱつて行つた。柔道場近くまで来た時Kがなぐりかかつてきた。それに応じてNも亦なぐりかえした。それから乱斗となつてついにNはポケットからナイフを出した。Kはためらつたが「ナイフを持つても何ができるか」と云つて又なぐりかかつてきた。Nはめくらめつぽうにナイフを振りまわした。もう何も覚えていない。とうとうKは腹と肩をさされた。

Kは腹をおさえて「後で仕返しをする」と云つて教室に歩き出した。Nは放心状態で立つていた。教室まで歩いてきたKはあおざめた顔でくずれるように腰掛に座つた。級友達は背中の血を見ておどろいて先生に知らせた。担任の先生はビックリしてかけつけてきた。級友と一しよにとりあえず衛生室にはこんで仮ほう帯をしてすぐ学校のジープで市内の病院に運んだ。

Nは職員室で取調べをうけた。Kの傷は病院で調べたところ胃の下側で巾一糎深さ腹膜に達する程度であり、肩の方は巾一糎深さは肩甲骨をすべつて長さ九糎に達していた。腹の方は内部検査のために更に切開され全治までには三週間位の傷となつた。

当時校長は三日前からかぜをひいて欠勤なさつていたので教頭は現場措置をしてすぐ校長の私宅へ報告に行つた。既に正午をすぎていたので、関係当局への報告はまだなされていなかつた。那覇署からはすぐ現場調査がなされ本人並びに保護者の取調べのために出頭命令が出された。新聞記者のききこみによつて月曜日の朝刊はトップ記事で大きく報道した。それで教育長事務所は始めて知つた。

事務所職員はこの事件の記事を見ていろいろの批判で持ちきつているところへ校長、教頭が悄然として報告にこられた。事務所ではつぶさに報告を聴取して後「文書報告」を示達し、事務所からもすぐ情況調査と前後措置がすすめられた。

月曜日学校に行つて実情調査をして見るといく分新聞記事と相違した点があつた。事実は要約して前述の通りであつた。

学校のとつた処置

校長、教頭、学年主任、担任といろいろ補導面、措置面について話し合い、①学級ガイダンスの強化　②双方の両親の和解と本人同志の補導　③ナイフの所持禁止と各級鉛筆削り器の設置等を話している所へ呼び出しをうけていた加害者の両親が下宿先の叔母さんと本人をつれて校長室に来られたので皆で補導した。

本人から当時の模様を詳しくきいた。その中でも次のような心理状態には注意をひくものがあつた。

問「くやしさの余り家からナイフまで取つてきてけんかをしたが日頃のうつぷんをはらすつもりであつたか」

答「始めはおどすつもりでありましたがけんかの時には分らなくなりました」

この児には最早理性の限界を越えていた。

保護者達へは　①子どもの補導について　②入院費の負担について　③被害者への見舞訪問について話しているうちに「那覇署に直ぐ行かねばならないから」と言われたので話を打切つて「那覇署の訊問には正直に答えて素直に責任をとるように」と言つて帰した。

学校での話し合いがすんで事務所に帰る途中病院に被害者を見舞つた。Kは三八度の熱でほう帯されて寝台に横にね

かされていた。

　母親がつききりで看病していた。親せきの見舞人も五人見えていて加害者の非難をしていたがもつともなことである。
①養生につとめ早く那覇署の取り調べにも応じられるように ②親同志本人同志がよく話し合うように等言つてそこを辞した。
　学校では職員会が開かれて学校ガイダンスの強化が打合わされた。生徒会には①規則を厳重に守ること ②級友に対しては嫌われたり憎まれたりするようなことはしないこと ③どのような理由があつても暴力は用いないこと等が厳達された。又全父兄に対しては事件の真相報告おわび状、諸注意、学校と家庭との緊密化、学校への協力依頼等がプリントされて配られ、又事件報告書が水曜日に教育長事務所に出された。那覇署では事件を重視して証拠品を集め調書を整え事件送致をすることに決まつた。

NとKの性格と環境

　次に子どもの素行環境について記してみると、加害者Nは今年の四月十六日にコザ市K中校から転校してきた。指導要録には行動に表裏あり、野球やマンガを好む。柔道部員とある。父は現役二年上等兵で退役軍属として満洲で五年、戦後帰還してコザで製材業を営み五人の子どもと一しよに、作業場と二部屋で、親子七人暮しであつた。生計は上位、教育には熱心で長男であるNを大学教育までさせたいために那覇の妹の所に下宿させていた。

　コザではやがましくて勉強のじやまになるからと云つて。叔母宅にきたNは無口ではあるが家庭でも子ども達をかわいがり学校の出席もよかつたが学校ではいつも皆から田舎者あつかいされ、そのために学校がいやになりコザに帰りたいと云つていたが父は「できるだけ辛棒して勉強しろ」といつていたところであるといわれた。

　被害者K者は市内牧志町で、父は陶器工五年の時肋膜炎を病い一か年休学、両親は子どもの体については神経質になり、あまやかされている方であつた。体力ができるようになつて野球が好きになり、友達に対してからかいも多く女生徒からはいやに見られていた。学級でのボス的存在であつたが非行といつてはなかつた。家庭では憶病の方でけんかになると逃げだす方だと母は言つていた。

　しかしNは平生からこのKによくいじめられていた。NはKより一つ年下で体力も運動も口論もKには及ばなかつた。Nは家庭教育上過重に勉強をしいられ、Kは割合あまやかされていたが二人の素行には相似た所があつた。

暴力排除生活指導強化のために

　事務所ではこの事件を契機としていろいろの話し合いが持たれた。

　とかく今までに秘密裏に事件を処理しようと云う風潮があつたがこれではいけない。それはちようど罪人の母親が罪を軽く見て我が子をかばうようなもので心理の常道ではあるが、大衆教育上どこまでも罰は罰とし罪悪をにくむことを充分に知らさねばならない。暴力は総否定されなければならない。いやしくも秘密主義があつてはならない。

　それで事務所では学校ガイダンスの強化をはかるために補導主任会、校長会を開催することになつた。十月二十五日初めに補導主任会がもたれた。いろいろ論議がかわされたが、ナイフ所持禁止の問題で相当時間がかかつた。一つの意見はナイフは学用品の一つであり、日常使用するものであるから使用上のしつけ訓練を充分すればあえて禁止する必要はないと云うのと、今一つは兇器にもなりかねないからこの際全面禁止すべきだとの意見であつた。これに対して結極犯罪防止の上から環境を整備することは重要である。鉛筆削り器は能率的衛生的であるから各級備えた方がよいとの意見に決まつた。

　因にこの事件を契機としてナイフ所持を禁止している学校は既に七校に及んでいた。話し合いの要項を列記してみると次の通りである。

学校ガイダンスの強化について、

一、級友関係について
1、友達は仲よくして何でも相談できめよう。
2　自分達で解決できない問題は先生に相談しよう。又自重して責任ある行動をしよう。
3　きそく守つて生活しよう。
4　けんかはやめさせよう。又先生にも知らそう。
5　お互いに注意すべきこと
・友達のうらみをうけるようなこと
・友達をおこらさないこと
・ゆすりおどしらんぼうからかいつげ口等しないこと
6　らんぼうな子にはいきりたたないこと

二、師弟関係について
1　子どもの生活の中にとけこんでいこう。
2　この子はどんな素行をもつ子だろうか絶えず関心をもつておこう。
3　余暇の非行には特に目をつけよう
残虐・粗暴・恐喝・ゆすり・ボス化・友人いじめ・けんか好き・反抗英雄気どり・虚栄・窃盗・いやがら

せ・からかい・悪口・かげ口・つげ口・遅刻早引ぐせ・夜間外出・外泊家出・長欠・憂うつ・孤独・所持品服装・買喰い・映画・雑誌

4 補導は別室で必らず一対一でやろう。

5 悪癖は家庭とも連絡して早くなおそう

6 警察補導児は親身になつて補導しよう

三、学校関係について

1 校内補導委員会をつくろう

2 ホームルームのガイダンスを強化しよう

3 事件がある時は関係当局にもすぐ報告をし対策を講じて早目に報告書を出そう

4 PTA交番ともよく連絡しよう

5 週番活動生徒会活動を一層強化しよう

四、PTA、家庭関係等について

1 子どもを甘やかして助長させたり厳格すぎてまがらせるようなことはしない。

2 子どもの非行は早く先生や訪問教師に連絡しよう。解決できない子どもは児童相談所と相談をしよう。

3 子どもから相談をうけた時はその身になつて考えてあげよう。

4 懇談会等教育行事には参加してその事情をよくきくようにしよう。

等との会合には那覇署の少年係主任Aさんが出席して暮れるまで話し合いがつづいた。なお証拠のナイフその他不良児が持つていた飛び出しナイフ、短刀数種仲間のしるしの首かけ十字架等を見せられて今さらながら今時の子どもの所業に恐がくあ然とさせられた。

十月二八日地区校長会が催された。各校長ともこの事件には重大関心と決意を持たれていた。事務所内でもホームルームの先生の配置と生徒の生活指導のあり方については強い批判がなされていた。校長会当日は主事から批判説明が加えられ申し合わせ事項として次のようなことが話し合われた。

生徒の生活指導について

一 職員が生徒を完全には握する

1 生徒の生活の中にとけこむ

2 生徒の自律心に頼りすぎない

3 担任の学級づくりを強化する

4 教科学習時間における生徒の掌握

5 進学しない生徒に対する積極的指導

二 職員生徒が一体となつて学校づくりの気運をもりあげる

1 連帯意識を基盤にした職場づくり

2 生徒会の指導と育成

3 校風の樹立

三 情操教育の重視

1 あれた学校あれた生徒ではいけない

2 公共物の愛護

3 環境の美化

四 非行対策

1 校内補導委員会の組織強化

2 週番活動と記録指導

これは監視的役割りより補導的役割りを重視する。

3 臨時服装検査非行調査

4 安全な鉛筆削り器の奨励

5 面接補導室のくふう

6 家庭や関係機関への迅速密接な連絡等

結び

最後にその後のいきさつを記しておこう。加害者Nは毎日のように病院を見舞訪問してKをなぐさめ二人はだんだん元の友達になつてきた。双方の親同志は加害者の親が「あなたの子が悪かつたので刺されたのだ」との言分に対して一時被害者の親を憤激させていたが「私が悪かつた。子どものしつけを今後充分にやります。又一切の責任は私が負います」とあやまつたので、両者の融和がとれてきた。

Kは十一月二日全治退院して二人とも出席するようになつた。地区では学校ガイダンスの強化に努力が払われている。

十月二十一日にはラジオ沖縄主催の非行児の母親Hさん桜坂の母親代表Aさん司会者編集部長Tさん、訪問教師Tの不良化防止対談会がもたれた。Hさんの長男は非行児で悪友につりこまれて抜けきらず那覇署の補導も数回うけた。Aさんの家庭は隣家の女給部屋にとりかこまれて子ども部屋のことに困まり移転まで計画されている様子等で子どもの補導に関する座談会が放送された。

十一月十二日には真和志中学校主催で問題児父兄十一人と児童相談所長外一人那覇署少年係主任外三人、訪問教師二人同校補導委員の先生九人で懇談会がひらかれた。ぢかに父兄の悩みをきき、これに対してそれぞれの専門職からの補導意見が出されて四時間の間話はつきなかつた。この情況はタイムス紙、琉球新報に連載された。

このように核心にふれる話合いの機会や学校父兄の体制が結束されつつある今日、問題児はだんだん数に限定されてきているのが那覇地区の現情である。

おとなはだれしもその良心(理性)で子どもを指導することができる。愛情と再保証があれば必らず子どもに信頼される親になれる。多くの問題児の親は殆んどといつてよい位叱る一方、戒め一方であるがこれは愛情の変形であつて常道ではない。いくらガイダンスの理論をきわめていても直接補導に当たる時は人格の触れ合いであることを忘れてはならない。

一九六〇年十一月十六日

問題家庭を訪ねて

大城　肇

S君　中学一年　14才

㈠　家庭状況と非行過程

父54才ニコヨン・母52才農業・姉22才バーテン（住込）兄17才実業高校二年夜学・本人Sの五人家族戦後父母共軍作業に出て小金を貯め生活もかなり楽であつたが父がビンゴに擬り始めたのが家庭破乱の元、せつかく貯めた金もビンゴに注ぎ込み、生活は苦しくなる。家庭内に風波の絶間無く遂に父は追い出されて別居、父が居ても困るが居なくなつてみれば、なお、父が慕わしく心の淋しさは消えない。S少年の心はすつかり痛めつけられ、小学校六年の頃から欠席がち、常欠、盗みをするようになつたが中学に入つてからも欠席がち、長欠、家出、放浪、盗み、それに親の放任、無関心が彼を家庭から遠ざけ、父ならず、母ならず、彼の心は次第に荒んでいつた。

そのような彼が現在教師のおかげで更生しつゝあるので、母の反省を切に望みたい。

学校からSの補導依頼を受けたのは五月八日である。以下はその後の補導のもようである。

㈡　補導経過

五月十日（火）区事務所で調べてもらつたのでS君の住所はすぐわかつたがあいにく留守である。

五月十二日木よう。きようも又だれもいない。しかし戸締りはしてないしかまどに火がたきつけてあるので遠くへの用達じゃ無さそうなので暫く待つことにした。

ジメジメした家の前は木の葉や塵芥だらけで気持ちが悪い。家の中もボロ包み汚れた着物が放り出され、寝具や家財道具が雑然と置かれている。これでは人間の気分が乱れてくる。

母が戻る。

訪「こんにちは、留守の処をおじやましています。」

訪「実はS君の件で来ましたがS君家におりすか、最近ぜんぜん学校へ出席してないようですが。」

母「先週の初め頃、床屋へ行くから金をくれと云つていましたがやらなかつたもんですからその晩から家出して帰つて来ません。」

訪「どうして又床屋賃ぐらい出してやらなかつたんですか。」

母「あの時兄の通学回数券の金はおいて有りましたが、その金からくづすと回数券が買えませんので二、三日床屋へ行くのは待つてくれと云つてやつたのです。」

訪「それですぐS君を探しに行きましたか。」

母「どうせ親せきや友達の処へでも行つているだろうと思つて、別に探さなかつたんですが三日位して心配になり、親戚の処へたずねてみると寄つていません。見当もつきませんのであれから探しておりません。」

訪「一週間以上も戻つて来ないのに心配になりませんか。万一その間に問題でも起こしたら大変でしようが、今一応心当りを聞いてみては。」

母は暫く返事もなく黙つていたが、

母「男の親がしつかりしておれば子どももこんなことにはならなかつたんですが、女一人ではどんなに思つても仕方がありません。」

訪「おとうさんはどうかしたんですか。」

母「男の親は事業をやりそこなつて一昨年の末頃から家出して今S区にいると云う事だけは聞いていますが住所もわかりません。」

訪「おとうさんが家庭（うち）から出たと云うのは何か深い事情でもあるんですか。」

母「軍作業に出ていた頃は真面目によく働くので表彰された事もある位ですが四、五年前からビンゴ屋に行き始め、とうとう無尽の金まで取つてビンゴ屋にそそぎ込んでしまつたんです。このまゝでは、どんなに借金をさせられるかもわかりませんので子ども達には悪いと思つたが家を出てもらいました。そうすればビンゴも止めるだろうと思つたんです。」

訪「それは、」

母「一昨年の十一月頃でした。」

訪「子ども達の 気 持はどんなでしようか」

母「淋しくても仕方がありませんよ。もうあきらめています。」

訪「おとうさんが居なくなつてからS君の気持が変つたようには見えまんか」

母「口に出しては云いませんがやはり淋しいだろうと思います。」

訪「とにかく今一応よくS君を探してみて下さい私も心当たりを探してみますから。」

学校へ引返し担任の先生にS君の行方について情報連絡を頼む。

その晩市内の映画館や盛り場辺りを廻り調べてみたがS君の姿は見当たらな

い。

五月十六日（月）母在宅、豚餌作りで忙がしそう。

訪「こんにちは、S君の居所や遊んでいるような場所わかりませんか」

母「探しに行こうと思っていましたが忙がしくてとうとう行けませんでした」

訪「忙しいって仕事と代えられますか。警察にも連絡してありますか。」

母「警察にはまだ知らしてありませんがあるいは父の処を探してそちらへでも行っているのだろうとも思われます。知人の話に依ると職業安定所にチョィチョィ来るようですから、あちらで聞けば父の住所もはっきりすると思います。」

私は早速警察にも連絡、職業安定所訪問、事情を話し調べてもらったが、以前は来た事があるが最近は来ない。住所も不明だと、

仕方がないのでS区まで行き区長に聞いたが、よくわからない。区長の話では「五十才位の独身らしい男がS区五班辺りに居ると云うので一軒々々あたって、やっと居所を突きとめたが晩八時九時以後でなければ戻らないという近所の人の話、

五月十八日、夕食後九時過ぎ父の居所訪問寝ている処を起こす。電燈もなくローソクの光が汚い二畳位の狭い室にゆらぐ。

訪「せっかくお就寝の所を済みません。S君の件でお尋ねしたいと思いまして、まいりました。S君は母の所から家出していますが、こちらに来ていませんか」

父「来ていますがSがどうかしたんですか」

訪「ずっと学校にも出ないし母の所にもぜんぜん姿を見せませんので。」

父「毎日学校へ行っていると本人は云って居りますが出てないんですか、」

訪「晩はこちらで寝ていますか、」

父「えゝ時おり……」

訪「人の家庭については他人からとやかく云えませんが問題がS君の将来の事に関係しますのでご相談申し上げたいと思うんです。このまゝではいけませんので家族相談の上家庭へ戻ってもらった方がS君を救う道だと考えますが……」

父は私の話に触れたくない面持で煙草をくゆらしながら黙っていたが、

父「学校を怠けるような奴はどこか出られない処へ放り込んで下さい。どこかありませんか。」

訪「あなたは放り込んだり縛って置けば更生するとでも思うのですか。それは全くなげやりの気持です。親の愛情以外には救う道はありませんよ。あなたが家庭へ戻ってもらうことを望んでいるのもそれが欠けているからです。S君の気持を和らげる良い方法だと思いますが」

父黙して語らず、S君とうとう帰らない。

父は自由労務で毎日仕事は出ているし現在はビンゴ屋には行ってないとは屋主の話である。

五月二十一日母の処訪問

訪「先日はS区の父の住所を尋ねましたがS君も同居です。しかし矢張りこちらへ一しょになったらどうですか、長男と二人で父と話し合い父を家庭へ入れた方がS君のためじゃないですか。ビンゴもすっかり止めたような話ですが、」

母「父が家庭に戻って真面目になってくれれば子どもも良くなる事と思いますので早目に行ってSにも逢ってりっぱに話をつけましょう、」

五月二十八日　S区に何回となく尋ねてみたがS君はいない。今日はやっとあえた。

訪「S君こんにちわ、近頃ちっとも見えないじゃないか、おかあさんこちらに来たか」

S「一度も来ない。」

訪「どうしておかあさんの処から出てしまたの。」

S「おもしろくない。」

訪「おかあさんの下へ帰る気はないかね」

だまって答えない、

訪「しかしS君いつまでもこんな電燈もない狭苦しい所にいるのはつらくないか、せっかく自分の家も有るのに、何もわざわざ家庭から離れる事はどうかね。どうだ父や母に君からも良く相談して父と一しょに一日も早く家庭へ戻り一日も早く学校へ行く方が君の将来のためだがなー兄さん、姉さんも本当はそれを望んでいるはずだ。」

家庭の問題になるとS君急に暗い顔になって黙ってしまう。

訪「それにねS君、君はスポーツは得意だったし、スポーツに一生懸命打込んで練習すればりっぱな選手になれる事は間違ないと思う。せっかく良い技能をもっているんだから、それを伸ばすことだ、それに依って君はいつか必ず認められる時がくるよ。外の学科も大事だが自分の出来るのを伸ばせばそれで、学校もきっと楽しくなる。」

下を向いたまゝ答えない。

訪「家庭の事には余り気をもまないで君は君としての道をまっすぐ行けば良い。後で後悔してもはじまらない。中学はぜひ卒業しておかないとりっぱな人としてお役に立たないよ。落着いて

30頁へ

非行化の原因

読谷嘉手納連合教育区
教育委員会事務局

喜友名 正 謹

読谷嘉手納地区における非行児の原因について重なる件を集計して見たら左記のようになつている。

一　家庭環境関係　一六人
一　交友関係　七人
一　買い食いあるいは映画　五人
一　学業不振（学校嫌い）　五人
一　夜遊び　一人
一　アルバイト　三人

以上のような統計があらわれたが、家庭環境の中で父母の無関心あるいは愛情（温み）の薄いのに属するのが五人、全くかえりみることができないで放任されたのが五人、次に親達の無謀なきびしさ（なぐるとかしばるようなもの）の為二人、日常生活に苦しみ子どもを手伝いさせようとした者一人、子どもの愚さを学校のせいだと非難する家庭の子一人、病気に対して余りに恐怖心を与えて長欠した者一人、尚家族一同が進学を進め子どもが重責にたえず家出した者が一人の順になつているが一番多い無関心や放任の中には欠損家庭や問題家庭の児童が多く、経済上の点から夫婦共稼ぎの家庭及び片親の家庭に多く見られる。

次に交友関係が多いがこれもどちらかというと親の不注意や子どもの行動に関心を持たない家庭の子に多く見られるがこれには悪友にさそわれるとかたんなるけんかやあるいはしかえしといったような乱暴な行動をするとか。買い食い癖がこうじて親の目を盗み小金を持ち出すとか、親にウソをついて金を貰い費消し果ては他人のものを窃り映画等を見ている

学業不振いわゆる学校嫌いの子が五人と表われているが中学に行つて非行になる原因のおゝもとではないかと思われるがこれは知能の低さもあると思われる。人間育成の教育をもつと徹底しなければ非行児問題は今後益々多くなるのではないだろうかと思われる。

又夜遊び等は親が子どもに対するしつけの面で全然ないがしろにしたもので子どもの外泊や持ち物等に注意が足らず非行になつたものと思われる。

尚総じて考えられることは子どものわがままを看過し義務をおろそかにしているのではなかろうか。尚こういう子ども達はねばりが足らず物に飽き易く落ちつきが足らんのではなかろうか。尚家庭的に見ると欠損家庭にいろいろな面の非行児が出ることもよく注意すべきで親の姿は子に写るといわれているように健康で平和なよい家庭を持ちたいものである。

子どもはちょっとしたことから非行を続ける一例として左に挙げたいと思う。

当連合区のある中学校の生徒であるが一年の三学期に友達とのいさかいで学校に行くことが嫌になり長欠するようになつた。家族は祖母と二人で父は戦死し、母は他地区に働に行き子どもを全く見ないで、祖母ひとりに育てられていたが長欠してからは、こう言う少年がもれなくするように屋敷の裏側にマチわらを立てて稽古していて、祖母の注意や隣り近所の人達の言うことは意にも介しなく部落の有志等も心配していた。

しかし勉強室には教科書や参考書を揃えてあるのを見て学びたい意欲はあるのだと思い、幾度か訪問を続けてある日この子と面接ができてそれとなく話している中に子どもの心が動いたのを見て祖母にも話し、学友にも依頼し担任とも相談し登校をうながしたところ、二年二学期になつて出校するようになつて皆はつとした。ようやく二学期もすんで三学期になり学習に身が入り、三年になつて成績は向上、担任も上級学校への進学に太鼓判を押すほどになつた。

幸いに高校に入学することができ現在毎日元気よく通学している。

このようにちよつとした原因から長欠し、延びる能力もあやふくのばせないような児もいるので注意したいものである

又反面余りに家族からお前一人は高校にはいつてくれと家族の名誉の為にもと重い責任を負わされ、それが重荷となつて嫌になり、果ては家を出るとその重責からのがれ得るとあつさり家出した娘もいる。親の心と子どもの心をおしはかり子どもとよく相談しない話し合いのない家庭が、子どもへ及ぼす悪影響である。それで特に母親は子どもの相談相手となつてよく指導して貰いたいものである。

※（十七ページからつづく）員はもち論全住民の悲願である。しかしながら今問題 にされている 学力の比較はどこまでもペーパーテストによる「知識」の量の比較であるという事である。点数を近づける事のみが学力向上の対策であると考えるならば、いよいよもって今後の私達の子弟の生長の方向が思いやられると思う。

全国学力テストの平均点を上げることが私達沖縄の教師に課された重大責務であるというような思潮が教育者自身にも社会にも現われつつあるような気がしてならないのは老婆心というものであろうか。

非行児の補導事例

普天間連合教育区
比嘉　貞雄

非行を早期に発見するこつ

人間は誰しも家庭生活、学校生活並びに社会生活のルールに則つとつて昼夜いとなまれている故われわれの生活態度（たとえば言語動作服装その他）にちよつと注意を配ばると非行の芽が直ちに発見される。

◦食事の時に足を投げ出して食べるとか

◦食台に片ひじをついていただくとか

◦着帽のまま食事をしているとか

更に言葉遣いにおいても祖父母、父母兄姉、先輩に対して敬語を使用せず、肯定否定の表示を頭や首の上下左右の運動でする。来客があつてもあいさつも知らず素通りで自分の勉強室には入つて行く。服装の点ではアロハシャツ（色物柄物を平気に着けて登校する男生徒。

ショウトパンツ（もち論色物）を着用して登校する女生徒、マンボズボンをはいて得意そうに登校する男女の生徒等数えあげるときりがない。

非行の原因

かかる非行の原因はどこにあるか、何といつても家庭学校、部落、社会の環境のいかによつて左右されると思う（もち論本人の善悪の判断力の輪弱による）

※（一表）長欠児童生徒調べ（普天間連合教育区）（一九六〇・一〇・三一・調）

小中校別	年度別 一九五八	一九五九	一九六〇・一〇	備考
小学校	一四	二〇	二八	◦一九六〇・一〇月末調査 病気二一　怠学七
中学校	二三	二九	一二	◦同 病気四　怠学八
計	三七	四九	四〇	◦病気二五　◎怠学一五　(要)家庭訪問並に督促

◦まず家庭関係の複雑

父の酒色癖、両親兄姉の厳格なしつけ。継母継父の子どもに対する不平等の取扱い。両親の愛情の欠除、放任無関心等が最大の原因でないでしようか、更に

◦社会の不浄、不潔

×不良文化財（セックス雑誌、ギャング映画、惨ぎやく性のテレビ、映画）

×不浄文化施設（カフエー、バー、ダンスホール、喫茶店、パチンコ、遊戯場）

子どもは家庭社会の鏡という言葉の如くそのまま子どもの日常生活の行動に反映する。家庭内の父母兄姉及び社会成人の言動服装等は感受性の強い少年、幼年期には直ぐ模倣する。

「心せよ子どもはおとなのまねが好き」という標語の通り模倣が継続して行くとついには習い性となり、非行癖となり「悪の楽しみ」となる恐れないとも限らない。

われわれ成人おとなは子どもの前では特に言語動作を慎しみ、子どもの模範になるような言行を示したいものである。

戦後の民主教育自由平等の教育が指導的立場にあるわれわれおとなが真の意味をは握せず、うのみ丸のみ不消化のまま子弟の教育にたずさわつたため、子どもたちは、自由だ（自分勝手わがままと解し）、平等だ（長幼序がない）との誤つた考えから誤つた行動に移行して行くのではないでしようか、言葉の真意を充分に理解させ、初めて行動に移るような指導方法が効果的でないでしようか。同時にわれわれ成人は知行合一、言行一致という指標のもとに個人生活、団体生活に

※（二表）要注意児童生徒調べ（同右）

校別	年度別 一九五八	一九五九	一九六〇・一〇	備考
小学校	二八	一〇	一一	◦各年度を通じ盗み、家出、放浪、映画館無銭入場が多い
中学校	二五	二〇	一五	◦粗暴・万引・家出・放浪・野宿・部隊内侵入
計	五三	三〇	二六	

大きく盛りこんで行けば非行の防止は大して難題ではないと思う。不肖私が現在補導中の事例を列記して見ます。

◦某小学校五年男（校名、生徒名を秘す）

◦家族構成（父母、弟三人、妹一人、本人）計七人

◦生活程度（衣食〜中流以上、住〜下位）

◦家庭教育は、自由放任、でき愛

◦非行為の別（窃盗、スリ、買食い、無銭映画館入、家出、放浪、野宿、放火）

◦補導歴（小学校四年四月から同五年十月まで）百数十回

◎**補導方法**（某小間物店から金銭泥の際の補導）

註　Kとは補導児の仮名

K君ちよつとおいで、叔父さんと話しあいしましようと運動場の片隅の芝生の上に気楽にねころんで、まず握手をする指先を見ると、つめが長く伸びている。K君の右手のつめを切りつつ衛生上の話を聞かす「病は口より入る」というが、その前に「病は指先より入る」と色々の例をとってさとらす、K君の左手のつめは、自分で切つてごらん。つめ切りを手渡すと、やや手ぎわよく切るので、K君なかなか上手に切るんじゃないの、こんごは一週間に一回必ずつめ切りを実行しましようねと約束をする。応答もはきはきしている。服装も清潔、その明るい態度をほめつつ親近感親和感を高めさす。

K君、叔父さんはね、これから君の話相手、相談役になりますから何でも欲しいもの或は見たいのがある時は遠慮なく話してもらいましようね。

※（三表）アルバイト学童調べ（同右）

校別	年度別 一九五八	一九五九	一九六〇・一〇	備考
小学校	四九	五〇	四一	◦不健全アルバイト（ガム売）四人含む
中学校	一〇九	七〇	六四	◦不健全アルバイト（靴磨）一人含む
計	一五八	一二〇	一〇五	

K君は映画が好きでしたね。今日(土)面白い、学生映画（路傍の石）が上映されているから見に行きましようとさそう。K君は満面え顔で「はい行きます」との快答、ではカバンを家においておいで（学校近くなので）そしてお母さんに右のわけを話し、許しを得てからおいでよとさとす。十二、三分位たつと映画館

※（四表）非行為別調べ（自一九五九年・四月・至一九六〇・一〇月末）

非行別＼性別	男	女	計	備考
窃盗	八二	三	八五	小校に多い
粗暴	五四	〇	五四	中校に多い
抜けあそび	四五	〇	四五	同上
夜あそび	二〇	二	二二	同上
野宿	一七	一	一八	同上
家出放浪	一二	二	一四	小中校にあり
万引	五	〇	五	中・高校
飲酒	九	〇	九	同上
喫煙	六	〇	六	同上
西瓜畑荒し	五	〇	五	中校
暴力	二	〇	二	同上
部隊内侵入	一二	〇	一二	同上
同施設破かい	三	〇	三	同上
同ぬすみ銅板盗	五	〇	五	同上
計	二七七	八	二八五	延人員で一人で数種の非行を犯している

の前に急いで来た。さあはいりましよう と手を引いてはいる。一時間位映画を見るとあいた故か「叔父さんもう見ないよ、出ますよ」というので、一しよに館を出た。その足で家庭訪問をなす。母に以上の事を話し、ついでに先述の盗みの件に触れる、親子私三人非行の話合いをする、三人納得がついて母とK君は某小間物店へ謝罪しがてら、盗金を返しに早速いらつしやいと助言、K君人間は誰でも幼少の頃は(無分別、無思慮)多かれ少なかれ非行はよくあるんだ、私も小学校五年生の頃学校からの帰り、みかんを盗食あるいは、すいか畑きうり畑を荒しつかまえられてひどいめにおうたよ、父や兄に引きずられて家に帰ると父兄はかんかんに怒り、テビク(甘藷の苗を植える農具)で頭やクンダ(こむら)もなぐられ翌日はチンバを引いて登校したんだ。それ見てごらん、叔父さんの頭の傷は少年時代の非行の印です。

K君悪い事は一刻も早くあやまつて楽しくゆ快に学校に出ることだね。よく考えて非行をさとる人は善良な人だ。K君も善良な子だとほめ励ます。

それからしばらくよくなつて家庭でも学校でも、見ちがえる程になり両親も担任も安心していた。

ところが夏休みになると面接、補導、話合いの機会が粗になり、悪友と交わる。再び家出、放浪、野宿、せつ盗の非行を犯す。このケースから考察するに右のような特殊な子どもは継続が大切だと思つたえず心をくばり、励ましの言葉を与えるに限ると痛感する。

要は「よその子もうちの子」と言う愛の手で絶えず成長期の日陰の子等の味方となり、話相手となり生活指導(魂の教育、人間育成)に当たるのが私に与えられた楽しい義務と喜んで働かしてもらつている。先にも申した通り「愛の手で護れみんなの子」で家庭、学校、社会並びに諸関係団体が一丸一体となつてお互いの日常生活の言動服装などに意を配りつつ愛の補導等をしない限り青少年の非行の芽は消滅し難いと思われる。「人間は心であつて心の外に人間はない」と或る本に記述されてあつたのを記憶する。われわれの顔はおのが心の鏡であると同時に社会を明かるくする燈台である。

K君は現在明かるく(ヤンチヤ、過剰)毎日登校している。

私は日課として毎日教室を参観しK君の笑顔を見て、嬉しく楽しく元気百倍になり、今日も又街頭補導に家庭訪問に学校訪問に足を運ぶのである。

(訪問教師)

成人大学講座開催要項

一、目的　主として一般市民に対して文化的教養の向上と民主教育の普及を図る。

二、主催　文教局、民主教育協会

三、期日　自　一九六〇年十二月五日
　　　　　至　　　　　　十二月十日　六日間

四、講師及び講座内容

1、新しい家族関係について　東北大学教授　中山善之助

2、二つの民主主義　京都大学教授　猪木正道

3、産業教育の振興　前名古屋工業大学々長　清水勤二

4、家庭と生活改善　農林省生活改善課長　山本松代

5、民主教育協会について　民主教育協会事ム局長　ミヤザキヒロシ

五、日程

事項 期日	午前九時～十二時 場所	講師	対象	午后二時～五時 場所	講師	対象
十二月五日(月)				南部観光		
六日(火)	沖縄短大	中川 清水	学生	那覇(教職員会ホール) 宜野座(役所ホール) 宮古( )	中川、清水 山本 猪木	一般成人
七日(水)	国際短大	清水 猪木	学生	名ゴ(文化会館) コザ(役所ホール)	中川、山本 清水、猪木	一般成人
八日(木)	那覇	山本	経済局職員	那覇( ) カデナ(役所ホール) 那覇(教職員会ホール) 八重山( )	山本 猪木 清水 中山	経済局職員 一般成人 中高校教員
九日(金)				石川(文化会館) 糸満(教育長事務所講堂)	中川、献木 清水、山本	一般成人
十日(土)	那覇	中川 猪木	裁判所職員 内外状勢調査会員	知念(知念高校) 琉大( )	清水、山本 中川、猪木	一般成人 学生、職員

六、場所と地区

1、糸満会場(教育長事ム所講堂)糸満地区　2、知念会場(知念高校講堂)知念地区　3、那覇会場(教職員会ホール)那覇地区　4、コザ会場(コザ米琉親善センター)普天間、コザ地区　5、石川会場(石川文化会館)前原、石川地区　6、宜野座会場(宜野座村役所ホール)宜野座地区　7、嘉手納会場(嘉手納村役所ホール)読谷、嘉手納地区　8、名ゴ会場(名ゴ文化会館)名ゴ、辺土名地区

ある訪問教師の補導月報より

1960年9月

一 勤務状況　省略

二 補導状況

○取扱い総児童数

小学校

学年	男	女	計
1	一	|	一
2	|	|	|
3	三	|	三
4	一	|	一
5	四	一	五
6	|	|	|
計	九	一	一〇

中学校

学年	男	女	計
1	二	五	七
2	|	六	六
3	一	|	一
計	三	一一	一四

その他　卒業生　男二　女一

○補導種別

区分	新規	継続	街頭	計
男	五	八	二	一五
女	三	九	|	一二
計	八	一七	二	二七

新五のうち二は児童園から復帰したもの、三人はそそのかされて盗みをしたもの

新三のうち一は高校一年、一は自殺未遂、一は出席不良

○非行別補導

区分	男	女	計
盗み	三	一	四
暴行	一		一
奉公		一	一
桃色ゆうぎ		二	二
家出不良	二	三	五
出席不良	八	五	一三
自殺未遂		一	一
計	一四	一三	二七

盗み　女一人は送検されている。

暴行　中学生が小学生にナイフをつきつけ金銭をせびた。

桃色ゆうぎ　夏休みのアルバイトからおとなの世界へ入る。

○原因別

区分	家庭貧困	問題家庭	悪友関係	本人の性向	計
男	一	八	五		一四
女	一	七	一	四	一三
計	二	一五	六	四	二七

貧困　女一は父が十二月以来職がなく困窮し出席不良となる。

○補導結果

区分	更生児数	要継続補導	施設引渡	計
男	—	14	—	14
女	1	11	1	13
計	1	25	1	27

更生　女一、死まで決心した子が悩みを解消し前途に希望をもつて明かるい子になつた。

施設引渡しは那覇在の沖縄実務学園

本土32年の統計（文部統計58号）より

非行少年の性格

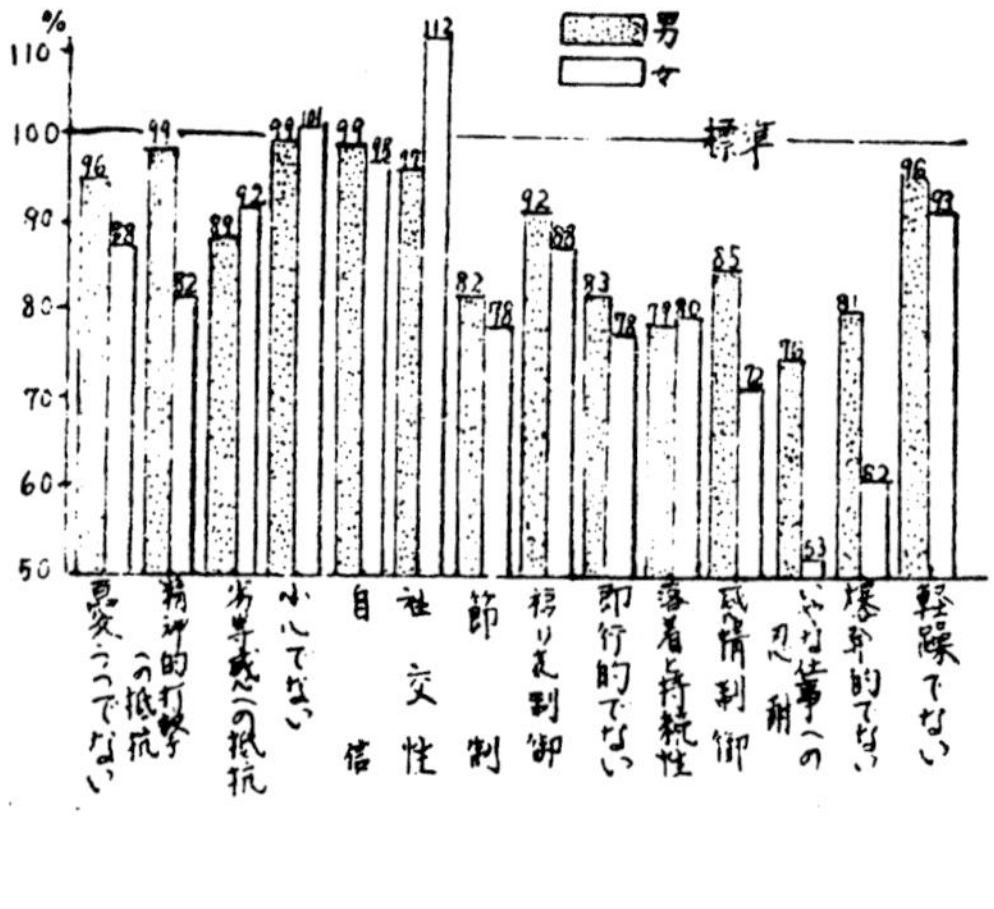

非行少年の環境的要因

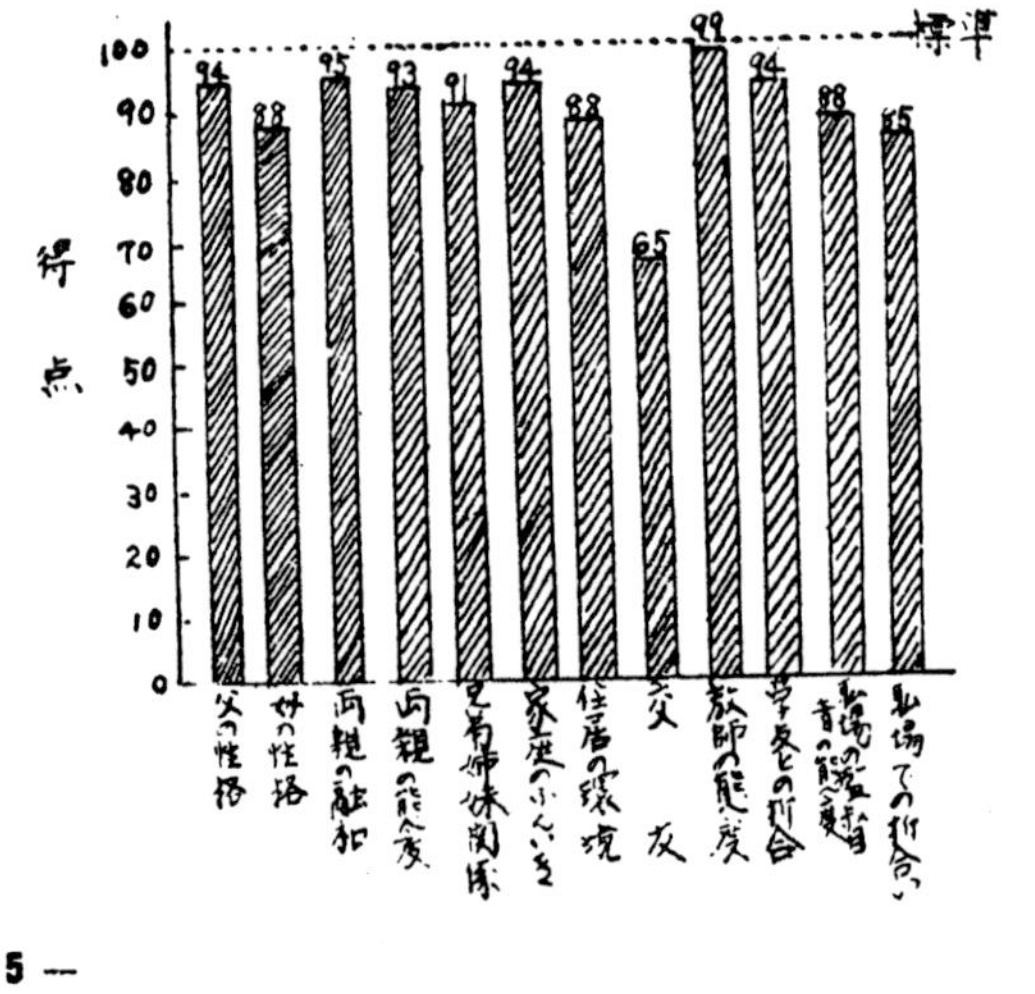

青少年問題への提言

―私の五つの願い―

コザ小学校
山城　清輝

日々報じられる青少年の不良化問題は文字通り深刻である。病魔の退治は一に予防、二に早期発見とよく云われるが、青少年問題は最早や予防や早期発見の段階を通り越し、最悪の病状を続けているといつたところであろうか、大手術を断行する時期である。

本土において起つた十七才の少年による白色テロ事件は背後関係に複雑な、からくりがあるようで単なる青少年問題としては論じられないようではあるが、わが沖縄における青少年の非行事件の横行もその根本原因に相通ずる何ものかがあるように思う。

環境の浄化が先決

ところで青少年問題が表面化したのは今に始まつた事ではない。少なくとも六年前の第一回教育研究大会で私達は環境の問題を取り上げて社会問題として訴えた。けれども当時の責任ある方々の中から余りにも暗い面のみを取り上げたとか基礎学力とは縁遠い等の批判を浴びた事を忘れる事ができない。

青少年問題が出る度ごとに、それをあたかも教育者のみの責任であるかの如く論じたがる為政者が消えない限り、いつまで待つてもこの問題の解決は望まれるべくもないと思う。

浅沼刺殺事件をそれ見た事かと教育基本法の改正論にこじつけたり、道徳教育の強化を論ずるやり方にはふにおちないものがある。

環境の教育に果たす偉大な力は否定することができないものである。特に社会的家庭的環境においてしかり。

おとなの遊び場は多過ぎる程ある中に子どものための健全な遊び場の少ないわが沖縄の現状では三人寄ればテレビ番組の話であり、映画の話である。

これ等の影響を見出すべく調査したものの中から一つだけ取出して見よう。

調査人員　男九三人、女七五人
対象　四年以上（小学校）

問　あなたは刀で刺し合いをしたり、ピストルでうち合いをしているのを見たいと思うときがありますか。

答	男	女
ある	六九名（七四%）	二四名（三二%）
ない	二四名（二六%）	五一名（六八%）

子どもたちが受け取つた刀やピストルというのは映画で使われているような切れない刀であり、弾丸の出ないピストルをばく然と想像しているのであろう。だから問題はないと片づけてよい等とは私は思わない。生長するにつれて玩具の刀やピストルから本物への好奇心が生じないと誰が断言出来ようか。

この調査の結果は明らかに映画やテレビの影響である。安つぽい正義感を売物に人間の尊い生命が容しゃなく消されていく場面の余りにも多い事、子どもの前ではまともに見ることさえできない映画広告、おとなのお互いにはもうまひ状態でさほど問題でもなくなつたであろう。

しかし子ども達にして見れば実演してみたい好奇心が湧いてくるのも無理からぬ事である。環境の浄化は教育以前の重要課題であると確信するものであるが、ややもすると教師自らも社会の波に乗り感覚をまひさせるのが人間教師のあるべき姿であり、基本的人権であるかの如き錯覚に捉われる。吾々人の子の師たるものの罪深かさをひしひしと感じる今日この頃である。

「児童は良い環境の中に育てられる。」児童憲章にうたわれた簡潔にして名文句である。第二次世界大戦後青少年の不良化傾向は世界風潮であると聞く、私は他の国の不良化傾向の原因がなへんにあるかはよく知らない。しかしわが沖縄を眺めた時その社会環境が青少年の精神発達に害悪を及ぼしているであろうことは想像出来そうな気がする。純心な青少年を手離しで放置出来るような教育的理想社会ではないと思う。

しかるに現実はどうであるか、義務教育を終えた多くの青少年が暑さ寒さに保護され育てられてきた苗床から突如として凡そかけ離れた泥沼の社会へ放り出されている現状ではないだろうか。しかも盛んに伸びつつある新芽を多くつけたままに、そこに待つているものはその芽をゆがめ、摘み取り、喰い荒らすのに都合

のよい条件が充満しているのである。就職難、歓楽街、封建性、消費文化、怠惰な風潮等々。

青少年教育の充実を

　義務教育年限は戦前六か年が現在九か年に延長された。しかし戦前は義務教育は終えても満二十才まで、青年学校があつて半ば義務的に教育が続けられていたのである。それから考えて見ると上級学校へ進学する青少年は別として一般論でいうならば実質的教育年限はむしろ短縮されたとみても差支えないであろう。青年学校は軍事教育が主であつたのであつて現在ではその必要はないと云うかも知れないが、もち論青年学校のあの盛況さは将来の軍事要員としての必要性からきたものであつた事も事実であろう。しかしそういえばどの学校だつて軍事要員を育成するとは明記されてなかつたにせよ、大戦に突入してからの学校教育の内容が軍門につながつていたのであり、青年学校のみがそのような実状にあつたのではない。普通学科もあれば公民科もあり実業科もあつたのである。実業補習学校制度に始まつた青年学校は義務教育の補いをしたのである。

　十六、七才と云えば外見おとなだが、まだまだ身心共に未熟であり、最も悩みの多い年頃である。この青少年達を理想境ならいざ知らず、むじゅんだらけの社会へ放り出すという事は余りにも非人情的であるような気がする。本土においては青年学級振興法がある。その成果の程はよく知らないが、その考え方は義務教育終了後の青少年の継続教育というところにあるという。本土の制度そのままをわが沖縄の大部分の地域に適用して実施可能であるかどうかは疑問であるので十分研究の余地はあると思うけれども、とにかくこのような制度がない事それ自体わが沖縄の青少年対策は一歩遅れていると云えそうである。

　生意気盛りの中学時代はややもすると勉学を軽視しがちである。卒業して一般社会に出て始めて後悔する子が多い。勉学の必要性を痛感する頃はもう後の祭では困つた事である。義務教育から巣立つた多くの青少年達に温かい手を差しのべる方法は考えられないものだろうか。

希望のある日々の生活

　次に青少年に将来への希望と日々の自分の力強い進歩を自覚せしめたいものである。その具体的方策は私自身よくわからないが例えば、義務教育の卒業証書授与と同時に青年手帳等を持たせるのはどうだろう。青年期の道しるべをわかり易く記された手帳には、自分の肉体的発育ぶりが記入出来、あるいは定期的に行なわれる体力テストの記録をわが子わが孫に残して若き日の自慢の種にするとか、年何回か催される青年の為の研修会の記録簿にもなるとか、要はこの青年手帳なるものにどこの社会にも通用する或権威を与え得るような仕組みにでも出来たら素晴らしい効果をもたらすであろう。不健全な場所に入りびたつて、その日その日を送つている希望なき青少年達に夢と若さの尊さを自覚せしめたいものである

政府に青少年指導機関の設置を

　次に政府に青少年課（仮称）の設置を希望したい。労働局に婦人少年課があるにはあるが局の性格からして主に婦人や青少年の就労問題が取り扱われているのではないだろうか。婦人や青少年に職を与えるということは最も大切なことであるが私のいいたい事はもつともつと仕事の範囲を拡げた青少年の生活の全分野にわたり指導助言や対策や指導機関の設置等を講ずる政府機構があつてしかるべきだと思うからである。

　児童福祉法の精神に則り「すべて住民は児童が心身ともに健やかに生まれ、かつ育成されるようにつとめなければならない」のである。児童相談所で行われているような既に悪の道にはいり込んだものたちを更生せしめることのみでその精神が達成されたとは思わない。児童福祉法は既にゆがんだ子ども達の為だけを対象に作り出されたものではないはずである。すくすくと伸びつつある子ども達の保護育成にも及ぶような対策が必要だということを提唱するものである。

教師として

　最後に我々第一線教師の心構えはいかにあるべきか、自己反省と結びにしたい

　私達は戦後十有余年凡ゆる逆境と戦いながら教育の道を守り続けて来た。本土の教師達の苦労とは又異質のそれをかかえながら今日に到つている。しかるに我々子弟の学力が本土のそれよりも低いという事実は否定するわけにはいくまい。

　いろいろな角度からこの事実は検討されつつあるが、教育の直接の責任者として、その責任をまぬかれる事は許されない。だがしかし、ここで警戒しなければならない大きな問題がある。

　わが国の教育の歴史を振りかえろう。徳川三百年の鎖国の夢が破れて他国に目を向けた時、始めて気がついたのは、わが国が欧米の先進国に比べていろいろな面で立ち遅れていた事である。これ等の国々に急速に追いつくべく、あせり出したのは当然である。知識の切り売り、詰め込み教育が始められた。もち論りつぱな成果をおさめて来たのであるが、決して人間教育としてりつぱなやり方でなかつた事は皆が理解している所である。

　一日も早く本土の児童生徒の学力水準まで引き上げていかねばならぬ、七千数

※（十一ページ下段へ続く）

提唱

教育隣り組みと母性の結びつき

那覇地区訪問教師　嘉数芳子

青少年の不良化問題は沖縄だけでなく全世界共通の悩みであり、共にその対策に腐心している。沖縄では専門家や関係団体等がたゆまない努力をはらっているにもかかわらず年年深刻な様相をしめしているのはなぜだろう。

毎日の新聞の社会面にはきまつて問題青少年の事件記事が二つや三つはのつている。

たまに青少年によるうるわしい善行等があつてほほえましくもあり、感激して読むのもあるがごくまれな事である。警察の少年係は昼夜の別なく活動を続け、その補導に取り組んでおられるし、そこから通告を受けた児童相談所でも専門的な立場から問題青少年の診断、治療に専念せられ、その上家庭までも出張指導しておられる。けれども、何れも少数の人員で数多い問題の処理には困難を感じておられるようである。云うまでもなく青少年の不良化防止という事は、社会全体の責任において解決しなければならない重大な問題であり、限られた人人にのみその責任をおわして多くの人がただこう手ぼう観していていい問題ではない。

従来は学校、家庭、社会が一体となつてその対策に当たらなければならないといわれた。もち論、学校教育の場において、家庭では日常生活の中において、又社会では一般の社会人が、各自の立場から青少年問題に正しい理解と深い認識をもつて共に協力することは極めて重要な事ではあるがそれだけでは到底根本的に解決する事はのぞめないのではなかろうか。

為政者はこの問題についてじつくり考えてもらいたい。重大かつ、深刻なこの問題の解決のための政策を明らかに全島を挙げて強力な団結のもとに、一大運動を盛り上げる必要を痛感するがどうだろうか。現在根強くはびこつた悪の芽は一朝一夕に摘みとる事はむつかしい。彼等問題を持つ子らの補導はずい分根気がいる。さらにすべてのおとな、すべての良い子らがこの問題に目を向け、心を配ばつてその解決に協力してくれることが力強さを感ずる。

幸いに長い間の懸案だつた少年院も建設中であり、落成のあかつきには特殊の青少年がそこに収容されて、良識ある専門家によつてりつぱな指導がなされるので、それ等の子ども達の更生には大きな期待を持つことができるでしよう。

しかし収容人員には限度がある。問題青少年の全員を収容することは不可能である。それで残されたこれ等の子ども達をどうするか、ということになるがそれはやはり政治力と社会全体の責任にまつ外はないと考えられる。

我が子さえよければ主義ではこの問題は絶対によくはならない。「人の子を守つて我が子が守られる。」の通りであり又「心せよ 子どもは おとな のまねがすき。」といわれるようにおとなの示す種々の行動が子どもにいかなる影響を与えるかを考慮する必要もうまれてくる。特に都市地区では 向う三軒 両隣りどころか。両隣りにどんな人が住んでいるかわからない場合さえあつて、お互いの子どもたちは友人としてつきあつているのに親達はあいさつを交わした事もないという話をきかされた事がある。

子どもは純真であり隣近所の子どもはすぐ仲よしになるのに親達が知らん顔ではすまされないと思う。沖縄の俚諺に「遠い親戚より近くの他人。」と云うのがある間お互いに気心が知り合えば子どもの教育の問題、しつけの面、その他家庭生活面についての話し合い等が楽しくできてこそまわりが大へん美しくなるのではないか。

二、三年来提唱されている教育隣り組み結成の目的もそこにある。「教育隣り組みつくつて子どもの正しい指導。」の意味をよくかみしめたい。がつちりと結ばれた教育隣り組みによつて、子ども等は守られ、学校では校長を中心として全教師が子どものためにあらゆる努力を続ける。その上家庭と学校が深い理解と暖かい愛情を交流した時、子ども等のしあわせは期待できるのである。教育隣り組みの 結成を 提唱してすでに 三か年になり、いち早く結成して優秀な成績を挙げている校区もいくつかあるが、総体的に見てまだまだの感がある。教育隣り組みの結成は校区内父兄母姉の盛りあがる力がなければできることではない。

教育と名がつけば何でも学校側におしつけたような過去の考え方を改め、P・T・Aが大きな推進力となつてこの教育隣り組みの結成に努力して貰うよう切に希望する。なおもう一つ強く訴えたい事は母性の力の結集である。何といつても家庭で子女養育にたずさわるのは、特別のケースを除いては、母親であることは云うまでもない。その母親の教養と良識のいかんによつて子どもの人となりが左右される事は自分の取り扱つたケースの

23頁へつづく

教育隣り組みの発展を望んで

山元芙美子

こどもの成長と発達を助長するために学校と家庭と社会がよりよい教育的環境を整え、父母と教師がともに教育的な働きを高めることは、現代教育における基本的課題といえる。

ところで、青少年の非行はなかなか減らず、その年令も次第に低くなりつつあり、又、都市からだんだん周辺に広がる傾向にあり、平和な農村地帯であるからといつて決して安心できない状態にある。

訪問教師をはじめ、学校のカウンセラー、警察や社会局関係、あるいは子どもを守る会や社会教育団体など、あらゆる関係機関が児童青少年の福祉増進、青少年の不良化防止のために努力をつづけているが、一般社会の協力態勢が弱かつたせいもあつてなかなか効果をあげることがむずかしい現状である。

もちろんいままでも地域集会あるいは校外補導部等の組織や活動も行なわれているわけだが、一部の役員や係りの仕事に終つてしまう感がある。

地方においては、だいたい区や班が単位になつていて、公民館や区事務所等を中心に動いていて成果をあげつつあるが、地域が広く家屋が点在していて不便でなかなか集まりにくいといつたような欠点がある。

都市地区では地域的に範囲が広く区画もはつきりせず、なお住んでいる人たちも種々さまざまでまとまりにくく会員意識もいたつて低い。

そこでどうしても、会員の一人一人がもつと関心をもち、個々の意見が反映しみんなが参加できるような小グループをつくることが必要になつた。

「私たちのこどもは、私たちみんなの手で守ろう」と、いうので父母たちの手でできたのが教育隣り組みである。

では次にその活動状況についてのべてみよう。

一、趣　旨

1、非行児や不良児を出さないようにみんなで協力して導く。

2、教育環境を整備し、児童生徒をすべての危険から守る。

3、父母が互いに研修することにより教養を高め、なお親密度を深くする。

二、集会の役割りについて

1、こどもの健全な成長と発達を助長するために、学校、家庭、社会がよりよい環境を整える。

2、こどもの健全な成長発達を助長するために父母と教師がともに教育的な働きを高める。

つまり、父母と教師及び父母相互が直接にふれあい、話しあいながら考え、それを実行にうつすことが教育隣り組みのあり方である。

三、組　織

地域によつてそれぞれ違いはあるが、その例を一、二あげてみると、

各教育隣り組みで話しあつた問題を部落集会や学校PTAの幹部学級にもちこみ、みんなで解決し、幹部学級ではリーダーとして専門的な研究をする。それを教育隣り組みまで流すというように上下の交替を図る、

1、

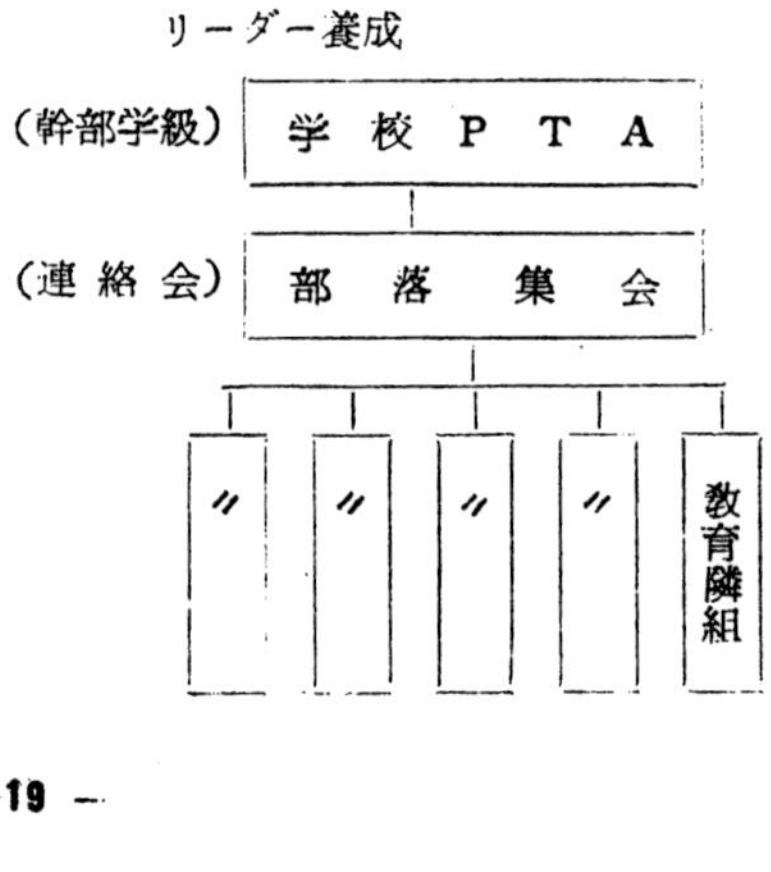

2　各部

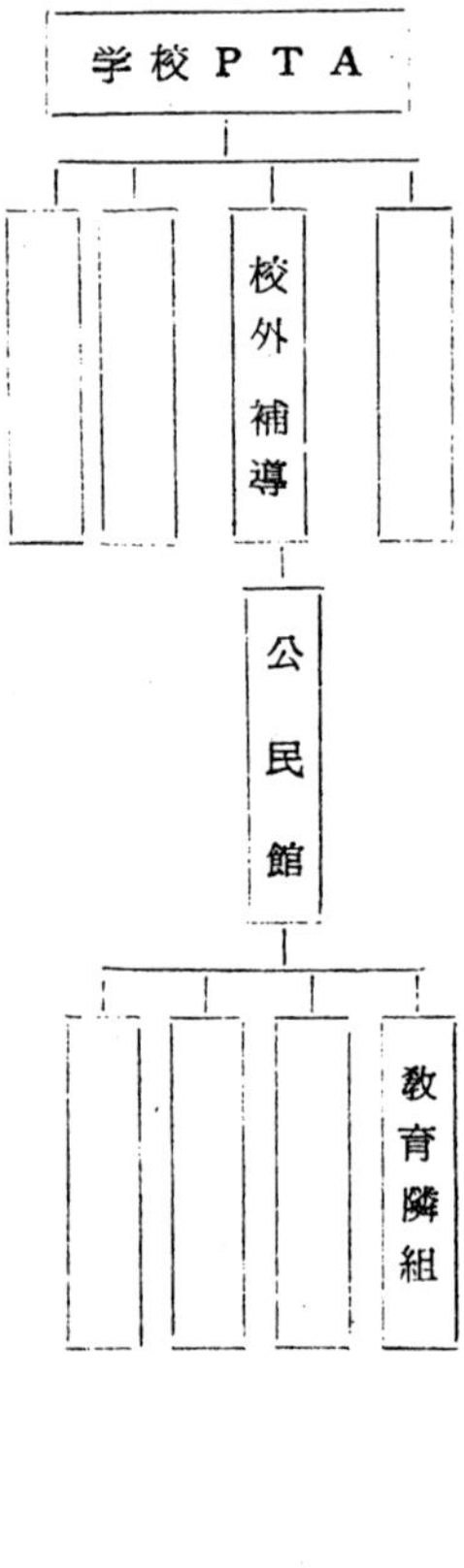

四、運　営

1、集会　月一回あるいは二回開催し時間は二時間程度、夜間が多い。

2、参加者　一家庭からひとりあて出席しているが多くは母親が集まる、学童のいない家庭も参加させて強力な組織活動をしているところもある。

3、責任者

。グループに長をおき一年の任期にしているところもあり、毎学期交替しているところもある。

。輪番制で一か月交替、みんなが同じく

責任をもつような仕組みのところもある。

４、集会の場所　グループ員を収容するような広い住家が少なく困つている。場所も輪番制にしているところがあり、公民館や区事務所等を利用するとか。くふうされている。

５、経費　月五仙から一〇仙程度の会費を徴収し運営しているところ、月五〇仙から一弗位の模合にして互助もかねているところもある。

五、活動状況

１、不良化防止対策

。地域懇談会、。欠席児童の出席督促、教育環境の浄化運動　。夜間外出の取り締まり　。遊びの指導及び遊び場の設置
。非行児の補導　。優良映画の団体見学
。生徒会の育成

２、生活指導

。しつけについて　。ことばづかい　。あいさつ　。早寝早起　。テレビの見方
。休暇中のきまり　てつだい。早朝清掃

３、家庭学習について

。学習時間のきまりと学習の仕方　。宿題の問題。写生会　。作品展示会　学事奨励会

４、保健体育行事

。交通安全の指導　。登校下校団の結成（引率、補導）。衛生検査　。寄生虫駆除　。体育会（バレー、野球、水泳等）
。遠足　。レクリエーション　。学校給食について

５、児童福祉について

。不遇家庭児童のとり扱い　。身体欠かん児のとり扱い

６、教育税完納運動

７、両親教育の実施

六、反　省

１、効果があがつたと思われる点

父母と教師　ならびに父母相互の親密さが増し、こどもを見る目が変わり、自分のこどもだけでなく、地域全体の中の存在としてわが子を眺めるようになり、学校教育にもつと協力すべきだとの考えが父母たちの間に自覚されるようになつた。

(1)　新しい教育　のあり方が　わかつてきた。

(2)　夏休み中における諸行事に成果があがつた。

(3)　家庭教育の重要さを認識するように道徳教育に強い関心をもつようになつた。

(4)　家庭学習の実施により、児童の成績がよくなりつつある。

(5)　早朝の共同清掃により奉仕精神と協同精神の高揚に効果があつた。

(6)　母親たちが進んで読書をするようになつた。

２、苦心した点

はじめは自分の殻から抜けることができず、発言もなく、みんなの気持がしつくりいかなかつた。特に都市地区においては職業が違い、生活程度などの差があるためうまくいかなかつた。

(1)　出席をよくすることに苦心した。特に問題児の親、問題の親が参加せず、出席奨励に苦心した。

(2)　最初は責任者や係りになりたがらずグループの運営活動がスムーズにいかなかつた。

(3)　集まつても運営の技術がわからず、その上、身近かな切実な問題などがだされず魅力がなかつたが、レクリエーションや幻燈等でほぐしていつて歩みよるようになつた。

３、今後の問題について

教育隣組（地域集会）活動の如何がPTA本来の目的達成を左右する基盤になるから、地域におけるグループ活動の現状を深く掘り下げて反省検討し、今後の活動に資したい。

(1)　集会活動と家庭教育の問題点

家庭にある実際問題があまりとりあげられず、遠慮勝ちである、（例えば長欠児童の処置等について）

。他人のことになると遠慮して掘下げた話しあいがなされない。又特に母親たちの集まりでは感情的になりがちである。

。グループ員の中には問題の家庭などがあつて敬遠するむきがあり、出席しない家庭のこどもがひがむことがある。

(2)　集会活動における父母と教師の関係

父母側の自主性を重んずるあまり教師があまりタッチせず、学校との密接な連絡がなされないところもある。

(3)　学習指導のやりすぎ

児童生徒の学習指導を教育専門家でない父母や上級生などがやりすぎる危険があるようである。家庭学習の習慣をつけること、学習のしかたを指導するような方向にもつていつた方がよいと思う。

(4)　集会活動と公民館との関係

地域における教育活動は公民館が主体になるべきだが、区公民館の未設置があり教育隣り組みの結成活動がうまくいかないむきがある。特に都市地区においては公民館の設置が急務である。

(5)　小、中、高校の三者一体の組織が望ましい。

七、評価の例

(1)　組織機構は適当か。

(2)　適当な運営がなされているか。

。いつ　。どこで　。だれが　。なぜ
。どんなことを　。どんな方法で

(ｲ)　年間行事計画は適切か

。どんな方法で計画されたか
。実行のしやすい計画か
。民主的に計画されたか

。他団体との連けいは？

(ロ) 適当な場所が得られたか

。問題解決に適した場所か　。集まりやすい場所か　。気軽るに話せる場所か

(ハ) 集まりはよかったか

。時期　開催時刻（始め、終わり、時間）

。集会の回数　。服装　。会員意識　。協議題の事前提示。雰囲気

(ニ) 議題のとりあげ方

(ホ) 話しあいの進め方は適切であったか　。司会者の計画は　。問題をはっきりつかんだ話しあいであったか　。気楽に話せたか　。活発で建設的意見がだされたか　。これに対する協力は　。少数意見のとりあつかいは　。どの参加者も発言したか　。会議の型は適当か　。視聴覚教材の利用は　。適当なリーダーや助言者が得られたか。

六、親子懇談会におけるこどもの声

。学校から帰ったとき「おかえりなさい」というやさしい母の声がほしい。

。学校から帰ったとたんに用事はいいつけないでほしい。

。悪い成績をとったときガミガミ叱らないでほしい。

。人のまえで叱ったり友だちと比較して叱らないで欲しい。

〇なるべく勉強中は仕事をいいつけないでほしい。

。おかあさんはもっとものわかりのよい人になってください。

。おとなも共通語をつかってください。

。おとうさんもおかあさんも約束を守ってください。

。〇おとうさんはおかあさんを叱らないでください。

。おとうさんあまり酒を飲まないでください。

。べんきょう室をつくってください。

七、結び

以上教育隣り組みの概況について述べてきたが、この運動が全琉に展開されるまでには大きな努力と全住民の協力が必要であり、地域社会のご協力を期待するものである。

（社会教育課主事）

あなたの家庭診断

那覇連合区教育委員会
社会教育主事　謝花　寛じょう

おとうさん、おかあさんについて、何でもよいから思い出すことを書いてごらんといって無記名で千数百名の児童生徒を対象にアンケートを取った中から、不安の芽を持つ子どもの声を二、三記してみることにする。

A「おとうさんとおかあさんは毎日夫婦げんかをやっています。教育については、なにもやらない。本一冊も買ってくれない。悪い人である。しようらい不良になろうと思っています。母は毎日マアジャンをやっています」（中学二年男子）

B「おとうさん…ぼくにとってはやさしいおとうさんです。ぼくにはなくてはならないおとうさんです。

おかあさん…ぼくにとっては、にくらしいおかあさんです。一度でもよいからなぐってみたいです。ぼくたちをよくいじめます。」（中学二年男子）

C「父のことについては言うことはあまりない。

母…一、わからずや

一、料理がじょうず

一、勉強に無関心

一、子どもの教育に悪いことをする

一、母のために一生がだいなしだ。（中学三男子）

このように不安の芽をもつ児童生徒が実に二割近いパーセントを示している。最も多いのは夫婦げんかからくる子どもの不安である。その中には父親の妾狂いの姿や離婚の恐怖に落ち込んでいる家庭、冷戦続きの家庭、酒乱の父をもつ子、また小学校三年生男の子が母親の仕事に対して鋭い批判をしている等数多くの気の毒な不安の芽をもつ子がいることがわかる。

子どもは生まれながらにして善になるもの、子どもに罪のあるはずはない。実に子どもを取りまくおとなの世界が問題である。次の、家庭診断表を使ってそれぞれ自己評価をしてわが家を診断、反省してみるとすばらしい家庭になることでしょう。

使い方は、それぞれの質問をしっかり理解した上で次の欄に目やすとして点数5、4、3、2、1といっしょに一応の基準をつけてあるから適当なのにしるしをつければよい。もし全部5点であれば総点数は百点になる。一回きりの診断にせず、絶えず研修をつんで、よりよき明かるい民主的な家庭への道しるべにして欲しい。

（参考図書、実話・子供の導き方、鈴木道太著国土社発行）

◎あなたの家庭診断書

1　あなたの家庭では子供のいる前で夫が妻をなぐったり、出ていけといったり、お酒をのんでらんぼうをしたりすることはありませんか。

5　一度もない。

4　たまにある。
3　時々ある。
2　かなりひんぱんに起る。
1　ほとんど毎日のようでなやんでいる。

2　あたは子供の前で口ぐせのように家計のぐちをこぼしたり、夫が働きがないと不平をいったりしませんか。
5　一度もない。
4　たまにある。
3　時々ある。
2　かなりひんぱんにいう。
1　口ぐせのようにしよつ中

3　あなたは子供の前で他人の悪口をいつたり、幸運をねたんだり、あるいは他人の不幸をよろこんだりするような話をなさいませんか。
5　一度もない。
4　たまにもらすことがある。
3　時々ある。
2　かなりひんぱんにいう。
1　口ぐせのようにしよつ中。

4　あなたの家では、子どものうちで、特別にある子が見込みがないとか、にくらしいと思つていることはありませんか。
5　全然ない、みんな平等。
4　時たま思うことがあるが外には表さない。
3　無意識にそういう態度に出る場合がある。
2　ある程度の差別は人情としてしかたがない。
1　明らかに思いあたることがある。

5　あなたの家庭では子どもの世話をやきすぎてはいませんか。それができ愛となり子どもの独立心を失わせることにお気づきですが。
5　全然そういうことはない。
4　ほんの少しはあるかもしらぬ。
3　少しはある。
2　でき愛気味といえるか。
1　多分にそういう傾向がある。

6　あなたの家には、お父さんが賞めたことをお母さんがしかつたり、おばあちやんがしかつたことを嫁さんが賞めたりするような、子どもに対する意見や感情の対立はありませんか。
5　全然ない。
4　ほとんどない。
3　あるかもしれない。
2　わりあいあると思う。
1　非常にある。

7　あなたは子供の要求をなんでもおさえつけることが親のしつけだと思つていませんでしたか。
5　なんでもとは思わない、おさえる時にはおさえる。
4　めつたにないがそうしたおぼえはある。
3　悪いとは思つていても時にはおさえつけてしまうこともある。
2　悪いとしりながらその傾向はつよい。
1　多分にそうした傾向はある。

8　あなたは子どもの要求をなんでもいれてやることが親の愛情だと思つていませんでしたか。
5　なんでもとは思わない、いれる時にはいれる。
4　めつたにないがそうした覚えはある。
3　悪いとは思つていても時にはきいてしまうこともある。
2　悪いと知りながらもその傾向は強い。
1　多分にそうした傾向があります。

9　あなたは子どもをしかるときに、いつもひにくをいつたり、いやみをいうくせはありませんか。
5　全くない。
4　時たまあるかもしれない。
3　思わずいつてしまうこともある。
2　ちよいちよい口から出てしまう。
1　絶えず、いつている。

10　一日にたとえ五分でも子どもとあそんだり、話したりしようと考えておりますか。
5　よく考えて実行している。
4　常にとはいかないが、努めて実行している。
3　心がけて時々実行している。
2　考えていても実行出来ない。
1　そういうことは全然していない。

11　あなたは子どもの過失はがみがみしかつても親がまちがつた場合には、なんとなく合理化しようとしていませんか。
5　全くない。
4　ほとんどない。
3　あるともないともいえない。
2　わりあいあると思う。
1　非常にあると思う。

12　あなたがもし働いており、いろいろな会に出かけて留守がちな時に学校から帰つてくる子に、親の思いやりのわかるような処置をしておられますか。
5　いつもとるように心がけている。
4　心がけているが必ずとまではいかない。
3　時々とるようにしている。
2　たまにはとることもある。
1　全然そんなことやつていない。

13　あなたの家には常に子どもの前でみだらの話をしてよろこぶおとなが訪ねてきたり、平気でそういう話しをする風がありませんか。
5　全くないと思う。
4　あるかもしれないがまずないと思う。
3　時たまあるかもしれない。

2 ちよいちよいある。
1 いつもそうである。

14 子どもと親が寝室をいつしよにするのは子どもの成長や親のこれからの生活にたいへんな支障をきたすことをお考えですか。
5 そう考えて別々に寝ている。
4 寝室は別に出来ないので別の方法を実行している。
3 寝室はいつしよだが注意はしている。
2 考えてはいるがそのまゝになっている。
1 寝室はいつしよだし考えてもいなかつた。

15 あなたは、子どもの持物や、言葉づかいや、おしやれの仕方などが変つてくることに気がつきますか。
5 十二分に気をつけている。
4 だいたい気をつけている。
3 まあ気をつける方にはいる。
2 あまり気にかけてない方にはいる
1 全く放つたらかし。

16 あなたは子どもの前で受持の先生や学校の悪口をしたり顔ですることはありませんか。
5 全くないと思う。
4 断言出来ないがないと思う。
3 考えていてもうつかりいうことがある。
2 ちよいちよいあること。
1 絶えず言つている。

17 あなたは子どもにその才能がないのに特別なけいこごとをさせたり家庭教師をつけたりなどして親の過大な期待をみたそうとしていませんか。
5 全くない。
4 まあない方だと思つている。
3 あるともないともいえない。
2 やゝそうした傾向がある。
1 多分に思いあたるふしがある。

18 あなたは子どもの興味の相手になつたり、はげましたり、よい助言を与えておりますか。
5 いつもそうしている。
4 だいたいそうしている。
3 時々そうしている。
2 たまにやることもある。
1 全然やつてない。

19 あなたやあなたの家庭では何とはなしに子どもは親に対しては目下であり理屈があろうとなかろうとハィハィと親に従うべきだと考えていましたか。
5 全くそうは考えない平等であるべきだと思つている。
4 そういう態度はとらないつもりだがあるかも知れない。
3 そうは思わないがついそういう態度にでることもある。
2 大ていそういう態度にでる。
1 親として当然のことだと思つている。

20 あなたは父らしくない父母らしくない母という組合せの中に育つた子どもの性格（パーソナリティー）がどのようにゆがんでくるかにお気づきになつたことがありますか。
5 気づいているし父母らしい父母であるつもりでいる。
4 気づいているし人並である。
3 あまり気づいていたとはいえないが父母としてはまずまずと思う。
2 あまり気づいていたとはいえないし、父母としても自信がない。
1 全然考えてみなかつた。

次は採点表ですおためし下さい。

合計点	判定	診断（しんだん）
八〇点以上	優	○よほどのことがない限り心配ない。
六〇―八〇	良	○まずまず大丈夫でしよう。
三〇―六〇	可	○ご自身の家庭についてもう一度よく考えてほしい。
三〇点以下	不可	○困つたことですぜひ解決策を講じてほしい。

18頁より

中でもよく見受けられる。重大な任務をになつている母親達がこの際大いに覚醒して青少年問題に取り組まなければ悔を百年に残すことになるといつても過言ではなかろう。

上層部の母親は高くとまらず、底辺（溝上泰子先生の言を拝借）の母親は卑屈にならず、同じ母性の立場から、各自の持つ最大限の力と良識を結集して子ども等の将来のしあわせの為に立ちあがつてもらいたい。

そして母親と女教師の結びつきにまで発展させていきたいものである。

教職員会の婦人部でも母親と女教師の会を持ち、お互いの研修に努力し相当の効果を挙げているが、集まりのための研修に終らず、又中央集会のにぎにぎしさのみにとどまることなく、連合教育区、教育区、学校区、部落、もつと範囲をせばめて、教育隣り組みの集まり等、至る所であらゆる機会をとらえて、子ども等のすこやかな成長を願い、教育を大切にしようという心の結びつきを持つ事を提唱する。家庭の母、職場の母、共稼ぎの母、夫をなくして子女を一人で養育する母もあろう。それぞれの立場の中で生活を考え、子どもを考え、湧き出て来る問題をじつくりと話し合い、共通の願いを深く掘り下げ、掘りあて、それに向つて勇気を持つて前進、いや突進しよう。くり返えし訴える。「教育隣り組み」と「母親と女教師の結びつき。」は青少年を不良化から守る固いとりでである事を深く認識してもらいたいということを。

児童相談所

課長　幸地　努

㈠ 連絡協調の重要性

(1) 現　状

少年非行の問題は、家庭と学校と社会そしてあらゆる関係機関と全地域住民の協力をまたねば解決できないものであることは当然のことであるが、この当然の事が、云うは易く行うは、これまた実にむつかしいものである。しかし協力態勢が少年非行の重大な対策であるとすればそれがたとえ難事中の難事であったにしても我々はこれをやりとげる方向を見出さなければならないし、その努力を放棄することは、とりもなおさず非行少年の対策を放棄することを意味する。

全住民の協力態勢云々は、さておくとして、学校、警察、児童相談所（以下単に相談所と略す）等非行少年に直接関係深い機関相互の協力態勢はどうか……と云うと、これもなかなかスムーズに行かないのが現状である。

(2) 連絡協調をちゅうちょせしめるもの

一体、関係機関の協力がうまくゆかないのは、互いに協力することを望まないからであろうか。時に新聞等で「学校の態度は非行協力的……」と伝えられることがあるが、文字通り学校側は非協力的であろうか。そうは思わない。非行少年に関する限り、学校も警察もそして相談所も共通の理念を持ち、共同の目的に奉仕しようとしており、その意味では最善の協力を惜しまないし、また惜しんではならないはずである。

ところが、協力と云うことを具体化し行動化しようとする時、学校側をしてあるいは、相談所をしてちゅうちょせしめるものがあるのである。

かつて、某中学生徒の級友に対する刺傷事件について、学校側が報告や通報を怠った事が批難された事があったが、あのことも、学校側の怠りやめんつを慮つての隠蔽主義だと決めつけるのは浅はかでもっと重要な要因があるのではなかろうか。事件が社会に公表され、学校の教育技術が批難されることを恐れる心理もあるであろうが、それよりも教師にとつては事件本人である生徒がその為に人格の発達を阻害されはしないだろうかという気持、即ち生徒の心理に及ぼす影響を憂うる教師の良心が報告や通報をちゆうちよせしめた大きな要因ではなかつたかと思うのである。

このような良心が誤っていないかを詮索する前に、教師をしてそのように方向づける何ものかのあることを考えてみる必要があると思う。この何ものかとは、現在の警察、文教、福祉等の非行児に対する行政のあり方や、ジャナリストに対する疑問や不信ではなかろうかと思うのである。もっと平易に云うならば、この事件を警察や文教当局へ通報あるいは報告することが、結果としては事件本人のためにマイナスになるのではないか……と云う疑問や不信が教師の心理を強く支配しているのではなかろうか。

(3) 不信の原因は認識不足にも

教師をしてこのような不信を起こさせる原因は種々あろう。現行の少年をめぐる法律制度やその運用にあるかも知れないし、警察官や相談所職員の児童処置上の技術の拙劣さにあるかも知れない。しかし何と云っても大きな要因は各機関が相手機関の機能を充分認識し、理解しないところにあるのではないだろうか。

現在の少年警察や相談所の機能が誤解されたために時には、その存在がむしろ非行少年の指導をぶちこわしているかのような批難をも受けることがある。

これでは連絡協調どころの話ではないわけで機関の機能を理解しなければならないゆえんである。同時に各機関相互間にある不信は決して理解の不足だけに原因があるわけではないし、それが制度や運用技術などにあるとすれば、これを改めるにやぶさかであってはならないし、そのための建設的な意見はこれを歓迎する度量を持つべきかと思う。

以上述べましたような意味で、児童相談所の機能を述べ大方の理解をいただきたいと思う。

＝別特寄稿＝

少年非行と

沖縄中央児童相談所
相談指導

㈠ 児童相談所とは

(1) その法的根拠と役割

現行の少年をめぐる法律制度は、①教育関係 ②労働関係 ③保護関係 ④福祉関係の四つに大別される。ここで、教育と労働は割合判然としているので省略するとして、後の者の区別を簡単に書くと、保護関係のものとは、罪を犯しましたはそのおそれのある少年を対象とした司法保護に関するものであり、少年法を中心とする少年審判ないし保護矯正に関するものと、少年警察に関するものを包含すると解される。福祉関係と云うのは厚生行政の一環として社会局所管のもとで運用されてるものの中児童福祉に関係深いものを云う。

この系統に属するものに児童福祉を積極的に増進するもの、もしくは様々な不幸から児童を守りその不良化を防止する性質のものと、心身に障害があり、あるいは家庭状況がよくないため何等かの保護扶助を要するものの福祉を守ると云つた。一口に云つて児童に関する社会福祉事業であり、これらは児童福祉法と云う立法に綜合され平行法となつている。児童福祉法は一九五三年十月十九日に立法されたもので、この立法の第十四条により政府が義務として設置しなければならないのが児童相談所である。

相談所の役割は、やはり児童福祉法の第十五条に示されている。即ち、

①児童に関する各般の問題について家庭その他からの相談に応ずること。②児童及びその家庭について必要な調査や医学的、心理学的、教育学的、社会学的及び精神衛生上の診断を行ない、その結果にもとづいて必要な指導を行うこと。③必要に応じて一時保護を行うこと。等となつており、相談所はそれぞれの専門職を置いている。（医学、精神医学との判定は嘱託医が行う。）

(2) 相談所が行うサービスの原理

右に述べた役割を果すための相談所の業務の中、重なるものはケースワークサービスであると云える。カウンセリングとか、スクールケースワークと云う語が普及している今日、この言葉は耳馴れたものであるが、反面その概念はかならずしも充分理解されていないうらみがある。ケースワークは人間援助に関する社会福祉事業の一方法であり、社会適応の問題で最早や自らの力では自らを扱い切れなくなつている個々の人々何等かの解決案を見出させるように援助してゆく技術であると一般的には云える。そしてこの技術を施す人をケースワーカーと呼ぶのであるが、ケースワークにおいては、ケースワーカー対クライエント(対象者)との援助関係が実は重要であり、これには幾つかの原理がある。それらのすべてについて書くことは許されないが、代表的な一、二の原理について簡単に説明したい。

(A) 人格尊重の原理

ケースワークは対象者を独自性やユニークな価値能力を持つた個人として尊重することから始まる。クライエントが彼なりのユニークな人間性、能力を十二分に発揮して自らの力で適応してゆけるよう援助するのであつて、児童や親の決定権や意思能力を無視して彼等に代つて何でもしてやつたり、やたらに指示命令することはケースワークではない。（これらのことを、クライエント参加の原理、自己決定の原理等と呼ぶ）。

また人格を重んずるたてまえからどのような児童であつても、法による正当な手続きを経ずして児童の権利を無視することはない。

一例を挙げると、学令期にある児童であれば、たとえその児童がいかなる障害を有する子であれ、その子の権利である就学を止めさせることは出来ないのである。その児童が就学することが自他共に福祉にかなわないと思料されるのであればその為の法による手続きやその機関等の社会資源を活用するのである。

(B) 社会資源利用の原理

人間が社会によく適応して行けるか、

どうかの可否は社会資源を適切に利用し得るか否かにあると云つても過言ではない。親や教師は児童に躾けや教育を施しているのであるが、逆な立場から云えば児童は、親や教師と云う社会資源を利用して学習してゆくのである。

現在の不適応な状態を何とかしなければと思いながら、それを解消する為の社会資源の存在や利用の方法を知らないクライエントのために進んで社会資源を利用するよう仕向けてゆくのはケースワークの過程で大事なことである。

であるから相談所に来る子どもたちの指導や資源は、ケースワーカー個人がやると云うよりケースワーカーの活用する資源がやるのだ…と云うことになる。この意味からすれば、ケースワーカーは児童の諸々の問題に応じ、てきぱきと社会資源を活用し得る人でなければならず、いわば児童のための社会資源利用の専門家でなければならない。その為には児童問題に関する法律や諸制度、諸機関等について充分なる認識、理解を持たなければならないことは云うまでもない。

(3) 相談所の業務の流れ

それでは具体的には相談所の業務の流れはどうなつているか、図解と例で示そう。

（A） 受理まで

対象者→受付→受付面接員↓↑監督相談員↓↑課長↓↑所長

客の用件が児童の問題についてである時は受付はこれを受付面接員に引継ぐ。受付面接員と云うのは、ケースワークや面接の技術を身につけた専門家であり、客の持ちこんだ問題についてよき聞き

手、よき理解者となり監督相談員との話し合いの上で問題の処理に当る人である。

即ち相談所で扱うべき問題であれば、これを受理すると同時に適切な助言を与え、また全く他の機関で扱うべきもの（このようなものは殆んどないが）であればその資源を紹介または斡旋する。（監督相談員の機能については後継する。）

受付面接員と監督相談員との話し合いによつても決し難い時は課長や所長の指示を受けると云うことになり、指示、話し合いのやりとりが矢印で示される。

（B） 措置決定まで

所長→児童福祉司↓↑監督相談員↓↑課長→所長（措置決定）

受理されたケースは、所長によつてケースワーカーである児童福祉司に担当割当される。児童福祉司はそのケースについて社会調査をすると共に、必要に応じ医師、心理判定員へそれぞれの判定を依頼し、また一時保護し観察をさせる。

これらの調査、判定が一段落しますと児童福祉司はインテグレイター（総括者）としての役を務めて結果を総括してこれを課長、所長等を出席して行われる措置会議（評価会議）にはかり、児童に対する指導指針や措置を決定するのである。（特殊なケースとなると調査や判定がはかどらず措置決定までに半年以上の長期間を要することもある。）

措置会議にはかられるまでの諸調査、諸判定はすべて監督相談員との話し合いによつてなされるのであるが、ここで監督相談員の機能について少し触れると、それは大体二つの機能を有するものと解される。

先ず第一はケースワーカーに対する技術援助と指導である。先述したようにケースワークにおいては社会資源の活用が大事であるが、問題に応じて具体的に、適切に社会資源を利用することは容易でなく、更に長年の経験と知識を有する人の援助が必要である。この援助を与える人が監督相談員である。またケースワーカーが無意識のうちに陥つてゆくケースワーク的でない心理や技術を指摘し指導するのも監督相談員の仕事である。

監督相談員の第二の機能は各ケースワーカーの精神衛生に留意することである。非行児童の指導に真剣に取組んだことのある人なら誰でも経験することと思うが、いくら努力しても指導の効果が上らない時の指導者の焦り、悩み等は第三者にははかりかねるものがある。この焦りや悩みを理解してやりケースワーカーのフラストレーションの解決を図るいわゆる精神的な支持援助を与えることである。

付記　児童相談所長の措置には次のようなものがある。

① 児童福祉司の指導に付す措置
② 里親に委託する。
③ 保護受託者（職親）に委託する措置

④ 児童福祉施設へ入所させる措置　イ愛隣園　ロ石嶺児童園　ハ沖縄実務学園　ニ沖縄盲ろう学園　ホ沖縄整肢療護園
⑤ 福祉事務所へ送致する措置
⑥ 家庭裁判所へ　〃　〃
⑦ その他（附随的に）
親権喪失、後見人選任及び同解任を家庭裁判所へ請求する措置等々。

（C）児童福祉司の指導例

次に児童福祉司の指導に付されてゆく児童の指導例について経過の一部を簡単に書こう。児童福祉司の行う調査や指導が監督相談員との話し合いや、やりとりによつてなされることは前述のとおりである。

U・M子（十五才）の場合

△八月三日　那覇署より通告、沖縄中南部を荒しまわつた「自動車乗り少年強盗団」と騒がれた一味が検挙された時、一しよに雑魚寝していて補導されたのが本児達二人の少女である。本ケースは当所で受理され、児童福祉司に調査が命ぜられる。

△八月二十四日まで　児福司は、二度家庭訪問し面接調査すると共に積極的に相談所へ来所するようしむける。今日母子二人来所。家族は母と二人四月、R島より那覇へ転任したが在学証明書を紛失したため転校せず、現在登校する意思なし。母は知性低く本児に対する指導性弱し、母子と話し合いの上、嘱託医及び保健所にて健康診断、異常なし。特に女子の生理等について医師の指導を依頼、先日来登校のことや今後の生活設計について話し合うも母子共に無力で積極性見えず、R島の学校及び役場宛照会公文発送

△九月十七日まで

本児及び母来所二回、児福司の訪問二回、諸テストの結果、パーソナリテーは正常。引続き登校のこと等について話し合うがその意思表示なし、かと云つて働きたいとも云わず、また三日間家出する。R島より先日の照会に対する回答あり。学籍はR島にある。戸籍については戦前よりの寄留者で本籍はK村だとのこと。措置会議の結果、児童福祉司の指導と決まる。

△九月二十八日まで

本児より「実は、一週間前からTと云う男と同棲している。結婚させて下さい」との申し出あり。義務教育や結婚、人生等について課長、所長まで動員して話し合い本児及び母の熟考を促したところ、四日後「Tとは別れて学校へ出ることに決めた。しかし自分の過去の異性との関係は学校はもち論誰にも秘密にしてもらいたい」との申し出あり。過去の事情を学校に知らさない……と云うことで監督相談員や所長等と話し合い「異性関係については機会があるまで学校へは話さない」と決める。R島より転校手続き取寄せる。

K村へ戸籍謄本請求するも不備、住民登録もしていないとの事だが、戸籍整備ができていないためはかどらず。九月二十八日、手続き完了して市内某中校へ転入、本児の希望通り過去の異性関係は誰にも秘密にしておく事を、同時に本児も再びあのような関係に陥ることのないよう約す。

△十一月五日（現在まで）

本児の意思を尊重し、またその意思の確かなることにある程度の見通しを立てて転入させたのであるが、後日学校側より本児の服装や異性との噂話等について連絡あり、調査の結果Tと云う男との関係が絶たれていないことが判明、このことについては最年や学校側へ秘密にしておくことのできない事情を本児にも説明し、本児の過去と現在について詳しく学校へも報告、最初学校側は「過去をかくして…」と相談所に他意のあるように感じられたようであるが、よく事情を理解して下され、校長を始め本児の問題に取組んで下さつている。校長自ら児福司と共に夜しか家に居ない本児の母を夜間訪問し、温かい教示を授けている。

その後、Tとの関係は絶ち、服装にもけばけばしさはなくなり、毎日登校はしているものの、前途には多難を思わせるものが多く、引続き直接間接に見守つてやらねばならない。

㈢ 相談所より学校へのお願い

学校例の諸事情（例えば事務量や雑事の多いこと等）を抜きにし、あるいは具体的なケースから云えば学校へ望みたいことはたくさんあるであろうが、ここでは相談所で取扱つた児童の共通的で心理的な問題について要望や疑問等を簡単に書きたい。

（A）教師対児童生徒の対人関係について

相談所へ来る非行児（殊に年長）に共通的に云えることの一つは、自分の教師との間にほとんど温かい心と心のふれあいを持つていないと云うことである。教師対児童生徒の対人関係がいかにあるべきかについては、私共が云うべき筋合いのものではないであろうが、先述したように非行児の多くは教師を止むを得ない権威として捕えそれに服したり対抗したり、教師の存在に至つて無関心無関係なものである。心と心のふれ合いから当然生まれてくるべき信頼関係を期待するの

は無理なことであろうか、（中には逆に非行少年であるが故に、特に教師が意を注ぎ、まるで兄弟か親子のような対人関係に陥っているものもある。）

（B）最初の無届欠席に注意を

非行児の全部と云ってもよい程、非行は、無届欠席を伴っている。無届欠席とそれに対する適切な訪問指導の心理的意義は至って重要である。欠席することにより、教師が自分にそれだけの関心と愛情を持っているかをテストしてみる児童の無意識の心理…とこれに対し、期待を裏切らなかった教師に対する信頼…等は一部の例に過ぎない。また定例の家庭訪問は形式に流れて肝心のものが忘れられるのであるが、欠席と云うことはそれをチャンスにして児童やその家庭について充分理解するのに役立たし得る。

無届欠席が常習犯して来るに及んでからの訪問指導ではその心理的な意義も複雑困難化してきて効果も薄い。最初の無届欠席に充分なる注意をと云うゆえんである。

（C）日常の観察に細かい心づかいを

このことは非行児に限ったことではないが、特に非行児の場合は非行と関係深い他の行動や疾病等が多い。児童は誰も感づいて呉れない。極く小さなことに気づいて呉れる人々こそ関心を寄せるものである。チック、指しゃぶり、貧乏ゆすり、こうこつ状態（ぼんやり）などのように心理的にその原因を求めなければならないものや、夜尿症、蓄膿症、近視トラコーマ、難聴、不具、畸型、皮フ病等の身体的な問題等もパーソナリティーに大きな影響を及ぼすものであり、充分なる観察と指導を強化してもらいたい。

相談所へ通告されて来る児童は学校側で気づかなかったことで右に挙げたような行動や疾病等を持っているものが多い。相談所へ来てからトラコーマや蓄膿症の治療を受けたものは実に多数である。中には学校の身体検査をみると数年来、トラコーマとか、近視となっているのにかかわらず、一度も教師からそれについての指導を受けていない児童もいる。このような発見、治療等は極く大事であるがむしろこう云った心づかいの結果生まれるであろう。教師対児童の精神的結合にこそ重要な意義があるものと思う。

（D）形式主義を重く見るな

教頭や校長に説諭され誓約書に拇印を押した。校長、教頭、補導主任、担任教師の居並ぶ前であたかも裁判のようなことをされた…と云った意味でその光景まで見えるように話をする子ども達は多い。こう云ったことを形式主義だ、効果があるか…などときめつけるわけにはゆかない、が問題は児童個々についてそう云った方法手段で効果があるか、どうかに充分なる洞察が加えられていないかに思える点である。子ども達の話やその後の行動にはむしろ逆効果を思わせるものが多い事実に注意を促したいわけである

（E）校外補導について

教師が校外まで手を伸ばし日夜苦労なさっていることには敬意を表しているものであるが、これも児童を観察したり面接したりしての疑問であるので書くことにした。

警察署から通告されて来た児童が「〇〇先生につかまって、××交番所へ連れて行かれ、そこから△△署へ連れて行かれ、そしてここへ来た」と云うのであるが、この児童の話を聞いていると、最早や教師対児童と云う関係は影をひそめ、取締り官対非行児と云う関係になっているようで、教師の校外補導のあり方、警察との協力のあり方に何か考えなおすべきものがあるように思えた。

（F）児童の措置を決めてしまう学校

これは相談所に関することであるが相談所へ来る児童の中には、学校の教師か校長等から「実務学園へ行きなさい」とか「児童園へ入れてあげよう」と云われて来る児童が多い。先述したように相談所では諸調査、諸判定の結果にもとづいて措置が決定され、その措置も一通りではない。

相談所の決定した措置が学校で云われたものと異なる時、児童の心理に与える影響には微妙なものがあり指導と大きな問題を残してしまうのである。不確かな約束や暗示等はケースワークに禁物である。「二度とこんなことをしたら、刑務所だぞ」などと云うことも、云っている方にそれだけの権限があり、また可能性があるならば別として、実現の見透しの確実でないものに、このようなおどしや約束などはすべきでない。

相談所へ来る児童については、相談所をオドシの道具に使うことを避け「相談所へ行ってよく相談してみましょう」と云う程度でよいと思う。

結び

各機関同志が相手を批難し、自らを合理化（ナショナリゼーション）している間は連絡協調はむづかしい。各機関とも一生懸命なんである。それがなかなか思うようにゆかないのには予算の関係、人容の不備、法律制度等多くの理由があろう。更に大きな要因として機関の機能を理解していないこともあろうとして、相談所のPRにこれ努めて多くの紙数をいただいた。どうぞ相談所と云う資源を有効に活用していただきたい。また相談所のためと云うより児童の福祉のために、相談所に対する要望なり、意見なりでもいただけたら幸いである。

—特別寄稿—

児童福祉施設の立場から教育界に要望する

沖縄実務学園長
知名定亮

私が常に考え、そして訴え続けていることの一つは、「世に非行児といわれている子どもたちは、自らすき好んでそうなつたのではなく、そうなるように育てられて来たのだ。」と言うことで、つまり非行児にならざるを得ない多くの不良な環境因子の渦の中で幼い生活経験を過してきたということである。したがつて憎むべきはその子どもではなくて、育ててきた社会因子である。このような理解に立つて私たちの教護実践がなされている。

学校教育も教護育成も窮極は人を作ることであろうと思う。「人一人を教育する」という信念と理解の上に営まれてこそ教育の真の尊さがある。縁あつて師弟関係をもつた児童が各種の特殊施設に収容された場合、旧師の協力は実に有難い。本人の感激はもち論のこと、保護者の理解を深める上に連絡を密にして教育効果をあげたいものである。

教護施設から学校復帰の場合など、「この子が来たら学校が手を焼く、他の子たちが迷惑だ」なんて拒否的な考えは折角浮び上ろうとす子を永遠に蹴落することになる。どうぞ、特殊施設は自分の学校内の特別学級であつて自分らの学校の一環であると言う方向に理解されて真に教育的受容の態度をとつてもらいたい。

情熱と誠意をもつて問題児と取組み、ひたむきな精進を続けておられる教職員も相当多いのであるが、まだまだ一般教職員中には施設機関もご存じない先生方も多いのではないかと思われる。機会をつくつて施設に立寄つていただくことを希望する。

現今の社会状態にあつては学校教育も進学教育や職業教育面に重点をおいて経営されることは必要であるが、進学、職業教育万能主義になつては、全人教育の重要なる部面がおろそかになることになり結果的にはそれらの「しわよせ」として反社会児（社会不適応児）が多く出てくる現象が考えられる。人一人を教育するとか個性尊重の教育が善良な社会人を生み出すものと肯定する核心に思いをいたし、とりこぼしのないよう一段の教育配慮の必要はないであろうか。

青少年の非行問題が世界的共通の難問題となつている今日、各面での綜合的再検討がなされ、真剣な生活革命が社会人全体の連帯責務として実行されない限り青少年問題は明るい解決はのぞめないではなかろうか。薄幸なる子どもたちが、身も心もすくすくと伸び育つて行けるよう先生方のご協力を祈るや切々。

次に、当園収容児が特殊教育対象児となつた因、年令別などについて分類してみたい。

特殊教育を必要とする対象児童は、小学校、中学校適令児童の約二パーセントいるものと推定されている。大部分は正常児である。よつてそのねらいは、対象児の治療更生、伸展の教育を施すると共に正常児が特殊教育の対象児とならざるよう予防教育に努力してもらうことが教育界に要望する核心である。

△特殊教育対象児となつた原因を当園についてみると（非行問題児）次の三項に分類される。（多い順序に列記）

1　家庭環境によるもの（65％推定）
△放任(相互感情の不和、躾の不適当)
△厳格（体罰、叱責、ぐち）
△家族相互間の不和
△家族構成の欠除
△生活貧困
△家業の影響

2　社会環境によるもの（30％推定）
△生活環境の不良
△交友関係
△マスコミの誘惑
△学業不適応

3　本人身体によるもの（5％推定）
△疾病、身体欠陥、遺伝など

1の場合が原因の大半を占めていることは、子どもにとつていかに家庭環境での育成が大事であるかを物語つている。両親や先生から愛されたい、認められたい、というニードは児童共通の心理であり人間自然の欲求でもある。この児童心理をどのようにして科学的に相互関係を結んでいくかが、いわゆる躾ということになる。先生と生徒の相互関係において単に学科の指導・教壇を通してのみの毎日に終始するのではなく真に誠実と誠実に触れ合う人格接触による相互関係が繰り返されなければならないと思う。そこで一対一の人間教育技術が生まれ諸種の不遇児や特殊児童が救われることになると考えられる。精神的に心の寄りどころとなる家庭雰囲気学校雰囲気が欲しい。

当園に収容される児童の殆んどが映画館の事情を熟知していて、映画について異状的な程きよう味と関心をもつている事実は注目すべき点であると思う。それから彼等の口をついて出るメロディはこれ又すべて流行歌である。マスコミ対策は青少年問題を検討するときの重要な課題であろう。

2　収容年令より考えられる。

△七才→十二才（三〇・一％）
△十三才→十五才（五七・九％）
△十六才→十七才（一一・五％）
△十八才以上（〇・五％）

早期発見、早期治療の原則より小学校入学と同時に家庭環境の調査や知能テストを実質的に行い生活環境の調整、生活指導の実績が学校当局の配慮によつて効果をあげるよう留意していただきたい。学校当局の努力、責任ということもあろうが十三才から十五才において大多数を占めていることは、手を尽したが遂に重患となり収容せざるを得なくなつた者がいかに多いかがわかる。又小学校より中学校に移つた指導形態にも検討を要する点があるようである。

3の場合は医科学的な治療を伴ういわゆる特殊教育を施さねばならぬ児童を指すもので身体的欠陥の治療と平行して教育されなければならぬ。身体的欠陥が主因となつて反社会的傾向にはしつたケースや或はひつこみ勝ちとなつた子又は交遊関係が不全であつたケースは、その欠陥の治癒と平行して正常児にたちかえる率が高いようである。精神薄弱児や肢体不自由児の如く先天的、後天的に身体欠陥のある児童の福祉普通学校教育においては図られない面が多いので特殊教育施設の完備をまつて委ねなければならない

収容園児の処遇面から痛感することは、園児は園内においては一応、劣等感や非行性が除去され、慣れるに従つて生活も正常化して来る。しかし外部に対しては劣等感をもつていると思われる。社会復帰に当たつて苦慮し不安定なのはこの点である。外来訪問を嫌うといつたことでなく、自分が外部に出た場合の劣等感である。故に前身が判明することを嫌い社会の受入れを警戒する。他意なく言われた（学園出身）の言葉が再び反社会意識をあふりたて、職場を飛び出したりやけになつて悪さをする原因となつた例が多い。したがつて、施設出身の児童が学校に転入した時は「そつと」しておいてもらいたい。そして個人的な指導面担任は相談に応ずる温情と理解を示してもらいたい。

職場で問題になるのは卒業証書のところである。教護院の卒業証明書は普通学校の証書と同等の権威価値を与えられてはいるが、結局は劣等感と社会受入れの点から、表面に出すことが本人のマイナスとなり、本人将来の福祉のためには出身学校の卒業生となることがプラスである。日本本土の学校では収容期間中就学猶予として委託教育の取扱をやつてもらつている制度が多いようでまことにうらやましいことである。

10頁より

良く考えておきなさい。」

六月七日　火　母の所へ訪問

訪「父やS君に相談なされましたか」

母「この前行こうと思いましたが人を二人頼んで豚小屋作りするために行つておりせんができあがり次第行つてきましよう」

その後二回母を尋ねてきいてみたがとうとうS君の所へ全く行つてない。その間にS区にいた父は屋主に行先も告げず一人で何処とも知れず引越してしまいS君の行方も全くわからなくなつた。

九月中旬頃彼（S）は盗みの現行犯で警察に補導留置され、警察から母にS君の引とり方の連絡がなされたが母は警察にやつて来ないので、私は早速母に逢い「父も元いた住所から引越して行方がわからないし、この際あなたは母としてS君を引取つてもらわないと可愛想だし警察としても困るので、すぐ引取つてもらえませんかと頼んだ。ところが母の返事は「そんな子はもうわたくしの子じゃありません、父親が引取りに行くでしょう」と、情無い母親のことば、警察としても一応児童相談所に保護を依頼し、後で中校のK先生（かつてのSの教師）が引取つて世話する事になりK先生の下宿から通学するようになつたが去つた運動会には区対抗の走に選手として出場し見事一位になつた。私は彼に対して心から拍手と声援を送りながら彼の更生を祈つた。

㈢　結　び

非行の原因が家庭にあると云われているがS君の場合も家庭環境が彼をそうせしめたと云えよう。しかし愛情と理解に依つては救えるものであると信ずる。

（コザ連合教育委員会事務局）

沖縄に来て
＝思い出と前進と＝

野田　弘

ー序　章ー

ふるさとの山が恋しい。

黄やあけにそまり始めたであろう山野の木々には、初霜もすでにいくたびかむすんで、そのもみじの色をましているにちがいない。そして、ひと色にすがれ始めた野辺の小道に、あらくさが、わずかに青みをとどめる時もまぢかに迫っていることであろう。

郷愁ににた思い出をたどりながら、私は今「沖縄にいるのだ」という気持ちを深くする。

そして、ふるさとの友だちを思う。

ふるさとの友だちが恋しい。

自らの力をせいいっぱいだして、夜のふけるのも忘れて語りあつて来た今までの生活を思う。

香・国・研（正式には香川県国語教育研究会）ーそれが私たちの国語を語り、人生を語り、おたがいの生活、喜びも悲しみもわかちあうまでに成長した共通の広場である。

会歌にいわくー

「あちこちの　池水に
やはらかに　山野をうつす
讃岐富士　かげもいとこし
香・国・研　香・国・研
ことばの広場
塩浜に
純白の　光　そそげり」

○昭和二十年二月十四日　香川県国語文化同好会を組織す。会員七名。戦いはますます苛烈。その年八月敗戦。

○昭和二十二年八月再起。石黒修先生（国語教育評論家）を東京より迎える。毎月一回、第一日曜を定例集会日と決定す。

○昭和二十三年八月倉沢栄吉先生（文部省視学官）を迎える。毎年夏、東京より講師を迎えて、実践のあとをふりかえることにする。その年十二月。再び倉沢先生を迎えて、第一回合宿集会を開く。（寒いので、夏休みに開くことにする。）

○昭和二十四年十一月西日本国語教育研究会を開催す。西日本の先生方に、実践を公開し、研究のあとを批判していただくため、

会是ー来たるものは拒まず、去るものは追わず、純粋に国語教育を歩もうとする同志よ来たれ。（この年香川県国語教育研究会と改名）

この夏の合宿と、秋の大会（西日本国語教育研究会）は、本年で第十二回をかぞえることになつた。この二つの会をめざして、毎月の定例会はもちろん郡市との共催の会に全力をつくして来た。

（注　①合宿集会は、朝九時より夜十一時半までのプランにて、三泊四日講師倉沢栄吉先生、全員学校のゆかの上に合宿、会費は二千円（約六ドルか）第十二回の本年は、中国、九州（別府）、近畿、四国各県より参会合宿の関係上定員制（百五十名）

②西日本国語教育研究会は、会員が授業を公開、（会員は自分の教えている児童や生徒をバスや列車で引率してくる。）夜は宿泊している県外会員のために、実践授業

○毎月の定例会は必ず続ける。集まることだけでもいいではないか。

○西日本国語教育研究会は必ず続ける。

○夏の合宿集会は必ず続ける。

○集まることは人間をみがくのだ。組織は、人を育てあげるのだ。まず組織を育て、組織を発展させるのだ。これがしつかりとするまで、香・国・研にすべての人はささげよう。

こうした誓いがいつの間にかできあがつていつた。そうして、とりのこされた島の小さな一県であつても、どこまでやれるものかやつてみようという気持になつた。

会歌にいうー

「年ごとに秋はれて
西日本　千余のつどひ
つくも島　みどり　いやます
香・国・研　香・国・研
ことばの　海路（うなぢ）
しお風は　くに中に

のび拡がれり」

ふるさとの友が恋しい。

「子どもを愛するなんて、そんなことを言うのはやめよう。国語教育をまず一しょうけんめいにやろう。そうしたら、子どもを愛したことになるではないか。

ふるさとの友はそう言っている。――」

（前略）十月十六日の香国研、清敢郡共催の研究会は、予想以上の盛況で、何とか責任を果たしたことをまず大兄に報告いたします。（中略）―香国研夏の合宿集会の記録は、明後日（十月二十六日）午後一時半より、附属中学へ四、五名召集して加筆修正の上、倉沢先生までお届けいたします。ご安心ください。――下略―（香・国・研三木立身氏よりの手紙）

沖縄にいると、むしようにふるさとの友が恋しい。何の気がねもなく、自由に語り合える香・国・研をなつかしく思う。

（注　手紙にある、記録は、東京の牧書店より香国研の記録として出版の予定。著者は倉沢栄吉と香国研の共著、―私たちはすべて香国研の名のもとに行動することにしている―でき次第（三月か四月）貴地にも寄贈いたします。）

―第二段落　「承」―

ただ今（十月十九日午後五時）おたよりありがたく拝見、主事任地に到着以来お元気でお過ごしの趣うれしく存じます。当地は朝夕寒さを感じるようになり、日本酒に魅力を覚えます。―中略―那覇に留まるようになったのは、君の本志とはちがいましょう、でもいいではありませんか。（中略）お金はありますか。あの映画でみるキャバレーの豪遊は、一つ実地にためしてみてください。思い出になりますよ。君のすること一つ一つに、なつかしい思い出が残るようにはげんでください。思い出になる仕事をしてください。（中略）何かいるものはありませんか。薬品とか、こちらの恋しい品物はありませんか。（酒は？）（中略）春、四月、さくらの花の咲く時は、あのりっぱな部屋でいっぱいやることにしましょう。（香・国・研福家貞輝氏のたよりによる。）（注　私は一部屋増築中に、沖縄へ来た。）

なつかしい便りは続く。

国語教育を愛する人は、友情にむすばれる。本当のつながりは、こうした人間と人間のむすびつきによって高められる。そんなことは解っていると人は言うであろう。だが、今の私は、私に寄せられる多くの友人の手紙を、ここ沖縄で読むたびに、国語教育で知りあった人と、その心の美しさを思い出さないわけにはいかないのである。

手紙を読む――それは、要件を知ることである。だが、まて、しばし、その要件を包む人間の心のあたたかさにふれずして、手紙を読むとは言えようか。

私を思い、私の生活を案じ、それでいて、私を激励することを忘れない友の手紙。

私はさっきよりなんど読んだことであろうか。何度くりかえしたことであろうか。

日暮れのさんご礁の白ぱい道を、下宿への小道をたどりながら、私はたよりのことばを何度想起したことであろうか。

ぶっそうげの花が赤い。

春、四月。私は、さんご礁の道、ぶっそうげの赤い小道を、友の追想にふけった夜を話しつづける。

―ほんとにうれしかったね。みんなの手紙は。あけるのが惜しくって、表をみ裏をみ、それから、さするようにしてあけるんだ。

―沈黙、友の目が眼がねごしに輝く。

―りくつっぽいが、県下各地の人からもらえるなんて、やはり香国研のおかげだね。ぶっそうげの花のさく道を、みんなのことをしのびながら行くと、あしもとでさんご礁が音をたてるんだ、

――センチだね。

――うん、そうだ。センチになるんだよ。

でも、みなさん。こんどからはちがうよ。沖縄にも香国研と同じような会があって、ぼくをきっとあたたかく迎えてくれるよ。

――ちょっと自慢されるね。ハハハ。まあひとつ。それは腸にしみとおる酒である。かみしめたいふるさとの味である。

私の追憶は、酒とともに甘くなる。宴はまさにたけなわ。私はたっておどる。

「沖縄よいとこ　一度はおいで
春夏秋冬　ヤレホニ　花ざかり
沖縄よいとこ　一度はおいで
国語教育　ヤレホニ　花ざかり

―第三段落　「転」―

沖縄の先生方　お変わりはありませんか。私は久しぶりに、我が家の庭に立ちました。私のるす中も、妻がだいじにしてくれていたとみえ、私のすきなバラに芽をふくのが見えはじめました。

貴地におりますとき、つまらないことばかり申しました。今、後悔しているんですよ。でも、私はみなさんの人間的な愛情にこたえて、あまえてみたくなってやったんです。あたたかく包んでください。私は妙にふざけたくなって次のようなことを申しましたね。

読解力に関する十二章

第一章　読解力とは、人間的に考えることなり。

「おまたせいたしました。ただ今より十三時十五分　上り　東京ゆきの　かいさつをいたします。（二年生）」

（A　案）

。いちばん初めにどういいましたか。

。何時の汽車にのりますか。

。それは午後何時ですか。どこへ行くんですか。

教師は文を追って、次々とたずねる。子どもは元気に答える。それをきいてから板書する。（これが板書の公式となっている。）ノートに書きうつす。

（B　案）

。れつ車にのる人は、どのことばをききおとすと大変なことになりますか。あなたが汽車にのるんだつたら、どのことばを聞きおとしませんか。

。忘れないようにノートに書いてごらん。（書き終わるころ教師は板書）私のとくらべてごらん。

。いちばん初めに、どういっていますか。そうね。これを言うのと言わないのとでは、きいている人はどうだろうね。

。どこへ行くんだつた。

。「東京ゆきと」板書し、だまつて横に「なはゆき」と書きそえてから、「どこが同じ。」とたずねる。そう、「ゆき」ですね。「なは」は土地の名前、そしたら、東京は？……

その場にいたら、子どもはどうすべきか。その場の主人公はどのことばを大切にするであろうか。我、その人となり、我、その人に心配してあげるという人間味―主体性の論理を子どもの中にとりもどしたい。

文を追ってたずねていては、思考力はつきません。私もA案のような授業をしますが、沖縄にもそんな先生がいましたね。日本はやはり狭いですね。おたがいに、思考力をのばすとは何かを考えてたちあがりましょう。

第二章　読解力とは文章をのりこえる力なり

「おたまじゃくしがおよいでいました。めだかもおよいでいました。

おたまじゃくしは、じぶんのことをおさかなのなかまだと思っているんでしようか。」

読解力とは、文章をのりこえることなり、この文章をのりこえて、次へ次へと想像しながら読みをつづける力のことを言う。

書いてあることを、そのまま、読んでしまってから、そのことをそのまま話し合うことではありません。三つの文のエネルギーを利用すれば、

「わたしはおさかなのなかまだと思う。

いや、私は思わない。」子どもはそう思うでしよう。ところが、作者はどう思っていますかをたずねられるから、

「おさかなのなかまだと思っているのでしようか、と思っています。」

文は、そして文章はよびかけているのに。

「おたまじゃくしは、じぶんのことをおさかなのなかまだと思っているのでしようか。」その次を書かずして、作者は「ハハハばかだね」。と自問自答しているのではないかしら。

どれがあっているのだろうか。読解力はこうして深まり、生きて働く力となる

文章をのりこえましよう。文でとまり、考え、文を生み出していく力を何と名づけましようか。

こんな指導を、子どもの上に試してみようではありませんか。

おたがいに手をとつて。同好会のたのしいふんいきの中において。

第三章　読解力とは、文章を読んで、解剖することなり。

なにを解剖するのでしようか。……おたがいの話はつきませんでした（未完）

×　×

こんなことを話しあっている時、先生方は沖縄では「こうやった。こうしていた。こうしたい。」と申されました。私もまたそういいました。

そうして半年。ある時、そうそう、私がいよいよ沖縄を去る日のことでした。「あわもりをのもう」という話になりましたね。

とうふをほしてかためた料理、なんと言うのでしたっけ、それが最後となりましたね。

宴まさにたけなわ。私はたって歌う。

「香川はよいとこ　一どはおいで
春夏秋冬　ころもがえ
香川はよいとこ　一どはおいで
南を仰いで　君をまつ」

そんなあたたかなつながりを思いながら、私は、桜坂の夜景を想起し、わたしの友だちの便りを思う。はげましてください。

―第四段落「結」―

沖縄の山は美しい。

いく多の悲しみを地底ふかく秘めて、その中から、何の苦しみもなかったように、一様にのびようとする木々。

過去いくたびかの受難の歴史は、沖縄の山野に忍耐の一語を残した。

人々もまたそうであつた。私をあたたかく迎え、親切に接してくださつた。本土を遠く離れ、なれない料理に郷愁を感

※（五一ページ下段へつづく）

國語教育についての　ひとつの印象

（1）

宮古にきてから、この一文をしたためるきょうまでに、まだ十日ほどしかたつていません。こういう短い期間における浅い理解のもとで発言するのは、まことに危険なことでありましょう。ですから「ひと目見てこんなに思うものも、中にはある」という程度にごらんいただきたいと願っています。わたしとしても、あとで、「あの発言は誤解にもとづくものであった」と修正せざるを得ないような場合も生じるだろうと、予想もしています。

この十日ほどの間に、わたしは、連合区の教育事務局でいろいろ承ったほかにまず各学校の学校経営案をひと通り拝見し、国語教育が学校経営の中でどんなに考えられ、どう位置づけられているかの大要を理解しようとしました。次に、宮古島内の四市町村の小学校を、それぞれ一校ずつ参観しました。どの学校でも、午前八時ころから夕方の五時近くまで、学校の仕事の行なわれている大部分の時間をおじゃまし、国語の授業を細かく見せていただきました。またその学校の先生がたの、国語教育についてのご苦心をこまごまと承りました。休けい時間には、子どもたちといくらかの雑談もしてみました。さらに配慮校で、子どもを理解するための授業も、ほんのちょつと試みました。以上の、ほんの表面をなでただけの経験にもとづく感想を述べてみたいと思います。

（2）

かなり多くのみなさんから、強調的に承つた国語教育上の問題点として、

1　方言と共通語との落差が大きく、そのために教室における言語活動が不活発であり、さらに読みの能力が低い。

2　教材内容に子どもの経験から遠いものが多く、語句の指導には非常な困難を感じている。

ということがありました。これらの問題点は、まことにその通りなのでありましょう。そして、これらの問題の克服のために、国語科の経営は相当な力を注がなければなるまいと思います。ただ、ひとつ気がかりなことは、これらの問題が、宮古の（おそらくは沖縄全体の）特異的な問題であるかのように、強調的に言われるかたが少なくないことです。

わたしの勤めているところは、裏日本の人口十五万ほどの地方小都市ですが、ここでも共通語指導は必ずしも小さい問題ではありません。ことに農村部の学校を訪問したときなどは、このことがなんらかの形で話題にならないことはありません。また、教材内容と子どもの生活経験とのひらき、そこからくる語句指導のむずかしさについても、さまざまな苦心談、さらに珍談までがあります。そこでわたしの市では、これらの問題の解決もふくめて、視聴覚教育的方法を多分に取り入れようと努力してきました。市教育委員会の施設の教育放送局（ＦＭ50Ｗ）の国語番組の中には、地域に即した共通語指導の内容も相当に入れております。また、映画・幻灯・テレビなどの利用によつて経験の拡充を図り、学習活動を活発にすることに努めてもきました。

話が少し横道にそれ、お国じまんふうになりました。もとにもどります。つまり、宮古の（おそらくは沖縄全体の）みなさんが問題にされていることは、必ずしもこの地の特殊なものではなく、いくらかの程度の差こそあれ、他にも同じような問題を持つているところがあるということです。そして、これは、単にわたしの市だけではなく、多くの府県のいたるところにころがつている問題だろうということです。そのことから、これは「共通的な問題だという認識」に立つて、指導の実践を進めることが必要ではなかろうかと思います。

共通語指導については、特に鹿児島県や秋田県で非常に進んだ研究の積み重ねがなされています。こうした地域と研究の交流をされることが、効果を高めるひとつの道にはならないでしょうか。みなさんが共通語指導を重要問題のひとつとされているからには、もちろん年次的な指導計画もあるはずですし、細かな年間計画も作られていて、それによつて一歩一歩確かな歩みを続けていられるわけでしょう。それらの実績を右のような研究地域に送られることも、やがては、よいはね返りとなつて、みなさんの手許にもどつてくるはずです。宮古の（おそらくは沖縄全体の）特別の問題だとあつさり悟り切らずに、もつと広場の問題としておし出していくことが、みなさんのご研究の大きな進展のきつかけになろうと信じています。

教育指導委員
田中久直

（３）

国語の授業を見せていただいての感想の一端を次に述べます。

学習指導の内容を、わたしがその教室にはいつたときどんな活動が行なわれていたか、ということで整理してみますと素読練習・文字練習・語句解釈がかなりの比率を占めておりました。いいかえると、これらの仕事に相当多くの時間と労力とが費されているというふうに見られましよう。こういう指導法が、さきのみなさんの問題の解決のために、果して最善のものであるかどうかということで、今の理解の段階では、わたしにはかなり疑問があります。しかし、このことは近い将来に実際に即して考えることにしましよう。それよりも、これら素読練習等々を中心とするものとは別な方法で学習指導の進められていた教室が、いくつかあつたということに注目したいと思います。

ある教室では、辞典類の使いかたを説明した教材をよりどころにして、実際に子どもたちに辞典類を使わせるための単元が展開していました。先生の自作の教材であるプリントの文章の内容を理解するために辞典類を使う活動をし、そのよい使いかたを知るために教科書の文章を読解していくという展開でした。

ある教室では、映画の発達の歴史を書いた文章から、その内容を年表にあらわすという仕事をしていました。年表にまとめるためには、段落を確かにおさえたりそれを要約したりする技能が必要です。そういう技能が指導のねらいとして進められようとしていました。

ある教室では、その文章の「象徴的な表現の題目」の意味を追求することから学習をはじめ、それを読み取るために、文章の組み立てに切り込んでいくという指導の方向に進められていました。

また、ある教室では、地域の文集を読んで取材のしかたを指導し、教科書の作文教材から表現法を読み取らせ、それらの上に立つて作文を書かせるという組織の単元で指導が進んでいるようでした。

これらはほんの一例ですけれども、ともかく読解力作文力を高めていくのに効果的だと信じられている方向のいくつかが、芽生えかつ成長しつつあるということは、貴いことだと思います。こういう方向の指導が、現在以上に広がり深まつていくことを期待してやみません。

さらに、宮古のみなさんのことばとして、

・練習させればなめらかに読めるようにはなるが、中味はさつぱりつかめていないではないか。
・教材にすると、実際以上にむずかしい内容のように思いこんでしまいやすいなあ。
・子どもは実は先生が考えている以上に読み取つている場合が多いのに、いじりまわしてかえつてわからなくしていることもあるよ。

などと、素読練習偏重のやりかたに反省を求めているものもありました。このごろ、学力検査の結果から見ての国語力の低さを指摘することばを聞かされていますが、この低さは、ただ素読練習等々をやつていれば克服されるのかどうか、もつと文章の内部的な関係をつかみ取ることの指導に力を注ぐ必要はないのかと、おたがいすなおに振り返つてみたいと思います。

わたしも、宮古の子どもたちにほんのわずか教えてみました。その方法も、はじめから文章内容の追求のしごとをやり、もつぱら文章の全体と部分との関係をおさえさせるという操作でした。こういう仕事について、子どもたちは相当に学習する可能性を持つていましたし、この学習のすんだあと、相当なめらかに音読することもできるようになつていました。「なめらかに音読することは、その文章の意味内容が理解できたあとに、はじめてほんとうに成り立つものだ」という原則は、どこにいつてもあてはまるものだなあと、つくづく思つています。

（４）

まだじゆうぶんに整理していないことを、思いつくままに述べました。はじめにもお断わりしたように、わずかな経験からの感想ですので、きつと見当ちがいも多いことでしよう。しかし、見当ちがいでもやむを得ないから、みなさんの前に投げ出すことによつて、おたがいの交流を作り、理解を深め研究をひろげていくきつかけにしようと、求められるまま勇敢にペンをとりました。

さらに後の機会を期待したいと思います。

（一九六〇、一一、三）

本土の教育状況紹介

小学校 算数・中学校 数学

千葉県においては学力向上をこのようにして推進している。

沖縄派遣教育指導委員
白　石　三　郎

※はじめに

子どもや生徒の学力を向上させるために沖縄でもいろいろと努力されておられるようであるが、わが千葉県においてもこのことについては県教育委員会の重点施策の一つとしてここ数年来努力してきたことであるので皆様のご参考になれば幸いであると考えて書くことにした。

紙数の関係もあり、やや抽象的な表現でおわかりにくい点も多多あることと思われるがお許しいただきたい。

(一)　算数、数学の学力をどのようにとらえたらよいか

算数、数学でいう学力とは、子どもたちが社会生活をしていく場合に必要な数量ならびに図形に関する基礎的な知識や技能を身につけると同時に、これをもとにして生活の向上をはかり創造しいてくことのできる能力と考えることができる。

これをさらに細分してみると、次のようになる。

A、数と計算

1　数についての理解がされ単位関係や相対的な大きさがわかり目的にあつたように使える。

2　四則計算のもとになる数の組合わせ（加法九々減法九々）やかけ算九々が身につき使えるものになつている。

3　計算の方法との原理や法則と、その手順が理解され技能化されている。

B、計量

1　量に即した計量器選択ができ正確に計量できる。

2　量についての単位と、その相互関係がわかり使える。

3　図形についての計量ができ、日常生活に生かして使える。

C、数量関係

1　割合についての考え方が身につき目的に即して活用できる。

2　式の形にまとめたり、公式を活用したりして問題を解決することができる。

3　数と同じように文字を扱うことができ、数量的な関係を手ぎわよく処理することができる。

4　場面に即して各種のグラフや各種の比率の表現が的確にでき生活の合理化に役立てることができる。

5　二量の関係についての理解がされ、自由に表現したり活用することができる。

D、図形

1　基本的な平面図形や立体図形についての理解がされ、弁別したり作図したりすることができる。

2　基本図形相互の関係がわかり、図形を実際の場に有効に用いることができる。

3　図形に対する鋭い直観力と論理的に考えていく力が身についている。

(二)　千葉県における算数数学の学力としてどんなところに問題点があるか

A、小学校

1　割合教材における基本的な考え方に欠けている。

2　図形についての想像力に欠けている。　※

※　3　実際、実測を強調し計量を身につけることが必要である。

4　計算法則の理解や書かれた問題の解決の向上が要求される。

B、中　学　校

1　割合の考え方の用法についての理解を強調する必要がある。

2　間接的な計量について一層の徹底を図る必要がある。

3　比例関係についての具体的なは握に欠けている。

4　方程式を立てて問題を解く力に欠けている。

5　図形教材を論理的に考えていく力に欠けている。

6　能力の差が大きく、特におくれた生徒の数が多いことは問題である。

(三)　学力向上のために学習指導の計画をどのように改善したらよいか

1　自校の学力の実態を領域ごとに分析し、本県における問題点と照らしあわせ実情に即した具体的な計画を立てる必要がある。

2　指導内容の段階系列に即すると同時に、数量関係や図形教材を学習していく際の子どもの考え方の系統を明確にした計画を立てることに努める。

3　1時間の中にどの子どもにも徹底させる内容を明らかにし焦点的な指導計画に改善していく。

4　理解させる面と練習して技能を身につけていく面との調和を考えた計画に改善していく。(1時間の学習指導の流れをくふうする。)

5　今までに研究された資料や文献を参考にして予想される子どもの困難点や、つまずきやすい個所を考慮した計画を立てる。

6　既習内容の理解を一層深め、かつ技能を固定化していくための効果的な練習計画を立てる。

(四)　学力向上のために学習指導方法をどのように改善したらよいか

A、数　と　計　算

1　形式的な計算のみの指導に終ることなくそれをとおしてたえず計算の方法上の原理や法則をつかませるようにする。

2　計算以前の演算関係についての指導や、適用による場面の拡大、一般化の指導を強化し、書かれた問題の解決能力を高めるよう努力する。

B、計　　量

1　子どもの実測を多くするような指導法に切り替える。

2　単位関係や公式の指導に当たつては関連的にしかも具体的にし、単なるつめこみや記憶におちいらないような方法に改める。

C、数　量　関　係

1　割合教材の指導に当たつては、教具などを活用して基準の量とくらべられる量との関係を明確にし、考え方を確立するような指導法に改善する。

2　具体的な事実から段階的に抽象化し、式や公式を発見するように指導し、筋道を立てて物事を考えていく論理的な思考力を高める方法を強化する。

3　式とグラフとの関連を図つた指導をおこない、綜合的な能力をつけることに努力する。

D、図　　形

1　構成活動をさせる場合には、その時間のねらいをおさえ無駄のない指導をおこない、図形の考え方を身につけることに努める。

2　図形の指導に当たつては、辺や角、または面の関係に着目して洞察し、考えていく態度を養つていくように改善する。

3　具体物からはなれ、図形を想像したり、直視的に関係をは握したりする能力をつけるとともに、論理的に秩序正しく考えを進める態度を身につけるようにしていく。

E、全般をとおして

1　既習の内容を整理し、その時間の目標が具体的につかまれるように改善する。

2　その時間のねらいに即し、子どもの実態にてらして教具や資料を活用する。　※

※ 3 理解されたことが身につき、固定化されるように練習させる。

4 まとめの時間を確実にとり整理をさせていくことを忘れない。

(五) 学力向上のために学習評価をどのように改善したらよいか

A、学習評価の機会、方法、処理、活用をどのように改善したらよいか。

1 題材（単元）の評価計画を必ず立案すること。

2 本時の評価計画をたてる。一子どもの困難点や障がい点の予想をたてておく。

3 展開中の評価の実施をする。一方法としてはチェックリストや教具の裏などの活用を考えて簡単にしてしかも効果的なもので実施する。

4 時間の終わりの簡単な評価の確実な実施。一方法としては観察によるもの、質問によるものまたはペーパーテストによるもの等いろいろ考えられる。また、時間としてはそう多くとる必要はなく3分でも5分でもよい。

5 題材（単元）ごとの評価の実施。一ペーパーテスト作業による評価、たとえば計量や作図など、または教科書のテストのページを活用することなども有効である。

6 子どものあそびや生活時間における評価の実施。一たとえば他教科の学習時間にもできることであるし、または、あそびや生活場面でもとりあげて評価することも考えていく。

B、学力テストの方法、処理、活用をどのようにしたらよいか。

1 題材（単元）についての準備のテスト一指導計画の立案に際して実施するものであつて方法としてはペーパーテストや観察または面接によるもの等が考えられる。

2 授業中における診断的な方法。一子どもの困難点や障がい点の発見をし、これに即した適切な治療を施していく。

3 毎時間後のテストの実施をする。一との時間の目標に対して全員の高まりがどうであつたかをペーパーテストや視察によつてみていく。

4 題材（単元）終了時におけるテストの実施。一子どもたちのひとりびとりがどの程度まで到達し得たかの測定を作業やペーパーによつてみていく。

5 月例の学力テストの実施。一子どもの傾向とか学級の傾向をつかみ対策を立てる資料として有効なものである。つまり教師の指導の反省資料となるものである。あまり平均点などにこだわるとはかえつて害を伴うので注意することが必要である。

6 学期末におけるテストの実施。一子どもや学級の傾向を的確につかみこれによつて指導計画の修正と指導法の改善に役立てる。

7 標準化またはこれに近いものの学力テストの実施。一分配曲線による検討ができて有効なものである。これによつて努力点が明確につかまれるので指導計画の作成や指導法の改善をすることができる。

8 学年末におけるテストの実施。一その学年としての到達度をみていくものであるので、次年度への対策が立てられることになる。

(六) 学力向上のために施設設備資料をどのように整備し活用したらよいか

1 必要な計量器具の数量を確保できるように計画的に整備する。

2 設備、資料の活用計画を立て、実験実測ができやすいようにしていく。

3 数学的な考え方を伸ばす上から教具を精選して与え、子どもの能力に即して活用させるようくふうする。

4 子どもの能力にあつた教具、資料の自作をし、それを有効に活用していく。

5 学習の場としてふさわしい教室環境を作りたえず子どもの自主的な学習意欲をもりたてるように改善していく。

(七) 学力向上のために、教材研究をどのようにしたらよいか

1 単に明日考える小部分の指導内容をみつめることのみにとどまらず、指導内容のたて、よこの関連、系統を明確にしていく。

2 子どもがどのように学習し、どのようにして数学的な考え方を伸ばしていくのかという観点から ※

※　の系統をはつきりさせていくことが肝要なことである。

3　単に教科書のページを追つて同一な調子で指導を進めることでなく、いつも個々の指導内容と子どもの能力との関係から軽重を考え、重点的な内容には時間をかけて徹底させるように教材研究を改善することが必要である。

4　教材研究をしたら、そこでの教材の本質に即した具体的な評価問題が作成されるまでになつていなければならない。形式的な教材研究でなくあくまでも子どもの学力にひびく具体的なものに改善していく必要がある。

5　校内において主任が教材の解説をしたり、指導法の研究をしたりして校内の研修体制を確立するとともに、同学年、または近接学年同志の教材研究を活発にしていく。また、これと並んで同一地教委内での定期的な研修会をもつて教材の研究を深めることは特に中学校では必要なことと思われる。

※お　わ　り　に

千葉県においては以上のような観点から「学力向上のための資料」として小さいパンフレットにして各学校に配布するとともに、各種の研究会や講習会にもたえずこれを活用してその趣旨の徹底を図つて鋭意子どもや生徒の学力向上のために努力している現状である。

さらにこの発展継続策として、学力向上のための実験学校を指定してその実践資料を紹介するとともに、自己評価のできる便宜をはかるために学力テストの実施もおこなつているわけである。

来島以来日も浅く、沖縄の教育事情については十分に知る余裕もないので、このようなことがこちらの教育実践にあてはまることであるかどうかはわからないが、とにかく本土においても改訂学習指導要領の全面実施を目前にひかえ、学力の向上に本腰をいれて努力していることがわかつていただければ幸いであると考えるわけである。

こちらの教育についての感想はまた別の機会に述べさせていただくことにしたい。

（48ページより）

※　(2)　空気と H_2 との混合比と爆発の関係

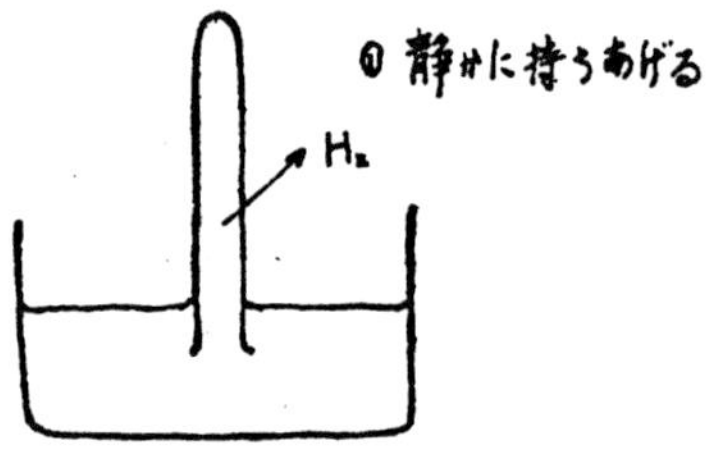

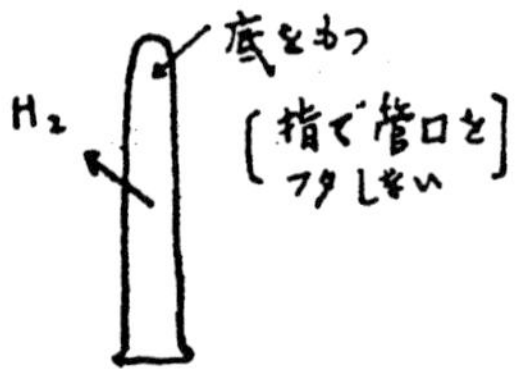

水の膜ができる〔フタになる〕
〔水の表面張力〕

④　燃えたら（爆発したら）

音に着眼

H_2 と空気の混合を見わける技能となる。

燃焼生成物

- 試験管の内部のくもりに着眼
- 炎の進み方に着眼
〔暗くするとよくわかる〕
- 熱に着眼

(3)　H_2 を発生するものは Zn か H_2SO_4 か

H_2 の発生が悪くなつたときどちらを補充するかに着眼。

（学校教育課指導主事）

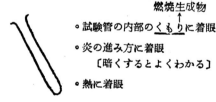

学校保健・序説

(学校保健指導委員)
杉　浦　正　輝

筆者の略歴
1920年　神奈川県横浜市に生まる。
1944年　大阪大学医学部卒業
1948年　東京大学医学部・大学院修了・生理学専攻
埼玉大学助教授
医学博士

6ヵ月間もの長期にわたつて、教科の指導が行なわれるのは、昨年にひきつづいて本年で2度目である。しかし、学校保健にかんする指導は本年がはじめてゞある。しかも学校保健だけで6名もの指導委員が来島したことは、いろいろのいきさつがあるとはいえ、ちよつとした驚異にちがいない。

私たちは、いづれも医師であり、医学博士であるから、ときには病気の治療の専門家のように、誤解されがちである。私たちは病気の治療は少しも得意ではないことを明言しておく。

とまれ、選ばれて沖縄に来たからには6人の持味を遺憾なく発揮して、私たちに課せられた任務を全うしたいと考えている。皆様の方から積極的に私たちをご利用なさるようにおすすめする。そして、沖縄における学校保健が少しでも向上、進展するように願う次第である。

指導委員の横顔

学校保健の指導は、6人が3組に分かれ、2人ずつ組になつて、沖縄の南部、中部、北部の3地域をそれぞれ受けもつている。

南部の地域は、糸満、知念、那覇、久米島で、中部の地域は普天間、コザ、前原、読谷嘉手納、石川で北部の地域は名護、辺土名、宜野座である。

南　部　の受持は小栗一好と杉浦守邦とである。

小栗一好先生は東京大学教育学部教授かつて、熊本医大の教授をしていた関係上、沖縄の医師の中にも何人かの教え子がいる。学校保健にかんするベテラン中のベテランである。つぎに杉浦守邦先生は山形県教育委員会保健厚生課長である。とくに学校保健行政については、敏腕のきこえが高い。私たちの指導計画の原案作製は、守邦氏に負うところが大きい。

中　部　の受持は小林和夫と杉浦正輝である。

小林和夫先生は東京教育大学体育学部助教授である。小栗先生の愛弟子である。かつて熊本医大の衛生学教室や神奈川県の保健所などに勤務していた経歴が示すように、学校保健の研究と実践調和させるにはうつてつけの人物である。杉浦正輝(自分のことであるから、先生を省略する)は埼玉大学教育学部助教授である。文部省の学習指導要領の委員、学力テストの委員ではある。しかし、元々診療所の開設を志して医学部に入つた、こと志と異なり、何とはなしに学校保健の道に入つてしまつた。この意味から、真の学校保健専門家というのにふさわしくないと自分では思つている。

北　部　の受持は桐元武一と武田壌寿とである。

桐元武一先生は金沢大学教育学部助教授である。彼こそ学校保健の権化である。寝てもさめても学校保健だけのことを考えている。石川県の教育委員会にも兼務していた時代もある。学校保健の研究成果を学校保健行政に取りいれた功績は今でも、高く評価されている。

武田壌寿先生は弘前大学医学部助教授である。衛生学教室のスタッフとして、学校保健を衛生学の見地から研究している気鋭の学者である。ことに学校給食には国民栄養の見地から多大の興味をもつている。

健康の概念

健康とはただ単に「病気でない状態」ではない。さらに広い積極的な意味をもつている。世界保健機構W

HO (World Health Organization) が制定した世界保健大憲章の一部を引用しよう。

「Health is a state of complete physical, mental and social well-being and not merely the absence of disease or infirmity」

『健康とはたゞ単に病気や虚弱でないというだけではなく、身体的にも、精神的にも、また社会的にも完全に具合のよい状態である。』

つまり、健康には3つの側面がある。すなわち「身体的な健康」「精神的な健康」「社会的な健康」の3側面である。また、「病気や虚弱でない」という消極的な面だけではなしに、「完全に具合のよい」という積極的な面をもつている。

学校保健は学校に関係のあるすべての人々（児童、生徒、学生、幼児、教職員）を上述のような意味の「健康」にさせることを遠大な目的にしている。したがつて、学校保健は学校関係者の病気の治療などというよりはむしろ予防をさらに発展して健康の保持増進をねらい求めているのである。

学校保健の構造

学校保健は学校における健康にかんするすべての事項を包含する。学校保健を大きく学校保健管理と学校保健教育の2大領域に分ける。

学校保健管理とは児童、生徒、職員などの健康管理のことで、学校環境衛生、健康的な学校生活、学校保健事業などを含む。学校保健教育とは児童、生徒に対する健康教育のことで、学校保健学習と学校保健指導とから成り立つている。

学校保健教育は学校教育の一領域であるが、学校保健管理は学校教育そのものではない。しかし、保健管理は、健康の保持増進に役立ち、保健学習や保健指導にチャンスやニードを提供する。この意味から、保健管理は保健教育に、さらに大きくいえば、学校教育に欠かすことのできないものである。

- 学校保健 (school health)
  - 学校保健教育 (school health education)
    - 学校保健学習 (school health instruction)
    - 学校保健指導 (school health guidance)
  - 学校保健管理 (school health guidance)
    - 健康的な学校環境 (healthful school environment)
    - 健康的な学校生活 (healhful school living)
    - 学校保健行事 (school health service)

保健学習の位置

学校教育活動には、各教科の学習、道徳、訓練特別教育活動、学校行事の4つの領域がある。しかし、中核をなすものは各教科の学習である。

教科の種類は、小学校では8教科、中学校では外国語を加えて9教科の学校が普通である。これらの教科は、大きく分けると、つまり4種類にまとめることができる。

① 用具教科または形式教科：国語、数学、外国語などに属する。だれにとつても共通して必要な、基礎的な知識技能を習得させる目的をもつている教科である。

② 内容教科または実質教科：地理、歴史、理科などがこれに属する。一定の系統的知識を内容とする教科である。

③ 技能教科または表現教科：音楽、図画、工作などがこれに属する。観賞、表現、製作などにかんする教科である。

④ 生活教科：保健、家庭、職業、社会などがこれに属する。健康生活、家庭生活、職業生活、社会生活に必要な知識技能を習得させ、日常生活において行動化させ、よりよい生活の仕方を身につけさせることをねらつている教科である。

体育はこのような分類をすれば、厳密な意味ではいずれの教科にも入らない。強いていれようとすれば③か④の中に入る。

学校教育は、初期（寺子屋時代）においては、①のみが専ら行なわれていたが、次第に②、③が追加され、最後に、④が加わつてきた。つまり④の生活教科は①②③の教科の中から必要な知識、技能をかき集めて、

独立した教科である。つまり保健は理科、家庭、社会、体育などから保健に必要な知識、技能をかき集めてはじめて成立する教科である。しかし、現実の問題として理科、家庭、社会、体育などから保健に必要な知識技能を保健の方に移動することは非常にむずかしい。未だに保健は完全な教科内容を整えてはいる。

保健と体育との関係

保健 health education と体育 physical education とは各々独自領域をもつているのが便宜上、保健体育という一つの教科として取り扱われている。歴史、図画工作、理科（物理、化学、地学、生物）技術家庭加工の教科として取り扱われているのと同じである。

保健は健康生活の推進という目標を掲げて打ちたてられた教科である。体育は身体運動という手段によつて規定された教科である。このように保健と体育とは全く成立の経過が異なる教科である。両者は共通の領域をもつているが、互いにおうことのできない領域も持つている。

体育に熱心な者は、体育の中に保健が含まれると考える。（C）保健に熱心な者は、保健の中に体育が含まれると考える。（B）しかし、公正な考えとしては保健と体育とは共通の領域と共通でない領域とをもつているという考えであろう。（A）学習指導要領、保健体育編もこのような考えの下に編集されている。

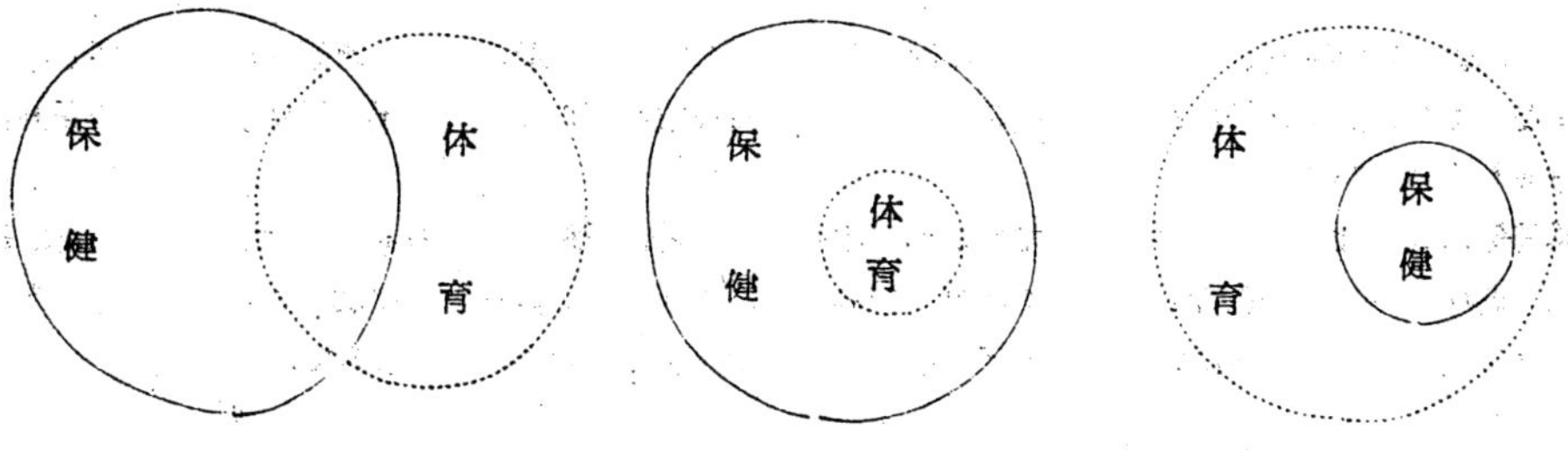

（A）　（B）　（C）

保健と体育との関係

学校保健における教師の職務

学校保健衛生を推進するためには、合理的な保健計画をたて、これを実行に移すことが必要である。このためには、校長をはじめ、保健主事、養護教員、保健学習、担当役員、一般教員その他、学校医、学校歯科医、学校薬剤師などあらゆる学校保健関係者が打つて一丸となつて学校保健を推進させることが必要である。学校保健は一養護教諭、一保健主事だけの力ではどうにもならない問題である。

それでは、学校保健関係者の学校保健計画におけるそれぞれの職務について述べよう。

1 学校長

① 学校において行なう保健管理を総括掌理し、児童、生徒等の保健等の保健管理を適切に行ない、職員の保健について必要な配慮をし、並びに学校環境衛生の維持及び改善を図る。

② 学校における保健管理にかんする法令、通達、規則等を職員にもよく周知徹底させ適確に守るようにつとめる。

③ 学校保健計画を職員に提出、説明し、保健主事その他すべての職員の仕事の責任を明らかにする。

④ 保健主事を推せんし、その仕事のための時間を割り当てる。

⑤ 学校における保健管理にかんする連絡協議の機関として、学校保健委員会を組織する。

⑥ 学校保健計画について地域社会の理解を深め、かつその計画に協力を得るよう配慮する。

⑦ ＰＴＡ、保健所その他学校保健関係機関、団体との連絡、協力を密にする。

⑧ 教育委員会等の管理機関との連絡交渉に当たる。

2 保健主事

学校教育法施行規則の一部が改正された。すなわち第22条の３に「小学校においては、保健主事を置くものとする。ただし、特別の事情があるときは、これを置かないことができる。保健主事は、教諭をもつて、これに当てる。保健主事は、校長の監督を受け小学校における保健に関する事項の管理に当たる」と。なお「中

学校、高等学校、盲学校、ろう学校、養護学校にこれを準用する。」という条文もある。

① 下記の事項についての具体的実施計画を内容とする学校保健計画の立案に当たり、及びその実施の管理に当たる。

(イ) 学校環境衛生

(ロ) 学校環境衛生の維持及び改善

(ハ) 児童、生徒の健康診断

(ニ) 児童、生徒の健康診断の結果に基づく事後措置

(ホ) 健康相談

(ヘ) 学校における伝染病、食中毒の予防措置

(ト) 疾病異常者等に対する保健管理

(チ) 救急安全

(リ) 学校保健に関する行事

(ヌ) その他必要な事項

② 学校における保健管理と保健教育との関係の調整を図る。

③ 保健に関する教職員の現職教育を推進する。

④ 学校保健関係統計調査の計画を立てその整理に当たる。

⑤ 学校保健委員会の組織運営に当たる。

⑥ 児童、生徒の保健委員会の組織運営に対する指導に当たる。

⑦ 一般教師、養護教員並びに学校医、学校歯科医及び学校薬剤師との連絡調整を図る。

⑧ ＰＴＡ、保健所その他地域社会の学校保健関係機関、団体との連絡を図り、その協力を得る。

3 養護教員

① 学校保健計画の立案に協力する

② 学校環境衛生の維持及び改善に留意し必要な実際的な助言を行ない、及び環境衛生検査に協力する。

③ 学校給食の施設設備の衛生とその維持について必要な助言を行ない、及び食物の栄養と衛生に関し指導と助言を行なう。

④ 児童、衛生の健康診断の準備をし、実施を補助する。

⑤ 学校医又は学校歯科医の指導監督の下に、法第7条の予防処置に従事し、及び保健指導に従事する。

⑥ 児童、生徒の健康相談の準備をし、実施を補助する。

⑦ 学校医の指導監督の下に学校における伝染病、食中毒の予防処置に従事する。

⑧ 児童、生徒の救急看護に従事する。

⑨ 児童、生徒の疾病異常の発見、健康観察に従事し疾病異常の児童、生徒に対する保健指導に従事する。

⑩ 身体虚弱の児童、生徒に対する保健指導に従事する。

⑪ 必要に応じ、児童、生徒の家庭訪問を行ない、保健指導に関し必要な指導、助言を行なう。

⑫ 職員の行なう保健教育に対し、協力する。

⑬ 保健教育に必要な資料、記録等の整備を図る。

⑭ 保健室の設備、備品の整備につとめ、健康診断、救急処置等のための器具薬品等の管理に当たる。

⑮ 保健室の書類、記録、資料等の整備につとめ、整理整とんを行なう。

⑯ 学校保健委員会又は児童、生徒等の保健委員会の運営に協力する。

4 保健学習担当教員

① 保健教育指導細目の作成に当たる。　② 保健教育の指導を掌る。

③健康生活の指導につき、一般教師に指導と助言を与える。　④ 保健主事及び養護教諭に協力する

5 一般教員

① 児童、生徒又は幼児の健康の保持指導にじゅうぶんに配慮する。

② 児童、生徒又は幼児の発育健康状態をは握し、健康観察を行ない、健康状態に応じた学習、運動、作業の配慮をし適当な保健指導を行ない、疾病異常があると思われる者は健康相談を受けさせる等の措置をとる。

③ 学校保健計画の立案に当たつて、その方針の樹立につき、校長及び保健主事に進言する。

④ 学校保健計画を児童生徒によく伝え、また保護者に連絡してその協力を得る。

⑤ 教室等の清潔、換気、採光、照明、保温等の環境衛生の維持及び改善にじゅうぶん配慮しまたは随時児童生徒又は幼児の身体衣服の清潔検査を行なう。

⑥ 健康診断の準備、実施及び事後措置にじゅうぶん協力する。事後措置については、とくに保護者にじゅうぶん連絡し必要な指示を行なう。

⑦ 担任児童、生徒又は幼児の健康相談に立ち合う。

6 学　校　医

① 学校保健計画の立案を考える。

② 学校環境衛生の維持及び改善にかんし、学校薬剤師と協力して、必要な助言と指導を行なう。

③ 健康診断に従事する。　④ 保健指導を行なう。　⑤ 健康相談に従事する。

⑥ 伝染病の予防にかんし必要な指導と助言を行ない、並びに学校における伝染病および食中毒の予防処置に従事する。

⑦ 校長のすすめにより、救急処置に従事する。　⑧ 就学前学令児や学校職員の健康診断に従事する。

⑨ 前各号に掲げるもののほか、必要に応じ学校における保健管理にかんする専門的事項にかんする指導に従事する。

これらの職務に従事したときは、その状況の概要を学校医執務記録簿に記入して、校長に提出する。

7 学 校 歯 科 医

① 学校保健計画の立案に参与する。　② 健康診断のうち、歯の検査に従事する。

③ 歯の保健指導を行なう。　④ 健康相談のうち、歯にかんする健康相談に従事する。

⑤ 就学前学令児の健康診断のうち、歯の検査に従事する。

⑥ 前各号に掲げるもののほか、必要に応じ、学校における保健管理にかんする専門的事項にかんする指導に従事する。

これらの職務に従事したときは、その状況の概要を学校歯科医執務記録簿に記入して校長に提出する。

8 学 校 薬 剤 師

① 学校保健計画の立案に参与する。

② 学校環境衛生にかんし、定期にまたは必要に応じ臨時に、つぎの事項に従事する。

(イ) 学校における飲料水および用水の検査

(ロ) 教室その他学校における空気の検査に暖房及び換気方法にかんする検査

(ハ) 教室その他学校における採光および照明の検査　(ニ) 便所その他学校内の消毒及び鼠族昆虫の駆除

(ホ) 学校給食用の食品及び器具の衛生検査

③ 学校において使用する医薬品、毒物、劇物並びに保健管理に必要な用具及び材料の管理にかんし必要な指導と助言を行ない、及びこれらのものについて必要に応じ試験、検査または鑑定を行なう。

④ 前各号に掲げるもののほか必要に応じ、学校における保健管理にかんする専門的事項にかんする技術及び指導に従事する。

これらの職務に従事したきとは、その状況概要を学校薬剤師執務記録に記入して校長に提出する。

学 校 保 健 運 営 組 織

学校保健を推進させるためには、学校に保健委員会を設け、学校保健計画の樹立運営に協力させることがぜひ必要である。

1 児童生徒保健委員会

委員としては、児童会、生徒会とは別に委員を選挙する場合と、児童会、生徒会をそのまま活用する場合とがある。いずれにしても、児童会、生徒会との関連を密にすることが必要である。これに、保健主事、養護教諭、児童生徒指導担当教師を加えて委員会を構成する。

定例会は月に1回ぐらい、児童、生徒が議長になる。委員だけの会にならないようにし、学校生活のみならず家庭生活も対象とする。児童、生徒保健委員会で解決できない問題は学校保健委員会に提案する。

2 学 校 保 健 委 員 会

委員会は、学校長P・T・Aの保健委員、保健主事、学校医、学校歯科医、学校薬剤師、養護教諭、一般医師、教師、児童、生徒保健委員等で組織する。

委員会は、2～3月に1回ぐらい開き、必要に応じ小委員会を開く。委員会の決定事項は必ず実行するようにする。協議事項としては、学校保健計画、校内保健施設の改善、整備、保健関係法規の遵守、保健関係記録の作成などである。

このほか、市町村の学校保健委員会、都道府県の学校保健委員会などがある。

以上のほか、公衆保健組織（保健所、病院、診療所、児童福祉委員会、児童福祉司、児童委員など）や学校保健にかんする法令などについても若干の解説をする必要があるが、紙数が限られているので、割愛する。

中学校理科実験観察を効果的に進めるために

松田　正精

本土では昭和33年10月に新しく「中学校学習指導要領」が公布され、37年度から完全実施されることになつた。この完全実施まで、35年・36年の２か年間は、移行措置をしなければならない。沖縄でも新指導要領にもとずいて盛んに研究がなされている。

特に35年度の中学校第一学年のカリキユラムについても、各地区自主的な研究が進められ、現場での教壇実践のつみ重ねや、理科研究サークル組織でとりあげられた。

実験観察を効果的に行なうための施設の問題も、理振法と共に明かるい見通しがついた。以下効果的な理科実験観察について

1　指導効果をあげるため　　2　実験方法を再検討して

3　実験観察の指導例について

平素の感想をまとめてみたい。現場の先生方のご参考になれば幸いと思います。

(1)　指導効果をあげるために

理科教育実践の場に立つて、効果的な理科実験観察をどう進めるかについて前原地区同好会員の皆様も多大なる研究協議を展開しつつある。そこで感じたことは、

1　施設、設備の極めて不充分なこと。

2　教師自身の知識・技術の開拓。

3　実験観察の指導方法上の技術。

4　現有施設のくふう活用。

5　そ　の　他

等について、開拓すべき多くの課題にみたされていることである。そして指導効果をあげるための教師としては、

1　目標を分析して、具体的には握すること。

指導効果を身につけるために大切なことであり、一般目標とのつながりをもち、目標の系列を一貫してつかむことは、重要なことである。

2　理科の教育内容を重点化する。

理科の学習内容を決定する条件の第一は地域性を考えて、その環境からうける力は非常に大きいわけであるので生活の中から身近な親しみ易いものを選択しなければならない。

第二は生徒の能力に応じた教材の量と質を考え個々の生徒の学習にふさわしいものを選ぶ。

第三は時間である教材が非常にもりたくさんであつて多すぎるきらいがあるので、技術知識の発展系統の見通しをつけ重点的に組織化する必要がある。そのためには教材に精通し指導法もこれに伴わなくてはならない。

3　効果的な指導は徹底的な教材研究が必要である。

学問的に掘り下げることはもち論であるが、小学校から高等学校までの発展系列を見通し生活や他教科との関連性を考え児童生徒に即したものであるようにすべきである。

更に科学史的研究が必要である。

4　重点的な指導法を身につける。　※

※ 何が基礎的であり、また重要であるかを明確につかみ児童生徒に基本的基礎的なものを身につけさせることである。

基礎的なものが身につけば読書や他の方法で生徒自から解決のできるものもあるはずである。

5. 更に分野別、教材別に教師としての知識指導技術を深めること。

(Ⅱ) 実験方法の再検討

◦実験を行なうのはある目標に到達させるためだと思う。

しかし同一の目標に対しいろいろな実験方法が考えられる。どのような方法を採用するかは一概に云うことはできないと思うが、その学校の施設設備の状況、生徒の経験等によつて定めなければならないと思う。また一口に実験と言つても生徒の個人実験とするか、グループ実験とするか、教師実験とするかも考慮しなければならない。

◦実験の位置づけ

一時間の学習指導のどの位置に実験をおくか、

一単元のどの位置に実験をすれば効果的か、

◦実験の方法を理解させること。

① 真空鈴、空気の重さを測る実験等でよく用いられる方法であるが、フラスコに少量の水を入れて沸とうさせて蒸気で空気をおい出し後冷却して軽い真空にする。

手軽に相等高い真空が得られるが真空になつているということは理解しにくい問題であるらしい。空気の重さを測る途中で真空になつているのを見るのは困難であるが、せめて終つた後からでも真空になつている事を知らせる方法をとる。

② 前後の実験との関連を考えておくこと。

前例空気の重さを計る実験でフラスコを冷却するため逆さまにして水をかけてやると盛に沸とうを始めるが、沸とうのところで圧力と沸とう点との関係を知る実験を充分行つてあれば、この実験は困難なく行なえると思う。

しかし沸とうの現象が充分理解されておらないと、この現象に興味が移行し空気の重さを測る方は副次的なものになつてしまう恐れがある。

③ 予備実験を行なうこと。

指導前に必ず一度予備実験の適否、困難度、必要な器具等を整備しておく。

④ 観察の要点を明らかにすること

例、ガソリン機関の断面模型を観察してその回転原理を理解させる場合には、点火時期、ピストンやコンロッドの動き、カムの動き、弁の開閉等多数の観察点がある。それ故単に模型を早く手で廻しているだけでは一度にこれらを観察することは不可能だから所々で回転を止めて見せることが必要である。またこれらのものが相伴つてはじめてガソリン機関は回転するのであろうから要領よくメモする習慣を作らせたいものである。

⑤ 実験の結果を尊重させること。

(Ⅲ) 実験観察の指導例について、学習活動の中に、問題発見、合理性、関連性、着眼点等どのように展開したか

移行期の中学校理科第一分野の中から、時期的なものを一例としてとりあげた。

1 比較検討により問題発見をした指導例 〈ア温度と熱量〉

等量の湯と水をまぜる実験(混合した後の温度をしらべる)中学一年第一分野

(1) 実験前に温度が何度になるかを予想、計算値を出す。

実験結果を各班の責任者が板書した。

(3) 実験前の予想による計算値と比較

(4) 疑 問……問題発見

a 計算値より低い班

b 計算値より高い班 ※

※ (5) 分　析

主として方法を検討した。

a　計算値より低い班→湯を水に入れた。

b　計算値より高い班→水を湯に入れた。

(6) 原因の考察

ビーカーの温度が

aの場合は低いところへ湯を入れたので、湯の熱量が、ビーカーを温めるにも使われたのではないか。

bの場合は高いところへ水を入れたので、ビーカーの熱量が水を温めるためにも使われたのではないか。

(7) 実証のための実験

条件設定

(Ⅰ) 湯と水の温度差の大きい場合

(Ⅱ) 温と水の　〃　の小さい場合

(Ⅲ) 温を水に入れる班と水を温に入れる班とをきめる。

(Ⅳ) 温度計を 湯をはかつたものと、水をはかつたもの２本を混合した 水に入れて 温度をはかる。

2　実験計画を立てることにより合理性をたかめた指導例　〈エ熱の移り方〉

銅と鉄はどちらがよく熱を伝えるか。〔中学１年１分野〕

(1) 実験器具を示して実験を計画させる。

(2) マッチ軸木をロウでつけて、Cu　と　Fe　を熱したときど ちらの方が早くおちるか、時間をはかろうと大部分の生徒は考えた。

〔落ちるという結果に対しては敏感である。〕

(3) 炎（熱する点）から等距離にマッチ軸木を立てた生徒は少なかつた。

〔条件については鈍感である。〕

(4) 距離、ロウの量、熱し方、針金の太さ、マッチ棒の長さ、重さ等の条件を考えさせる。

実験記録の抽象化（グラフ化）により論理的考察がみちびかれた指導例

氷がO° C以下になつてから、空気中に放置し、温度変化をしらべる実験（中学２年）　試験管の中にO° C以下の氷を入れ、温度計をさしこみ、試験管立に立て、一分おきに温度変化をしらべてグラフにあらわす。

(1) グラフの考察

(2) 温度の変化のしない所がある→それは とけている 間である。→空気からの熱量は氷の融解（状態変化）に使われている。（観察）

(3) 各班の発表を聞くと、氷がとけているときの温度は、温度計によつてちがいがある。

O° Cをさすとは限らない。
↑
温度計に誤差がある。〔グラフでは温度変化の形が同じだから温度計に問題がある。〕

→(4) 温度計の定点につき考える。（O° Cのきめ方につい、なぜ氷を利用するか考えられる）

(5) グラフの勾配から

氷の温度変化は水の温度変化よりはげしい→氷の比熱は水の比熱より小さいことがわかる。※

※

3 実験観察の指導を関連的に考えた例 <中一年一分野>

1 気体の集め方
2 発生装置の組立て方
3 燃焼のさせ方
4 液の注ぎ方

(実験の基礎となる技能)

→ 酸素の実験 →

1 酸素の助燃性
　① Fe_3O_4 の観察 { 色(黒いさび　内部 / 表面(ちみつ　保護
　② SO_2 { におい / 水溶性 / 酸性 / 漂白 } H_2SO_4の原料
2 水溶性(小)→水上置換〔表面張力を利用して装置する〕
3 触媒 (MnO_2) →追加するのはH_2O_2だけでよい
4 反応熱→濃度を考える〔濃すぎると危険〕
5 燃焼
　① 発火点 (Fe をマッチの炎で熱する→針金にマッチのつけ方)
　　Feが青白く輝いてから燃え出す。
　② 燃料 (Fe, S)
　③ O_2 のはたらき
　　・Feの針金を上からもえるにしたがい下に入れる
　　・フタを少しずらす程度
　　　↓
　　　・O_2 のぼうちょう。逃げる。
　　　・O_2 の濃度と燃焼の関係
6 $H_2O_2 \rightarrow O_2$ (液体から気体発生の体積の変化に着眼)

- 実験の操作結果の1つ1つに、意味があることを指導にあたつて理解していなければ科学的思考をたかめることは困難である。
- 実験の技能の分析によつて、生徒の程度を考えて困難を生じないよう配慮する。
- この実験を能力別グループで行なつたところ操作がうまくいかず、操作そのものに多くの指導を要した。

(1) あわので方 { (1) 空気のあわ { (1) 気体の溶体の溶解度と温度 / (2) 生物と水中の空気
　　　　　　　 (2) 水蒸気のあわ { (1) 状態の変化 / (2) 雲、露
(2) 原液の濃度→製塩

(態度、科学的思考)

1 液体の熱し方
2 冷却法
3 ランプの扱い方
4 試薬ビンの扱い方

(実験の基礎となる技能)

→ 水の精製 → 物質を純粋にする方法

(実験の結果得られる技能)

5 比較判別
(方法と考察)

4 着眼点を明瞭に示した例 <中一年一分野>

水素の実験

(1) シャボン玉の大きさ、と色と浮力の関係

- 大きくなる→セッケン膜がうすくなる。→きれいな色になる。→浮力大→上がる
　　└──────→H_2 の量が多い──────┘
- アルキメデスの原理は気体にあてはまることを理解する。　(39ページへつづく)

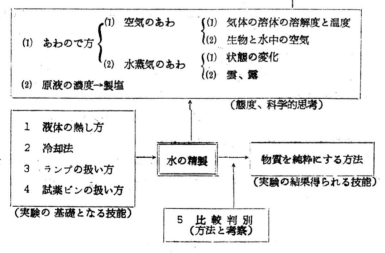

本校における学力振興策

大山中学校　島　庄久

学力振興策について意見をのべるにあたつていささかちゆうちよせざるを得なかつたのであるが、私が日頃感じていることと、本校の学力振興策の一端をのべたいと思う。

中学校における生徒の精神的発達段階を考察するときに先ず私達の念頭に強くきざみつけなければいけないことは、生徒自から道徳や学問に意義や価値を見い出し、独自の力で物事を解決し、処理することはできないということである。

教師の生活原理や生活様式に依存することが非常に多いのではないかと思う。たとえ生徒独自の意見や主張はあっても自分を律しえないところに不安定な行動がけんちょに現われるのであろう。その具体的実例はホームルームなどにおいて教師のよく経験することである。

本校においては生徒の意見をよく聞いて説得し、道徳意識を高めると共に学力の向上に努めている。社会規範を認識するにあたつて最もたいせつなことは知性を磨くことであることはいうまでもないが、しかし自主性という美名を用いて生徒にし意や専断に基づく行動が正当であるような印象を与えた指導の誤りはなかつたか、私達は今一度反省して見る必要があると思う。

社会に不適応なボス的人間を育成じた場合、社会に流す害毒は計り知れないものがあると思う。心すべきことは、知性を磨くことによつて自律の精神を培うことをないがしろにしないということである。自主性を知性に支えられた自律精神によつて形成されるものと考えるのである。

そこで私達の社会にはたす役割の重大さを痛感するのであるが、本校においては生徒にいかに興味深く知識を指導するかをくふうするように努めているのであるが、その半面、自信を持つて教壇にのぞむために、教師として当然しなければならない指導案を書くことによつて学習指導の糧となるように実行している。

学習指導案を書くことによつて日々の教壇実践を有効に過ごし、毎時間学習の最大効果をあげることができれば幸いだと思う。

しかし私達がいくら精魂をうちこんでも地域社会の連係なくしては学力の振興にはたす役割は微々たるものであると考慮して、今年度は特に部落生徒会の組織を強化し、地域社会を啓蒙するように努力し、学習時間を設定して各部落の諸団体に協力してもらい、特に婦人会の協力を得て軌道に乗つて着実に効果をあげつつあることは喜ばしいことだと思う。

学習時間の設定にともなう家庭学習の指標ともなるべきものは教師の与えた課題を「いかに処理するか。」にあると思うのであるが、一〇分や二〇分の時間を惜しみ課題を適確に処理しない場合は学習意欲を低下させ、ひいては有名無実の家庭学習にもなりかねないと思う。そこで各学級の学習部あたりを利用し、協同学習の場を設定して教師の監督学習の分野に家庭学習を引つぱり込むようにすれば学習の効果もあがるのではないかと思う。そこにおいては学力の差に応じた個人の指導も充分できると思う。

日々教壇に立つて感ずることは生徒個人個人の学力の差がはなはだしいことである。当然そこに考案されなければいけないのは特殊学級の問題だと思うが、小学校において特殊学級を設ける場合特に細密は科学的資料に基づいて学級編成をしなければいけないと思う。

小学校で特殊学級を設けて、中学校で解消した場合、小学校と中学校両者に十分な連絡がないと生徒の将来が案じられる。また普通児としての知能を持つ生徒を特殊学級で取扱つた場合かえつて劣等意識をもたせて学習に悪影響を及ぼす心配もおこりうる。

わたしたちは科学的根拠に基づかない指導方法はつつしむ必要があると思う。未知のものについては謙虚な気持ちで自己研修に努めなければいけないと思う。

総べての物事を思考錯誤で解決しようとされたんでは大きな失敗を招く恐れがありはしないだろうか。

幸いに本校においては教科研究部で生起する諸問題をとりあげて自己研修の場として活発に動いているので非常によいことだと思つている。

最後に、私達の責務は社会に適応する善良な社会人を育成することにあることを自覚し、社会に害毒を流す者に対しても人間として愛情をもつて教化改善し、明かるい人格の持ち主として社会に貢献できる人間に育てていくように最善の努力を尽したいものである。

☆　☆　☆

——随　筆——

経験のない養護係になつて

嘉手納小学校
仲村　史子

運動会の翌日ほつとした気持で、授業を気軽に済まし机上を見ると、文教局研究調査課よりの葉書がのつていた。「貴殿の玉稿を掲載させていただきたい」とあるのを見て、余り読書もせぬ自分に何が書けるかと考えたが、このすゝめを機会に私の過ごした教師生活十七ヵ年をいろいろと反省することは無意味ではないと考えてペンをとつた。浅学の身を歎き満ち足らざるを憂いつゝ泣き笑いで過ごした過去を思いかえすとずい分かわつたものだ。

勧めて二、三ヵ年は「めくら蛇に怖じず。」で、実に自信満々、何怖ることなく、偉い教師だとはばかるものはなかつた。

しかし年々自信のある教師がほど遠いものであるという気がしてきたが日々反省を忘れることなく十余年の中学校教師としてつとめてきた。「反省あるものには進歩あり」と云うことでやはり自分にも成長のあることを知つた。

一九五九年四月勤務年数による移動によつて小学校に変わり私の決意は又新しく今度こそはと張り切つてスタートしたものの中学校より途端に小学校一年生と相手は変わつて教科はもち論、言葉遣いまでが一八〇度の転換、一ヵ年は苦しい思いをした。

しかし中学校と異なつた喜びを見だすことができた。学校において事務分掌の結果、養護係となり経験のないことに一層重荷を感じた。

早速全職員にも協力をお願いした。

本校は校地の表土が悪いためか怪我人が多く、とても手に負えない。授業中治療に呼ばれると学級の生徒まで後からぞろぞろと衛生室に入いる始末。四月になれば身体検査の処理、五、六月になればツ反、レントゲン撮影、十一月になれば検便と云うように毎日を忙しく送らねばならないことになつた。

四月の身体検査の結果ではトラホーム児童が驚くなかれ、二七四人と云う数になりこれは大変だと早速校長先生教頭先生にご相談し、校医のおすすめによつて総べての器具薬品を揃えていただきご指導を受けて点眼を初めた。やつて見ると人手が足りず、保健部の先生方のご協力を得て夏休み前まで行つた。

夏休みになるとこのチャンスを逸すまいと早速各父兄宛に治療通知をすることにした。その結果をまとめてみると、

「トラホーム児二七四人の調査」

治療したもの	一二〇人
金がない（治療しない）もの	三三人
治療をしぶつたもの	三一人
家庭が無関心なもの	三〇人
家庭治療をしたもの	一八人
治療をしぶつた（児童）もの	九人
母がつれて行かないもの	六人
通知不能（学校よりの）のもの	五人
教会で治療したもの	一人
冬休みに治療を延期したもの	一人
理由不明のもの	一九人
治療中のもの	一人

以上の通りの状態からして、トラホーム患者の約十二％は金がないということになつているが現社会においても公衆衛生の問題もよく論じられているにもかかわらず「金がなければ病人も仕方がない」と云う考え方は検討する必要がある。

それと反対に親が子どもの幸福を願うのはもち論であるが、しかし子どもの病気に対して無関心な家庭が全体の約十一％いることも見のがすことの出来ない事実である。病院に行くことをしぶる家庭もそれに相違ないことと思う。

このような本校の現状を見ても学級担任教師が養護教諭の仕事まで分担することは不可能であり、又一般社会の人々も学校内の病気を一掃する目的であれば一応関心を持ち、子どもの保健面も一層よくなることでしよう。一日も早く養護教諭の完全配置、さもなくば養護係の養成（講習会などにより）を早急に実施して児童養護のために、自信を持つて任が果せるようにしていただくよう要望したい。

一言

今年こそ新正一本
日々の学習にもとり入れて

△全琉的な新正一本化推進運動が世界的視野で行なわれ、合理的、経済的であることを理解させる。学習の中にこのことを取り入れることは、父兄の理解の足りない地域ほど必要。

△新暦、旧暦についての理解、産業との関係から旧正よりむしろ新正が有利であることを考えさせる。中校生等積極的に推進運動に参加していいのであるまいか。

△旧正の授業は平常通り続けたいものだ。休むことによつてむしろ慣習を奨励し改善の実を結ばなくなることに注意したい。S・S生

―― 随　筆 ――

適確な表現を

――週番教師の週訓反省――

伊波政仁

「……あいさつもよくなつています。それから、買い食いもよくなつています。」と、

私はさつそく教室にはいると同時にそれを板書した。二年生のつぶらなる眼は私の手許をギョウシしているのか、シーンとしている。板書を終えてふりかえつた。黙読している者、音読をしている者、いろいろである。さらに、板書をつづけた。

。かいぐいをする子が多くなつた。

（三人）

。かいぐいをする子が少なくなつた

（十七人）

。どつちだか、わからない、

（二十九人）

項目の下に書いたのが回答数である。

三人の子らは成績のいい子である。「買い食いもよくなつた。」では買い食いが多くなつたともとれる。解釈が二とおりにもとれるということはまずい表現に属する。徳川夢声氏の表現をかりれば、ちよつと、どうかと思つた。それからあるテスト・ブックに「トンネルの中は電灯がついていてまるで夜のようだ。」という正解文があつた。

どうもおかしい。同僚に示したら「ちつともおかしくない。」といわれる。電灯は夜につくものだから夜のようだ、でいいとのこと。この理論でいとく残月は別として、月は夜のものと相場がきまつているから、この人はこういうに違いない。

「八月十五夜の月が出て、あたりはまるで夜のようだ。」と、

子供はコトバに敏感だ。一時間め、二時間めだけしか聞いてない子は、一時限め、二時限めというとクスクス笑いだす説明してやつと理解させた経験をもつている。

戦時中、ハワイからの交換船で帰国した婦人と同宿したことがある。その人に当時六才になる坊やがいた。利発そうな子で、日本語も内地の子どもと変わりはない。ペラペラだ。多少、ハワイ訛りはあつたが。むこうでは両国語、教えているのかたずねてみたら、日本語は教えてないといわれる。航海中にマスターしてしまつたといわれていた。おとなのできる芸当ではない。ただしぬけきれぬ語はもつていた。一ママ」というコトバ。

われわれは不用意にコトバを使つてしまつたりする。それが当然になつてしまつたのもある。

「めしをたく」がそれだ。めしをたいたら五分もしないうちに焦げついてしまう。米をたくが正しい。めしということばを使うなら「めしにたく」が正しいとは松田教授の言である。

敏感な子どもたちに誤つた表現をきざみこんだら、国語教育は千年の悔いを残す。私は小学校時代に熱田（あつた）神宮と教えられた。先年、名古屋へいくまで、そう思つていた。土地の人は「あつた神宮」といつていたのでビツクリした思いをしたことがある。子ども心に植えつけられたのは、鮮明な印象として残るものだ。ゆめ、ゆめ。

――

※（三三ページよりつづき）

じる時、私は私に寄せられる厚意をありがたく想起する。

そうして「やらねばならぬ。」「人間的なあたたかみをかよわすまで、やりとおさなければならない」と思う。

一九六〇年。これが第二の私のはじまりである。そう言い聞かせながら、私はふるさとの友を、山野を感傷的な追憶の中におくことをさしひかえる。

私は人々の期待にこたえなければならない。

そう思えば、実にこわい。逃げ出して下宿の部屋にこもりたくなる。

下宿の窓から見える景色は美しい。名も知らぬ川は流れをとどめて青くすみ、さんご礁の白い砂地にぶつそうげの花が赤い。

何のこやしもないさんご礁にぶつそうげの花が開いている。私の無にひとしい頭であつても、人々の援助とはげましはぶつそうげならなる花を、国語教育の花をひらかせるであろう。そう思い、そう信じ、私はこの稿を終えることにする。（一九六〇、一〇、三〇）

（研究調査課の依頼に応じて、いきなり、原稿用紙にむかいました。おゆるしください。）

（那覇市神原小学校にて
沖縄派遣国語教育指導委員）

——随　筆——

雑記帳

石川盛亀

○日の丸と君が代

十一月六日、名護競技場で行なわれた第八回九州各県対抗陸上競技大会では、開会式に「日の丸」が掲げられ、「君が代」が歌われた。そのとき、選手団や三万余の観衆の中には涙ぐむ人もおつたとか。ただ、対照的だつたのは、年配の人たちには十数年ぶりに聞く全くの感激だつたが、小さな学童たちには、はじめてきく国歌、それは全く受ける感じが違つていたとのことである。

競技を見に行つたある小学校の四年の学童は「隣りのおじさんが立つたから僕も立つた。なんの歌だかぼくは知らなかつた。」と答えている。

ひところ、国体に参加した選手団が、「君が代」を歌えないでは面目ないとあつて、国体参加の前に「君が代」をけいこした。するとそのとき、若い選手に「君が代」を知つているかときいたところ、すかさず一番だけは知つていますと答えたということである。

この事実は、ほんの一例に過ぎないが、実に深刻な笑えない話である、いつたいだれが彼等をそうさせたのか？

文部省の学習指導要領では、明確に「国民の祝日などにおいては……国旗を掲揚し、君が代をせい唱させることが望ましい。」とうたわれている。しかし、沖縄の学習指導要領では、現実の問題として不可能に近いし、いずれ正々堂々と「日の丸」が掲げられ、「君が代」が歌われるときがくれば、そのときに新に挿入するという条件のもとに、一応これが削除された。

ここで思うことは、たとい削除されたにせよ、「われらは、日本国民として」教育基本法の冒頭にあるとおり、かたときも「君が代」と「日の丸」を忘れさせたくないものである。

○島民ということば

某教科書会社発行の中学校社会教科書の中に、沖縄に関してずいぶん認識不足と思われる箇所がみうけられる。その一例に次のような記述がある。

「琉球には、いま、米国軍の重要な基地が建設され、わが国に返還される期日は明らかにされていないが、島民の間には、日本復帰の熱望が高い。」

問題は島民ということばである。なるほど島民といえば島民であるに違いないが、それから受ける感じが気に食わない。ニューアンスの問題である。従来このことばは植民地的な島に住んでいる人々に対する語感が強い。たしかに植民地臭みが濃厚である。ひとり沖縄にのみ、島民ということばを使い、本土の他の小島に住んでいる人々に関しては島民という用語は見当たらないようである。憲法でも「住民」ということばもあるくらいであるから、県民と使えなければ何とか置きかえることばもあつたはずである。いま、文教局でも研究中で、近く「これらの島の人々」とか、「これらの島に住んでいる人々」とか、「沖縄の人々」などと記述することが望ましい旨の要請をそれぞれ文部省と教科書会社に発することになつている。早く訂正して本土の学童や教師たちに対し、正しい沖縄の認識を与えたいものである。

○授業三分前

いま、どこの学校でも、学力向上対策の立場から、また、改訂学習指導要領による授業時数の確保の立場から、授業を欠かないように努力が払われている。これは、たいへん結構なことである。しかし、最低授業時数の確保に注意が向けられるあまり、案外年間の授業分数の確保は無視されているのではなかろうか。むしろ分数の確保こそたいせつである。一時間四五分の時間が完全にあてられなければ、実質的には学習の時間は少なくなつていく。

いま、かりに鐘が鳴つてから職員室をでるとしたら、遠い学級まで行くのに三分かかる。

それからあいさつをし、教科書をとつてはじめるとしたら、おそらく五分はかかるだろう。これを年間集計したら、ものすごい時間の空費である。

これは、鹿児島のある小学校の経営の一端であるが、この学校では、授業はじめ三分前にベルが鳴る。そのベルを合図に教師も児童も教室にはいり、授業の準備にとりかかる。三分後の始業のベルでは教師の第一声がきかれるということである。方法は別として、時数、分数の確保という点から何か参考になりそうである。

後で空費の時間を埋め合わさない限り、時数は確保されたが、正味年間分数は確保されなかつたという矛盾におちいることになる。

特別教育活動や学校行事等においても、一単位時間は正味四五分であるので、だらだらした行事や特別教育活動でなくして、きちつと時間ではじまり、きちつと時間でおわるけじめのある教育活動でありたいものである。

（那覇教育研究所）

―― 随筆 ――

理想の国字

越来中学校　安里武泰

四、五年前の―あれは何月号だつたか記憶に残つてないが―文芸春秋の随筆欄で知つた石原忍氏の理想の国字が折に触れては私の脳裡によみがえつてくる。

　太平洋戦争を境に漢字の平易化と字数の制限が規定され同時にかなづかいも発音通り表記することを原則とするように移行した事は国字の理想化をめざしたものとでもいおうか、いずれにしても国語教育はもとより教育全般にひいては日常生活に好影響を及ぼすものと思われる。

　日本だけでなく中国や英国でも時を同じようにして同様な問題を検討したというからそれは新しい時代の共通した課題だつたのかも知れない。

　閑話休題。前述の随筆を一読した私は好奇心にあおられて研究物を譲渡してもらいたい旨したためて即日ポストに託した。

　折返し貴重な研究物が南島の小島に届いた。よもやと思つていただけに手にした時の喜びは一通りではなかつた。

　三十年の月日を要したという長期の研究成果をこうも簡明にまとめ上げる事が出来るものだろうかと思われる程それは枚数にして五、六枚の白表紙の小さな冊子だつた。

　理想の国字の考案の骨子は　(1)漢字カナ、かなを全廃する。(2)左から右へそして上から下へと横書きにする。(3)ローマ字式にして一字一音とする。の三点で当用漢字、現代かなづかいを超越したというよりそれらを無視した全く新らしい試みである。

　石原氏はその新らしい国語について「従来の日本語の表記法の利点や英語、ローマ字文のそれをとり入れたものでしかも　(1)ローマ字のように各行に子音と母音をくつつける必要がなく　(2)和文英文、ローマ字文のように長つたらしい文章にならず　(3)すぐタイプにかける利点があり　(4)視覚的にかなつたすばらしいものである。」と自画自賛しておられた。

　一見すると欧文のような感じで、アイウエオの五十音が、アルファベットのように印刷体、筆記体に区別され、それぞれに大文字、小文字がありさらに濁音、半濁、長音、拗音、促音の表記法も分りやすく説明されていてなるほど東西の文字、文章の長所利点を巧みにとり入れたものだと、いよいよ私はそれに興味をもち、欲望幻想の境地に誘い込まれたのであつた。

　自由に読める漢字であれば、自在にそれを書けなければ、ほんとに分つているとはいえないし、また実用化しているともいえない。その逆もまたそうである。

　ところが現実の問題は、当用漢字以前の教育を受けた人から見ると、ほんとうに平易化された漢字であるにもかかわらず、それに対する児童生徒の書写力、読解力は極めて弱いのである。それは一体、何が原因なのだろうか。

　また外来語はカタカナで、そうでないもの或は植物名は平がなで書くようになつていてもその通りでなくても、意志の交流、思想の伝達に別に問題はない。その他についても、不審を抱けばきりがなさそうである。

　国語は凡ゆる教科の土台となるもので、道具教科の異名さえもつている。しかしその基礎になつている漢字がむずかしく憶えにくく、カタカナ平がなの使用がこうも複雑であれば、その他の教科学習にどんな影響を与える事だろう。ここらで漢字教育、いや国字に対する考え方を反省すべきではなかろうか、などと石原氏に共鳴したものである。

　健忘症の私には漢字も現代かなづかいも、坐右に辞書がないと正確を期すことが出来ないので、日記や手紙、それにつれづれに思う事など、つい憶くうになり勝ちであるが、理想の国字に対して郷愁に似た何ものかを感ずるのもそういう時である。

　石原氏からいただいた前述の研究物は、私より一段と症状の悪化した善良な先輩にお借しして以来四、五年も私の書架を留守にしている。その後二、三度いただいたお便りの中に読後感らしいもののない所を見ると、或はその先輩読む事さえ忘れておられるのではないか気になつてくるこの頃である。

　理想の国字の考案者石原忍氏は現在東京大学の名誉教授で医学博士、石原式色盲検査表の考案者として内外に知られた方であるが、その研究論文を日本の学界はもとより、世界の学界にも発表した所、採用の先手を米国に打たれ、これまではとり合わなかつた日本でも採用されるようになり、今日のように普及したとの事である。

　今度の理想の国字も国費による長年の研究で　その成果も前回同様日本、世界の両学界に発表されたという事であるが、果してどんな反響があるだろうか興味深いものである。

　一九六〇、一一、一（火）

高校学習指導要領を告示

10月15日

時代の進展に即応

三十八年度から実施

高等学校の新しい学習指導要領が、十月十五日官報で告示された。昨年七月教育課程審議会に高等学校教育課程の改善が諮問されて以来約一年三か月ぶりである。この改善は、①小・中・高校教育課程に一貫性をもたせるとともに、②昭和三十一年度の改訂の精神をいっそう徹底し時代の進展に即応するよう改善することをねらいとしたもので、生徒の能力・進路・適正に応じた教育の重視、基礎学力の向上と科学技術教育の充実、道徳教育の充実強化等を図っている。本年三月、教育課程審議会はこの改善の基本方針等を答申、教材等調査研究会は、この答申に基づいて学習指導要領の草案をさる六月発表した。以来各方面の意見をきいて、次に示すような修正を行ない、今度の告示となった。本省ではこれに伴ない十五日学校教育法施行規則（省令）の一部を改正し、新しい高校教育課程の編成、教科、卒業に必要な単位数などを明示した。この改正のおもな点は次のとおり。

学校教育法施行規則も改正

まず、これまでの第五十六条の二から五十七条までを第五十七条として、次のように改め、新たに別表第三を掲げて教科ならびに教科に属する科目を明かにし、高等学校の教育課程は、別表第三に定める教科の特活、学校行事によって編成するものとした。

第五十七条　高等学校の教育課程は、別表第三に定める教科並びに特別教育活動及び学校行事等によって編成するものとする。

また、この五十七条の次に、次の一条を加え、今回告示された高等学校の学習指導要領が高等学校の教育課程の基準であることを明らかにしている。

第五十七条の二　高等学校の教育課程については、この章に定めるもののほか、教育課程の基準として文部大臣が別に公示する高等学校学習指導要領によるものとする。

第六十三条の次に次の一条を加え、これまで学習指導要領の上で定められていた高校卒業に必要な単位数を明確にした。

第六十三条の二　校長は、生徒の高等学校の全課程の修了を認めるにあたっては、高等学校学習指導要領の定めるところにより、八十五単位以上を修得した者について、これを行なわなければならない。

なお、この改正省令は公布の日から施行されるが、付則で高等学校の新教育課程および全課程の修了の認定についての規定は、昭和三十八年度の第一学年から学年進行によって適用される。

また、この改正で、中学校の教育課程についても第五十三条第二項が改正され、中学校の選択教科に中学校学習指導要領で定めるその他の教科を加えることができるものとされた。

高校学習指導要領改正草案の修正点

別項のとおり、高等学校の新しい学習指導要領は十月十五日付け官報で告示されたが、これに先だち、本省では、さる六月十五日教育課程審議会の答申や教材等調査研究会の調査審議の結果に基づいて、高等学校学習指導要領改訂草案を発表、ひろく関係方面の意見を求めた（本紙六月二十三日号参照）。そこで四十四都道府県教委をはじめ、九大学付属高校そのほか百四十三の団体からいろいろな改善の意見が寄せられ、教材等調査研究会は、これらの意見を尊重して、のべ九十九回の審議を行ない、前記の改訂草案を一千五十九か所に及んで修正し、今度の告示となったものである。以下は、おもな修正点の概要である。

社会（政治経済）法の尊重を強調

特活生徒会活動の一部も修正

総則

①音楽や美術に関する専門の学科の教科の教育の振興を図るため、未定となっていた音楽、美術に関する専門科目を定め、また未定となっていた通信教育における教育課程について規定した。

②職業に関する教科、科目の名称、単位数について実情に合わせるよう若干の訂正を行なった。（後述「農業」、「工業」、「水産」を参照）。

③職業教育を主とする学科のおもな目

標として造園科にかかるものを定めた。

国　語

①「聞くこと、話すこと」の学習活動として、「応接、面接」をかかげていたが高等学校では学習の活動としてはその機会が少ないので、考慮する程度にとどめた。

②ことばに関する指導において「国語の改善に関心をもたせるようにした。」

社　会

倫理・社会

①内容（1）、（2）および（3）にそれぞれ前文を書き加えて、指導の観点を明らかにした。

②「西洋の考え方」のうち「古代の思想」と「キリスト教の考え方」を合わせて「西洋思想の源流」とした。

③「民主社会を成立させている精神」を「民主社会をささえている精神」に改めて、民主社会の精神的背骨、精神的支柱の意味を、よりいっそう明確にした。

④教科目標一の冒頭に「自他の人格や個性を尊重して」とあることと考え合わせて「個性の尊重」を「人格の尊厳と個性の尊重」に改めた。

⑤留意事項（3）の「総合的理解」の意味がわかりにくいとの批判が多かつたので、「社会や文化や人間の見方には異なつたものがあることを考慮するとともに、広い視野に立つて、人間のあり方についての総合的理解を得させることができるように留意する。」に改めた。

⑥民主主義の倫理を理解させることの重要性にかんがみ、また、この科目の性格を明らかにするため「留意事項（4）各事項の指導にあたつては、それが民主主義の倫理についての理解と実践に連なるものであることに留意する。」を新しく加えた。

政治・経済

①「法の支配」に「（憲法の最高法規性違憲立法審査権などを取り扱う。）」を加筆して、「日本国憲法の基本問題」の一項目として取り扱う場合の観点を示すとともに、留意事項に「（6）政治と法および道徳」の指導にあたつては、法の尊重の意義を理解させるようにし、その理解を基礎として「法の支配」を取り扱うように留意する。」を新しく加えた。

②現実の諸問題の解決の基礎となる基本的事項については、その歴史的背景について理解させるとともに留意すべきことを加筆して、「留意事項(3)」を「現実の諸問題に深い関心をもたせるとともに、その解釈の基礎となる基本的事項についての理解を、その歴史的背景にも留意しながら、いっそう深めて、公正な判断力や健全な批判力を養うように指導する」と書き改めた。

日本史

①「（7）封建社会の動揺と文化の成熟」と「（8）近代国家の成立と近代文化の発達」とのつなぎをはつきりさせ、また、明治維新の国内問題もじゆうぶん理解させるため、「明治維新と国際環境」の項目を「幕府の衰亡と国際環境」と「明治維新」の二項目とした。

②第二次世界大戦後の国内の情勢について科学・技術の進歩を加えた。

世界史A

①世界史Bでは「歴史的思考力をつちかう」ことを強調していたが、世界史Aにおいても当然つちかわなければならないのでAのほうにもその旨を追加し、世界史Bにおいては歴史的思考力を深めるものとした。

②戦後の国際情勢の動きについては、「国際連合の成立によつて、国際協力が進められてきたが、国際関係はなお緊張を続けている現状にも気づかせる」ことを加えた。

世界史B

前記世界史Aの②と同じく加筆した。

数　学

数学Ｉ

①関数とそのグラフに「無理関数」を追加した。

②指導計画作成および指導上の留意事項の（3）として、「②の（4）のうち、平面図形については、初等幾何学的な扱いを加えて指導してもよい」を追加した。

数学ⅡB

数学ⅡBの内容を軽くするために「複素数」の取り扱いを軽減した。

応用数学　『応用数学』は、原則として、『数学Ｉ』を履修させた後に履修させるものとする」とし「原則として」を追加し、必要な学科によつては、一年で数学Ｉとともに応用数学の一部を履修させることもできるようにした。

理　科

物理A

「円運動」と「蒸気圧」を追加した。

物理B

「蒸気圧」を追加した。

化学A

「核酸」は、化学的にむずかしいとの意見が強かつたので削除した。

化学B

①「金属結合」は物理的であり、また理論的取り扱いがむずかしいとの意見が強かつたので削除した。

②「核酸」を削除した。

生　物

「エネルギー変換」はその個々の事項を高度に扱うおそれがあるので削除し

「物質交代とエネルギー交代」と関連させて扱うようにした。

地　学

④「星の進化」を「星の進化と宇宙の構造」とした。

②各科目の「三指導計画作成および指導上の留意事項」に「指導の補助手段としてスライド、映画、放送などを精選して活用することが望ましい。」を追加した。

芸　術

音　楽

①音楽　の目標のうち、「わが国および諸外国の音楽文化の伝統や動向を理解させ、音楽文化の発展に寄与しようとする態度を養う。」を、「わが国および諸外国の音楽文化の伝統や動向を理解させ、わが国音楽文化の発展に……」と修正した。

②第三指導計画作成および指導上の留意事項に、「指導の効果をあげるため、放送、録音機、レコードを精選しこれを活用することが望ましい。」を追加した。

美　術

内容のうち、構成の中の「練習の字句は、現場における指導法を示すように誤解されるのでこれを避けて適切な記述に統一した。

保健体育

体　育

①体操を小・中との関連上徒手体操と器械運動の二つの領域に分けて示すことにした。

②体育理論のうち「一発達と体育」の内容が、中学校の体育に関する知識や保健の内容と重複する点もあったので、内容を重点的にしぼり、「発達と運動」とし簡潔にした。

③日常の正しい歩き方や姿勢について指導を加えた。

外国語

英語A、英語B、ドイツ語およびフランス語を第二の外国語として履修させる場合について、計画的に実施しやすいように二単位を標準とする旨を明らかにした。

農　業

①「農業施設」を「農業土木」に改め農業生産施設や農地の保全、造成にふさわしい内容とした。

②「農業経営」の内容を農業近代化に即応できるように修正した。

③「加工原材料」を廃止し、その内容を「農業の加工」に含めた。

工　業

①「土木機械」を廃止し、その内容を「土木施行」に統合した。

②新たに「土木経営」を設けた。

③「織物製造」を廃止し、その内容を「織物組織」「織物機械」「紋織」の三科目に編成した。

水　産

「電気通信理論」「無線測定」を新設した。

特別教育活動

ホームルーム

（1）進路の選択決定等について最終学年のみでなく、毎学年計画的に指導すべき旨を明らかにした。

（2）「ホームルームに充てる時間のうち、毎週少なくとも一回は、長時間（通常教科・科目に充てる一単位時間）のものとして実施することが望ましい。」旨付け加えた。

（3）視聴覚教材などの利用についてふれ、事前、事後の指導を怠らないよう留意を示した。

生徒会活動

目標の（2）に「集団の活動に積極的に参加し……」とあったが、生徒の活動が、校外の問題に関して行なわれるような誤解を与えるとの意見が多数であったので、他の各項の場合と同様に学校生活における集団の活動に積極的に参加し……」と修正した。

解説

公務災害補償に改正政令

学校歯科医なども補償

公立学校の学校医の公務災害補償に関する法律の一部が改正され、（昭和三十五年法律第五七号、以下「改正法」という。）これに伴って、公立学校の学校医の公務災害補償の基準を定める政令の一部も改正された昭和三十五年政令第二〇九号、以下「改正政令」という。）のでこれら法令の改正趣旨、内容および改正に伴い都道府県で関係条例の改正を行なうため必要な留意事項、改正条例準則等が、九月七日通達された。

今度の改正のおもな点は、従来公立学校の非常勤の学校医の公務上の災害に対する補償制度を定めていたものを、今回公立学校の非常勤の学校歯科医および学校薬剤師の公務上の災害に対しても補償することにしたもので、改正政令は学校歯科医、学校薬剤師についても補償の範囲を定める必要等のため改正されたものである。二通達のうち文体保第二一八号は条例改正の便宜をも考慮して改正政令に関し改正での根拠等についても詳細に示しているが、その概略は次のとおり。

従来は学校医について、公務災害補償の

※（64頁につづく）

静岡のかおり

中学校訪問記

国語教育の姿

上原政勝

焼津駅から西へ一つ目の藤枝駅、そこから、また焼津へ折返すように軽便に五分ぐらい乗ると終着駅大手である。始発から終着までものの五分間、まったくスピード時代の先端をいく軽便鉄道である。

大手駅から東へいくと、今日の訪問校西益津中学校のいらかが見えてきた。緑に埋まった学校という感じだ。入口の碑文によれば、本多四万石の居城で、四つの外堀に囲まれ難攻不落を誇ったこともあるとのことだが、その田中城趾も昔日の面影をしのぶよすがもなく、今は西益津小学校が並びたっている。

さて、玉砂利の敷きつめられた正門への道を歩いていくうちに、今まで訪問してきた学校とくらべて、いささかその趣を異にした印象を与えられた。

都会らしい感じもなく、そうかといって、農村の学校によく見受けられる粗雑さもない。そうだ〃キメの細かい学校〃とよんだ方が適切かも知れない。およそ百個はあろうかと思われる青磁の鉢に、小さい蕾を無数に出し始めた菊。「心の広場」と書かれ、手入れのゆきとどいた中庭と池。青、茶、白等の原石が芝生の築山に植えこみにされた野外標本場―。静かな学校だ。しかしこのふん囲気の中から、音なく回転し続けるこの学校の息吹きが、じかに肌に伝わってくる。カラカラ音たてて、空まわりする風車教育ではないのだ。

過日、学校訪問のスケジュールをたてるために指導主事にあい、県内の特色ある学校についての紹介をしていただいたことがある。この西益津中学校がどの面でも高く評価されているのに驚きの声を発したことがあるが、実際にこの学校を参観するにおよんで、それが名実共に充実している感をいよいよ深くした次第である。そしてこの学校を紹介してくれるだれもが、『校長先生が実に研究意欲の旺盛な方なんでねえ』とつけたすのを忘れない。

小柄で、頭にすっかり霜をいただいた校長先生は、終始笑みをたたえ、私を心よく迎えてくださった。先だって石井庄司先生がこの学校に東京から見えられた時に、いい機会だからとのことで、焼津の私を電話で呼んでくださったいきさつもあったりして、初対面ながら旧来の後輩に対するがごとき、温かい歓待ぶりであった。（石井庄司先生のご参観の折は、私は他校参観でお会いできなかった。かえすがえすも残念！）

さっそく、国語主任であり、またこの学校の中堅教師ともいうべき榊原先生の案内で一年生の国語の授業を参観する。教科書は移行措置のされた三省堂五訂版を使っての文法指導であった。要を得た発問、適格な板書等が際立ち、生徒も眼を輝かしての師弟一体の授業であった。授業展開については割愛するが、とにかくややともすれば無味乾燥になり勝ちな文法学習が、これほどまでに生徒に興味をもたれているのを見て、ふだんの努力が思いやられてつくづく感心した。

西益津中学校

この教室で一つおもしろいことがあった。

授業参観者のだれもが一応見たくなるのはノートだが私もその例にもれず、生徒の肩すかしにノートを見てまわっていたら、ふいに横にいた男生徒が

『先生、〃自覚〃っていう言葉の意味教えてください』と、無邪気な瞳を私に向けたのである。まったく予期してない唐突な質問であり、沖縄での私の生活経験からいっても〃自覚〃の範ちゅう（疇）から、程遠い所にある質問なので、いささか面くらった。―するをつけると、複合動詞になるかどうかの

質問らしかったが、それはさておき、普通ならおそるおそる横目でソッと見るかする外来者（教室への侵入者かも知れない）に対して、平気で質問してくるそのものおじしない態度に私はすっかり好感を抱いてしまった。

聞けば、ここの生徒の大半は、中流家庭の子弟で、それほど生活に困っているものはなく、その上、親達の職業が、公務員、教員といったインテリー層が多いとのことである。なるほど大きくうなずかされたわけであるが、あらためて家庭環境と教育効果の関連性を考えさせられた。

少し、横道にそれるが、沖縄の生徒達（主として農村）と、本土の生徒達の学校生活の時間には、だいぶ開きがあるように思われる。というのは忙しい沖縄の農村家庭にあっては、中学にもあがる頃になると、子供の手を借りるのは当然のことのように思っている。なかには、子供の能力（仕事の面での）以上に期待をかけ、仕事が、はかどらぬをみては悪口雑言の限りをつくして、いたいけなわが子をしつたしている家庭すらある。

このような状態だから、帰宅時間がうるさい。生徒会活動やクラブその他の止むを得ない事由（そういう生徒もある）で、帰りが遅くなる場合も、子供達の心は戦々きょうきょうとしているに違いない。（かつて私がそうであったように）それにくらべて、こちらの生徒達は、放課後を、唯一の自分達の時間としてのびのびと過ごしているのではなかろうか。そして、家へ帰れば「ただ今、ああ今日は疲れちゃった」「お帰り、疲れたろうそこの棚をあけてみな、おやつが入っているよ」といった調子だ。だから、子供達にとっては、いたるところがその若い翼を思い切り拡げ、だんだんに強くしていくことのできる自由の天地なのだ。

新しい教育はまず環境の整備から

―そんなロマンティックな甘い夢など現実社会を知らないもののたわごとに過ぎない。働けど働けどなおわが暮し楽にならざり。よって子どもの手も不本意ながら借りているのだ。それにまた、人間は小さい頃から苦労はさせておくべきだ…云々…その外いろいろ意見もあるだろうが私は前述のように、幼少時代は、のびのびと過ごすようわれわれおとなはもっと寛大にならなければならないと考えている。

すっかり横道に入ってしまったが、さっきの教室におけるあどけない質問も要は、このような環境に育てられてきた子供達のごく自然なものであったに違いない。驚いたり、感心したりするほうがよっぽどどうかしているのである。

◎過去五年間の歩み

さて、この学校の今日を築きあげるためには、幾多の困難と才月を要してきているのは、いうまでもないことだが、従来にない研究意欲と、その教育効果を盛りあげてきたのは、ここ五、六年来のことであるということが、いえそうである。ちなみに研究の歩みをたどってみよう。

まず教育の全体計画をたてるにあたって、左記を教育の重点とした。

近代教育の基本的性格、中学校の基本的な性格を考え、占領下及び独立後の国情に反省を加えて、学校をして近代民主社会の理想的な姿につくりあげるよう。

1 旺盛な問題意識をもち、自主的に問題を解決していく強い意欲と正しい態度をもった子供。

2 正邪善悪の判断がはっきりでき、鋭い道徳的心情をもって、つねに正義を愛し、強い道徳的な志をもって行動することのできるような子供。

3 よき民主社会の一員となるため、学校におけるあらゆる学習集団、生活集団において集団の目的を理解すると共に集団における自分の役割を自覚して、この目的実現に努力していくような子供。

4 熱情をもって物事を積極的に実践する強い意志と持久力

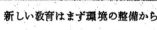

をもち、目的の実現に努力していくような子供。
5 個人の価値をみとめ、たがいの立場を尊重しあつて礼儀正しく交際のできるような子供。
などをめざす。

第一年度から堅実な計画のもとにこの目標に向つて着実な歩みを続けてきたのである。五百名たらずの小規模学校だが、教育重点目標にも見られるように常に自主性を培うためにはどうすればよいかの問題ととつ組み、時には指導主事に助言をこい、時には全国的に有名な指導者を招いての研究会等と積極的に研究を推進してきたのだそうである。

年に二、三度の指導主事の定期訪問を受けている学校もある現状の中で、教師も校長も指導主事も人という同じ立場で、互いにもみつもまれつしている姿は、まつたく尊いものがある。

さて、各年度の詳細な歩みを一々紹介する暇がないので、特にこの学校の特色としてあげられる次の二つのことについてご紹介することにしよう。

意欲的なな学習態度を養うために

1 教科教室としての経営の研究。
2 授業研究を中心とすること。

まず1の教科教室としての経営についての研究は榊原先生と私との対話文によつてご紹介しよう。

私「教科教室制はいつ頃から採ったのですか」

榊原「今の校長がこの学校に見えた六年前からとつています。もちろん校長の推奨による方法だが、六年間も続いてきたということは長所が短所よりも多いからだ」

私「研究してないので、よくわからないが、この教科教室制を普通、採用してないのは、常識的にいつて、いくつかの障害やマイナスになることが多いからではないでしようか。この学校で、この制度を六年も進めて来た上での、具体的なプラス面、マイナス面について伺いたい。」

榊原「いくつかの障害やマイナスを超えて、なおかつ進めてきた理由は、教科学習の環境を整備し、学習に最も有効な場を設定して、各教科の実力を養うのに生かしたかつたにほかならないのです」

私「なるほど、一教室を一教科で塗りつぶすということになるわけですね」

榊原「そうです、この方法は単に思いつきで、すぐ手がけたのではなく、幾度も職員会議で練りに練つた結果です。」

私「今の長所について、もう少しお話ください。生徒側からはどうですか」

榊原「拡大解釈して長所と名づけるならば、教科教室は、まず教科の環境として、整います。従つて生徒達はこの国語教室へ一歩入るなり教科の匂いを感じ、完全に意欲的になつてしまいます」

私「今、私達のいるこの教室は、生徒はいなくても国語教室としてのふん囲気が醸成されているといつた感じですね。中学校の教室は小学校の教室にくらべて殺風景になりがちですけど、教科教室制をとれば、生徒はもちろん教師も意欲的になるでしようね。ところで毎時間教室がかわることについて生徒達の様子はいかがでしよう」

榊原「入学当初の生徒達はまごつきます。でも一月もたてば、なれてしまいますよ。なれてしまえば不平も不満もないです。子供達は言つてみれば渡り鳥です」

私「この教室へ入るなり直感的にきたのは、H・Rと教科のつながりはどうなるだろうということです。それに今一つは、たとえ教科教室制を採用してない普通の学校ですら、H・R担任が国語教師だと、なにかしら、そのH・Rが国語に偏る傾向があるように思われるのですが、まして、この学校のように、国語の教室に国語の担任教師がH・Rの担任となると、生徒への影響が懸念されますが……」

榊原「確かにその点は問題でした。しかし、教師の努力如何によつて偏向をある程度ふせげるのではないですか。むしろ、問題よりも、H・R経営と教科教室の経営がつながりが問題だと思います。この教室の前面と両側面をごらんください。掲示物のほとんどが、国語関係でしよう。」

※前面—教育漢字表、表現の技巧一覧表、書架（各種国語教科書、文学全集）
側面—国語関係掲示物ばかり

榊原「ところが、もうすでにお気づきのように背面はこのように利用しています」

※学級委員一覧表、新聞切抜、その他H・Rに関するもの掲示、教卓

榊原」このような配置ですので、H・Rの時だけは後が正面ということになります、今の話は形式面だけになりましたが、内容的にも案ずるより

は効果をあげていると思います。この教科教室制は今後もずつと続けていくつもりです」

※附記、スムースに教科教室制を経営していくために、次のことも考慮に入れている。

◎生徒の教室移動に便利な時間割をきめる。特に距離を考える。

◎教師は担当教科が多岐にわたらぬようくふうする。

◎学年　もちあがり制を原則としている。教師と生徒が疎遠になり勝ちな中学では特に必要だと強調している。もちあがり制に附随するいろいろな問題も、素地のできているこの学校では、さほど問題にしてないらしかつた。

◎月一回の教室めぐりーもちあがり制や、教科教室制をとると、いきおい、教室が、固定されがちになるので、月に一回全教師が全教室まわつて、教室経営についての批評会などをもつ。

二、授業研究を中心とすること

中学校では各教師がおのおの担当の教科の指導にこそは熱意をもつが、ややもすると他教科についてはふれたがらない。むしろ敬遠の気味さえあるのが普通である。これが高ずると、狭いセクト主義になり、それぞれの教科の中に安住しやすくなる。接する子供も同じであることを考えれば、この分裂状態は子供の人格形成には大きなマイナスとなろう。すべての教科に共通する学習指導の基本的態度があるはずなのであつて、そこにこそ学校全教師共通のつつこむべき問題があると思われる。

そこで毎月行われる研究授業の数日前に全職員でその指導案についての研修会を開いている。まず研究授業をやるものが、はじめに指導案について概略を説明し、それについて、他のものが質問し、討議する。その時間の指導の目的から授業の流れまで……。他教科の教師の岡目八目的な質問や意見も多いのだが、それはそれで案外素人意見としても有益なことが多いのである。子供の頃数学の不得手であつた教師は、数学の指導案研究のときには、むしろ中以下の子供の立場にたつて物がいえるという具合である。

時には話がはずんで芸術論に花が咲いたこともあり、研究授業対象の学級のこどもについての話し合いになつたり、その教科と他教科との関連について思わぬ発見をしたりしたこともあつた。

これは榊原先生の書いた授業研究の歩みである。私はこの会に参加する機会はなかつたが、じつと眼をつぶつてその場面を想像してみるだけでも参考になるのではなかろうか。

自分の教科に対しては絶対的な自信をもつことは非常に大切なことと考えるが、それ以上に大事なことは、他教科との歩み寄りではなかろうか。そのことがとりもなおさず、人間教育にたずさわる者の美しい協同心の姿であると思うのである。

とにかく、いろいろの点で、この西益津中学校から啓発された。

国語科を中心とした教室経営への一考察

一昨年だつたろうか。私の地区で「教室経営コンクール」の話がもちあがつたことがある。地区全体の企画だつたらしいが、勤務評定?や学校評定…云々の話が出て、主旨には賛成だが方法には反対ということで立ち消えになつてしまつたことがある。

主催者側としては、ー小学校にくらべて中学校の教室経営は低調すぎる。もつとこの面盛り上げねばならない。そこで、その一方法としてコンクールを催し、審査には所轄庁と各学校代表一名が当たる。ーという主旨方法だつたらしい。

掲示教育が新教育の一環をにない花形的役割を演じてきた。教室経営が形の上では、掲示物によつてあらわされるという考え方が普通であつた。私もその例にもれず、夕方遅くまで掲示部の生徒といつしよに資料の切り抜き、文学史年表の作製、教育漢字一覧表等をつくつて教室の壁という壁に生徒の作品ととりまぜて、ベタベタ張りつけたものである。そして、みちがえるほど装飾?のほどこされたわが教室を眺めて、おもはゆい気分と自己満足に浸つたりした時代もあつた。

今考えてみると、冷汗一斗とまではいかなくても、実にお恥しい話である

しかし、自己弁護をする気持はさらさらないが、新教育、新教育と引きずり廻されていた時代は学校参観にくる人や、指導主事等の視点も掲示物の多少やその評価にあつたのではなかろうか?。

さて、そのことは別として、私達は今一度教室経営のための掲示物についてまた、その資料について真剣に反省を加えてみる必要があろうかと思う。

つい先頃まで、私はどこの学校参観

に行つても、教室へ入るなりほとんど習慣的に掲示物に眼をやり、国語教育の資料としてふさわしいと思えばメモをとり（本冊子城内中学校の部参照）その質、その量によつて内心ひそかにその教師の教育熱、指導力等を推し測る尺度にもした。

単純だと笑われるかも知れないが、私は真剣にそのように考えてきたのであるから、笑われても仕方あるまい。

しかし、そういう私でも時には大いに考える時もあつた。

それは、常掲用とよばれる教育漢字表や、詳細と名のついた世界地図、小さい文字のギッシリ詰つた文学史年表等が、生徒の手の届かない、いや眼の届かない高い場所に掲示されている時などである。

これ程、生徒に不親切な教師はないなどと義憤を覚えたりもしたのだが……。とにかく、その程度までを考えるのが私としては精一杯であつた。

ところがこの稿をしたためるつい一時間程前、教科指導における資料の使い方（掲示資料も含めて）について、次のような御意見を大石登先生（配属校教頭）から承つたものだ。（あえて国語教育のみにしぼらず、他の教科も次の話にあてはめて考えてみるとよい）

「五年程前、横浜のある経堂中学へ参観に行つたことがある。視聴覚教育実験学校だから、教室内はもちろんのこと廊下までも、研究された教育的なものが張りつけらにているに違いないと思つて行つたらね、驚いたことに何一つ見当らないのだ。参観者の誰もがあ然とさせられたことなので、その理由を尋ねてみたら、いくら参考になる資料だからといつて、それをベタベタ張りつけられたら、生徒は気が散つてしまうだけで資料としての効果がない。学習環境の設定ができたとか、学習意欲が高まるなどというのは教師の一人よがり、単なる自己満足に過ぎないのだ。（本冊子、西益津中学校教科教室制の項対照されたし）いわんや、考えを深める、思考力を練るためにはその時間に、その学科だけに関係のある資料が必要なのであつて他はいらない。このことは、視聴覚教育の中でも重きをおかれる映画や幻燈機によつて生徒の関心と注意力を一点（スクリーン）に、しぼつていくことを考えあわせれば自明の理であろう。

―（学習心理学の立場からも、教室にたくさんの掲示物がないほうがよいと主張する学者もいるとのこと）―

要するに、たくさんの資料を教室にベタベタ張りつけておく（たとえ取換えをしていても）ということは、あつてなきが如しに通ずるものであるという意味なんだね。この論には、大いに反論もできるだろうが、しかしわれわれの幼少時代を追憶しても、自分の教室に何がはられていたかを思い出せる人は少ないのではなかろうか。ところが、教師が資料室から抱えてきたものは、皆食い入るように見たものだ。そういつた方法が印象としてもはつきり残り、学習効果も促進されるのではなかろうかなどと帰りに私もその学校のいき方が理解できたわけだ。今の経堂中学はいろいろと貼布していないかわりに、資料室にはいつでもどの時間にでも、すぐ利用できるように、実に数多くの資料があつた。」

逆説めいた話でいささか判断に迷つたが、今までの私達のいき方にも釈然としないものが多く、疑惑の念ももつていたために、この経堂中学の話を反すうしていくうちに、これには大きな教訓と容易ならぬ示唆が含まれていることがあることを察知した。資料室に収集すべき国語科の資料の種類にはどんなのがあるか。それの作製方法は？そして、それからの利用価値を見出すにはどうすればよいか。まつたく適当な仕事には違いない。しかし、国語教科書と指導書さえあれば事足りるとする通念から抜け出るものではないだろうか。

さて、以上の事がのみこめた私も、ガランとした教室を想像すると気が進まなくなる。決して今までの惰性からの結果とも思われない。あれこれ考えてもこれという結論も生まれてこないので、ガランとした教室の美点を考えてみた。

それは空間美といおうか、清潔美といおうか、とにかくそれに類する教室のなるであろう。そうなると、教室内に色彩の調和、必要なものが最少限にと認められた掲示物の配置のくふう、花瓶一つのおき方にも気つかわねばならないであろう。むしろ、雑多にいろいろと張りつけていた以上に教師は頭を悩ますに違いない。

要するに、生徒と資料との血が通いあうようにさせたいものである。こういう観点にたつて資料としての掲示物の貼布の可否を考えたいものである。生徒に黙殺されて、省りみられない掲示物は、教室にみにくい屍を晒しているようなものである。（この稿は中学校を対象としたものである。）

―長欠児童の実態―

文教局
研究調査課

学年別児童生徒数

1960年 3月末

		1	2	3	4	5	6	計
小学校	在籍数A	28,048	27,892	28,819	26,512	23,646	24,366	159,282
	長欠数B	172	193	209	191	184	178	1118
	長欠率$\frac{B}{A}$	0.61%	0.69	0.73	0.72	0.78	0.73	0.71
中学校	在籍数A	13,404	10,592	13,957				37,953
	長欠数B	288	230	276				794
	長欠率$\frac{B}{A}$	2.15	2.17	1.98				2.09

1960年 3月末

小学校

連合区	長欠数	全長欠児に占める比率	在籍に占める比率
糸満	118	10.5	0.95
那覇	346	30.7	0.86
知念	118	10.5	1.10
普天間	77	6.8	0.71
コザ	84	7.4	0.83
読・嘉	13	1.2	0.23
前原	61	5.4	0.51
石川	42	3.7	0.90
宜野座	14	1.2	0.42
名護	76	6.7	0.43
辺土名	17	1.5	0.41
久米島	19	1.7	0.58
宮古	47	4.2	0.34
八重山	96	8.5	0.90
全琉	1128	100.0	0.71

中学校

糸満	57	7.2	0.21
那覇	219	27.6	0.24
知念	29	3.7	1.25
普天間	27	6.9	2.30
コザ	55	3.4	1.23
読・嘉	18	2.7	1.39
前原	95	12.0	2.95
石川	13	1.7	1.11
宜野座	9	1.1	1.06
名護	59	7.4	1.27
辺土名	3	0.4	0.30
久米島	11	1.4	1.11
宮古	104	13.0	2.68
八重山	95	12.0	4.46
全琉	794	100.0	2.09

理由別児童生徒数

1960年3月末

小学校

	理由	男	女	小計	比率	計
本人によるもの	1 本人の疾病異常	319	313	632	52.2	
	2 勉強ぎらい	120	46	166	13.7	
	3 友人にいじめられる	14	5	19	1.6	
	4 学用品がない	9	3	12	1.0	
	5 衣服や履物がない	1	1	2	0.2	
	6 学校が遠い	10	5	15	1.2	
	7 その他	27	29	56	4.6	902
家庭によるもの	8 家庭の無理解	91	85	176	14.6	
	9 家庭の災害	1	1	2	0.2	
	10 家族の疾病異常	19	23	42	3.5	
	11 教育費が出せない	11	17	28	2.3	
	12 家計の全部または一部と負担させなければならない	7	17	24	2.0	
	13 その他	16	19	35	2.9	307

中学校

	理由	男	女	小計	比率	計
本人によるもの	1 本人の疾病異常	74	88	162	20.4	
	2 勉強ぎらい	154	82	236	29.7	
	3 友人にいじめられる	3	4	7	0.9	
	4 学用品がない	—	6	6	0.8	
	5 衣服や履物がない	—	—	—	0	
	6 学校が遠い	7	—	7	0.9	
	7 その他	14	26	40	5.0	458
家庭によるもの	8 家庭の無理解	96	97	193	24.3	
	9 家庭の災害	4	5	9	1.1	
	10 家族の疾病異常	8	15	23	2.9	
	11 教育費が出せない	12	13	25	3.1	
	12 家計の全部または一部を負担させなければならない	90	26	46	5.8	
	13 その他	19	21	40	5.0	336

市町村別長欠児童生徒数

市町村名	小学校 本人によるもの	小学校 家庭によるもの	小学校 計		中学校 本人によるもの	中学校 家庭によるもの	中学校 計
糸満町	24	22	46		1	1	2
三和	13	6	19		6	9	15
高嶺	6	3	9		2	—	2
兼城	12	4	16	東風平	1	1	2
				兼城	2	1	3
豊見城	2	4	6		—	—	—
粟国	9	8	17		4	2	6
渡名喜	3	—	3		—	—	—
座間味	3	1	4		—	—	--
渡嘉敷	1	—	1		—	—	—
具志頭	22	2	24		1	3	4
那覇	213	73	286		124	56	180
浦添	68	30	98		13	15	28
北大東	1	—	1				
南風原	8	—	—	与那原	7	10	17
大里	10	4	14		1	3	4
佐敷	15	2	17		4	2	6
知念	4	2	6		—	2	2
玉城	18	4	22		3	3	6
西原	6	—	6		5	2	7
中城	16	8	24		—	—	—
北中城	15	2	17		1	—	1
宜野湾	20	10	30		7	6	13
北谷	11	2	13		6	7	13
コザ	42	12	54		19	14	33
美里	12	10	22		18	11	29
(読・嘉)嘉手納	5	—	5		5	2	7
読谷	6	1	7		11	4	15
具志川	27	4	31		46	20	66
勝連	7	1	8		2	—	2
与那城	60	16	76		6	2	8
				前原連合	12	7	19
石川	25	9	34		9	3	12
恩納	2	—	2		3	—	3
				久志	0	1	1
金武	11	3	14	金武	4	2	6
名護	26	10	36		17	13	30
屋部	16	2	18	本部	3	8	11
上本部	5	1	6		2	2	4
羽地	5	—	5	屋我地	2	3	5
伊江	8	3	11		4	5	9
伊是名	8	—	8		5	—	5
伊平屋	2	—	2		—	—	—
大宜味	6	—	6		2	—	2
国頭	7	1	8		1	—	1
東	1	1	2		—	—	—
具志川	11	1	12		5	5	10
仲里	10	3	13		2	1	3
平良	10	1	11		14	22	36
下地	5	1	6		4	8	12
上野	4	—	—		5	4	9
城辺	14	9	13		2	37	39
				伊良部	5	4	9
多良間	—	1	1	多良間	3	—	3
石垣	62	33	95		48	29	77
大浜	—	—	—		9	1	10
竹富	—	—	—		1	—	1
与那国	—	—	—		1	5	6

※（56頁より）
基準すなわち補償の範囲、金額および支給の方法その他補償に関する必要な事項の基準が定められ、それはおおむね国家公務員災害補償法によつてな行われる補償と同程度とされており、したがつて、今回新たに加えられた学校歯科医についても同様の趣旨により規定されることとなつたものである。

なお、この趣旨から、補償の基礎額は学校医、学校歯科医については一般職の給与に関する法律（以下「給与法」という。）の別表第七医療職俸給表（一）を学校薬剤師については同医療職俸給表（二）を基礎として算出されたが、学校医については従前の政令制定当時以降給与法の改正があつたので、この改正に伴い増額されることになつた。

また補償基礎額算出の基礎である医師としての経験年数の算出方法について、算定の基礎となる修学年数を学校歯科医十八年、学校薬剤師を十六年として学校医の場合と同様の方法によることとして所要の整備をはかつている。このほか補償義務者、実施機関、補償に関する費用の負担公務上の災害の認定の方法その他審査等については、学校医の場合と同様である。なおこれらの改正に伴い各都道府県の条例改正が必要であるが、この点に遺漏のないよう本省では望んでいる。

あとがき

○師走の声とともに何とはなしに忙しくなる。週間行事も数多く、商店街は一年のかき入れどきといった落着きを失った感さえある。

○新聞の社会欄は毎日のように犯罪や事件を報じている。社会浄化の運動はそのような社会の不健全な姿をまざまざと見せつけられるだけに、いよいよ大切なことだが、むしろ犯行の件数はつのるばかりである。

○タイムス・琉球両紙は久しく〃悪の芽をつむ〃記事を連載、世人の注意を喚起している。おとなの社会自体に、不健全な生活や行為があることから、少年非行防止は抜本的対策を強力に打ち出さない限りできないことであろう。

○本号は非行児の教化に直接当たつておられる方々に執筆の労をとつていただいた。編集部は沖縄実務学園をおたずねしてみた。ずい分勉強になつたがその使命の重大さと仕事の困難さを理解することができた。教職員の皆さんにもぜひ中央児童相談所と沖縄実務学園を訪れる機会をもたれるようおすすめしたい。

○文教時報七二号は定時制教育、七三号は理科施設備品と基準、七四号は全国学力テストのまとめを特集する予定。それぞれ十二、一、二月の十五日に原稿をしめきることにしている。先生方のご投稿を歓迎します。

十月のできごと

一日　沖縄タイムス社主催第八回全琉小中・高校図画、作文、書道コンクールの中、高校の図画の部の展示会（タイムスホール二日まで）

二日　高校新人野球大会において沖縄高校が初優勝。

三日　本土派遣研究教員配置校きまる。

四日　第八回全琉小・中・高校図画、作文、書道コンクールの小学校書道の部展示会（タイムスホール五日まで）
全琉高校長会（八汐荘で）

五日　座間味渡嘉敷両村の辺地教育視察をかねて全島教育長会議が離島で行なわれ辺地の悩みに対する対策表明

六日　那覇市内各小・中学校、教育長事務所、那覇地区公安協会などによつて那覇市内小・中校に学校交通安全自治班が誕生。

七日　文教局、沖縄教育音楽協会主催、学校音楽合唱コンクールの各地区の代表決まる。
一九六一年度アジア財団奨学生二〇人決まる（委員長大浜信泉氏）

九日　第五回全沖縄学校音楽合唱コンクール開催（於タイムスホール）
小校・松川、中校那覇、、高校首里がそれぞれ一位

十日　沖縄で初の開架図書館名護文化会館にお目見え。

十一日　那覇地区小・中校長会が生徒の規律生活確立、児童の学習態度の確立、金銭徴収事務負担軽減について協議会をもつ。

十二日　東洋映画株式会社が「甲子園の土」を映画化すると発表。
六一年度小・中・高校の改築校舎割当てきまる。
中城小学校が給食パンに青カビがついていると厳重な抗議
教育指導委員二〇名の氏名発表

十三日　東大教授小栗一好氏を団長とする教育指導委員二十人日航機で来島

十七日　集団就職の中、高校卒業生五〇人白山丸で発つ
文教局教育会館で本土教育指導委員のオリエンテーションを行なう。

二十日　浅沼社会党委員長告別遙拝式後琉大学生、中頭郡青協による街頭デモで布令一三二号違反の問題惹起する。

二十一日　教科書目録編集委員会の社会科委員会では教科書の誤りにつき教科書会社、文部省に訂正を要請する文案をまとめる。

二十二日　郷土文化の調査研究のための沖縄学生文化協会発足（琉大、沖短大、国際短大、キリスト教短大の学

生約百五十人参加）

二十四日　立法院議員総選挙告示、候補者戦後最高を記録八十名。

二十七日　金門クラブ役員改選によって会長に宮良用英氏、副会長に仲地宏氏を選出。

二十八日　立法院議員選挙にともなう演説会場、投票所としての学校の使用について、その使用を許可する。

南農高校松川良一教諭以下八人は全国高校農業クラブ大会出席のため渡日。

端ケ甍キャスルテラス・クラブで高校英語教師代表との懇談会。

文化財保護委員会では正式委員長決定まで小波蔵政光氏を代理委員長に決定。

三十日　読売紙、日本学生協会主催第十二回高松宮杯全日本中学英語弁論沖縄予選大会に、コザ中校の安和礼子さん沖縄代表として選ばれる。

十一月のできごと

一日　総理府特別地域連絡事務局長に大竹民たか氏が任命された。

三日　文化の日、東大伝研の汚物処理に四十年間つくした仲村渠政徳氏沖縄出身で初めて黄授褒章を受賞する。

四日　タイムス文化講座松居桃楼氏「貧乏追放と沖縄」

九州陸上選手団二〇〇余人来島。

日本政府の西表島調査団による調査報告書駐日米大使館を通じて琉球民政府に提出。

五日　六一年度の実験学校、研究校十九校が決定。

日本政府の医療技術援助として十五人の医師団を迎えることを民政府正式に表明。

六日　第八回九州陸上沖縄大会開幕

那覇地区で神原小学校を中心に小学校国語同好会を組織する。

八日　新生活運動推進協議会専門委員会では年中行事をすべて新暦に改め公休日を八日から十三日に改める意見書をまとめた。

九日　東海三県の見本市（昭和会館で十一日まで）

十日　教職員関係戦没者の慰霊祭（於教育会館ホール）が行なわれた。

第七次教研集会の日程きまる。

沖縄肢体不自由児協会で十二月一〇日まで「手足の不自由な子どもを育てる運動」を実施する。

一二日　第八回高校陸上協議大会行なわる。

一三日　立法院議員選挙投票日

一五日　琉球政府招請の農林省水産庁水産課の塩谷政徳氏一行八重山の水産調査のために来島。

中教委政府立高校職員の結休、産休期間延長のための特別措置法案承認

一七日　島産愛用運動週間

那覇着日航機でビルマの貿易視察団来島。

沖縄健康優良児に男子阿嘉宗宏（久茂地小校）女子宮里小夜子（安慶名小校）の両君がえらばれた。

一八日　北農高校農業まつり（あすまで）

高松宮杯中校全国英語弁論大会で仲宗根国夫君予選パス

十九日　全沖縄中校陸上競技会（名護競技場で）タイムス社主催、琉球放送後援の芸術祭開幕。

琉大・水泳連盟共催、秋季水泳選手権大会（首里プールで）

二一日　教職員会が日の丸掲揚運動について打合わせ、池田首相、荒木文相へ協力要請することを発表。

訪問教師の連絡協議会。

二二日　東京の城南高校より宮森小校のジェット機墜落事件被災学童へ二万四千円送らる。

二三日　沖縄ＰＴＡ大会（教育会館ホール）

二四日　九州見本市（昭和会館）

国勢調査の予備調査始まる。

二五日　スペインより米千袋年末助け合い物資としておくらる。

二六日　国際短大はなばなしく大学祭の幕ひらく。

前原地区教職員二十人台湾教育事情視察に出発（団長北美小校長島崎友勝氏）

二七日　琉球政府公務員試験

二八日　愛知県豊橋市向山天文台長金子功氏プラネタリウム投影機たずさえ来島。

那覇地区各中校就職指導教諭が那覇職安所長を招いて本土就職あっせん指導懇談会をひらく。

二九日　文部省の田中彰調査局長琉大十周年記念式典に出席のため来島。

新生活推進協議会は新正一本化、年廃行事について主席に答申。

日本スポーツ工業社長板庭来造氏球場（奥武山）仕上げ指導のため来島

三十日　茅誠司東大学長、大浜信泉早大総長、神山政良東京県人会長ら琉大十周年記念式典出席のため来島

文教時報

（第七十一号）（非売品）

一九六〇年十二月五日　印刷

一九六〇年十二月七日　発行

発行所　琉球政府文教局
研究調査課

印刷所　那覇市三区十二組
ひかり印刷所
電話(8)一七五七番

72

文教時報

1961.1　　No.72

琉球　文教局研究調査課

巻頭言

定時制教育の振興を期待して

職業教育課主事　笠井善德

働きながら学ぶ青年に対し、教育の機会均等を保障し、勤労と修学に対する正しい信念を確立させて教育水準と生産能力の向上に寄与する目的を以つて沖縄においても高等学校に定時制課程の設置が昭和二十七年に那覇首里の高等学校に始めて実現をみて、以来地方の高等学校にもこの課程の設立が次ぎ次ぎと実現して、現在では政府立高等学校に十五校、私立校に二校、これ等の定時制課程に学ぶ勤労学徒も三千五百余人の多数にのぼるめざましい発展ぶりをみせたことは関係者各位特に直接その指導に当たつている高等学校の先生方の熱誠あふるる教育愛と職場や雇用者の理解あるご配慮の賜であると敬意を表すると同時にご同慶のいたりであります。

想うにこの課程で学ぶ勤労学徒は昼はそれぞれの職場で仕事にはげみながら晩の六時から十時まで、昼の疲れもかえりみず勉学に勤しむものでありまして、それは口には言い易いがなみたいていの努力ではできないものでありまして強固な意志力と頑健な体力とが特に必要であります。又この定時制課程の学徒は自ら学資を作つて学んでいるという自負心と同輩の外の者がなにかと時間を過ごしてしまつている時に自分たちは学んでいるというほこりをもつて努力してもらいたい。

文教局も定時制課程の教育の重要性にかんがみまして施設備品の充実、わけても照明施設の充足、給食の完全実施等を目指してこの課程の育成に努力をはらいつゝありますがなおいつそう配慮して、よりいつそう充実発展を期したいと思います。

この定時制教育に対して社会もようやく定時制教育振興会の後援会等を作つて理解と関心を深めつゝありますが、なおいつそうのご理解あるご援助と、直接この課程に関係する職員の絶えざる精進と、この課程に学ぶ勤労学徒の不とう不屈の努力を重ねてお願いするものであります。

目次

年頭の辞

小波藏政光

一九六一年の新年おめでとうございます。

都心から遠くへき地離島に至るまでの皆々様には輝かしい初日を迎えてお喜びの事と存じます。

旧年中は皆々様の日夜の努力によりましてわれわれの教育も大過なく着々と前進しつゝありますことは、ご同慶の至りでありまた感謝に堪えません。

回顧しますと、全琉の学校長研修会を初めて持ちまして、全員親しく一場に会して諸問題を討議検討するとともに、特に学力向上と教育推進のために情熱を燃やし、決意を新たにしたことは最も有意義であつたと思います。職業教育大会や熊本国体、九州陸上競技大会や琉球大学、沖縄短大、国際短大等の大学祭において、相当見るべき成績成果を発表しましたのは誠に心強いものであります。南極調査観測の宗谷は、はるばる南極の寒い風とともに、科学と日米琉親善の温かい風をもたらして寄港したのも予想以上に有効有意義だつたと考えます。松尾原頭に美しく雄々しく八汐荘が建つたのは本土国民のご厚意の賜でありまして、吾々教職員の憩いの場研修の場であり精神のより処であつて、福利厚生の前進の拠点であります。

奥武山の野球場は米国民のご厚意により完成致しましたが、綜合競技場はこれからであり、文化センターの一大計画もこれからで、新しい年から大いに張り切つて皆々様とともに着々とその実現に邁進したいと存じます。

旧年は水産業には不適の気象でしたが農業に好適で、パインに砂糖に豊作で経済界は好況を続けて来ましたが、消費に過ぎはしなかつたかと反省させられます。もつと消費を合理的効率的にして、民族資本蓄積の方向に進めないと、基地経済からの脱却、自立経済の確立は空文になるでしよう。経済教育、消費教育の強化を痛感します。

沖縄の問題をほり下げて考えますと、いつでも壁に当たります。その壁は国土の狭少、人口の過少ということで、これでは到底政治や教育文化の一単位になれないことであります。限られた余りにも小さい池には大きな魚は育ちません、底面積の狭い円錐は高さが制限されます。少ない人口では高い教育文化を維持することは甚だ困難であると考えます。この意味で沖縄内でも外でも研修や人事交流が必要だと痛感します。私案として、日米その他の技術援助を得て、教育研究所、農業研究所、水産研究所、衛生研究所等を琉球大学と関連して設立して、その名にふさわしい研究成果を頂点とし先端として、琉球の産業経済教育文化を高めることが重大課題と考えます。当面の問題として琉大の附属実験学校も早急に実施したいものです。これらの目標に向かつて、牛の歩みのよしおそくとも、根強く頑張りたいものです。

現在の吾々の教育の一つの盲点は、情熱の不足、理想や夢の少ない事ではないかと思います。実験学校や、地方の教研集会等には実際的な、すぐれた成果が発表されつつありますが、もつと沈潜して、浸透した教育効果が広く現われることを新年は期待します、一人一人の児童生徒が適当な進路に、適当な方法で導かれ、吾々の情熱をもつて育て上げられたいものです。各学級が、各学校が夢をもつて、理想をもつて、情熱をもつていきいきと、のびのびと、運営されることを望みます。われわれ教育者が情熱をうちこんで、夢を抱いて楽しく日々の営みができるように努力しまた環境を作りたいものです。皆様方が希望にみちた新年、幸福な年を迎えられるように祈念いたします。

（文教局長）

謹んで新年のおよろこびを申し上げます

昭和三十六年元旦

文教局長　小波藏政光
文教局次長　阿波根朝次
庶務課長　金城英浩
学校教育課長　大城真太郎
職業教育課長　比嘉信光
保健体育課長　中村義永
施設課長　佐久本嗣善
研究調査課長　喜久山添采
社会教育課長　山川宗英
外職員一同

勤労青年教育の現状と問題点

指導主事　宮　里　勝　之

本土の定時制教育振興法の第一条（目的）の中に「勤労青年に対する教育の機会均等を保証する」とあり、その勤労青年教育といわれるものの範囲は必ずしも明確ではないが、これを最も広く考えれば、義務教育としての中学校を卒業した後、高等学校の全日制の課程に進学しないものの教育ということができる。

その対象となる勤労青年の数は、本土においては、最近生徒の変動のはなはだしい時代にあるため、おおよその数字も挙げるに困難のようで、最近五か年間の平均をとつてみると、十五才〜十八才までのその数は約三百万人と推定されている。そのうち約一割五分の五〇万人が定時制高等学校に通学し、六万人程度が通信教育を、その他のものはこれを受ける機会に恵まれず、青年学級、自発学習あるいは職業訓練をうけ、その他各種学校に通学するなどによつて補充的教育を受けているようであるが、沖縄の場合は、勤労青年の数に対し何パーセントの就学率かはつきりした統計は見ていない。しかし、本土に近い率であろうと思うが、その他の教育機関が沖縄にない点その対象となる青年達に対し申しわけのないところである。このことは今後に残された重要な問題と言えよう。

本土では、定時制の制度は一九五三年に振興法が制定されて七年を経過し、今日ではその基礎が固まつているのであるが、沖縄では一九五二年初めて、首里、那覇、商業の三校、全日制高等学校に定時制高等学校が併設され、一九五八年に至つて一課程として全日制に織りこまれるようになつた。現在その数は十五校に設置されている。

しかるにこの一課程としての設置は、本土の制度に対し逆行のように考えられるが、財政面あるいは教育の機会均等の面から見た場合、将来はともかく現在の場合むしろ最良の制度ではないかと思うのである。

それから生徒の在籍からくる問題である。すなわち現中学三年生を最少として、その在籍は二年生、一年生と漸時増加し小学校においては中学一年生の現在籍と小学校各学年の在籍とがほぼ同数になつている。そこで後二年後には中学の在籍は最大となり、従つて高等学校への入学も多くなるものと予想される。そこで高等学校においてどのくらい収容可能であるか、校舎の増築、施設、設備の補充等直ちに財政とつながつてくるわけであるが、全日制のみでその希望を満たすことは財政の問題等もあり不可能であろう。このことから定時制の学級増と云うことが必然的に考えられるのではなかろうか、これに対する策も今から考えなければならない問題と云えよう。

次に定時制における職業課程と普通課程の割合は本土よりも職業課程が遙かに多く、これは現在の世の中の要求に応えた進歩的な考え方だと思う。大学進学に不適当な生徒がいたずらに自己を理解せず、進学を夢みる傾向は、改められても良いのではなかろうか。

教育課程についても現在全日制のものを四年に配当して履修しているわけであるが、文部省でも考慮しているようであるし、将来はどうしても定時制のものとしての教育課程が作られてしかるべきであると考える。

次に施設、設備について考えてみると、今まで中学で学び、定時制に入学して、その面の整備が中学でのそれと変りがなければ、彼等にとつて魅力もなく、又希望者も減少するのではなかろうか、事実父兄や、生徒にとつてこれが大きな魅力であり、強く要望するところでもある。したがつて、全日制に比べて見劣りがないように今後とも考慮されねばならない問題である。ことに照明の問題は、二五〇ルックスまではぜひ引き上げねばならないし、その解決には急を要することである。

その他定制主事の二級格付の問題等、定時制教育には幾多の大切な問題が山積されているが、それも直ちに財政問題と関係することで、このことは教育面全般に関することであり必ずしも定時制がそれを引き受けているとは云えない。

そこで私は思う。すえ膳を食べることは容易なことであるが、すえ膳を作らせるようにすることが今われわれにとつて大切ではなかろうか、すなわちわれわれの毎日の努力によりその実績があげられ、その結果、教育効果に影響が著しいと判断されるなら必ずそこには住民、また父兄、学校生徒の力で新しい希望が見い出され、すえ膳も作らさせ得るのではなかろうか、

これも一時に全部かなえられるのでなく、積み立式にそして時間も要することであり、またそのふん囲気の中からは必ず定時制教育振興法も誕生するものと確信してやまない。

（職業教育課）

定時制教育の特異性と問題点

小嶺　幸五郎

定時制教育は昭和二十三年教育の機会均等の精神によつて、高等学校の通常の課程とならんで定時制課程の制度が生まれ、働きつつ学ぼうとする勤労青少年に高等学校進学の道を開いた画期的な制度であります。昭和二十七年には沖縄でも定時制課程が設置認可され、文教当局のご熱心な育成と関係教職員及び生徒諸君の積極的な努力によつて、現在政府立高校十五校、私立高校二校に併置され、生徒数三五一四人（一九六〇・六・一〇現在）を数え、漸く勤労青少年教育としての定時制教育が社会の注目を浴びるようになりました。

定時制教育の特色は、教育の対象たる生徒が勤労青少年であること、従つてその教育は学校と職場を直結させ、勤労と学習を両立させ地域や職場の要求と生徒の能力や個性との調和的発達を図るよう指向されなければいけないと思います。沖縄の定時制課程の殆んどが職業課程である所以も定時制教育と職業教育の関係を示していると思われます。

二、学習時間が夜間に行なわれること（本土では昼間制、季節制もある。）

三、生徒に年令の制限がないこと（現に三十才以上十一人、四十才以上一人）等が高等学校の全日制と異なる大きな特色で、有難い教育制度である反面種々の解決を迫られている問題点を背負つている事も又事実であります。一九五九年全沖縄高等学校定時制教育振興会が結成されましたのも、この特殊な問題点の多い定時制教育を援助してこの教育の進展向上を図ろうとするもので、事業として、

一、定時制教育に関する諸法規の立法要請（定時制教育振興法、高等学校の夜間課程に於ける給食法等を含んでいます）。

二、定時制教育の普及振興並びに啓蒙。

三、定時制教育に対する施設設備の充実促進

四、在学生及び卒業生の職業安定並びに厚生福祉

五、定時制教育に関する調査研究等がとりあげられております。

定時制教育は制度として開かれたものであるが実体的には制度として完成されないという矛盾があります。この為に、この教育に携わる者は種々の障害につき当たります。こゝに制度の抜本的な創意が強く要求される所以があり、定時制教育振興法、夜間課程の給食法等法の裏付けによる財政処置が要請されます。

二、施設設備の充実、定時制教育の目である照明施設は、教室、運動場の照度が不充分で、便所や校門等に電灯がない学校もあります。更に定時制専用最少限の施設設備、定時制職員室、事務室、全日制との共用の問題、特に理科教室、学校図書館、運動場利用、クラブ活動教室等の問題があります。

三、給食施設設備、給食物資は充分でありますが、調味料、食器等生徒の給食費負担も今のところ相当かかります。完全給食にもつてゆきたいものです。それに食糧倉庫、炊事室、食堂、給食用器具及び戸棚類、燃料、炊事婦の賃銀等の問題があります。

四、在学生及び卒業生の職業安定、厚生福祉、気分の高揚の問題、。勤労と学習の両立、。適正な労働条件の確保（六時間労働）、。健康の問題、健康の維持増進、疲労度の測定方法、健康管理、安全教育等が何れの学校教育よりも強調され実施されねばなりません。。雇主の理解（将来は義務づけたいもの）。。職場における同僚、おとなの理解と協力、。定時制生徒なるが故の低賃銀（最低賃銀の保証が必要）。定時制課程卒業生なるが故の差別の撤廃、。バスの三角定期券、。育英資金、奨学資金、授業料免除等の増額、定時制生徒への恩典、。PTA、経営者協議会、振興会等の活動促進、。両親のない者、片親のない者の就職斡旋（保証人、親代り）。定時制独自の各種競技大会及び生活体験発表大会。高等学校の各種競技大会に定時制課程も参加する事が出来るが、職を持つているので自由に参加出来ない憾みがある。練習時間に恵まれない。年令の上からも都合が悪い、それで別個に大会を持ち生徒の気分の高揚、相互の親睦、身体の鍛練を図る必要がある。学校と職場、家庭（又は止宿先）との連絡の緊密化、定時制の教師はこの教育の性質上生徒の職場を頻繁に訪問して指導しなければならない。これは生活指導の問題でもある。。報道機関の定時制教育への関心。

以上紙面の都合上項目を羅列したにすぎませんが、定時制生徒指導上の問題として、遅刻、欠席、休学、中退等を余儀なくさせられる環境にある生徒たちの指導、夜間の授業である関係上、誘惑や非行の機会が多いこと、バスの関係特に女子の下校時の安全、生徒の境遇や素質の多様性、職業職場の相異からくる生活上の悩み、学習上の悩み、性格上の悩み、身体上の悩み、職場での悩み等々個別的な指導に多くの時間を割かなければ※

（10ページへつづく）

本校における定時制教育

糸満高校定時制課程
主事　新垣　博

はじめに

本校に勤労青少年のための定時制課程が設けられてから早くも五年目を迎えた。その発足とともにこの教育に直接関係してきたが、浅学非才で経験に乏しく加えるに多くの困難な問題があつて、当初期待した成果をあげることが出来ず力の至らざるをはじている。私はこの紙面をかりて、本校における定時制教育の現状と、横たわるその教育上の問題点を紹介して、比較的恵まれない「働きつつ学ぶ勤労青年」のための教育に多くの人たちが、理解と深い関心を寄せていただくようお願いしたい。

一　高等学校の教育形態

現在沖縄における高等学校の教育には、学校教育法第四十四条によりつぎの二種の形態がある。

1　通常の課程（全日制）…昼間に授業を行なう。

2　定時制の課程…夜間その他特別の時間または時期に授業を行なう。

ただし沖縄における定時制教育は、夜間だけに行なわれている。また本土においては、右の二つの形態の他に通信教育が行なわれていて、定時制教育と車の両輪のごとく考えられている。（通常「定通教育」とよばれている）

以上の二つの形態は、それぞれ学習の時間、方法及び単位数は幾分異なるが、各々の課程において履修した課目に対しては、卒業時に同じ資格の単位が与えられ、大学入試、就職にも同等の効力が認められている。

なお教育内容からは、高等学校設置基準第五条によつて、全日制、定時制を通じ大別して、

1　普通課程（いわゆる普通教科を中心とする）

2　職業に関する課程（それぞれ専門とする職業に関する教科に重点を置く）

の二種に分けられるが、本校定時制では後者に属する一般職業課程（一般事務コース）を置いている。

二、定時制教育ということ

この教育制度は、戦後新憲法の制定により学校教育に対して、機会均等の精神に基づく教育基本法第三条によつて発足を見ることになつたもので、本土においては昭和二十三年四月新学制実施とともに、また沖縄においては一九五二年九月に、はじめて首里、那覇及び商業高等学校にこの教育が認可され、本校では地域社会の要求と世論により一九五六年四月一日にその発足を見ている。この教育の特長は、働きながら学ぶ青少年（壮年もいる）を対象としており、それから生ずる幾多の困難な問題点をもつていることである。

最も楽しい成人祭

三、本校における定時制教育の現状

歴史の浅い本校では、つぎのような点を教育目標として努力している。

(1)　職場人であるとともに、高校生であるという自覚とほこりを持たせる

(2)　全日制生徒と同様糸満高校の一員である。（そのため出来る限り一しよに行事をもち、また生徒会、PTAも同一組織にしている）

(3)　たがいにはげまし合い、よい校風

を樹立するように努める。

(4) 生徒の家庭および職場との連絡を密にし、生活指導に特に力を入れる

(5) 数多く生徒との面接を行ない、生徒指導の強化を図る。

(6) 定時制生徒に適する学校行事を持つ（成人祭文化講座等）

(7) 実力の養成に力を入れる。（夏季冬季特別講座を休暇中に行なう）

(8) 生徒の 職業 のあつせん につとめる。

(9) 規律に従い、礼儀を重んずる。

(10) 明朗であること。（やゝもすれば定時制の生徒は劣等感をもち暗くなりがちであるので）

(11) 生徒と教師間の親近感を増すようにつとめる。

(12) 社会人としての円満な性格と知識を養う。

2 生徒の実態

定時制の教育においては、とくに生徒の実態をは握することが大切であると思う。つぎに本校で実施した調査の結果を一部掲載する。

(1) 在籍調

学年＼性別	男	女	計
1	28	12	40
2	25	9	34
3	22	9	31
4	11	19	30
計	86	49	135

※1学年1学級（40名定員）である。

※上の在籍調によつて、毎年どれ位の生徒が、転退学しているかがわかる。

※3学年からは在籍が安定している。これにより、定時制教育の山場は 2か年半であることがいえる。

(2) 現住所調

町村＼性別	男	女	計
糸満町	23	20	43
兼城村	18	8	26
豊見城村	10	10	20
東風平村	10	6	16
三和村	11	1	12
高嶺村	6	2	8
具志頭村	6	0	6
那覇市	2	2	4
計	86	49	135

※最も多いのは糸満町の43名であるが、本籍糸満町の者は28名であるから、10名内外の者が他村出身者であつて、職業の都合で糸満町内に在住している。

(3) 年令調

区分＼性別	男	女	計
15才	9	3	12
16	16	9	25
17	22	11	33
18	15	10	25
19	11	8	19
20	4	4	8
21	3	2	5
22	2	0	2
23	2	0	2
24	2	0	2
25以上	0	2	2
計	86	49	135

※年令区分の巾の広いことは、定時制教育の特長の一つである。最高年令は35才。

(4) 父母の健否調

事項＼性別	男	女	計
実父母健	40	28	68
実父のみ	6	2	8
実母のみ	28	17	45
実父継母	5	1	6
実母継父	2	0	2
両親なし	4	0	4
養母	1	1	2
養父	0	0	0
計	86	49	135

※両親健在の者は68名で全体の約50％で残り半分は片親か、両親のいない者である。

※注目すべきことは母親だけ健在のものが45名で33％もいること。

※別の調査では、家族と別居（仕事の都分で）しているのが19名いた。

(5) 職業調

職別＼性別	男	女	計
事務	3	3	6
技術	5	0	5
労務	17	2	19
給仕	2	10	12
子守	0	4	4
販売	4	2	6
外交配達	4	0	4
家事(業)手伝	8	15	23
農業	32	6	38
漁業	0	0	0
公務	3	0	3
その他	8	6	14
計	86	49	135

※最も多いのは、農業の38名であるが、家族に働き手が少ないため、家業を手伝つているのである。

※公共団体の給仕が増して来ているのは、定時制生徒に対する理解が深まつて来たことと生徒自身の誠実さによる。

(6) 就業時間調

時間＼性別	男	女	計
5時間以下	0	0	0
6	3	0	3
7	4	0	4
8	21	10	31
9	10	5	15
10時間以上	3	4	7
不定	45	30	75
計	86	49	135

※全体の約25％が8時間就業してはいるが8時間以上も働いているのが、20余名もいる（実際は不定の者にもいると考えられる）

※不定のものが多いのは家業の手伝い、小企業者に雇用されているもので早朝から登校直前まで、また下校後も仕事をしているのが現状である。

(7) 睡眠時間調

時間＼性別	男	女	計
5時間未満	2	4	6
5～6	15	9	24
6～7	35	27	62
7～8	8	5	13
8時間以上	26	3	29
計	86	49	135

※最も多いのは6～7時間で全体の約50%、6時間未満が30名もいるこれは勤労と学業を両立させるためには止むを得ないことかも知れないが大きな問題点である。

(8) 職業における休日調べ

日曜日だけしか休めないのが八名、毎月一～三回だけしか休めないのが一五名、全く休みのとれないのが二十余名もいる。これらの場合、日曜日学校行事があつても自由に参加ができず、体育祭、学校代表等で行事に参加させるにはその職場への依頼状を学校から送つている。

(9) 月収調べ

十ドルから三十ドルまでの者が最も多く、軍関係に長く勤務している者の中には、五十ドルを越すのがいるしかし個人企業等の賃金は一般に低く十五ドル程度である。

(10) 職場で気持よく働けるか

事項＼性別	男	女	計
働ける	9	5	14
普通	11	12	23
働けない	7	2	9
計	28	19	47

※家業手伝い以外の生徒を対象にした調査である。

※気持よく働けない理由をも調べたが、その理由としてつかれる、時間以外余裕がない、仕事が合わない、給料が少ない、環境が悪い、交通が不便、等を挙げている。

給食の時間

(11) 職場の人はどう思っているか

はげましてくれる四六%。何とも思わない、四十二%で残り十二%がはげましてくれないとなつている。

(12) 家族の通学に対する態度

事項＼性別	男	女	計
非常に励ます	31	14	45
幾分励ます	39	27	66
無関心	3	2	5
反対	7	1	8
わからない	6	5	11
計	86	49	135

※「励ましてくれる」のが80%以上もあることは頼もしいが、「無関心」と「反対」しているのが約10%もいるのは問題である。しかし第1期生には、入学式を終えて12時間後には父兄が入学取消しに来たのもいた。

(13) 1日の家庭学習時間

時間＼性別	男	女	計
30分以内	38	22	60
30分－1時間	27	19	46
1～2時間	15	6	21
2時間以上	6	2	8
計	86	49	135

※全体の44%にあたる60名が30分以内しか学校以外での学習時間をもつていないことは問題点であろう。

(14) なぜ定時制課程へ入学したか

父兄又は教師にすすめられた十一名全日制には合格しそうもなかつた九名家庭の事情により全日制へ行けない七八名家庭の事情により就学の機会を失つていた三十七名

全体の八十五%が家庭の都合で定時制に入学したものであり、このことは授業態度の真剣さでもうかがえる

(15) 生徒の実態の最後に、これらの生徒は卒業後どのような職業を希望しているかをみよう。

定時制生徒の料理実習

卒業後の希望職業

職名＼性別	男	女	計
農　業	6	3	19
商　業	4	2	6
会社員	12	14	26
公務員	23	18	41
技術者	13	—	13
土建業	2	—	2
海運業	4	0	4
洋　裁	0	3	3
看護婦	0	4	4
美容師	0	1	1
その他	18	4	22
計	86	49	135

※一般事務コースでありながら、技術者、土建海運業関係の希望職業をあげているのは問題と思う。

(16) 本年度卒業生の卒業後の状況（七月現在）

職業＼性別	男	女	計
大学進学	2	2	4
農林業	4	3	7
製造業	6	0	6
卸小売	4	1	5
運輸通信	0	2	2
サービス業	2	1	3
公務員	4	2	6
その他	4	1	5
無職	2	2	4
計	28	14	42

※本年の卒業生は第1期生で、入学当時は60名であつたが、卒業時にはその70%の42名であつた。

以上本校における生徒の実態を紹介したが、学校教育、生徒指導はそれらを基礎にして行なわれなければならないと思う。（定時制教育費の問題点は別頁へまとめました。）

むすび

定時制の本質を考える場合に二つの考え方があると思う。その一つは定時制教育を苦学生の教育として考えることで、この場合には定時制教育は、能力はありながら経済的理由によつて全日制に進学しえないものに対して、それらの者の勤労と平行して全日制教育と同様の教育をほどこそうとすることになる。従来の考え方がそれであつた。もう一つの考え方は、勤労青年に対して、その勤労と直結した勤労と学業を平行させ、その勤労に対する基礎的能力を育成する教育と考えることであるが、その考え方は近年西欧諸国が日本本土でも検討されている。また本年八月の全国主事協会の総会では、今後のあり方として定時制の義務制も研究中であるとの発言もあつたその報告をまつている。定時制教育のあり方も検討すべき時期にきたのではなかろうか、その際、新教育課程とも関連して研究されなければならない。いずれにせよ勤労青少年の教育は洋の東西を問わず重要性を増しつつあることは事実である。

八重高定時制のいきさつ

八重山高校定時制
主事　喜友名　英文

○定時制のこよみ

三八年度下半期は本定時制にとつては社会に理論の花が咲き、文教局や中央教育委員のあつせんが行なわれた胎動期であつた。それを代表するものとしてわたくしは十一月二五日の八重山毎日新報の社説を忘れることはできない。「来年から高校に定時制が設置されることになつた教育の機会均等という立場から考えてより多くの者がより高い教養を身につけられるのは喜ばしい。しかしこの喜びは今後幾年かの教える側と教えられる側との忍耐強い努力にまたねばならない。昼間の仕事で疲れた生徒を対象として、教育効果をあげることは並大抵ではなく「人格の完成」を終局の目的とする教育活動は不利な条件のもとにあつてそのむずかしさは増大していく。うすつぺらな決意などは一か月もすれば吹つとんでしまう。」と。

定時制構成職員になつた小職などいささか感慨深いものがあつた。こうした生徒も、あゝした生徒もくるだろうと、それぞれの職種をせおいながら老男童女のごとく制服に身を包んで入つて来た生徒を前にして思いめぐらしたことである。

青二才

学ばなくばと
コザの街をさまよつた
冬の夜ふけの青二才。
涙は頬をたれさがり、
人をうらんだおれだつた。
終戦直後をあてもなく、
うろつきまわつたおれだつた。
つめたい夜は想い出す、
あの夜のおれの青二才。
うまく逃がれた若き日の、
涙の頬のまぼろしよ。

われ今ここにひとりいて、
いとしむかしを思い出す。

五九年四月一日開設時の認定職員数、本務職員二、書記一・用人一・講師（五時間）からはじまって以降次のような経過をたどっている。

五九・四・六　第一回入学式
　四・八　授業開始
　十二・十　八重高新聞定時制版第一号創刊
六〇・三・一二　校内誌「共悦」創刊
　三・一六　終業式
　四・二　始業式
　四・九　池村校長発令
　五・二　第二回入学式
　五・八　全日定時役員懇談会
　五・十二　生徒会結成総会
　五・十四　教職員会主催八重山学徒弁論大会に一位入賞
　五・二八　ハーリー競漕に出場して優勝
　六・二一　中央教育委員九名一行来校
　六・二四　校内弁論会
　六・二九　実力テスト

〇生徒のすがた

初年度入学志願の状況は左表のとおりであった。

定時制高校入学志願の状況（４月１日現在）

項目	一九五九年度
(イ)総人口（八重山）	四九・一七四 五七年五月現在
(ロ)公立中学卒業者数	九二八
(ハ)高校全日制入学希望者	二〇八
そのパーセンテイジ（希望率(ハ)/(ロ)）	二二・四%
(ニ)高校全日制入学者数	一六〇
そのパーセンテイジ（合格率(ニ)/(ハ)）	七六・九%
(ホ)高校定時制入学希望者数	六八
そのパーセンテイジ（希望率(ホ)/(ロ)）	七・三%
(ヘ)高校定時制入学者数	四〇
そのパーセンテイジ（合格率(ヘ)/(ホ)）	五八・八%
全中学卒業者数に対するパーセンテイジ(ヘ)/(ロ)	四・三%

第二年度の第一前期末現在職員数は本務職員三名・書記一・給仕一・講師三名であり、生徒の実態は左表のとおり。

生徒の実態　（1、2年）

A、生徒の年令

年令	男	女	計
15才	5	1	6
16才	5	4	9
17才	4	4	8
18才	14	7	21
19才	3	4	7
20才	5	1	6
21才	3	3	6
22才	3	1	4
23才	5		5
24才			
25才			
26才	1		1
合計	48	25	73

B、生徒の出身地

地名	男	女	計
石垣市	24	13	37
竹富町	7	5	12
大浜町	9	1	10
宮古	4	1	5
沖縄本島	2	2	4
与那国町	1	2	3
日本々土	1	1	2
合計	48	25	73

C、生徒の職業

職種	男	女	計
印刷工	2	—	2
理容師	1	1	2
造船修理工	1	—	1
家具木工	7	—	7
運転手	5	—	5
歯科技功師	1	—	1
農業	8	—	8
給仕	2	2	4
販売業	1	—	1
旋盤工	1	—	1
集金	1	—	1
家事	—	10	10
事務	—	3	3
店員	1	3	4
雑業	8	1	9
自転車業	1	—	1
クリーニング	1	—	1
写真技巧助手	1	—	1
労務	1	—	1
測量助手	1	—	1
製菓業	1	—	1
大工	1	—	1
配達	1	1	2
給食手伝い	—	1	1
工員	1		1
技巧助手	—	1	1
炊事手伝い	—	1	1
自営食堂	—	1	1
計	48	25	73

D、家庭の職業

職種	男	女	計
農業	25	8	33
家事	5	1	8
商業	4	2	6
公務員	1	4	5
雑業	1	2	3
木工細工	3	—	3
漁業	2	1	3
理容師	1	1	2
造船業	1	—	1
教員	1	—	1
機関士	—	1	1
使丁	—	1	1
カマド業	—	1	1
鉄工業	—	1	1
工員	1	—	1
左官	1	—	1
運送	—	1	1
製菓	1	—	1
クリーニング	1	—	1
土建業	—	1	1
計	48	25	73

〇校長の方針

PTAは全日制と一つであり、生徒会は別に組織して、生徒の出費は左記、

授業料（月額）　二五仙
PTA費　〃　二九仙
生徒会費　〃　二十仙
給食費　〃　平均五十仙
教科書代（年額）　二・八弗ていど

校長によつて示された

一、生徒指導の基本方針と、
二、一九六〇年度の努力事項

一、自ら問題を発見し解決する意欲に燃え他と協同して解決する技能と態度を身につけ地域社会の開発と生産に役立つ国民を育成する。自主性、協同性、科学性、生産性をもつた豊かな国民の育成。

二、
A　生徒
1、学力の向上をはかる。
2、職業指導と就職斡旋を強化する
3、節度ある生活態度を育成する。
4、個別的指導を強化する。

B　校地校舎
1、便所建築。
2、ミルク給食・調理室の建築。
3、校地の整備。
4　照明施設の充実。

C　事務
1、諸帳簿の整備。
2、事務の適正化・簡素化・能率化
3、文書の取扱いと引継ぎの厳守。
4、台帳と現品の照合を厳守。

〇苦悦のくずかご

一、書かせる悦び

書くことによる生活の拡充を示唆したら共悦共苦の校内誌「共悦」の原稿があつまりに集まつて成つた。案外生徒はすなおについてくるものであつた。どだい生徒生活は　1家庭・2学校・3職場・4社会・5学業・6交友・7異性などの環境とその個体との相互作用によつて無限に適応展開するものであるわけであり、そうした行動のいきさつを自分なりに表現した喜びはかくべつであつた。わたしもこわれて「定時制しようよう歌」を作り巻頭にのせた。

定時制しようよう歌

友よ、
思いかなしく、昔にかえるとも、
かなぐりすてて行こうよ、
バラ色の暁けのかなたへ。
星またたけり！
「目に涙あれ　われら
何事か為さざるべからず」
友よ、
われらひたぶるに　一すじの道ゆく、
あくまできおう　誠ぞ、
遅るるとも　先になるとも。
陽はかがやけり！
「胸に血しおあれ　われら、
何事か遂げざるべからず」
友よ、
われら谷間のましみずのごとし、
ひそかなれども泌みゆく。
まどかなる　学びの庭で、
窓あかりたり！
「ペンに力あれ　われら、
何事か学ばざるべからず」

1に「ハト」、3に「私の夢」などの傑作があり、あらゆる生活領域にぼくとつながら清純な作文をみいだすことができ、生活探究への姿勢を感ずるとりどりの文に接することができてうれしかつた。

定時制校内新聞の編集にもまた新聞社印刷工の熱心な生徒が長になつて幸先よい創刊号を出してくれた。具体的用意をおりこんだクラブ指導プリント「新聞編集の手引」を作つて二時間くらい講義しておればかれらは嬉々として相寄つて発足するものである。

二、H・R指導のつみ上げ

H・R活動はショートにしろロングにしろ、大事な全校的経営と生徒活動の結合点であり着実になさるべきであると思われる。

やゝもすれば息ぬきの安易に流れがちなのがわれわれの通弊ではなかろうか。本稿を書いているとき大先輩の校長からハガキをめぐまれたがそれに「毎年毎年高校教育は何かしらむつかしくなつていくような感がするがひるんではいけないと思う。日本における学校教育と比べてあまりにも勝手きままな生徒の行動が多くないだろうか」と老大家のなげきがこめられていて胸があつくなつた。

学科教育はほつておいても進んでいくとも思われるが生徒の生活指導は現状を黙視するに忍びない。

全校的伝達事項は確実に行なわれて迫力があり、生徒生活の実状は学校に反映すべく採録されるような「H・R指導簿」の地道な実践が案外うとんぜられていると思う。

H・R活動が人格・進路・教科・健康・余暇と各般にわたつて学校的・即事即時的に当を得て地道に実践されねばならぬ。

二、生徒会

定時制生徒会と全日制生徒との疎隔感はき憂にすぎず、双方役員の懇談会はいともなごやかにして力強いものであつた。

定時制が独立チームとしてハーリーに出場したいという熱望は全校的に了解され、カイを握つた定時制は見事に優勝して全日生徒会を含めての全校的満足を

招来した。行事の独立的開催はものにりけりでその多くは、ともにおとらぬ同一高校生としての思い深きスクラム組んだ行事を目途すべきで、全校的配慮のもとに全校職員会への提案議決を忘れてはなるまい。

四、悩みのくずども。

1、適正照明の保持と停電対策

2、炊事室・食糧庫の不備

3、一人で七教科目ももつ教諭の存在

4、定時制は少人数であっても変態的勤務および就学のゆえに人事管理のケースも多い。人間関係の方程式で部下の数三に対して十八のケースだというが定時制はそれ以上であろうし、生徒はまた複雑な環境下にあり精緻な実態をとらえるべき。

5、教師欠勤による欠授業の防止策

教師不在でも各教科の毎日の進度がわかるようにしておかないと代講準備も不可能

6、欠課生多発の防止策

毎日毎時の出欠が正確にとらえられるようにする。那ハ地区への転入希望生の増加傾向も見えてきた。

7、早登校生への運動競技場の使用断水時の飲料給食料水の確保

8、自転車置場や掲示場の点灯利用

9、事故防止への配慮

屋外照明の適正や放課時週番教師のよ巡察励行

10、各教科の学び方考え方を知らしめる。

永年学業を放れた定時制への。

11、学習時間やクラブ活動時間の不足補充。

休暇期における教科補修・クラブ活動の施設を企画すべき。

（六〇・九・十記）

※3ページよりつづく

ばなりません。又勤労と学習を同時に遂行するので、学習時間が少なく、個人差が大きくその学習効果をあげるには特別の配慮と努力が必要であります。又一学年一学級の単式編成の学校では女子の家庭科教育のため教育課程の編成に特別に配慮する必要があり、従って通常の課程よりも余計教員数を必要とします。定時制教職員定数の問題、職業助手、理科助手の設置の問題、超勤手当の増額と兼任講師固定給の問題等々定時制教育は実に問題が山積しております。これらの問題の解決には法の改正や、立法にまたなければならないものも多々あると思いますが、何よりも定時制教育に職を奉ずる者がこの教育の重要性を認識し自分の身をいとわず努力してこの教育の成果をあげることが第一だと思います。

（全沖縄高等学校校長主事協会幹事）

昭和三五年文教十大ニュース（文部広報より）

文部広報二九二号は三五年度の文教十大ニュースを次のように報じている。

第一位　日本学校安全会発足

同法施行令は、二月二十九日政令第十二号として公布

特殊法人「日本学校安全会」は三月一日に発足

第二位　高等学校の教育課程が改正される。

三月三十一日教育課程審議会で審議されてその結論が三月三十一日文相に答申された。

十月十五日学校教育法施行規則（省令）の一部改正を公布

昭和三十八年度から実施する。

第三位　荒木文相、日教組との会見を拒否

第四位　オリンピックローマ大会開催

第五位　「大学教育の改善」について中央教育審議会に諮問、大学の目的、性格などを検討

第六位　本年度から教頭にも管理職手当を支給

第七位　松田文相は国立大学長会議で一連の学生運動の行き過ぎの是正と学園の秩序確立を強く要望

第八位　文化財保護法施行十周年を迎え祝典を開き、日本国宝展を開催

第九位　最後の南極越冬隊を乗せて観測船「宗谷」南極へ

第十位　中学校生徒急増対策のための補正予算四十億円を決定

第十一位　教育白書「進みゆく社会の青少年教育」を発行

第十二位　文部大臣に荒木万寿夫氏就任

宮古高等学校 定時制課程

主事 比嘉三郎

文教局研究調査課が文教時報第七二号を定時制教育の特集号になさつた事を心から喜ぶとともに、これにより定時制教育への理解と関心が高まりその促進が強化されるであろうことを期待し項目をあげて宮古の定時制課程をご紹介申し上げます。

一、本校の教育方針について（全日制共通）

1 社会に有為な形成者としての資質を養成する。
2 社会に役立つ人間をつくる。
3 将来の進路を決定する。
4 職業技術の養成と一般教養の向上
5 個性を伸ばすとともに社会性を作り円満な社会人となるため自主的、協同性、科学性、生産技術態度を養成する。

二、本年度の努力事項について（全日制共通）

1 学力向上の計画とその実施強化
2 職業指導と就職斡旋の強化
3 ホーム・ルーム運営の強化
4 生徒指導の強化
5 学校環境の整理美化
6 ミルク給食
7 寄宿舎の運営
8 学校運営の合理化

▲このほかに次の五項目をあげて生徒とともに努力しています。

1 正しい服装　2 清掃の徹底
3 学資完納日の厳守　4 無遅刻、無欠課、無欠席　5 給食の充実

三、校時表並びに卒業時の単位数

定時制課程における生徒の生活時間は本校においては次の通りである。

下の表のように教科時間は一日四時間一週間で（六日）二四時間となるわけですが、その中一時間はロングホームルームであるので二三時間となる。従つて生徒は一か年に二三単位を履習し、いかに単位をかせいでも四ヶ年には最大限九二単位しか履習出来ない。特別教育活動は一日十分ずつショートホームルームの五日間で一単位、週一回のロングホームルームの一単位で一年に二単位、卒業までに四単位履習し、教科の単位と合わせて卒業時の単位数は何れの生徒も百単位が最小限であり最大限であります。

校　時　表

5.45～5.50	週番集合
5.50～6.00	ホームルーム
6.00～6.50	第一時限目
6.50～7.10	給食
7.10～8.00	第二時限目
8.10～9.00	第三時限目
9.10～10.00	第四時限目
10.00～10.40	クラブ活動後片づけ

四、教科課程について

本校は現在の四年生が一般課程で三年以下は職業科商業コースであります。一年に二三単位卒業時までの九二単位をいか様なカリキュラムで履習させるかは職業科コースの基準があるのでこれに準ずればよいわけですが、問題は一般教科の基準と職業科の基準のつり合いをいかにするかにあります。本校は別表(省略)の通り教科課程を組みました。理科の教科は現在一般課程は生物、化学、物理を履習し職業科は生物、化学を履習していますが職業科（来年度から一般課程はなくなる）では個性を伸ばす意味からも来年度からは学年のわくをはずして理科の時間を三単位設け生物、化学、物理の何れか二科目を卒業時までに選択履習し理科六単位としたいと思います。体育保健の九単位の組み方に難点があります。保健は一、二年に一単位ずつ履修すればよいわけですが体育の方に問題があります。全部が一般課程であれば一年に二単位の四か年に八単位も組めますが、一単位でも多く一般教科目の方から職業科に融通しなければならない基準単位の職業科商業コースでありますので第一学年に一単位二年以上を二単位の合わせて七単位としてあります。これは男女の比率や在籍の少ない関係で学年のわくをはずして同一時間で一人の講師が担当しなければならない点から一年の方を一単位としたわけで将来は三年以下を二単位とし四学年を一単位とした方が進学する生徒にとつてもよいのではないかとも思われます。

五、日程表について

日程表は別表に示した通りであります（省略）。沖縄のようには照明に恵まれない宮古においては、体育の時間をどうしても一時限目に組まなければならない。一時限目に組んでも十月下旬からは六時三十分頃からは暗くなるので充分な授業が出来ない。政府立に移管する前から屋外照明の設置を要望していますが設

備しても維持費がないという連合教育委の返事であり、市電の出力では設置しても効果がないという所からどうしても実現しませんでしたが、民間電力会社の現在の出力では充分な効果が期待されますので屋外照明を早急に解決するように文教局の善処を要望しています。

次に日程表作製について講師からの要望をいかに調整するかに問題があります。教育はあくまで生徒中心にあくまで合理的に日程を組まねばならないがその点を考慮に入れつゝ機械ならざる人間には、生活に種々の事情がありますので、なるべく講師の先生には一、二時間三時間目の時間に出来るようにしなければならない。なるべく四時限目は専任が受け持つて講師の希望も調整して不合理な日程表にしないようにする事が永続する教育面の和による教育の効果もあげられると思いますので、その線によつて組まれるわけですが、生活時間の特殊性とでも申しますか理想通りの日程表はむつかしく、その点教師同志の相互研修と定時制課程の生徒に対する愛情によつて次第によくなるのではないかと思います。

六、PTA会費並びに生徒会費について

現在PTAは全日制定時制は統合されております。ほとんどの生徒が自分の学資を捻出しながら中には家庭の生活費すべての負担を背負つて人生に挑んでいる向学の徒もいる特殊事情への理解と同情とで、三か年の納付全額と四か年の納付全額の時間的負担の同率という線に沿つて一か年間のPTA会費全額に差額があつても全日制の全額で融通をきかしていこうという話合いでやつております。生徒会費の面でも倶楽部予算は在籍の少ない所から全日制生徒会から不満はあるようです。昨年度は生徒会費の半額を全日制統合の面で総務費に会費の半額を納付していましたが、在籍数の面から定時制生徒会員の不満の声が多く、今年度は実験的に会費は別々とするが柔道場の畳代をその生徒数の割で出すと倶楽部費を超過する額となるので修理費としていくらかを出し運動選手慰労費はいくらか出すという線でやつています。生徒一人一人の出した額と一人一人の活動による生徒会費の還元では定時制が倍も得しているように錯覚されていますが、在籍による納付全額による物品購入と、生徒数による使用率にそうたいした開きがあるわけではないのですが、いかに科学的に合理的な線で納得されたにしても倶楽部保管の消耗品が使用されている面での生徒同志の心の結びつきがなければ、やはり全日制からの不満は消せるものでないのでこの点生徒会役員同志の自主的解決も重視しながら今後研究し明かるい生徒会の活動を期待しております。

七、三十五週授業時数の確保について

A 行事の面から

イ 全日制との共通点

行事の面で対外的校内的の全日制と共通に授業を割く点は運動会、学芸会、始業式、入学式、終業式、卒業式、予餞会、教職員の集会、陸上競技会、入学選抜、身体検査、災害である。

ロ 定時制の特殊性

a 生徒総会

全日制のように放課後の時間に余裕があるわけでなくまた全日制が在籍が多くその点生徒会役員選挙の手続きに時間が多くかかるので授業を割かねばならないが、生活時間や学校日程に制限のある定時制においてはロングホームルームを総会に当て選挙の場合は時間を一時間割かなければならない。その点ロングホームルームが犠牲となつていますので今の所研究中で改善の方策を考えています。

b 遠足

全日制は一日を校外指導とレクリエーションに遠足の行事として一日の日程を全部使用するのであるから日曜日のみに遠足をするなら代休を置いて欲しいという生徒の希望はこれまで何回となくありましたが、生徒の中には官公庁や会社に職のある生徒もあるからと納得させ、定時制の全員参加を目的とする遠足は宮古定時制においては日曜日だと不文律のように思わせ、また代休なんて当然置かなかつたが、今年度の現状は前と違つて商店務めの生徒の数も多く定休日以外は日曜でも働かねばならないので遠足は従前通り日曜日に行つて店主の理解同情を得てみんなの参加を期待するか、商店街の定休日を遠足として官公庁や日曜日のある会社にいる生徒で、その日が日曜日でない時は上司の許可を得て参加してもらつてその日の授業を休むか、今の所研究中で何れがよいか生徒を加えて検討中であります。

c 父兄会、展示会の日は授業は割かないで出来ます。

d 映画見学

全日制では一日の日程を終えて午後四時からでも映画見学は出来るが、定時制では一時限目で打ちきつて団体見学とでもなれば後の三時限はきらねばならないので全日制がそうであつたからといつて、すぐその日を全日制と平行して団体見学するわけにはいかない。日程の少ない時間数ではやはり授業

を割いてまで見せる価値があるものかどうかを検討して決めねばならず、団体見学は弾力性をもって見せるものは見せ、いかに生徒が希望しても授業をさいて見せる程でないものは、生徒の希望を封じてその理由を話して不満のしこりをほぐしてもらっております。

B　行事以外の停電並びに暴風災害について

定時制にとっての生命は照明であります。停電で一部の生徒は途中できりあげて帰れるとよろこぶ生徒はいるでしょうが多くの生徒や職員にとってはその日のショックであります。幸い新しい発電機での民営電力会社になってから停電は全然といってよいくらいなくなりました。今年は幸い大きい台風がなかったので不可抗力の休日はなくてすみましたが去年は半月以上のローソク授業が続きました。この経験で、ローソクでも出来ない事はないという実感は得ましたが、やはり炎のゆれる机上からの燈影があちこちにゆれることはそれが一本ならまだしも華燭の典か宗教の祈禱かと心理的に学習効果は半減するもので、照明による心のさわやかさ、明かるさ、学習意欲の向上がこれによってますます確信されます。幸い電力会社は本校教育への理解が深く協力的でありますので喜んでおります。

C　職員の授業管理の面から

日程表に組まれた以上生活事情との調整は出来たのでありますから定時制職員の専任と講師は、その日程の変更はしないように私的生活をくふうして教育に当たらなければならない。即ち私的生活の事情で生徒の時間を犠牲にしてはならない。こういう面から結婚式や歓送迎会並びに各特殊集会への参加を専任は極力相手方に話し善処してその回数を少なくし講師は授業の出来ない止むを得ない事情ある時は事前に連絡していただいて、その日の日程は臨時補充時間割で授業を行ない、何れかの日で補充する方法を取っておりますが、連絡不充分か突然の事態でその時間を生徒研修の時間に当てることが時にあります。

D　生徒の出席時数の面から

製糖期の農繁期における過労や家庭の事情、または病気あるいは本人の怠惰による欠課によって時数が減すれば点数が減点されるわけですが本校は欠課の取扱いを次のようにしております。

五単位について三回の欠課は一点減、三単位は一回半の欠課について一点減(即ち三回に二点)二単位の一回の欠課は一点減としております。三五週確保を生徒側から自主的に努力して守ることが単位制の趣旨にもかなうことであり身についた学習も出来ることだと思い激励して頑張らしております。

八、専任の教科のかけもちについて

専任によるかけもちは教材研究の面から生徒を弱くさせる恐れもありますので専門学科が生かされるよう合理的にくふうされておりかけもちは国語担任が保健を二時間担当しているだけである。

九、訓育面について

校則や生徒心得は各人の持っている生徒手帳にありますので規律に自ら飛びこめば束ばくとは感じないで生徒として自由な活動も出来るという自覚を促しつつ次の点に注意しています。

1　校外生活の取締まり

校外生活は働いていても高校生だというプライドを堅持して新鮮な希望に燃え、青年らしい覇気のある生活を行なうよう励ましていますが未知の世界への好奇心は上級生ともなれば、友人にひかれてよろめく面も時にはありますのでホームルームを通して本人とよく話し合い全日制の職員とも連絡し合って不祥事が起らぬよう注意しておりますが在籍が少ない点から生徒相互に不名誉な行為がないよう励ましあっていることはロングホームルームの討議にもうかがわれます。

2　職員週番制

専任による一週間の当番をきめ、週訓の徹底を図っていますが掃除、戸締りは何時の週も良好ですが年のいった生徒の登校下校時の無帽、服装はよく指摘されます。また給食を行なう態度の指導では食券を発行して二人分とらぬようにし立ち喰いをなくすことに努力していますが、炊事室と教室が遠く、食堂設備が不備なため問題が多い。

3　遅刻欠席の記録を厳重にする

本校の悩みの種は遅刻する生徒が決まっていて、バス通学のバス故障やバスの発着時刻による場合もありますが職場の忙がしさから定時にきちんと解放してくれない所もあり、雇傭主の理解ある協力を申し入れ善処しています。

4　学資完納日の厳守

学資完納日までに完納するよう督励していますが一、二日のびる生徒は決まっており、かかる生徒に限り諸会費納入もしぶり勝ちでこじつけのいいわけに窮したあげくは、攻撃

的になる場合もあります。しかし同情すべき点も多くある貧しい家庭の生徒でもあるのです。だといつて団体生活の規律は守つていただかねばなりませんので本人の自主的な生活への挑みと開拓精神の発揚を促しています。

5　対外行事の際における選手以外の生徒の参加

野球選手やバレーの選手がほとんど全日制の生徒であるためその応援をしなければならないと思いつゝも出しぶる生徒もいるし、出席したいけれども応援ならいかないで忙がしいのだから店で働けという雇傭主の態度で出られない生徒もいます。生徒会役員はその点でひけ目を感じて出席を促しています。職員も全日制と統合された趣旨を話し生徒の融和を図つていますが充分な効果があがらず志気の昂揚に努めています。

十、学力について

生徒のほとんどが働きながら学ぶその点から予習復習の時間に恵まれないため全日制に比べて学力は劣り進度も遅れがちとなりますが、自覚して寸暇を惜しんで学ぶ生徒は進学就職の進路の別なく、全日制の上の中と伍せる学力を養つておりこれまでの卒業生も卒業後の動向によい成績をあげていますので、定時制の発展を期して生徒の一層の奮発を促しています。

十一、教育施設設備について

一般職業課程は専門的知識及び実際技能の綜合統一を図り併せて企業経営の有機的活用を自発的に体験させる学科であることから現在の施設の状況では生徒の学習意欲進度の面に影響を及ぼすばかりか自主性を欠くこともありますので生徒が既習の知識技能を応用し、自主的調査を行ない段々と新しい条件を加えて学習に必要な知識技能の向上練磨に務めることがらも商業施設が充分でないと思いますので全日制とともにその充実強化を要望しています。

十二、生活時間について

1　社会見学の面から

教科に対する興味を覚えしめ学習意欲を高揚する方法としての地域社会の金融機関にそのつど実際を見学せしめる方法は時間の許す限り実施すべきであるが時間的に定時制には不可能である。

反面、ほとんどが職場におり、写真屋、理髪店、新聞社、民間会社、検疫所、美容院、映画館、学校(給仕)銀行、医院、製糖工場、役所等の社会の内情を見、きき、感じているので実務社会の情報の交換で生徒同志は全日制の生徒より社会の実情は敏感に察知しているようである。

2　クラブ活動

放課後のクラブ活動時間が短いので全日制のようにすべてのクラブが活発な活動を自主的に行なつているとはいえない。柔道部、文芸部、商業部以外の活動はあまりみられないのでこれは研究中であります。

十三、運動選手の出場資格年令制限について

満二十才以上は定時制の生徒であつても高校選手として認めないという決定は定時制の運動選手にとつて青天のへきれきでありました。身体の成熟と記録の面からそういう決定がなされたということですが、これにはいくらか弾力性がもたれないものかと思います。

理由は一般青年会での内部活動は生徒の立前から封じられながら、運動能力を伸ばしたいなら青年会から選手として出ないと、生徒としての運動選手の道も封じられては、向学に燃えるこれから入学する二十以上の生徒の希望の燈に水をぶつかけるようなもので一考を要することだと思います。

十四、給食について

イ　調味料、薪代

政府立に移管するとこれまで連合区教委から給食費補助があつたのにこれがなくなるとはどうも納得がゆきません。調味料や薪代が不足し仕方なく生徒にこれまでの倍額の給食費を出してもらつて運営していますが文教局は早急に定時制給食補助費を捻出して生徒の負担を軽くしていただきたいと思つています。

ロ　食糧保管倉庫の設置

ハ　食堂の設置（給食室）を要望しております。

十五、自転車置場の設置

自転車通学の生徒が多くこれまでも授業中に盗難にあつた例がありベルや電球をぬがれることもあり、管理の面から一か所に自転車置場が欲しいと思つております。

以上本校の姿をありのまゝご紹介申し上げましたが、教育の機会が均等化され勤労学徒に登竜の門が開かれた事は戦後における大きな教育界の収穫であります。定時制課程に入学する生徒は全日制のフルイにかけられて残されたものではない。あくまで最初から自己の行く道をこゝに見つけて第一歩を踏み入れた若者でありますので定時制を本務とする職員はこゝを教育の第一線だと自負し、生徒を決してひるむことのないようべんたつしながら頑張つているのですから当局も定時教育促進のため大いに活躍していただくよう期待致し特に定時制課程の講師単位割り当てについては要望を満たして下さらんことを特に希望致しております

定時制教育の問題点

発足間もない定時制教育の問題点は少なくない。関係者の皆さんの献身的な努力でやつと軌道にのつたとは言え、あい路は努力をはばむことおびただしい。以下に紹介する四校の定時制主事のとりあげて下さつた諸問題の一つ一つは、その打解を今後に期して待ちたいと思う。

首里高校定時制　　知念高校定時制
石川高校定時制　　糸満高校定時制

首里高等学校定時制主事
伊計雅夫

―序　詞―

定時制課程の教育にあえてふみ入つてもう十か月の夜陰の月日は明暗にかげりつつ流れた。連合区委員会から、職務替えが決まり、冬空の宵やみに包まれて冷え静まる校舎の灯火に私は新たな感慨をもよおした。

やゝ遠いものに思われた職員生活の顔がちかぢかと目にしみてくる。私は私のありし日の夜陰の生をしばしたどつてみた。寂しさを、孤独を、屈辱感をかりかりと、もう一度かみしめた。こゝに四五〇名の生徒が若い生を生きぬきつつ学ぶのだ。このともしびの、ともり消える時間内に若い魂は一心に求め学ぶのだ。幻の夢を追うことなく現実の生の求めるものを、一途にこの夜陰の〃定時〃四時間内に集中的にはげみ学ぶのだ。一月、二月、冷えゆく夜の暗は、狭い職員の控え所（職員室）？に深く重く……時折り集まる職員の顔にはげしい仕事の疲れがにじみでている。夜ごと夜ごとの青白い緊張感はいたいたしく……。

私は生徒へのあいさつで、文化は夜つくられる、夜は暁に向つて前進する、とよびかけた。〃夜気存養〃の孟子の語も浄書して壁にはりつけた。生徒を勇気づけ、はげましつづけ、どなりつづけ、夜とたたかう。暗とたゝかう、ねむりこけていけない。弟子は昼ねして孔子に糞土の牆は彫るべからずと、どなられたが昼ねはともかく短い夜の学習時間で、ねむりこけては定時制教育は夜の暗に消え果てる。同情を求めてはいけない。他にすがりたよることはいけない。つよく自分をめざましつづけるのだ。入試、卒業式、最初の重要記事も気負いこんだつもりで、功罪は知らず終了した。

職員生徒の胸にひめた宿望や訴えが私をしだいに押し出してきた。しつように一途に宿望や訴えは、切実に具体化の線上に来た。めくら暗におちずか、私は独走か奔走かしなくてはならなくなつた。四五〇名の生徒十六名の職員が私を見まわしている。校舎のともしびの外は深い重い夜の暗、光りの中に若い魂たちは、いきずき燃えようとしている。照明！、定時制教育の生命の光りだ。職員、生徒は設備機材費用の捻出にけん命になつた。

四月、公立高校政府移管、照明施設の見通しはまだつかない。五月中旬、照明主任伊田教諭の献身的な努力により、水銀燈二燈、校庭の夜空に月光のように燃えかがやいた。銀色に狂いとぶ夏の虫、青白い夜ぎりの光り流れる下に、生徒全員の姿が生々とクローズアップされる。かけまわり、とびまわる。バスケット、バレー、バドミントン。体育の指導が活気づく。青白い光の流れる中に若い生命は赤く燃える。そう思い、そう念じ…。

六、七、八月、私はだんだん夜の暗にしめつけられた。定時制の夜は文学的な歌謡的な、ムードの夜ではない。定時制教育の深刻なふちだ。夜は人間を暗にすき込み、とかしこむ。非情にさいなみつづける。私たちには安静の夜ではない。不安と疑心と不信と、夜から夜へ―、夜の姿は夜ごとに変貌する。昼の顔、夜の顔は様相をかえて交錯する。睡眠の不足、食事の不調、無理な緊張感、世の常ならば、よいやみとともに静まりゆく神経を、夜間特殊勤務の私たちは、非情にたたきつけ、しめつけて、一夜一夜、安全に機動的に的確に進めていかねばならない。夜間の突発事件、非行不良者の侵入、錯雑する転入生の処理、長欠休退学者の対策、強力な相談相手もいない夜更け、長期間にわたり難渋する生徒補導の

重い鋭い緊張感……。

しかし私は定時制生徒とともに私の人生を行く…。私は一歩もたぢろいてはいけない。私は不退転の使命感のようなものをつかみ得た思いである。十月の夜の月を、水銀燈を眺めつつ夜気存養の勇をふるいおこす。

だが私は今どこにどう立っているのか。私のやるべきことは何だろうか。私は立ちどまつて、ふところ手してだまつているがよいのか。

私は、私たち主事は、今困惑に立つている。私は、私たちは行動力をしぼりあげておかねばならないのか。定時制教育への殉教的な精神を実践力を、羽がいじめにしておかねばならないのか。以上心境報告としての序詞。

定時制教育の問題点

どこでもさしあたり、つきあたる問題点を走り書きに述べてみたい。

教職員の勤務……。まず本土において〃公立高等学校の夜間課程の教職員に対する夜間勤務手当ての支給に関する法律案の提案理由〃の中の一節をもう一応こゝに記してみたい。この点は本土沖縄を問わずおよそ定時制に特殊勤務する教職員の負わされた無償の負担であるからである。……夜間定時制課程に勤務する教職員が極めて劣悪な条件の下で教育活動を行なつていることについて、当局や世上の関心は、はなはだ薄い現状にあります。こゝで夜間定時制教育に従う教職員が、どんな苦しい勤務をつづけているかという例の一端を申し上げると第一は家庭生活の問題があります。即ち夜間勤務する教職員は、ほとんど家庭的なふん囲気や、だんらんにひたることはできないのであります。何れの家庭においても夕食の一時というものは、一日の労をいやし、あすへのエネルギーを養うために必要欠くことのできない時間でありますが夜間勤務の教職員にはこれは望むべくもないのであります。また子女の学習指導や、しつけにおても学令期以後はほとんど放置せざるを得ないのであります。

第二に健康上の困難があります。不規則な食事や過労から胃腸障害が多く、資料によると四〇%以上が慢性の胃腸病にかゝつているしこれ以上の家族が同様に苦しんでいるのであります。また冬期間に感冒のり病率が非常に高いのも、こういう特殊の勤務状況による栄養不良や、体力のぜい弱化に起因していると考えられるのであります。また勤務を終了して帰宅就寝するのは、どうしても十二時から、一時になるため睡眠不足や過労がつのり、視力の減退がいちぢるしいのであります。こういう各種の困難が夜間定時制の教職員の健康を蝕んでいるのであります。

第三にはまた経済的な損失も決して少なくないのであります。例えば食事を家族と別に行なつたり、あるいは外食、間食と余儀なくさせられるため、食費がかさみ、生活費、光熱費も、余分に必要とするのであります。また生徒会指導、クラブ活動、給食準備、生徒補導、の関係で帰宅が深夜に及んだり、又タクシーを利用せねばならなくなつたり、他に宿泊をせざるを得なくなつたりして、いろいろと費用がかさむことになるのであります。このように夜間定時制に勤務する教職員は昼間の正常勤務に比し物心両面で大きな苦痛に耐えねばならないのであります。本土ではすでに特殊勤務手当七%の支給が決定したようであり、定時制教育に対する当局や世上の関心は年々し烈になつているものと思われます。

また専任教員の充実確保、講師の大巾な配置、給食用人の生活保障、照明助手の配置、勤務時間、教科課程、主事の地位と職務権限全日定時の施設、備品、消耗品の共有配分の問題等教職員の勤務の暗礁が執ように横たわつているのである。専任教員の充実確保については五年、六年、七年と同一校に勤続して黙々と教育活動に専念している教員の労苦も多大であるが、定時制教育の振興から見て、すべての教職員が定時制教育を経験すべきであり、しかも優秀な教職員こそ定時制教育にたずさわつていかねばならない。

定時制教育に勤務することは、一時的な腰掛的なアルバイト的なものになるようなことがあつてはならない。適切な人事交流の教育行政措置が強力に積極的に行なわれることを当局のご賢察に期待したい。

教職員の勤務時間についても本土ではこれについてほとんど決めている県が少ない。石川県の午後四時から九時三〇分までと決めている例もあるが、沖縄の場合一時から十時までとしても、実質的には、事務職員報告申請事務関係の職員の午前出勤、職場家庭訪問は午後午前夜間を問わず行なわれておりクラブ活動その他生活の全般的下校が十時四五分となつているので、勤務時間は、はるかに上まわつている。週あたり授業時間数にしても校長が授業をもたぬことは別として、主事が実質上の管理的な面をもちながら、その職務権限はあまりにも心細い地位に放置されている。主事はむしろ定員外として本務教員を充実し、時間講師をまし、充分にその機能を発揮させなければならない。教員の持ち時間も週あたり十五時間位が妥当であり、それ以上となるとあまりに酷使しすぎる。

昭和三十五年八月愛媛県松山東高校における第十一回全国高等学校定時制振興会総会議事録を見ると、埼玉県代表は次

のように発言しています。〃教員定数の算定について、主事をワク外に固めるということにつきましては、数年来これが実現方に努力をお願いしてきたのでありますが、いまだにこれの実現を見ないことは非常に遺憾に存じております。現場の実際問題として、主事がほとんど校長のやるべき裁決や処置をしております。このように責任ある主事を定数関係から考えても当然ワク外に算定しなければなりません。

教職員の定数算定法につきましても、生徒数だけを基準にして定めることは非常に不合理であります。この生徒数だけを基準にする場合は、全日は有利であるが、定時制の方は、非常に不利である。なぜ不利かというと、定時制生徒一人は、全日制十人に匹敵するのであります。それほど困難と複雑性を与えている生徒であります。結局生徒を指導することが全日制の生徒より非常に困難で複雑であるという点を考えていただきたい。

校長の夜間勤務についても、形式的には全定一本で校長が最高責任者であり、主事には、何ら形式的な権限はなく、たとえ実質的に校長代理権を執行しても、対内的なものである。それでは実際、校長は毎日夜間勤務しているかと言えば資料を求めるまでもなく、ほとんど決めていず換言すれば、ほとんど出て来ないと臆測するわけである。これでは定時制教育の振興はのぞめない。そこに主事の職務権限強化の問題が生ずると思う。

予算執行についても、政府立高等学校費が全、定一本でくるので、予算令達の方式、全、定間予算に関する規制的限界、全、定間の予算執行に関してタッチする人的限界についても決めてかからなければならない。

定時制予算に関する限り、行く行くは別途予算の令達方式、執行が必要であると思う。

主事の職務権限についても、およそ職務権限の確立がなかつたら、責任の所在を、なへんに求めるか。いたずらに校長責任を大巾にひろげておくばかりでは、全、定いずれの教育効果の向上にもならないと思う。文書処理の順序についても、主事名を以つてする独自の文書の範囲は、現制度下では、極めて少ない。文書処理の簡素化、能率向上の見地から、これが大巾に拡大されること自体が定時制の独自性を顕現する所以である。ことに、校長と主事との間に何故に教頭が介在するのか。むしろ全日制教頭と主事との実質的比重の問題としていずれの日か抜本的解決をはかることが、定時制振興策の一つではないか。

全国高等学校定時制振興会総会議事録を見ると、文部省は〃「定時制主事の権限と処遇について、特に教頭との関係均衡はどうなつているか」の議題に対して……これは教頭と関係においては、私たちの考えは、校長さんがおられてそのあとに教頭さんと主事さんは等格という立場できめております。法律上いろいろなやゝこしい立場もございますが、私は等格と、高等学校には、全日制課程と、定時制課程と近くは法律を改正して通信制課程この三つの課程がある。この三つのそれぞれの最高の責任者が校長でございますが、その課程の責任者は、全日制の方は教頭さん、それから定時制は主事さん、通信教育は通信制の主事さん、それから発展して教頭の複数制を考えてはどうか。いわゆる教頭さんが三人、全日制の教頭定時制の教頭、通信制の教頭、こういう考え方まで持つていく。これはまだ具体化していないのですが、大学は農業、工学、文理等のそれぞれの部長さんが等格でございます。この方式を採用すべきである。これは一時非常に議論を巻き起こしましたが、文部省もようやくこういう方向になつております。〃

施設備品などの全、定間における共用、消耗品、燃料などの全、定間の配分についても、支出項目（全校的支出項目、定時制課程としての支出項目）によつて、予算支出結果の直接の受益者が、学校であるが、定時制であるか、全日制であるかの実情の検討がつど要求されねばならないと思う。おわりに、全国高等学校主事会編、〃勤労青年の教育〃の一節をあげてふえんして記してみよう。

〃とまれ定時制教育は、すでに八か年を経過した。皮肉のように定時制には何もない、有るものはただ教師の熱意のみだと言われもして来たことが卒直に言つて定時制高校の実態ではあつたが、今や吾々が定時制のあり方について一大転換を企てねばならない秋に到着している。

一大転換とは、抜本的定時制の改革ということである。およそ労働と教育を尊重しなければ、健全な民主々義は成り立たない。したがつて、学びかつ働くということが本当の民主々義の教育であつて、働学は両立しなければならない。わけても、山積する定時制課程の難題を実質的に解決していく捷経は一にかかつて定時制課程の主事の発言の力としての機会を大にすることが抜本的問題である。

生徒にかかわり、親にかわつて絶叫するのはただ教室内の教師に限られていた。そうかと言つて今日、校長、主事が挙つて定時制の急を救うべく立ち上がるところの教育行政下におかれていない。高等学校長は、全日制高校長が本務となつている。主事は職務において主事であつて、主事以外の何ものでもない。渉外事項専掌の権能が大巾に与えられることが重大であるゆえんである。

当局の賢明なる教育行政施策によつて一つ一つ困難な問題が解決され、教職員の教育活動の潤滑油としての生活保障の面から特殊勤務手当の増額、生徒の教育保障が充分に行なわれることを要望してやみません。

石川高等学校定時制主事

手登根維新

昭和二十三年日本本土において定時制教育が発足してからすでに十二年の年月を閲し、現在約四千近くの学校が設立されて働きながら学ぶこれら勤労青少年に明かるい希望を与えていますわが沖縄でも一九五二年十月一日首里高校を皮切りにつぎつぎに設立、政府立十五、私立二校の誕生をみましたことは沖縄教育の劃期的前進であります。この新制度に対して文教当局においてもその育成に当たり並々ならぬご苦労があったと、聞いており感謝にたえないところであります。

沖縄の現状では働きつゝ学ぶことによって知的水準を高め、人格を陶冶する教育制度が特に重要視され、また産業教育の一環としてもその充実を図り、将来国際人として個性ゆたかな人格とあらゆる競争に打ち勝つような人間の育成が必要ではないかと思料される所以であります。

石川高校定時制四年前の給食（実施当初）

西欧、わけても西ドイツが戦後まもなく産業が復興したのは三十年間の定時制教育のおかげであるとよくいわれていますが、とかくわれわれは働いて勉強するものを卑しむ風習があり、現在中学側でも成績如何によって全日へ、定時へと進路をきめることもやるときいています。例えば成績優秀な子が父親が今次大戦で戦死し、母は数多い子を養育するのに懸命で、働きながら定時へ進学したいというのを全日制へ入学させたためにあたら将来の進路をあやまらしめたことを聞いて残念に思います。この場合教育の機会均等の立場から充分な措置が必要じゃなかったかと考えるものであります。

しかしこちらでもだんだん働くものを尊ぶ考え方が強くなってきたことはこれら勤労青少年にとっても大変よい傾向だと喜んでおります。私達が一番恐れているのは彼等の小さな社会観からくる劣等感であります。それを解決するためにあらゆる手段と努力を重ねております。服装はもちろん、言語、動作に至るまで思いをいたしている状態であります。特に彼等の心理的な動きに対処出来るよう常に努めておりますので安心し昨日への勤労と学習の意欲がわきたってくるのではないでしょうか。

私達は毎学期一回校長とつれだって定時全般の問題解決をするために会合いたしております。これは五六年七月十七日に商業高校に第一回の集まりをいたしまして校長に会長になってもらって会長司会のもとにいろいろな問題を解決する場といたしております。おかげを持ちまして悩んでいた問題がつぎつぎに解決されまして喜んでいる次第であります。

当分困難であろうことは一般社会における認識の足らなさはもちろんでありますが前記しましたように教育界ですら認識を欠く方がおられますことは余りにも嘆わしい次第であります。例えば雇用者側の無理解によって中途退学の止むなきに至った者、あるいは定時制の生徒だから使わないとか等々で職安の方々にもよく事情を申し上げて雇用者側には労働基準法の解説や、愛情をもって使用していただくようお願いいたしております。

五九年十一月三十日に発足いたしました振興会はこのような問題を取り上げ、強調し、啓蒙して下されば幸いだと思いまして会員の皆様にもお願いいたします。

顧みれば設立当初と現在とは隔世の感がいたします、当時毎日ローソク持参で私設発電所より一燈八拾円の契約で点燈していましたが三日目ごとに故障で動かない状態で、その時生徒の軍電機部勤務の連中が応援に行くという状態でありまして、卒業生も想い出の一駒として学校へ遊びに来るたびに申して笑っています。

ミルク給食もまたそうでありましたが文教当局のご配慮とご努力によって現在の施設までこぎつけ給食とともに本土をしのぐ状態だといわれ、私達の苦労したかいもあったと喜んでいる次第であります。

終戦後の学制改革で一応とまどいを感じましたがそれも軌道にのった今日、昼から夜へと……夜へ移った時はほとんど手さぐりの状態でいろいろと問題が出てまいりました。こゝには昼においては全く察知出来なかった数多くの悩みが横たわっていました。定時にはいろいろの面であすという余裕のないことでありま

す、夜に経験ない先生方の認識の相違はこゝから発してくるのではないでしょうか。

幸い本年度からは文教当局に責任の主事がおかれ、いよいよ軌道に乗せるべく配慮なされまた私達に助言して下されば幸いに存じます。特に勤労青少年に関する資料も少ないため昏惑を感じていますのでその方面の蒐集にも力を借していただければ幸いに存じます。

次ぎに問題点について述べてみたいと思いますが、前にも申し上げました通り定時制教育については関係ご当局の絶えざるご高配とご指導により漸次軌道にのつて現場をあずかる者として厚く感謝申上げている次第でありますが、なお幾多の問題があつてつぎつぎに解決をお願いする次第でペンを執ることにします。

㈠　専任教員の教科目の負担はご承知のように五科目が普通でありまして免許状以外の科目を担当している関係上、それが学力低下にもならなければよいがと懸念いたすものであります。

㈡　照明について、これは教室における夜の太陽でありまして適度の照度がありませんと眼はもち論、保健衛生の面からも憂慮されます、また屋外における体育時の照明も、いまだ部分照明であり、夏季の体育や清掃・塵埃の処理等にハブの危険もあります関係上、早期に解決して下されば思うものでご座います。

㈢　カウンセラーは、生徒の家庭状況が複雑で職場と家庭との両面の生活をもつておりますので家庭訪問にも時間がさかれ、また年中就職斡旋もやらねばならぬ関係上、専任職員には荷が勝ち過ぎますので兼務の補導員が必要だと考えます。

㈣　特活の講師手当について、クラブ活動の重要性は今更論ずるまでもありませんが、ホームルーム主任が二つも三つも兼務顧問になつている状態でありますし、効果もそがれると思われますので講師の手当増額をご検討下されば幸いに存じます。

㈤　定時制各種行事に対する奨励金は昨年よりご援助をいただき、生徒はもとより職員一同感謝に堪えざるところでありましてこれは生徒の年令的、時間的職場問題、雇用者との関係等々でやむなく全日と別個に各種の行事をもち、彼等の志気鼓舞に大いに力を致しているわけでありますが、なにせ運営費に相当の金品が入るやに聞きまして今少しなんとかならんものかと考える一人であります。

㈥　給食用物資はご当局のご配意によりまして遅滞なくいただきまして、生徒諸君はもち論、父兄の皆様から大変ありがたく感謝にたえないとの言葉がありまして私達も喜んでおりますが、せつかくの物資がねずみの害や害虫の発生で困まつている状態でありまして倉庫さえあればそれが防げるものと残念に思つている次第であります。

㈦　職員の生活実態における問題点でありますが、全日制と違いまして勤務時間の関係からいろいろの悩みがあるわけであります、例えば地区によつて相違はあるはずですが、

(イ)　出勤時間までに入浴出来ず帰つてから行けば浴場が閉つているということ。

(ロ)　文化生活のいうところの教師として最低の精神的慰安（映画、散歩、旅行等）が得られないこと。

(ハ)　家族との愛情的つながりの機会がないこと。

(ニ)　社交が困難であり、特に独身職員の場合は下宿先や間借先でいゃがられよんどころなく遠い自宅からの通勤となり、無理がたゝつて病気になる又結婚に対する不安などもあつてその事情も切々と訴えている状態であります。

(ホ)　経済的に直接の損失は勤務上特に加算される夜食の費用。

(ヘ)　家族とずれる為に生ずる燃料費、帰宅のずれから加算される電燈料金

(ト)　バスの乗遅れで生じる車馬賃等、

以上述べました様な数多くの問題をもつていますが、生徒達の上に思いを致しまして学習や、生徒指導に全力を捧げている姿はその崇高さにおのずと頭の下がる思いがいたします。私の短い経験と底の浅い体験から定時制教育の一端と悩みを申しましたが・紙数の都合でもあり特に今回本号の編集計画をなされたがご当局に対し深く感謝申し上げましてペンをおくことにいたします。

知念高等学校定時制主事
上江洲安則

一、定時制課程設置の意義

「教育の機会均等」という民主的教育観に立脚して出来た高等学校定時制課程の設置はまことに時宜を得たものと云うべく、これの発展育成は又近代国家にとつて須要なものでなければならない。近代国家の文化的発展は実に眼まぐるしいものがあつて、高等教育を受けた青少年に対する社会の要請が強化されてくる傾向にある。これらの諸点から考えるに高等学校教育の義務化ということは常識的にすらなりつつある。

十一月一日付琉球新報は文部省「青少年白書」の中で今後の青少年対策として「すべての青少年に後期中等教育を、というスローガンの下に(1)高等教育の義務制(2)中等学校卒業後の青少年に対するア

フターケアーの設置(3)働きながら学ぶ青少年に対する事業主の理解を。」などと報じている。ここ沖縄においてもやはりいつかはこの問題に取っ組まねばならないであろう。

　私は去りし四年有余をともに歩んで来たこれら生徒を中心に、定時制教育の現状と問題点がなへんにあるかを手さぐりつゝ振り返ってみよう。

一、定時制教育の現状と問題点

　1　いかなる生徒を対象にしているか

　先づ定時制の生徒がいかに多種多様なる問題を含んでいるか。初めに入学の動機について調べた結果から見ると、経済的に困っているので働きながら学業を続けたいと最初から希望して来る者が全体の約五五%、残りが中学の先生に勧められたとか、全日制に自信がなかったから等の理由である。

　従って、ここで問題になってくるのは、(1)能力差があり過ぎる。(2)年令の差が大きすぎる等ということであり、これはきわめて特異的な問題といわなければならない。

　2　生徒をとりまく家庭

　右の様な動機で入学して来るのであるが、その家庭状況はやはり平均して非常に貧困である。中以上の家庭もないではないがむしろ極貧、社会保障を受けている様な家庭の子弟が多い。この生徒たちの家庭訪問の場合はいつも心が痛み泣けて来ると云う先生方が大多数である。また、たまの家庭訪問で居留守をつかってでて来ない親もいるし、たまに会ったと思えばこちらの質問にぶあいそうに答えるだけ。しかしその反対に父親を失った母子家庭では教師に子どもをお願いする気持は大きい。今生徒の手記から二、三拾ってみると、

「ときどきバス賃と授業料を請求すると、母はもう学校をやめなさいとよくいいます。仕事には行きいいのですが、内臓機官が悪くて、病院へ行く金もなく段々悪くなって行くので困っています。（女子）」

「父母に金を要求すると口の方をひりひりさせてまるでヒステリーになる。僕の賃金はひったくるように取り上げているのだが。こうなるともうお金を貰っても面白くない。おれを次男だと思ってバカにしているようで腹がたつ。（男子）」

等の様な経済的に困窮し、それから来る教育への無関心を示す手記が非常に多い。

　3　勤労と学習

　定時制の生徒たちは昼間はほとんど何らかの職場を持っている。何も仕事がなく家でただ慢然と過ごしたり、学習だけに没頭するという様な生徒はほとんどいない。

　ところで生徒はどんな所で働いているのか。農村の子弟が多いので農業をしているのが断然多く全体の四〇%を示している。次によその個人宅での家事使用人（ほとんど女子）として働いているのが案外多く、全体の約一五%一般労務、軍作業、製造業、地方公務員、店員の順となっている。

　そこでこれら職場における悩みについて聞てみると、

「家では農業をしているが、朝は八時から午後は五時までやっている。せめて五時頃には引上げたいのだが父が勉学について無理解で悩んでいる。（男子）」

「家事手伝いに行っているが朝は七時頃から午後の五時までなので全然勉強が出来ない。しかし主人は口ではいつでも励ましてくれるが、時間の余裕がほしい。（女子）」

右の例の様に学習意欲はあるのだが、家庭学習の時間が少ないのをこぼす生徒が多い。従って大方の生徒が家庭学習は下校後ほんの一時間そこそこで、ここに定時制の生徒にとってまた大きなあい路があるような気がする。

「職場と学校が果して両立して行くだろうか。悩みが多く時々夜眠れないことがある。日曜日などになると体がだるくて何もできない。」

　ある生徒の手記であるが、おそらく真剣に高校教育を受けようとすればする程この様なジレンマに陥入る生徒は多くなるのではないだろうか。

　雇用主の理解については大部よくなったとはいうものの、しかし定時制の生徒なるが故に雇用されないというので学校をやめていく生徒達が後を絶たないのは寂しい。

　4　生徒の健康について

　働きながら学ぶこれら定時制の生徒の保健面はまた非常に気をつけなければならない。勤労と学習の二本立生活の困難性が決して彼等の経済的貧困によるというばかりでなく、それにもましていけないのは自己の肉体的疲労に関連しているということである。そこで保健の面から照明と給食についてスポットをあててみたい。

　照明なくして夜間の教育はナンセンスであり、定時制教育にたずさわる者の一番腐心するものである。五年目に入ると教室内の照度は一〇〇ルックス程にはなったものの、医学的見地よりする理想の照度にはまだまだほど遠い感がする。また教室内だけの照明だけでなく、運動場、体育館、便所等敷地内くまなく照らし、明かるくする外燈

が彼等に与える影響がいかに大きいかは論を待たない。生徒達の要望にはそれらへの要求が非常に多い。暗い所に問題は常にひそんでいるのであって、明かるい光によって彼等を育くみ、成長させていかねばならない。

次に給食面であるが、本年度の本校の統計によれば、一六一名中登校前に夕食を取って登校するのはわずか一三名にすぎず、給食だけで済ますのが五三名、帰宅後更にとるのが五六名となっている。したがってこの調査からみて成長過程にある青年期にとって給食の実施がいかに重大であるかは言うまでもない。さいわい現在の定時制は、ミルクとメリケン・コーンミールの配給がなされ給食面はきわめて順調に行なわれている。献立に対する不満はいくらかあるにしても、ほとんど全生徒が非常なる感謝の念でこれを受取っている。文教局のこの面に対する深い理解と援助に万腔の敬意を表する。

5　定時制専任教員の諸問題

さて、以上述べたことは生徒を中心とした現状並びに諸問題であるが、これらの外に更に生活指導の面から、あるいは教育課程、学校管理等の面から問題は山積されているが紙数に限りがあるのでこれらは後日にゆずることにして、教師の面に角度を変えて問題を取り上げてみたい。

先ず定時制の専任教師の学習指導上の負担が過重であること。これは夜間勤務であるということもさる事ながらその持ち時間が数教科にも及び常に教材研究のみに追われどうしである。その上教師は特に次の事も真剣に研究せねばならない。即ち生徒に対して学校における学習時間をいかに最大に利用させるかの問題である。特に職場を持つ生徒にとっては学校における学習時間以外に充分に予習、復習の時間を持たない。彼等の教室内での学習意欲は真剣そのもので、その時間中のものはその場で消化しようとする意欲は大きい。これらに答えるためには教師は綿密なる指導計画の下に完全消化し得る独自の取り扱い方をも研究しなければならないのだ。

次に職員にとっても健康上の問題がある。一週間六日間、夜間を中心に勤務することからくる不規則な睡眠のずれ、不規則な食生活等が多くの疾病を生み、又家庭生活の上では団らんのふん囲気がうまれず、更には生徒指導上生ずるいろいろの悩み、つまり生徒の家庭は経済的にも貧困であり、母子家庭、戦没者の遺児が多く、これら指導には特に気を配らなければならないので心の休まるひまもない。又アルバイトの斡旋、家庭訪問、職場訪問の労働と交通費等も大きいのである。

一、結　び

以上甚だ大ざっぱに定時制の現況と問題点を取り上げて来たのであるが、このりっぱな制度を今後更にいかに前進させるかは、これらの諸問題の底を更に深く具体的に掘り下げると共に、抜本的に強力なる文教政策が樹立計画されなければならない。

生徒自身が昼間職場をもっているという様な特殊事情を背景にしながら、世界的に科学技術の水準があがり、本土においてはこの世界のすう勢から遅れまいと数年前にすでに「定時制教育振興法」が立法化され、最近日経連において定時制の事にふれて「企業内の技能養成制度と定時制高校及び通信教育との一層の連けいを計る」旨の意見書を発表しているのである。ここに我が沖縄でもその任に当たる者の奮気を促してやまない。

更にまたこの制度に対する地域社会の認識もあらゆる機会を通し、宣伝、啓蒙されなければならない。実に定時制教育振興会に頼る所も大きい。

「勤労学徒の美しさ」は過去の文学的美辞麗句であり、当面する問題は余りにも深刻である。一気に解決出来なくとも一歩一歩力強くおし進めてゆくのだ。

糸満高校定時制主事
新　垣　　博

定時制教育上の問題点

定時制教育は歴史がまだ浅いこと、働きつつ学ぶ青少年を対象にしている、全日制との併置校である（本土では独立校もある）夜間に授業を行なう等の諸条件から、いろいろな問題点がある。そこでこれらの諸問題を解決するために五年前「全沖縄高等学校校長主事協会」また一九五九年十一月には「全沖縄高等学校定時制教育振興会」を結成し着々その目的を果しつつある。つぎにこれらの問題点を列挙し、関係者はもち論、世の多くの人たちとともにその解決に努力したい。

1、法制上の問題

(1)「高等学校定時制教育振興法」の早期立法について

本土においては、勤労青年教育の重要性にかんがみ、教育基本法の精神にのっとり、働きながら学ぶ青年に対し、教育の機会均等を保障し、勤労と修学に対する正しい信念を確立させ、もって国民の教育水準と生産能力の向上に寄与するため、昭和二十八年八月十八日にこの法律が公布され、法の裏付けによる定時制教育が行なわれているが、沖縄ではまだ

その立法を見ていない。それで校長主事協会と振興会、沖縄教職員会では再三その立法促進の陳情を行ない参考案も文教局に提出している。更に本土では、多くの方の理解と支持のもとにこの法律の一部改正（昭和三十五年三月三十一日）して定通教育手当を支給するという段階にまできている。

(2)「夜間課程を置く高等学校における学校給食に関する法律」の立法について

本土では、勤労青年教育の重要性にかんがみ、働きながら高等学校の夜間課程において学ぶ青年の身体の健全な発達に資し、あわせて国民の食生活の改善に寄与するために昭和三十一年にこの法律が公布されている。沖縄では法律はないが、米国の社会福祉団体の厚意で給食物資(米、メリケン粉、コーンミール、粉ミルク)を無償で配給して貰いやや完全給食に近い給食を実施している。政府としても積極的な施策が望ましい。

(3) 主事設置についての、本土と沖縄の「学校教育法施行規則」の相異点

本土の場合第六十四条の二「高等学校に通常の課程と定時制の課程を併置する場合は、定時制の課程に主事を置かなければならない」となつているに対して沖縄の場合第五十四条「高等学校に……主事を置くことができる」となっている。しかし現状は全校に主事は置かれている。

(4) 主事の職階（級）について

右規則第五十四条の2（本土では第六十四条の二の2）により「……校長の監督を受けその課程に関する校務をつかさどる」となつて居て、本土では管理職として認められ二級教育職として格付けされているが、沖縄では三級職となつている（公報号外一九六〇年七月二十一日）本土に於いては、一級職への改正の動きがあるようだ。

2、一般的運営に関して

(1) 全日制生徒の生活は、学校と家庭の二面を考えればよいが、定時制生徒の場合は、更に加えて職場の三つの面を考えなければいけない。（仕事と勉学の両立、家庭と職場の訪問等を考慮する必要がある。

(2) 施設設備の共用の問題

全日制のクラブ活動と定時制の授業がかち合つて運動場が思うように利用できず、体育の時間でも片隅に追いやられる場合がある。昼間には図書館の司書がいるが、夜間までは勤務しないため図書館の利用に不便である等。

(3) 遅刻、欠課、欠席、休学、退学等が割合多いので、そうせざるを得ない生徒たちの指導に時間と忍耐が要る。

(4) 最少限必要な専用の施設設備。

(5) 一般に家庭環境に恵まれない生徒が多い。

(6) 年令の差が大きい（本校では十五才から三十五才まで）

(7) 全日制、定時制生徒間の対立感情が起り易い（本校ではそのようなことは見られない。その方策としては生徒会と一本立にし、校内マラソン等、できる限り行事を一しよに持つ）

(8) 照明施設の完備（本校では、教室内の照度は連合教委時代に委員や教育長等関係者の理解により基準には達してはいるが、屋外投光器が不十分）

(9) 給食施設の充実 (4)とも関連するが、給食室（炊事場）がお粗末なので、食糧の保管室がないため、配給物資が届いた場合はそれをどこに置くか頭痛の種となつている。本校では現在、校長室、宿直室、炊事室休養室、校長住宅、製麺工場等に分散している。右の二件については、二、三年来校長主事協会として政府に陳情しているが未だに解決をみない。

(10) 専任教員担任時数と教科の問題

学級数の小さい学校では一人の教師が数科目も担当しなければならない（しかしこれは次第に解決されつつあるこれも再三陳情してきた）

(11) 助手の配置　職業及び理科助手が配置されておらず、また助手の超勤が考慮されていない。

(12) 職場によつては勤務時間の関係で（三交代制の場合、前夜勤務の者）欠席をせざるを得ない生徒もいる。年次休暇を貰つて通学したのもいる

(13) 学校行事等は日曜日を利用して行なわなければならない（校内体育行事遠足等）

(14) 通信教育の実施について　本土では定時制で履修できないような者のためにこの制度があるが、沖縄でも機会均等の精神から必要だと思う。（二年ほど前文教局でもその問題について発言をしたことがあつたと記憶しているが是非実現させて貰いたい）

(15) 琉大に夜間部を設置して貰いたい。

(16) 本校の如き小規模な定時制課程は一学年一学級であるので、選択科目に制限され従つて、生徒の希望職業とにらみ合わせた場合気の毒な者もいる。その面でも通信教育は必要で

ある。

(17) これは事務的な問題であるが、公文の写しを添えて貰いたいこと。これについても二回程文教局にお願いしている。(この点沖縄教職員会の公文は全日制、定時制二部送附されてくるので助かる。

3、生徒の保護、福祉に関する問題

(1) 勤労と勉学の両立のため保健には特別に注意を払う必要がある。

(2) 完全給食(現在はほぼそれに近いが)のための政府の積極的な施策が望ましい。

(3) 育英資金、奨学資金等の貸与について、定時制振興会が発足してから各方面の理解により、その面の途が開けつつあることは喜ばしい。その一例として、本年度本校卒業生で琉大に進学した者に対して振興会長の稲嶺一郎氏の特別なるご配慮で琉石から四ヵ年間の奨学資金が与えられて居り関係者として感激の程である

(4) 勤務時間数の問題

(5) 定時制集団検診の必要なことは論をまつまでもないことであるが、毎年の如く定時制は取り残され勝ちである。その理由として技術者の超勤の問題があるという。文教局と社会局との横の連絡をもつとしつかりやつて貰いたい。

(6) 通学路上とくに帰路における安全について、ときどき不良仲間におそわれることもあり、よく警察警邏を依頼している。

4、学習の問題について

(1) 実態調査ではつきりわかる如く学習時間が短かい。

(2) 右の事実を認めての教授法のくふうが必要。

(3) 時間的余裕が少ない 特活の時間放課後の時間がなかなか利用できない。(本校では九時間四十五分に授業が終るが、某バス路線の最終が十時であるのでかけ足で帰らねばバスに間に合わない)

(4) 冬期クラブ活動がほとんどできない部が出てくる(日没時が早いため)

(5) 時間割の編成に特別な配慮が加えられなければならない。

(6) こういう不利な条件下にある定時制生徒は、どのような学力水準を示しているか、昭和三十四年度文部省で一斉に実施した学力検査の結果は左記の通りで、正直のところかんばしくない。これは勤労青年の働きながらの勉学であること、前述の施設設備、教員組織の面等における不利な条件が累積したためであることはもとよりであるが、定時制生徒の一般的能力水準の低いことも根本原因であるかも知れない。しかしそれにしても教育課程や教育方法の面において改善すべき点も多いと思う、徒らに全日制模倣をやめて、定時制独自の教育課程なり、教育方法を考慮すべきではないかと思う。現在実施している教育課程においても、定時制の基準教育課程は示されて居らず全日制に準じて行なうという方法が取られたのではないか。

科目	全日制		定時制	
	本土	沖縄	本土	沖縄
国語	六一・四	五一・二	四六・九	四〇・八
数学	三六・三	一九・四	一三・二	一〇・五

(7) 入学の動機の調査(前述)でもわかる如く、殆んどの生徒が必要に迫られて通学しているので、教室に於ける学習態度の真剣なことは、定時制の授業を担当したことのある教師なら誰でも賞讃している。ときには教師が生徒に激励されることもある

5、雇用主等の理解を得ることについて

(1) 近年定時制に対する理解が深くなつて来たことは喜ばしいことであるが、なかには未だ理解されていないうらみもある。その例として「定時制に通学しないこと」を条件として採用する職場もある。

(2) 職場における成人、同僚間の理解と協力が必要である。

(3) 学校、家庭及び職場との連絡の緊密化が必要

(4) 就職の際の差別待遇の撤廃

(5) 欠損家庭の生徒(これは定時制に限らず)の就職の問題。

教研集会と授業参観
―その一―

S・T生

授業を参観することは、学習することだと思うが、どうだろうか。生徒のつもりで授業を受け(見る)たとき、その一時間の学習をとおして「なるほど」「わかつた」……とうなつげる点があつたとすれば、その授業はたしかに子どもたちにとつても、また教師にとつても成功したといえるでしよう。

同じ教材でも教師の研究と熱意の度合いで学習のすゝめ方、子どものとらえ方、学習の動機づけに相違があるにちがいない。観る者もやる者も共々に生徒と教材に真剣に対してこそ教研集会に公開授業が多く取り入れられた意味もあろう。

―定時制課程―

本校八年の足跡を顧みる

首里高校生徒会報道部

六カ年遅れて沖縄で初めての定時制高校が、首里、那覇、商業の三校に最初に創設された。創立当時は電灯問題、職員組織等のいろいろの問題が多く、また定時制高校と呼び方が違っていただけに社会で大きくクローズアップされていた。あれから八年、今では学校ではもち論生徒会もともに充実してきた。我々が今になってここまで立ち上がったのではなく荒野を緑野にするまでには諸先生方及び諸先輩がともに喜びも苦しみもわかちあい、幾多の難事を克服したからこそである。そこで本校八カ年のあゆみの跡を、我々の〃明かるい学園〃校風の樹立の高揚のため顧みたいと思う。

一九五二年度｜終戦後、せんとう帽に、キャハンという勇ましい姿で男子は学校に通った。一九四六年初めて、政府によって、新制高等学校が設立された当時である。

男、女共学反対、賛成と各地で論じられ、ようやく世情も落ちついてきた。それから六か年各地で教育の復興が叫ばれ、青少年教育に世間の目がそそがれた。政府は校舎建築、戦災校舎復旧と施設の完備に力を注いだ。

一九五二年度この年、この月、働らく青少年に勉学の機会を！この趣旨で阿波根朝松元首里高校長、阿波根那覇高校長（現首里高校長）その他教育関係者が中心になって、首里高校区連合教育委員会（現那覇地区連合教育委員会）に定時制高校創立申請書を提出、九月三日には、中央教育委員会より、首里、那覇、商業の三校が設立認可され、ここに沖縄で最初の定時制高校が誕生したのである。向学心に燃ゆる働く青少年の胸に大きな刺激と希望を投げ与えたのであった。十月一日は定時制首里高等学校開校式並びに入学式挙行、志願者数一三五名から一一八名（男六二女五六）が第一期生として文教局長、教職員会長、他来賓多数参加のもとに盛大に挙行された。当時の専任職員は赤嶺主事先生一人で外は全日制からの嘱託講師であった。生徒会初代会長に源河朝信さんが決まり学園建設のため全生徒の決意が結集され同十日に本校定時制生徒会が結成された。

一九五三年度｜ヨチヨチ歩き出して五か月目に第二期生一二〇名（男六二女五八）を同年三月に迎え在籍二二八名となった。新入生を迎えた第二期生徒会（会長金城盛貞）では会則作成に着手して生徒会の目的組織等がうたわれ、排球、卓球、ダンス、空手、柔道、演劇、文芸、書道の八クラブが組織され教科外活動として発足するに至った。同年四月七日定時制高校設立に力をつくして下さった阿波根朝松校長が那覇連合区教育長に転出されその後任に伊集盛吉校長が五月一日に就任された。

この年から定時制高校の性格が世上で論じられるようになったが、まだあまり社会に認識されるに至らなかった。その頃最も悩まされたのが電灯問題である。当時は小資本の配電所が電気を供給していたので、故障も多く二、三日モーターが動かない時もあった。ローソクを生徒の机ごとに灯して二時間位で授業を打切るという始末だった。

一九五四年度｜戦災校舎復旧に着手｜

この年一月二八日沖縄県立第一中学校戦災校舎復旧地鎮祭が行なわれた。今次の大戦で大破した校舎の復旧に政府PTA同窓会が一体となって着工した。四月第三回入学式を行ない在籍三六四名となった。六月十八日戦災校舎復旧完成十二月二三日戦災校舎落成記念式典並びに展示会が開催され定時制から物理クラブなどを出品した。この年初めて勤労学徒としての定時制競技大会が商業高校で催され、体育部のクラブ活動に拍車をかけた。

生徒会では〃養秀図書館〃の夜間開館問題が取り上げられたが全員に浸透されず、保留となった。十一月三日主事赤嶺先生は、一か月の日本本土定時制高校の状況を始めて視察されるため出張された。

一九五五年度｜四月四日第四回入学式を挙行し、新入生一二〇名を迎え、四学年制が整い在籍四八四名となった。この年政府補助によって運動場の電灯が施設され、今まで屋外照明がなく校舎に囲まれた狭い中庭で、職員室からもれる光りを利用して全体集合したり、時刻が早ければ、運動場を利用するといった夜間の体育も、運動場で出来るようになったが十分な施設とまでいかなかった。十一月一日に創立三周年記念式を首里劇場で盛大に催し各クラブの協力で成功裡に終った。この年首里高校十周年記念運動会に定時制が初めて参加した。生徒会では会則改正に着手生徒会活動に心機一

転して踏み切つた。
一九五六年度－時は流れ戦災校舎の復旧により、あの大戦の恐ろしい悲劇を物語る残骸校舎は跡かたもなくなつた。定時制教育においても決して平易な四か年でなかつた。

休退学者が、年を経るにつけ後をたたない。一家の生活を維持しなければならない生徒は止むなく学校を退くといつた定時制生徒の困難さが明確に現われた。学校当局では、遅刻欠席をなくしよう！学習効果を挙げるにはといろいろな対策が立てられた。

同年六月十三日にプライス勧告が発表され、高校生、大学生、一般はプライス勧告絶対反対を表明、民族運動に断乎参加をした。那覇を初め首里、石川、宮古知念の各高校で全生徒による〃学生の立場からプライス勧告を粉砕しよう。〃一坪たりとも土地を売るな〃祖国八千万同胞と固く結び祖国復帰しよう。と盛大な大会が開かれ高校生も、住民の一員として痛烈にプライス勧告を非難した。

本校でも、七月十三日に社会科クラブ主催で総決起大会が催された。その後琉大学生の退学処分問題などあつて、また高校長会からの〃高校生の土地問題批判〃は行き過ぎだと弾圧され、その後校内での団体批判は禁じられた。この年、沖縄高等学校体育連盟加入により、定時制も各競技大会に高校生の一員として出場する機会が与えられた。

本校（定時制）排球選手の優勝の一瞬

同七年、定時制高校の生徒のほとんどが、昼は働き、夜は学ぶ勤労青少年であり、夜学は午後六時に始業、職場で仕事が終るのが五時半から六時頃が普通であるため、生徒のほとんどが夕食ぬきで登校するので、生徒の健康が害されないようにと、本校外九定時制高校長と主事が、二十二日定時制高校のため、給食を実施してもらうよう文教局を訪れ陳情した。同十月からミルク給食は実施された。

学校行事では、九月に全沖定時制第一回陸上競技大会が那覇高校で催され、本校は男女とも他校を制して優勝し輝やかしい成果を残した。同じく柔道及び球技大会が商業高校で催され本校は柔道で優勝し、球技では各部とも上位に進出活躍した。この定時制高校が、誕生したのが一九五二年の十月！光陰矢の如く、今年で四年生を社会に送ることになつた。入学当時一一八名だつた四年生は四か年の間に六九名に半減し、勤労と学業との両立を計る定時制高校生の労苦を如実に示した。九月十六日、第一期生卒業式が挙行され、在校生、職員、来賓多数に見送られ本校を巣立つた。

一九五七年度－五六年九月第一期生、五七年三月に第二期生と相次いで卒業生を送り、学校も一層充実してきた。五月十七日伊集盛吉校長は、教育法布令により依願退職、六代校長に阿波根直成現校長が琉球育英会副会長から九月一日就任された。五六年四月十四日三階予定の一階七教室が落成、この年一月に二階までが完成した。この年から運動場の照明、教室内の蛍光灯増設も具体化していつた。四月から先程全島の定時制を置く校長会から陳情された給食物資、米、メリケンコその他が配給され、給食による生徒の保健管理がなされるに至つた。第六期生徒会では開校五周年を祝し、生徒会（会長佐久川政次）主催第一回文化祭を催し、展示会、舞台関係ともに好評を博した。この年クラブ活動が活発に行なわれ新聞クラブの新聞発行、文芸クラブの機関誌〃ともしび〃や社会クラブの久米島旅行などがあつた。学校行事では、全沖定主催の球技及び柔道大会が工業高校で催さ

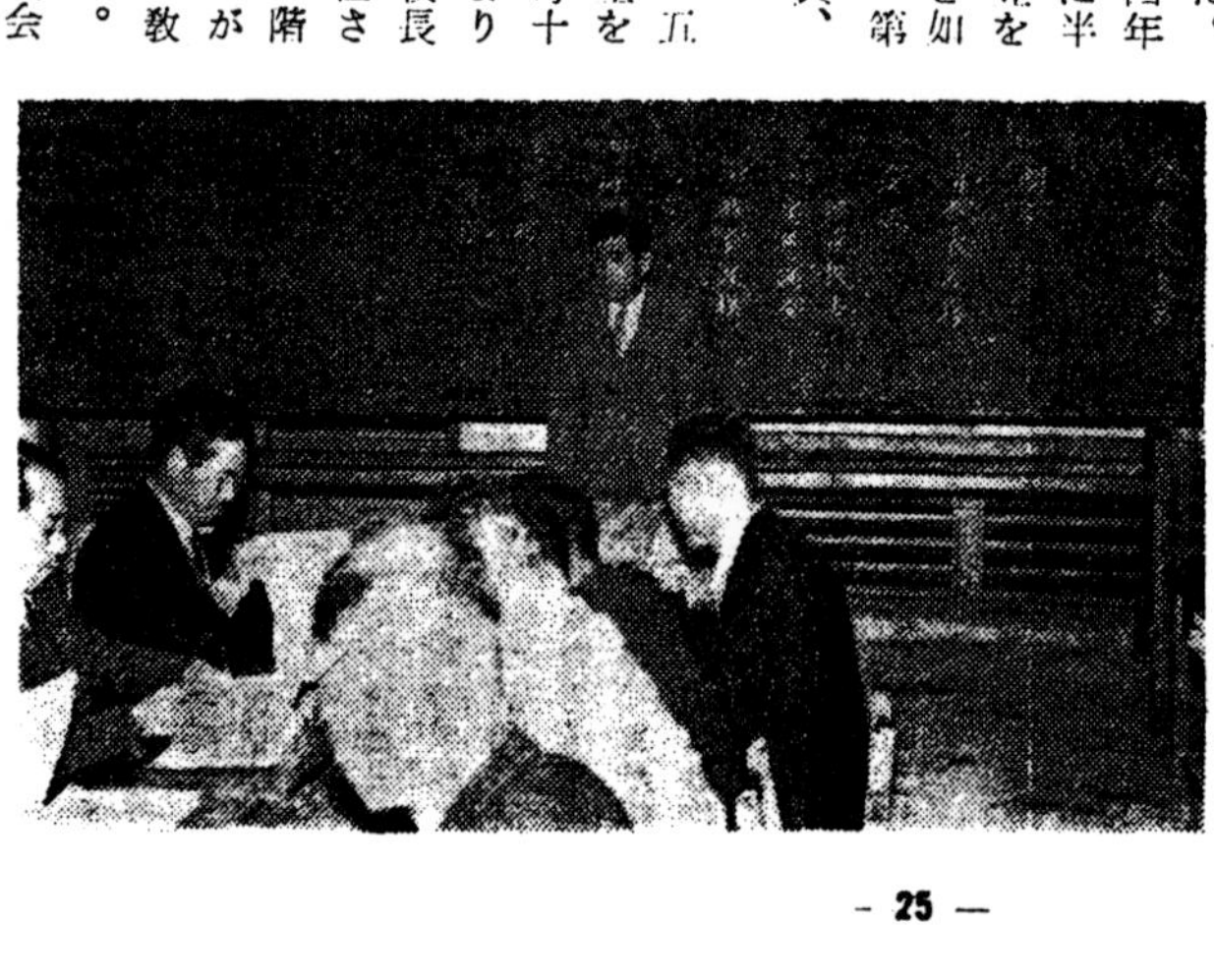

高等学校長、定時制主事集会

れ、柔道が昨年に次ぎ二連勝を遂げて〃柔道定首〃の名にふさわしい成績を示した。

一九五八年度－四月一日から定時制に、普通課程と一般事務課程が設置された。四月四日、全日制と定時制と合併し、定時制高校を定時制課程と置き、名実ともに、首里高等学校定時制課程と名のるようになった。

全定連主催で、工業高校で行なわれた、陸上競技大会では、男子の円盤、（前原）高跳（川根）三段跳（川根）又女子の部では、（高良）が、円盤、砲丸とも優勝し以上五種目が全島高等学校陸上界の十傑に入った。七月に催された沖縄タイムス社主催の写生大会で、仲村良英君が、見事優良賞を獲得、タイムス社長賞を贈られた。この時校内で、美術クラブ設置が強く要望された。

一九五九年度

この五月には永年、全生徒の宿望であった〃養季図書館〃夜間開館問題が、校長先生以下各関係者が活発に協力しついに、夜間問題が実現全定共同の図書館利用となった。五月二四日は、那覇高校で開かれた全定連主催Q球技大会で、籠球クラブが初優勝し、四か年の努力が実を結んだ。また卓球クラブも初優勝し、中央大会出場という輝かしい成績をあげた。またその日、排球の男女両チームと卓球の女子チーム（いずれも全定連）は準決勝まで進んだ。このことは本校体育部所属クラブの前進を物語るものである。

運動会は昨年より発展の段階がいくぶん下った感を与えたが、十二月二七日の文化祭において最後の花とでもいうべきスゴミをひろう、つづいて、行なわれた全定連主催の弁論大会で英語の部に浜比嘉良喜君が見事優勝最後の花は満開するに至った。数々の高校生活の喜び悲しみの思い出は甘く、高校生活を終え、荒波と印象づけられている社会へ飛び立つ日がやってきた。それは一名宇宙時代とよばれる六〇年度だ。

家庭科の実習

一九六〇年度－一月二十一日全生徒は校庭に集合、新旧主事の離任就任式が行なわれた。創立以来の年月を勤労学徒とともに過ごされた赤嶺主事先生は首里中学校長として、本校を去られた。その後任として全日制より転勤された伊計雅夫主事の活躍は全生徒から大きく期待されている。この四か年間は〃クラブ活動の活発化〃役員と役員の親密化〃など本校進展のためのスローガンは多いが、まだ活動する余地は大きい。一応これでこの特集記事をとどめ、定時制八周年、首里高校一中創立より八十周年を記念すべき時点において最大の努力と研さんを期したいと思う。

全国一の教研集会

名護地区の教研集会に出席の機会を得た。午前の分科会を終えていよいよ全体会議に移ると、例によって最後に祝辞がいろいろな人々によって述べられたが、大城教育長の同教研集会を讃えた言葉の中に日本一という言葉が出ていささか戸惑いを感じたが、考えてみるとこの集会は地区内全教員および他地区の教育関係者はもち論本土の各県代表？（教育指導委員）参加の下に種々討議が進められたとあってみれば、あながち教育長のほめすぎでもなさそうに思われた。さてこの成果は今後に期待されるというものか　（ＴＯ生）

あすへの希望

石川高校定時二年
我那覇　八重子

　一九五四年それはあのいまわしい第二次世界大戦の終つた年でした。終戦は何はともあれ疲れ果てた人々に安どの気持を与えたに相違ありません。終戦後わずか一年で柱とたのむべき父を失つた私達にとつては全く不安と動揺にかられた時期でした。それから数年後苦しい貧しい生活に疲れ果てた母はとうとう年老いた祖母と幼い私を残して再婚してしまつた。それからの私達の生活はますます苦しくなるばかり収入源とて別になくわずかばかりの畑を耕しながらまた年老いた祖母とともに山に行き薪などを取つてきてそれをわずかばかりの金に換えて細々と生活してきた。常日頃から体の弱かつた祖母は日頃の過労がもとで病の人となつてしまい、私は私で学校へ行くと祖母の病気をみてやる人もなく自然学校を休まねばならなかつた。その間の祖母の食事は「おかゆ」程度のもの、そのためいつこう病気はよくなる様子はない。そこでお隣りから金を借り、祖母の病気を癒した。

　しかし、それは完全なものではなかつた。小学四年の夏休みに病状が再び現われ、又途方に暮れてしまつた。意を決した私は自分の力で金を作ろうと思い山行き、汗にまみれながら薪を伐り出し、弱い力で割り束ねて仲買人に売りつけた。百六十円だつた。しかし収入のない私達にとつては大金だつた自分でも働けばこのような大金を得ることが出来るんだと思うと何かしら目頭があつくなるのを覚えた。そしてひたすら祖母の病気を早くなおす思いで二、三度山へ行きやつと四百六十円の金を手にすることが出来た。その金は祖母をお医者さんに診断させたり、薬り代に使われた。私は力とたのむただ一人の祖母の腕にすがりながら育つた。私にとつては父母の愛情とはいかに格別なものであるかと思わずには居られない。それは父母を持たぬだれもが抱くあこがれの念ではないでしょうか。

　苦しい中にも月日は矢のように早く過ぎ去つていつた。冬の厳しい寒さも去りどうやら暖かくなる頃野山の草や木は春のいぶきをしのばせ、同様に私達も年々進級した。中学生にもなるとある程度の「自我」にも目ざめてくる。そして高校進学の話も真剣に考えるようになる。学級では日増しに受験の話に花を咲かせて楽しく語りあうようになつたが、貧困な私にとつては進学なんて容易に出来るものではないと思い、その話を聞かされると断腸の思いで一ぱいだつた。その反面反抗期に入つていたのでしようか、他人と同様に進学出来ないと言う悲しさに胸をえぐられ、涙をのみつつも先生やお友達に反感をもち、つまらない行動だと自分自身では思いながらも気のむくまゝに自分の心を満足させていた。

　このような不安で憂うつな日々を送つていた頃、ある先生が定時制教育の話をなされていたことがある。私はその話にも耳をかさず、かえつて進学の話から遠ざかろうと努力していた。「才月は人を待たず」とか申します、何のさゝえもなくただ人から後押しされるように三年に進級した。その当時私達は全く経済的に苦難にあえいでいたので社会福祉の援助を受けて生活していた。しかし日々の生活はなみたいていのことではなかつた。進学など私のわがままとしてあきらめなければならなかつた。

　そんなある日私にとつて一生忘れることの出来ない事が起つた。それは最も信頼している人から「社会福祉の援助を受けている人が進学するなんてとても無理ですね」、と言われたのである。私はこの言葉を聞いたとたん云い知れぬいきどおりを感じ、ともすれば消えそうなファイトを私の心に強くやきつけてくれた、なぜ同じ人間に生まれながら、社会福祉を受けているから進学出来ないと云うことがあるだろうか、「志あれば私だつて必ず進学出来る」いや「きつと進学してみせる」と強くその言葉を打消してひたすら勉学に励んだ。そんな事があつてのち私は定時制の存在を知つた。貧しい私たちのためにもこんなりつぱな制度があろうとは、！今まで自分のひがみから反抗のための反抗をしていた自分が恥ずかしくなるとともに私の心は感謝の念で一ぱいだつた。そして定時制へ受験する事を固く決心した。補習授業を受けるようになると祖母のぐちや、部落の人からの「救済を受けているくせにハイスクールへ行くなんて、しかも女の子」がといつた陰口もがまんした。忘れがたい言葉をかみしめながらひたすら勉強してきた。螢雪の功なつて合格の栄冠を勝ちとることができ、四月二日希望に満ちた若人の集う高校の門をくぐることが出来た、それから二年勤め先に住みつくようになり学校にも慣れてくると、時々働きながら学ぶと云うことがこれほどまでに美しく誇りのあるものかと思うと自分自身によくやつたと賞めたくなることさえある。〃Slow but steady〃格言にもある通り私はたゞ人間らしく地味に生きてゆきたい。このさゝやかな願いをモットーにして働きながら学んで、気のゆるむ時はわが身にむち打つていばらの道を、あすに希望をかゝげ一歩一歩堅実に歩んでゆきたいと思う。

入学からきょうまで

糸満高校定時制四年
比嘉美智子

楽しみにしていた修学旅行も終り、あとは卒業を待つばかりである。それも、あと六ヵ月に迫った。待ちどおしいような、それでいて学校を去るのが寂しいような複雑な気持である。一しよに高校へ入学してきた友人たちはすでに卒業していった。そして、会うたびに美しくなっていくのをみると、自分だけがいつまでもとり残されてしまいそうな気がして不安でならない。病気のせいだから、いくらくやしがってもはじまらないことだとあきらめても、友人たちに会うたびに妙にあせってくる。

　私は中学当時、高校進学のことなどあきらめていた。父がなくなってから、私たち五人の兄弟と、祖母の面倒をみるために一日中まっ黒になって働いている母に、これ以上苦労させたくなかった。商売から帰り、うす暗い電燈の下で柱にもたれ、きょうの売り上げを計算している母、油っ気のないパサパサした髪、そして、血の気の失せた顔、この姿をみていると、進学のことを、話そう話そうと思いながら、つい言いそびれてしまう。それが何度も続くと、しまいには、あきらめて、早く卒業して少しでも生活が楽になればよいと思うようになった。

　しかし、あきらめたとはいえ、受験勉強に精を出している友人たちを見ると、うらやましいような、それでいて憎いような、なかばしっとの目でみていた。

　入試もまじかに迫ったある日、担任の先生から、今年から定時制高校が設立されるが、どうかとすすめられた。私は何の受験準備もしてないだけに、一時はどうしようかと迷ってしまった。定時制なら昼はアルバイトもできるが、受けてみようかと、母に相談すると、「おまえがやれるならいいよ。でも、体には充分気をつけるんだね」と、承知してくれたが頑固な祖母は、女の子が夜学校を出るなんて、男の子も一しょなんだろう、とか云って定時制受験には反対だった。でもなんとか納得させることが出来た。やがて入試の日がやって来た。あんなに反対していた祖母だったが、その朝は赤飯をたいて合格を祈ってくれた。

　入学して二ヵ月目に中学校の先生のお世話で教職員会に給仕として、採用されることになった。職場も近いし、先生方の集まる所だから、いい勉強になると祖母も母も喜んでくれた。最初の日は世話して下さった先生と一しょにあいさつに行った。部屋の周囲には、古い本が山と積まれてあった。明日からはここで働くんだなと思うと、こわいような妙な気持だった。

　しばらくすると、頭のはげたでっぷりふとった中年の男の方と、もう一人、この方もふとっていて、背の低い三〇代の男の方がにこにこ笑いながら入ってこられた。中年の方は事務局長、もう一人の方は会計をやっておられるとのことだった。私は形式的なあいさつをした。第一印象がとてもよく、最初のあの不安な気持はうすらいで、安心して働けそうな気がした。

　出勤第一日目はとても暑い日だった。水くみをして午前中は事務所内のそうじをし、午後からは、小学校で数十人の先生方の集まりがあった。私は出勤第一日目の集まりで大失敗をしてしまった。休憩時間のジュースを出す時間になって、何本だったか覚えてないが、数本のジュースをお盆にのせて中へ入って行った。ただ一人で、初めてこんな大勢の先生方の前へ出るということで、緊張して体中がこわばり、お盆を持つのが精いっぱいだった。すると、何かの拍子に一本のビンがぐらついてしまった。それをささえるためにお盆をかたむけた。その拍子に又別のビンが、そして、それをささえるために別のビンが、もう、何が何かわからなくなった。

　気がついた時には、服が黄色に染まり、足もとには、いくつかのビンと、そのカケラが散らばっていた。恥かしさで顔から火が出そうだった。すると、顔み知りの女の先生が出ていらして、一しょにかたずけて下さった。が、今にもこみあげてきそうになるのをおさえるのにけん命だった。しかし、一歩外へ出たとたん、泣けて泣けて、しようがなかった。学校へ行っても恥かしくて顔をあげられなかった。

　家に帰ると、しょんぼりしている私に、母が心配そうに「何かあったの、さあ、話してごらん。」と云った。話したくなかったが、あまりしつこく聞くのできょうの出来ごとを話すと、「おまえは気が小さいんだもん、急にあんな大勢の

先生方の前に出されたんじゃ仕方がないよ、でも、こんなこと位でくよくよしちゃなんにもならないよ。あすからは気をつけてやるんだね、さあ、もう遅いから早くおゃすみ。」と云われて床についたがなかなか寝られなかつた。

　もう、次の日からは行きたくなかつた。家での仕事がつらくてもよいと思つた。しかし、翌日は祖母がいろいろ気づかつてくれるので、仕方なく行くと、きのうと変らず心よく迎えて下さつた。私の様子できのうのことを気にしているのを察したのか、Oさんは「アハハハ、まだあんなことを気にしているのか、あれはとても傑作だつたよ、あの時のみつちゃんの顔つたら、いつまでも忘れられないな、アハハハ。」と笑うと、事務局長さんも、「ほんとだな、あんなのは二度とみることはできないよ。」と大声で笑つた。最初は腹が立つたが、しまいには自分もつられて笑つてしまつた。Oさんはスポーツマンでとてもほがらかな人である。

　私の仕事といえば、朝の七時に行つてそうじ、お茶の準備、水くみ、すり物など、そう大したことではなかつた。しかし、会合のある時は大変だつた。それが一週間に少なくて二、三回、多い時には四、五回もある。仕事はつらいとは思わなかつたが、学校のことがいつも心配だつた。会合といえばいつも遅くなる。時間はぎりぎりになる。友だちの勉強している姿が頭に浮かんできて仕事は手につかない。仕方なく自分の仕事を残して、「すみません、時間ですからお先に失礼します。」とかた身のせまい思いをして云う自分がみじめだつた。仕事があまりにも忙しくそう云い出せない時はいつも遅刻だつた。そんな時などは学校へは行きたくなかつた。でも、そうすることもできず、暗くなつた夜道を歩いていると、なぜか涙があふれた。

　疲れた体で学校へ行くと、遅刻はするし居ねむりはする。そのたびに学校を重視すべきか職場を重視すべきか迷つたものだ。でも、職場ではつらいことばかりではなかつた。土曜日の午後などは、よく先生方と卓球をした。最初は全然だめだつたが、Oさんがラケットの持ち方から球の受け方いろいろ教えて下さつたので、やつと卓球らしいものができるようになつた。それからは卓球がおもしろくなりやめられなくなつてしまつた。時間がたつのも忘れて夢中になり、Oさんに「卓球ばかりやつて、学校へ行かなくていいのか。」と云われ、脱いであつた下駄もはかずに、はだしのまま走つて帰つたこともある。

　大勢の先生方の中ではいつも自分がみじめに思えたが、卓球の時だけは、それだけに夢中だつた。スポーツというものが、こんなに人と人をうちとけさせる力を持つているのかと不思議に思つた。しかし、アルバイトを始めて二年目に、とうとう疲労のためぶつ倒れてしまつた。病名不名の高熱で意識不明のまま病院へかつぎこまれ、一カ月も入院した。

　療養生活は毎日が不安の連続だつた。「死ぬかも知れない」という恐怖が脳裏を離れなかつた。一日中うす暗いベツトの中で、天井とにらめつこをしているとそこに雨もりでできたであろう、妙な形をした大きな「シミ」があつた。それをじつとみつめていると、いつかのスリラー映画の中に出てきた恐ろしい顔の女になつたり、いろいろな怪物にかわつて見えたりした。

　夜が一番いやだつた。物音一つしない病室に時々、となりからゴホンゴホンとせきばらい、苦しそうなうめき声が陰気な病室に響く。母のそばを離れて寝たことのない私にはやりきれなかつた。家のことが思い出されてたまらなかつた。歩くことができるのなら、逃げだしてでも家に帰りたかつた。

　一カ月で退院はしたものの学校へ行くのは無理で、結局一カ年休学することになつた。毎日が無意味な苦しい日々の連続だつた。どんなにつらくても健康であればよいとしみじみ思つた。

　病に倒れたことから読書を求めるようになつた。手あたり次第にむさぼり読んだ。それでも、淋しさをまぎらすことはできなかつた。そんな中で少しづつ快方に向つていつた。

　このくじけそうになる私を励まし、勇気づけてくれたのは、学校の先生方と友人たちだつた。友人たちは忙しい時間をさいてよく見舞に来てくれた。いつもいらいらあせつている私に「今のあなたにとつて大切なことは、学校ではなくて病気を治すことよ、学校なんて考えない方がいいわ。いつだつて、出られるし、そうあせることなんかないわ。早くよくなるように頑張らなくちゃ。」と励ましてくれた。

　その友人たちも学校を去つて、もう半年すぎた。「社会に出ての感想」について、「今まで考えていた世界とはまるきり違う、世の中つて矛盾だらけ」だと卒業した友はいう。ある友は、「いつまでも学校を通つていた方がいい、幸せなんて今の状態じゃ全然つかめそうにない」これから社会に出る私にとつて不安になるなことばだ。しかし、「幸せなんてつかめそうにない。」というより幸せというものは、待つんじゃなくて、自分で作るものではあるまいか。健康で誠実であれば幸せは私たちの周囲にいくらでもあるような気がする。

うしによせる

石川盛亀

はじめに

明けましておめでとうございます。例年、本誌の一月号に「イノシシ」や「ネズミ」について書いてきたので、今年も「ウシ」について何か書くようにとの依頼を受けたが、平素みている「ウシ」でありながら、文学的感覚の少ない私には少し無理のような気がした。動物図鑑の類をくるとすぐでてくるのだが、それでは動物学的なくさみがあつて、どうも新年にふさわしくない上に興味もわいてこない。そうかといつて責をのがれることもできないので、仕方がないから、私のこれまでの見聞や他の二、三の資料をもとにしてきわめて断片的に興味の向くままにあれこれと述べることにしたい。

「ウシ」という人間

沖縄の人の童名に「牛」と書いて「ウシー」とか「ウサー」とか呼んだことがある。あるいは「真牛」と書いて「モーシー」とか「モーサー」とか呼んだようである。今でこそ余り聞かないが、四十代以上の方でしたら男も女も、生まれ落ちたときから戸籍上の名まえ以外にこの童名というものがつけられ、小学校就学以前は親からも友だちからもこの童名で通用していたわけである。私なども「カミー」で親からも隣近所の人からも呼ばれ、けつこう、これで通つていて、むしろ「盛亀」ということが異様に聞えたくらいであつたが、就学してからは、やはり戸籍上の名まえが出席簿にもその他の公簿にも載せられている関係上、何時の間にか童名は通用しなくなつた。しかし昔の幼な友達の間には、やはり昔の「ウシー」が親しみがあり、なつかしみがあるとみえて今でも年輩の方々に方言によるつどいなどにはこの牛（ウシー）、松（マッー）、徳（トクー）などがでるようである。今の子どもには全くその感情が湧いてこないことだろう。

牛モーモー

沖縄の幼児語に「ウーシーモーモー」ということばがある。つい、この間も、絵本を見ていた小さな子どもに「これ何の絵？」と聞いたら、すかさず「ウーシーモーモー」と答えてくれた。これは牛が鳴くとき「ンモー、ンモー」と発するので、その鳴き声をそのまま接尾語的に添えて牛を表現するきわめて心理的な直観的な具体的な子どもの語いとして自然発生的に生まれたものであろう。

特牛節

沖縄の琉歌の一つに特牛節と書いて「コテイ節」と呼ぶ歌がある。歌詞は「常盤(トキワ)なる松の変わることないさめ、いつもはるくればいろどまさる」ということになつているが、ここでは歌詞のせんさくはよして歌題特牛節の「特牛」（コテイ）についてせんさくしてみたい。

ある研究会の席上、二、三の研究員の間から「コテイ」の語源について話会いがでて辞書を引いたことがあるが、その時の記憶にコテイとは強健なる牡のことであると残つているので最近これを確かめるべく辞書を引いたどうしてもでてこない、がつかりしたがしかし、その時の記録にも前述の記憶の通りあつて最後に「広辞林より」と記してあるので意味には間違ないと思つている。ただ、不思議でならないのは歌題が強健なる牡でありながら、松のみさおの変わらない常緑の美の風流の歌がよまれたことである。つまり歌題と歌詞が一致しない。あるいはこれが私の素人的な不思議であつて琉歌の専門家の間では既に研究がなされ定説になつているかも知れない。

アビレー牛

これは、よそから聞いた話であるのでその人の話のようには実感がでてこないので残念であるが、話の大要は次の通りである。

むかし、ある娘が嫁入りするに当たつて、相手が平素気にいらない男であつたにもかかわらず、親同志で無理に三国一の花むことして、その男をきめてしまつた。いよいよ結婚の日に際し、かごにかつがれて嫁入りすることになつたが、平素、娘の気持をよく知つている下男のかごかきたちは、道中、その花よめと牛とをとりかえてしまい、牛をかごにのせて花むこの家に行き、そこでかごかきたちは牛にむかつて「アビレー」（牛よ、ほえてくれ）といつたところ、「モーモー」とないて相手を驚かしたという笑話であるが、これは娘の気持を知る下男たちの忠誠のあらわれとして機知を働かしたものであるという意味だろうか。

角《ツノ》ジーファー

世が変われば、人の服装も変わるで、今でこそ見られないが、昔は琉装の婦女が琉髪をし、階級によつて、士族は、銀平民は竹またはつののかんざしをさしていた。あとで全般的にアルミニューム製のかんざしに変わつたようだが、角で作つたかんざしを当時「ツノジーファー」と

いつた。なくなつた祖母が生前つけていたことを今でも覚えている。服装の変化は全く隔世の感がする。

闘　牛

昔から今日まで行なわれているものに闘牛がある。これは方言で「牛オーラセー」といい、当時娯楽機関の少ない中頭国頭地方あたりで農村の定例行事として盛んに行なわれていたようである。闘牛場（牛ナーという）は部落の各所に設けられ、周囲に土手を高く築き、その中で紅白二組に分けて、たたかわすのであるが、早く舌を出したり、逃げたりする方が負けになるということである。昔は純娯楽として一般に無料で観覧させたようであるが、今では有料でプロ化した傾向がある。

牛に関する童話

牛に上歯がないのは馬の角と交換したからであり、その角の曲つたのは人間がこれを伝わつて天国に上つた際、それまで真直だつた牛の角が人の重みで内側に曲つたもので、ひずめのわれたのは、ある仙人が狩猟に行き、鹿と間違えて牛のひずめを射つたからというようなものがある。

牛に関する童謡

ウシ小《グワ》　ウシ小　サーサー
吾《ワ》ん牛小吾　ん牛小
ミンナ草喰《ク》わて　ほどいーて
ちゆら牛小から　産《ナ》しよーや
ンモー　ンモー

（解説）私のかわいい牛よ
るりはこべ（飼料）をくつて
成長して
きれいな仔牛を産んでくれよ

牛に関することわざ

よく「牛の歩み」ということばを使うことがあるが、これは牛はとてものろいけれども健全に一歩一歩目的に力強く進んで行くという意味であろう。

また、「九牛の一毛」とは、多くの中でその一部分にも及ばないときのたとえに使うことばであり、「鶏頭となるも牛尾（後）となるなかれ」とは小さなグループでもそれを支配する能力を持て、大きな社会の一員であつても末の方にいる無力な存在でありたくないという意味であろうか。

これまで、民族学的な歴史的な立場から牛について述べてきたが、これからおもむきを変えて現代的な牛について他の資料から拾つてみたい。

牛のなかま

ウシ科を大別してウシ属（家畜牛の類）ヤギュウ属（野牛の類）、スイギュウ属（水牛の類）の三つに分けるがウシ属とヤギュウ属との間には雑種ができるが、その子自体は雄は生殖不能である。スイギュウ属はこのいずれとも子どももできない。同種の間にはいずれにも子どもができ、その子自体も生殖可能であるが、異種の間にはなかなかできない。実に不思議である。優生学的なウシの研究をすると興味がわくかも知れない。

ウシの利用

ウシの用途はいろいろあるが、おもな点をあげると次のようである。乳は直接市販乳として利用され、これは栄養素のかたよらない完全食品であり、また加工してバター、チーズとする。そのほか乳からは乳糖、カルピス、ヨーグルトなどをおもに脱脂乳から作るし、育児用の粉乳や練乳は乳を濃縮したものである。またアイスクリームなども作るし、カゼインはのり剤にする。役用としてのウシは速度よりも持久力がすぐれ、畑の耕起は一日に四〇アール（四反）で人のおよそ十倍でウマの三分の二の能率をなす。作業可能傾斜はトラクターの十八度に対し二〇度である。また肉は料理、かんずめにし、皮は皮革としてかばん、くつに最適である。脂肪は料理用、骨は骨粉として飼料や肥料にするほか、そのまま細工物にする。けんからはにかわをとり、毛はフエルトにし、内臓は脳下垂体前葉およびすい臓からホルモン剤がとれ、また子ウシの第一胃から酵素をとる。血液は薬剤にするほか、血粉として飼料や肥料にし、ふん尿は窒素質に富む肥料となりほとんどすてるところはない。

店頭では、だいたい特選、ヒレ肉、ロース肉、上、中、並、こまぎれ、ひき肉等にして売る。肉質は雄より雌がよく、せんいが細かく、かつ密でやわらかく、色は光沢ある赤かつ色を呈し、筋肉の間に脂肪を適当にはさみ、大理石状をなしているものが良品である。せんいが粗剛で脂肪が少なく黄色を帯びているようなものは老牛か労役牛であつて肉味は不良である。

牛尾（オクス・テール）はスープやシチユーにするが、にかわ質が多く風味があり、食通に知られている。毛のつけ根から切り離し表皮を傷つけないように尾をそり、関節より個々に切り分け、湯がいてから用いる。

牛肉の日本風の料理としては、なべ料理が第一で、すき焼きがその代表である。そのほか、煮込み、付け焼き、つくだ煮かんづめの大和煮などがある。また心臓、肝臓、脳などの臓物類はそれぞれの料理法により賞味される。

むすび

ほんとに断片的でまとまりのないものになつてしまつたが、ウシ年をむかえるに当たり、こんなにもウシ公が私たち人間に利用されていることをさらに意識を新にしてすき焼きを食べる際にもウシに感謝をささげたいものである。

一九六一年にのぞむ

与那嶺義孝

この島に赴任して、はや二度目の新春を迎える。この間、へき地の経済力の貧困さと、へき教育の困難さをしみじみ感じた。へき地教育振興のための要望事項も、この誌上にいろいろ掲載されたが、その実現はいつになるやら。私は、六一年の幸多き新春を迎えるに当たり、へき地教育振興のため早急に実現していただきたいことを二、三要望したい。

一、複式基準カリキュラムの編成

ほとんどの教員が、へき地の学校に赴任するまでは、複式学級の学習指導経験がないので、いざ、教壇に立つてみると、幾つかの学年が一つの教室にいるので、いろいろ困難な問題にぶつかる。異教材、異教科をどう進めたらよいか、異教科又は、異教材をどう組み合わせたらよいか、複式の学習を有効にするため必要な教具の準備、毎日、二こ学年以上の教材研究、事務、成績物、テストの処理、地域社会の実態調査等、多くの教師ははげしい労働をしいられている。

こうした多忙の中にあつて、地域社会の指導者として、社会学級、その他諸種の要求に応じなければならない。教師は学習指導の面においても、施設、備品、教材、教具、その他資料を補うための苦心と、努力と、悩みを続け、それに、物価も比較的高く、研修面や、待遇面に考慮が払われていない現状なので、大方の教員は二、三年で転任するという有様である。

なお複式カリキュラムの編成に手がかりとなる参考資料も乏しいので、へき地の現場の教員が、複式カリキュラムを編成するという事は容易でない。それで、当局で、各へき地の学校の複式カリキュラム編成の手がかりとなる、複式基準カリキュラム編成の労をとつていただきたい。

二、へき地教育振興法による設備、備品、教材、教具の補助金の大巾の増額

大巾の補助金増額要望の理由として

1　へき地の学校では、施設や、教具の単位数量は、大きな学校に比べて、少なくてすむのは理の当然であるが、しかし、その種類は、学校の大小にかかわらず必要であるのに、その経費は余りにも少なすぎる。

2　一般に、へき地の子どもは、経験領域や、視野が狭いので、それを補うために、直接目にふれ、耳で聞くことの機会の少ないへき地の子どもの教育には、写真、絵画、統計図表等の直観的資料、それからラジオ、幻燈、映画、テープレコーダー等の視聴覚教具を初め、直観による理解を深めるための実物や標本、模型、また手でいじり、身体的に働きかけることによつて、行動的にとらえさせ、へき地の子どもに、理解を容易にし、進んだ器具や、用具を使用するという技術的な価値と、近代的な文化にふれさせるための、実験器、飼育、栽培、工作用具、材料の充実が必要である。

3　間接指導時における子どもの自学自習を助け、自発的、計画的な学習指導を高めるために、学習掛図、辞書、参考書、掲示板、展示板、その他、いろいろな教具が必要である。

こうした施設、設備、教材、教具を整備することによつて、よりよき学習指導の効果をあげることが出来る。しかし、現状は地域の実情や、経済的な貧困、当局の今日まで関心がうすかつたこと等が原因で、本島とのづれはますます大きくなるばかりである。教育の機会均等の立場からも、ぜひ、六一年に、へき地教育振興法による、施設、備品、教材、教具の補助金の大巾な増額を切望する。

三、学校養護婦の設置

生命尊重の教育を叫びつつも、へき地に医療機関のないのはどういうわけか。ちよつとの傷がもとで、破傷風になり、へき地なるが故に、あたら一命を捨てた例もある。私たち教師は、安全教育に万全の努力を払つてはいるものの、万が一のことを考えると不安でならない。

天気がよければ船を借りきつて、病人や怪我人を、病院まで運ぶことも出来る。しかし、病院まで相当の時間はかかるし、経済力の貧困な、へき地の人々にとつて余りにも負担が重すぎる。天候が悪く海がしけると、急病の場合は、それこそ絶対絶命である。

生命尊重の教育は、ただ、かけ声だけで終つてはならない。早急に診療所の設置のない、へき地の学校には、せめて学校養護婦でも配置していただくよう切望する。

（久高小中学校長）

一九六一年に望む

粟国中学校　伊良皆啓次

何となく
今年はよいことあるごとし
元日の朝、晴れて風なし　啄木

青年詩人啄木も元日には、今年こそは何かよいことを願っていたのであろうか。啄木ならずとも、今日のような、殺人、強盗、暴行その他の事件が、まるで走馬灯のごとく映写機に写されていくような、次から次へと不安と騒々しい世の中では、〃ああ今年は何とかよいことがあるように〃と祈りたい気持になるのは当然の希求であろう。

一九六〇年のもろもろのできごとを回顧して、まず教育界におけるものを挙げてみても、指導主事の派遣問題、二、三の中高校の騒擾事件、琉大のデモ騒ぎ等々日々の紙上に悲喜交々と報道されたこともあつた。

もつと視野を拡げれば科学界では、米ソの人工衛星打上げ競争、ソ連の月へのロケット打上げ成功などは、快挙の方だが十大惨事の一つであると評される、津波騒動を初めとして、浅沼事件、数々の交通事故、水難等、ともかく公私にわたり暗い嘆かわしいことばかりである。

沖縄の社会状勢のアンバランスな現状を、ある経済学者は「うば車経済」だと評している。

終戦後幾星霜、経済界のみならず、すべてに落ちついた安定感をもつ、真の姿が見られない、今にも騒動が起きるような、浮き腰的な感がしてならない。これでは啄木ならずとも何とかよい年であるようにと、祈りたくなるのも、むべなるかなであろう。

さて、新年に望むことは先ず第一に戦後におこつた道徳的空白は、ひとりこども世界だけのできごとではなく、おとなの世界にも共通することがらなのである。従つて子どもの道徳的空白を埋めるには、まずおとなの世界における空白状態をなくすることから、はじめなければならない。その点は政治家に任して、さて、子どもの教育に直接たずさわつている教育者は少なくとも子どもの世界に対して建設的な方向と建設的な内容を示して、とかくふみまよいやすい童心をあたたかくそして正しく育て導くことを忘れてはならないのである。のびゆく若葉が温かい日光適度な水分そして充分な肥料を求めているように、

のびゆく子どもは、常に自分の歩んでいくべき方向と内容を求めていることを忘れてはならないのである。そこでこの空白を埋め育て近代に対処できる人間を教育の中で育てることを、理想とするならば、指導主事の適正配置、すなわち離島地区への派遣、都市地区からへき地への人事交流を活発にし、うしろを見せる態度ではなくて、常に前向きの方向をとる積極性が望ましいであろう。

第二に祖国復帰は全住民のひとしく望むことであり、まるで師を待つひなのように念願しているのである。その反面祖国日本は沖縄に対し、どれ程の関心があるだろうか。疑問である。もち論ごく一部の方は復帰の時期をせんさくし、考慮しているかも知れない、しかし一般住民の中には、沖縄がどこに存在しているか、わからない方々が少なくないといつても過言でないだろう。

研究教員の研究集録の中に「土人を教えるのに大変でしょうね」と質問され、どぎまぎした話もある。またかつて私が満州へ行つていた時、大阪の者で「琉球より沖縄は、少しはましだね」といかにも琉球と沖縄が別々にあるかのように解釈している。そこで学校は何年まで出たかと、どなりつけてやつたこともある。

それにつけて私は、毎年の夏季講習の際本土講師に質問と希望を述べている。その質問とは、祖国の方々がどれ程沖縄に対して関心があるかと、いうことである。甲子園入りをした首里高校に対し、涙の出るような手厚い歓待ぶりは心から感激せざるを得ない。

それは遠出をしていた子どもが久方ぶりに帰つたと思えば親として祝福するのは当然だと解せられる。しかしその反面何かしら珍客扱いの感がしてならない。また宮森校のZ機事件を知り騒ぎ出すといつた風に忘れかけた頃、何かおきると思い出すような状態である。そこで本土講師にも要求したが、更に文教局を通じ直接文部省へ強く要望することは、小中学校の教科書の中に沖縄の教材をもつととり入れてもらいたいことである。そうすることによつて祖国の小中学校の児童生徒が、沖縄の真の姿と地位をは握し、脳裡にまで浸透して始めて土人とか、琉球と沖縄が二つあろという声もきこえるのではないかと思われる。一九六〇年度

は政治経済産業文化と教育界においても、めざましい躍進ぶりをしていることは論をまたない。第三に教員の身分保障制度の確立や教員の身分上の問題の解決等、更にへき地教育の振興や職業教育の充実等について一段の拍車をかけていただくよう希望してやまない。

幸いにして今回、アメリカ大統領の改選、立法院議員の改選等、新年とともに心から姿美しくあらたまる力強い感がしてならない。新年にあたり私のせつない希望が、このねばり強い丑年に一歩たりとも実現され、沖縄の教育が年とともに推進向上し、本土の教育とマッチして明かるい郷土が築きあげられることを望みつつ擱筆をおく。

幼い頃の正月に憶う

佐敷小学校　玉木春雄

この年になって「幼い頃の正月」と開きなおったところでそうそう思い出すことはない。どういうお門ちがいか、せつかく名ざしされたので駄文を草して責任を免れるとしよう。

父は妻をめとる前から学校の先生でしたとのこと。それで毎年新正をしていたことと思われる。物心ついてから、おおみそかともなればよく父の手伝いで門松を立てたものだ。

隣りは十五、六軒もあったのに立てたのは四五軒だけであった。こども心にも誇りにして近くの腕白どもを集めて威張ったことを思い出す。旧正には母方のそぼから大きい二銭玉をもらうほか楽しいと思ったことはない。

六つの時、父の教え子という人が大きいたてを持ってきてくれた。紐はアダナスの細い縄でした。（アダンの気根を細かく裂いてなう）町はずれで上げるとだれのよりも高く上ってみんなにうらやまれた。得意になって帯に紐を結んでもらった。たこは風をうけてどんどん上がる。風が強いので引張られないように石垣の端をつかまえていた。たこの力に負けてずるずる引張られてこわくなり「ワーワー」泣いてわらわれたのも思い出の一つ。

元日、早く起きて国旗を掲げるのはいつからともなくぼくの仕事になっていた。家族集まって、口癖に「第一に健康二に品行、三に勉強」という父の教訓を聞かされながら屠蘇を酌むのを例年のならわしになっていた。

学校は男生徒だけで先生は男が多く（父もその一人）女は三人だったとおぼえている。洋服はいわゆる勤め人だけが着ける時代で、紋付羽織に袴小、それに麻裏ぞうりという姿で学校へ。そんなのが十三、四人ほどいたでしょうか。みんなが珍らしがって取巻くのではずかしくなり六年生の正月からは着けなくなった。

鐘が鳴る。しゅくしゅくと講堂へ入る。型通り式は進む。校長先生が古色蒼然としたフロックコートに身をつつんで、「東雲の空。綾雲たな引き、大内山、ときわの緑濃く端気みなぎりあふれ、すめらみことの御稜威四海にあまねく及ぶ。そもそもわが大日本帝国は上に万世一系の天皇を仰ぎ奉り………。」新年のたびに変り栄えのしない訓辞。短尺のゆえか、紅顔可憐なるせいか、はた先生の息子なるためか最前列に立たされた。

ご真影をまじかに拝する光栄はさることながら、身動き一つ許されず、しわぶき一つ聞こえない厳しゅくといおうか、窮屈といおうかどえらい儀式でした。かてて加えて来賓諸賢の十人十色ならぬ十人一色の延々たるメイ祝辞が続く。後方からはかすかなざわめきが聞こえてくる。そろそろ生理的放水作用がうごめき出して身内がむずむずしはじめた。思い出してもゾッとする。（ほん物を出した生徒もあった。世の知名士よ、あいさつは心してせよだ。）

四年生の、先生のいいつけでお宅で給仕の役をつとめさせられた。終ってから三、四人つれ立っておとなのまねごと「年始回り」をした。チビチビなめた酒に酔ってしまったのかチ鳥足で歩いているのを道行く人々にわらわれたのも昔のこと。酒好きの素地はその頃からつちかわれていたらしい。

新春随想

玉城中学校　垣花実

師走の声を聞いて、子どもたちの年を数え我が年を子どもたちの年令より算出する方法を覚え。年末の遣操算段に悩むのは生活の支えおぼつかない人々の年々と繰返しであり、西鶴ならずとも多くの人々の年送り、新正を迎える準備の忙しさに才覚なき教職家業の身をしみじみと思いわずらう頃である。

しかし昨今、四十路の坂にかかり、四人の人の親ともなれば仕方ない世の定めではあるが、もの心ついて迎え送つた幾十四回の正月の思い出もまた愉しいものであつたのだし、せめて、生計の主柱たるのを忘れて、幼い頃の正月を追憶し、愉しい正月を迎えたいものだと思うのである。

幼い頃、よく祖母や母に、「正月エー鼻ノ上マデチヨンード」とよくあやされた頃の指折り数えて待ちに待つた正月。「正月エ口ノ上マデ」とかただ正月が食う事に結びついて考えた諺ではあるが、正月を迎える幼い頃の愉しみ喜びは、あながち、ご馳走をたらふく食う「アイニル田ノ水エークミール」と言う食べるだけの愉しみ、喜びだけではなかつたようだ。

さて、年の暮れの二十七、八日頃になると「マルチヤ肉(ジシ)」としてそなえられる豚公の断末の悲鳴であち、こちの家が賑やかになる。そして百斤豚(ヒヤツチヤウワー)とか、各々の家庭でその生活力に応じて大小の豚が屠られてゆくのである。

そして豚公の肉は正月はもち論、その日の「血イリチー」からはじまつて、塩付け肉(スージカー)として一ヶ年も思い出したように節日(シチビ)、折日(オイミ)等には食膳にそえられた。

おおみそかになると学校帰りは近くの山に登り竹や松を切つて来る。平生なら山竹を切られると学校にかけ合う人でも正月用は、公然と自己承認でもらえるので、大きいのからちようだいして門松の準備するのも子どもたちの役割りであり子どもなりにも正月を迎える為におとなみ忙しかつた。おおみそかの晩も愉しかつた。ご馳走を前にして皆が集まり、兄弟同志、腕角力等してあそぶ、父と祖父は厳と坐して三味線を合わせている傍で何時寝るとなく寝入つてしまつたものだ。

元日の朝は東の空が明けるのも待ち遠しい、二番鶏の鳴き声に目がさめる、雨戸の隙間が白らむと起き出して井戸に走る。最初若水をそなえるものからお年玉をいただくからだ。そして若水をそなえに近所親戚に行くのが愉しみだつた。

特に子どものない家庭には、向う三軒両隣りはもち論、余程離れた家までも走つた、これもお年玉が目当てである。子どものない家庭では子どもたちの若水をそなえる事を幸(アヤカリ)あれと祈り喜んだもので、お年玉も倍増していただけた、兄弟が我れ先にとかけて行つたのも無理ない事だつた。特に男の子は喜ばれ子宝欲しい男の子欲しいと思う人は前日で近所男の子に若水の約束する者もいる

戦後十幾回の正月を迎えてみて、東洋の歴史の中に祝つて来た正月も軍政下にあつて変つて来た感じがする。クリスマスと正月をちやんぽんに考える子ども出てくるのでなかろうか。新生活運動や、近代文化生活の実用化、簡素化で形よりも実質が重んぜられ、食生活の向上と合理化のためにあまり内的なものが軽視されすぎているのではなかろうか、

正月の紅白の紙等のそなえも少なく、家全体の華やかな賑わい も少なくなつた。正月は毎日使う諸道具も洗い清め紅紙を貼りそなえたものだが、このようなものは文化の中では消えてもよかろう。しかしその起源は中国にはじまつた「桃符」であろう。桃の木は上古より、日本でも魔よけにされたものだ。

中国では現在でも正月になると「春聯」として、門柱等に「五穀豊穣」「子孫繁盛」とか名句、金言等を紅い紙に書きつけて貼つてあり、これも昔は桃の木の板の魔よけが紅紙に代わつたものだし、沖縄そのような紅紙も、そういう事であろう。そして鍬、鎌等に貼りつけ安全を祈つたのでなかろうか。

とにかく美しくすがすがしく形も整つた正月でありたいものだ。戦後山林も荒れて松も少なく緑化運動を続けている現状ではあり、門松廃止も叫ばれ、門松作りの子どもたちの愉しみ正月を迎える子どもたちの準備も削られてしまう。祝ふ事には必ず形も伴なわないと喜びも湧かない。松や竹の多い所では飾り立てて心も形もともにお祝いしたいものだと思う。

メ縄も昔のような普通の左縄で結構間に合うものだし、それを門の両脇の竹の間に結びつけ「コンブ」と「シークワーサー」の小みかんをつるしたもので上品で美しかつた。

正月もおえ七日日(ナンカヌスクー)には正月のそなえ物飾物を下げるのも子どもたちの最も愉しいことだつた門のみかんもその時までぶら下つていたものだ今なら翌日までに消えるかも知れないとかく正月の幼い頃の思い出は次々とつきないのである現在の子どもたちにもそのような思い出深い正月にしたいものである

最後におとなの社会から子どもたちの世界に目を向けてやりたい もの だと思う。子どもたちのためのたのしい正月にするために。

戦後の正月は新旧正月の愉しみの二分された正月になつてしまつた。おとなの社会ではやれ忘年会、新年宴会が十一月頃より旧正月まで三か月、何回も、忘年会、新年宴会があり、結構な事かも知れぬ、民主主義社会が横のみの社会に流れ東洋の従来の流れを忘れ、おとなはおとなだけの正月気分にのみ、うかれているが、子どもたちには寂しい正月だ、東洋的な子ども中心の生活様式の中で形をとのえる精神的な糧を忘れる事なく、心なら子どもたちが正月を祝福し合う事が出来るようにしたいものだと思う。

幼い頃の正月を語る

宜保キミ

思い出というものは、過去のよかった点、楽しかった事のみが残って、悪かった所や、いやな思いは忘れて残らないのが常であると聞いたが、その故ばかりではなさそうである。

私の幼い頃の正月はとても楽しく待ち遠しいものであった。日めくり暦に百日以上も前から、あと何十日とメモして、毎朝めくるのを楽しみにしたのだからどんなに正月を待ちくたびれたかが分る。学校に上らない前はいうまでもない。

六、七才の頃だったか、隣りに赤ちゃんができた。私はそのお守りがしたくてたまらないので母にせがんで二人でお隣りに守りをさせて下さいと申し入れた。もち論快諾してくれたが、わずか六、七才の子どものこと故、さしてあてにしなかったことと思う。ところが私は、一日も欠かさず隣りにお守りに通いつづけた。そして幾月がすぎて正月がやって来たのである。お隣りは私のために赤いまりと着物と下駄を買っておおみそかに私の家に届けて下さったのである。その晩の楽しさは今もって忘れる事ができない。いつもかすりの木綿に、はき物と云えば縄紐のついた下駄か、はだし。

私は届けられた着物を着て、赤い下駄をはき、まりをだいて部屋中を歩き廻った。両親にも叱られた覚えもないからきっと黙認しておったのだろう。その晩は着物を枕元に置き、下駄とまりは抱いて寝たのを今だに忘れない。

元旦の朝は子どもたちも未明から起きて、村が一という唯一の泉の湧く井戸に若水を汲みに行くのである。まだだれとはっきり見分けもつかないが、あちこちから、やかんを片手にさげ、片手に人参と線香をさげて、日頃はめったに聞えない下駄の音をカラコロと響かせて村が一に集まったものである。

井戸の拝所にお線香と人参を供えてやかんに水を汲み、りゅうのひげの葉をやかんの柄にまじないにむすびつけておいて、さて、正月の話で井戸端会議は花がさく。次第に元旦の空も明けて、皆の顔がはっきり見えるようになると、あの子もこの子も新しい帯にきれいな下駄、着丈も合わない長い着物に大きすぎる下駄、どの子も鼻や頬には昨日の垢がついて、足は真黒。それでもだれも笑う者はいない。皆得意然として又若水のやかんをさげて、わざと下駄の音を高鳴らせて家に帰って行く。家ではこれを受けて先ず若水でお茶を沸かして仏壇に供え、両親が若返えるといってありがたがって飲むのであった。いよいよ午後からはあの盛装で父親のお供をして親類縁者を歩き回った。

正月は大ていの子がまりつきをしたが、私はあの頃のいなかの子にしてはちょっとハイカラな遊びをした。小学四年の頃から家に教員が下宿した。この先生が時々少女雑誌を買って下さった。正月前になると双六やカルタや羽子板等がついて来たが私の遊び相手の子どもはその遊びを知らないために私はその説明をしながらはがゆい思いをしたのも忘れる事ができない。

所が先生はいろいろな単行本を買ったり借りたりして読まして下さったが、六年の正月前に、外国物の長編の詩を与えられた。それはある浜辺に三人の異人さんの子が砂遊びに夢中になっている絵があった。私は正月の遊びも忘れて読みふけった。友達が遊びに来ても双六やカルタをかして自分は参加しなかった。ところが私は近ごろになって、しきりにあの頃読んだあの本の事が思い出されてならない。出来たらもう一度よんでみたい。少女時代の私をあんなに感激させた読物は、今はどんなに感ずるかしら。すじははっきり思い出せるが、第一本の名が思い出せないし、主人公も忘れている。

去った夏休みに娘が読んで棚に上げた本を一冊一冊読んでいた。途中、ふと私の脳裏にカチリとつき当った語が出て来た。「何だったかしら、この語」と考える間もなく、「そうだ。イノツクアーデンだった」。イノツクアーデン！これこそ私がしきりに思い出そうとして思い出せなかった懐しい本の名だったのである。その後、機会があったら本屋でさがして見たいと思っているが、二学期が始まるとまた忙しさに追いまくられてそんな感傷的な読み物など楽にもできない。

その後私はすぐ女学校に入ったのでそれを境に正月の思い出は幕を閉じて何も残らない。最近になって、昔の人はあんなに季節の行事を夢見て待ちこがれたのに、今の人たちはどうして楽しがりもせず「あゝまた来たか」というような顔をするのだろうと考えたりする。私自身は年を取ったため、神経が鈍になったと解するが私の子どもたちまで鈍感になったのかしら。私は自分の幼い頃のように子どもたちの夢をこわしてはならない。否美しい夢を育てなければと思って少々無理をしても季節季節の行事を整えてやるがそのつど子どもたちは「今日は何なの?」と云った調子で大して喜んでくれない。むしろ母親自身、自分の夢を反すうして楽しんでいるようなものである。

考えて見るに今の子どもたちには昔の私達の正月以上の娯楽がたくさんあるからであろうが、私は自分の子どもたちにも、私のような反すうして喜ぶ事のできる夢を持たしたいのである。

しかしまた、私のある心は云う。「老人は過去に夢を持ち、若人は未来に夢を持つのだからそれは親の子に対する押売りだ」と。

こんな先生になりたい

具志頭中学校
上江州　トシ

同僚のりつぱな教員を見て「こんな先生になりたい」と思いつゝ、少しの進歩もなく、八年を過ごしてしまつた。その間印象の深い方だけを書いてみたいと思う

A先生

気に合わないことがあると、上席の男の先生とも議論をする。怒つた気持をそのままぶちまける。しばらくたつと、先の事は少しも気にしている様子はなく、平気で話かける。

だれでもA先生には思つている通りの事が云えるし、又かくしだてのない意見が聞けるので、反省させられることが多い。

明かるい性格に似合わず洋服は、いつも地味で品がある。型の選び方、色の組合わせがじようずで一度もこれは……と感じたことがない。洋服とからだとが調和したときの美しさとともにお化粧も大切だと思う。若さの魅力を失わないお化粧はやはり薄めにするのがよい。

口紅をささない時は病人のようだが、薄化粧で口紅をほんの少しこゆめにさした時は、若々しさがあふれ見る者まで明かるい気分になる。

女の私でさえ感じることだから、男の方にとつては口にこそ出さないが、同じ職場で働く好みのよい女の服装、お化粧はいゝ景色を眺めるようなものだろうと思う。

B先生

今日は登校一番になつてみようと、急いで出てもB先生には勝てない。先生の事務分掌は会計係。「紙代　五円　納入日十月三日」と掲示を出し、期限になると「済みませんが立替えて下さい。」と必ず納めさせるが、少しもいやな気はしない。だれもB先生には借りてでも納入する。大きな学校では調査物をまとめるのに、又金を集めるのに、係の人は困つている。B先生のような方法を取ればよいと思うが、いざ実行となると、なかなかむずかしい。

どこの学校でも花作りは、男の先生の係りになつているが、B先生は暇がでると、庭園の手入れをする。種子や球根を取る時期もよく憶えている。種をまき、移植を生徒と一しよにやつてしまう。学校を訪問なさる方は、こんな片田舎に珍しい花作りだとびつくりなさる。

B先生にはどんな事務分掌でも重荷に感じないかも知れない。

C先生

この役目をだれもひきうけてくれない時は、C先生にお願いしよう。C先生はその場になつて頼んでも直ぐ「私でよければ……」といつてひきうけて下さるので、困つた時の私たちの助け神のような気がする。

「前の方をあけていては、会は始められませんが、どうぞ前の方へ…」司会者が困つているのを見ると、「皆さん、つめましよう」と立つて行かれるのも先生である

自分が何か仕事を始めようとする時、優秀な能力を持つていながら、消極的で意見を聞いても、「いいでしようね－」と何も聞かしてくれない人がいる。こんな人の前では始めようとしている事でも、自信を失つてしまい、やめたくなることがある。C先生は若い人の相談でも、年配の人の相談でも、一応は聞いて必ず「よい助言をしてくれるので、元気を出して、仕事が始められる。

宴会などで、そろそろ酒がまわり、男の先生方の所から歌が聞える頃になると、まだしばらくは残つていたいような若い先生方を誘つて立つのが、女教員の礼儀のようになつている学校もあるが、C先生はそんなことをしない。他人に迷惑さへかけなければ、見苦しくなければ、と楽しいことは自分の思つた通り行動をする。相手によつては遠慮する話題もあるが、C先生の前ではどんな事でも気楽に話せるので、皆のよい相談相手である

D先生

私が小学校時代からの先生である。一年生を持つて十何年にもなると思うが、教材研究をして教案を書かれる。新しい教育法も取り入れられる。怠け心がおこつた時は、D先生のことを思い出すことにしている。年をとればとるに従い、なお研究されるのはほんとに美しいものである。

若い頃は六年を受持つておられた。男生徒が悪さをした時、教べんを持つて居られるが、決して手は出されない。黙つて長いこと生徒を見つめておられる。生徒はいつの間にか悪さを止めてしまうようだつた。反抗期の生徒を受持つて、先生の態度をまねようとするが効めがない。同じ方法でもその人格によつて効果はちがうようである。

年配の人の口からたびたび「今の若い人は……」という言葉がきかれるが、先生が言われるのを聞いた事がない。家庭では精神的にまた物質的にもあまり恵まれた方ではないとお見うけしているが、暗い顔をされず、時々品のある冗談で皆を笑わせる。年寄りぶらず、皆と一しよに行動をされるので、若い人から慕われている。

教え子とともにいて

百名小学校
喜名和子

幼ない子等とともに日々を送ると、年の加わるのを忘れ、気持はいつも若く、いつまでも女学生時代あるいは教生時代の気持でぴんぴんしている。ところが四五人の子を持つ親となつている教え子を見ると今更のように驚く。なるほど自分の頭にはいつの間にか白いものがチラホラ見えるようになつた。

学校を卒業してから二十幾年、毎年変つた児童と接しては別れている。いつ受け持つ子も皆同じように可愛い。それぞれ特徴があつて一生を忘れることの出来ない思い出を残してくれている。子等もよくなついてくれて楽しみである。「教師ならでは。」と一人その生きがいに満足している。

一昨年首里の大通りを通つていると、突然本屋の中から、「先生」と呼ぶ。はてな、こゝら辺りで私を知つた方がいらつしゃるのかしら。と思いつつ入つて行くと、「先生は嘉数先生でしよう。私は女師附属で先生が教生の時教えられた者です。」という。すつかりおじさん風になつたその顔がどうしても思い出せない。すまないとは思つたがお名前を聞かせてもらつてやつとわかつた。あの頃わんぱく者のいたずら好きの子どもで私にたびたびおしりをひつたたかれた子であつた。休み時間になると、後から急に肩にとびのつてよごれた足でたつた一枚しかないコンサージの校服をよごしてくれた子であつた。しばらく語り合つているうちにひどむかし前のおもかげそのままの笑い顔や素ぶりを見せてくれたのでなお一層親しみを増し楽しいひと時を過ごした。

教え子たちの中には教員をしている方、大きな店を開いている方など各方面で活躍していることを聞いて楽しみである。町へ出る時は自分の身なりや行動に気をつけることにつとめている。それは可愛い教え子たちにどこで会つても悲観させないように、教え子の面目にもと気をくばらざるを得ないのである。

長年教職にあつて常に思うことは、「人を教えるということほどむつかしいことはない。」ということである。

教育の技術や方法はその年限に正比例して上達してゆくべきであろうが、実際はそうはいかない。若い教師は勇敢で研究心にもえていろいろと教育法をうみ出してゆく。うつかりすると私のような旧い教育者はとり残されそうで気がもめてしかたがない。

来年度からかわる新指導要領にどう向うべきかは私にとつて大きな課題である。私はこれからどんな教育社会がくりひろげられようが、強い信念と努力できりぬけてゆこうと心がけている。

教え子がうまくやつてくれた時にはむしように嬉しく、出来のわるい時は自分の指導法を反省し気が沈む。知識面の教育においても、精神面の教育においても同じだが、特に精神面になると頭をなやますこと頻々である。

学校生活、ひいては社会生活に必要な個人の問題、友人間の問題、並びに共同作業面、自主的活動面など、各方面においていろいろとつまづきが出来てくる。これらのつまづきをうまくやつていくために手をかえ品をかえして努力してゆく。

私は楽しい学校生活が出来る素地をつくるために先ず楽しい学級ふん囲気をつくることに目をつける。子どもたちがすなおで、あかるく、何でも話し合える学級のふん囲気である。そして学習意欲旺盛ではりあいのある子に育てることが最大の望みである。

師弟同行とはよく聞くことばである。私は教生の時それを実際に教えてもらつた。現在神原小学校の校長中山先生や、共済会の真境名先生や、教職員会の喜屋武先生方からである。それは子どもたちの行動観察に一番よい機会をもたらすと信じ今でも続けている。

楽しい学級環境をつくるために教師は常に子どもを公平に見るということを念頭において、強い子は腕力にうつたえず、弱い子はいくじなしにならず、出来る子は優越感をすて努力を続け、出来ない子は劣等感をもたぬようにすることが私の日々努力する教育のねらいである。学習に遊びに、作業にすべての場においてその指導を忘れないつもりでいる。どの子も「先生はいつでも自分の味方になつてくれる。」という安心感をいだかせるまでやつてゆきたい。

どの子も同じように愛するということは子どもをはなれてはあり得ない。各人の特徴を見出し、それをほめたゝえ、その子をして自重させることは教育の効果を百倍させるものである。教師にみとめられたという子どもの満足そうな顔はそれはそれは神様に近い崇高なものである。

教師と生徒の親しみを増し、互いに信

頼し合うようになると今まで口すつぱく云つても出来なかつたことなども簡単に出来上つてしまうようなことがある。

多種多様な子どもたちの生活の中からその一、二をひろつて見ると、ある学級を受け持つた時、すごく男女の仲がわるく子どもらしさを失つた行動をする。ところが私はそんなことを見ぬふりをして、学習も、遊びも、作業も男女の別なく編成し、仕事を与え、出来るまで共同責任にしてしまつた。子どものことだから無我夢中にやつているうちに男女の区別を考えるひまもなく、いつの間にかお話をやり出し、物のかしかりが始まり、作業で助け合つてやつている。そのような生活を続けて いるある日、縄とびをはじめた。男の子は女のように うまく跳べない。かかつてはおになつているがやつぱりあきずにつゞけている所へ一人の女生徒が一生懸命男の子に跳ぶ要領を教えている。男の子は得意で跳ぶけいこをしている。やつと一人のチビ君がとべたので、そばにいた私が「あれMさんもとべたじやないの。」といつたらいかにも得意顔で「ガツテングヮさ。それ位は。」はといつて細い腕をまげて見せる。この時私は、子どもがとべたのも嬉しいが、やにわにそういつてのけたあの心の明かるさがなお嬉しかつた。

水菜収穫の日、はじめのうちは男女ともはなれてかりていたが、だいぶたまつたので男生徒の一人が「女生徒は早くはかりにかけてたばねてくれ。かりるのは僕達がやるから。」といい出した。女生徒は喜んで急いで束ね作業にとりかかつた。青々とした水菜が市場に出るようなきれいな束で山づみになつた。手のすいた男生徒は「僕達売つてこうね。」と一人で四束ずつ持つて出かけていく。こうして分業でたちまち売りさばいてしまつた。売り上げ金二百五十八円で庭ぼうきを買つて学校の全学級に配つて子どもたちを喜こばせた。あとで反省会の時ありつたけのほめことばを引き出してほめるのを惜しまなかつた。

その後、女の子は男生徒の切れたボタンをつけてやつたり、ほころびを縫つてやつたりしてくれた。男の子もはじめは遠慮していたが女の子にしかられてなおしてもらつていた。

冷水まさつのタオルはよくよごれる。よごれた皆のタオルをあつめて一人の女の子がお洗濯をしてアイロンもかけて来てくれた。それを見た男の子はかけよつて来て「先生光子さんが皆のタオルを洗つ来てくれたよ」。と報告して、すぐタオルかけにかけるのを手伝つている。それを見た他の子どもたちも我先に手伝う。あの光景いまだに脳りにしみついてはなれない。

雨天の時豊年おどりのレコードをかけて男女とも教室をねりあるき面白い創作ぶりを発揮しておどつたかと思うと、かねの合図とともに真剣な学習ぶりに変つたあのきびきびした規律ある子ども達の姿もまたわすれられない。

この子たちが卒業の時毎年八月一日の集会日を約束したが今でも続けている。

去る九月小学校一年の時わかれてよそへ転校した同級生の送別会をしてくれた。今年の三月高校受験に失敗して大阪の姉さんの所へ行くことになつたらしい。いろいろ悪いうわさも聞いていたが教え子は悪ければなおいつそういとしく可愛いものである。皆にもうんと励ますようにたのんでおいたので大変喜んで送別会を受けてくれた。出帆の時は浮波止場まで見送つた。あとでお礼の手紙に「僕は生まれてはじめて友達から親切にされた。」と感謝のたよりをよこしてくれた。きつと成功してくれるものと信じて止まない。

集団就職のため本土へ行く女の子どもたちの送別会が船出にせつぱづまつてできず、本人の家でやることにした。急なので連絡がむつかしかつたが、手分けしてかけまわつてくれたのでよく集まつた。所が男女待ち合わせて場所がちがい女が先になつてしまつた、女の子が帰る途中男の子達と出会い。そこで「先生は場所もはつきり言わないで。」とこぼしている子どもたちに「すまない。すまない。」とわびた。男の子だけで行つてもらつたが後で、いろいろおもしろい事をいつて家族中大笑をさせて喜こばしていたと聞かされた。同級生は男女、こんなにやつてくれたことが何よりも嬉しくいつまでもこうあつてほしいと望むのである。

子どもたちからの手紙に「なつかしき母上様へ。」とかいてある。また大阪へ行つた男の子から、「先生の写真がないのが残念です。いつまで元気で病気にならぬようにして下さい。先生が病気になつたら僕も大阪で病気になる。僕は今大阪でも一、二を争う大きな会社で働いています。午後の九時まで働くのでつらいです。でも僕はがんばります。」という便りがきた。

私にはその心情がよく読める。もう大丈夫、きつとがんばり抜いてくれるものと思つている。

教え子からの手紙を胸にだきしめて、「どうぞ健康でがんばりぬいてくれ。」と祈るのである。

私は教え子たちを人間味のあるよい子に育てるためになおいつそう努力したいと思う。

「教え子達よ、すこやかに成人してくれ。」と祈りつつペンをおく。

らくがき

石川盛亀

○雑務の撤去

教師には雑務が多すぎるということをよく聞く。たしかにそうである。あすの学習準備のために、教材研究をしたり、教具を整理したりする時間を見いださなければ学習の効果のあがらないことは自明の理である。しかしこのわかりきったことが、たやすくできないのが現状である。学校経営に当たる当事者も学級経営に当たる担任教師も、ともに教育の科学化を目ざして能率をあげるようくふうしたいものだ。中には日暮れてまであすの子どものために精魂を打ちこんでいる教師があるかと思うと、また、反面授業が終わると放課後の時間をもてあまして、すぐレクリエーションの「チョン」が始まるところもあるという。雑務も何もないというわけでもなかろう。「かけがえのないひとりひとりの子ども」のことを思えば、「チョン」どころではないと思うのは、おそらく私一人ではあるまい。

○教師の七クセ

なくて七クセ、あって四十八クセというように、人はそれぞれ〃クセ〃をもっている。これが一般人ならいざ知らず、教師ともなればこのクセは多かれ少かれ子どもに影響する。これは十二月二日付日本教育新聞の教師の七クセという見出しででた記事であるが、以下そのまゝを紹介することにする。

語尾へつくクセ

(1)ね(2)ねえ(3)ですね(4)ですねえ(5)だろう(じゃろう)(6)いいか(いいですか)(7)わかるか(わかりますか)

この(1)〜(4)はたいていの日本人が用いており、あまりひん発しない限り大した害にはならない。しかし(7)のわかるかなは、用いる回数が多くなると語調がおしつけ気味になって児童に圧迫感を生ぜしめ、学習活動を不活発なものにする原因となる。(6)のいいかなども同じ

語の接続の場合につくクセ

(1)ですねえ(ですね)(2)そしたらねえ(そしたら)(3)そうすると(4)つぎに(5)ところで(6)あのー(7)あのですねえ(8)それから(9)ええーと、あーうー……、こういう意味のない、習慣的な接続詞はどうしてでるのか、それは、A 指導語の表現に自信がない。B つぎの指導語をさぐっている。C 指導内容に空白がある。D どもりの傾向があるなどが原因していると考えられるが、子どもに不安定な感じを与え注意散漫な状態を次第に構成することになる。また「えゝ……と」「あー」などは子どもにも きわめて 感染しやすい。「あのー」のくせはこの種の中で最大である。教生の実習をみていると、そのほとんどがひん発している。

よいクセならともかく、悪いクセは子どもに染めさせたくないものだ。特に低学年を持つ教師は注意したいものである。

○母の読書

「私は自分に対すると同様に、子どもの書物についても、深い関心を寄せている。子どもは何といっても漫画の魅力にとらわれている。そこで、私は子どもが漫画から収穫する喜びを自分もわかち合う。そうしながら私は熱心に一流の書物に子どもを 導くことを 少しも 怠らない。

私には小学校三年の子どもがいるが、彼が私から与えられる本は、あらゆる方面への豊かな芽生えを考慮された深く、温かく、楽しい世界的な読物であり、私は彼の身辺を良い本でうるおすようにいつでも心を配っている。そして夕食後のひととき、子どものために割り当てて、世界名作集や神話や詩集等を床の中で読んでやっている。それは、もちろん、子どもへの愛と精神世界を形成する一助としてやっているのである。けれども、また、同時に私の勉強のためでもある。」

以上の文はさる十二月五日沖縄タイムス夕刊に登載されたある母の読書週間論文で、第一位に当たった長い文章の一節を抜すいしたものである。

この母にしてこの子あり。作者の家庭はきっと幸福な家庭であるに違いない。子どもの幸福は親の幸福であり、親が幸福であれば、子どもも幸福に育つものである。幸福は決して物質の中にはない。家庭の教育的ふんい気。親の子どもに対する教育観こそ大切である。

ともかく子どもの人生にとって生がいを決するほどの影響を与える教育力をもっているのは「お母さん先生」であることを思えば、世の母親が作者のような母親であれかしと願うこと切なるものがある。

○教員の蒸発

ある地区の教研集会における本土指導委員の指導班代表助言の中に「本土におけるこの種の研究会には午後になると、暑いせいか？うしろ側は蒸発していなくなるが、本地区においては、自分の会、自分の研究だという意識がみなぎって最後まで一人も蒸発するものがいない。……」という賞賛のことばがあったが、このことを裏切らないよう、今後もますます、自重したいものである。

本校の教育研修の現況

若狭小学校
仲村善雄

本校の教育研修は一口に言つて、「全職員が一致協力して、これを行なつている。」とも、また、「研修が組織化されている」とも言える。

一、教科部の研修

先ず、教科研修組織としては、国語部社会科部、算数部……と、全教科の部がある。そして、それらの部は、

㈠ 全職員が、どの部かに属する。

㈡ 各部に、各学年の担任が一人以上入る。

㈢ 希望が、どの部かにかたよつた時は、第二希望、第三希望によつて調整する。

と言うように、組織され、各部は、一学期のはじめに、それぞれの年間計画をたてて活動している。各部の本年度の主な研修目標は、

国語部
◎学習指導要領の研修
◎書字力の実力養成（生きた言葉として）

社会科部
◎学習指導要領の研修

算数部
◎学習指導要領の研修
◎教材と教具の関連

理科部
◎移行措置の完成
◎学習指導要領の研修
◎教科書にある実験の完全実施と実験器具の扱い方研修

図工部
◎移行措置の研修
◎多様な素材による表現活動及び創作活動の指導についての研修

音楽部
◎低学年のリズム指導の効果的方法
◎中学年の合唱、輪唱の基礎指導。読譜並びに記譜の指導。旋律楽器の指導。和音の基礎指導について。
◎高学年の読譜、記譜の自主的学習。歌唱技能、演奏技能を高めるための研修。

道徳部
◎カリキュラムの作成

家庭科部
◎指導要領の研修

体育部
◎指導要領の研修

となつており、どの部においても、今年は学習指導要領の研修がとりあげられている。それは学習指導要領改訂にともなつて行なわれているものであるが、本校では、五年の担任ならば、五年生が、過去の四年間に何を学習してきたかを知り次の六年では何を学習するかということも知つて、五年になすべき学習の指導を目標からはずれることなくみつちりやつて行こうと言うので、全員が、全教科の全学年を通しての指導要領を研修している。その方法としては、まず、各部で研修がすすめられ、次に、その部員を中心に全職員の研修がもたれている。そして夏休みにも、数日間出勤して、一応全教科にわたつての研修会を終えることができた。

それから、各教科における、教師自身の実力が足りなければ、充実した学習指導はできないし、児童に実力をつけることは出来ないという立場から、全職員が集まつて、各教科部の部員を講師にしてその面の研修会を持つている。一学期には、理科の各学年における実験の研修会。体育では、準備及び整理体操研修会。図工では種々の図案と版画についての研修会が行なわれた。

二、校務分担組織と研修

本校には、各教科部の他に、教務部、生活指導部、図書部、保健体育部（教科部と同一）文化部、放送部、給食部、整美部、管理部、庶務会計部という校務分担組織があるが、それがまた、その面の研修組織にもなつている。

例えば、学習時のしつけを何とかしなければ、と言う話がでた時、教務部ではさつそく、それが検討され、一つの案ができ、それが職員研修会にかけられ、現在では、どの学級でも、読む姿勢、書く姿勢が決められ、机の中の整頓のしかた机の上の筆入の位置、授業が済んだ時、次の授業に必要な学習用具を、きちんと机の上に準備して外へ出る等、どの学級でも一様に行なわれるようになつている。

三、学年研修会

隔週、木曜日には、放課後、各学年毎に集まつて、二週間分の学習指導計画、その他、学習指導で困つていることや、学年、学級の問題、各部や学校への要望などが話しあわれる。

それから、毎週、金曜日は、学年研修会で話しあつたことをもとに、各自で、細かく、次週の学習指導計画をたて、学習指導計画簿に記入して、土曜日に校長に提出する。学年研修会記録簿も、教頭を経て校長に出す。

四、結　び

私達の研修は、常に、個人から各部へ学年会へ、あるいは学校全体へとおしひろめられ、よい知恵はすぐ全体に及んでいく。それは研修が組織化されているからだと思う。また、個人や部の研修が全体の研修へおしひろめられ、みんなのために役立つているということは、これが、研修の大きな励ましになつていると思う。

それから、研修のための時間であるが木曜日（隔週）の学年研修会、毎週金曜日の計画立案の日の放課後は、万止むを得ない場合に限り、それに当てて、勤務時間内に終るようにしている。しかし、部会や全体研修会は、どうしても勤務時間外までのびている。

次に、私達の研修会には、プリントが準備されることが多い。それは、時間の節約と、研修がその場限りのものにならないためである。配られたプリントは、学校から与えられたプリント綴りに次々つづられていく。今年度になつてくばられたプリントが、すでに百枚をこし、これが、私達の日々の教育実践に大きく役立つている。

沖縄文教関係十大ニュース

☆一九六〇年一月より一九六〇年十二月までの一☆
☆カ年間における沖縄文教関係ニュースをまず当☆
☆局各課から提出してもらい、それを局長、次長☆
☆各課長によつて十にしぼつていただいた。☆
☆今回は序列をつけずにニュース時期を追つて十☆
☆並べることにした。☆

一月
ミルク給食に加え新に学校パン給食実施

三月
初の教員採用試験の実施

四月
公立高等学校の政府移管
南極観測船宗谷帰国の途中那覇港へ寄港

五月
台湾から工業技術講師五人来島
第一回全琉小中学校長研修会
津波による学童および校舎校地の災害

六月
八汐荘の落成

十一月
九州各県対抗陸上競技沖縄大会の開催

十二月
総合競技場の一環としての野球場の完成

次点

十月
職業教育関係国民指導員三人渡米

昭和35年度全国学力調査全琉平均得点（昭和35年10月5日実施）　研究調査課

小・中学校

	社会 受験人員	社会 総得点数	社会 平均点	理科 受験人員	理科 総得点数	理科 平均点
小学校	23,181人	567,904点	24.5点	23,204人	885,897点	37.9点
中学校	10,091	262,647	26.0	10,073	360,343	35.8

高等学校

	日本史 受験人員	日本史 総得点数	日本史 平均点	人文地理 受験人員	人文地理 総得点数	人文地理 平均点	化学 受験人員	化学 総得点数	化学 平均点
全日制	5693人	218,241点	38.3点	4062人	138,792点	34.2点	5,841人	187,693点	32.1点
定時制	519	14,931	28.8	61	1,616	26.5	468	10,687	22.8

学校平均得点最高最低差

	日本史			人文地理			化学		
高校（全日制）	最 55.3	最 22.9	差 32.4	最 43.8	最 29.6	差 14.2	最 49.8	最 20.7	差 29.1
（定時制）	高 39.6	低 20.7	18.9	高 27.8	低 25.6	2.2	高 33.7	低 16.8	16.9

教育指導委員の横顔

今帰仁小学校　渡久地　繁

国語の指導委員が地区にお見えになるということは、想像もしていませんでした。それがまた本校にお迎えするとは、夢にも考えていなかつたことです。研修委員を命ぜられて、私のようなものがその責を果すことができるかと、不安をいだきながら先生をお迎えいたしました。先生とお会いした最初の日、わずかの時間ではありましたが、とりかわす話しことばのひびきの中に、最初の不安が次第に消えてゆくのを覚えました。心と心をつなぐ「ことば」国語教育の重要な使命も、そのへんから出発するようにも考えられました。

先生とお会いして、自分のことが反省されました。教室の中でのことばがもつと確かでもつと磨かれていたら、私の授業は、もつと合理的に出来ていたかも知れないというのが那覇でお会いした時の第一印象でありました。

先生と接して一か月も過ぎ去ろうとしていますが、今もそのことを私の課題として努力しております。

磨かれたことばを、まず教師が身につけ、児童のひとりひとりが関心を持つようになつたら、すばらしいことだと思います。話しことばを磨くことは、人間の思考をより論理的にし、生活を合理的にし、学習を能率的にする近道であると思います。

指導委員のK先生のお供をして地区内の実態をつかむために、二、三の学校を参観させてもらつたが「指導主事（K先生は県の指導主事）の目」の確実さ、するどさには、驚いているものであります。わずかの時間、教室を見渡しただけで、その教室の空気を察して、子どもたちを幸福へと導く人、また長い教壇生活の経験の上にK先生の人格からにじみ出るところの指導助言は、全くすばらしいというより外にないと思います。

以下は二、三の学校で指導助言をなさつたことをあげてみたいと思います。

第一声に、

○「与える教育から生み出す教育へ」といわれました。先生は山口県のご出身です。山口県といえば、どなたでも知つている通り吉田松陰先生の……。今でもその血は流れているでありましよう。能動的主体性のある子ども、それは吉田松陰先生の時代から今に至るまで受け継がれていると、先生はご説明になりました。また理論だけで説かれるのでなく、実際に学習を通して右のようなことをはつきりとご教示くださいました。

○言語の呼応をしつかり考えること。

単なる教師対児童のことばのやりとりだけではいけない。もつと内面的なものを呼び起こすことが大切だと……。これは、一つには教師の発問に対する注意でもあつたかと思います。教師の経験のある人は発問のむずかしさは、どなたでも知つていることゝ思います。発問がいかに学習の効果をあげるか否かはいうまでもありません。

○学習管理語が多い程素人の先生である。

学習の中途で○○さん姿勢が悪いですよ。△△さん手をひざにおきなさい。××さん……。と一時間の授業で一体何回このことばを出すでしょうか。右のようなむだなことばを出さなくても授業が出来るのではないでしようか。これを読んで苦笑している先生方のお顔が……。

○ピンポン学習が多い。

この学習は大部分先生方にあるような気がします。私の誤りであれば幸いです

ピンポン学習とは、授業中の教師対一人の児童の間にかわされる問答のことだと説明されています。教師から発せられた問は一児童から教師だけにはね返つてくるのでなくて、波のごとくに児童生徒の中に横に、ひろがつてゆくときが、主体的学習が深まつてくるといわれています

図示すると、

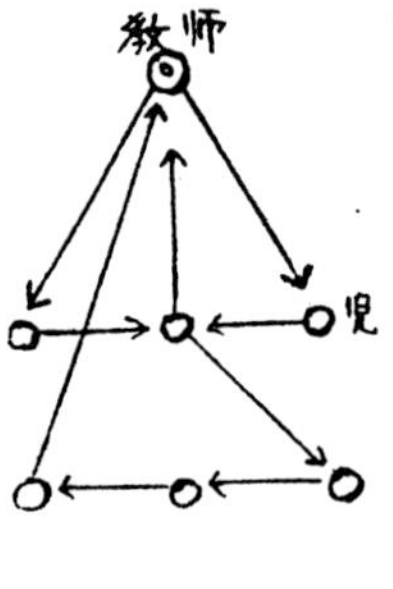

のように一児童だけに終ることがないように研究することだと助言されました。

この種の形で授業をなさつている先生を私は知つております。

○挙手のさせ方｝にも研究の余地がある
○児童の座席　｝と指摘されました。

○ある日、高学年の児童会をごらんになつて、子どもの発言をよくするには、子どもにもメモ帳を用意させては……。これは聞くことに責任をもつと同時に自己の発言の手がかりになるからだといわれております。

○ノートについて

ノートは、子どもの学習を進めた過程が、子どもの切実な必要によつて積極的に書かれていくことが望ましいと思つています。練習帳として、メモ的な雑記として、また学習の整理として、

それぞれの目的に応じて使われていることはいいし、一冊のノートに、あるいはひとまとまりの学習に、そうした各部面がそれぞれ取り込まれていることはいい。子どもの学習した過程の、できれば全貌がそこに痕跡として残されているようなものが望ましいと思っている。子どもの書きなおし、考えなおしなど、自分の書いたことが、いかに修正され探究されていっているかということです。

○低学年はとくに基本文型を重視して板書すること。

先生が授業をなされた時の板書事項を示せば多く書く必要はないと思います。

　どんぐりごま

きりで　どんぐりに　あなを　あけて
まっちの　じくを　さしました。
あおい　こまは　じっと　立ったまゝ
まわって　います。
あかい　こまは　まわりながら　すこしずつ　うごいて　います。
きいろいのは　いきおいよく　うごいています。

また、ある学校では次のことを研究課題として提案なさいました。

一　必要興味に立脚した主体的な学習をさせるにはどうすればよいか。
二　国語指導を子どもの日常生活にまで拡充させるには、どのようにすればよいか。
三　教材と児童の力との落差をどのように扱えばよいか。
四　思考力の一般化と思考力の個別化をどのように考えればよいか。
五　国語科指導において全体と部分との相関をどう扱えばよいか。

右のようなことは、私達だれもが真剣に考えるべきだと思います。

　ある日、本校でこういうことがありました。子ども達が紙切れで飛行機をつくり校庭一ぱいに遊んでいました。始業の鐘が鳴ると拾うことも、そのまゝの子、校庭は、あちらこちらに紙くずが散って目ざわりになりますので、私は子どもたちを呼びつけて「こらっ」とおこったのでありますがK先生は、黙ってチョークを持って出られました。掲示板に次のようなことをお書きになりました。

　今帰仁小学校　きれいな学校。
　みんな元気に　おそうじします。
　紙のひこうき　よろこんで、
　お庭の上をとんでいます。
　さっきわたしが歩いていたら、
　地面におちたひこうきが、
　「あーんあーん」とないていた。

先生は、しばらく黙っておきましょう。子どもたちがどういう反応をするだろうかといわれました。おこらない教育と日頃私は気にしているのですが、偉大なる教育方法を見せつけられた時の喜びは……。

　紙の飛行機は四、五日にして姿を消すようになりました。学校長も非常に感激されて、先生の名前を入れて次のように歌にされました。

　智も徳もかねそなわりて
　すぐれたる
　よき師迎えて
　子等は栄えん。

先生は、最初よりこのような温かいふん囲気をおつくりになりました。今後は順風に帆をあげて、子ども等と共に育つ気持で職員が張り切っております。

　毎日先生の授業を拝見して、私は今までのことを強く反省するとともに、今帰仁小学校の子ども等が、いかに幸福であるかということを痛切に感じています。

　先生の授業で思うことは、一時間、一時間の授業が一回限りのかけがえのない人生の日々だということを意識されて、授業をしておられるということです。私は子ども等に、人間的感動を与えながら、生々とした姿で学習が行なわれたことがこれまでに一体何時間あっただろうかと反省をします。

　感動の教育とは、人間味に富んだことだと思います。先生の授業にはそれがはっきりわかります。授業を終えて、子ども等は「ありがとうございました。」という声が多くなっていくし、また家へ帰えると、「おとうさん、私はきっと偉くなります。本土から来られた先生のように……。」

と父親に今日の感激を語ってくれたと父親は報告しております。余いんのある授業とはこんなものではないでしょうか。こう授業をくり返えすとらせん的に向上をすることは、まちがいのないことだと思います。

　先生の授業は幅広いものがあります。このことは次に書きたいと思っております。私たちは「読む目的に応じて異る」とか「教材によってちがう」とか「経験的に学習させる」という抽象的なことばでかたずけられているがために、あいまいな点が多いと思うのであります。

　このような種々の疑問点を今度の指導委員のK先生の授業と不断の話の中から実際に解決することができるような気がします。

　先生がお見えになってまだわずかの時間だのに職員の気構えと、児童におよぼした感化は偉大なものであると思います

　先生は〃共に育つ〃という精神で日々をお過ごしになり、職員も児童も先生のふところにとびこみ、一体となって学校が順調に回転されております。まだたくさん申し上げたいことがありますので、次々と暇をみて綴りましょう。

配属校の概況と十月中の研修概要

教育大学付属駒場高校
運道武三

第二回高校産業技術研究教員として本土に派遣され農業技術研究修得の機会を得ましてこの上もない喜びを感じております。

予想通りの学校に配属され第一回教育指導委員の金非金雄教官と共に私の研究テーマ「野菜の育苗技術」の研修に教育大学農学部、千葉大学園芸学部、近郊の農業高校、地方農村と多忙な毎日を過ごしております。

技術的な研修内容に関しては後の機会に紹介することにして今回は配属校の概況と十月中の研修概要について記してみたい。

一　配属校の概況

昭和二十二年五月東京農業教育専門学校の付属中学校として創立される、以下省略。昭和二十五年四月農業科普通科各一学級をもつて付属高校の開設を見、同二十七年度には付属中学校の卒業生を完全吸収するためと大学の教育実習の必要性から学級増が認められ名称も東京教育大学付属駒場高校と改め今日に及んでいる。

使命と性格

中学校、高等学校ともに教育基本法に基づくそれぞれの学校教育の使命を達成することはもち論であるが外に付属高校としての次の使命を担つている

1　大学の研究施設であり教育の実験を行ない研究成果を実証する機関である。

2　将来教師を志す学生の教育実習の施設である。

3　同地域社会にある同種の学校に対し教育の向上に貢献する様参考資料を提出するサービスセンターである。

なお地域性によらず自由募集による男子生徒のみを収容して居り中、高六か年の一貫した教育を実施している。その点他の公立高校と趣きを異にしている。

泊本校はユネスコ教育実験学校として研究結果を発表している。

研究第一年度の実験活動は次の通り

イ　本校生徒の政治的関心

ロ　数学大旨の成立について

ハ　教科書に表われた用語の調査

ニ　中学校、高等学校の関連に留意した理科の実験観察のカリキュラムの設定

第二年目には人権の研究（とくに人権の主張の仕方について）等の研究成果が発表されている。

二　教育計画について

本土における各学校の教育計画は実に綿密に計画され無駄のない教育が毎日スムースに続けられている。

本校においても年間教育計画が前年度二学期末までには各委員によつて各分野にわたり立案され三学期は全教官会議で検討改正され新学期と同時に実施に移されている。

今年すでに来年度の教育計画が立案されつつある現状である。

しかも一たん立案決定された計画に基いて全教官が一致協力して全力を注ぎ創意くふうして教育効果をより良くあげるべく真剣にとつくんでいる姿は、教員として実に尊いものであり私の学ぶべき点である。

殊に年間学習は確実に実施され各教科の年間授業時数の確保に力を注ぎ学習時間内の学校行事は絶対に行なわない様にしている。

教務では各学年毎各教官毎の授業の進度状況が記録され一目瞭然として学校全体の教科の進度がわかり又各教科との関連、教材の準備等が時前になされ、軸を中心としてまわる歯車の如く年間活動がスムースに続けられている。

三　学校行事について

先に述べた通り年間教育計画の中に学校行事も計画され計画通り実施されている。

主な行事として修学旅行　運動会　文化祭　研究発表会　PTA総会等で学校の基本的な指導計画に基き生徒並びにPTAの意見を参考として実施されている。

修学旅行は学校の教育計画に従つて実施され、学年毎にコースが決まつており年一回実施されている。もち論各学年毎に学習計画の一部として実施されている。

運動会は大体に日曜日に実施され生徒自体の手で運営され先生方はゆつくりと見物すると云う調子である。しかも簡単に校内的に行なわれその次の日

は平常通り授業をなし運動会のために授業を犠牲にすると云う事は絶対にない様である。

沖縄の学校行事はあまりにも「みせもの的」で経費をかけ過ぎる様な感がする。

応援による授業の犠牲と云う事も全然なく沖縄の体育行事の面も反省の必がある。

その辺のところをまだまだ改善し学力向上に努めるべきではなかろうか。

四　教員の研修について

学校全体の学習効果をあげるために全教員が教材の研究、実験実習の準備、資料の蒐集等良く研修に励んでいる。

もち論、その時間設備予算等が充分にあることは申すまでもない。平均受持授業時数一四〜一六時間残余の時間は教材研究の時間である。しかも雑務が少ないと云う事は羨しい限りである

充分な施設　設備の中で充分な教材研究がなされ適切な指導を受ける本土の生徒と沖縄の生徒の学力の差はこの辺にもあるのではなかろうか。

沖縄においても、せめて教材研究の時間を今少し与えなお教員に研修の機会をもっと与えて欲しいものである。なお設備の充実を早期に実現し教育効果をあげるべきだと思う。

一面沖縄の教員は、お互いの研修会をもち、創意くふうをこらして与えられた設備利用を最大限にし不足を補う心がけと教育熱が必要ではなかろうか

五　学校の美化について

どこの学校を訪れても学校が整然として美化され教育的な植物の植栽がなされ、完全な教室の管理がなされている。

もち論沖縄ではなされていないとは云わないが、もっと改善努力する必要があると云いたい。生徒の訓育、情操教育の面からも非常に必要であると思う。

殊に沖縄においては、学校内の植樹計画、庭園計画を確立して児童生徒の夏の保健の面も考慮しあわせて情操豊かな人間を形成するよう教育計画をなすべきではなかろうか。

教育環境がパースナリティーの形成及び分裂に及ぼす影響は大きく学校教育においては、重要な問題である。

その点本土の学校は注意が払われ良く管理がなされている。

以上が配属校の概況と私の感想であるが予算面で沖縄と相当な差がある事、尚PTAの援助が大きく設備備品の充実、教員研修費、生徒研修費等に多く使われ教育効果をあげている事も関心事である。

学校内でできる樂焼き

—簡易焼成について—

勤務校　久米島仲里小学校
配属校　東京教育大学付属小学校
嘉味元　絜　仁

いろいろなものを作る材料の中で、比較的費用もかからず、児童に最も親しまれている材料は粘土ではないだろうか。作りそこなっても、つぶしてしまえば、同じ材料の同じ量で再び新しく作りなおすことができる。しかも、けずったり、つけたしたり、自由に塑造することができて好みの形に変えていくこともできる。このように親しみやすい便利な材料で好きなものを作って、それを素焼きし更に本焼きまでしたら、粘土学習に対して一層興味を持ち、理解を深めることができよう。そこで、この頁を借りて素焼きから本焼きに至るまでの順序と方法について述べてみたい。まず順序としてわけられるのは、

1　粘土で原形を作る
2　よく乾燥させる
3　素焼きする
4　絵つけする
5　うわぐすりを塗る
6　よく乾燥させる
7　本焼きする

と以上の七段階に分けて考えることにする。

一、粘土で原形を作るこつ

原形を作る前に、まず粘土をよく練ることが大切である。粘土の練りぐあいと水の量とが適切であるということが、失敗することなく本焼きまで完成させる上で最も大切である。粘土を練るということは、粘土の中に混じっている石灰質の小石を取り除き、中の空気をぬいて粘着力を増すということに意味がある。空気が入っていたり、小石がまじっていたりすると、乾燥させる時や素焼きの時にその部分からヒビが生じたり割れたりすることが多分にある。

粘土板の上で練るには適量の粘土を取り出して両手で外から内に練り込むようにしながら十分に練っていく。

練りぐあいが適切であるかどうかを見わけるには次のようにすると児童にもわかりやすい。

・球にまるめようとして手にべとべと付着するようでは水が多過ぎる。

・球にまるめて指を突込んだ時、穴の周囲に亀裂ができれば練り不足。
・粘土をひも状に作り、指で端の方を持つて少々振つてみてポロポロ切れたり、曲げてみて外側にヒビができるかすれば、練不足か水分が少ない場合である。
従つて適切な練りぐあいというのは以上のような状態にならなければよいわけであるが最も簡単な方法としてひも状に作つた粘土を軽く結んでみてヒビができたり、切れたりしなければ適度の練りぐあいである、ということが言える。（図1）
さて、粘土を十分に練り終えたら次は原形を作ることである。

えのぐは乳鉢にとかす

まきづくり（ひもづくり）―写真1―
粘土を粘土板の上で鉛筆ぐらいの太さ（もつと細くてもよい）にしてひもを作る。（図2）それを底部の方からすき間なく積み重ねて作る方法（図3）
粘土のひもを作るには、粘土板の上で粘土を心持ち引張るようにしながらころがしていくとよくのびてひも状にできる。そのようにして作つたひもで底部から合わせ目にすき間ができないように巻きあげ、内側か外側からとろをなでつけながら巻き上げていく。内側も外側もとろをなでつけてひもの跡目を全然なくする場合もあるが、内側だけとろを塗つて外側はひもの跡目をそのまま残すと変つたおもしろみが出てくる。
・とろをなでつける場合にひもとひもの間にできる凹部に気泡ができないように注意することが大切である。

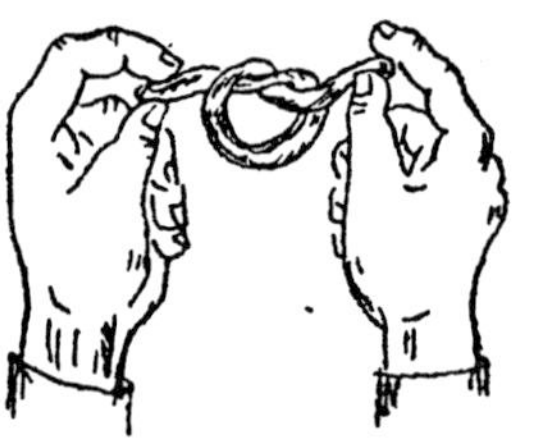
〔図1〕 ひも状にして、軽く結べる程度がよい

〔図2〕 内から外へ引張る気持ちでころがしていく

この気泡のために作品にヒビができる場合がある。

板作り（写真2）

〔図3〕 合わせ目にすき間なく積み重ねる。ある高さまで巻き上げたらとろを塗る
〔注〕 とろ―ねんどをとろ状にやわらかくしたもの

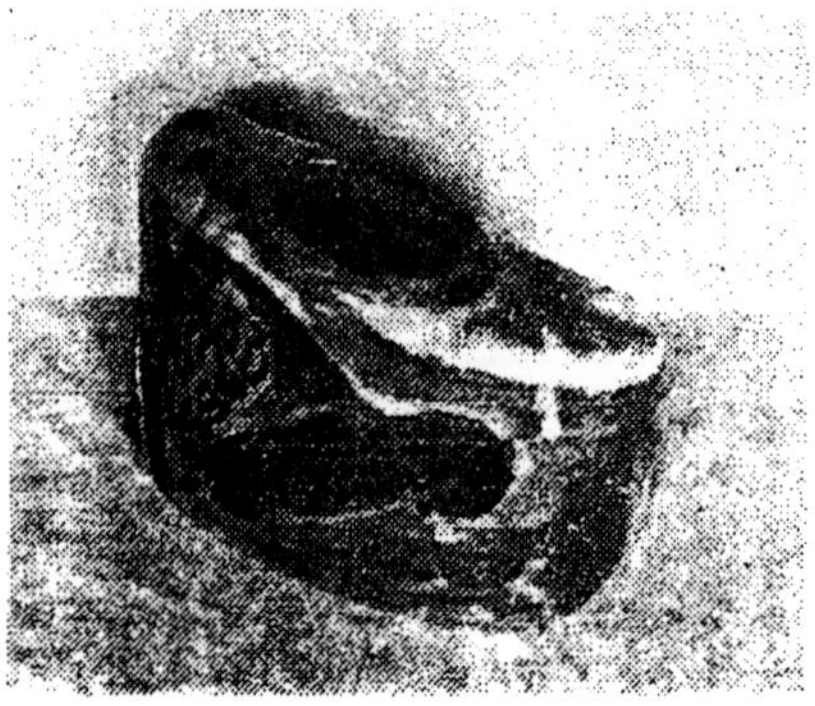
板作りの方法で作つた花びん

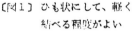

粘土を板状に作り、底になる部分と筒になる部分を別々に切つてから両方を接着して形を整えていく方法である。

接着するにはそのままではできないので、とろを作つて塗り接着部に空気が入らないように十分に密着する。（図4）

底部の形は円形でも三角形でも好みに応じて自由に切ることができるし筒部の形も創意工夫して切り出すことが望ましい。

粘土を板状に作るには図5のように厚さ定規を両側に積み重ねて、麻いとか細い針金で一枚一枚切り取る方法と両側に厚さ定規を置いて延べ棒をころがしながら押し延ばしていく方法とがある。

手びねりによる作り方（写真3）

子ども達が粘土を持つてきて、動物・自動車・舟・人などを作つたりするのはこの手びねりによる作り方である。

手びねりによる自由表現は子どもにとつてなかなか興味のある学習だが素焼きや本焼きをするのであれば作つている過程においていくらか注意を要さなければならない点がある。人や動物などのような厚味のあるものを作る場合、粘土だけで全体を仕上げると、表面に近い部分と中とでは乾燥の度合いや時間などが違つてくる。従つてかまの中に入れて焼く時にそのために割れる恐れが多分にある。あるいは、十分に乾燥していても、焼く時の温度が表面に近い部分と中とではずいぶん差があるので、そのためにも割れることがある。

それで、厚味のあるものを作るには中に新聞紙を入れて全体の厚さをやや同様にしていく。新聞紙は素焼きの時に燃えてなくなるから、目立たない箇所に穴をあけておく。この穴は新聞紙を燃やすためと中の空気をだすための穴である。（図6）新聞紙を入れても穴をあけるのを忘れたら、新聞は焦げる上に中の空気は膨張してしまい、そのために割れることがある。

手びねりによつて作つた灰皿と花びん

〔4図〕接合箇所にはとろを十分塗る

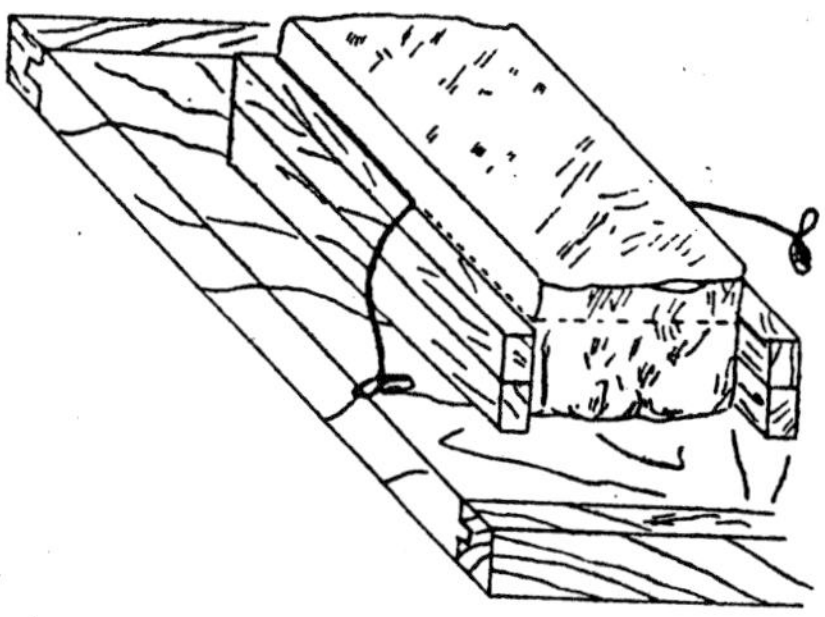

〔図5〕厚さ定規を使つて板状に切ることができる

〔図6〕割りばしに新聞紙を巻き、糸でくるくる巻いて、その上に粘土をのせてつくる。わりばしは、あとでぬくとよい

二、よく乾燥させること

乾燥させるには日ぼしよりも風通しのよいところでかげぼしにしたほうがよい。かげぼしで完全に乾燥させるには三週間くらいを必要とする。

まきづくりの方法で作つたおんと花びん

三、素焼きすること

作品をかまに入れる時には積み重ねてもよいが下からの火が上の作品まで万遍無く行きわたるように作品と作品の間はすき間をつくつて積み重ねる。

作品を入れ終つたら次はまきをもやすのであるが、いつぺんでどんどんもやすというのではなく、最初はたき口の手前ですこしのまきでゆつくりもやすようにする。これは、中の温度を急に上げると作品が割れてしまうので、徐々に上げるためであるこの時間は約一時間半位であるがそれからはだんだん奥の方に入れてもやしながら、上部の作品の間から赤味がかつた炎がかすかにもれてきたら最も奥の方でどんどんもやすようにする。このような状態を約一時間半から二時間位続けると、中の作品は赤黄色に変つてくる。こうなると殆ど焼き上がつているのでまきを入れるのは止めて、たき口をレンガなどで閉じて自然に温度が下がるのを待つて作品を取り出す。

四、絵つけすること

素焼きしたら絵つけして本焼きに移るのであるが、絵つけに必要な用具材料は次のようなものがある。

・ふのり—付着剤としてえのぐやうわぐすりを練るのに用いる。

・うわぐすり—長石や石英質を粉末にしたもので高温（八〇〇度位）で溶けてガラス状の強い皮膜をつくり作品を包む。同時につや出しの役目もする。

・乳鉢・乳棒—えのぐをふのりでよく練るのに用いる。

・えのぐ—焼きもの用のえのぐ

えのぐ筆—作品の大小や好みの絵によつて適当に使いわけられるよう大中小の筆をそれぞれ用意するとよい。

絵つけの順序としては最初にふのりを溶かすことである。市販のふのり一枚（約三〇糎四方）を約二リットルの水に入れて熱するとどろどろに溶けてくる。更にこれを目の細かいふるいにかけて不純物をこし取る。これでえのぐやうわぐすりを練るのりはできたわけである。この場合、できたのりがうすいとうわぐすり（又はえのぐ）が沈澱してしまつて本来の役目である「練る」ことができなくなつてしまう。そうかといつて濃ゆすぎると絵のぐが厚塗りされたり（厚塗りされるとうわぐすりがつかない）うわぐすりが厚塗りされて焼き上がりが白つぽくなる。

さて、適当にのりを溶かしたら乳ばちでえのぐを練るのであるが、その場合のえのぐとのりの比は—前述の割合いで溶かしたふのりだと—量にして約一対一である。

このようにしてできたえのぐで絵つけをするのであるが、厚塗りしないように筆を素早く運ぶほうがよい。被覆性のある色とそうでないものとがあるが、色は重ねないほうが無難である。

五、うわぐすりを塗る

うわぐすりもえのぐと同様にふのりを混ぜてよく練ることが大切である刷毛で塗る場合はえのぐがはがれないように毛のやわらかい刷毛で軽く塗るとよい。あるいは刷毛を使わないでうわぐすりの中に作品をたつぷりとつけて手早く取出すようにして塗る方法もある。

本校で使つている粘土は沖縄の粘土と違つて、素焼きの焼き上がりが石膏や白色セメントのように白つぽい色になる。そのような素焼きに絵つけをしないでうわぐすりだけ塗つて焼くと乳白色になつてくる。

沖縄の粘土を使つた素焼きのあの自然に出てくる赤茶色はえのぐでもなかなか出せない色である。したがつて、素焼きの上にうわぐすりだけ塗つて焼いても独特の色が出ておもし

ろい感じの作品ができあがるものと思う―。

六、よく乾燥させる

絵つけをしたりうわぐすりを塗つたりすると素焼きの中には水分が吸収されているのでよく乾燥させてから本焼きに移ることが大切である。この場合の乾燥の方法は焼がまのフタの上に置いて本焼きの熱を利用して乾燥させると時間が短縮されて便利である。(図6)

七、本焼すること

素焼きの場合作品を積み重ねても支障はなかつたが、本焼きの場合はできるだけ積み重ねないほうが理想的である。これはうわぐすりが溶けると作品どうしのくすりが接着し合つてできあがりがよくないからである。もし、どうしても作品が多過ぎて時間と燃料が不足しそうであれば接触部分の面積を最小限にとどめるようにすべきである。

まきを燃やす時も急激に温度を上げてはいけないことは素焼きの場合と同様である。しかし、前述のように本焼きの熱を利用して乾燥させる場合は相当に熱せられているので高温のかまの中に入れても大丈夫である

素焼きの場合は四、五時間を必要としたが、本焼きに要する時間は二十五分から三十分ぐらいである。この時間はうわぐすりがとけてガラス状の皮膜を作るのに要する時間であるが中の色で見当をつけるとよい。つまり、温度が上がるにつれて、作品の色が周囲の色に類似し、赤黄色に変わつてくる。このような状態になつたらすでに焼き上がつているのだから、まき入れは止める。

焼き上がつたら次は作品を取出すことであるが、中の温度が下がらないうちに火ばしでつまみ出して自然にさます。作品を取出す時にパチパチとガラスの割れるような音を出すが、急激に冷やされるためガラス状の皮膜にヒビがはいる時に出す音である。このヒビがまた陶器独特の味を出すと言われている。(作品を取出す時に可燃性のあるものの上に置くと燃えるからコンクリートかトタン板の上におくとよい)

以上のように、本焼きは短時間にできるのであるが、絵つけする時のえのぐの色がそのまま出るか、あるいはそれ以上にきれいに出るか、濁ごるか鮮明になるかなどは、えのぐの性質にもよるが、焼く時の時間の長短(すなわち温度の高低)に大いに左右されるのである。子供だけでなく教師にとつても、自分で塗つたえのぐの色がどのように生まれ出てくるかを待つところにまた本焼きの楽しみの一つがあると言えよう。

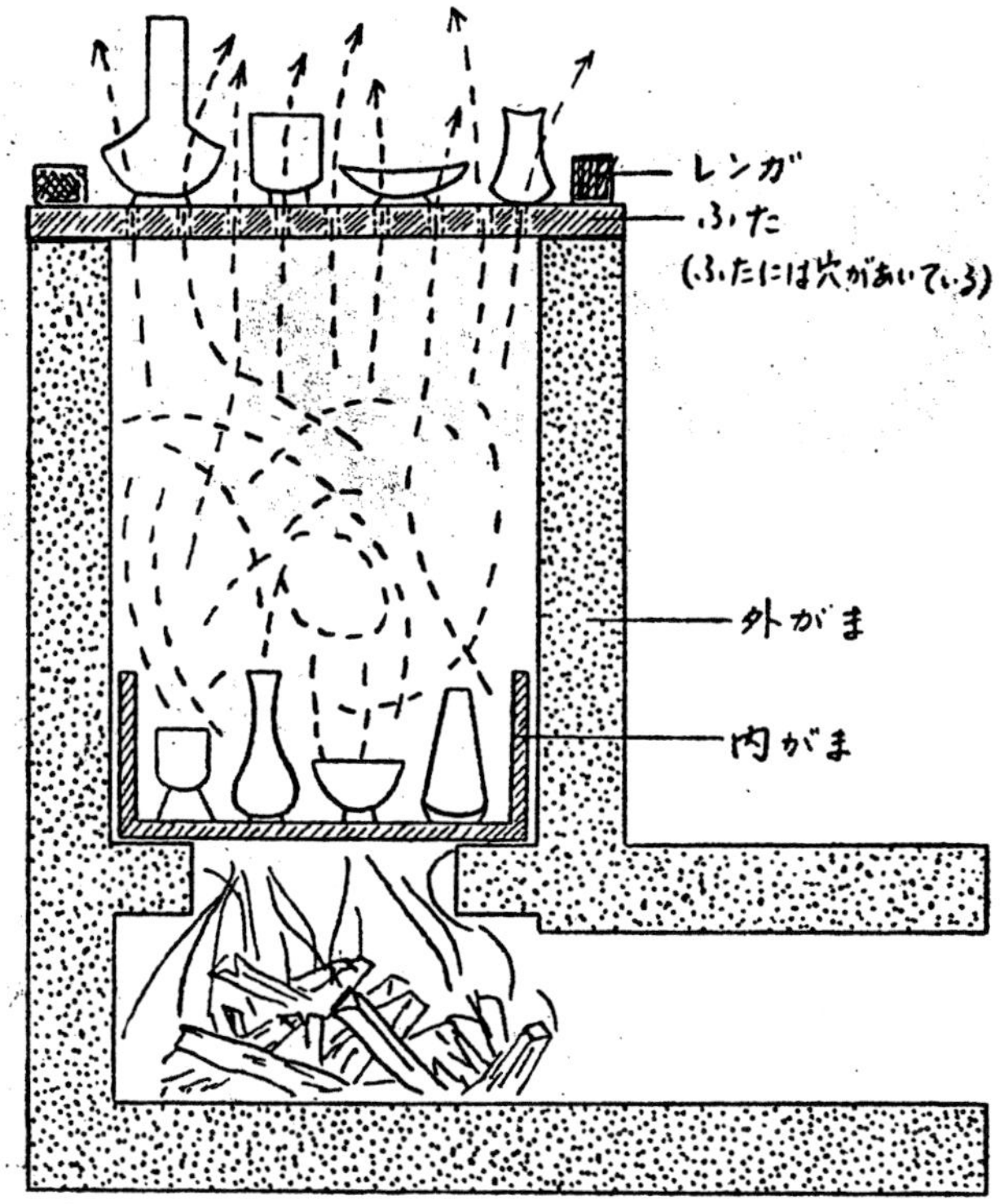

〔図6〕本焼きの熱を利用してうわぐすりを塗つた作品を乾燥させる。中の作品を取り出すまで乾燥させておくほうがよい。

ねんど学習に必要な道具

○延べ棒

直径約 3 cm
長さ約 30cm

○厚さ定規

厚さ定規の厚さは1 cm のものを10本ぐらい用意する

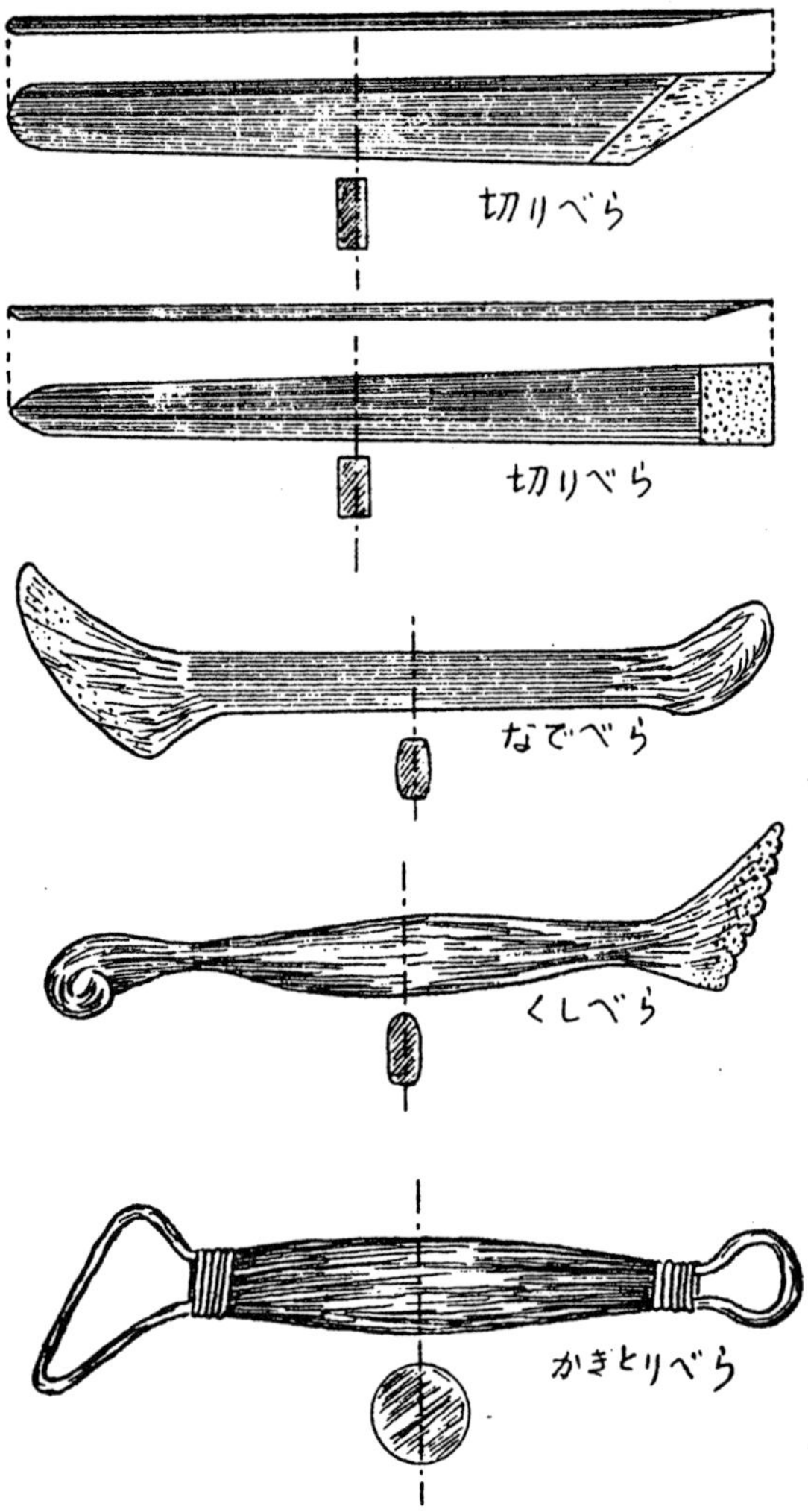

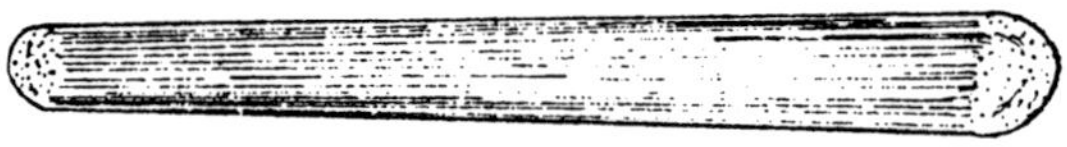

突 べ ら

〔注〕 へらの長さはいずれも約 15cm

○ねんど板　ねんど板は水分によるそりを防ぐため、両端にはしばめをつける

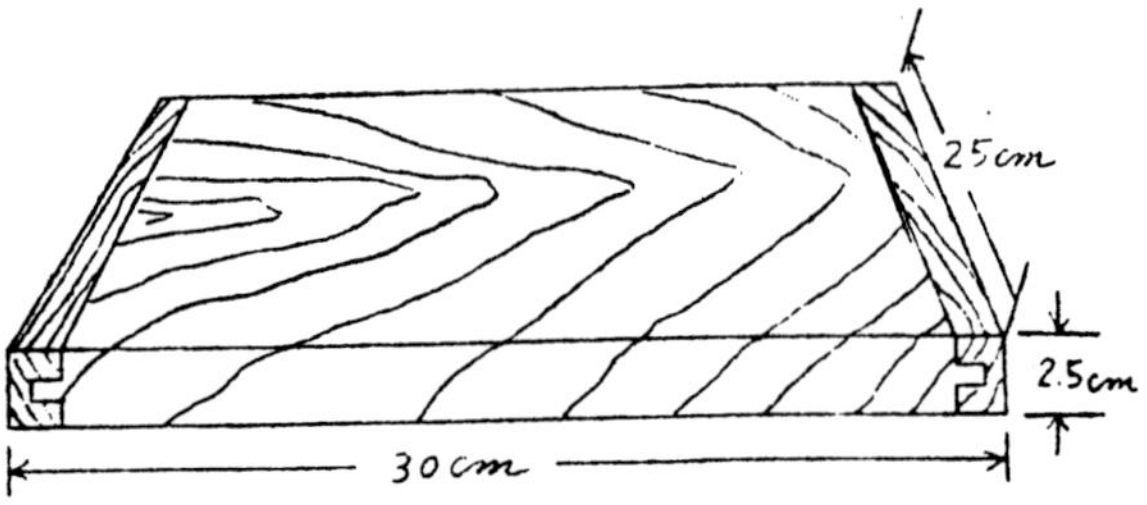

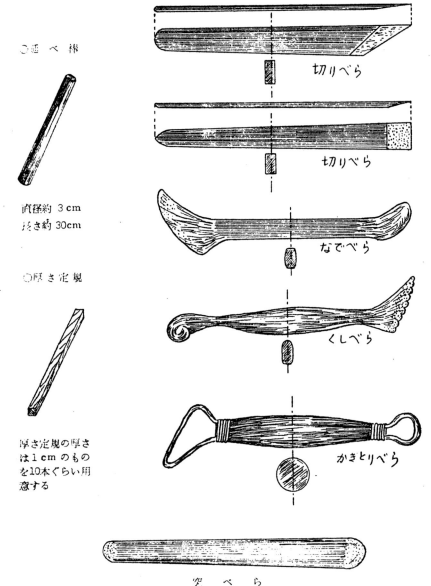

祖国の秋

配属校　埼玉県大宮市立南中学校

宮城秀一

「天高く馬肥ゆる秋」といわれているように、これまでには見られなかつた青空が広がつている。何とすが〳〵しい秋晴れだろう。それが、故郷（沖縄）を離れて六か月余、いつも見なれたあの青い空と海がなつかしく思えてならない。春、夏、秋と季節の変化が目のあたりに感じられる祖国、私達沖縄では感じられないものがある。先ず私の心を動かしたのは紅葉だ、絵に見る秋の紅葉、それが私の目で実際に見られるのかと思つただけでも心ははずみ、紅葉に期待をかけていた。それが実現し、私の期待していた以上に美しく、祖国の自然の美にひたることが出来た。

十月十九日、二年生の秋の旅行で碓氷峠を通つて軽井沢に出て熊の神社の近くの展望台で周囲の山々を眺めながら、昼食をすませ、紅葉の林の中をハイキング、熊ノ平駅に出て帰途につく、碓氷峠のカーブは一九〇余、バスは私達の目を楽しませながら海抜千米のところまで行く、初めて見る紅葉、赤、橙黄、それにきれいな杉の木の緑で色どられた山々、右手には浅間山が、どつかりとすそをひいている。左手には妙義山が、その向うには雲に頭をかくした連山、何とすばらしい高原の秋の景色だろう、いつまでもいつまでも眺めていたいような景色だつた。

十月三十日、三十一日の二日間、職員旅行で水上温泉郷へ、秋も深まり紅葉も絶頂だつた。小雨に降られたのはちよつと残念だつたが、汽車の窓から真赤になつた山々が私の目に飛び込んでくる。「あゝ」「わあ、すごい」私の嘆声が幾度となく発せられる。左右前方と私の目はくるくるまわる。ふと思いたつたのは故郷の山河だ、いつも変わることのない四季を知らぬ山々、そして子どもたち、何とかしてその自然の美しさを味わゝせたいものだ、祖国の子どもたちがうらやましく思えてならない。

ここは上信越国立公園、秋の紅葉を訪ねる人々で車も満員、洞元湖の須田貝ダムを見学、発電所の異様さに目を見張り、文明の力のすばらしさを知つた。少し下つて宝川温泉の露天風呂に入つた。まばゆいばかりの紅葉の中に澄みきつたお湯、そばには小川の流れ、熊の姿も見られる。友と二人で子どものように大きなタライの舟に乗つてはしやいだ姿もカメラにおさまつてしまつた。心ゆくまでお湯につかり、紅葉を眺めていると顔もほてつてきた、初めての露天風呂の味だつた。そこから利根川を遊覧船で藤原湖まで気持のよい音をたてながら私達に秋の気分を充分味わゝせてくれた。きり立つた大きな岩の上の紅葉、水面に映る色は又格別だつた。水上の温泉宿も川に沿つてずらつと並んでいる、窓辺に寄つてきれいな水の流れとともに美しい紅葉の山々を眺めることが出来る。温泉風呂もすばらしい、数回もお湯につかつたろうか、そこの名物はなめこ（きのこ）だそうで秋の味覚も充分だつた。こうして後髪をひかれる思いで再び汽車の窓からあの美しい紅葉を眺めながら満足感と、反面「もうこうした自然に親しむことも出来ないのだろうか」というさびしい気持も加つて帰つて来たのだつた。

一方秋にふさわしく各種の美術展が開かれている。東京上野の国立博物館では我が国の国宝展、西洋美術館では二〇世紀フランス美術展、その他二紀展や独立展等私は一堂に並べられたわが国の国宝に接することが出来、多年の夢がかなえられた喜びで一ぱいだつた。そのようなりつぱな有形文化財をわれわれの祖先は残してくれたのだ。どれを見ても「すばらしい」という一言につきる。弥勒菩薩半か像は最も期待していたものだが、残念なことに見ることが出来なかつた。絵画の部では吉祥天像、雨舟の秋冬山水図、尾形光琳の紅白梅図等私をひきつけてはなさない。その他彫刻、工芸品と順をおうてまわるだけで二時間半もかかつた。見ている中に時代の流れとともに芸術の移り変わる様子も自然に知ることが出来た。こうして一度にこのようなすばらしい数多くの国宝に接することは得がたいものだけに、とてもよいチャンスであつた。

次はフランス美術展を鑑賞することにし、西洋美術館に足を運んだ。第一目にとまつたのはロダンの「考える人」「地獄門」それを後にして会場に入つて行くと、まばゆいばかりの色彩、現代の西洋美術のすばらしさに感動した。ピカソの「つぼ」、マチスの絵画等、世界的な人々の作品に接することのできたのも、こういう機会でなければ出来なかつたろう…わが国の美術と西洋美術の最上のものを鑑賞することが出来

これからの私の美術教育にも光明を与えてくれたことを心ひそかに喜んでいる。

何とすばらしい祖国の秋だろう！次は雪が私を待つている。あの銀世界が……。

配属校の音樂環境

配置校　豊島区立千川小学校
勤務校　那覇市開南小学校
玻名城　長要

研究教員の一員として上京してからはや六ヵ月たちました。その間文部省や配置校の校長先生をはじめ諸先生方それに郷土出身の先輩の先生方に暖かい気持ちで迎えられ、いろいろと研究の便宜をはかつて貰つています。

又文教局をはじめ教職員会の方々からたびたび激励され、かつ文教時報や新聞を送つて貰い深く感謝しています。私も激励に答えるべく頑張つています。おそくなりましたが、配置校のようすや、東京の音楽教育の問題について見たまゝ感じたまゝのべてみたいと思います。

一　配置校の施設

私の配置校千川小学校は豊島区のはずれにある学校で生徒数八〇〇人、職員二三人で手頃な学校で昭和二六年に創立したそうです。

来年十周年を迎えるというのに、学校の設備たるや沖縄から来た私には目を見張るようなものばかりで普通教室はもち論のこと、理科室、音楽教室、図工室、家庭科教室、図書館、放送室、テレビ室、それに各準備室、衛生室、給食準備室等、基本施設が備つており今年できたプールを入れるとあとは体育館だと話しておられるあたり羨しい限りです。

二　音楽環境

1　校内放送

学校の自慢の一つになるものが放送室と放送器で十周年の記念事業として作られたもので費用は五十万円余かかつているといわれます。放送器だけで三十万円余りかかつているそうですが、精密な機械でそこから流れる音質は非常によく、又録音機もついており、教室、運動場に遊つた放送を一ぺんにすることができるのが特長です。

朝の静かな音楽、行進曲、昼の放送、臨時放送、帰校の音楽と子どもたちの学校生活に大きな役割をしています。

主な放送時間は昼の給食時間に十五分間放送されるもので計画は左の通りです。

月曜日　名曲を訪ねて　教師（音楽教師）
火〃〃　科学のお話　教師（理科主任）
水〃〃　子ども新聞　児童
木〃〃　スポーツの時間　教師（体育主任）
金〃〃　お話　児童
土〃〃　なし
◎毎日のプログラムがすんだあと今月の音楽

毎週このようなスケジュールで行われていますが、アナウンス、又は機械の操作をしているのは放送クラブの子どもたちで毎日三人づつ交替してやつています。

係の先生は一年担任の山崎先生で演劇に趣味を持つておられる方、校内放送関係について研究しておられ毎週金曜日には子どもたちと相談して計画を立てゝおられます。行事の時には演劇部の生徒を使つて放送劇子ども放送されます。

名曲を訪ねては小学校の鑑賞教材より選曲し、解説をつけて放送されスポーツの時間は子どもが興味を持つ競技の話や、小学校教材のルールの説明とか、遊び方等、又科学の話は、新聞などから取材した珍しい話などです。

さて今度は肝心な聴く方の子どもたちですが、教室をまわつて見ますと、静かにきいています。どの程度聴いているかは調査したデーターがないので統計的に申し上げる事は、できません。

科学担当の中村先生に静かに聴かす秘決はどこにあるだろうかと話してみると、子どもに興味あるものであると同時に教師にも興味を持たすそして参考になるようなものを放送することだと話しておられました。なる程だと思いました。放送番組のすんだあとには必ず今月の音楽の曲が放送されます。「今までに放送されたもの」

四月　春の歌（メンデルスゾーン）
五月　金と銀（レハール）
六月　白鳥（サンサーンズ）
七月　おもちやのシンフオニー（ハイドン）
九月　ユーモレスク（ドボールザーク）
十月　スケーターズワルツ（ワルトトイフエル）

2　全校合唱

月曜日と金曜日の朝は朝礼場で朝のあいさつがすむと音楽の先生の「さあ朝の歌を始めましよう」でアコーデオンの軽快な伴奏に合わせて楽しく歌が流れます。歌われる曲は、主に季節の歌で一年から六年まで歌えるような、ききなれた曲です。又学校で作った歌の本を皆持つているのでそれを出して歌つています。

3　音楽設備

音楽室の備品はグランドピアノ一、オルガン一、立奏用木琴二、鉄琴二、大太鼓一、小太鼓一、打楽器、鑑賞用電蓄、音盤等で三年以下の各教室にはベビーオンガンが一台づつ入つております。個人持ちの楽器はハーモニカで一年から六年まで全員持つています。

その外毎週金曜日に音楽クラブ、毎月二回、PTA合唱などをしております。ことに感心したのはお母さん方は合唱の日にはいつも三五人位集つて来られます。

三、東京都の学校の音楽研究上の問題

研究テーマや研究会などにいつてよく聞かされるのは音楽の「統合的学習」ということです。

先生方も皆統合的学習とはどんなものか、又どんなにすればよいかと真剣に研究しておられます。

その考え方に二つあるようです。その一つは音楽の要素的統合ともう一つの考え方は領域的統合ということで二つの考え方がいりまじつています

統合的学習というのは、三六年度より実施される新指導要領に示されている有機的統合的学習という事からでてきているのです。

要素的統合とは、要素である、フレーズ感、拍子感、速度、調子感、その他の要素がうまくかみ合わされた指導をいゝ領域的統合とは、音楽の各領域鑑賞表現（歌唱、器楽、創作）のいずれの領域にも傾かない指導だそうです。

都の指導部では、要素的な統合は目標にかかげてやつているので領域的統合の方をさしているようです。

来年度より新指導要領が実施されることになり、領域も大きく鑑賞表現の二つに分かれ、鑑賞が重要視されるようになりました。鑑賞は必ずしもレコードだけだとは思わないが、良い音楽を楽しく聞かすためにはよい電蓄が備えられなければならないと思います。

沖縄にもよい音楽がきける設備が早くできる事を祈りつゝペンをおきます。

教研集会と授業参観

—その二—　S・T生

教研集会場をうめつくす参観者の中には、いろいろの型が散見されるが、およそつぎのようなものがあげられよう。

。勤勉型—一応どの教室ものぞかないと気がすまないといつた素通りの型である「労多くして効少なし」

。おつきあい型—集会に参加したまとがはずれて〃久しぶりにあえてよかつたワネー〃……と談義にうつる型である。

。研究視察型—文字どおりの研究型で、あますところなく学校の施設設備まで丹念に視察する型である

。資料収集型—資料さえもらえば、サツサと引きあげる型である。

折角の機会研究に何か一つは学びとるといつた気構えが必要だと思うが、どうだろうか。

教鍵大会

（Mヤマグ）

教育研究大会がはじまつた頃は、地区においてもまた分科会の中でもどことなく熱狂的なふん囲気だつた。沖縄を敗戦のいたみからたてなおす最良のものは教育だという意識がもりあがつていた。第三次頃からは誰がいいだしたか教研大会は全く狂犬大会だというもじつた言葉が出たのも記憶にまあたらしい。

なるほど分科会も、全体会も全くけんけんごうごうたる意見の錯そうする熱狂的な場所であつた。第七次地区教研大会はしかし運営のし方や参加者の態度が成長したものだと思う。

実践につながろうという気持、現場にしつかり足場をもとうという態度この成長した教研大会には、誰も狂犬大会だというもじつた言葉をなげようとする者はいないし。また第七次の地区の様子を見てもこの風刺はあたらない。

ところでこれから教研に教鍵というサブタイトルをつけてみては、つまり教育現場のキーポイントをしつかりつかむ大会にという意味からだ。

しかしその鍵は鍵穴にさしこまれたまゝであつてはいけない。問題のあるごとに廻わされ扉が開かれる鍵でなければならない。たしかな的のはずれない教研の飛躍を期待してやまぬ。

文教時報総目録

一九六〇年一月（六三号）より
一九六〇年十二月（七一号）まで

ア、傷害とその防止　イ、事故災害とその防止　ウ、救急処置

(2) 環境の衛生

ア、環境と心身との関係　イ、環境の衛生検査　ウ、環境の衛生的な処理

(3) 心身の発達と栄養

ア、中学校生徒の心身の発達の特徴　イ、心身の発達に影響する条件　ウ、栄養の基準と食品の栄養

(4) 疲労と作業の能率

ア、疲労と学習や仕事の能率　イ、疲労の回復　ウ、学習や仕事の能率と生活の調和

第3学年の内容

(1) 病気の予防

ア、伝染病および寄生虫病とその予防　イ、循環器系の疾患とその予防

ウ、呼吸器系の疾患とその予防　エ、消化器系の疾患とその予防

オ、その他病気とその予防　カ、病気の処置と病後の注意

(2) 精神衛生

ア、精神の健康　イ、精神の健康を守るための生活

(3) 国民の健康

ア、国民の健康状態　イ、健康とその重要性ならびに社会との関係

6、高等学校の保健学習の内容

高等学校における保健学習は昭和38年（1963年）から、新指導要領（昭和35年公布）に基いて第2学年—35時間、第3学年—35時間、つぎの内容について指導することになつている。大きな項目だけを述べる。

第2学年と第3学年の内容

(1) 人体の生理

ア、恒常性とその維持　イ、適応作用　ウ、余裕力と物質貯蔵　エ、年令等による身体の変化

オ、全体性とその維持

(2) 人体の病理

ア、疾病の原因　イ、疾病による身体の変化　ウ、疾病の転帰、治療

(3) 精神衛生

ア、精神の発達　イ、精神と身体の関連　ウ、欲求と行動　エ、個人差と適応

オ、適応異常と精神障害

(4) 労働と健康安全

ア、労働生理　イ、労働疾病　ウ、労働衛生　エ、労働災害　オ、労働者の生活と健康

(5) 公衆衛生

ア、公衆衛生の基礎的活動　イ、公衆衛生の内容と機構　ウ、公衆衛生と健康の本質

Ⅳ　保健学校と教科書・準教科書

小学校、中学校、高等学校における保健学習は、保健の指導要領に則つて行なわなければならない。しかるに、往々にして、教科書または準教科書に則つて行なわれている。ここに保健学習の隘路がある。使用している教科書が古い指導要領に準拠している教科書である場合には、全く話にならない。

教科書を選ぶ場合には、なるべく新しい指導要領に準拠して書かれた文部省検定の教科書を選ぶことが必要である。

小学校の保健学習は体育という教科の中でとり扱われている。小学校の体育には教科書はない。あつても準教科書にすぎない。準教科書であるから、もち論、文部省の検定はうけていない。準教科書であるから、学校において児童に使用させてもよし、使用させなくてもよい。教科書がないところに、小学校の保健学習の難しい点がある。

中学校の保健学習は保健体育という教科の中でとり行なわれている。レツキとした教科書がある。昭和33年（1958年）に公布された指導要領に基いた教科書は昭和36年（1961年）に展示会に出される。生徒の手許に入るのは昭和37年（1962年）である。

高等学校の保健学習は保健体育という教科の中でとり扱われている。レツキとした教科書がある。現在出版されている高等学校の保健の教科書は昭和31年（1956年）に公布された指導要領に基くものである。昭和35年（1960年）に公布された指導要領に基く教科書は昭和37年（1962年）に展示会に出され、生徒の手許に入るのは昭和38年（1963年）になつてからである。

ウ　激しい運動や長時間の作業などの疲労の状態、各自の睡眠時間などについての経験を通して、休養、睡眠の必要を理解する。

エ　運動が健康上必要なこと、自己の健康状態に応じた運動のしかたなどについて理解する。

(2) 身体の発達状態や健康状態　自己のからだの発達状態や健康状態について理解させるとともに、日常生活における健康異常の状態について理解させ、健康異常に注意する態度を養う。

ア　健康診断の結果に基いて、自己の身長、体重、胸囲、座高を知り、また、他人や同年令の者と比較し自己のからだの形態的な発達状態を知る。

イ　健康診断の結果に基いて、自己の視力、聴力の状態、疾病異常の有無などの健康状態について知り、進んで治療を受けたり、健康をそこなわないように注意したりすることの必要に気づく。

ウ　肺活量、背筋力、握力、基礎的運動能力などの測定の結果に基いて、自己のからだの機能の現状を知り、運動がこれらの機能の向上に役だつことに気づく。

エ　健康異常の状態にあるときは、顔色が悪くなつたり、気分が悪くなつたり、食欲がなくなつたり、頭痛がしたりすることなどを知り、また、その場合には、体温、脈はく、呼吸などに変化が起ることもあることについての理解を深める。さらに、健康異常の場合は、進んで処置を受けるようにする。

第6学年

(1) 病気の予防　日常かかりやすい病気の症状とその予防のしかたについて理解させる。

ア　かぜの症状や原因について知り、その予防に努める。

イ　インフルエンザの症状や感染経路を知るとともに、その予防には、うがいをしたり、患者に近づかないことなどが必要であることを知る。

ウ　回虫病、十二指腸虫病の症状について知るとともに、その感染経路についての理解を深め、その予防に注意し、定期的に検便を受け、虫卵があつたときは、駆虫に努めるようにする。

エ　白せん、かいせんなどの皮膚病の症状や感染経路を知り、その予防には、からだや衣服の清潔がたいせつであることを知る。

オ　トラホームの病状や感染経路について知り、その予防に努める。

カ　食中毒の症状やおもなる原因について知るとともに、その予防には、ねずみやごきぶり（あぶら虫）の駆除、食物の保存に注意すること、加熱して食べることなどが必要であることを知る。

キ　赤痢の症状を知るとともに、消化器等の伝染病の予防には、下水やふん便の完全な処理、なま水やなまものを飲食しないこと、はえの発生の防止や駆除など、いろいろな方法があるが、日常生活において手をよく洗うことや食物の清潔に注意することが最もたいせつであることを知る。

ク　結核については、発病していても自覚症状のほとんどないことや、その予防には、定期的な健康診断をうけ、その結果に従つて適切な処置を受けることが必要であることを知る。なお、自然陽転者は、約１カ年、日常生活において特に栄養や休養に注意しなければならないことを知る。

ケ　伝染病の発生状態などから、伝染病の予防のために、予防接種が必要であることを知るとともに、定期的に受けなければならない予防接種の種類を知る。

(2) 傷害の防止　けがややけどの原因とその防止について理解させ、簡単な応急手当ができるようにする。

ア　交通事故、遊びや運動の事故、その他日常生活における事故の原因と予防のしかたについて知り、また安全についての規則を理解し、必要に応じて安全についてのきまりをつくる。

イ　やけどの原因と防止のしかたを知る。

ウ　すり傷、切り傷の手当や簡単な止血法、ほうたいの簡単なしかたおよびやけどの簡単な手当について理解するとともに、それを必要な技能を養う。

(3) 各種の運動の特徴と運動の競技会　（略）

５、中学校の保健学習の内容

中学校における保健学習は昭和37年、1962年から、新指導要領（昭和33年公布）に基いて第２学年—35時間、第３学年—35時間、つぎの内容について指導することになつている。大きな項目だけを掲げておく。

第２学年の内容

(1) 傷害の防止

度の第1学年に対しては、保健にかんするまとまつた指導はしない。そして1961年度には保健の教科書を生徒に購入させてはならない。

学年 / 年度	1学年	2学年	3学年
1960，35	4	③	③
1961，36	×		③
1962，37	×	④	④

中学校の保健学習の移行措置
（(3)は通達、(4)は新指導要領、×は指導しない）

高等学校の手引きとしては、つぎの4つである。

(1)　「学校体育指導要綱」　（昭和22年，1948年）
(2)　「中等学校保健計画実施要領」　（昭和24年，1949年）
(3)　「高等学校・学習指導要領・保健体育科編」　（昭和31年，1956年）
(4)　「高等学校・学習指導要領・保健体育」　（昭和35年，1960年）

(4)に基いて全面的に指導するのは、昭和38年1963年度からである。それまでは(3)に基いて指導するわけである。そして、中学校における保健学習のような移行措置は全く行なわない。いきなり、1963年から(4)の指導要領に切りかえて指導するのである。

3、保健学習の指導時間数

小学校の保健学習は「体育や保健に関する知識」として、第5学年、第6学年に体育の指導時間の10%を割り当てることになつている。「体育や保健に関する知識」の第5学年の部は全く「保健」の内容ばかりである。しかし、第6学年の部は一部は「体育」の内容が入つている。

以上のことを考慮に入れると、小学校、中学校、高等学校におけるまとまつた保健学習指導時間数は、つぎの表のようになる。

保健学習の特設時間数

学校	学年	新指導要領 指導時間数	新指導要領 実施期日	現行指導要領 指導時間数
小学校	1	0	昭和36年 1961年以降	0
	2	0		0
	3	0		0
	4	0		0
	5	10～11時間		0
	6	10時間足らず		0
中学校	1	0	昭和37年 1962年以降	70時間
	2	35時間		
	3	35時間		
高等学校	1	0	昭和38年 1963年以降	あいつづく2個学年で70時間
	2	35時間		
	3	35時間		

4、小学校の保健学習の内容

小学校における保健学習（体育理論を含む）は昭和36年（1961年）から第5学年、第6学年の児童に対し、体育の指導時間の10%（年間10～11時間）の時間をさいて、つぎの内容について指導することになつている。

第5学年

(1)　健康な生活　身近な日常生活における健康完全について基礎的な事項を理解させ、これを日常生活において実践する態度や習慣を養う。

ア　からだや身の回りを常に清潔にすることの必要を知る。

イ　立位、座位、歩行などの姿勢について相互に比較しながら、よい姿勢と悪い姿勢に気づくとともに、悪い姿勢の矯正のしかたを理解する。

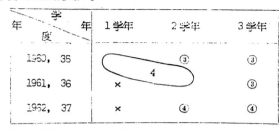

赤痢の予防　近視の予防　夏の健康生活　冬の健康生活
十二指腸虫病の予防　結核の予防　自分の健康生活の計画のたて方

6、傷害の防止

けがの予防　交通安全　災害時における心得
遊びの安全　運動の安全　やけどの予防
日常の生活を安全にする心得

7、救急措置

簡単なけがの手当　簡単なやけどの手当　脳貧血の手当　鼻出血の手当
簡単な包帯のし方　簡単な止血法　毒虫の手当

8、身体の成長

身体の発育　視力、聴力　自分の発育状態　自分の健康状態
自分のからだの主な機能

9、公衆衛生

公園や道路などの公共施設の衛生的な使い方
公衆浴場、共同水飲場、共同便所などの使い方

Ⅲ　保　健　学　習

保健は生活教科であり、健康生活を実践する態度や能力を養うことがその狙いである。単なる保健知識の詰込みだけに終つてはならない。

1、系統学習か問題解決学習か

戦後、アメリカの実際主義的教育哲学の影響を受けて、問題解決学習が学校教育において重要視されていた。しかし、この数年来、問題解決学習に対する批判が起こつてきている。

系統学習とは、系統的に組織だてられた知識体系を、一定の順序にしたがつて行なう学習である。したがつて、系統的に知識体系を理解させるには好都合であるが、実生活との結びつきが薄弱である。

問題解決学習とは、ある課題を設け、その課題の解決をはかる思考過程中に、必要な知識、技能、習慣を身につけさせる学習である。したがつて、実生活との結びつきはよいが、児童、生徒が興味をもたないような課題は、たとえ、重要なものであつても、学習しないで終つてしまう危険がある。

保健学習には、一体、どの学習が適しているであろうか。結論をいうと、両者を併用し、その長所をとりいれ、短所をすてるのがよい。すなわち、保健学習全体の系統性は重視しながら、個々の課題の学習展開は問題解決的に行なうのがよい。

2、保健学習の手引き

小、中、高、大学において、保健学習がある程度、系統的にとりあげられるようになつたのは第2次大戦後のことである。この14、5年間に、小、中、高それぞれについて、種々の手引きが出されてきた。

小学校の手引きとしては、つぎの3つである。

(1)「学校体育指導要綱」　(昭和22年，1947年)
(2)「小学校保健計画実施要領」　(昭和25年，1950年)
(3)「小学校学習指導要領、体育」　(昭和33年，1958年)

(3)に基いて全面的に指導するのは昭和36年，1961年度からである。

中学校の手引きとしては、つぎの4つである。

(1)「学校体育指導要綱」　(昭和22年，1947年)
(2)「中等学校保健計画実施要領」　(昭和24年，1949年)
(3)「中学校保健体育科のうち、保健の学習の指導について（通達）」(昭和31年，1956年)
(4)「中学校学習指導要領、保健体育」　(昭和33年，1958年)

(4)に基いて全面的に指導するのは昭和37年，1962年度からである。しかし、昭和35年，1960年度からは、(3)から(4)に移り変わる移行措置をとることになつている。

移行措置について具体的に説明すると、つぎのようになる。すなわち、昭和35年，1960年度の第2学年、第3学年、並びに昭和36年度，1961年度の第3学年については、(3)に基いて指導する。1960年度の第1学年と1961年度の第2学年については、この2個学年の間に(4)の第2学年の保健の部を指導する。そして1961年

㋺　校長、教頭、保健主事

㋩　学校医、学校歯科医、学校薬剤師、心理学専門家、社会性指導者

㋑のグループは教師あるいは養護の教師という立場から保健指導を行なう。㋺のグループは教師を激励し、その連絡調整に当たり、保健指導を補足する。㋩のグループは専門家という立場から保健指導を行なう。

Ⅱ　保健指導と保健学習

保健教育は保健指導と保健学習とからなることはすでに述べた。保健教育のうち、保健指導と保健学習の指導の割合をどのようにすべきかは、はなはだ難しい問題である。

一般論としては、下級学校ほど、また低学年ほど、保健指導の占める割合を多くし、保健学習の割合を少なくする。逆にいえば、上級学校ほど、また高学年ほど、保健指導の占める割合を少なくし、保健学習の割合を多くする。

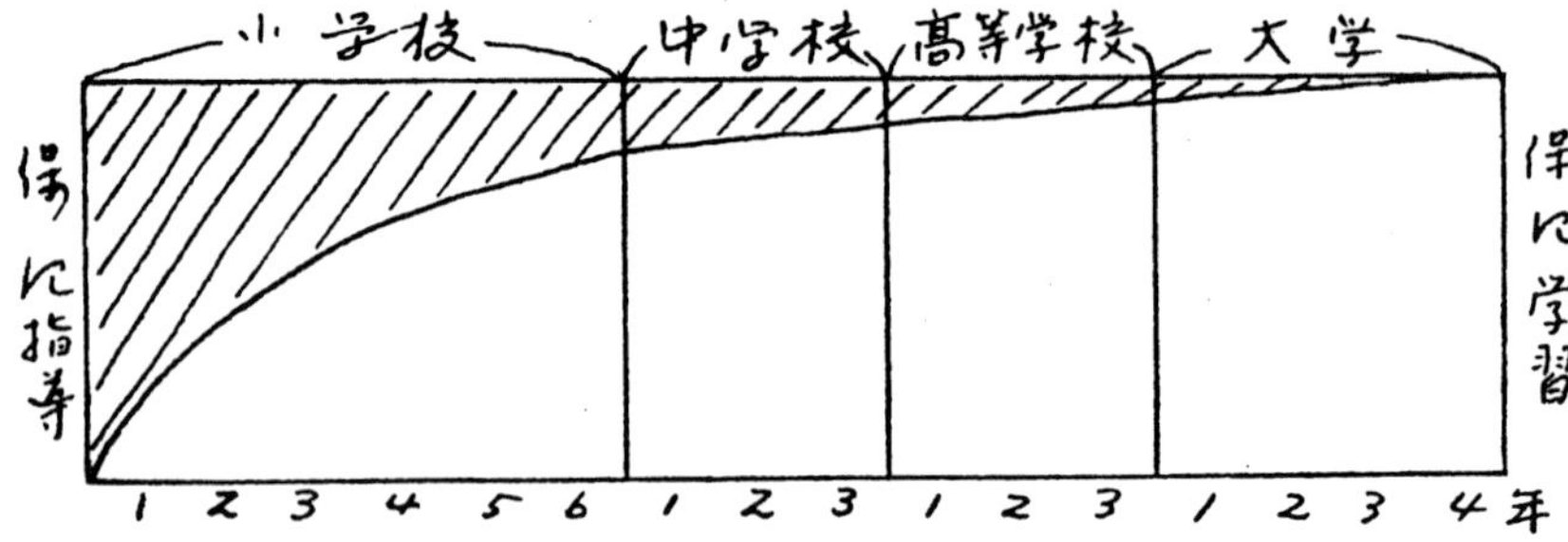

（斜線：保健指導の占める割合）

以上のように、小学校においては、保健指導の占める分野が大きい。そして、保健指導は、上述したように、「各教科、道徳、特別教育活動および学校行事等の教育活動全体を通じて」行なうのである。

保健指導の内容として、小学校においてはつぎのようなものが考えられる。

1　清　　潔

(1)　身体を清潔にする方法と必要性

手足の洗い方　　顔の洗い方　　入浴のし方　　頭髪の手入
歯のみがき方　　鼻のかみ方　　汗の始末　　入浴の必要
爪の切り方　　耳の掃除のし方
身体の不潔と病気　　ハンカチ、鼻紙の使い方

(2)　衣服を清潔に保つ方法と必要性

衣服の正しい着方　　衣服の不潔と病気

(3)　住居を清潔に保つ方法と必要性

住居を清潔に保つ方法　　掃除のし方　　塵芥の処理法　　採光　照明
新鮮な空気　通風　換気

2、食　　事

食事のし方　　食物と清潔　　食物と病気　　偏食とその矯正法
食物と発育

3、姿　　勢

起立時の姿勢　　学習時の姿勢
姿勢と能率　　姿勢と机、腰掛　　不良姿勢と病気　　不良姿勢の矯正法

4、睡眠、休　養

就寝時の注意　　休養のとり方
疲労と休養　　疲労と回復

5、病気の予防

かぜの予防　　しもやけの予防　　食中毒の予防　　健康診断
回虫病の予防　　トラホームの予防　　予防接種　　夏休みの衛生
皮膚病の予防　　むし歯の予防　　冬休みの衛生　　つゆ時の健康生活

学校における保健教育

杉　浦　　正　輝

（学校保健指導委員）

著者の略歴

1920年１月　神奈川県横浜に生まる

1944年９月　大阪大学、医学部卒業

1948年９月　東京大学医学部大学院修了、生理学専攻、埼玉大学助教授、医学博士

文部省学習指導要領委員、全国学力調査委員

学校における保健教育 health education は保健指導 health guidanceと保健学習 health instruction に大別される。保健学習は、学習指導要領というものがあり、それに準拠して行なえば、何とか、一応の体裁を整えることができる。しかし、保健指導となると、学習の指導に追われることを口実に、ややもすれば放置されがちになる。

Ⅰ　保　健　指　導

従来の教育では、児童、生徒に知識だけを与えればよいと考えられていた。それだけで子供は順調に発育していくものと考えられていた。このような教育では、子供たちは知的には理解でき、その結果として将来のためには役に立つ知識を得るであろう。しかし、現実の問題の解決には直接に役に立つことが少ないのである。

1、生　活　指　導

現実の問題を解決するために、新しい教育では、知識の伝授のほかに、現実の要求の満たし方、現実の問題の解決のし方等を指導する生活指導が重要視されてきた。

生活指導というのは、個人が自分の問題を解決できるように個人を助けることである。つまり、生活指導の焦点は個人であつて、問題ではない。そして、個別に指導する場合もあり、集団的に指導する場合もある。いずれの場合であつても、個人を指導するのである。個人の有する問題そのものを指導者自らが手を下して解決してやるのではない。

学校で行なわれる生活指導には、教育指導、進学指導、職業指導、人格指導、社会性指導、余暇指導などのほかに、保健指導がある。しかし、学校教育の中で取り扱われる生活指導は心身の健康問題と関係が深いものばかりであるから、保健指導が生活指導の重要な部分を占めるのである。

2、保　健　指　導

生活指導の重要な分野を占める保健指導は何時、どのように行なうべきものであるか。「小学校学習指導要領、第１章　総則、第２、指導計画作成および指導の一般方針」に「保健に関する事項の指導は、各教科、道徳、特別教育活動および学校行事等の教育活動全体を通じて行なうものとすること」とある。すなわち、保健指導は、ことに小学校においては、あらゆる教育活動を通じて、機会あるごとに、随時行なうべきものである。

例えば、朝の第一時間目の最初の数分をさいて、顔色の悪い者に対する指導、爪の伸びている者に対する指導を行なう。また、給食時には、食前の手洗いの指導を行なうとか、給食に出された食品（ミルク、パン等）についての栄養学的な指導を行なうとか等等である。

保健指導において、個別指導がよいか、集団指導がよいかは、指導すべき事項によつて異なる。治療を必要とする者に対しては個別指導が適する。予防について指導するときには集団指導が適している場合が多い。

学校において、保健指導を含め生活指導に一体誰が当たるのであるか。担当者を３つのグループに分けることができる。

① クラス担任教師、ホームルーム担任教師、保健学習担任教師、養護教諭、特別教育活動の援助者である教師

十二月のできごと

一日　防火デー（三日まで）
立法院特別議会議長に長嶺秋夫氏、副議長に山川泰邦氏
新生一体化運動
指導主事研修会（於那覇教育長事務所）三日まで
首里高校工芸科による染もの展
国勢調査

二日　琉大大学祭開幕
琉大、首里高の創立記念行事として首里で教育まつり琉大開学十周年記念式典を行なう。

三日　社会教育主事研修会（美栄橋市民集会場所）
精神衛生知識普及週間

四日　住みよい社会をつくろうと初の人権擁護週間始まる。
時志為男選手朝日国際マラソンで六位入賞
日本弁護士連合会沖縄司法制調査団一行四氏来島。

五日　中央教育委員選挙
宮古水産高校三年与那覇昇君石垣港沖でボート転覆によって水死。
国務長官指令で米国のドル節約政策が発表された。

六日　日本民主教育協会主催沖縄支部I・D・E成人講座始まる。
琉球育英会では各高校進学主任に国費、自費試験説明会を行なう。
中校国語研修会（那覇教育長事務所広大岩佐正教授を招いて）

七日　社会局では公衆衛生強化策として新たに渡久地、辺野古、金武、[illegible]辺東風平の五保健所を設置すると発表
大田主席アンドリック民政官にアメリカのドル防止策の沖縄におよぼす影響などについて見解をただす。
那覇教育長指定浦添小学校の研究発表会（子ども集会について）
日本自衛隊、沖縄戦史研究団一行十八人来島、

八日　秋の交通安全運動週間始まる。
首里高校八十周年を祝い市民（首里）が提灯行列、
奥武山球場開きに日石野球部来島
教研集会（前原地区）

九日　文教局主催理科実験の研修会、講師永島正雄本土指導委員（上山中校にて七日より）

十日　島津製作所より沖縄科学センターへ万能顕微鏡投影装置を贈る。

一一日　琉球衛研では宜野座の児童の五%が肺ジストマに感染していると発表

一二日　パキスタン大統領は日本訪問の途中立寄る。
那覇地区社会、国語の教研集会松川小で行なわれる。
越来中校、コザ中校より分離、新校舎に独立移転した。

一三日　平和観音慰霊像建立地の末吉区の公園化調査のため早大山村徳太郎建設省山内正雄、日本住宅公団生野雅三の三氏来島

一四日　鳥取大金関丈夫教授台湾での学術会議の帰途たち寄る。滞在一週間の予定。
瀬長副主席、与世山官房長本土政府の沖縄関係の予算実現のため空路上京。

一五日　教育委員会協会総会（於教育会館三階ホール）
一九六一年度国費自費希望者の願書受け付けしめきる。受験希望者八二二名競争率七倍弱
教研集会（名護）
那覇地区公開授業（国語、音楽、家庭）

一六日　教研集会（辺土名、久米島）
本土就職促進協力会発足

一七日　運輸審議会では石垣島における適正バス台数を十八台として答申することに決定。

一八日　第三回全沖縄定時制高校弁論大会（於商業高校）
NHK青年の主張全国コンクール沖縄代表として金武村の岡村芳子さんに決定。

二〇日　本島北、中、南部農林高校と久米島高校農業クラブによる山地開発実習が行なわれる。三十日までの十日間今帰仁乗次山で。

二一日　国費自費試験始まる（二二日まで）
那覇地区教頭研修会を開いて進路指導の強化をはかる。
八重山農林高校生と宮古農林高校生ら四十名西表で一〇日間の開拓実習のために出発。

二三日　瀬長副主席、新里自民党幹事長は文部省に荒木文部省を訪ね育英制度沖縄学生寮の建設などについて要望。
運天港に外航船、横づけ可能な桟橋落成。

二四日　中校新人野球大会で真和志中学校初優勝。

二五日　沖縄バスケットボール協会主催第四回高校バスケットボール選手権大会男子普天間、女子南農がそれぞれ優勝・沖縄高野連の招きで全鹿児島高校チーム来島

二六日　文教局、沖縄音楽協会共催第七回全沖縄学校音楽発表会（小学校の部二七日まで）
具志川村公民館教養部では具志川村内中学生の本土就職希望者に対し合宿訓練を行なう（一週間・二十三人の希望生徒参加）
藤枝総務長官空路来島。

二七日　来島中の藤枝長官と立法院議員の懇談会（於立法院）

二八日　那覇市与儀の日本政府南方連絡事務所落成。
電々公社は来年一月一日より電話料金を度数制にすると発表。

二九日　税審一三六万ドルの減税案採択年明けに主席へ答申する旨発表。
沖縄水産高校出身嘉川君甲種船長免状獲得、水校出身では初の栄誉

文教時報
（第七十二号）（非売品）

一九六一年一月九日　印刷
一九六一年一月十一日　発行

発行所　琉球政府文教局
研究調査課
那覇市三区十二組

印刷所　ひかり印刷所
電話(8)一七五七番

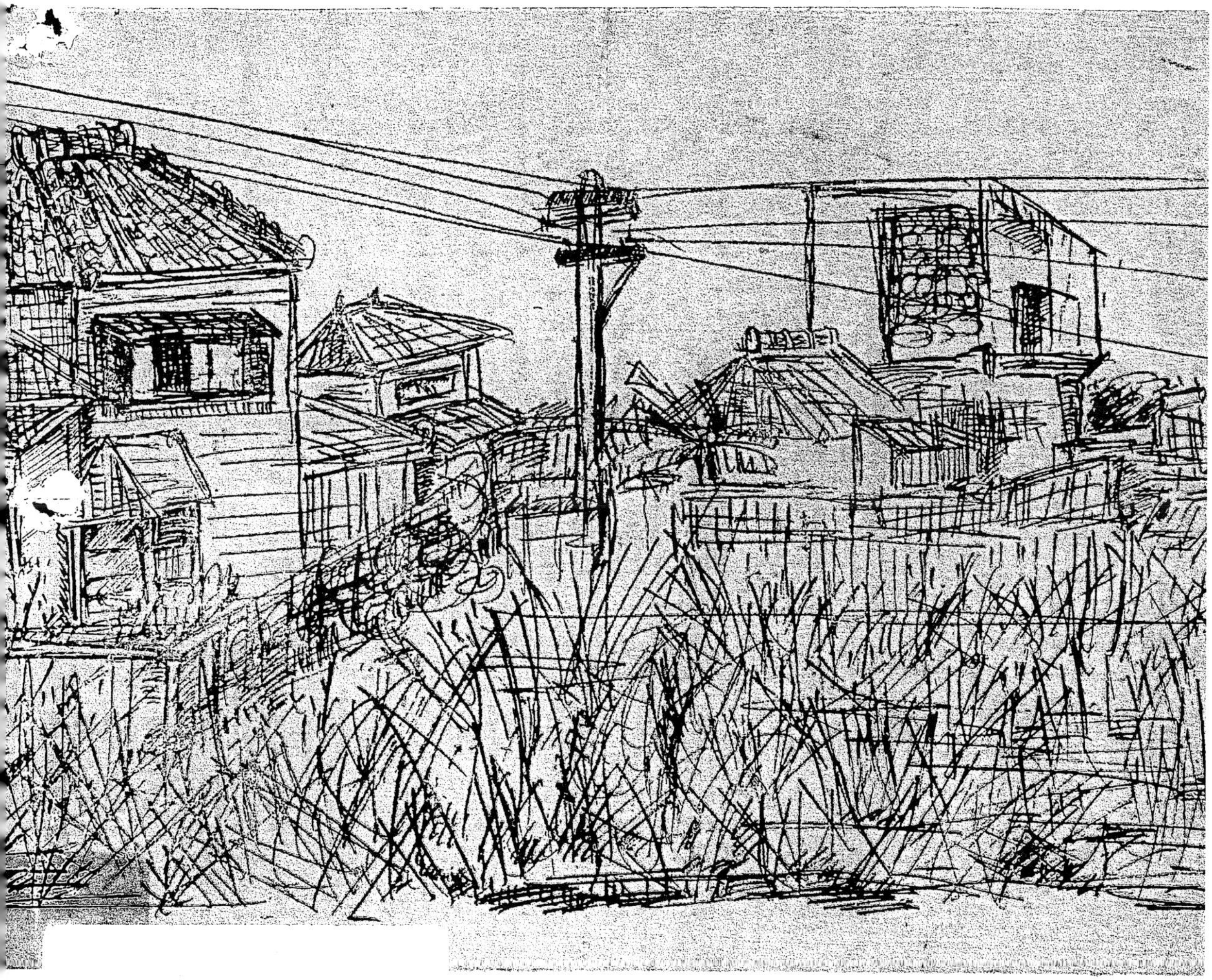

文教時報

73

1961.2　　No. 73

琉球　文教局研究調査課

巻頭言

科学教育における教師の任務

学校教育課長 大城 真太郎

科学教育は最も身近かなところにある。何時でも創意くふうの精神を働かす事である。

その精神を表現し、或は実現するために技術が必要である。技術の訓練は毎日のあらゆる生活の中において行なわれなければならない。

学校教育においても科学教育は理科の時間においてのみ行なうべきものである事という考え方がある間科学的水準は決して向上しない。科学的水準の低いところに偉大な科学は生まれない。

実験、観察や、器具、機械の操作に関する正確、緻密な技術は理科の時間において徹底的にきびしく訓練しなければならない。そうするためには先ず教師自体がきびしい訓練を経ておらなければならない。教師或は指導者は自分のレベル以上に相手を訓練する事は出来ない。

自己のレベルの高さが子ども達を伸ばす限度である事を十分認識する必要がある。はさみの使い方、物差しの使い方、三角定規や分度器の使い方を先生方自体が正しさを欠いている場合がある。

それは幼稚園や一年生の時の折り紙細工や切り紙細工の時に既に十分訓練されておらなければならない。月世界の旅行も実現する宇宙時代に遅れをとらないようにするために科学教育は琉球教育の大きな課題である。

目次

理振法とその解説

学校教育課

まえがき

教育現場での理科教育に対する要望として施設設備の充実策が最も強く叫ばれている。理科教育の生命は、実験と観察にある。しかしながら、現下の学校の実状は、それに必要な施設、設備さえまことに枯死の状態である。

幸いにして、理科教育関係者の強い要望と、世論の支持によつて、理科教育振興法が立法制定されたことは、喜びにたえない。この立法によつて理科教育の重要性が広く一般住民に認識されたことは勿論であるが、さらに必要な実験観察の設備を充実するために、政府からの財政的援助を行なうことになつたことは、理科教育に従事するものの感激をあらたにするものである。

理振法一年次を迎えこの立法の精神を生かすため、今一度ふりかえつてみよう。

理科教育振興法

〔一九六〇年六月二〇日
立法第六十二号〕

（この立法の目的）

第一条　この立法は理科教育が文化的な国家社会の建設の基盤として特に重要な使命を有することにかんがみ、教育基本法（一九五八年立法第三号）の精神にのつとり理科教育を通じて、科学的な知識技能及び態度を習得させるとともに、くふう創造の能力を養い、もつて日常生活を合理的に営みかつ国家社会の発展に貢献し得る有為な国民を育成するため、理科教育の振興を図ることを目的とする。

註　本条の規定は、この法律全体の根本目的を明らかにしたものである。

理科教育は、産業と科学の媒介者として、国家形成の基盤をなしておりきわめて重要な問題であるから、この立法をもつて、理科教育の振興を企図する旨を規定したものである。

第二条　この立法で「理科教育」とは、小学校（盲学校、ろう学校及び養護学校の小学部を含む、以下同じ。）中学校（盲学校ろう学校及び養護学校の中学部を含む。以下同じ。）又は高等学校（盲学校、ろう学校及び養護学校の高学部を含む、以下同じ。）において行なわれる理科に関する教育をいう。

註　従つて、社会教育で行なう理科的な類似の教育は本法でいう理科教育の中には含まない。また、中学校における職家や高等学校における職業課程の中には、実質的にこの理科教育と区別しがたいものが存在するはずである。

例えば、現行指導要領のラジオ受信機は職家でも取扱われており、比較的に基本的な問題を主とする場合には、理科教育の性格がつよくなり、比較的に実生活に即する応用的な問題を主とする場合には、職業教育の性格が強いというように考えられる。

したがつて、予算の支途についても競合する場合もあるはずであるが、その区分の大綱も又、この辺におくべきものと考えられる。

第三条　中央教育委員会は、次の各号に掲げるような方法により理科教育の振興を図るとともに、地方教育区が、理科教育の振興を図るために行なう事務に対して必要な援助を与えかつこれを奨励しなければならない。

一、理科教育の振興に関する総合計画を樹立すること。

二、理科教育に関する教育の内容及び方法の改善を図ること。

三、理科教育に関する施設設備及び備品を充実すること。

四、理科教育に従事する教員又は指導者の現職教育又は養成の計画を樹立し、その実施を図ること。

註、以上のことから重要事項はもうらされていると見るべきであろう。特に戦後の理科教育が戦前に比して、著しい低下をきたしていることは、本土においても教育界の重要課題になつている。

戦前は実験設備は整い、教師はまたよくこれを活用して、りつぱに実験をして生徒に示した。したがつて、理科教育といえば、すぐ実験を思い実験を離れて理科教育ということは「ナンセンス」だと、考えられた。設備の不備を理由にマンネリズム化し、戦後一時見られた「白墨と黒板」とによる、理科教育に後退してはならないと思う。事実に基かず、抽象により、概念による知識しか与えられない現在の児童、生徒は、きわめて薄弱な知識のみにたよることとなり、これらの青少年が不幸な人生を歩む結果となると同時に、このことは郷土の文化をそれだけ底力のない、もろく弱い、低いものにしてしまうことになる。

第四条

（文教局長の任務）

文教局長は、理科教育の振興を図るため必要な、調査研究を行ない、資料を整備し、並びに地方教育区が行なう理科教育に関して、必要な指導助言及びあつ旋を行なう。

註、本土の場合、第四条では、理科教育審議会（二〇名の委員）が設置されその組織及び権限がうたわれているが、第三条の事項、その他理科教育に関する重要な事項について、調査審議建議等があるが、この立法では理科教育審議会は設置されていないが、文教審議会の専門委員をおくことによって、理科教育審議会の役目を果そうとする意図によるものである。

第二章

第五条

1　政府は、地方教育区がその設置する公立学校における理科教育のための設備及び備品で中央教育委員会（以下「中央委員会規則」という。）で定める基準に達していないものについて、これを当該基準にまで高めようとする場合においては、これに要する経費の四分の三を標準として当該地方教育区に対し、予算の範囲内において補助する。

註、本条がこの立法の一番の山である。理科教育の振興はもとより補助金のみによって解決されるべきものではないが、沖縄の現状から多分に予算の不足を訴えている。

昨年「理科教育のための設備の基準に関する細目」が出来て管下各学校に配布されたが、一九六一年度より初めて科学教育振興費として、三万弗の予算が計上された。

2　前項に規定するもののほか、政府は公立学校に係る理科教育の振興のために特に必要と認められる経費について当該地方教育区に対し、予算の範囲内でその全部又は一部を補助する。

註、理科教育の振興上特に必要な経費であれば、施設その他の補助も名実ともに兼ね備えることとなりうるものと解されるが、現段階としては、備品中使用頻度の高い実験器具の充実を優先する方法によって充実していく以外にいたし方ないであろう。

3　前二項の規定により、政府が補助する場合の経費の範囲、算定基準及び補助の比率は中央教育委員会規則で定める。

註、一九六一年度理科教育振興費の予算については、普通補助と特別補助を八対二の比率で算定し、特別補助は理科教育地区センター校へ補助される。

センター校への補助は、他の学校よりも余分に補助するのではなくて、実験器具を早く充実させるためのものであって、基準設備の総額においては変らない。

第六条（補助金の返還等）

第七条（準用規定）

第八条（施行規定）

については、紙数の都合で割愛して施行規則を全文、掲げよう。

理科教育振興法施行規則

（目的）

第一条　この規則は、理科教育振興法（一九六〇年立法第六十二号。以下「法」という。）第五条及び第八条の規定に基き法施行のため必要な事項を定めることを目的とする。

（設備の基準）

第二条　法第五条第一項に規定する公立学校における理科教育のための設備及び備品の基準は、学校の種別及び部別に応じ、別に定める理科教育のための設備の基準に関する細目による。

（補助金の交付の申請）

第三条　地方教育委員会が法第五条の規定による政府の補助金（以下「補助金」という。）の交付を受けようとするときは補助金交付申請書（以下「申請書」という。）に事業計画及び収支予算書を添えて、文教局長に提出しなければならない。

（補助金の決定及び通知）

第四条　文教局長は、申請書を受理したときは、補助金の交付の要否並びに補助金の交付を要すると認める場合においては、その額及び交付の条件を決定し、その結果を教育委員会に通知しなければならない。

（事業計画の変更の承認）

第五条　教育委員会は、前条の通知を受けた後において、やむを得ない理由により当該補助金に係る事業計画を変更しようとするときは、あらかじめ文教局長の承認を受けなければならない。

（調査及び報告の要求）

第六条　文教局長は、交付した補助金に係る事業について、その実施の状況を調査し、又は補助金の交付を受けた教育委員会から必要な報告を取ることが出来る。

（補助金の区分等算定基準）

第七条　この補助金は普通補助と特別補助に区分する。

2　予算額における普通補助と特別補助の割合については、毎会計年度中央教育委員会が定めるものとする。

3　普通補助の交付については、学校運営補助金交付に関する規則（一九六〇年中央教育委員会規則第二十号）第三節備品補助の普通補助の交付の例による。

4　特別補助の交付については、公立学校の理科教育のために特に必要と認められる経費及び学校の新設又は災害等その他特別の事由がある場合に、交付するものとする。

附則　この規則は公布の日から施行し、一九六〇年七月一日から適用する。

（松田　正精）

理科教育を推進させる観点

学校教育課　松田正精

一　学習指導上の問題

理科における教材が広範多様であるが、これをとりあげる場合、その目標観を明確にして、日々の授業が進められなければならない。理科学習指導にあたつては、自然科学の体系にとらわれて、その結論を急ぎその過程に飛躍があつたりしてはならない。

具体的な結論と同様にそれにいたるまでの方法や、科学技術の習得、思考力の演練がじゆうぶんなされなくてはならない。さらに得られた、知識や技術が日常生活にじゆうぶん生かされ発展させられているであろうか。

実験観察の内容で科学的な育て方を、まとめの段階でじゆうぶんに力をいれるように取扱われるべきである。一時間の学習活動の中で、どのような実験をいつとりいれるかは、教材によつても異なるが導入実験や整理実験をとりいれることも、効果的な場合がある。教材は児童生徒の発達段階に即し、実証しやすい適切なものを重点的に取り上げ、これを系統的に配列し組織すべきである。

二　理科教育施設設備の問題

理科教育振興のためには、施設、設備の整理が急務である。最近その充実の気運が高まつてきたことはよろこばしいことである。

(イ)　理科の指導は金がかかる。政府補助のみをあてにしては、理振法の基準に達するまでは長期を要する。

そこで、理科教師の努力によつて、自作教具が活用され、その実績も高く評価されているが、地域や学校差をつけないように配慮すべきである

(ロ)　理科特別教室、準備室等の設置は現場よりの強い要求であるが、年次計画で解決すべき問題である。

さしあたり普通教室の設計替や改造・教室仕切の準備室等を考慮するとともに、新設計画を進めたいものである。さらに理振法に基づく設備基準から見た設備の現有率、充実率等の具体的資料をもとに、学校独自の自主的計画を進めていただきたい。

(ハ)　学校園屋外施設の状況はどうであろうか、とくに小学校においては、その学習内容の特質上、必要かくべからざるものである。

教材園、花壇、水草魚池、家畜、家禽の飼育舎、簡易気象観測露場等学習内容に即し、綿密な実験計画を立て、合理的な充実計画をもつて、積極的に充実につとめたいものである。

(ニ)　消耗材料の整備

消耗材料の消費状況によつて、その学校の理科教育の程度がうかがわれるとさえいわれる。消耗材料費の予算化、その材料（資料、小中高の理科の設備文部省発行）の整備も重要である。カリキュラムに基づいて年間の消耗材料費（実験観察材料種苗、飼料等の購入費）は、予算化したいものである。

三　設備の管理と活用

(イ)　理科教室、準備室の管理

管理の要諦は、活用にある。学校の実情に合わせ、使いやすく管理しやすいように、施設、設備の配置整理に創意と工夫をこらしたい。

薬品の保管使用には、その性質に注意して、万全を期したい。

(ロ)　観察台、陳列台、掲示等

これらの施設は、児童生徒と密着するように運営したい。例えば廊下側の手洗施設の上に水槽動物の飼育水槽が設置され、観察させることに成功したのは、施設の場所を得た例である。

普通教室に、カリキュラムに即した展示や、標本の陳列等その目的に応じた配慮が必要である。また、校庭の樹木等に誘導板をつけ、「さてどんな花が咲くでしょう」「〇年教材」等と、子供の注意を促すことは単なる名札よりも、効果的であろう。

興味を持たせ関心の持続の困難な子供に、興味を永続させ、観察し、利用される施設としたいものである。

四　災害の予防

実験、観察等は、細心の計画に基づいて、正常な方法を、まず心掛けるべきである。

理科実験中の事故は、基本操作上の常識の欠除によるものが多いが、とくに化学薬品を使用する場合、または野外観察指導等、綿密なる計画と、安全性を、つねに念頭におかねばならない。しかも事故に際しては、応急の措置がとられ、その後は、全校協力のもとに対策がたてられるべきである。

これをあやまれば、幼い科学の芽は瞬時にして、つみとられ、科学振興のみならず、人間尊重の精神にももどるものであることを銘記すべきである。

科学教育センターの機構と構想

科学教育センター（上山中校内）
金城順一

はじめに

理科教員の資質向上をはかる恒久的な現職教育の機関として、科学教育センターが設置されることになり、現在上山中学校に、かりの研修実験室が設けられ、すでに活動が開始されている。このことは、科学教育の振興が叫ばれ、理科教育の重要性が再認識されつつあるこんにち、まことに意義のある教育界の一大ヒットである。

世はすでに宇宙時代に突入しているといわれる。この新しい時代に即応するため、教育、産業、学術、文化の各面に再検討がなされつつあるこの時期に、理科教育関係者がここ数年来熱望し続けてきた科学教育センターがいよいよ発足する運びにいたつたことは、当然のこととはいえ、喜ばしいことである。

これを最大限に活用することによつて従来から指摘されてきた、沖縄における理科教育の後進性を払拭し、児童生徒の学力向上に最大限に寄与することがわれわれ関係者の今後の責務でなければならないと思つている。

すでに本土においても、全国都道府県に一カ所宛の「理科教育センター」を設置することが今年から五カ年計画で開始された。

今年度はすでに千葉、岐阜、富山、大阪山口の各県に新設が決定し、諸準備が進められているが、文部省は明年度の第二次計画として十カ所に設置を予定、このためいま大蔵省に予算を要求している。

沖縄における科学教育センターの今後の構想については、目下研究準備中であるが、その概要について述べてみよう。

何がねらいであるか

科学教育センターは小学校、中学校および高等学校において、理科教育に従事する教職員の現職教育を行なう中心施設とし、教職員の資質の向上、とくに実験観察等の指導力の強化を図ることが目的の主なるものである。

どんなことをするか

1 理科教育に従事する教職員の現職教育、特に実験観察等の指導力の強化を図るために各種の実技研修を行なうこと。

・理科全般もしくは物理・化学・生物・地学等の各分野別の研修会を継続的に行なう。
・二〜三日の短期実験実技研修会
・七日間の理科実験講座の開設
・生物採集会
・地学研修会等

2 小・中・高校の理科教育のための施設設備の充実と活用、実験、実習器具の自作等についての研修会、指導助言及び援助に関すること。

・実験器具製作講習会
・生物その他の標本製作講習会

3 小・中・高校の理科教育に関する基礎的調査研究と、その成果の利用に関すること。

4 理科教育に関する資料の蒐集、作成及び整備保管に関すること。

5 科学教育に関する講習会、講演会、展示会等の開催に関すること。

6 科学知識の普及に関すること。

7 理科教育に関する刊行物の発刊に関すること。

8 その他科学教育センターとして適切な諸事業であると認められるもので、文教局長の命ずる理科教育に関すること。

等がその主なるものとなろう。

現在どこでどんなことがなされているか

科学教育センターは、工業高校に、同校の理科教室として建造される建物の一部を当分借用して実施する予定である。同実験室が完成するまで、那覇市上山中学校に臨時の研修室（同校の理科教室を開放してもらつた）を設け、隣接の一教室の半分を準備室兼事務室として利用している。

職員は現在専任二名（指導主事）、女子の非常勤職員一名、それに本土教育指導委員として来島して、科学教育センターに配属されている福岡県の永島正雄指導主事、教科研修委員の浦崎康裕氏等によつて運営されている。なお二名程度の充指導主事が予定されている。

現在までに実施された実技研修会について述べると次のとおりである。

・十二月七、八、九の三日間
　小学校下学年グループ
・十二月十、十一の二日間
　中学校グループ
・十二月十七、十八の二日間
　小学校上学年グループ

以上の対象は何れも那覇地区の教職員で、各グループとも三十名程度であつた講座内容の項目を拾つてみると

・小学校下学年グループ
　・糸電話つくりと学習の進め方
　・グライダーつくり
　・遮光ガラス板つくり

・コマつくり
・やじろべえつくりと遊び方
・磁石遊び
・虫めがねつくりと遊び方
・葉脈しおりつくり
・水でっぽうつくり
・ローソクの化学
・化学実験の基礎操作
◦小学校高学年グループ
・でんぷんとりとでんぷんの精化実験
・酸・アルカリの中和実験
・ローソクの化学
・ポンプつくり　・モーターつくり
・簡易な天球儀つくり
・電信機つくり　・セロハン温度計
●中学校グループ
・石炭木炭の乾留実験
・銅・アンモニア法ビスコース法による人造絹糸のつくり方
・食塩水の電解　・ミョウバンの結晶
・酸・アルカリの中和
・アルキメデスの原理実験器具の製作と浮力、比重の測定
・浮沈子、ガラス球つくりと水中における浮力の測定
・磁力線の模様を砂鉄で固定する方法とその製作
・天球儀の製作と天球運行学習のくふう
・水の電解装置の製作

以上のほかに、共通的なものとして
・理科学習における実験観察の意義
・実験観察の一時間の授業の中における位置づけと例示
・ガラス細工、ポリエチレン、ビニル細工の二、三例

などがその主なるものである。

なお、一月に読谷・嘉手納地区の二日間、宜野座地区の六日間が実施され、二月に久米島、辺土名等が予定されている。

機構、その他はどう考えられているか

政府予算の都合で、規模その他に多少の変動があるかも知れぬが、最少限次のような構想がなされている。

◦文教局の附属機関とする。

このためには行政府部局組織法の一部改正と文教局組織規則の一部改正が必要で、来る立法院定例議会にそれが提案予定されている。

◦文教局長又は文教局次長が所長を兼任する。

文教局の他の機関、例えば博物館、図書館等と所掌事務の性格が前記のように本質的に異なることが予想される。即ち文教行政の一環としての教職員の再教育を直接行なう機関であるので、文教局との緊密な連繋のもとに運営されることが必要である。このような立場から局長、又は次長の所長兼任ということが予定されている。

なお、科学教育センターの機構図を略記すると、およそ次のようになるものと予想される。

所長―次長
　├現職教育部　物理、化学、生物、地学の各分野の指導にあたる。
　├研究調査部　理科教育に関する基礎的調査研究にあたる
　└総務部　庶務、会計をはじめ、センターの管理事務にあたる。

この機構は、現在考えられている前記の目的を達成するための最少限度の構想で、将来、所掌事務が拡大されると、当然、それに伴って変革されなければならないものと予想される。

なお、将来は本土で予定されているように研究及び指導を補助する職員、即ち助手が必要であることも今から考えておく必要があろう。それには現場諸学校から、理科担当教師を若干名、研修生として採用し、一年ごとの更新で研修生と助手を兼ねさせる方法も考えられる。そのためには研修生制度に伴なう、学校に対する職員補充の道が講じられる必要がある。

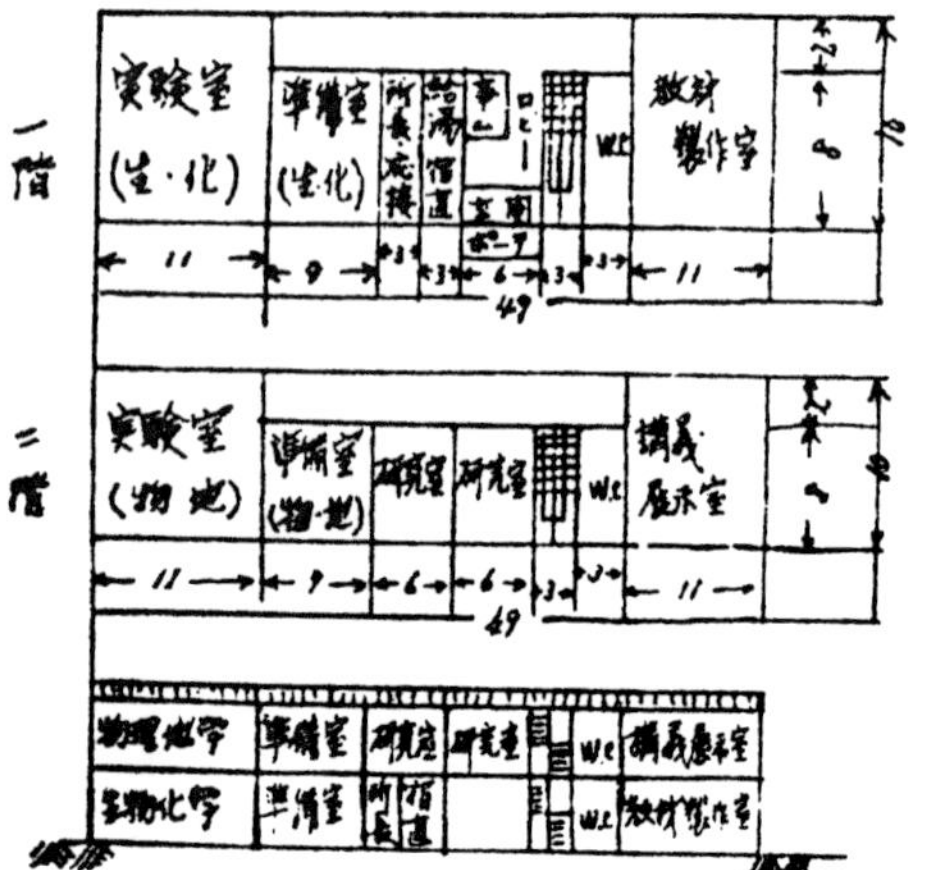

鉄筋コンクリート造(又は軽量型鋼造)2階建

物理地学室	110m2	廊　下	108
〃　準備室	72	W・C	48
生物科学室	110	所長室、応接室	24m2
〃　準備室	72	給湯室・宿直室	24
研究室　(1)	48	事務室	12
〃　(2)	48	ロビー	24
講義展示室	110	昇降口	12
教材製作室	110	ポーチ	11
階　段	48	計	991m2

将来はどのようなことが考えられるか

学校の実験室を一部借用しての運営ということは応急の処置であって、本来の使命を達成するためには、科学教育センター用敷地として新たに設定し、最少限前頁の図のような建物が恒久的建物として建設されなければなるまい。

この施設案は文部省の示した参考案で最少限度のものである。これに沖縄の特殊事情を加味して研修生の宿泊施設が附設されることが望ましい。

なお、理科教育振興法の立法化もなされたこんにち、同法の細目にある全備品を常時備え、改訂指導要領の全実験項目の班別研修又は個人研修が可能になるよう設備の充実が望まれる。そのためには相当金額の予算が年次的に投入されることが極めて必要である。設備、備品のない実技訓練、研修所ということは、「絵に描いた餅」と等しく、ほとんど無価値に等しくなることを忘れてはいけない。科学教育センターの内容整備、予算獲得に、今後多くの現場教師、関係者の援助支持が望まれるゆえんである。

紹　介

糸満地区理科同好会

1、組織

総会—代議員会・運営委員会—各分科研究部会

イ、各分科研究部会

1　分科生物研究部
2　分科物化研究部
3　分科天文気象部

ロ、運営委員会＝

正副会長—幹事・各分科研究正副部長

ハ、代議員会—各学校一名の代議員による本会は、会員の自主的活動を推進するために、各分科研究部会があり、会員は何れかの分科に属しているが、自分の所属以外の分科の研究会にも自由に参加できる更に会をスムースに運営するために、本年度から運営委員会を設けてある。また代議員会で予算決算の審議決定をおこなっている。

2、役員名

会　長　大城善栄（兼城中学校）
副会長　金城永昇（糸満小学校）
幹事（書記）大城勲（兼城小学校）
幹事（会計）大城豊太（糸南小）
1分科研究部長—大城勲（兼小校）
〃同副部長—平良宗芳（上田小校）
2分科研究部長—長嶺栄一（豊中）
〃同副部長—新垣栄蔵（喜屋武小）
3分科研究部長—大城藤六（糸中）
〃同副部長—久手堅善盛（真壁小）

3、会員数

小校36人、中校12人、高校6人、計54人
1分科21人、2分科20人、3分科13人　合計54人

4、研究概要「テーマ」

1分科　教科書に出る季節の生物と沖縄の生物について
2分科　実験器具製作とその活用
3分科　気象の学習指導について
教研集会　実験器具製作とその活用

イ、実験器具製作状況

学校別	学校数	製作種類	製作総数
小学校	13校	75種類	1500点
中学校	7校	67種類	800点

5、年間計画表

月別	分科名	研究実践項目	研究授業
7月	各分科	研究計画立案	
9月	1分科	夏休みの作品鑑定	
〃	2分科	実験観察リスト作成	
10月	各分科	教壇実践の研究会	兼城小校
〃	3分科	器具取り扱い講習会	兼城中校
11月	各分科	教壇実践の研究会	高嶺小中校
12月	各分科	教壇実践の研究会	米須小校
〃	2分科	自作器具活用について	三和中校
1月	各分科	教壇実践の研究会	具志頭小
〃	3分科	天体観察	〃
〃	2分科	自作器具使用上の困難点について	上門小校 豊見城中
2月	各分科	教壇実践の研究会	糸満小中
〃	1分科	実験リスト作成	東風平小
3月	総会	各分科の研究発表	

紹　　介

那覇地区理科教育研究会

1、組織　那覇地区小中校

役員　会長　砂辺正孝

副会長　上江洲安雄

屋良　朝惟

物理化学部長　仲松邦雄

生物部長　玉木研一

天体気象部長　浦崎康裕

幹事　宮城正夫　仲村善雄

2、会員数　90名（小60、中30）

3、研究概要（本年度）

(1)　研修を中心とする

(2)　理科学習ノートの編集をする

(イ)小校理科学習ノート4、5　6年用計画研究中

(ロ)　中校1年理科実験観察ノート既刊、中校2年理科実験観察ノート計画研究中

4、年間計画表

4月。植物採集（工業高校裏一帯

5月。メッキ工場、ペプシコーラ会社見学

7月。お茶の水女子大教官阿久沢栄太郎氏招へい理科教育研究会

。九州理科教育大会（宮崎市）へ小校1人、中校1人代表派遣

9月。生物教育研究会沖縄支部と共催生物標本製作法、飼育研究会

10月。斎場御嶽で植物動物採集会

11月。教育部と共同主催で理科実地授業研究会

12月。理科学習ノート編集研究会

。永島指導委員を中心に理科実験器具製作講習会

1月。小校理科子どもノート編集

2月。中校理科実験ノート編集

3月。顕微鏡取扱い研究会

紹　　介

久米島地区理科同好会

1、会長　喜久里教成

副会長　大川　健

記録係　上里総栄

指導班　喜久里教達　嘉手苅景[illegible]

2、会員　一三人

小校六人、中校四人、高校三人

3、研究概要

テーマ「実験観察の進め方」

六月二日同好会結成と共に、右テーマを設定した。実験観察が理科学習の本質的活動でなければならぬことは、昭和十六年以来二十七年の改訂についても一貫した考え方であり今回の改訂の基本方針も、①目標を明確にし内容を精選し基礎的なものを確実に学習させる。③観察実験による学習を推進し、科学的見方、考え方、扱い方を確実に。」の二つが強く取り上げられている。本土では理科実験講座を五か年計画で実施し、教師の観察実験実習の指導力の向上を図ることになったということである。私達の同好会でも従来の当地区の理科教育の有り方を反省し、理科を担任するすべての教師が容易に指導できる観察実験の方法、自分達の周囲にあるものを数多く取り入れた実験観察の方法、子どもたちの考えを子どもたちの手で実験できる方法、少ないながらも学校に備えつけられている備品を十分活用し、又教師の製作による方法等に力点をおいて研究を進めることにした。

先ず小中校一校一人で九名の会員が一人一学年分を分担、各領域の系統も研究する立場から領域別に研究することにしたが、分量が多いので本年度は物理的教材の中の、力と運動の単元だけにしぼった。

九月十七日から十二月三日までには七回各人の研究をプリントして持ちより、単元ごとに研究討議した。

4、年次計画表

	第二年次	第三年次	第四年次
小学校	機械と道具 質の変化の領域	生物・気象・地質・天文の領域	
中学校	物理、化学的領域	生物的、地質的領域	
郷土研究	岩石・鉱物的関係	植物関係	動物関係

5、反　省

。本年度は量的には僅かしかできなかった。

。会を重ねるごとに同好としての使命感と同志的仲間意識が高揚された。

。研究討議に対する態度がねられた

。次年度はもっと深く広く研究しようという意欲が各人に旺盛である

。第二年次の活動は六一年一月から直ちに始めることを申し合わせた

。仲里中校長、喜久里教達先生が会ごとに出席され同好会の方向を絶えず御指導下さった事に対し会員は深く感謝している。

。将来は琉大の自然科学研究所や文教局の理科教育センターを誘致して、地区理科教育を一層充実させたいと会員は念願している。

紹　介

石川地区理科同好会

組織および役員名

。小学校理科主任並びに理科研究部員と中学校、高等学校の理科担任教師等二十一人で組織する

。会長 宮城邦男　副会長 伊波秀雄

幹事 伊波幸常　伊波邦雄

会員数

小学校九人、中学校七人

高等学校四人、合計二十人

本年度研究テーマ

「生物教材の系統的指導はいかにするか」

年間計画表

毎月第一・第三水曜日地区研究集会

毎月第二・第四水曜日校内研究集会

。同好会の年間行事と研究日省略

同好会の歩み

結　成

。本同好会は一九五九年一〇月二七日の理科研究集会において石川地区理科教育振興対策の一つとして教育指導委員山川岩五郎先生の指導と助言によって結成された。

。事　業（会則－55頁参照－第三条に示されている）

1　理科教育研究会並びに理科教育講習会の開催

2　簡易実験器具や標本の作成

3　生物採集会

4　その他

。薬品一かつ購入

。研究授業

。中学校移行措置要領の作成

。研究視察

。標本の交換

研究の歩み

。第一回研究として「小学校理科移行措置の手引き」の作成に当たり六〇年二月十七日に城前小学校においてその発表会を行なった。この手引きは文教局の認定になり局案として現在全琉の各小学校で使用されている。

。**理科実技講習会の開催**

一九五九年十一月十三日より六十年一月八日までの間に五回にわたって一年から六年までの実技講習を行なって理科指導技術の向上を図った。講師は第一回教育指導委員山川岩五郎先生である。

。生物採集会

六月二十六日日曜日に第一回生物採集会を催し会員十三人が参加し恩納岳で植物と昆虫の採集を行ない標本をつくった。第二回目は山田城址の予定である。

紹　介

宮古地区理科同好会

一、**組織および役員名**

会長（金城金蔵）　小学部（部長松川寛信、副部長仲程恵信）　中学部（部長野原正徳、副部長田場重雄）　高校部（部長宮国恵上、副部長池間昌彦（各部長は副会長を兼任し、副部長は書記を兼任する。

二、**会員数**　小学部（四二人）

中学部（二三人）高校部（八人）

三、**研究概要**（本年度の研究テーマ）

題目　理科学力テストの結果から見た指導上の問題点

㈠　同好会のなやみとしてこの問題がとりあげられるまで。

1　カリキュラム進度の困難性から、

2　本地区の理科学力と、他区のそれとの比較検討と要因の論議から、

3　科学技術振興のための根本問題としての理科学力を重視して

㈡　研究のねらいとするもの

指導上の欠点や盲点を追及し、今後の学習指導法の改善をなし理科経営のありかたに反省を加える。

㈢　研究の企画（大部分を省略する。）

小学部　一九六〇年十月施行の全国学力調査結果の検討。

中学部　一九六〇年九月施行の同好会主催の学力調査及同年十月施行の全国学力調査結果の検討。

高校部　一九六〇年度高校入試の結果の検討。

㈣　研究の方法

理科学力とその評価の分析についての検討、分析結果についての研究をする。

㈤　児童生徒の実態と指導上の問題点の考察をする。

㈥　成績と関連して、最後に綜合的反省をなす。

四、**本年度の事業計画**

小学部　青写真の研究、生物の研究物の浮沈の研究（八月）

理科カリキュラムの研究（九月）

学力テストの結果検討（十、十一月）

中学部　移行内容の検討、資料の調査及採集、理科カリキュラムの計画と実践に関する研究（八月）

天気予報についての研究、新指導要領と移行措置要項の研究、理科に関する興味経験及学力調査（九月）

学力テストの結果検討（十、十一月）

ラジオに関する技術研究（一月）

高校部　学術研究（八月）高校生の理科興味調査研究（九月）

高校入試の結果検討（十、十一月）

小、中、高校合同部（合同研究写真技術の講習会（七月、学力テストの結果検討（十、十一月）

理科教育に関する講演会開催（一月）

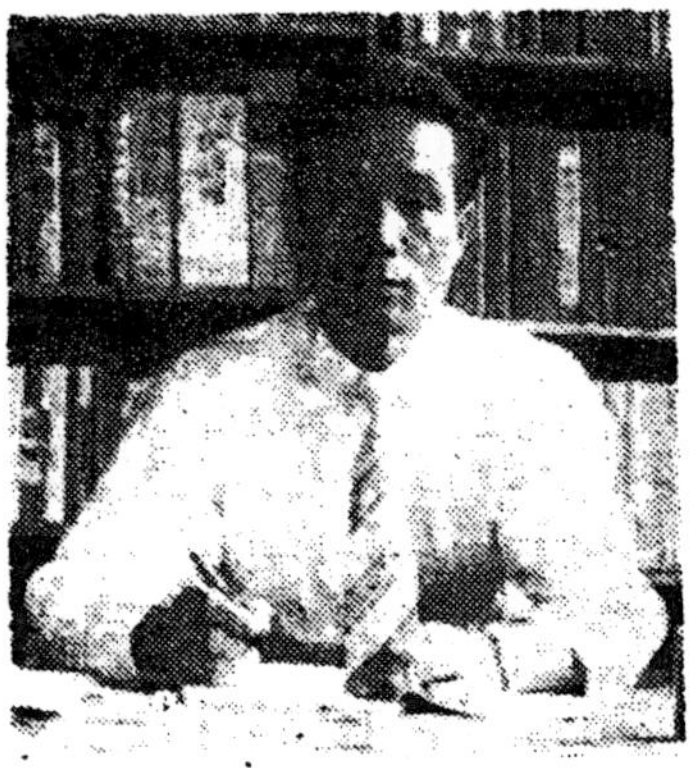

青少年問題へ寄せる

大道小学校
大浜　安平

一、子どもは本来、善である

『結婚式の前の日、今日が、お母さんに孝行の出来る最後の日だと思って、お茶わん洗いや、炊事、ぞうきんがけを自分でしました。夜になって、お母さんの肩をもんでやりますと「ケイ子、いいよもうつかれたでしょう」といいました。「でも今日しかできないのよ。」と私は続けました。お母さんは、さびしそうに笑っていました。

お母さんの家から私の家は近いといったので安心した。でも一つだけ気になることがあります。それは、新しいお父さんの家には男の子が一人いることです。それにはびっくりしました。お母さんはあの家に行くと、私よりあの子をかわいがるのだろうと思うと、くやしくて、かなしくなりました。』これは十月十六日の沖縄タイムス朝刊四面に掲載されていた、小学校六年（女子）児童の「お母さんの花よめ姿」の一節です。

私はこの作文を読んだとき、徹底的な自由教育を主張し実践しているイギリスの教育家ニイルのことばを思い出さずにはいられませんでした。

「悪をなすものはゆがめられた力である。人の性は善である。人間は善をなそうとしている。愛されんことを望んでいる。憎と反抗とは単にゆがめられた愛である。ゆがめられた力であるにすぎない愛と憎とは反対ではない。愛の変形であり、反対は無関心である。憎は愛の変形であり、反抗によって示された憎の一面である。憎しみには常に恐れがはいっている。この事実は子どもがその弟を憎む場合において見られる。子どもの憎しみは、母の愛を失なうことを恐れるところからきている」（霜田静志訳　問題の子どもより）

二、問題の子は不幸な子

最近、市内某中学の刺傷事件をきかされた時びっくりしました。それは、私が前に受け持った子どもがやりそうな事件だったからです。

しかし、よく考えてみると彼はもう中学を無事に卒業しています。

私の一生を通じて忘れることの出来ない彼A君は、今から三年前、私の組に入って来ましたが、学校では決して、ものをいいません。しかし、啞ではありません。最初は大変おとなしい子だなと思っていましたが、ある日、学級内で、友人同志のけんかから、「死ぬ」といいだして、授業時間中、[illegible]袋の中に入って縄で自殺をしようとして大さわぎとなり、授業中の某女教師が色を変えて私を呼びに来ました。そんなことがあってから、全職員が彼に気をつけるようになりましたが、けんかをして家に帰り、米海軍ナイフを持ち出して「あいつを殺す」といって騒いだこともあり、ある事件で警察へ一晩ご厄介になったこともありました。

ある日、この子を救うには家族が愛情を持って育ててくれなければ困る、と思って家族全員集まってもらって、「この子が、非行をするのは愛の欠乏であるから、もっと愛情を持って育ててほしい」と話し「この子は、本当はいい子ですよ」とA君を私のそばにおいて、兄弟に話しましたが（両親とも十年前に死去）三日してから、ものをいうようになり、それからは授業中もよく質問をするようになりました。

三、「問題の子」とは？

一般に現場教師は、外向性の粗暴な子を問題児としてまっ先にマークし易いようですが心理学者は反対の立場にたっております。

内向的で無口な子の方が問題を持っているというのです。

八月の末に、大学受験の予備校に通っているS君は、「最近いろいろなことが頭に浮んできて神経衰弱になり、おちついて勉強が出来ませんが」といって、某氏の紹介で相談に来ました。TAT絵画検査をしてその原因がわかりましたが。

S君は小学校のころから頭もよく、学級では上位の成績でしたが、小学校四年の時、童話大会にはじめて大衆の前に出てお話をしましたが、それが終って友人

から「君の顔は赤くなっていた」といわれ、それから赤面症になり、授業中でも立って本を読むとすぐ顔が赤くなったが小学校までは別に気にせず、中学に入ってから、それが気になり、自分の赤面恐怖症は体質ではなかろうかと思い、友人との話し合いも避けるようになり、それから孤独の生活をはじめるようになり、そうしているうちに、高校一年の時自慰を覚え、今度は、これをやめよう、やめようとするが、やめられず、自分は意志が弱いのだ、このような自分はつまらぬ人間だ、と自分が嫌になり、自殺でもしようかと悩み続けている。というのです。それで自慰が決して悪いものではないからそれに気を使わず、精力をスポーツと勉強に分散するよう、いろいろ注意しましたが、このように内向性の子どもは何か心に問題を持っているのだ、ということを考えたとき、「おとなしい子はよい子だ」一暴れる子は困った子だ」という考えが誤りであることがわかります。

四　非行少年はどう導くか

今年の五月、小学校五年男児が日曜日に、不良グループとともに、飲酒したことで、担任教師から補導してくれといわれ、本人と話し合いを応接室ですることになりました。

「君はきのう、お酒を飲んだそうだね」と私がいうと、悪かったとも思わず、「おとなだってか酒を飲むのに、ぼくが酒を飲んだら、なぜいけないのかなー」というのには全くあきれました。

それから二、三日して、この子の精神状態を調べるために、クレペリン精神作業検査をしてみますと、第一表のような状態でした。

第一表

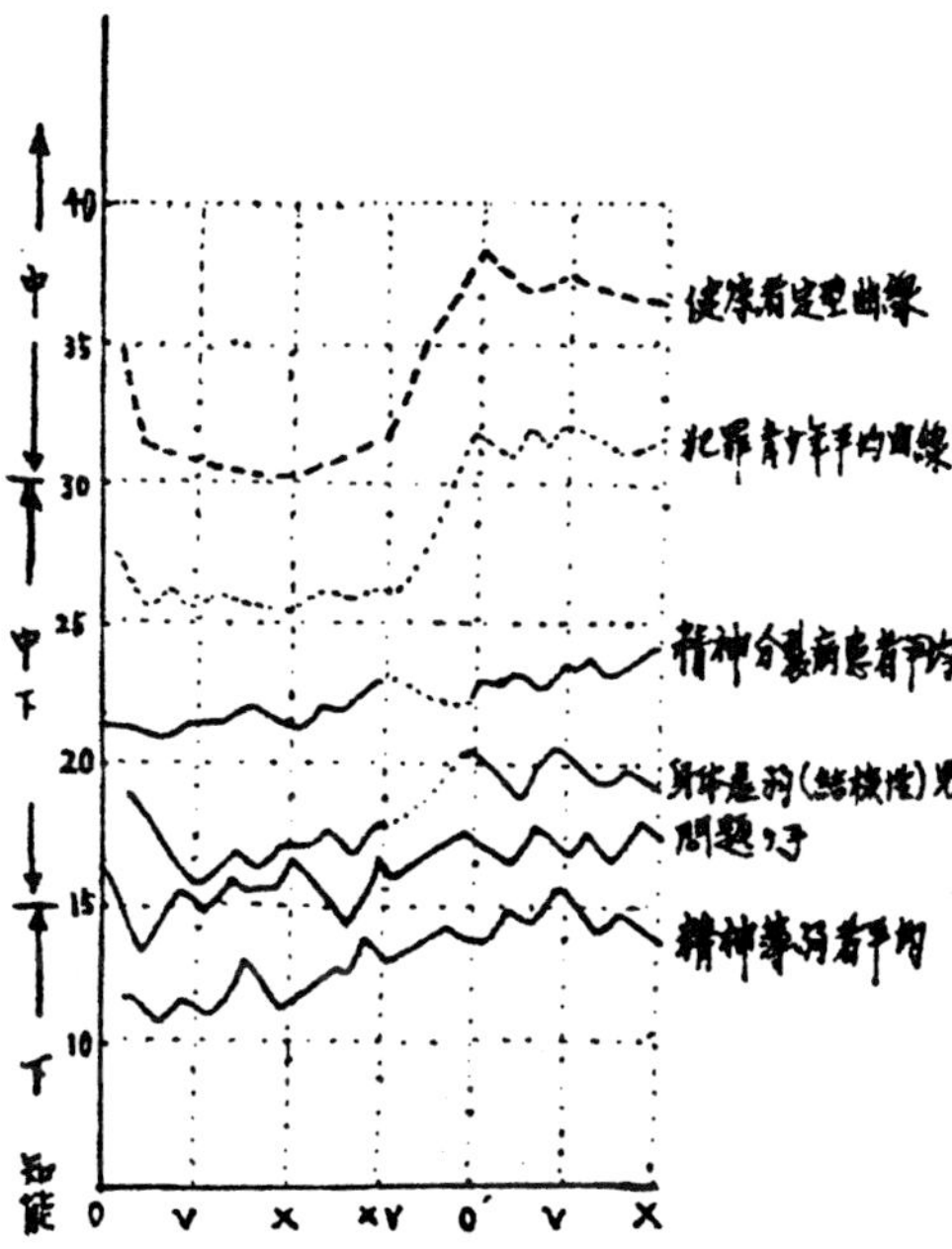

精神分裂病患者平均に似ていることから、担任教師に、今後の指導上、注意すべきことを伝えましたが。非行少年は、内面的にも、それ相当の原因（この子の場合、父なく、母は、アイスケーキ売りで、その日その日の生活に追われる救済で子どもの教育に無関心）があり、多分に素質傾向もありますので、指導にあたっては、必要なテストもしてみることが大切です。（最近は別に問題も起こさず、ずいぶん良くなっております）

五　人間の心

「われわれはとかく、われわれの行動は意識された精神によって理性的に考慮した結果であると思いがちであるが実際には、明瞭に意識されない、又は全く意識されない精神過程によって著しく影響をうけ、又は決定されることが多い。」と国立精神衛生研究所長、高木四郎博士は「学校精神衛生」の著書に書いていますが、更に「この意識されない無意識は、単に受動的な精神状態ではなくて、力学的な力を持ち行動に動機と方向とを与える精神の部分である。すなわち、無意識は、人間の思想を変え、その呈する問題を左右し、その人格、および行動の多くを決定するものである。」と述べておりますが、アメリカの心理学者スタンレーホールは、意識と無意識の説明を海面に浮ぶ氷山にたとえ、海面に姿を出している部分（意識）は5パーセントで、水中にかくれている部分（無意識）は九十五パーセントである。といい現代心理学は、この無意識の心理（深層心理学）に目をむけるようになりました。

問題を持つ子を指導するには、どうしてもこの深層心理学によらねばならないと思います。

六　青少年に希望と自信を与えよ

第十青少年不良化防止運動のとき、小学校六年男子二五名、女子二五名計五〇名の児童に、精神健康度安定検査を実施し、その結果を、十項目に分析しましたが、特に気をつけなければいけないと思ったのは、

「現代の子どもは、正しい、明かるい人生観生活観を持っていない」ということです。これは単に子どもばかりでなく現在はおとなの中にもそういう者が多いようですが、某大学生の手記に、

精神健康度安定検査（男子二五名平均）

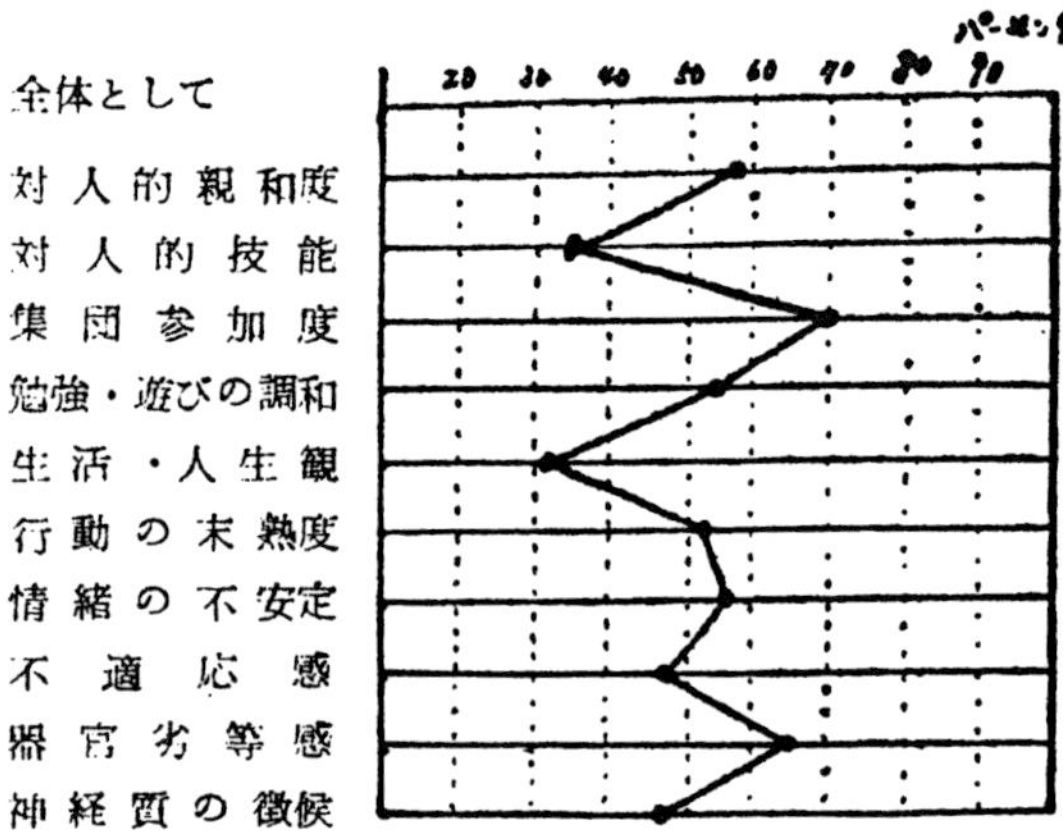

「生きる目標などいりはしない。人生観などどうでもいい。要は風の吹きかた次第で、ゆくところへゆくだけだ。犯罪なんか気にかける必要はないさ。やる奴はやればいい。要はジャズに興ずるだけだ。人間のプライドなど、始めからもつてやしない。俺に期待をかけるなんて、とんでもない。親の勝手なおもわくだ」（野口鐵雄著十代の相談室）

と書いていることを思うとき青少年には必らず明かるい人生観を持たすべきであり、親は子どもの幼い時から、暖かい家庭のふん囲気の中で、希望と信念を持たせるように、子どもに関心を持つて育てなければならないと思います。

――紹　介――　卵膜による浸透

第二学年教材　　浦　添　貞　子

1．着　眼　　a 直観的に知らせる　b 結果がよりはやく現われる　c 装置の簡便　d 入手し易い材料

2．装　置

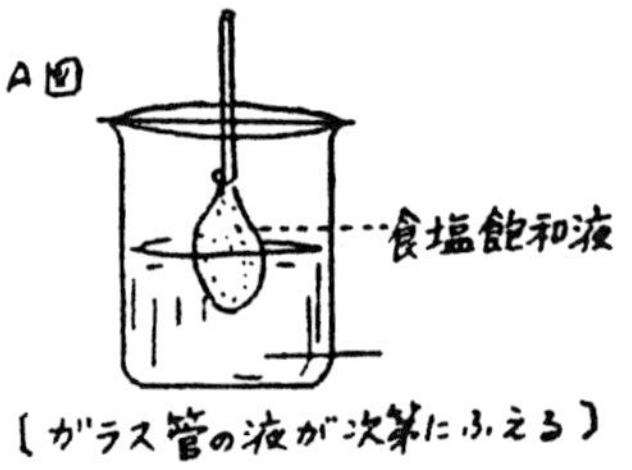

〔ガラス管の液が次第にふえる〕

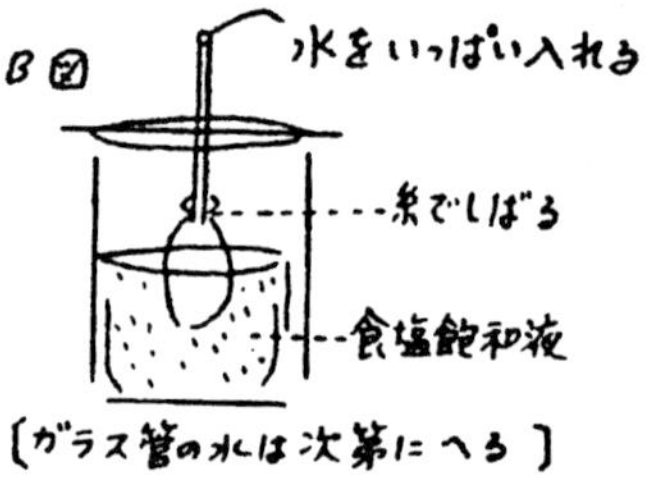

〔ガラス管の水は次第にへる〕

3．方　法　①　前時までにビーカー（300cc）に塩酸の5倍液をつくり、この液に卵殻をつけておく（5～10分ではくりする）

②　これを水あらいしてガラス管に糸でしばりつける。

③　A図にはスポイトで食塩飽和溶を目じるし（わゴム）まで入れ、B図には逆にビーカーにそそいで実験する。

（注）B図の卵殻には水をガラス管の口の所まで入れる。

良、結　果

ダイコンによる

- ダイコンは時期がある
- 卵膜使用より操作は簡単である

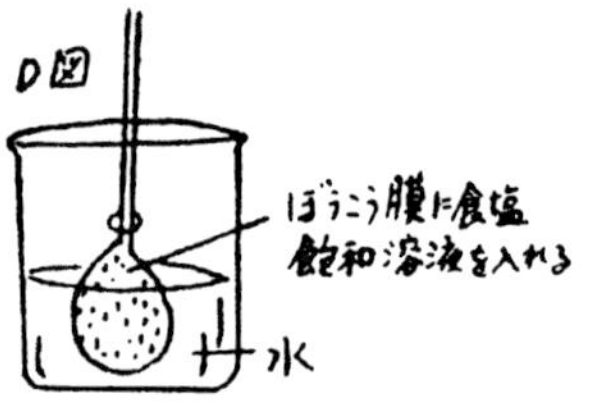

牛か馬のぼうこうによる

- くさい
- 処理に時間がかかる
- 浸透がゆるやか

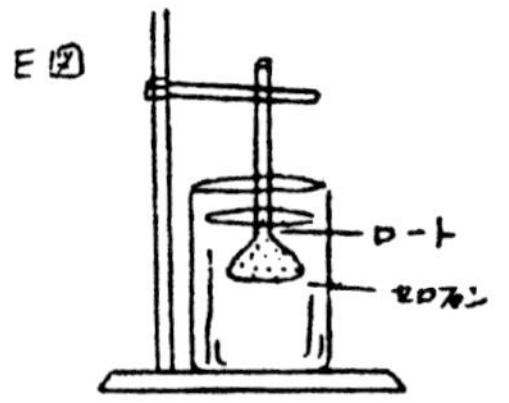

セロハンによる

- 操作が困難
- 浸透に時間がかかる

※浸透作用が見られないことが多かつた

①　上図C、D、Eのような方法もあるが、これらは入手、処理、装置等で困難

②　卵の殻は生徒の家庭から常時得られる

③　結果がA図→5分で0.5cm増える
　　　　B図→2～3分頃から水のへるのが見られる

④　卵殻の処理が簡単である

（注）卵膜は内膜と外膜のついたものを使うこと　　　　（真和志中学校）

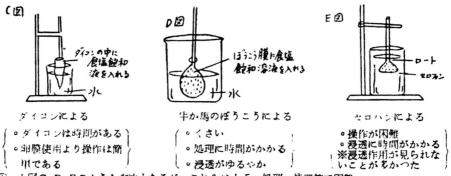

進みゆく社会の青少年教育

16歳～17歳の青少年教育を展望

すべての者に後期中等教育を

（文部広報より）

義務教育修了後の青少年のすべてに、将来どのような内容の教育をどんな形で与えるべきかは、世界各国を通じて重要な関心事となっている。これは技術革新に伴う新しい社会の要請や、国民の生活・文化の水準の向上によって、教育に対する要求が一段と強まったことによるものである。また十五～十七歳のいわゆる「後期中等教育」の時期に当たる年令層の青少年は、肉体的にも感情的にもまた社会的にも成長期にあり、きわめて柔軟性に富み、教育を最も必要とする年令期である。

そこで、主要国のうちには、すでにこの年令層のすべての青少年に全日制の教育を与えようとしている国もあり、また定時制の職業補習教育を受けさせることを雇用主に義務づけている国もある。

この年令層のすべての青少年の希望と能力に応じてなんらかの教育の機会を与え、進みゆく社会の要請にこたえる活力ある青少年をつくりあげることは、わが国の当面の大きな課題である。わが国の後期中等教育は、高等学校を中心としてこの十年間にかなり発達した。しかしなおいかなる教育訓練機関にも就学しない青少年は十五～十七歳の年令層の三七%に及んでいる。このような多くの青少年がまったく教育的環境の外に置かれていることは、個人にとっても社会にとっても大きな損失である。また高等学校以外の各種学校、青年学級、職業訓練所などにはいっている者は、同年令層の一一%に当たるが、これらの機関は、後期中等教育の充実というたてまえからみてふじゅうぶんな点が少なくない。

本書はこの年令層の青少年教育について過去十年の発達をみることによって、その現在の課題を理解し将来への足がかりをつかむとともに、今後十年間に起こる社会的要請をとらえ、この教育の向かうところを考えてみようと意図したものである。

青少年教育の量的展開

十年間に百二十万人増全日制高校生

各種学校生も二倍半の伸び

義務教育を終えた青少年を対象とする教育・訓練機関（以下教育機関という）としては、まず高等学校（全日制・定時制・通信教育）があり、このほか高等学校別科、各種学校、さらに社会教育として行なわれる青年学級、社会通信教育、また技能訓練をもっぱら行なう公共職業訓練所、事業内訓練所経営伝習農場などがある。（これらのほか各種の青年団体が自主的な教育活動を行なっているが、その性格は他の教育機関と異なるので省略する）

過去十年の発展

教育機関在籍率　十五～十七歳の青少年のうちこれらの機関に在籍する者の数は、過去十年間に、四六・五%から六三・六%に増加している（図一）。その内訳は全日制高校四五%、定時制高校・高校通信教育八%、各種学校六%、青年学級三%、職業訓練所・経営伝習農場一%である。

全日制高等学校　学校数は昭和二十五年から三十四年までの十年間に二四%増加し三千百四十一校に達し、生徒数は十年間に百五十一万人から八〇%増加して二百七十一万人と飛躍的に伸びている。

これは経済の成長、生活水準の向上と同時に、民主的教育制度の樹立、学歴重視の傾向、就業構造の変化など個人的・社会的要請が総合的に働いたものである。

たとえば一人当たり国民所得の伸びと、全日制高校生徒数の伸びの間には、第一表のような強い相関関係がある。

表1　1人当たり国民所得と全日制高校生徒数の伸びの比較

年度	1人当たり実質国民所得(指数)	全日制高校生徒数(指数)
昭25	100	100
26	109	112
27	117	119
28	123	128
29	124	131
30	136	135
31	146	142
32	155	156
33	163	166

生徒数を公・私立別にみると、公立は十年間に五〇%の増加であるが、私立は二五〇%増加している。私立の伸びは都市に著しい。次に課程別に生徒数の伸びをみると、最も伸びたのは商業課程の三・七倍で、家庭課程は二・五倍、工業課程の一・九倍がこれに次ぎ、普通課程は一・六倍、農業課程は一・四倍にとどまっている。商業の伸びは第二次、第三次

産業の発展の反映であり、家庭の伸びは女子入学者の増加、普通課程の転換などによるものである。農業の伸びの小さいことは第一次産業従事者の減少を背景としている。工業が伸びていないのは新設拡充に多額の経費を要するためであろう。ただ私立の工業の生徒数の増加が五万人で、公立と同数であることが注目される。

定時制高等学校　生徒数は昭和二十八年度（百四十一万人）を頂点として減少の傾向を示し、現在百二十八万人となった。これは農村に多い昼間定時制の減少によるもので、都市に多い夜間定時制はほぼ横ばいの状況にある。工業・商業課程の生徒数も伸びが大きく農業課程は減少している。

高等学校通信教育　生徒数の伸びは著しく十年間に三・六倍となっている。

高等学校別科　十年間に四〇%に減少しているが、これは制度の未熟なこと、内容がふじゅうぶんなこと、高等学校の単位が得られないことなどによるものであろう。

各種学校　十年間に学校数は二倍、生徒数は二倍半と大きく伸びているが、これは修業年限、教育内容、教育方法などが弾力性に富み、新しい社会の要請に直ちに応じやすいことなどによるものであろう。大半は私立で、全生徒数の九八%を占めている。教育内容は多種多様であるが、女子を対象とした和洋裁・料理など家政に関するものが多く、生徒数の五四%を占めている。増加率は商業関係や工芸技術関係が高い。各種学校生徒数のうち十五〜十七歳の生徒は約三〇%と推定され、義務教育後の教育機関として占める位置が大きい。

青年学級　学級生数は昭和三十年（百九万人）を頂点としてその後漸減し、現在七十七万人となっている。発生当初から主として農村に発達し、農業に従事する青少年が多い。学習内容は職業・家事・一般教養などであり、自主的学習を主体としているが、最近は学習内容の組織化、集約化の傾向が見られ、また商工業に従事する学級生が増加している。十五〜十七歳の青少年は全学級生の三三%を占めている。

社会通信教育　社会教育の一環として行なわれるもので、いわば通信教育による各種学校とみることができる。受講生は過去八年間に約三・二倍に増加している。

職業訓練所　近年における技能者の需要の新しい増加を考えて、その養成・確保のため昭和三十三年度から職業訓練法による訓練施設として再出発したもので、主として求職者に対して地方公共団体などが設ける**公共職業訓練所**と、事業主がその雇用者のために設ける**事業内訓練所**とがある。公共職業訓練所の訓練生のうち十五〜十七歳の青少年の数は十年間に一・五倍に増加し、二万五千人となっており、事業内職業訓練所の同年令の訓練生数は約七倍に増加し、五万五千人である。

経営伝習農場　自営農民の養成を目的とするもので、ほとんどが十五〜十七歳の青少年であるが、その入場者数は四千人程度にとどまっている。

伸びた女子教育

十五〜十七歳の女子のうち教育機関に在籍する者は、昭和二十五年度に四〇%であったのが、昭和三十年度には六二%となり、男子（六五%）にかなり接近している。これは教育の一般的普及という理由のほかに女子の職場への進出、主婦の教養の向上への要求、家事労務からの解放、男女平等思想の風潮などによる。特に高等学校と各種学校の女子生徒数の伸びが著しい。

図1　15〜17才の青少年の教育機関在籍状況の推移

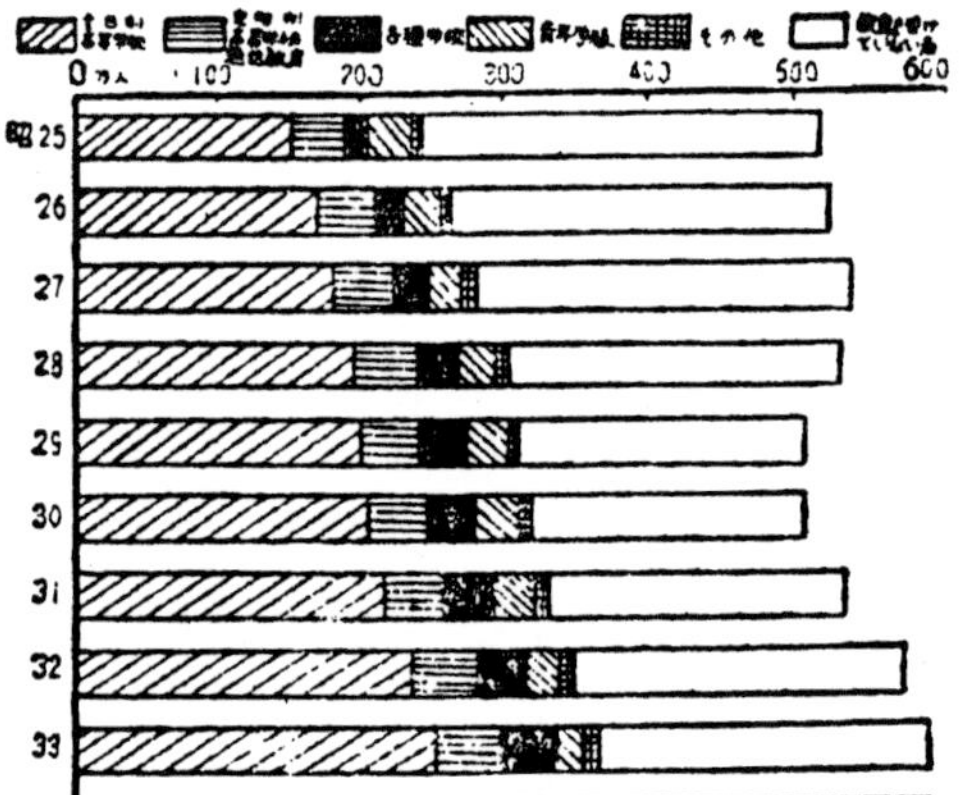

進学率に地域差

義務教育後の教育普及には、都道府県により、また都市・農村などの地域によって差異がある。

全日制高校の進学率　都道府県別にみると一般的に進学率の高いのは大都市を含む都道府県で、低いのは第一次産業を主体とする諸県である。この進学率の高低は各県の産業近代化の度合い、県民の所得水準、教育に対する関心度、県の教育政策などによるものである。昭和三十年度以来の進学率の伸びを見ると、いずれの都道府県も上昇しているが、進学率の高かった県は伸びも大きく、低かった県は伸びなやみを示し、進学率の地域差は拡大する傾向にある。

高等学校卒業の就職者県外移動の状況　高等学校卒業の就職者のうち他の都道府県に就職した者の全国平均の比率は、昭

和二十九年の一七%から昭和三十二年には二三%となり、県外就職率は全国的に高くなっており、特に工業地域に隣接する諸県が高い。また工業課程卒業者が高く全国平均が三六%となっている。

第三章 青少年教育の現状と課題

体質の改善が必要 高校普通課程
県外への就職が多い工業課程

高校教育の問題点

戦前の中等学校は特定の一部の者が進学していたのに対し、現在の高等学校は国民の広い階層に開放され、大衆化された。昭和三十四年三月の中学卒業者は五五%が高等学校へ進学している。したがっていろいろな素質の能力・適性をもった生徒が集まっている。

また卒業後の進路をみると、卒業者のうち、大学・短期大学進学者は一六%、就職者は五八%、無職その他二六%となっている。就職者の職業分野は第一次・第二次・第三次の各産業に広く分布しており、特に普通過程における分布が著しい。無職のうち、女子の大部分は家庭にはいるものであり、男子の六五%は受験浪人である。

普通課程の体質改善　このように生徒の素質・能力・適性においても、また卒業後の進路においてもきわめて多様性のある高等学校の教育を完全に実施するためには、特に普通課程でその体質改善を図らなければならない。すなわち普通課程で生徒の進路・特性に応ずる教育課程の類型を分化させるとともに、その教育内容を目的に応じて充実させる必要がある。教育内容については、特に普通課程における職業教育の充実のため、職業関係科目の設置の拡大、就職者のための多様性、弾力性に富む教育課程の類型の用意などについて、今後努力を払わなければならない。

職業課程への要請　全日制高等学校生徒のうち、職業課程の生徒の比率は、昭和二十五年度の三二%から昭和三十五年度の四〇%へと増加している。しかし現在のこの比率が、社会の要請と個人の希望を満足させているとは言いがたい。

農業課程への入学志願者は減少しているが、これまでの農業課程のあり方では、社会的な需要の面からみて今後増加の傾向はみられないであろう。農業の機械化、農村の近代化に沿って、農業課程に設けられている学科の内容の改革または学科の再編成等について新しい観点に立って再検討する必要があろう。

商業課程は第二次・第三次産業の伸長とともに著しく発展した。入学志望者も多く、今後もこの傾向は続くであろうが、産業および経営の近代化・合理化に伴い、必要な事務処理能力や外国語の力を習得させるなど、新しい時代に適応する教育内容の充実が必要である。

工業課程志望者はすこぶる多いにもかかわらず、その伸びは必ずしもこれに伴っていない。今後の経済の成長から考えると、十年後には現在の二倍以上の卒業者の需要が見込まれ、画期的な拡充が必要である。また卒業者で県外へ就職していく者が増加している。高等学校は従来都道府県単位でその青少年や社会の要請に即して設置されてきたが、今日では、より広い視野から考えるべき時期にきており国においてもいっそう積極的助長の方途を講ずる必要がある。

生徒指導の充実　人間形成にとって最も主要なこの年令層の教育で、教科指導と並んで特別教育活動の指導や進路の指導はきわめて重要である。戦後の青少年犯罪の増加は世界的傾向であり、犯罪年令層の下降現象とともに、上・中流家庭の青少年犯罪や問題少年の激増が著しく、高等学校生徒もその例外でなく、また生徒の自殺の増加も憂慮されている。学校当事者はその指導に多くの苦心を払っているが、生徒指導に対する教師の専門的教養の不足や定員の不足によって、まだふじゅうぶんな状態にあり、今後その充実が必要である。さらに生徒指導の効果をあげるためには、学校における道徳教育の強化とあいまって、家庭はもとより一般社会のあたたかい理解と協力が強く望まれる。

夜間定時制 就学時間に保障措置を

夜間定時制高等学校の充実　近年定時制高等学校全体の生徒数は減少しているが、夜間定時制に学ぶ者の数はほぼ一定しており、将来もこの課程への要請はつづくものと考えられる。生徒の大部分は勤労青少年であるが、その生活環境は恵まれない状態にあり、通学に際し、時間的経済的に多くの困難を伴っている。生徒の就職先は中小企業が多く、一般的問題として労働条件の改善を促進する必要があり、雇用主が青少年の勉学のもつ意義をじゅうぶん理解し、少なくとも通学や予習復習に必要な時間をできるだけ与えるように協力することが期待される。さらに進んでは勤務時間内における一定時間が就学のために保障されるという措置が図られる必要があろう。また学校における学習環境の整備もきわめて重要である。

昼間定時制高等学校の再検討　大部分が農村に設置されている昼間定時制の生徒数は、近年減少の傾向にある。これはその施設・設備・教員組織がふじゅうぶんなこと、教育内容も第二次・第三次産業に就職しようとしている青少年の要望を

、満たし得ないこと、さらに農村人口の希薄、中学校卒業生の都市への流出、全日制高等学校の普及、財政その他の理由による分校の整理などに起因する。昼間定時制には分校が多く、また小・中学校の施設を共用している場合もかなりある。さらに昼間定時制高等学校のうちには、その性格や実態が全日制に近いものが少なくなく、性格のあいまいさが指摘されている。

分校については教育の効率の点から考え、場合によっては、統合して独立校化し、その充実を図ることも必要であり、また、へき地教育としての役割から分校を必要とする際は、本校との連係を強化しなければならない。また地域社会や青少年の要求に応じられるような課程の設置、教育の内容や方法の改善が必要である。また全日制とほぼ同様な授業形態をとっているものは、できるだけ全日制に切り替えることも必要である。

高等学校通信教育への期待

高等学校通信教育を受けている生徒は、一般勤労青少年が大部分であり、通学の時間の余裕のない都市の青少年、定時制分校にも遠い辺地・離島の青少年、病気療養中の者などがみられる。生徒数は増加の一途をたどっており、ラジオ・テレビ等による教科指導とあいまってさらにいっそうの発展が期待される。

通信教育は、自主的計画的に学習を進めていかなければならず、学習中断の場合が多く、これを防止するためには、面接指導日に必ず出席できるよう雇用主の理解協力が必要である。また現在職業科目は基礎的な科目が実施されているに過ぎないので、さらに生徒の勤労と関係のある職業科目の実施を促進しなければならない。また通信教育の実施は一都道府県内に限定されているが、全国的な広域通信教育を行なうことができるようにすること、通信教育を独立の課程とし、さらに独立の高等学校を設置できるようにすること、定時制課程との有機的連係方法を促進することなどが必要である。

高校別科の充実

別科は短期間に技能教育を行なうもので、高等学校に付置されている。昭和三十三年以来、この制度を活用して産業科が設けられ、国の補助のもとに工業に関する別科の設置が促進されている。しかし別科の生徒数は減少傾向にあり高等学校の単位を与えられるようにすること、その他短期の技能教育の機関としてのあり方について制度的に検討すべき点が多い。

各種学校の特質と将来の展望

各種学校は社会の要請に敏感に対応して設置されること、種類が多いこと、教育対象に年令的制限がなく、授業時間が少なくかつ弾力性のあること、技能教育を主とすることなどに特質があり、正規の学校教育だけでは満たしえない点を補充する役割をもち、社会の要請に応じて近年急速に発展してきた。

しかし、十五～十七歳を対象とする各種学校に関しては、これを充実した後期中等教育機関という点からみると、現在のままではじゅうぶんな内容をもっているとは言いがたい。新たな観点から一定の基準を定めるなどにより、充実する必要あると考えられる。しかし、その場合にも、各種学校のもつ特色や青少年に対する魅力を失わせてはならないのであり、特色を保つよう配慮しつつ、公共機関としての使命をいかに達成するかが、大きな問題である。

青年学級の新たな方向

青年学級は農村を主体にしているが、最近青年学級以外の教育の機会が拡充したこと、農村地域社会の変容が激しく、たとえば農村青少年で第二次・第三次産業に従事する者がふえたことなどから、開設がむずかしいところもでてきている。

また学習に必要な施設・設備・指導者がふじゅうぶんであり、変化しつつある社会の要請や青少年の欲求を積極的に満たし得ないこと、大幅の年令層や、種々の要望をもつ青少年を一学級に包括しているため、すべての者に魅力あるものとなりにくいこと、十五～十七歳の年令層の参加が少ないが、青年前後の特色である自主的共同学習方式は、この年令層の青少年には無理ではないかということなどが問題点としてあげられる。

二十歳前後以上の年長青年に対しては、現在のような自主的な共同学習機関としての青年学級はきわめて大きな役割をもっている。しかし、十五～十七歳の青少年の教育機関としては、その学習形態、内容の改善、指導者の充実が必要であり、さらには義務教育に接続する教育をじゅうぶんに果たせるように新しい構想を打ち立てなければならないであろう。

なお青年学級はまだ農村に偏在しているが、青少年の地域移動にも着目して漸次その開設場所を都市に押し広めるなど、あらゆる勤労青少年が、学習の機会を得る体制を整えねばならない。

職業訓練所の問題

職業訓練所は、義務教育終了後の青少年に一定期間職業的準備訓練を与え、勤労生活への円滑な移行を果たし、また産業における教育訓練を適正に実施させる機関としての役割は大きい。しかし技術訓練にとどまることなく、学科の時間を増加すること、教養的学科を加えるこ

となどについては、学校教育のあり方と関連させ、総合的な視野から検討する必要があろう。

二百万人が放置されている

十五～十七歳の人口のうち、なんらの教育機関にも在籍しない者の比率は、年々減少しており、これは以上の諸機関、特に高等学校の普及発達に負うところが大きい。しかしなお現在同年令層三七％二百万余の青少年が教育を受けず放置されている。これを都道府県別に見ると（図2）教育機関に在籍していない者の比率は最小二〇％から最大は五〇％にまで都道府県により大きな開きを示しており教育普及の地域的不均衡の点から考慮を要することである。

教育機関に在籍していない者のなかには、「学習意欲のない者」と「就学を希望している者」とがある。

学習意欲のない者については、国民全般の資質の向上という観点から、義務教育終了後にアフターケアを行なう組織を与え、その進路指導を適切に行なうとともに、諸種の要求を受け入れることができるような教育機関を整備し、学習意欲と教育への関心を高めることが必要である。

就学を希望している者に対しては、就学不可能な要因を排除し、就学の機会を与える方策が考慮されなければならないし、その方策としては、

① 青少年が容易に就学できる教育機関を設けること。

② 勤労時間その他労働条件を改善するとともに雇傭主の理解と協力を求め、産業界との連係を密接にすること。

③ 中学校における適切な進学指導を行なうこと。

などが考えられるであろう。

図2　15～17才の青少年の教育機関在籍率と非在籍率

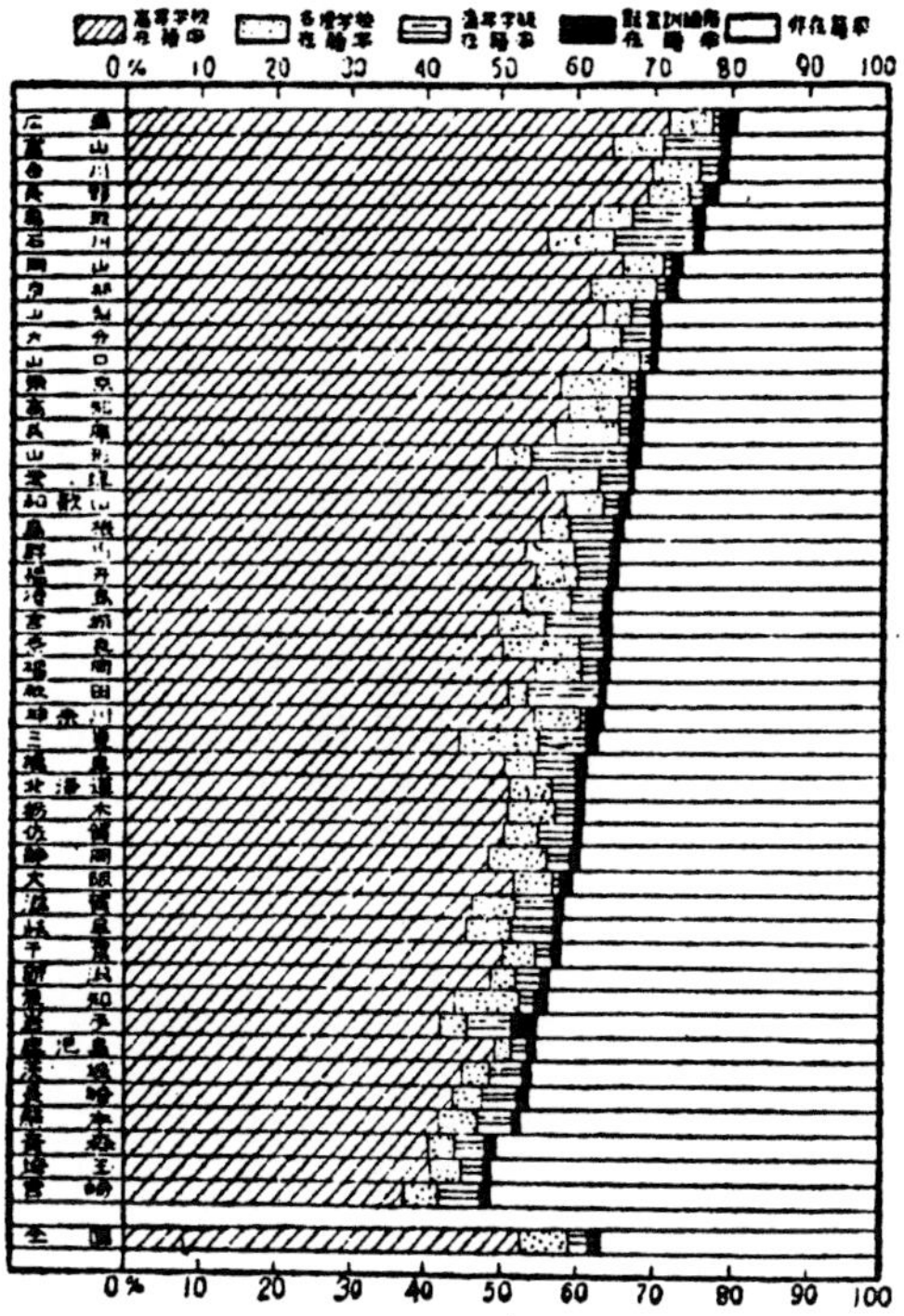

第三章　進みゆく社会と青少年教育

工高卒業十年間に四十四万人不足

高校生増加対策の試案を示す

後期中等教育の完成急ぐ諸外国

社会の進展は、学校教育の発達を促すと同時に、学校教育もまた社会の進展に大きな役割を果たすものである。主要国の後期中等教育の発展の跡をみると、いずれも社会・経済の発達、国民所得の増加、民主主義思想の普及などによって従来の限られた階層のための教育から国民全体のための教育への姿に変わり、またこの後期中等教育の普及発達によって、各国の生産力は上昇し、国民所得は増加し、民主主義社会の建設などが著しく促進され、今日の繁栄が築かれている。

アメリカ合衆国　全日制後期中等教育は最も早く発達し、第二次大戦前にもかなり普及しており、戦後の経済・社会の発達に呼応し全日制後期中等教育はほぼ完成の段階にある。現に若干の州では、義務教育年限を後期中等教育の全部または一部にまで及ぼしている。

ソ　連　学校教育の発達は少し遅れたが、あい次ぐ五か年計画と対応して急速に発展した。第二次大戦後中等教育への関心は非常に高まり後期中等教育に該当する就学率は約八〇％に達した。一九五九年の教育改革は、夜間および通信教育などの方法を積極的に採用することになり、後期中等教育の完成を目ざしている。

イギリス　全日制後期中等教育について、一九五九年中央教育審議会のクラウザー報告は、義務教育年限を十一年に延長すること、十六～十八歳年令層のなかで全日制教育を受ける者の比率を、今後おそくとも二十年内に現在の一二％から五〇％に高めることを答申している。この全日制後期中等教育の拡充と並行して、全日制後期中等教育を受けない十八歳までの青少年に対しては、定時制による義務制が実施される。

フランス・西ドイツ　すでに十八歳までの青少年に対し昼間定時制による義務制を実施している。

今後この定時制教育の授業時間・教育内容などを充実することが企てられている。一方全日制教育については、義務年限を二年延長することにより、十年制の全日制の全日制義務教育制度を樹立あるいは計画しており、全日制後期中等教育の拡大への道を進めている。

いずれの国でも社会の進展に沿って青少年の人材開発に意をそそぐとともに、国民全体の資質向上のために後期中等教育の完成への巨歩が踏み出されている。

高校教育を受ける側からの要請

義務教育卒業人口の急増減　中学校卒業者は昭和三十六年度に急減するが、昭和三十八〜四十年度にベビーブームの年令層を迎えて著しい増加を示し、四十一年度以降は漸減する。

この急増期に現在の高等学校進学率を維持するだけでも、高等学校入学者は昭和三十四年の百十二万に対し毎年二十五万人増加することになり、高等学校の収容力の飛躍的増加が必要である。

進学率の上昇　高等学校進学率は昭和二十九年〜三十三年の間に五％程度の上昇を示した。その要因についてはすでに全日制高等学校の普及（第一章）の際に述べたがここでは父兄の側からの要因の一つとして個人所得の増加傾向をみると、昭和二十九年を百とすると昭和三十三年にはどの階層も増加し、一二一〜一二五となっている。また一夫婦あたり出生児数は戦前の五人が、昭和三十二年には三人に減少している。所得の増加、家族規模の縮小化は、子弟の教育への配慮を高め、今後も進学率上昇の要因として作用するであろう。

職場産業社会からの要請

産業別職種別学歴構成の変化　新規学校卒業就職者を産業別にみると（図三）すべての産業の大学卒と高等学校卒の占める割合が着実に伸び、特に高等学校卒の伸びが著しい。職場・産業社会が経済の発展、技術革新の進展に対応するため、教育程度の高い就業者をより多く要請することを示している。職種別にみても、事務従事者・専門的技術的職業従事者・製造修理従事者・販売従事者をはじめ、すべての職種に学歴の上昇が見られ、中学卒業者に代わる高校卒業者の大幅な進出がみられる。

図3　新規学校卒業就職者の学歴構成推移 ―産業部門別―

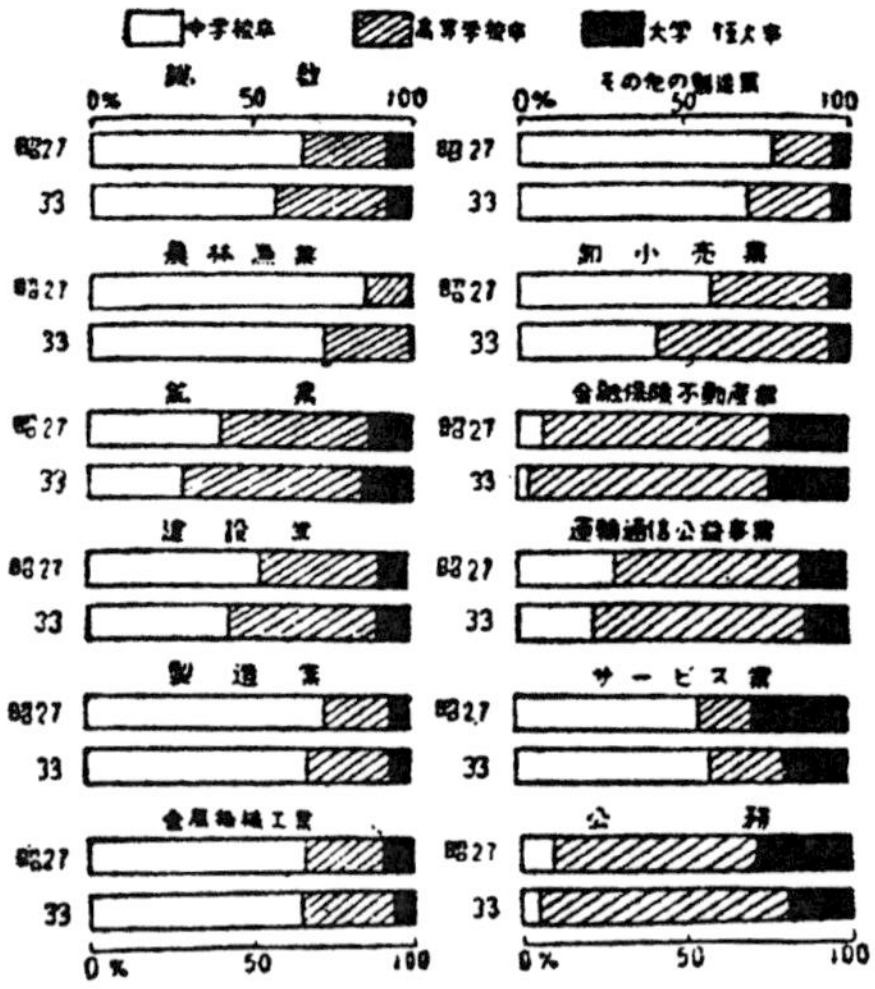

高等学校卒業者の需給関係　経済審議会は所得倍増計画を策定したが、そのうちでわが国の産業構造の高度化を図る観点から昭和四十五年度における就業人口を予測している。それによると工業課程では十年間に四十四万人の供給不足を示していることが注目される。

高校教育計画の構想

高等学校生徒増加対策　進学率は過去の傾向と国民所得の増大その他の要因を考慮し、毎年一％強上昇するものと見て、昭和四十五年度には七二％と算定したが、中間年次では中学校卒業者の急減・急増を考慮した。この試算によれば昭和四十年度には三十五年度に比べ、百十万人の増員が見込まれ、その対策としては、学校の新設、学級の増設のほか、学級定員の増加も考えられる。実施に際しては三万人の教員増をはじめ、施設設備の拡充が必要である。

工業課程拡充計画　前述の工業課程卒業者の四十四万人の不足に対しては画期的な工業課程の拡充が必要であり、昭和三十六年度から四十二年度までの七年間に、毎年一万〜一万五千人の入学定員増を行なうことによってほぼ不足数を充足できる。その際電気・機械・工業化学・土木・建築等需要の高い学科の拡充に重点をおくこと、農村が将来増加する二次産業労働力の供給源となることを考え、工業課程の設置計画には農村も含めて考えることが必要である。

またこの拡充実施に際しての最大の困難である工業関係教員の確保については、緊急な対策が必要であり、短期の臨時養成施設の設置を行なうとともに、育英奨学金の増額、教員資格免許の再検討、卒業者の待遇の特例を設けることなどの特別措置を講ずる必要がある。

すべての者に後期中等教育を

高等学校以外の教育計画　高等学校の収容力を計画どおり増加しても、なお多くの高校へ進学できない者が残される。これらの者に対する教育機関として、現

図４　中学校卒業後各教育機関進学者の推計

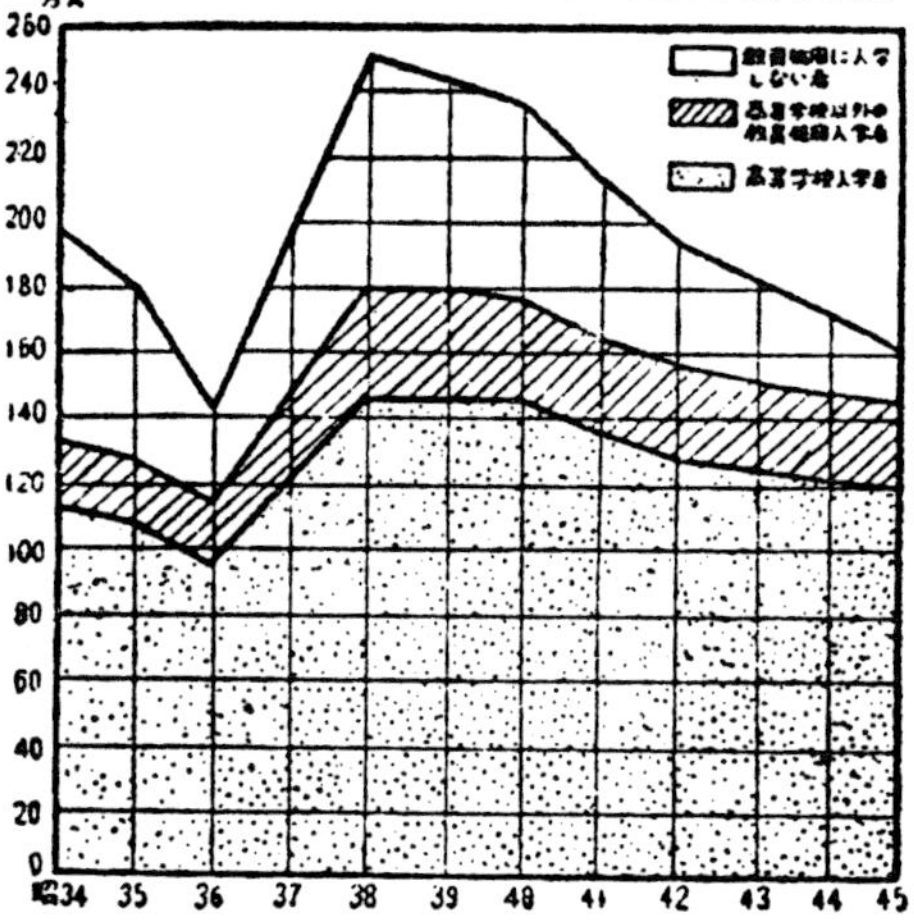

行の高等学校以外の各教育機関についておおむね過去実績に基づいて今後十年の予測を試みた。（図４）。昭和三十八年度には全中学校卒業生の三〇％、昭和四十五年度には一一％がなんらの教育の機会を得ずに残されることになる。十五〜十七歳という重要な時期に、これら青少年をなんらの教育を与えずに放置することは、個人のためにも国家社会のためにも大きな損失であるばかりでなく、有害な結果を招来するおそれがある。これらすべての者に後期中等教育を与え、伸びゆく社会の推進力とする必要がある。多数の不就学者の生ずる昭和三十八年は目前に迫っており、対策は早急に打ち立られなければならない。

これらの青少年の教育機関としては高等学校以外の各教育機関に期待するほかはないが、これらの機関は後期中等教育という観点からみるとなお欠けるところがある。数多くの青少年の教育をこれに託し、社会の発展に即応する人材を育成するためには、総合的観点から新しい教育制度の確立が図られなければならない

後期中等教育の完成　十五〜十七歳のすべての青少年に与えられるべき後期中等教育は、高等学校あるいは高等学校以外の教育機関のいずれを問わず、個人の特性・能力・進路に応じ、また青少年の生活と環境に即して行なわれなければならない。同時に青少年の現在の立場や将来の進路にかかわりなく、進みゆく国家・社会の成員として必要な広い視野に立った見識と教養を授けるものでなければならない。

次号（74号）予告

三月一五日発行

特集・昭和三五年度全国学力調査結果の中間報告

—資料—

家庭の型と子どもの行動型との関係

家庭の型	子どもの行動型
拒否的	服従的、攻撃的、適応困難不安の感情、加虐的、神経質、はずかしがる、強情、すなおでない。
溺愛的	幼児的、退行的、服従的、不安の感情、攻撃的、しつと深い、適応困難、神経質
支配的な親	信頼しうる。はずかしがる、服従的、礼儀正しい、自己意識的、非協力的、緊張大胆、けんかずき、無関心
服従的な親	攻撃的、不注意、従順でない、独立、自信がある、進んで友を作る、すなおでない
不和	攻撃的、神経症的、しつと深い、非行性、非協力的
欠点あるしつけ	適応がうまくゆかない、攻撃的、反抗的、しつと深い、非行的、神経症的
調和したよく適応した	服従的、良い適応。
静かな幸福な仲のよい	協力的、良い適応、独立的
子どもが受容されている	社会的に受容される。自信をもつて未来にむかう。
親が子どもと遊ぶ	安定の感情、独立独行
論理的、科学的	独立独行、協力的、責任ある。
一貫したきびしいしつけ	良い適応
子どもに責任をもたせる	良い適応、独立独行、安定の感情

東大依田教授編「家族の心理」より

58－60年度 各小・中校の研究テーマ

研究調査課

去る十二月に各小中校へ依頼した五八年度以降の各学校の研究テーマを原文のまま次に掲載します。未報告の学校はすぐご報告下さるようお願いします。

小学校

糸満地区 （学校数21）（報告数10）

糸須小　58特活－共通語使用者を多くするにはどうすればよいか。
　　　59算数－計算力を高めるにはどうすればよいか。
　　　　筆算における不振児の指導と導入の仕方
　　　60算数－文章題中の読解指導はどのようにしたら全員に早く理解できるか

上田小　58国語－言葉づかいの指導をいかにするか。
　　　59特活　学級会を強化するにはどうすればよいか。
　　　60社会教育－PTAにおける校外補導はどのようにしたらよいか。

糸満小　58道徳指導－ていねいな言葉づかいやあいさつはどのように指導したらよいか。
　　　59同右　同右の継続研究。

座安小　58国語－読解力を高める為の語法指導
　　　59算数－計算力を高めるための学習指導
　　　60全教科－教育課程の移行措置並びに新教育課程の研究
　　　道徳－道徳指導のためのカリキュラム作成と資料研究

高嶺小　学校経営－教壇実践を通して全教員の各教科指導の研究
　　　60理科の備品作成
　　　61算数科備品の作成
　　　学校行事の精選研究
　　　児童の礼法しつけの強化。

長嶺小　60道徳－カリキュラムの作成
　　　60学校経営－法定授業時数と実施授業時数の比較

座間味小特活－生徒会の委員会活動を通して児童生徒の自主性を育てる。

渡名喜小58国語－各学年の新出文字を中心に教育漢字のドリル指導
　　　60算数－小学校算数の基本的問題の精選とドリル指導

那覇地区 学校数（23）報告数（18）

泊　小　59算数－算数科における視聴覚教育。

壺屋小　58国語－読解力をつけるための研究。
　　　60道徳－一時間の授業のすすめ方。

大道小　58理科－理科実験観察の指導

城岳小　59道徳－道徳時間における道徳指導。

久茂地小58算数－時刻時間指導上の留意点。

開南小　58PTA－PTAの運営全般
　　　59理科－移行措置における理科カリキュラム。

真和志小58特活－特別教育活動の研究
　　　60同右　同右

城西小　59PTA－全般の研究発表会

松川小　60道徳－本校の道徳教育と道徳の時間の指導法と学級づくり。
　　　教科における道徳教育
　　　生活指導、特別教育活動、家庭や地域社会における道徳教育。

浦添小　59－60児童会運営

仲西小　58特活　児童の自主性を高めるために子供会の組織を強化し育てる。
　　　59特活　子供会の活動を促進し、発言と実践とが結びつくようにする。
　　　60各教科－職員の研修意欲を高めるにはどのようにすればよいか。
　　　改訂教育課程への移行措置の研究。

若狭小　59学校経営－教育計画、学習指導、生活指導、学年経営と学級経営、施設管理の五領域に分けて研究。

高良小　59図書館　図書館の運営。
　　　60同右　同右

城北小　60算数－(1)百まで確実に数えられるようにするにはくり上がりくり下がりの計算力を伸ばすには

㈢どの九九も確実に使えるようにするには
㈣二倍数×一倍数の計算について子供の誤算を見つけ出し、その誤算の原因を明らかにして、それに対応する適当な指導
㈤整数、乗除の計算力を高めるには
㈥分数の計算方法について理解させるには
特殊学級、いろいろの事物を数的に処理する能力を伸ばすには。

小禄小　59生活指導－全学年生活指導について研究発表会。
城南小　60国語－言葉の指導、美書の指導、遅進児の読みの指導
安謝小　60道徳教育－道徳時間の年間計画とその指導方法について小中校全担任が五九年、六〇年度研究
垣花小　58理科－民間伝承法による興味継続学習。
校区内における植物の分布。

知念地区　学校数（13）報告数（4）
南風原小60体育－本校の体育科経営、調査とその研究
カリキュラムの構成、
施設用具の活用
学習指導の研究
保健指導の研究
坂田小　60道徳－学校、地域の実態と各学年の心理的発達や特性に即して、道徳教育年間計画案を作製し現在実施しながら検討を加え指導法の充実を図っている。
西原小　59－60特活－部落子ども会の育成と遊びの指導。

普天間地区　学校数（9）報告数（3）
北中城小59理科・図工－新指導要領によるカリキュラムの作成。
59算数・音楽・体育－移行措置の研究。
北玉小　59理科－理科の環境整備
大山小　59理科－移行期におけるカリキュラムの研究。
基礎学力向上のための級検定の実施。

コザ地区　学校数（18）報告数（7）
中の町小59音楽－小学校における系統的読譜指導。
安ゲ田小59体育－体育学習の効果を高めるための集団行動の指導
60体育　同右
美東小　58保健－地域に即した健康教育計画と実践。
コザ小　58保健－給食指導・健康観察姿勢指導
身体検査の結果の活動
59右同－五八年度の継続研究
高原小　61学校経営－新しい指導要領の改訂に際し学習効果を高めその目的を達成するために学級経営はいかにあるべきか。
美里小　59～60理科－観察指導を兼ねての学校美化の指導
島袋小　60国語－漢字指導

前原地区　学校数（17）報告数（7）
高江洲小58国語－能力差によるグループ指導。
59算数－計算技能を高めるには。
計算力を高めるためには。
60国語－漢字力を高めるための級設定。
算数－算数の学力向上
平敷屋小59保健－保健の習慣化。
60保健－望ましい人間形成を目指す本校の保健教育
天願小　60国語・算数－基礎学力の実態調査。
平安座小58体育－体育科における巧技の指導
宮城小　58特活－自主的なホームルーム活動。
国語－個人差に応ずる読みの力を伸ばす。
59算数－分数の計算能力を伸ばす。

石川地区　学校数（8）報告数（3）
山田小　算数－遅進児に対する指導
恩納小・60教育課程－教育課程の実施運営上の困難点。

宜野座地区　学校数（12）報告数（1）
中川小　59学校経営－諸施設の充実

名護地区　学校数（33）報告数（11）
羽地小　59道徳－地域社会の人々の学校教育への協力を進めるにはどうしたらよいか。
60道徳－共通語を身につけるにはどうすればよいか
本部小　60音楽－音楽教育の振興。
58～60特活－特活運営における組織の合理化。
時間の設定の方法。
学級会と道徳指導との関連
クラブ活動のあり方
安和小　58国語－読解力を高めるための指導と対策。

59算数－－文章題の指導をどのようにしたらよいか
60学校経営－学校経営案。
60教育課程－学校行事等のもち方。
西　小　59～60道徳－道徳教育の年間計画の作製実施。道徳教育の実践
今帰仁小58算数－算数科の指導で具体物をどのように指導するか特に離脱の時期と方法。
59～60国語－読解力を高めるにはどうすればよいか
水納小　58へき地教育振興－いかにすればへき地の学校教育を振興することができるか。
瀬底小　60学級経営－望ましい対人関係の育成をめざす学級経営。

辺土名地区　学校数(15)報告数(8)

有銘小　60体育－徒手体操の実技指導
60道徳－道徳カリキュラム作成のための基礎調査。
楚洲小　学校運営－小規模学校の学校運営、教員組織、事務分掌等。
理科－複式カリキュラムの研究。
安波小　59国語－各学年相応の漢字力の向上をはかるにはいかに指導するか。
59算数－各学年相応の基礎計算力の向上をはかるにはいかに指導するか。
喜如嘉小60学校運営－中小併置校の運動会のもち方。
教育課程－年間計画の作成と遂行、授業時数の確保
道徳－道徳指導の年間計画作成。
算数－教具施設の充実と活用
安田小　58理科－小学校における複式理科カリキュラムを構成。
58国語－話し言葉の指導。
59国語－基礎学力の向上。
60算数－基礎学力、特に計算力の養成。
奥間小　59図工－－創造的で楽しい造形活動をさせるにはどうしたらよいか。
辺土名　58国語－国語科教壇実践の研究
59算数－算数の教具作成と指導法。
60理科－理科の教壇実践と教具の作成。
津波小　60道徳－全児童の道徳性実態調査。

久米島地区　学校数(6)報告数(3)

大岳小　58体育－健康教育
58国語－国語教育（読解力を高める語法の指導法。
美崎小　60全科－子供の学力を充実向上させるために地域社会学校の実をどうあげるか。

宮古地区　学校数（20）報告数（11）

鏡原小　60年間授業時数の確保。
下地小　58 59 60健康教育－健康習慣育成への継続的努力。
城辺小　算数－系統表の作製並にそれに基く基礎調査。
動的指導の必要から全学年の図形教具の調査をした。
教具の利用について学級指定にする実験的調査研究。
教科書取扱いのくふう
福嶺小　58理科－地域に即した理科カリキュラムの作成能力に応ずる理科学習。
59算数－児童の計算能力を高めるための研究。
砂川小　60国語－漢字の指導
池間小　58職業教育－実能調査、施設教材研究、カリキュラム作成。
59右同－指導技術の研究
佐良浜小58数学－数学のカード式ドリル指導。
59道徳－家庭で行なう生活指導
60道徳－常に実態は掴につとめ反省と指導法の研究
来間小　58特活－珠算実技の普及化。
久辺小　58道徳－基地の学校として学校社会環境、児童生徒の構成の状況が急激な変化を遂げつゝある本校として、その実態と対策。

八重山地区　学校数(35)報告数(13)

石垣小　58国語－国語表記法の系統的指導法。
59算数－算数科の掛図とその効果的使用。
60算数－分数の四則計算における治療指導。
大浜小　58道徳－道徳教育カリキュラムの作成。
59保健－本校児童の寄生虫駆除と予防。

平真小　57国語―どの子供にも話す意欲を高めるにはどうすればよいか。
59道徳―道徳のカリキュラム作成。
道徳科、指導の方法。

波照間小　学校経営―放送を利用した発表力の育成。
図書のよい貸出方法。
図工科―図工科における表現力を伸ばすには。
理科―実験観察の用具の取扱い研究。

伊野田小59算数―数量関係における計算技能を如何にして向上させるか。
60算数―乗除法の問題点について研究。

船浮小　60国語―教育漢字の修得

西表小　60国語―言語生活の純化。

中学校

糸満地区　学校数（14）報告数（6）

豊見城中58国語―読解指導と図書館経営。
59右同　右同
60図工―造形教育とその展開

兼城中　59保健―健康な生活を営む態度や能力をどのように身につけるか。

具志頭中59道徳―あいさつの指導。

座間味中　特活―生徒会の委員会活動を通して児童生徒の自主性を育てる。

渡名喜中58特活―生活日誌による生活態度の育成。
60数学―ドリルブックを作成基礎学力を培う。

那覇地区　学校数（12）報告数（8）

浦添中　60文化、体育クラブ活動―クラブの自主的運営を目標に活動実施。

那覇中　58職家―都市地区における職業家庭科。
58右同

寄宮中　58 59道徳―道徳の時間の年間計画道徳の時間の実際
生徒の生活実体調査。

小禄中　59全科―自発学習の促進。

上山中56以降　学校図書館運営―学校図書館の学校全体の協力による合理的運営。
図書及び資料の効果的利用。
自発学習及び問題解決学習を促進させるために整備充実する。

真和志中60理科―理科教育計画。
観察実験ノートの作成
60音楽―新指導要領による教育課程作成。
音楽学習の研究。

安謝中　60道徳教育―道徳時間の年間計画とその指導方法

垣花中　58理科―理科教育に於ける父兄の要望
59職業―職業科教室の経営に於ける移動教室の効果的活用

知念地区　学校数（8）報告数（5）

知念中　59学校行事の研究―年間授業時数の確保。
行事の精選とその運営方法
60学校行事の運営と反省―時期、時間、回数方法および欠課時数の補充

普天間地区　学校数（7）報告数（2）

北谷中　―新教育課程への移行をどのように計画し実施したらよいか。
学校図書館の運営

大山中　59理科―移行期にあけるカリキュラムの研究。
60算数―移行期における学習内容の研究。
基礎学力向上のための級検定の実施。

コザ地区　学校数（4）報告数（3）

美東中　58英語―オーラルアプローチによる英語指導。
60音楽―リード楽器を中心とした器楽指導

島袋中　60国語―漢字指導

前原地区　学校数（11）報告数（7）

具志川中60道徳―道徳時間の年間計画と展開。
各学年の道徳指導展開と指導内容の研究。
ホームルームの年間計画の研究指導目標の研究。

高江洲中60音楽―普通授業に於ける器楽指導。

天願中60国語・算数―基礎学力の実態調査。

平安座中58体育―体育科に於ける巧技の指導。

宮城中　58特活―自主的なホームルーム活動。
58国語―個人差に応ずる読みの力を伸ばす。
59算数―分数の計算能力を伸ばす。

石川地区　学校数（5）報告数（2）

石川中　60学校給食―学校給食の指導と運営。

名護地区　学校数（23）報告数（6）

名護中59―60全教科－移行措置。

上本部中59　60職業－地域性を生かした職業教育を継続するためいかなることをせねばならないか。

伊平屋中60道徳－中学校に於ける道徳教育。

瀬底中60学校経経－望ましい対人関係の育成をめざす学級経営。

水納中58へき地教育振興－如何にすればへき地の学校教育を振興することができるか。

辺土名地区　学校数（14）報告数（7）

安田中59―60国語、算数－国語、算数の基礎学力向上

喜如嘉中60学校運営－中小併置校の運動会のもち方

60教育課程－年間計画の作成遂行、授業時数の確保

60道徳－道徳指導の年間計画作成。

道徳特設に具えて、のぞましいあり方。

60算数－教具施設の充実と活用。

安波中　59国語－各学年相応の漢字力の向上をはかるには、いかに指導するか。

59数学－各学年相応の基礎計算力の向上をはかるにはいかに指導するか。

楚洲中　学校運営－小規模学校の学校運営、教員組織、事務分掌。

理科－複式カリキュラムの研究。

有銘中　60体育－徒手体操の実技指導

60道徳－道徳カリキュラム作成のための基礎調査。

津波中　60道徳－全生徒の道徳性実態調査。

教師父兄母姉から見た生徒の道徳性の実態調査。

道徳カリキュラムの作成

久米島地区　学校数（4）報告数（2）

仲里中　58道徳－学校、家庭生活を通しての責任感の養成。

59英語－学習抵抗の除去と興味の問題。

宮古地区　学校数（18）報告数（11）

下地中58―59道徳教育－あいさつと言葉遣いの指導はどのようにしているか。

60国語－読みとりの基礎技術を向上させるには如何なる指導が望ましいか

平良中　60英語－各学年における基礎構文の配列、パターンプラクティスによる基礎構文の習得。

西辺中　59職家－農漁村に於ける職業家庭科の経営。

職業家庭科の備品購入の年次計画。

伊良部中　生活指導－ホームルームの指導。

クラブ活動の指導

生徒会、生徒集会の指導校外活動の指導。

福嶺中　60道徳－公徳心の養成。

久辺中　58道徳－基地の学校として学校、社会環境、生徒の構成状況とその実態と対策。

来間中　58特活－珠算実技の普及化。

佐良浜中58数学－数学のカード式ドリル指導。

59道徳－家庭で行なう生活指導をどのようにすればよいか。

60道徳－常に実態は握につとめ反省と指導法の研究

池間中58職業教育－実態調査、施設、教材研究、カリキュラム作成。

59右同－指導技術の研究。

八重山地区　学校数（29）報告数（12）

大浜中　60特活－学級活動の指導計画と運営。

与那国中58数学－加減乗除の計算能力強化。

59理科－学校環境に生育する植物標本作成。

60国語－読み、書きの能力強化。

石垣中　59音楽－普通授業における器楽指導。

60職家　－移行期における職家指導計画。

60国語－言語生活の純化。

船浮中　60国語－教育漢字の修得。

波照間中　学校経営－放送を利用した発表力の育成

図書のよい貸出方法。

図工科－図工科における表現力をどうすれば伸ばしていけるか。

理　科－実験観察の用具の取扱い研究。実験と観察の合同実地

高校日本史指導上 沖縄史の扱取い

島　まさる

一

私は沖縄における社会科の指導、わけても歴史指導上、特に民族問題と沖縄史の取扱いを重視すべきことを強調したい。民族問題では世界の歴史上、弱少民族や後進地域の植民地ないし半植民地の民族が如何にしてその独立と自由を獲得したかを具体的に指導することによつて民族精神が如何なる長期の抑圧にもかかわらず、発刺として生きつづけるものであるかを見ることによつて、民族の自主的精神を涵養しなければならないと思う。又沖縄が、洋上の孤島王国として如何に生きぬいてきたか、薩摩と中国の強大な力の間で、如何に対処し、又如何なる文化を創造してきたかを知らないでは現在及び将来の沖縄を論ずることも出来ないはずである。

ところで現在の教育課程では中学校で沖縄史を指導することになつているが、高校に入つて来た生徒を通して見た限りでは、それは断片的で不十分のように考えられる。高校になると、沖縄史指導はどこでもなされていない。ただ、クラブ活動の一端として生徒の自主活動に任せられている現状であろう。最近大学の学生や卒業後の若い人たちの間で、沖縄の民俗、考古学、歴史等に関する研究が盛んになりつつあるのは大いに喜ぶべきことである。高校では日本史の一部として基礎的な指導を行なわねばならない。

二

現在、高等学校用として編纂された日本史教科書数種中、沖縄に関する記載を調べると、次の五項目に整理される。

一　日琉貿易、琉球船が南方諸島と盛んに貿易したこと、この南方産物資は博多に運ばれ、更に朝鮮にも輸出されたこと、その貿易品及び貿易衰微の原因等が書かれている。

二　安土桃山時代の琉球

琉球から蛇皮線が日本に入り、三味線に改良されて民衆芸能の楽器として普及したことはどの教科書にも記載されている。

その他、秀吉が琉球にも来朝を促したこと、尚巴志の統一から島津に征服される迄を書いた教科書もある。

三　江戸時代の琉球

庶民教育の教科書としての六諭衍義和解を書かせた記事があるが、これが沖縄から入つたことについてはふれていない。

「諸藩の改革と雄藩の抬頭」なる項目の中で、薩摩が琉球貿易の利益と砂糖専売による利益で財政を強化したことを書いたのが一書ある。

四　明治維新　琉球の両属政治や、台湾問題を契機として日本領であることを清国に認めさせたこと、琉球の廃藩置県等。

五　第二次大戦後の沖縄　米国の沖縄占領そしてその管理下にあること等が二、三行で片付けられている。

以上のように、日本史教科書の中で、沖縄史を取扱う手がかりは十分示されているので、これを利用して、沖縄史の概観を得させるような配慮をすることが必要となつてくる。

三

沖縄史を日本史の中におり込んで指導するに当たり、どんな教材をどこで取扱うかを私が実施していることを基に案を書いてみたい。

時代	沖縄史	日本史との関連
一、古代	古代の沖縄 考古学・民俗学上の沖縄 神話	紀の南島服属の記事 随書の琉球
二、鎌倉	王国の成立 為朝渡来説批判 舜天王統→英祖王統	鎌倉幕府 源為朝
三、室町	対明貿易 王朝の変遷 貿易の発展	明貿易（勘合貿易）
四、江戸	封建制の確立 政治組織と身分制 農民の生活 慶長役とその後の沖縄 沖縄の再建 向象賢と蔡温 沖縄の文化 日本文化への貢献	江戸幕府 成立
五、明治維新	廃藩置県	廃藩置県
六、現代	第二次大戦後の沖縄	

以上の項目を織りこんで時間数八時間程度である。

四

次にその指導例をあげてみたい。

一、教材　対明貿易

二、時間　一時間完了

三、目的　沖縄の中世における貿易の状況及び海洋思想を学ぶことによつて民族性の一端にふれしめたい。

四、準備　沖縄海洋発展図、倭寇勘合貿

易、朱印船貿易対照年表

五、教材区分

1 察度王統と第一尚氏の統一

2 明への明貢と貿易の形態

3、貿易の発展と沖縄人の海事思想

4、貿易の衰微の事情

六、指導の展開

1 察度王統から尚氏の統一まで

沖縄の統一以前の王及各地の按司に本土や中国との交易を示す伝説や史蹟が多く、且つこれによつて政治的経済的地盤を固めたことに注意する

2 明への朝貢と貿易の形態

朝貢という名目の下に行なわれる貿易は中国丁制の伝統で十九世紀半ばまで続けられ、日本を初めとする東洋諸国家やヨーロッパ諸国までその例にもれなかつた。足利幕府は、明の指示により勘合符を以て海賊船と区別する勘合貿易を行なつたのに対し、沖縄の場合は自主的に、半印勘合執照制(安里延氏)をとり、官営貿易であつたこと。沖縄の産物は馬や硫黄等少数で、貿易品の大部分は日本産、南方産のものであり、那覇の港は「たう、なはんよりあう」国際貿易港であつたことに留意させる。

3 貿易の発展と沖縄人の海事思想

「一舟楫を以て万国の津梁となす。」ー雄大な理想をうち立て、ポルトガル人等より、信義に篤く勇敢誠実な民族性をたゝえられたが、半面、寡黙で秘密主義を守り、近代的な植民発展の思想に欠くるところが欠点であつたことを知らしめる。

4 貿易の衰微の事情

沖縄の貿易が仲継貿易に過ぎなかつたことはポルトガルや博多商人の進出に対抗出来なくなつた。更に特恵措置を講じてくれた明の国力衰微、倭寇の跳梁等種々の原因で島津慶長の役以前に、沖縄の海外貿易は衰頽にひんしていた。

七、結びと指導上の注意

島津征服後、沖縄の民族性は沈滞し、両強国の鼻息を伺う島国的気質を馴致させられたが、この鉄鎖のたち切られた維新後は、又海外発展に昔日の俤をとり戻すようになつた、アメリカの管理下においても、この本来の民族精神を見失わないよう決意すべきである。

尚沖縄史の取扱いで特に注意すべき点は、安易なお国自慢に陥らず、又偏狭なショーヴィンズムにだせず、常に公正な世界史的立場に立つて指導することであろう。

浄水装置の製作

名護地区羽地中学校
糸 数 新 治

小学校理科実験で蒸留水を使用することが多いが、次のような装置をすれば蒸留水を用いる実験には事欠かない。ご参考のために紹介いたします。

イオン交換樹脂を利用した浄水装置の製作及び利用法

1．ほとんど純水の水がつくられること。

- ふつうの蒸留では純水はつくられないが、イオン交換樹脂をつかうとほとんど純水ができること。

2．イオン交換樹脂の種類

⊕イオン樹脂　⊖イオン樹脂

- アンバーライト1R−120（褐色）─アンバーライト1RA−410（黄色）
- ダイヤイオンSC−1─ダイヤイオン SA−200
- ドウウエクス 50 ─ ドウウエツクス 2
- デユオライトC−20 ─ デユオライトA40

3．利 点

(1) 水の純度が高い　(2) 価格が安い
(3) 熱源がいらない　(4) 半永久的である

4．はたらき

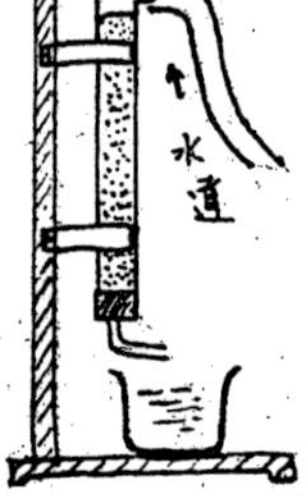

イオン交換樹脂も一種の合成樹脂である。陽イオン交換樹脂と陰イオン交換樹脂とがある。塩類をふくむ水を通すと陽イオンの交換がおこなわれる。水中の陽イオン（Ca^{++}, Mg^{++} など）H^{+} にかわる又陰イオン交換樹脂の中を塩類をふくんだ水をとおすと水中の陰イオン（Cl^{-}, SO_4^{--} など）はOH^{-} にかわる。

$H^{+}+OH^{-}\rightarrow H_2O$ となり、最後にできる水は純度の高い水になる。

5．樹脂の処理法

- アンバーライト1K−120（褐色）

0.1N の塩酸で十分にひたしかきまぜる。その液をすて、さらに塩酸をいれ、又かきまぜる。数回くりかえして洗う。

- アンバーライト1K−410（黄色）

0.1N の水酸化ナトリウムで上の処理法同様数回洗う。

6．浄水量……約3分で浄水が500gとれる。

雑記帳

石川盛亀

○おしゃれの年賀状

年に一度の年賀状だけに、住所のまちがったもの、名前のまちがったもの、たて書きのもの、横書きのもの、さらに内容の文章にいたってはいろいろサマザマである。

それでも受け取る身になってみれば、どれもこれも親しみがあり、真心がこもっていてなつかしいものだ。

年賀状の様式といえば、始めに謹賀新年と主題的なものが大書され、つぎに行をかえて、やや細い字で二、三行くらい副題的なものが書き添えられるのが普通のようである。その副題的な内容に相当すると思われるしゃれた年賀状があった。

「今年は斗牛のようにたくましく、種牛のように張り切って進みましょう。」とか。もっと核心をついたものに「貴殿も頭の方は大部ウスクなられたようでしたが、気持ちはハンタン山時代の若さだと拝見しました」とか「併せて貴君の年頭の御多光を祈る」と寄せている。「御多光」は「御多幸」のまちがいではないかと思ったりしてみたが、送った本人の意志はわざわざ、「年頭」の「頭」と「御多光」の「光」に傍点を付してあることから察して、ぼくを諷刺したものだと思わず年頭最初の笑を催さずにはおれなかった。

○新年の祝賀式

一九六一年の元旦を迎え、各学校では新年祝賀式が行なわれた。国旗掲揚はアンドリツク声明などもあって学校であげるところはなかったようだが、君が代と新年の歌を歌い、まんじゆうをあげる。そのあと各学級でレクリエーションをして楽しむ。また一方では〃正月は家庭で〃と学校への出校をとりやめているところもあったようである。

このことについては本土においてもちようど同じような状況で全国的にみてもまったくマチマチ。式を行なった学校でも、学校行事として教師、生徒の全員が参加したところがあるかと思えば、自由参加の学校もある。地域や学校によってサマザマで、もちろん挙式理由も式次第も学校によってこれまたマチマチだったようだ。

新年の祝賀式についてはいろいろの角度から批判があるようで近着の日本教育新聞では次のように報じられている。

全国小学校長会長　鈴木虎秋氏談

新年祝賀式をやるべきだとか、やるべきでないということは大して重要なことではないと思う。やるべきだといって強行することは教育を混乱させることになる。これは教育をマイナスの方向にもっていくものだ。また逆にやるなというのも教育に圧力をかけるものでよくない。両者ともに教育上いい結果をもたらさないことは明らかだ。だからやれるところはやれる程度でいいと思う。……

文部省視学官　高山政雄氏談

どこの学校でも学校行事として元旦を入れることに賛成する、一月一日は個人の生活にとっても一つのフシを与えていくものだ。学校にしても同様のことがいえる。……一月一日は年間のプランニングのスタートとしてたいへん有意義な日だ。これを学校行事に織りこむことは教育的にみても価値あることだ。

そのやり方だが、あくまでも子ども本位の式でなければならない。一月一日は他の祝日とちがってやはり厳粛さがなければならないと思う。これを失ったなら一月一日の式の価値を半減するだろう。その意味で校長の式辞はよく練られたものでなければならない。簡潔で充実したものこそよい。だらだらと長いだけで中身のないものほど儀式を破壊するものはない。……指導要領の趣旨をよく理解して教育に当たってもらいたい。

教育評論家　平松敬一氏談

先日の祝賀式はほかのイデオロギーに満ちた祝祭日にくらべてすなおに喜べるので問題は少ないと思う。ただ、おとなの感慨を子どもに強制するのはやめてもらいたい。日本の式を思うとき、まず考えられるのはおごそかでなければならないという画一主義のあることだ。……

もし学校全体の行事として集会を開くなら校長先生にのぞむことが一つある。それは子どもの心の中にしみ通るような話ができるようにすることだ。

つまり大ぜいの子どもが全体で「よかった」「楽しかった」という実感が持てるようなものができるという教育的自信をもっていただきたい。だがそういっても実際にはできないのが多い。たとえばこの新年の祝賀式で岩手県の松尾鉱山小学校が学童十人を圧死させてしまった。この場合などで思うことだが、第一に式の息苦しさから子どもたちがのがれたいという解放感から起こっている。第二にはアトラクションとしての映画をつけなければ子どもたちを喜ばせられない式だったということだ。第三にはあれだけの大集団を集めながら教師の指導体制を整えていなかったことである。このような式をただ、惰性的にするのはやめてもらいたい。

以上が三氏の新年の祝賀式に対する意見の主旨であるが、一月一日に子どもを学校に集めるか。いや集めるのはやめようとの論議は本土各地でもまだ絶えないようである。

要するに新年祝賀式をやるならやるように民主社会にふさわしいものにしてやってもらいたいし、また行なわないのなら行なわないように確固たる信念をもって進みたいものである。

No	器具名	No	器具名	No.	器具名	No.	器具名
37	熱の輻射実験器	50	模型モーター	63	器具整理箱	76	ピンホールカメラ
38	液体対流 〃	51	てこの原理実験器	64	電磁石	77	くきの成長
39	音の共鳴〃（気柱）	52	簡易てんびん	65	衝突の原理	78	磁場の実験
40	蒸気発生そうち	53	風力計	66	簡易湿度計	79	照明
41	過熱蒸気発生 〃	54	光源ランプ	67	風向計	80	付磁及消磁
42	金属の発熱比較〃	55	純水そうち	68	日時計	81	酸素発生装置（小型）
43	比重測定 〃	56	鉄板	69	水車	82	硫酸希しやく装置
44	水素爆鳴 〃	57	電離比較実けん器	70	温度計	83	電磁誘導実験器
45	乾留装置	58	簡易熱量計	71	潜望鏡	84	摩擦熱測定
46	電池ホルダー	59	水槽	72	空気の対流 A	85	水素発生装置
47	電けん	60	蟻飼育箱	73	〃 B	86	交流降圧器
48	電鈴	61	標本整理箱	74	球根の植え方	87	運搬箱
49	ブザー	62	スクリーン（大）	75	糸電話	88	工具箱

※ 57以上は各自で工夫製作したものである。

――紹介――　人絹をつくる

仲松邦雄

アンモニア法……………………………………………ベンベルグ糸

1　シユワイツエル試薬をつくる…………………………濃い青色の液

イ　硫酸銅を乳鉢で粉末にし、その５gを 50cc の蒸留水にとかす。

ロ　これにアンモニア水を１滴づつ加える……3cc……沈でんが出来る。

この沈でんはアンモニアの量を多くすると又溶けるから、かくはんしながら一滴ずつ加え、こい青色が消えにくくなつたらアンモニアを加えるのを止める。

ハ　沈でんをこしとる。

ニ　沈でんをよく水洗いする。　　よく水をきる。

沈でんをビーカーにとり100cc位の水を加えてかくはんし、こしとつて水をきるとよい。

ホ　沈でんをビーカーにとり濃アンモニア水を少しずつ加えてとかす。

2　この液一滴をスライドグラスの上に置き、その中に綿の繊維を１本入れてだんだんふくらんで溶けるようすも観察する。

3　ビーカー中のシユワイツエル試薬の中に１つまみの脱脂綿を入れる。

脱脂綿はとけてガラス棒につけると糸を引くような粘い液が出来る。…………リンター

4　リンターを注射器で希硫酸の中へ押し出す。　希硫酸は……２N～４Nがよい。

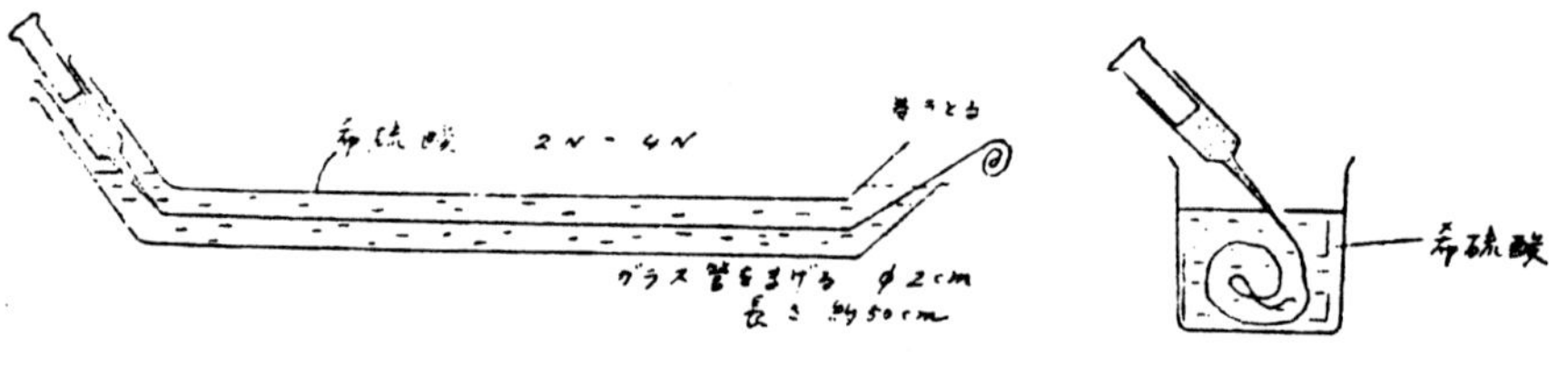

（那覇中学校）

。牛乳ビン等を利用した安全装置を使用し、燃焼実験では接直点火はさけ、事故防止に努める。

ト 指導、助言

1. 液体の対流実験は、ガラス板の透明なものを二枚重ねてヒーターを封じ込み、水を入れ、15V位の電圧をかけ投影すると現象がはつきりわかる。

2. 現象観察では、主現象と副現象があり、その着眼点をにがさぬよう指導すべきである。観る位置、方向は斜上からが動きが立体的でよく分る。

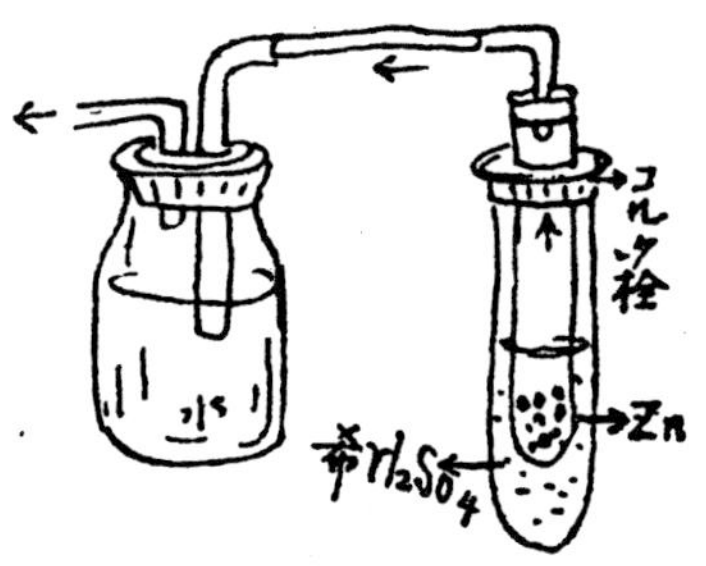

小型水素生そうち

3. アルコールランプの風よけ、ブリキを円筒にし、下部に、いくつか空気孔を開けて使用すると便利、（ハンダ付けはいけない）

4. 製作は、器具がないからつくるという考え方でなく、学習しやすくするために製作するという積極的な考え方であつて貰いたい。

5. 製作した器具の長所、欠点については、具体的に相互研究をし合う。

6. 会員個人個人が、テーマを持ち研究していくと共に、活用面の研究もしつかりやる。

〔三〕 む す び

1. 自作教具は、わりに安価で製作でき、生徒、教師が協同で製作することによつて、その器具の原理がわかり使いよい、わりに大事に取り扱うようになり、実験にも興味を持つようになる点がよい。

2. 今後の製作にあたつては、取り扱い易い、使いたいという意欲を起させるような器具を念頭においてやる。（実用美？）

3. 活用面の研究会も、以前に比べ、女教員の方々も多く参加して行なわれるようになつたことは、良い傾向であり、更に活用の研究を続けなければならない。くふうする態度と考え方が生まれつつある。

4. 創意くふうを加えた器具の展示会を持つと共に相互研究を推進する。

5. 小学校低学年の実験指導等に、今後とくに力を入れていく。

6. 生徒実験をやらないというと、生徒が承知しない程であり、従つて理科施設設備の充実は急務であり、PTAや委員会当局への啓もうも必要である。更に担当時数を軽減、又は助手をおいて充実した学習ができるよう、政府当局は現場の実状を理解していただき、名実共に、理振法であらしめるよう予算を増額し科学教育の進歩向上を計つて貰うよう強く要望いたします。おわりに同好会のためにご指導助言をして下さつた本土指導委員、嵯峨山先生、指導して下さつた先生方、ご協力下さつた関係者の方々に深く感謝申し上げると共に、今後共ご指導とごべんたつ下さるようお願い申し上げます。

別表 1

No.	器具名	No.	器具名	No.	器具名	No.	器具名
1	ピン切り　（大）	10	インジケータ	19	モノコード	28	電気振子
2	〃　（小）	11	連続蒸留装置	20	線膨脹実験器	29	根の成長　実験室
3	誘導式ガラス管切り	12	ヘヤの比重計	21	斜面まさつ抵抗	30	肺のはたらき　〃
4	ハンダゴテ台	13	ボイル、パスカルの原理	22	ボルタの電池	31	連通管
5	ビニール接着コテ	14	圧力の位置方向実験器	23	光の反射実験器	32	内燃機関原理　〃
6	同　コテ台	15	水圧、水位実験器	24	空気の成分　〃	33	種子の発芽と酸素実験器
7	スクリーン	16	ランプ抵抗実験器	25	表面張力　〃	34	電解装置
8	ガラス細工用バーナー	17	毛管現象　ガラス管	26	熱伝導　〃	35	冷却管
9	ろ過装置	18	同上　ガラス管	27	太陽高度測定器	36	浮沈子

又、熱源はアルコールランプでも、ヒーターを利用してでもできる。（ランプには風よけをつけると炎がゆれるのを防ぐ）（G中学校）

ホ　観察しながらメモをつける習慣をつけることが望ましい

液体の対流実験器

〔その5〕

I中学校　第3学年　単元　電気

指導者　O　教　諭

イ　自作の電磁誘導実験器、電流計を改良した検流計を使つて、男女9グループ（1グループ5人平均）で実験を通して誘導電流の発生、強さと方向について、各方面から考察させるよう実験が進められた。

ロ　反省（研究討議、指導助言）

電流計を検流計に改造して使用した場合、再び電流計として使うとき影響はないだろうか。ご存じの方があればお教示願いたい。

ハ　応用力が足りなかつた、直列、並列つなぎは既習して知つていると予想されたが、コイルの直列つなぎのとき、少しまごついたグループがあつた。

ニ　器具製作への場合、これを使用する生徒の立場から考えて、生徒が使い良いようくふうすること、コイルのターミナルのつけ方など、

ホ　コイルは、セロテープで上からまいておくとよい。

ヘ　事象から逆に物事を考えてみても良い。例えばコイルに磁石を出し入れすると、電流が流れることから、磁石のかわりにコイルを動かしたらどうなるだろうかを考えさすなど。

〔ハ〕研　修

1．自作器具の展示会、各種の自作器具を一校の実験室に展示して学校職員、委員会、関係者に公開し、会員がその説明にあたる。

2．器具取り扱い、会員その他希望者が参加して行なわれる。各種器具自作器具を9グループに配し、順に実験しながら取り扱い方を習得する。そのときグループの1人は、その説明と指導にあたるようにする又、かわつた実験法があれば紹介し相互研究を深めていく。

3．分科会　同好会は次の三つの分科、つまり第1分科生物班、第2分科物理化学班、第3分科地学班で組織され、分科の研究会は出来るだけ重複をさけて、会員外でも参加できるよう計画をたてて行なわれた。また必要に応じ講師を他から依頼して講習会を持ち会員外の受講も歓迎する。

4．自作器具について、相互研究、指導助言

イ　螢光燈の排管利用の器具は、破損しやすい欠点があるが、切り口をセロテープ等で巻くと、ゴム栓をはめる時など幾らか破損が防げる。丈夫さを必要とする部分にはガラス管を利用するとよい。

ロ　螢光燈を切つて利用した、ろ過装置は、きれいにろ過できない。1升ビンを利用したり、中の材料のつめ方をくふう研究する余地がある。

ハ　熱伝導比較装置（てつ、どう、しんちゆう）熱源はヒーター又はアルコールランプ、

∘金属線は太くし、利用する螢光管は、20Wより10Wのものが小さくてよい。

∘ロウでマツチ軸を立てて行なう場合は、輻射熱を考慮に入れ、炎と第1番目のマツチ軸との距離はおよそ10cm位離すとよい。あまり熱源に近すぎるとFeが先に落ちてしまうことがある。

ニ　毛管現象の実験では、ガラス板をよく洗つておくことが大切。

ホ　光の反射実験、平行光線は直射日光を利用するとよいが、右図の如く光源利用の場合は8V自転車用ランプを使いとつレンズを用いるとよい。（フイラメントと焦点距離を合わす）

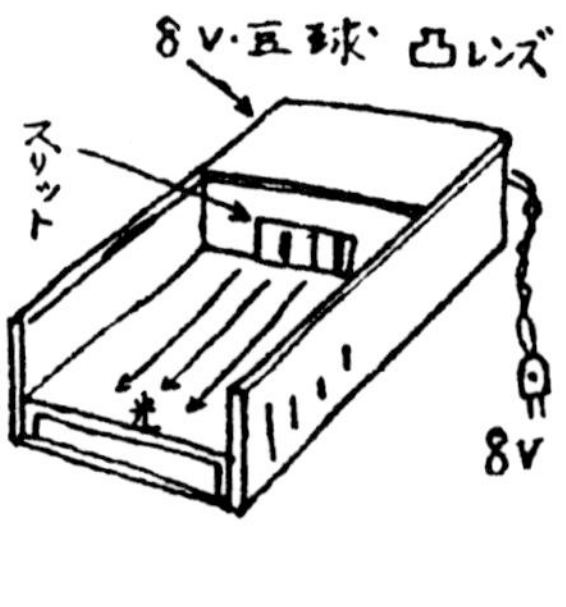

光の反射実験装置

ヘ　水素発生装置、試験管（大小）利用の発生装置は、中のものは底のぬけた、しけん管も利用できる。一時発生を止める場合は、中のZn粒の入つた、しけん管を液からはなれる所まで引き上げておくとよい。

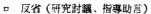

K小学校　　第6学年　　単元　酸とアルカリ

会員の反省事項　意見として、　　　　　　　　　　　　　　　　　[illegible]　教諭

1．器具の取り扱い

。まだ不馴れの点があり、もつと基本操作を身につけさすべきだ。

。そのためには、理科室が必要である。備品の不備に問題があるので、備品を完備するよう努め、出来るだけ生徒に多く実験させることが必要である。

。自作のピンセットを巧く使いこなしていた点良かつた。

2．薬品の取り扱い、保管について。

。劇薬の取り扱いの実験の場合、事前に注意を与えるならば、どの程度が良いか。

。実験の際、児童に必要以上の恐怖心をいだかせないことも大事。

。薬品の保管、管理にも一考を要する。例えば、有害薬品、毒劇薬品等のラベルを色分けして表示、危険薬品等の貯蔵庫を設置酸類と金属類を一所にしないこと等その他。

〔その2〕

K中学校　　第一学年　　単元　水の、ものをとかす性質

。主な内容　　　　　　　　　　　　　　　　　　　指導者　O．J．教　諭

ほう酸を使つて、溶解、飽和、溶液、溶解度を実験を通して調べ、温度のちがいによつて、溶ける量がちがうことを理解。

。反省、研究討議（主なもの）

1．器具の取り扱い

イ　全般的に良くなつたが、まだ不馴れの生徒がいる。

ロ　アルコールランプの消し方、一人だけ吹き消した生徒がいた。教師は、そのつど、フタをして消すよう注意を与えると良い。

ハ　上皿てんびんの使い方、一定量の薬品を測つてとる場合、分銅を左皿に、測ろうとする薬品を右皿にのせると操作が容易。

ニ　温めるぐらいの時は、試験管ばさみは、なるべく使用しない方が良い。

ホ　はじめての器具を使つての実験を行なう場合、前もつて器具の正しい取り扱い方を指導しておくことも良い。例えば、メスシリンダーならば、水を使つて測り方を練習するなど。

ヘ　専用の理科室が必要、現在普通教室と兼用なので、ガラス器具などの破損が多く管理面や実験準備後かたずけに大変支障をきたしている。

その後全会員で器具の取り扱い方や自作器具について研究会を物理化学班が中心になつて行なわれた。

又T小、中学校では、

〔その3〕　T小学校　　第4学年　　単元　食べものと、えいよう　　　　　S　教　諭

イ　自作の小さじを使つて実験した。定量的実験の場合便利で各学校でもぜひ揃えたい。

ロ　検鏡実験、ケンビ鏡は、なるべく左の目でのぞく習慣をつけさせるとよい。はじめ、なれない場合は、どちらの目でもよいのではないか。

ハ　実験の結果が、ヨード反応では教科書通りにならなかつた。

溶液の濃度、量について研究する必要がある。

〔その4〕　T中学校　　第2学年　　単元　熱　　　　　　　　　　指導者　F　教　諭

イ　熱の伝わり方、伝導、対流、輻射の特質を理解させるため、本時は熱の伝導と対流を、自作器具で実験を通して行なわれた。

ロ　器具の取り扱い、不馴れの生徒がいて、まごついているのもいた。取り扱いを輪番制で皆が一様に実験する機会をもつよう配慮した点良いと思う。

ハ　自作の液体の対流実験装置は、もう少しくふうを加えて使用するとよい。その一つの例として、糸中校では、加熱する金属線の部分と、水を入れるビンの間を支柱で、さえぎつて、熱源からの熱の放射がビンに直接あたらないようくふうしたため結果は良くなつた。

ニ　熱伝導実験器、三本のはりがねにマッチ軸を立てる場合、等距離にXスリキズをつけておくとよい。

まわり、器具の試作に続いて各自の製作に移つた。会員は、毎土曜日の授業を他、曜日に繰り上げ、製作に土、日曜日を利用して行なつた。

。電熱線を利用したビン切りを作り、空ビン、螢光燈の排管等も製作器具に利用した。

。初めは、不馴れな工作のこと、失敗したり、苦心さんたんした。しかし、次第に手つきも馴れるにつれ能率も少しずつ良くなり、製作により、器具の原理が理解でき、完成した器具をテストして使う喜びが感じられるようになり、各学校では、別の器具を考案したり、更に使い良いようにくふう改善したり、自主的に製作するまでに興味を持つようになつてきた。

(ロ) 各学校の製作した器具は、別紙(1)を参照されたい。尚、製作に要した工具は、別表(2)

(2) **器具活用の研究**

実験指導技術の向上、学習指導の改善を図るため、次の諸点に力を入れ、特に器具の活用についての研究を推進する。具体的方法として、

1．各学校まわりの研究授業による相互研究

2．器具取扱い研究会

3．自作器具の展示会（今後は、改善したものや、考案したものを主として行なう予定。）

(イ) 研究授業の計画案　（一部例）

学年	月	週	教材配当（時間）	授業校、指導者
第一学年	11	4	。水のみなもと……………………(1) 。よい水　悪い水………………(2) 。硬　　水…………………………(2)	T中校 氏　名
	12	1	。水の表面…………………………(1) 。水の圧力…………………………(1) 。浮力と比重………………………(2)	O中校 氏　名
		3		

(ロ) 教壇実践の面から

昨年度は主として、中学校を中心に研究授業を行ない、器具製作と共に、それを教壇実践にいかに活かすかを研究してきた。更に本年度は、小中校並行して授業を行ない反省会を持ち、終了後全会員で研究会を開く。

1．これまで生徒実験が少なかつたことは事実で、そのため一般的に実験器具の基本操作が不充分で、教師は常に器具の取り扱いになれさせるよう留意する必要があつた。

2．従来6ないし8グループによる学習形態を、9グループ用の実験台に改めるようになされた。

3．薬品棚、ガラス器具乾燥兼整理棚、運搬箱整理棚を設備し、器具の保管、管理面、準備、整理（後かたづけ）が便利になつた。

4．従来の教師中心の実験から、生徒中心の実験に変わつてきた。

5．時間、授業校以外は、一定曜日の午後の授業を午前に行ない、各校一名以上参加し、相互の研修をはかる。

6．指導案、授業者は、教案を作成し参加者に配布する。

7．研究会の進め方。

(1) 司会は次の研究校が当たる。

(2) 授業者の説明及び反省。

(3) 質疑応答、会員の意見討議、指導助言。

(4) 今週の教材研究及び実験（これに多くの時間をかける）

〔その1〕具体的内容として

理科実験器具の製作とその活用の研究

糸満地区理科同好会　大城善栄
長嶺栄一

はじめに

本地区の理科同好会は、1957年、地区内の小中高校の理科担任や希望者によつて組織され、教壇実践における指導上の諸問題の解決を目指し、自己研修、実験指導技術の向上をはかるために、研究会、講習会、器具製作、公開授業或いは研究授業による器具取り扱いや、指導法について研究活動をすすめてきた。特に昨年十月から凡そ六ヵ月間にわたり、本土からの指導委員、嵯峨山実次郎氏のご指導のもとに、理科器具の製作並びに活用について研究してまいりました。

。当時の備品設備の不足は各学校とも、共通的な悩みであり、科学教育の振興が叫ばれている今日、吾々の理科設備の現実を顧みるに、あまりにも貧弱そのもので、演示実験にも事欠くのもあり、生徒に充分実験させることは、理想しかなく、困難であつた。このような困難な現状を打解する一方法として予算を増額して備品をふやす。更に自作器具で補い、出来るだけ生徒に多くの実験を行なわせることによつて、生徒の興味をそそり、吾々として学習活動が展開されるならば、一歩前進と考えられるのではなかろうか。

そこで先決問題である理科施設、設備の充実のために、委員会、ＰＴＡ、関係当局に呼びかけて協力を得、不充分ながら一様生徒実験が出来るような足場が築かれた。特に今後それらの器具が、棚の中でほこりにまみれることなく、活用していくためには、常にくふう改善し、研究が続けられなければならないという結論に達し、研究のテーマをこれにきめ、全会員で研究会、展示会、研究授業等を通して、今日まで歩んできた。

〔二〕研究活動

(1) 器具製作状況

(イ) 製作活動

各学校の製作状況は、別表(1)の通りであるが、およそ８６種類位で小学校（13校）が延べ1079点、中学校（７校）が延べ1340点ほどでほとんど、９グループを目標にしている。

製作には、予算と、多くの時間が必要であつた。先ず製作を無駄なく行なうため、各学校の施設、設備の実態調査を行ない、指導委員の助言とによつて、器具の購入計画と製作計画が各学校単位でたてられた。

調査項目を１，備品　２，ガラス器具　３，薬品　４，消耗資材に分け、指導のために要する教材と費用の基礎調査が行なわれた。

1．備品　　　　（例）

品目	規格	数量	現有数	不足数	単価	価格	備考
メスシリンダー	100cc	9	3	6	$ 1.00	6.00	以下９グループとして
試験管立て	12本立	9	6	3	.35	1.05	
電解装置	ホフマン	9	1	8	9.00	72.00	自作
三脚		9	6	3	.30	.90	
連通管		9	1	8	1.29	10.32	自作

次に段階として、製作に必要な工具（別表２）を揃え製作活動に入つた。資材、部品の購入にかけずり

59	まんげ鏡	小3	教科書(1)P７０	G	78	コイルによる磁場を示す実験器	中	木板・エナメル線・鉄線 ※空かん・ターミナル・エナメル
60	糸電話	〃	P９２		79	弾性実験器	中	木板・ピアノ線・ブリキ板もめん針・コイルク栓・ボルトナット
61	グライダー	〃	P８６		80	輪軸	中	ボール紙・角棒・木板ガラス管・トタン板・くぎ・針金
62	ゴム使用おもちゃ	〃	P８９		81	重心の実験器	中	ボール紙・針金・角材・糸・おもり
63	電気を通すもの通さないもの	〃	P９６		82	電磁コイル実験器	中	塩化ビニル・エナメル線・軟鉄棒
64	ポンプ	小中	ガラス管・ゴム栓ポリエチレン管・ポリエチレン袋		83	水の電解装置	中	※あきびん・ゴム栓鉄線・導線・木板
65	シグナル	小	箱・ブリキ・木板・豆電球乾電池・導線		84	日時ぼん	中	方眼紙・パラフイン
66	電信機	小	エナメル線・木板ブリキ板		85	三角架	中	針金・がいし
67	光の屈折	小(5)	ガラス水そうフタを作る		86	金属板のしきり		ブリキ板
68	まさつの実験	〃	木板・ガラスすりガラス		87	音の強さ・高さの実験器	中	木板・はりがね・滑車
69	針穴写真機	〃	ボール紙すりガラス		88	光の屈折	中	ガラス１８nm
70	じょうこん板	小中	タイルとうき		89	色ごま	中	ボール紙・木板
71	表面張力実験器	中	針金・細まかい絹糸はんだ		90	さおばかり	中	割ばし・ナット・厚紙セルロイド・糸
70	毛管現象実験器	中	木板・トタン板ガラス管・くぎ		100	電熱器の実験器	中	ニクロム線（中古電熱器の利用）
73	水圧実験測定器	中	木板・ガラス管・ゴム管・コールゴム膜くぎ・針金・ゴム栓		201	変圧器の原理	中	鉄線・絹巻線（エナメル線）
74	浮沈子	中	1.8l空ビン・試験管西洋紙・ラッカー・ゴム栓		102	誘導モーターの原理	中	銅またはアルミ板・糸
75	放射熱実験器	中	木板・ブリキ		203	気体膨張	中	試験管・ガラス管・ゴム栓
76	対流実験器	中	※あきかん 銅線ゴム栓		104	ばねのび	中	ピアノ線
77	バイメタル	中	亜鉛板・アルミ板・ニューム・ベラ木板・針金・エナメル線		105			

（３）購入すべき実験器具の計画について

実態調査の器具からみた場合１か年の充実率は僅か２％でありどうしても自作のみでは早急に充実することは出来ないので、現在同好会としては基本実験にてらして、器具購入計画を検討し来る三月の定例地区校長会に提案して各校とも理科備品の充実を計ろうと立案中であります。

※まとめ

理科設備状況の実態から見た場合、基準に達するまでには、後４３か年の年数を経なければ100％に達しないことがわかり年間の充実率が僅か２％程度ではと私達同好会は心配したわけであります。科学技術は日進月歩の勢いで世界が進みつつある今日、沖縄の理科教育は40年以後にしか実を結ばないということになると、現在の児童生徒の犠牲は実に大きいといわなければならない。莫大な理科予算を市町村の委員会やPTAにおわしては決して理科備品は充実されない。政府はこの実状を充分にご理解の上、理振法における予算の増額を強く訴えるものであります。

番号	自作器具品目	校種	材料（※廃品利用）	数量	番号	自作器具品目	校種	材料（※廃品利用）	数量
13	びんきり装置	〃	けいそうど・ブロック・ボルトナット・ニクロム線・コード針金	1	36	滑車	小中	ボール紙・ガラス管針金	2本
14	電気ゆわかし器	〃	木板三角フラスコ・ロートニクロム線・くぎ・銅線ガラスかん	1	37	乾湿計	〃	温度計（−10°〜100° c）2本ガーゼ・びん・木板	〃
15	検鏡用光源装置	〃	木板・フラスコ・ゴムせん　硫酸銅・くぎ・針金	〃	38	光の実験器	小	※石けん箱・レンズ画用紙各色のセロハン	〃
16	ビニール水槽(3)	〃	ビニル布・木板・ガラスビニル用セメダイン・くぎ	〃	39	音の高低強弱実験器	〃	木板　わゴムブリキ・くぎ	〃
17	木製はち	〃	木板・くぎ	2	40	屋内配線模型	〃	木板安全器プラグキーソケットローゼット	G
18	アルコール・ランプの台	〃	木板（厚さ二種つくる）	G	41	簡易電流計	中	※ボール紙磁針エナメル線ビニル線	〃
19	アルコール・ランプの用護炎器	〃	トタン板	〃	42	蒸気タービンの理を示す実験器	〃	うすいブリキ板　針金・ガラス管・ゴムせん	〃
20	ガラス板	〃	ガラス・きり	〃	43	乾電池支持台(2)	小中	ホルダー木板・しんちゆうターミアル・ボルトナット	〃
21	にごりを見る黒紙板	〃	ボール紙	〃	44	電けん（スイッチ）	小	しんちゆう板　ターミナル　木板・ボルトホット	〃
22	ガラス棒	中	ガラス棒・ゴム管	〃	45	モーター原理説明器	小中	スポーツ（自てん車）木板しんちゆう板・エナメル線ボルトナット	〃
23	ビニルスポイト	小中	ビニル管・大・小アルコールランプ	〃	46	鏡を机上に垂直に立てる装置	中	鏡ガラス板絶縁テープ	〃
24	乾燥台ビニルひもを使用した	〃	木板・ビニルひも	〃	47	かもいを使った光学台器具	小中	かもいしたじき（白色）クリップ15mさし・テープメージャー	〃
25	木の実のおもちゃ	小	いろいろな木の実セメダイン・つま楊子・ひごマッチの軸木	〃	48	ねんしよう空気の観察	小	※牛乳びん油ねんど	〃
26	じしやく遊びの魚	〃	画用紙・クレパス・くぎゼムクリップ・セロテープ竹糸じしやく	〃	49	実験用ダルマ	〃	硬質ビニールぱいぷセロテープ	〃
27	風車	〃	画用紙・色紙・竹ひご・わりばし・きびがら・ビーズ	G	50	もののすわり	G	厚紙　たまごのからねんど	〃
28	笛	〃	※糸まき・風せん・竹・厚紙・ポリエチレン管・西洋紙	〃	51	かがみ	〃	かがみビニルテープ	〃
29	磁針	小中	ぬい針・ガラス管・ビニル管・コルク栓厚紙	〃	52	じしやくのおもちゃ	〃	教科書(1)P 5 0	〃
30	乾電池支持台	〃	木板・しんちゆう板チヨウボット（くぎ）	〃	53	かげえ	〃	教科書(2)P 6 9	〃
31	電磁石	〃	エナメル線針くぎとうしや原紙針金	〃	54	らつかさん	小2	教科書(2)P 3 8	〃
32	コルクと電磁石	〃	画用紙（竹）針金ビニルエナメル線	〃	55	しやぼんだま	〃	〃　P 5 4	〃
33	熱の伝導実験器	〃	木板銅・鉄しんちゆうの針金（3本同じ太さ長さ）	〃	56	こま	〃	〃　P 5 6	〃
34	線膨脹実験器	〃	木板・ぬい針・ストロー銅線	〃	57	やじろうべえ	〃	〃　P 6 2	〃
35	てこの実験器	〃	しんちゆう・板針金木板・くぎ・エナメル	〃	58	せんぼうきよう	小3	〃　P 6 8	〃

（５）学校予算より理科教育に充当した金額

過去３か年間を平均した、委員会予算及びＰＴＡより理科教育施設設備に充当した金額

区分＼学校	Ａ小校	Ｂ小校	Ｃ小校	Ｄ小校	Ｅ小校	Ｆ小校	Ａ中校	Ａ高校
施設費	$ 10.00	75.30	40.00	50.00	[illegible]	27.00	150.00	50.00
備品費	$ 10.00	133.77	47.00	52.00	190.72	50.00	250.00	741.00
薬品消耗品費	$ 30.00	56.66	20.00	50.00	58.00	17.00	300.00	100.00

Ⅲ　実験器具の充実策

過去３か年間の各校の充実率を見た場合平均２％でありそのままの現状でいくと、後43年たたないと基準に達しない、しかも今日の科学技術の進歩は戦前に比べ１年が10年に値する進歩をするので、その計算でいくと430年後にしか本当の理科らしい理科は行なわれない。 更に消耗率まで考えると現在の児童が実にかわいそうでならない。そこで政府の科学振興に対する予算増額を強く訴えると同時に、各校においても設備基準を再検討し、頻度の高いものから購入すべきものと自作すべきものを考え、教師と児童生徒の手によつて作ろうと打合わせ、教育指導員の配置を機会に、同好会は毎週一回ずつ自作を続けております。

(1)　簡易実験器具の自作

イ　自作の意義

小学校においては購入器具の殆んどが高学年用のため低学年用は是非自作しなければいけないし、その上高学年用にしても市販の価額の$\frac{1}{10}$程度の費用でまかなうことが出来るし、自ら作つた器具だから使用の際の要領もうまくいく。

（１）コザ地区内簡易実験器具製作状況

品　　目

運搬箱・試験管立て・三脚台・ロート台・ハンダゴテ台・ローソク立・アルコールランプ護炎器・水車・てこ（天秤）支持台・光の反射実験器・線膨脹実験器・湯わかし器・乾電池受・時計ふりこ台セロハン温度計・磁針方向台・メートル物差・太陽高度測定器・光学実験器・海風陸風実験器・二酸化炭素実験器・びんきり器・附磁器（二重コイル）・変圧器・蒸留器・電灯配線説明器・肺活量計水圧実験器・水平面を見る実験器・毛細管実験器・標本箱　　　以上　総点数７７９点

（２）簡易実験器具自作計画表

同好会員中より４名の自作委員を選出し、内容の検討、製作、数量、材料の選定、仕事の配分等を協議の結果決定、実施に移れるよう計画した。

簡易実験器具自作計画表　　コザ市理科同好会

番号	自作器具品目	校種	材料（※廃品利用）	数量	番号	自作器具品目	校種	材料（※廃品利用）	数量
1	試験管立て	小中	木材・針金ビール管・くぎ	G 10個	7	目もり付コップ	〃	200cc入りコップ 西洋紙　ラッカー	G
2	ろうそく立て	〃	木板・王冠せん・くぎ	〃	8	ガス発生器	〃	※サイダーの空びん・試験管・ガラス管・ゴム	〃
3	毒びん	〃	あきびん　※ボール紙コルクセン・のり（にかわ）	〃	9	簡易キャップの装置	〃	広口びん(2)ガラス管　ゴム管・ピンチコック(2)	〃
4	ろうと台	〃	亜鉛引鉄線（径３～４mm）	〃	10	簡易導通試験器	〃	木板・ブリキ板・くぎ　豆球・ソケット　竹筒銅線	〃
5	三脚台	〃	亜鉛引鉄線（径３～４mm）鉄線（１mm）ハンダ	〃	11	食器抵抗器	〃	銅板(2)ガラス棒ビーカー導線・食塩	〃
6	彩集用バケツ	〃	大型かんづめミルク※缶のあきかん	G〃又は個	12	電気ハンダコテ用具台	〃	木板・トタン・やすり・くぎはんだコード・さしこみペースト	〃

コザ市各学校理科設備充実率

項目＼学校符号・規模区分	A小校	B小校	C小校	D小校	E小校	F小校	A中校	A高校
規模区分	Ⅲ	Ⅲ	Ⅲ	Ⅲ	Ⅱ	Ⅰ	Ⅱ	Ⅱ
基準総額	$6782.63	同	同	同	同	$3405.90	$8333.00	$15782.43
現有額	$911.56	480.02	778.92	879.60	1030.40	486.09	2021.79	2205.41
不足額	$5871.07	6302.61	6003.71	5903.13	5752.23	2919.81	6311.21	13577.02
充実率（現有率）	13.4%	7	11	13	14	15	24	14
1か年平均充実率（3か年分）	0.7%	1.9	0.7	1	2.8	1.4	3.0	4.7
同上金額（三か年平均一年分）	$50.00	133.77	47.00	82.00	190.72	54.00	250.00	741.76

コザ市内各学校理科教育設備調査による結果

現有率グラー　現有率＝$\frac{現有数量}{基準数量}\times 100$　　　充実率＝$\frac{充実総額}{基準総額}\times 100$

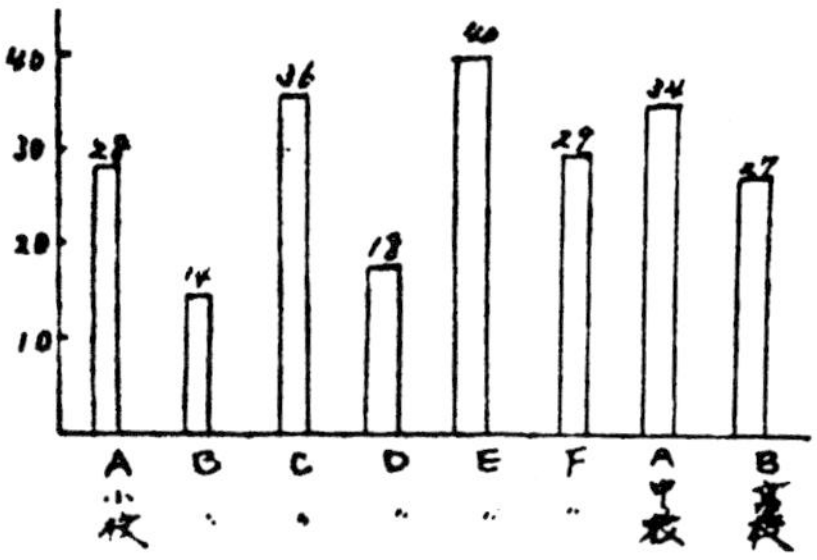

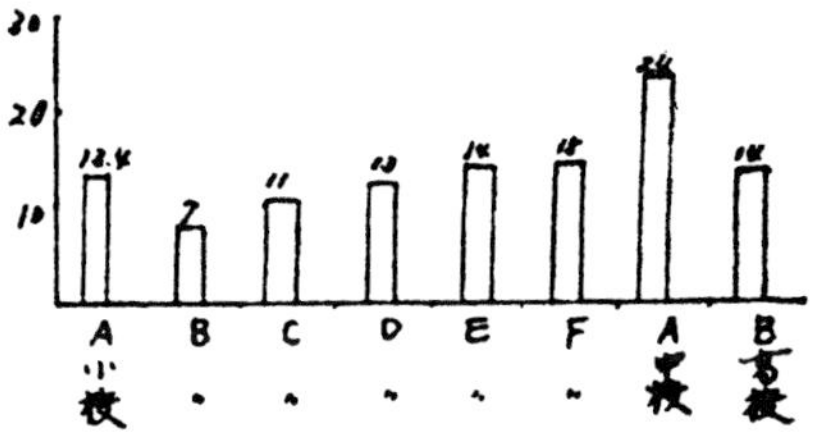

コザ市内各学校理科教育施設設備について

施設設備状況

区分		A小校	B小校	C小校	D小校	E小校	F小校	A中校	A高校
理科室関係	理科教室（坪）	0	0	0	0	0	0	20	100
	準備室（坪）	0	0	0	0	0	6	20	40
	電源コンセント（個）	0	0	0	0	0	1	10	7
	暗室	0	0	0	0	0	0	1	2
	危険有害薬品貯蔵庫	0	0	0	0	0	0	1	0
	給水コック（個）	0	0	0	0	0	0	2	4
屋外関係	植物園（学級園）（坪）	50	120	120	84	60	15	50	20
	飼育小屋	0	有	有	0	有	0	有	0
	飼育池	有	有	有	有	有	無	有	有
	気象観測[illegible]場	有	0	有	有	有	有	有	0
視聴覚関係	映写機	0	0	0	0	0	0	0	0
	幻燈機	1	2	1	1	0	1	0	1
	実物反射幻燈機	0	0	0	1	0	0	0	0
	写真機	0	0	0	0	0	0	0	1

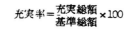

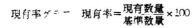

(ロ) 理科備品分類別平均現有率

	計量器	実験機械器具	野外観察用具	標本	模型
小学校	25%	31%	13%	43%	36%
中学校	35	33	26	54	52
高等学校	22	28	29	33	27

(ハ) 施設、設備状況

- 理科教室を有する学校　小学校なし　中学校あり　高等学校あり
- 準備室を有する学校　小学校1　中学校1　高等学校1

(ニ) 基準に達するに必要な金額

小学校	A校	$5,871	B校	$6,302	C校	$6,003	D校	$5,903
	E校	$5,752	F校	$2,919				
	合計	$32,750						
中学校	A校	$6,311						
高等学校	A校	$13,577						

以上で如何に貧弱なものであるかおわかりと思う。

次にその調査結果を表やグラフにまとめ参考に供したい。

コザ市内各学校理科設備状況調査　(1960年度コザ市理科同好会)

分類	項目 ＼ 学校符号	A小校	B小校	C小校	D小校	E小校	F小校	A中校	A高校
	規模区分	Ⅲ	Ⅲ	Ⅲ	Ⅲ	Ⅲ	Ⅱ	Ⅲ	Ⅲ
計量器	設備基準数量	139	139	139	139	139	104	212	390
	現有数量	24	11	52	27	49	40	74	87
	現有率%	17%	8	38	20	28	39	35	22
実験機械器具	設備基準数量	464	464	464	464	464	334	718	999
	現有数量	177	66	214	86	223	92	240	276
	現有率%	38%	14	46	19	48	22	33	28
野外観察用具	設備基準数量	160	160	160	160	160	110	221	244
	現有数量	9	29	14	9	22	25	57	70
	現有率%	6%	15	9	6	14	23	26	29
標本	設備基準数量	24	24	24	24	24	24	46	56
	現有数量	12	5	9	10	17	9	25	18
	現有率%	50%	20	38	42	71	38	54	33
模型	設備基準数量	25	25	25	25	25	20	25	23
	現有数量	6	6	7	17	11	5	13	5
	現有率%	24%	24	28	68	44	25	52	22
合計	設備基準数量	812	812	812	812	812	592	1222	1700
	現有数量	228	117	296	149	321	171	409	456
	現有率%	28%	14	36	18	40	29	34	27

天然資源			
1．酸化と還元	3A	7．アンモニア	2A
2．食塩水の電気分解	2A	8．中和と塩	
3．硫酸の性質		中和	2A
濃硫酸・希硫酸の性質	2A	硫安づくり	3A
硫酸イオンの検出	3A	9．石炭の性質	3A
4．塩酸の性質		10．せつけんのつくり方	3A
塩化水素の発生	3A	11．人絹つくり	2A
濃塩酸と濃硫酸	3A	12．アルコール発酵	2A
希塩酸と濃塩酸の性質	2A	13．アセチレンの製法と性質	3A
5．硝酸の性質	2A	14．塩素の製法と性質	3A
6．アルカリの性質	2A	15．沈澱の生成	3A
見える世界			
1．光学器械	3A		
通信機関			
1．真空放電	3A	4．波	2A
2．二極真空管	3A	5．音の性質	2A
3．三極真空管	3A		

備考	1．単元は現行の学習指導要領による。 2．「改訂学年および分野」の欄は、その年の実験、観察が改訂学習指導要領の何年のどの分野になつたかを示す。 3．実験、観察の項目の学年が異る場合は、別々に記入した。 4．昭和35年度の第1学年および昭和36年度の第2学年においては、この2こ学年を通じて、改訂学年の第1、第2学年の実験観察が指導されるよう項目を配当するようにする。 なお、これらの学年では改訂の第3学年の内容は指導しない。 5．36年度の1年生は、改訂学年の1年の実験、観察を指導されるのがのぞましい。

Ⅱ　理科教育設備の現状調査について

(1) 調査の目的

市内同好会の集まりにおいて話題にのぼつたのはテーマ設定の理由のところでも述べた通り、理科教育設備実の問題でその不備から理科の時間が実験の伴なわない講議授業になり勝ちであると言うことだ。この事は程度の差こそあれ、理科教育振興の障壁となつている。コザ市同好会では設備の不備をいくらかでも補うとPTAに呼びかけて或る程度の充実を図りつつあるが、現状では50%程度の充実さえ容易でない。充実を高めるために設備不充分の現状を数字的にとらえ、関係当局に知つてもらい、この難点解決に充分関心をもつてもらいたい。予算措置を講じてもらうようにするために調査を行なつた。

(2) 調査の方法

待望の理振法が1960年6月に立法化され、ある程度の予算措置が講じられるようになつたが、その予算がどのように各現場に流されて来るのかよくわからない。しかし、本土に比べ5～6年もおくれてはいるが、関係当局が現場での要望を聞き入れて理振法が立法化されたいことは、今後のために喜ぶべきことである。

今後、年々増額されて時代のすう勢にこたえるとは思うが、それのみによつて設備の充実を期することは何年後に充実した理科教育がなされるのか懸念するものである。

同好会としては先ず備品台帳により調査をはじめ、9月より備品一つ一つについて調査を開始した。

(3) 調査の内容

（A）文部省設備基準表における分類法（計量器＝番号）（実験機械器具1）（野外観察調査用具2）（標本3）（模型4）の5分類の基準数量に対する現有数量の割合

（B）施設状況

理科室内関係、野外関係、視聴覚関係、

（C）1960年度、理科教育施設設備に充当したコザ市教育委員会の予算及びPTA予算

(4) 調査の結果

(イ) コザ市平均現有率（小・中・高校別）は（省略）

水

1．水の圧力	1 A	7．溶解度	1 A
2．液体の浮力	1 A	8．結　晶	1 A
3．液体の表面	1 A	9，水の電気分解	1 A
4．水の沸点と氷点	1 A	10．水素の実験	1 A
5．水質検査	1 A	11．酸素の実験	1 A
6．水の精製	1 A	12．空気の組成	1 A

地表と地下

1．地震計の原理	1 B	4．変成岩の観察	1 B
2．火成岩の観察	1 B	5．鉱物の性質	1 B
3．たい積岩の観察	1 B	6．化石の観察	3 B

天　体

1．月面の観測	3 B	3．星座の研究	3 B
2．太陽面の観測	3 B	4．月の運動	3 B

熱

1．物質の燃焼	1 A	4．状態の変化	1 A
2．比熱	1 A	5．熱の移り方	1 A
3．物質の膨脹	1 A		

光

1．光の反射	3 A	4．レンズ	3 A
2．鏡による像	3 A	5．プリズム	3 A
3．光の屈折	3 A		

人　体

1．カエルの解剖	2 B	3．血液の検鏡	2 B
2．血液の循環	2 B	4．呼吸のしくみ	2 B

食　物

1．デンプンの性質	2 B	3．タンパク質の性質	2 B
2．脂肪の性質	2 B		

住　居

1．材料の強さ	2 A

電　気

1．まさつ電気	2 A	7．電解質	3 A
2．電気・電圧・抵抗	2 A	8．電　池	2 A
3．電流による発熱	2 A	9．電気のめつき	2 A
4　電流と磁界	3 A	10．直流電動機の原理	3 A
5．電磁誘導	3 A	11．電流計・電圧計の原理	3 A
6．変圧器の原理	3 A		

道具と機械

1．力のつりあい	2 A	5．慣性の法則	3 A
2．斜面とまさつ	2 A	6．振子の運動	3 A
3．てこと滑車	2 A	7．向心力	3 A
4．弾性	2 A		

生物の改良

1．花粉管の観察	3 B

交通機関

1．物体の安定	2 A	2．かじ・ろ・ほのはたらき	3 A

3 年							
1. 草花等の育ち方	2	3	2,3	9. 動くおもちゃ	3	3	3
2. さし木	3	3	3	10. 紙だまでっぽうと水でっぽう	3	3	3
3. 水栽培	3	3	3	11. グライダー	3	3	3
4. 季節だより	3	3	3	12. 音の伝わり方	3	3	3
5. 花・葉・実のしるの色	3	3	3	13. 磁石	3	3	3
6. おたまじゃくしの飼育	3	3	3	14. 電池あそび	3	3	3
7. 人のからだ	3	3	3	15. うがい水作り	3	3	3
8. 石と土	3	3	3	16. 青写真	3	3	3

4 年							
1. こん虫の飼育	4	4	4	8. 流水のはたらき	4	4	4
2. 生物の冬越し	4	4	4	9. 星と星座	4	4	4
3. いねの栽培	5	4		10. てんびん	4	4	4
4. 種のいろいろ				11. 物の浮き沈み	4	4	4
種の散り方	3	4	3,4	12. てこ	4	4	4
種のつくり	5	4		13. 輪軸と滑車	6		
5. きのこやかび	6			14. 水の状態の変化	4	4	4
6. 運動後のからだの様子	4	4	4	15. 物の膨脹	4	4	4
7. 気温・水温・地温	4	4	4	16. 乾電池と豆電球	4	4	4
17. 電磁石	5	4		22. 酸素	5	4	
18. 熱の移り方	5	4		23. 二酸化炭素	5	4	
19. でんぷん	4	4	4	24 木片のむし焼	5	4	
20. たんぱく質	4	4	4	25. 炎	5	4	
21. 火の起し方・消し方	5	4		26. 食塩取り	4	4	4

5 年							
1. 花と虫	5	5	5	6. 振り子	6	5	
2. 魚の体のつくり、習性、				7. 音の実験	5	5	5
ふえ方	5	5	5	8. 光の実験			
3. いろいろなかび	6	5		光の直進と屈折、針穴写真			
4. 気象観測				機、光の反射	5	5	5
気温・水温	4	5	4,5	レンズによつてできる像	6	5	
風の向きと強さ	2,5	5	5	9. ポンプ	4	5	4,5
風の起るわけ	5	5	5	10. 電流による発熱	6	5	
湿度、雲形、雨量	6	5		11. 家の中の配線	6	5	
5. まさつ	5	5	5	12. せんいの性質	6	5	

6 年							
1. 種子の発芽と成長	5	6	5,6	8. てこのはたらき	6	6	6
2. 根・茎・葉のはたらき	6	6	6	9. モーターのしくみとはたらき	6	6	6
3. 呼吸の実験	6	6	6	10. 水蒸気の圧力	4	6	4,5,6
4. 太陽の運行と四季の変化	6	6	6				
5. 岩石と鉱物	6	6	6	11. 金属の性質	6	6	6
6. たい積岩と化石	5	6	5,6	12. せつけんのはたらき	5	6	5,6
7. ばねのはたらき	6	6	6	13. 酸とアルカリ	5	6	5,6

ぜひやりたい実験・観察（中学校）

実験・観察	改訂学年および分野	実験・観察	改訂学年および分野
季節と天気			
1. 気温の測定	2 B	4. 天気図	2 B
2. 湿度・雲・雨	2 B	5. サイホンの実験	1 A
3. 気圧と風	2 B	6. 気体の圧力と体積	1 A
生物の生活			
1. 種子の発芽	1 B	8. 植物の呼吸	2 B
2. 寄生と共生	1 B	9. 植物の光合成	2 B
3. 花の構造と比較観察	1 B	10. 植物の蒸散	2 B
4. 胞子の観察	1 B	11. 葉の構造	2 B
5. カビの観察	3 B	12. 茎の構造と働き	2 B
6. 水たまりの微生物	1 B	13. 昆虫とクモの形態観察	1 B
7. 細胞の観察	1 B		

理科教育施設設備の現状とその対策

コザ中学校教諭　玉　城　吉　雄

※は　じ　め　に

理科指導に実験観察が極めて大切であることは言うまでもない。世界は今世紀において第二次産業革命を行ないつつあり、原子力、人工衛星、月への旅行とめまぐるしく発達している。

科学技術教育の振興が時代の要請である今日、何をおいても児童生徒に理科の基礎実験を身につけさせておかなければならない。特に小学校児童期の観察は科学の芽ばえを育てる極めて重要な基礎学習である。

実験観察を行なうには、施設、実験器械器具及び材料が必要であり、またこれを使いこなす能力や、実験に関する技術が十分でなくては実験成果をあげることはできない。然るに理科教育の現状をコザ市に見た場合理科実験器具が極めて貧弱であり、充分な実験は殆んどできず、教師実験さえ事欠く状態で児童生徒による個人或はグループ実験はなかなか困難な状態にある。科学教育を推進させるためには、児童生徒が科学的判断の上に立ち、ものごとを合理的、実証的に処理出来る技能、態度を身につけさせるためのカリキュラム作成及び指導法等を研究することも大切であるが、実験観察をなす施設、備品等に事欠いたのでは、その目的が達成されることは論をまたない。そこでコザ市教職員会理科同好会を結成するにあたつて、研究内容を話しあつた結果、各学校とも標題のテーマ設定に賛同したわけである。

第一年次は基礎実験観察項目の選定と実態調査の結果から施設備品の充実を図り、第二年次にその活用についての研究をすることにして研究を進めて来た。

コザ市としてぜひやりたい基礎実験観察

理科学習の中核をなすものはなんといつても実験観察であり実験観察を通して思考することを身につけさせることを忘れては理科の教育は考えられない。設備を充実する前に基本的な基礎実験観察項目（移行処置を考慮した）を選定した上で設備の実態を調査し、器具の充実を計りたい。幸い指導委員の先生の方に広島県の適当な資料がありましたので同好会において検討して決めた。基礎実験観察項目はどの学校でもやつて貰うように話し合い、実験観察の推進を計つたのであります。小中別にあげたがご参考になれば幸いと思います。

ぜひやりたい観察・実験（小学校の部）

（注）「改訂学年」は改訂された小学校学習指導要領の学年を「34年度」「35年度」は左の観察実験をこの年度の何学年で指導するのが望ましいかを示す。

観察・実験名	改訂学年	34年度	35年度	観察・実験名	改訂学年	34年度	35年度
1　年							
1．たねまき	1	1	1	9．山や川	1	1	1
2．花つみ	1	1	1	10．日の出・日の入り	2	1	1
3．おちばひろい	1	1	1	11．風ぐるま	1	1	1
4．木の実ひろい	1,2	1	1	12．はね	1	1	1
5．虫さがし	1	1	1	13．噴水	1	1	1
6．金魚やめだかなどの飼育	1	1	1	14．かげ	1	1	1
7．あぶりだし	1	1	1	15．じしやく	1	1	1
8．天気しらべ	1	1	1	16．水	1	1	1
2　年							
1．草花	2	2	2	10．物の浮き沈み	2	2	2
2．へちま水	3	2		11．こま	2	2	2
3．四季の野山	2	2	2	12．やじろべえ	2	2	2
4．田畑の虫	2	2	2	13．落下さん	2	2	2
5．池・小川の生物	2	2	2	14．シャボン玉とゴム風船	2	2	2
6．雲の観察	2	2	2	15．音あそび	2	2	2
7．日なたと日かげ	1	2	1,2	16．虫めがねとかがみ			
8．月	2	2	2	虫めがねのはたらき	3	2	
9．水車	2	2	2	かがみのはたらき	1	2	1,2

(3) 冷却管つくり

蒸留管の70cmに対して65cmの長さでガラス管を切り下部の栓に原料用水（冷却水ともなる）の入口として管を通し更に蒸留管からの蛇管を冷却管内に入れて下部にその先を出し蒸留水の出口とした。なお原料水の入口に自動スイッチを入れて固定した。

(4) 水量調節管

前と同様螢光灯を切り50cmとし下部栓に蒸留管への原料水の出口管を出し、上部栓に冷却管からの原料水の入口と余水の排水が出来るように曲管（Z型管）を出した、これは蒸留管で沸とうが起こつても蒸気管へ水が上らない程度の水位を確保するためで蒸留管の水面位は常にこの曲管の水平部と同位にあるわけになる。

この水量調節管は蒸留管のヒーター回路からのバイパイ回路で電圧を落し小ヒーターを設け予熱管としても試みた。

(5) 組 立 て

蒸留管、水量調節管、冷却管の三管は写真にみるように各々上部と下部の二か所を銅板のバンドでしめつけて支柱に固定した、次に各管を連結するガラス管は各部の機能によつて太さを考慮した。例えば蒸留管から冷却管への蒸気管はやゝ大きい目の1cm径のガラス管を使用し、原料用水の入つてくる管はすべて細管を使用し（0.5cm径）又排水管は1cm径を用いてある。これは水道水の流量と蒸留の速さとから考え無理がないようにした。

(6) 自動スイッチ

冷却管内下部にあつて原料水が流入する際その水圧で押されてポイントに接するようにしてみた材料は銅板を使用したが水中で耐え得るステンレスがよいと思う。

図の如く可動部とポイントを Ac100V ラインに直例に入れてある。

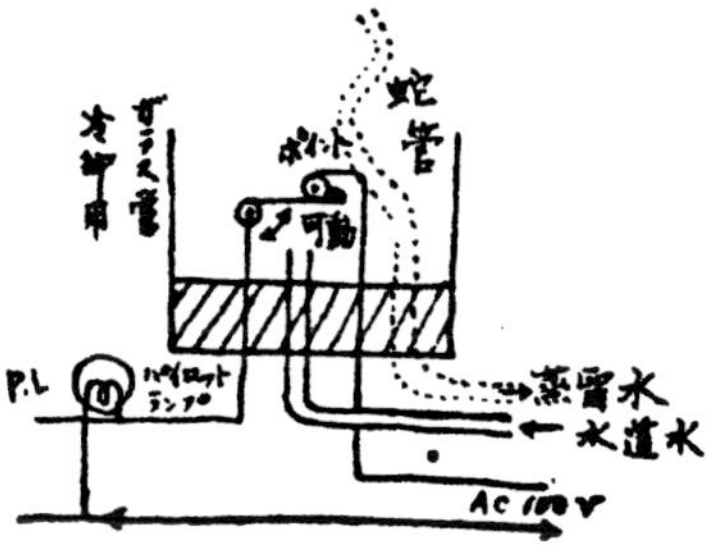

5、試作に設ける各部の困難性

(1) 自動スイッチの可動部は入つてくる原料水の水圧によつておし上げられてポイントに接着するが可動部が軽いと断水しても先に入つた水の浮力でポイントから外れないときがあるので、ある程度重みをつける必要がある。従つて可動部の重さは浮力で浮かない程度の重さで、原料用水の水圧で押し上げられる程度の重さでないといけない。この部分は他の面でも大いに改善して完全にする必要がある。又可動部とポイントが近いときは、両者がはずれていても回路が通じていることもある。

(2) 蒸留管、冷却管、水量調節管内の水を支える下部の栓とガラス管壁との密着は、内部の水量が多いほど、蒸留管ならば蒸気圧の大なるほど困難である。このため水もれを生ずる。不溶性（水に）の接着剤を用いて固定し外部から絶縁テープでガラス管と接着させた。

(3) 栓そのものもゴムやコルクの一塊の物では栓の取付け時にガラス管の破損をしやすいし、又熱変化による伸縮が問題である。コルク栓をが都合がよいが、この場合コルク板を積み重ねて作つた栓の方がよいと考えられる。（実際によい）

(4) 本装置の各部の工作で最も困難の伴うのは冷却管中の蛇管細工であろう。これは一応冷却管の内径を考え壁に接しない程度の型をつくり、これに合わせて時間をかけてゆつくり曲げていかなくてはならない。

全体として考えることは使用中にいろいろと改善されるべき点が発見されるから、絶えず改良していきたいということであり、需要に応ずる能力をもつ器具に仕上げねばならないと考えている。簡単な試みを申し述べたが、購入器具と共に自作器具にも個性があり、教育価値があるわけであるから、両方併行し明日の理科室を少しでも豊かにしたいという一念にほかならない。切にご教示をお願いしたい。

自動式蒸留水製造装置の試作と困難性

平良中学校　野　原　正　徳

1．器具試作のモテベーション

「実験観察の伴わない理科は理科ではない。」ということはここであらためて言う必要はないが、しかし私達理科教師にとつてこの短いことばは、いくらくり返しても飽くことのない新鮮味を感じ、意欲をそゝるに足るものである。又忠実な〝理科らしい理科〟の実践を通してのみこのことばを真に〝知つた〟証左にもなると思つている。こうした一途なねらいの中に私達沖縄の理科教師の今日の生活もあると云えよう。実際にそのための器具作製もこの動機に立脚していなくてはならないとつくづく思つた。つまり、どんな簡単な器具の作製もカリキュラムの実践上の必要性に迫られること以外にその原動力はなさそうである。そしてその必要性も科学性に立脚した切実感でありたいと思つた。本装置の試作もそんな考えから始められた。

2．本装置の施設としての要求度

蒸留水製造装置が理科室で、どの程度の機能を果し得るかは、理科室で蒸留水の使用度等から考えられる。蒸留水の使用例は大体 (1)容器の洗じよう用として、(2)薬品の調製用として、(3)純水として、等である。第一蒸留水がないために以上のような使用に普通の水を使つている例がある、これを科学性の面から考えるときその非合理性が暗黙裡に日常くり返されているおそれなしといえない。つまり科学性で一貫すべき理科の実験観察なるが故に、容器の最後的洗じようから薬品の調製もしくは物理化学的物質としての使用に至るまで純水を使用しこれによつて合理性を自ずと把えさせ、科学的態度や処理能力を活動の初段階から身につけさせる必要がある、このためにも理科室における蒸留水の常備は必要であり、多量を要することから安価で得るための蒸留水製造装置はぜひ必要である。又装置自体の理科教育的価値も重要である。私の学校では目下自作の装置で蒸留水が得られるようになつている。

3、試作のもくろみ

製作するところの蒸留水製造装置は器具的機能として、自動的に原料水が徐々に供給でき能率的に電熱で蒸留され、断水と同時に電源回路が開く（原料水が入つて回路が閉じる）ようなものにしたいと思つた

4、試作の実際（写真参照）

自動式蒸留水装置

(1) 台つくり

写真の様に 94cm×38cmの大きさのふちを 15寸×1寸の杉材でつくり、その上に7分ラワン板材をはりつけ、蒸留管及び冷却管の支えとして 60cm間をおいて7.5分×1寸材で支柱を立て両支柱に横材を二本通してうちつけ中央の水量調節管の支えとした全体をラッカー及び透明ニスで仕上げた。

(2) 蒸留管つくり

蒸留管としてだけの役目ならば金属管を使用してもよいが蒸留内部を観察させるためにはガラス管が適当であるしかし蒸留管として耐熱が問題となるせめて厚さ1mm位のガラス管がほしい、直径3～4cm のガラス管等は容易に入手できないので私は螢光灯の廃品をみつけ両端を切つて用いた。※螢光灯の廃品は市内では民家が取扱いを遠慮しているため容易に手に入る。不注意すれば破片や内部の螢光物のため中毒を起すからである。しかし静かにベースを外し一本錐状のものでつつくと難なく穴をあけることが出来る。このとき内部の物質が噴出するからマスクをかけると安全である。こうしてから切るとよい。

電熱線は適当な碍管がなかつたのでガラス管にニクローム線を巻き蒸留管の下部へ栓を通してターミナルを出しておき 300Wのヒータをつくり上げた。

a　提出された調査表及びその他の資料を「統計編纂計画」に従い整理し統計する。

b　不明瞭なもの或いは疑問のあるものは follow—up を行なつて統計の正確さをはかる。

c　統計のデーターを解釈する。調査目的とにらみ合わせて客観的にデーターの含義を解釈する。

d　調査報告書を編纂する。「編纂計画」に従い報告の草案を作り会議にかけて修正を行ない最後にまとめる。

e　調査報告書を印刷する。永久資料として使える様良質の紙を使い精巧な印刷を行なう事がのぞましい。

(4)　建議の段階

a　速やかに調査報告書を各関係機関及び学校に分配する。

b　調査の結論を新聞雑誌にのせて公開する。

(5)　検討の段階

a　調査の設計実施統計編纂指導その他の事務に参与した人員が集まり調査全般にわたつての得失を検討する。

b　前項の検討の結果を基盤にして新しい調査計画の草案をたてる。

——紹　介——　葉にできたでんぷんの検出

第二学年教材　　屋　良　朝　惟

1、着眼点　a　装置の簡便化　b　薬品の節約
　　　　　c　時間の節約　d　安全にできる

2、装　置

A 図

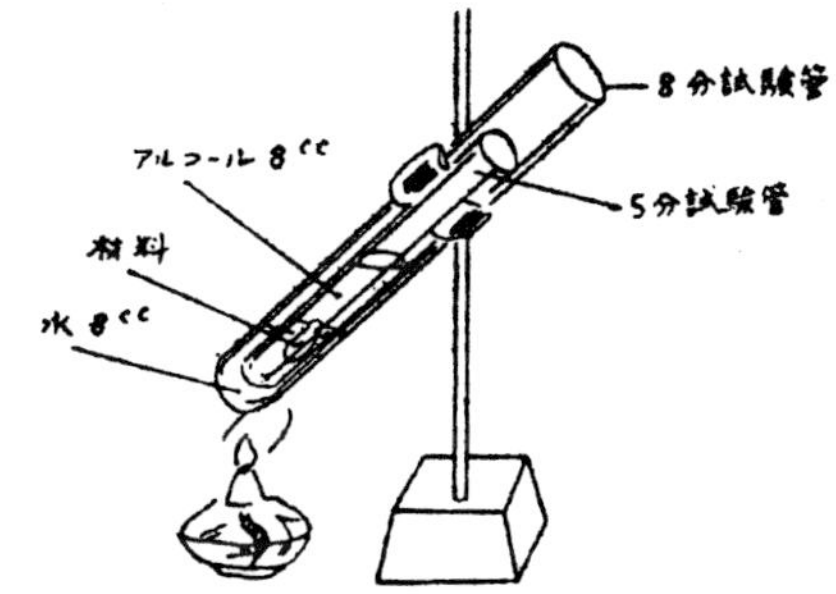

3、方　法　1　材料〔キアサガオ、ブッソウゲ〕の頂芽にちかい黄緑色の葉をえらぶ。

2　図Aのように材材を入れてアルコールランプで3分間熱する。

3　材料が黄白色になつたらとりだして水洗いしてヨード反応を行なう。

4、結　果　従来行なつた方法はつぎのB図、C図である。

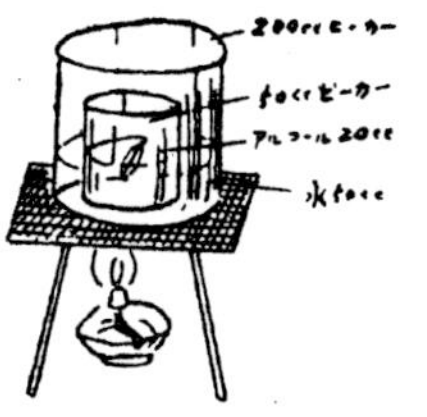

B図

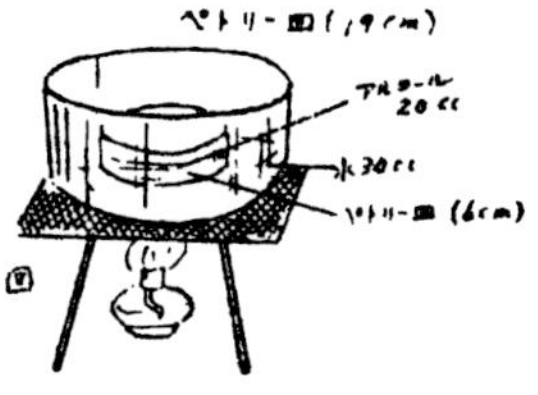

C図

1．A図、B図、C図の数値を比べたときアルコールの使用量が$\frac{1}{3}$ていどでよいことがわかる

2．A図の要領では三脚や金網を必要としない。

3．装置から結果を得るまでの時間

A図—7分　B図—15分　C図—10分　　（真和志中学校）

g．調査人員講習計画綱領を起草し会議にかけ修正通過させる。「調査人員講習計画綱領」には下記の如き項目を設ける事。

（a） 講習の目的：（略）

（b） 講習の日程：（略）

（c） 講習の場所：（略）

（d） 講習に参加する機関及び学校

（e） 参加人数：（略）

（f） 講習に参加する人員の選抜基準：（略）

（g） 講習の内容

i．職業調査の組織及び職掌

ii．調査計画綱領の説明

iii．参考資料の研究

iv．調査表式の使用法

v．調査人員の心得

vi．調査資料の処理に関する規定

vii．調査の演習

viii．検討会

ix．調査表及び調査用具の分配

（h） 講師：（略） （i） 経費の配分：（略） （j） 準備事項：（略）

h．統計編纂計画綱領を起草し会議にかけ修正通過させる。「統計「編纂計画綱領」には次の様な項目を含める事。

（a） 序及び前書き：調査の目的を明記するとともに調査進行中のハイライトを述べる。

（b） 調査の結論（findings）及び展望（Outlook）

（c） 建議及び提言

（d） 総統計表

（e） 調査の得失に関する検討

（f） 付録：調査と関係のあつた総べての資料と日程表を収録する。

（g） 目次と索引をつけ加える。

調査報告書に詳細にして興味深く挿絵、統計図等を添えて編纂し活用し易い様にまとめる事が肝要である。

i．事業場の名簿を作製し印刷する。名簿とは各事業場の所在地を明記し、調査資料の一つとして使用する。

j．調査表式の設計及び印刷を行なう。表の中で使われる名詞はその他の機関の現存の統計と比較対照出来る様に統一したものを使う事。又調査表を正式に印刷する前に一応実地に使つてみて改善すべき所は改善して置く。尚機械的統計が出来る様にする為調査表内の各項目にそれぞれのコード番号をつける事。

k．調査人員心得を規定し印刷する。各種調査人員の任務、調査中の注意事項、調査の順序、表のかき方、連絡の方法、資料の整理及び提出に関する規定等明確に定め講習を通じて徹底させ遵守させる。

l．調査人員を一堂に集め、「講習計画綱領」に基づいて講習を行なう。講習に於ては調査計画の構想調査の方法、各種人員の任務、資料整理の要領等各員に徹底的に理解して貰う。尚講習を終える前に模擬演習を行ない調査人員の一人一人が実際に任務を遂行してみる。その後討論会を開き疑問を解し、欠点を是正し皆が完全に一致した歩調で出発出来る様にする。

(2) 執行の段階

a 通信調査を行なう場合は事業場名簿を利用し、切り取つて封筒にはりつけ宛名にして送り出す。この際記録と follow—up の事を考慮しこの種のリストを二つとつて置く事。

b 訪問調査の方式を採用する場合は調査員を派遣し調査員によつてインタービューを行ない所要の資料を調査表に記録する。

c 各地に於ける調査員の遭遇する困難を解決することと彼等が規定された要領で調査を行なつているかどうかを確かめる為指導員によつて指導連絡を行なう。

d 通信調査の場合返事のない事業場にはもう一通手紙を出すか或いは調査員を派遣してデーターを収集する。

(3) 統計編纂の段階

a　先づ調査の目的を確定する。目的は簡明に個条書きにし重要な項目から順を追つて列挙する。

b　調査組織規則を起草する。「調査組織規則」の形式の一例として下に示す様なものがある。

×××地区職業調査規則

一　組織の名称：（略）

二　目　的：（略）

三　構成単位

㈠　顧問委員会：（略）

㈡　執行委員会：（略）

四　職　掌

㈠　顧問委員会

1．調査方針の決定　　3．参考資料の提供

2．調査工作の指導　　4．各機関との連繋に関する事項

㈡　執行委員会

1．委員長　：　委員会の事務を綜理し議決案を執行する。

2．副委員長：　委員長を補佐する。

3．幹事長　：　委員長の命を奉じ下記各組の事務を指導監督する。

(1)　設計編纂組

a．調査に関する資料の研究　　e．資料の管理及び運用

b．各種調査計画の起草　　f．データーの統計及び解釈

c．調査表式の設計　　g．調査報告書の編纂

d．資料の編成　　h．その他設計編纂に関する事項

(2)　調査連絡組

a．参考資料の蒐集　　d．調査人員講習の実施に関する事項

b．参考資料の翻訳　　e．調査実施中の指導及び連絡

c．調査人員講習の準備に関する事項　　f．その他調査連絡に関する事項

(3)　総　務　組

a．人事に関する事項　　d．経費の出納に関する事項

b．文書の受けつけ発送及び起草　　e．物品の見積り及び購買に関する事項

c．文書及び記録の保管　　f．会議の準備及び記録

g．その他の組に所属しない事務

五　経　費：（略）

六　会　議

㈠　顧問委員会：（略）

㈡　執行委員会：（略）

七　付　則：（略）

c．調査すべき事業場の数量と調査人員の数量を見積り調査に必要な経費及び予算を決定する。

d．正式に調査組織が成立し発足する。

e．調査と関係のある参考資料を蒐集する。調査の方法に関する資料、職業分類及び職業分析に関する資料、国勢調査及び経済建設関係の統計資料等国内外のものをなるだけ多く集めて研究する。

f．調査計画綱領を起草し会議にかけ修正通過させる。

「調査計画綱領」には下記の如き項目を設け明確にまとめる事。

（a）　調査の目的：（略）　　（f）　調査の方式：（略）

（b）　調査の範囲：（略）　　（g）　調査人員：（略）

（c）　調査の対象：（略）　　（h）　調査日程：（略）

（d）　調査すべき項目：（略）　　（i）　予算の編成：（略）

（e）　調査の方法：（略）

のグループに属する。

(5) 非技能職業 (Unskilled Occ.)

このグループもすでに述べた通り体力と服従の精神さえあれば技能なしでもつとまる職種からなつている。人足、雑役等このグループに属する。

以上五つのグループの工業職業の差異を所要の知識の程度から見ると図1の様に現わす事が出来、所要の技能の程度から見ると図2の如くなり、これ等の知識と技能を学校で与えるとしたら図3で示す様な具合になる。

図 1

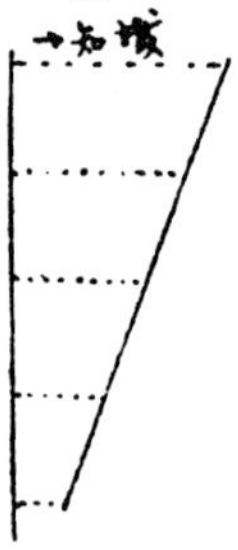

図 2

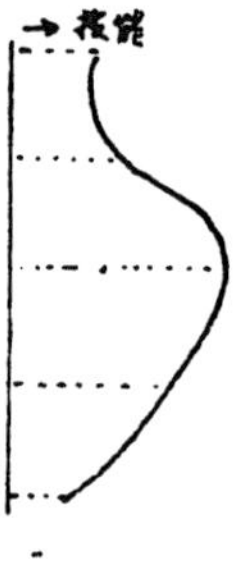

図 3

職　業　調　査

(一) 工業職業教育の健全な発展を促す為の職業調査

マーケットの調査が生産界の経営の方針と経営の態勢（機械設備の種類数量、生産方式、成品の品質、成品の外観、生産のコスト、産量等の因素を含む）に具体的かつ決定的な影響を与えると同様に職業調査は職業教育殊に工業職業教育の健全な運営及び発展の為に欠くべからざる役目を果たすものである。

工業職業教育の為によく計画され、実施された職業調査は次の様な意義と作用がある。

(1) 産業界の職業に対する需要が判明する。いかなる職種の者を何人欲つしているか、いかなる職種が淘汰されつゝあるかが判明すれば、これを根拠にして工業高校に新設すべき課程の種類、クラス数及び廃止すべき課程の種類又は減らすべきクラス数が決まり、密切に産業界の需要と結びついて工業職業教育の根本方針が樹てられる。

(2) 工業職業教育の対象となる職種の任務、仕事の性質及び内容、所要の技能及び知識の程度、労働条件作業環境等がわかり、これを基礎として実習教員により更に詳しく職業分析を行ない産業界の需要に応じた実習教科内容が決まり、尚訓練に要する時間及び生徒募集の条件等も決まる。

(3) 工業職業教員養成の指針となる。職業調査によつて各職種の需要の趨勢がわかるので第(1)項に於て述べた工業職業教育方針の確定とマッチして健全なる教員養成の態勢を整える事が出来る。

(4) 職業指導に必要な職業情報を提供する。

(5) 教員又は生徒を職業調査に参与させることにより彼等をして生産界に対する認識を深めさせる。この意味に於てこれは社会教育的意義がある。

(6) 教育当局によつて行なわれる積極的な職業調査は学校教育が産業界の為に本腰になつて工業職業教育を行なつているんだという認識を与える。産業界はこれを契機にして増々工業職業教育に対する関心を深め強力な産教数力（台湾で言われる建教合作）の端緒となる。

(二) 職業調査を行なう順序について

職業調査を正確なものにする為には相当綿密な計画と適切な執行が要求される。職業調査を完成するのに順序として計画、執行、統計及び編纂、建議、検討の五つの段階を踏まなければならない。

(1) 計画の段階

稲作農夫、果樹農夫、養鶏農夫、養豚農夫、酪農等このグループに属する。

(11) 漁業職業

魚類、貝類、海草類、その他、海産物の捕獲、採集と関係のある職業である。漁夫、真珠取り、珊瑚取り等このグループに属する。

(12) 林業及び狩猟職業 (Forestry & Hunting Occ.)

森林の開拓保護、林産物の栽培及び採収、野獣、野鳥の狩猟及び案内に関係のある職業である。林務工、ハンター、ガイド等このグループに属する。

(13) 技能職業 (Skilled Occ.)

これは工業職業に従事する者の最も関心を寄せているグループである。熟練した高度の技能と正確な作業過程に関する知識を持つ外、独立した作業の判断力を身につけなければならない職業である。自己の製品の品質、使用する機械設備の保全に完全なる責任を負うものであり、相当長い年数の訓練と経験を必要とする職業である。機械工、電工、自動車修理工、時計修理工、大工、ペイント工、配管工、板金工、溶接工、印刷工、鋳物工、等多数にのぼる職種がこのグループに属する。

(14) 半技能職業 (Semiskilled Occ.)

作業の内容が比較的単純で範囲も比較的狭いが或る程度の技能を具備する必要のある職業である。作業状況につき独立的判断力を下す必要はなく、上級の者の段取りに従えばよい。技能職業の仕事の一部をすることもあるが大体日常的な仕事が多く比較的短い時間で所要の技能が習得できるものである。ボール盤工、自動旋盤工、電動子巻線工、ペイント噴霧器操作工、活字鋳造工、ミシン操作工、編物機操作工、運転手等とそれから見習期間中の総ての技能職種の徒弟もこのグループに属する。

(15) 非技能職業 (Unskilled Occ.)

全然訓練を必要とせず又殆んど仕事に対する判断力をもたなくてもよくただ健康であり上司の命令に服従すれば出来る様な労働的職業である。波止場人足、荷積工、シヨウベル工、注油工等このグループに属する。

四 工業職業の分類

工業関係の職業はその種類甚だ多く、職責の性質及び内容の差異によつて次に示す五つのグループに分類される。

(1) 専門職業 (Professional Occ.)

このグループの従事者は必ず高度の科学的技術的知識を具備しなければならないが必ずしも熟練した技能をもつ必要がない。各種の技師はこのグループに属し、大学工学教育の対象となる。

(2) 技術職業 (Technical Occ.)

このグループも相当程度の科学的技術的知識を必要とするが又一面或る程度の技能をも具備しなければならない。このグループに属する職種はちようど専門職業と技能職業両グループ中間にあり、橋かけ的役割りを果たすものである。つまり前者の構想し設計した計画を具体化し青写真にし解釈を加えて後者に渡し後者によつて製作するという具合である。各種の技手 (Technicians)、見積り員、工事監督等このグループに属し、通常技術教育 (Technical Education) つまり工業専門学校教育の対象となるものである。

(3) 技能職業 (Skilled Trades)

このグループは三つの特点をもつている。特点の第一は仕事の内容が技能を主としている事であり、第二は技能の範囲が広く仕事が独立的であり、第三は仕事の応用が自由で流動性に富んでいるという事である。本章第（三）節第 (13) 項で述べた機械工、電工、自動車修理工等このグループに属し、通常工業職業学校の教育の対象となるものである。もち論一人前の職工になるには、卒業生は就職してから現場で更に経験を積み重ねばならない。

(4) 半技能職業 (Semiskilled Occ.)

このグループは本章第（三）節第 (14) 項で述べた通り仕事の範囲が比較的狭く単純であり、上級の者の指示によつて動き余り独立した作業の判断能力をもつ必要がないものであり、これは短期の職業訓練と成人教育の対象となるものである。すでに述べた通りボール盤工、自動旋盤工、電動子巻線工等こ

れる。尚分類番号４とで代表される技能職業、分類番号６と７で代表される半技能職業、分類番号８と９で代表される非技能職業の三つのグループはそのまゝである。

次にこれ等の各職業グループを明確に理解する為にそれぞれのグループの定義と代表的な職種を列挙してみたい。

㈢ **各職業グループの定義と代表的職種**

⑴ 専門職業 (Professional Occupations)

専門職業は複雑な社会の諸分野に於ける理論的又は実際的問題と関係があり高度の知能を要求するので通常数年の専門的大学教育を受けるか或いはそれに相当する経験を積み重ねるか、又は専門教育と経験両者を兼ね備えるかしなければつとまらない。例えば建築師、科学者、技師、獣医等は各専門の大学で正式な教育を受けなければならず、作家、芸術家、編集者、音楽家、俳優等は実地の経験さえあればさほど正式の学歴をもたなくてもやれる専門職業である。以上述べた職種の外、弁護士、教員、看護婦医者、会計士、等がこのグループに属する。

⑵ 半専門職業 (Semiprofessional Occupation)

半専門職業と専門職業の区別は余り明確ではないが専門職業と比べ一般的に云つて幾分法律的な制限を受けるか又は職業従事者の学歴、経歴、創造性判断力が幾分下回つてもよい様な職業のグループである。又半専門職業は、専門職業と違つて比較的限られた範囲の訓練をより短い時間で行なえば習得出来るものであり、技術的、機械的分野の仕事と関連が多い、例えば、製図者は専門家である建築師のする仕事の一部分しかやらない、彼は建築師の創意工夫設計を如何にして具体化し青写真にするかを知り、又その含義を解釈する。彼は研究を重ねることにより、他日建築師となることも可能である。半専門職業従事者は理論的、実際的問題に関与し、専門職業の程度までもないが、矢張り専門な教育又は実地の経験、或は専門教育と経験の両者を兼ね備えて、始めてつとまるものである。製図者、医療技術者、写真師、宗教関係者、運動コーチ、デザイナー、葬儀屋、測量師、飛行士、アナウンサー等、このグループに入る。

⑶ 管理及び公務職業

政策の企画、監督、調整、指揮、指導と関係のある職業である。一国の元首、各大臣、行政部門の首脳から商社のマネージャー、列車の車長、銀行の会計係等このグループに属する。

⑷ 事務及び類似職業 (Clerical & kindred Occ.)

文書、記録の起草、書き換え、転送、整理保管と関係のある職業である。簿記係り、書記、タイピスト、速記員、秘書、電話交換手、出納員、郵便配達夫、収金係等このグループに属する。

⑸ 販売及び類似職業 (Sales & kindred Occ.)

商品、株、不動産等の売買、又は取引きと密接な関係のある職業である、小売セールスマン、保険セールスマン、不動産セールスマン、競売人、行商人等このグループに属する。

⑹ 家事サービス職業 (Domestic Servise Occ.)

食事の準備、屋内の掃除、整頓、子どもの世話、庭の手入れ等、私人の家庭で奉仕する職業である。下男、炊事婦、庭番等このグループに属する。

⑺ 個人サービス職業 (Personal Service Occ.)

私宅以外の場所、例えば床屋、美容院、下宿、病院、旅館、食堂、遊戯場等で個人に奉仕することを職務とする職業である、理髪師、美容師、病室係、女中、旅館の女中、ボーイ、女給、付添い看護婦、エアガール、モデル等このグループに属する。

⑻ 警備職業 (Protective Service Occ.)

国家社会の安寧を維持し、人民の生命、財産を保護する事に関係のある職業である。軍人、消防員、巡査、刑事、探偵等このグループに属する。

⑼ 建築物サービス職業、及び小使 (Building Service Workers & Porters)

建物、オフィス、ストア内部及び備品の掃除手入れと荷物備品その他部品の移動運搬と関係のある職業である。掃除婦、エレベーターのオペレーター、ポーター、赤帽等このグループに属する。

⑽ 農業、園芸、及び類似職業 (Agricultural Hurticultural & Kindred Occ.)

野菜、果物、穀物、その他農作物の植付け及び収穫、家畜の飼育等と関係のある職業である。

職業の研究と工業職業教育

台湾省立師範大学講師　鄭　孟　し

はじめに

本文は筆者が1960年4月21日から同年7月21日までの間沖縄工業高校において行なわれた工業職業教員現職訓練の為に民政府教育部長キンカー博士（Dr. H Robert kinker）ミシガン州立大学顧問団主席顧問フェル博士（Dr. Richard C. Fell）と三人で「職業指導」という学科を共同して担当した際書き上げた文章を整理したものです。紙幅の関係で突込んだ討論は出来ませんが工業職業教育の振興と発展を計る意味において観念的思想疎通の一助たり得れば喜びこれに勝るものがありません。

（おことわり）

鄭先生の玉稿「職業の研究と工業職業教育」の一部を同氏のお許しをえて掲載しました。

職業分類

目下行なわれている職業分類の方法には二つの系統がある。その中の一つの系統は各産業の経済的活動の性質の差異によつて分類を行ない、これはよく経済的統計に用いられる。もう一つの系統は各職種の仕事の性質と内容の差異によつて分類が行なわれ、人的資源の分布状況に関する統計に使われる。職業教育の立場から見た場合後者の分類系統が具体的であり関係が密切である為本章では特に少し詳しく取り上げて検討したい。

㈠　産業別分類法

経済的活動の性質の差異により職業を分類する方法として国連で制定されたものを下に示す。

分類番号	業別	分類番号	業別
0	農業林業狩猟及び漁業	5	電気ガス水道及び衛生施設業
1	鉱業及び採石業	6	商業
2～3	※製造業	7	運輸倉庫及び通信業
4	土建業	8	サービス業
		9	その他

※「註」製造業は更に次のような類別に分けられる。

食糧製造業、飲料製造業、煙草製造業、紡績業、被服加工業、製材業、家具製造業、製紙業、印刷出版業、製革業、ゴム工業、化学工業、石油製品工業、非金属鉱物製品工業、鉄鋼業、金属製品工業、機械製造業、電気機械製造業、交通用具製造業、その他製造業

㈡　仕事の性質内容による分類法

各職種をその仕事の性質と内容の差異によつて分類する方法であり、職業教育運営の面から見て関係が深く大いに研究する必要がある。

分類番号	職別	分類番号	業別
0	専門及び管理職業	4～5	技能職業
1	事務及び販売職業	6～7	半技能職業
2	サーヴィス職業	8～9	非技能職業
3	農業漁業林業及び類似職業		

分類番号0で代表される職業は更に専門職業、半専門職業、管理及び公務職業の三つのグループに、分類番号1で代表される職業は事務及び類似職業と販売及び類似職業の二つのグループに、分類番号2で代表される職業は個人サーヴィス職業、警備職業、建築物サーヴィス職業の三つのグループに、分類番号3で代表される職業は農業及び園芸職業、漁業職業、林業及び狩猟職業の三つのグループにそれぞれ分類さ

―――研究教員だより―――

(2) **理科的環境の設定**

(1)項に述べてきたように何をどのようにどれだけ整えるかと言うことが明確になつてくると、計画にしたがつて実践するはこびとなる。それには学校全体がその空気にのり全組織を通していろ〳〵な面から実践することが大切で一人理科主任に負かせるだけでは良い効果を挙げることは困難である。

(3) **教師の実験観察技術**

理科が思考過程をその学習の中核とする以上教師自ら実験観察の方法を知つていなければならない。現象としてとらえ、そこから何の発展もしないようでは実験観察も名のみで終つてしまう。そこで自分が担当する学年の実験観察の技術をしつかり身につけておくことが必要だと思う。

現在、沖縄県の教員構成では二十代三十代の教員が多いと言うことである。この時代の教員は、最も大切な時期を戦争か終戦のどさくさで過した人達である。従つて理科実験を経験している人は少ない。しかも、この時代の人達は今ではどの学校でも中堅教員として働いている。本土では毎年夏季休暇を利用して現場の指導にすぐ役立つような理科実験講座を催している。しかも受講者には一銭の負担もない。実験観察こそは理科学習の中核をなすものであることを忘れず学校内外でそれらの研修会が多く催されることを願うものである

(4) **校内の研究活動**

校内研究には二通り考えられる。一つは文教局や地域の教育委員会から指定を受けた場合の研究でもう一つは特定なテーマを定めずにする普通の場合である。今ここで紹介しないことは時者の普通の場合である。

私の配置校には教科の研究部の中に理科研究部(どんな学校にもあると思う。)がある。

この研究部が中心になつて理科経営一般について計画を立てて実践の主体となつている。各学年から三人ずつ理科研究部に参加している。それを学年を考慮に入れて生物・機械・土地・天体・気象・物質の変化の六つの分野に分れて研究を進めている。どう言う研究計画や実践でもその分野の人達が主体となつてやつている。

理科研究部の主な仕事を挙げてみると

①理科教育に対する理論的研究　②実験観察技術の研究　③指導法の研究　④施設々備の研究

などである。

各分野別に四月七月十二月一月三月以外の月は研究授業をもち、特に一時間の学習の流れにおいて大いに研究し合う。今、ここに或る学校の理科部の研究計画を上げてみると。

四月　学級園のふりわりと学級園作り	五月　野外学習研究会
六月　研究授業〔生物〕	七月　標本作製研究会
八月　理科実験講習会	九月　理科展〔児童教師〕
十月　研究授業〔土地〕	十一月　研究授業〔機械と道具・物質の変化〕
十二月　理科実験講習会	一月　研究授業〔機械と道具・物質の変化〕
二月　研究発表	三月　反省と次年度の計画

二　理科研究と理科主任

理科は他の教科と違い、片付準備教材研究にやたらと時間を費やし、どうかすると敬遠されがちである。私が今まで訪問した学校で理科専任教師のいる学校が四校ありました。その中で一校だけは四年以上の授業をもつているということでしたが、他は授業をもたないサービスセンターとして学級担任のために指導の要点、実験法等の相談に応ずるようになつている。

しかし、殆どの学校では専任教師がいないから理科主任がその任に当らなければならないが、主任も学級を担任してはどうしようもない。

ですから、このような学校では学級事務分掌の面から仕事を少なくするか、理科助手をおき理科指導を進めるようにしなければならない。このような学校ではどうしても理科主任が中心となつて理科を経営しなければならない。研究部としての仕事は勿論であるがその他にも個人的な仕事がたくさんある。

(1) 理科室と準備室の管理　(2) 実験器具の整理　(3) 学級担任との指導の相談　(4) 消耗品購入等の仕事が挙げられよう。

一日も早く私達の学校にも理科専任か理科助手の配置されることを関係者に要望するものである。

・機械と道具

すべるときのまさつ　ころがるときのまさつ

おきあがりこぼし　重さの中心の位置と安定

音がでているときのもののようす　音の高低

音の強弱　真空鈴と音の伝わり方

水・金属を伝わる音　音の吸収と反射

針穴写真機作り　光の直進　光の屈折　光の反射

熱の移動　熱の伝導〔金属〕

対流による熱の移り方　放射による熱の移り方

電磁石作り　電流の方向と磁極　電磁石の強さ　電信機作り

・物質の変化

火のもえ方と空気　火の消し方

酸素の発生と捕集　酸素の性質

二酸化炭素の捕集　二酸化炭素の性質

ほのおのようす　木材の乾りゆう

せつけんの溶け方　せつけん水とすす

せつけん水とあぶら　せつけん水の浸透

酸性液のリトマス反応　アルカリ性液のリトマス反応

酸性とアルカリ性の中和

理科薬品について

薬品名	使用学年例	薬品名	使用学年例
アルミニウム	(6) 金属の性質	鉄粉	(6) さび
アンモニア水	(5) 酸性とアルカリ性	でんぷん粉	(4) でんぷんの性質
いおう	(5) 酸素の性質	銅板	(6) 金属の性質
エーテル	(5) 魚の解剖	豚脂	(4) あぶらの性質
エナメル	(6) さびどめの実験	鉛	(6) はんだ作り
塩化カルシウム	乾燥剤 (6)さびどめの実験	なたね油	(4) あぶらの性質
塩化コバルト	(1) あぶりだし	二酸化マンガン	(5) 酸素の発生
塩酸	(5) 酸性とアルカリ性	はんだ	(6) はんだずけ
過酸化水素水	(5) 酸素の性質	パラフイン	
塩素酸カリウム	(5) 酸素の発生	フエノールフタレン	(5) 酸性とアルカリ性
クエンサン第二鉄	(3) 青写真	フエリシヤン化カリウム	(3) 青写真
クロロホルム	(5) 魚の解剖	ほう酸	(3) うがい水づくり
ごま油	(4) あぶらの性質	フエリングな液	(4) でんぷんの糖化
酢酸	(3) 花のしるの色の変化	ホルマリン	(5) 魚の解剖
硝酸	(6) せんいの性質	メチルオレンジ	(5) 酸性とアルカリ性
ジアスターゼ	(4) でんぷんの糖化	木炭	(5) 酸性とアルカリ性
シリカゲル	(6) さびどめの実験	ヨードチンキ	(4) でんぷんの性質
食塩	(3) うがい水づくり	硫酸銅	(4) たんぱく質の性質
水酸化ナトリウム	(5) 酸性とアルカリ性	硫酸	(5) 酸性とアルカリ性
すず	(6) はんだ作り	リトマス紙	(5) 酸性とアルカリ性
石灰石	(4) 二酸化炭素の発生	ワセリン	(5) 熱のうつり方
石灰〔石灰水〕	(5) 酸性とアルカリ性		
石けん	(2) しやぼん玉		
炭酸ナトリウム	(5) 二酸化炭素の発生		

・気象・土地・天体

天気しらべ　　石ころあつめ

・機械と道具・物質の変化

風車・風輪の作り方とまわし方　　はねの作り方ととばし方

ふん水あそび　　かげえあそび

かがみあそび　　氷や雪の実験

磁石あそび

二　年

・生　物

春の種まきと球根植え　　秋の種まきと球根植え

種とりと球根ほり　　木の実細工

押葉押花づくり　　田畑の虫の飼育と観察

池や小川の生物の採集飼育

海の生物の観察と採集　　蟻の観察

・気象・土地・天体

天気しらべ　　雨水の流れの観察

水が土にしみこむようす　　いぶしガラスで太陽をみる

月〔半月・満月〕の観察

・機械と道具・物質の変化

簡単な水車の作り方とまわし方　　いろいろな物のうきしずみ

粘土による舟作り　　いろいろなこま作り

こまの心棒のつけ方・重さ・形とまわり方

やじろべえ作り　　つりあいのとり方

らっかさん作り　　糸凧・おもり・風向ととび方

ゴム風船のとび方　　ゴム風船の中の空気

ボールのはずみ方　　かんたんな笛作り

ことやたいこの音のでかた　　しゃぼん玉のせっけん水作りととばせ方

水と湯に対するせっけんの溶け方

五　年

・生　物

いねの種子のえらび方　　いねの発芽

なえの植え方　　いねの生長の観察

いねの害虫の観察　　いねの花の観察

種子のつくり　　種子の発芽　　根や芽の伸び方

アブラナやタンポポの花のつくり　　チョウやハチのからだのつくり

フナの外形のつくり　　魚の内部のつくり　　プランクトンの観察

・気　象

かんたんな風向計作り　　風のおこるわけ

・土　地

地層の観察・堆積岩の観察

化石の観察　　地下水のでき方

・天　体

月・太陽の観察　　月の形の変化

昼夜のできるわけ

――研究教員だより――

理科の指導計画と研究計画

神奈川県中郡伊勢原小学校　安　谷　安　德

三学期は学校においては一カ年のしめくくりの時期であると同時に次年度の指導計画を立てる時でもある。学級では、児童に関する諸帳簿の整理と会計の整理　そればかりでなく事務分掌の面でもいろいろな仕事をしなければならない。なお、その他にもわれわれの一大関心事である移動の問題もあつて、それこそ猫の手も借りたい程の多忙な時期である。

そういう時期にあつて次年度の指導計画や研究計画を立てるというのだから無理な話である。だからといつて計画を立てないわけにはいかない。特に理科にあつては、その必要性の高いと思うのは私一人ではあるまい。

このような多忙な時期に一人研究教員は他人の忙しさをよそ目にのんきにしているわけにもまいりません。そこで、今回は私の勤務校の理科計画案の中から標題について要点をまとめて読者皆さんの忌憚のない指導をいただきたいと思います。

一　理科指導計画の根本的問題

(1)　改訂指導要領に基づき、その地域にそくした指導計画

理科の参考書を見ると、必らずと言つてよいくらい。望ましいあり方として「環境調査・経験調査・興味調査・疑問調査等を行なつてそれをもとにして指導計画を立てよ。」とありますが、実際にはそう簡単にまいりません。だからといつて、私はこのような実態調査をやる必要はないと言うのではありません。学校の教育計画に従つて、重点的に取り上げて行く場合や研究校として指定を受けた場合是非調査してりつぱな理科教育計画ができることとを望むものである。

しかし、今回はどの学校でも「これだけは是非」と言う最低必要と思う項目を上げてみたい。

①　月別学年別単元配当
②　領域別学習内容
③　領域別実験観察
④　基礎的実験観察の技術の系統
⑤　継続観測計画〔地学〕
⑥　飼育栽培計画
⑦　実験観察に用いる器具と材料
⑧　理科薬品

現在、多くの学校はその学校で採用している教科書会社が出版しているカリキュラムを殆んどそのまま使用している。そこで、指導要領・指導書・理科書・研究資料・前述のカリキュラム等をもとにしてその地域にそくしたものを精選していくとよいと思う。

その中で最も大切だと思うものは③領域別実験観察であろう。教科書に挙げられたものを一つ一つ取上げていくことは時間的にも許されないことはない。また、教師実験にすべきか児童実験にすべきかなどの実験観察法にも多くの問題が含まれている。次に問題になるのは飼育栽培計画である。低学年においては教科書の挿絵にでているような事〔特に生物教材〕を経験させたいのだが、沖縄では経験できないものが多い。これは飼育栽培し易い動植物の例であるから適当な材料を見つけだし、適当な時期に栽培させるとよかろう。

今、私なりの研究のもとに小学校で最低必要と思われる実験観察と理科薬品について挙げてみたい。実験例として、　　　観察〔一年・二年・五年〕

一　年

○生　物

あさがおの種まきとその世話
木の葉・木の実あそび
秋の虫の観察
きんぎょやめだかの飼育
野原の花をつかつたあそび
かたつむりの飼育と観察
にわとりやうさぎの観察
くだものの観察とあぶりだし

題　材	内　容	問　題　点
（二年） 時　刻　表 （作業）	時間の単位関係、時刻の表記、時刻表の見方、時間の加減形式算に結びつく問題構成（口頭及び文章による作問）	○時刻、場所、行動等を要領よくとらえ問題構成することが困難であった。従って条件過不足の問題が多く作られた。 ○差を求める問題が比較的多く見られた。 ○差という用語を扱った直後で、この用語が多く用いられた。 ○一段階形式の問題を多く作っていた。
（三年） 乗除計算 （出口）	乗除計算を適用しての口頭及び文章による作問	○乗除計算を用いる問題は日常生活に多いので何を取り上げたらよいか戸惑い混乱していた。 ○一段階形式の問題を多く作っていた。 ○被乗除数と乗除数の混同が多くみられた。
（六年） 分数加減計算	分数で表わされているいろいろな数量の発見 上記の数量を用いて口頭及び文章による作問 算式を与えての作問作られた問題の解決	○数量相互の関係を確実に理解し、見通しをたてて求答を予測することが困難であった。 ○実生活では経験しないような問題の場面構成をしている。 ○作問の動機に教科書の文章題を改作しようとする傾向がみられる。 ○算式の意味が理解されていない。

―― 紹　　介 ――

石川地区理科同好会
会則

第一章　名称と事務所

第一条　本会は石川地区理科同好会という、事務所を会長の勤務学校におく。

第二章　目的及び事業

第二条　本会は本地区における理科の振興を図り、理科教育の諸問題を自主的に解決して、本地区教育の進展に寄与することを目的とする。

第三条　本会は前条の目的を達成するために左の事業を行なう。

1　理科教育研究会並びに理科教育講習会の開催
2　簡易実験器具や標本の作製
3　生物採集会
4　その他
○薬品一かつ購入　○研究授業
○中学校移行措置要領の作製
○研修視察　○標本の交換

第三章　活動方針

第四条　本会は理科教育の振興を図るのを本旨として次の方針に従って活動する。

1　本会は第二章の目的を達成するため、毎月一回以上の研修会並びに講習会を行なう。
2　役員は毎月はじめに行事予定をたてて会員に連絡する。

第四章　会員

第五条　本会の会員となることができる者は次の通りである。

1　各学校の職員でこの会の趣旨に賛同する者

第六条　本会の会員は総べて平等の義務と権利を有する。

第五章　役員

第七条　本会の役員は次の通りとする。

顧問　若干名　副会長　一名
会長　一名　幹事　二名

第八条　各役員の任期は一年とし、毎年四月に改選をする。ただし再選を妨げない。

第九条　各役員は会員の互選による。

第六章　経理

第十条　本会の活動に要する経費は地区教職員会及び関係機関の補助その他の収入により支弁される。

第十一条　本会に左の帳簿を備え付ける。

1会員名簿　2会則
3役員名簿　4記録簿　5その他

附　則

本会は一九六[illegible]年五月一九日より施行する。

2．指導上の留意点

1．作問指導はその初期においては口頭作問が中心となり、作問の意味が理解された後に文章表現をさせると子どもは興味を感ずる。

2．低学年においては条件の過不足に重きをおき表現法をやかましくいうことを慎しむ。

3．作問指導はその指導する時間を特設するのではなく、不断の算数の時間の中で、文章題や計算指導と並行して、継続指導されなければならない。

4．生活現象より生ずる、問題解決のための生活問題を作成させるには、架空的な作問にならぬよう、資料を集める機会を与えたり、教師が資料提供したり、教室環境設定をくふうし取材の範囲を広くすることが肝要だ。

5．国語的文章表現から脱出させるため、中高学年では文章形態の指導も考慮する。

6．作られた問題は数理、条件、文章、用語面から適切かどうか見てやることが大事だ。この場合一度に全児童の問題を見てやることは不可能だから、一度に 数名ずつ計画的に 平等に なされなくてはならない。

7．作問されたものを例題としてとりあげ、全体で解題したり討議したり、友だちどうし問題を交換して解く等子どもに興味をもたせるくふうをする。

8．作成過程の子どもの思考の働きに重きをおく。

9．子どもの問題は消費面のものが多くなる傾向があるから、生産的な面に目をむけさせるように教師は心がけねばならない。

3．実際指導の中から

吉野小学校の先生方は作問指導の研究授業をして次のような問題点を上げておられた。

題材	内容	問題点
（一年） せみとりあそび （守屋）	数量や問題場面を与えて 口頭作問	｡数量だけ与えても具体的な場面を想起、構成することが困難である。 ｡たす、ひく等の用語がつかえない。 ｡求答事項をはっきりさせることがむずかしい。
（二年） わらびとり （仲本）	算式を与えての口頭及び文章による作問 85まい＋9まい 48＋6 作られた問題の解決と討議	｡要素の統合が困難で、現実とかけはなれた、架空の数量との結びつきにおわつてしまうような傾向がみられた。 ｡問題の多くが求和（合併）の問題で求大（追加）減法逆等の問題がつくれない。求大、減法逆になるような問題でも（＋）という記号があるとみんなで、ぜんぶで、あわせて、等の用語に結びつけて、求和にしてしまう。 ｡作問になれてないため作問の意味がわからずに求答事項のない作文がある。 ｡自己中心的で、自分の作つた問題を他へ与えるという意識がなく、数量の説明を省いたようなものが多かつた。 例（パースを48まいもつています。きよう大きいパースを12円かいました。パースはぜんぶでなんまいですか） 「この子は大きなパースは、1まい2円だということをわかつているから、12円をパース6まいにおきかえて計算ができたが。パースしたことのない女の子には求答できなかつた。」
（三年） かけざん （石井）	1位数×1位数資料をもとにした口頭及び文章による作問 作問された問題の吟味	｡用語や求答事項を適切に表現することに抵抗がみられた。 ｡問題場面や要素を資料のみにたよる傾向がつよく、広い生活の中から自発的に作問する態度が少なかつた。 ｡数量相互の関係をうまくとらえられなかつた。

目標	学習の方法	学年の学習内容 1年	2年	3年	4年	5年	6年
	基本事項をあたえて作問させる。	求答事項より問題を考える示された要素より	求答事項より作問示された要素をもとにして	求答事項より作問する示された要素をもとにして	求答事項より作問する。示された要素をもとにして作問する。	求答事項より作問する。示された要素より作問する	求答事項より作問する。示された要素より作問する
	統計グラフより作問する。			品物のねだん表 運動能力表 生徒数、道のり等のグラフより	体力測定、ちよ金、村の人口、生徒数、気温、車賃、その他子供の調査出来る範囲の資料	各種統計年鑑より	統計年鑑より
条件分析力を伸ばす。	不足条件を補い、条件完備の問題にする。	不足条件を発見して補う。	不足条件を発見して補う。	不足条件を発見して補う。	不足条件を発見して補う。	不足条件を発見して補う。	不足条件を発見して補う。
	過剰条件を省く。	過剰条件の発見	過剰条件の発見	過剰条件を省き改作する。	過剰条件を省き改作する。	過剰条件を省き改作する。	過剰条件を省き改作する。
	複雑長文を算数的表現で短文にまとめる。			複雑長文を短文にまとめる。	複雑長文を短文にまとめる。		
算法の意味を理解させる。	算法を与えて、	+、−	+、−、++ −−、	+、−、 +−、−+ ++、+、 −−、×	+、−、 +−+、 −+−、 −−+、 ++−、 +×+、 −×−、 −−×、 ×+×、 ×××、 ÷÷、 ×÷+−、 +×−÷、	+−、 +−+、 −+−、 ×−×、 ÷+÷、 ÷÷、 ×÷+×、 ×÷×÷	
式の機能を理解させ、立式の力を伸ばす。	名数式を与えて	A＋B A−B	A＋B、 A＋B＋C A−B、 A−B＋C	A＋B−C A×B A−B＋C			
	無名数式を与えて	A＋B A−B	A＋B、 A−B、 A＋B−C A＋B＋C A−B＋C	A＋B、 A−B A＋B−C A＋B＋C A−B−C A×B	A×B、 A×B×C、 A÷B、 A×B＋C、 A＋B×C、 A−B×C、 A×B−C、 A＋B×C＋D A−B×C−D A÷B＋C、 A＋B÷C、 A−B÷C、 A÷B−C、 A÷B＋C÷D A÷B−C÷D A÷B×C、 A×B÷C、	A×B、 A×B×C A÷B、 A×B＋C A＋B×C A−B×C 以下四年に同じ 整数、小数	左に同じ 整数 小数 分数
	（ ）のある式を与えて					$(A \pm B) \stackrel{\times}{\div} C$ $C \stackrel{\times}{\div} (A \pm B)$ $A \stackrel{\times}{\div} (B \pm C \pm D)$	$(A \pm) B \stackrel{\times}{\div} C$ $A \stackrel{\times}{\div} (B \pm C)$ $(A \pm B) \stackrel{\div}{\times} (C \pm D)$
逆思考の力や条件抽出力をねる。	その他の式			□のある式	□のある式	□のある式 xのある式	□のある式 xのある式 公式

問指導をとりあげられなかつたこと、つまり算数の生活化ということを大きく叫びながらもそれが実際には軽く取り扱われていたことを証明するものであります。生活の中から数量関係を正しくは握し正確に処理する方法や態度を養うことは算数教育の大きなねらいであり、作問指導の方法やその価値については、これから現場の私達が大いに研究し、教壇実践で生かされるべきだと考える。

① 作問指導の系統

私は次のような作問指導の系統を考えた。

目標	学習の方法	学年の学習内容					
		1年	2年	3年	4年	5年	6年
数量的な見方考え方をねる	問題の場面をあたえて作問させる	あそび、えんそく、がくようひん、かいもの、てんらんかい、たまいれ、おかし、くだもの…等	お友達、花つみ、たまいれ、わらびとり、かいがらひろい、はばとび、うんどうかい、かいもの、ちよきん、おつかい、てんきしらべ、のりもの…等	学用品、かいもの、おべんきよう、つみき、たまいれ、ボールなげ、えんそく、うんどうかい、たんじよう会、学級えん、たべもの、いきもの…等	遠足、たんじよう会、学級園、身体検査、体力測定、運動会、なつやすみ、おみせ、ちよ金、お手伝い、村の人口、読書、勉強、学用品、仕事、郵便局、大工さん	児童会、身体検査、体力測定、水泳、遠足、たんじよう会、学級園、読書、郵便局、年れい、農休、夏休み、ちよ金、気象観測、人口	貿易、伝染病、交通事故、火災、人口、職業、赤い羽根、生産、家畜等統計資料をもとにして、学級費、修学旅行、愛林デー
	数値を与えて作問させる	一位数と一位数	二位数以下の数を二つ以上	三位数以下の数を二つ以上	整数を三つ以上 小数と小数 小数と整数	整数を三つ以上 小数と小数 分数と分数 小数と整数 分数と整数	整数を三つ以上 小数と小数 分数と分数 小数と整数 小数と分数 分数と整数
用語の意味を理解させる。	用語を与えて作問させる。(記号)	あわせて。 ちがいは。 たりない。 あといくつ。 みんなで。 のこりは。 …さんより …さんは。 ぜんぶで。 おつり。 わける。 たしざん、 よせざん、 ひきざん、 十、一、二	時、分 どちらが、 そのうち、 いくら、 センチメートル、 メートル、 はじめに、 …より… くらべる、 ミリメートル mm ながさ、 ねだん、 たかさ、 はんぶん、 なんばん(だん)め、 もとの ダース 時間・分まえ すつ、	何時間、何分間、時こく、分まえばい。ずつ ダース 組、週間、 わりざん、 かけざん × ÷ あつさ l、dl、 Km、 きより 道のり、 およそ g、kg 重さ、直径 半径、たてよこ	和、差、積 商 1グロース 温度、体重 身長、 ひよう。 一つの式に 面積 m²、cm² a、ha、 km² 体積、容積 cm3、m3 t、cc、 底辺	約、およそ のべ人数、 のべ日数、 割合、分、 割、厘、 歩合、百分率 パーセント 仕入れね、 売りね、 中心角、 平均、キロリットル、 深さ、 歩測、目測 実測、分速 時速、秒速 満何年、以上、 以下、未満	それぞれ 底面積、側面積、表面積、 定価、割引 縮図、拡大図、縮尺、 収入、支出 人口密度、 何番目、 五年までに出た用語も使う。
文脈をとらえる能力を伸ばす。	□の中へ用語を入れさせる。 文のくみあわせ。	□が1つのもの	□が1つまたは2つ要素別に分解された文をまとめる。	□が2つ以上 左に同じ	□が2つ以上 左に同じ	□が2つ以上 左に同じ	□が2つ以上 左に同じ
条件結合の力を伸ばす。	求答事項を作らせる。	求答事項を作る	求答事項を作る	求答事項を作る	求答事項を作る	求答事項を作る	求答事項を作る
	関係図や情景図より作問させる。	絵を見て問題を作る	絵を見て問題を作る	絵を見て問題を作る	絵を見て作問する 線分図より作問する。	絵を見て作問 線分図、構造図より、作問する。	絵を見て作問 線分図、構造図より作問する。

――研究教員だより――

作 問 指 導

神奈川県渡久井郡藤野町
吉野小学校 仲 本 興 真

文章題の解決力を高めるのに作問指導は最も大事なことだと痛感しながら、現場の私たちはその方法をあまりとり入れることをしなかつた。それは時間数の不足とか、その系統的指導段階の研究をするものが少なく思いつきで計画性のない断片的な取り扱いであつたため一時的な効果さえ味うことが少なかつたからでありましよう。

作問は子ども自身が生活の中から問題を生みだして、解決していくので、教師作成の問題や教科書にある問題を解決する場合のように受動的でなく、問題意識を高めるのにも効果があるものであり、いろいろな社会現象や自然現象に関心を持ち、その中から数量的に現象をとらえようとする能力や態度を伸ばすのにも役立つものと考えられる。

文章題解決にあたつては子どもが自分の力で読み、思考し、他人の力をかりずに解決せねばならない。算数的な読みができ正しい思考がなされるのは、場面の共感が出来る時にはじめて生まれるのであり、子どもが作つた文章題は、教師や他から与えられた問題よりも生活経験との結びつきがつよく、親しみと自信をもつて解決される。また子ども自身作問するうちに用語、単位、言葉のもつ働きに関心が深まり、既知条件や未知条件についても注意するようになり、条件結合分析の力を伸ばし関係は握の力を養成することはいうまでもなく、新しい生活への創造力を高め、考える人間を育成し他教科の学習にも良い影響を与えると思う。

子どもたちは7＋5の計算を学んだからといつてそれを直ちに生活の中に適用できるとは限らない、私の配属校で、算法（式）を与えての作問能力調査をしましたら、次のような問題がいくつか出て、先生方は自分達のふだんの形式的な教科書中心の教壇実践の欠点が暴露され驚きの表情で、子ども一人一人の作つた問題に目をむけていた。

例 (1) 7＋5 し（二年生）　よし子さんは、キャラメルを7こもつています。きようおじさんから5円もらいました。あわせていくつでしよう。

(2) 15＋2＋3（二年生）　17ひきうさぎをとりました。かえりにきつねを3びきとりました。ぜんぶでいくひきですか。（式の意味を知らない。15、2、3、3この集団を表わしていることを）

(3) 20＋8－5（三年生）　先生から、20＋8－5 をつかてとくもんだいをつくつておいでといわれましたので、ぼくはちようめんに20＋8－5をかいて20に8をたして5をひきました。

(4) 5×6（三年生）　まさ子さんは1日にえんぴつを5本つかいます。月よう日から土よう日までには何本えんぴつがあればよいでしよう。

(5) 35÷7（四年生）　私はえんそくへいきました。私の家からえんそくにいつたところまでは35Kmあります。あるいて7時間かかります。私たちは1時間に5Kmあるきました。（求答事項なし）

(6) 20＋8－5　先生が20＋8－5ではいくらかといいました。じろうさんが20といいました。花子さんがちがうわといつて21よといいました。みなさんあつていますか、みきおさんがちがうといつたので、先生がみんなで考えてみましようといいました。

(7) 80÷4＋2（六年生）　正君のたんじよう会で4人あつまりました。80このかしを4人でわけたところ、あとから2人きました。そうすると、1人には、何こずつになるでしよう。

以上のように数量関係を正しくは握することができないで、1日に5本のえんぴつをつかうとか、キャラメルとお金をくわえる。えんそくのもくてき地まで7時間もかかつたり、子どもが1時間に5Kmあるく等生活事実よりかけはなれた机上論的な架空的な問題になつたり、(3)(5)(6)のように作問の意味不理解のため算数的な表現ができず作文を書いて満足している子どもがあるということは、従来の算数の授業の中であまり作

一月のできごと

一日　電話料金の度数制実施される。

国吉有慶、比嘉信光、当銘武夫教育関係国民指導員の三氏アメリカの教育視察を終えて帰任。

四日　一九六一年度小・中校教員採用候補者選考試験実施さる（於那覇高校と商業高校）

五日　瀬長副主席・大蔵・郵政・外務各省、特連局、日本電々公社に沖縄関係予算の完全獲得の折衝の任を負うて上京。

今年第一陣のブラジル移民団七十一人浮島丸でたつ。

六日　第三学期始業

熊本県八代市の親善豆使節団一五人コザ市安慶田小校の招きで来島。

本土政府大蔵省原案の沖縄関係予算第一次査定で要求額の四分の一が含まれたと駐日代表部から官房長あて報告あり。

七日　沖縄柔道連盟の招請で鹿児島商業高校柔道部来島。

ローマ五輪の田辺清選手一行来島。

八日　タイムス駅伝、参加チーム職域五高校十五。

九日　ブライズデル、ホノルル市長夫妻随員とともに米軍用旅客機で来島。

琉大の一九六一年度入学試験はじまる。

十日　日雇労働失業保険制度実施さる。

国費、自費第一次合格者発表。

十一日　教育指導委員による現場指導中間報告会十三日まで（於教育会館三階ホール）

東京学芸大の笹村助教授の手によって王陵の屋根にあったシシの復元修理はじむ。

十五日　沖縄高体連、文教局共催、第八回冬季高校体育大会で首里高校柔道体操に、那覇高校A剣道にそれぞれ優勝。

成人の日

十六日　警本防犯協会主唱の初の「刄物を持たない運動」はじまる。

十七日　教職員会と琉大の招きで一橋大学教授中山伊知郎氏来島（十日間滞在予定）

経済局主催全琉普及事業実績発表会（十八日まで沖配電ホール）

沖縄社会福祉協議会で〃たすけ合い作文〃の表彰式（最優秀賞は名護中校二年嶺井博子）

ア大統領は予算教書で沖縄の陸、海空軍施設費として一千三百二十万三二千ドルを要請。

中央教育委員長に佐久本嗣矩氏選ばる。

文教局指定佐敷中学校玉城教諭の英語の研究発表会。

ギリス副民政官近く離任、後任に国防総省のエドワード・K・シャルツ氏が任命さる（民政府発表）

十八日　大蔵省第三次査定で本土政府の沖縄に対する育英会資金贈与金が二千万円復活した。育英資金の貸し付けははじめて。

工業高校の赤嶺幸清、宮里明、具志保武の三君計算尺全国大会に沖縄代表として出席。

十九日　第七次教研中央集会の幕ひらく（二一日まで）

琉大の高良鉄夫教授ハブ研究で農学博士となる。

二一日　第二回青年問題研究集会（主催沖青協）第七次教研集会の最終日に一橋大学教授中山伊知郎氏の講演あり演題「経済と教育」

琉大学生ナイキ発射演習阻止のデモ隊主席公舎前に座り込み実力で警官隊によって退去させられた。

二十三日　沖縄学校農業クラブ連盟主催の農業教育祭り（北農高校で二四日まで）

宜野座地区理科同好会と科学教育センター共催理科実技研修会開く（一週間）

二十五日　少年院（コザ市字山内）落成

二十六日　全国市議長会沖縄視察団一行十五人来島。

那覇区教育委員会五委員の任期ぎれに伴う選挙公示。

盲ろう校高等部新設を申請

高圧線移転のため民政府は真和志、小禄の一部を強制土地収用する旨通告。

崎枝中学校中教委で設置認可さる。

二十七日　国際青年商議所世界会頭ピータ・フランケル氏沖縄の青年商議所の活動視察のため来島。

労働局職安課では、本年度本土よりの求人は中校卒五〇六四人、高校卒九一七人計五、九八一人であると発表。

養護教諭の養成中教委は原案通り可決。

二十九日　那覇地区音楽同好会主催教育音楽講習会（於教育会館ホール）

全沖縄高校長主事協会、文教局共催第三回全島定時制柔道大会で首里高校二連勝

高校入試願書受付け始まる。

文教時報

（第七十三号）（非売品）

一九六一年二月四日　印刷

一九六一年二月七日　発行

発行所　琉球政府文教局
研究調査課

印刷所　那覇市三区十二組
ひかり印刷所
電話(8)一七五七番

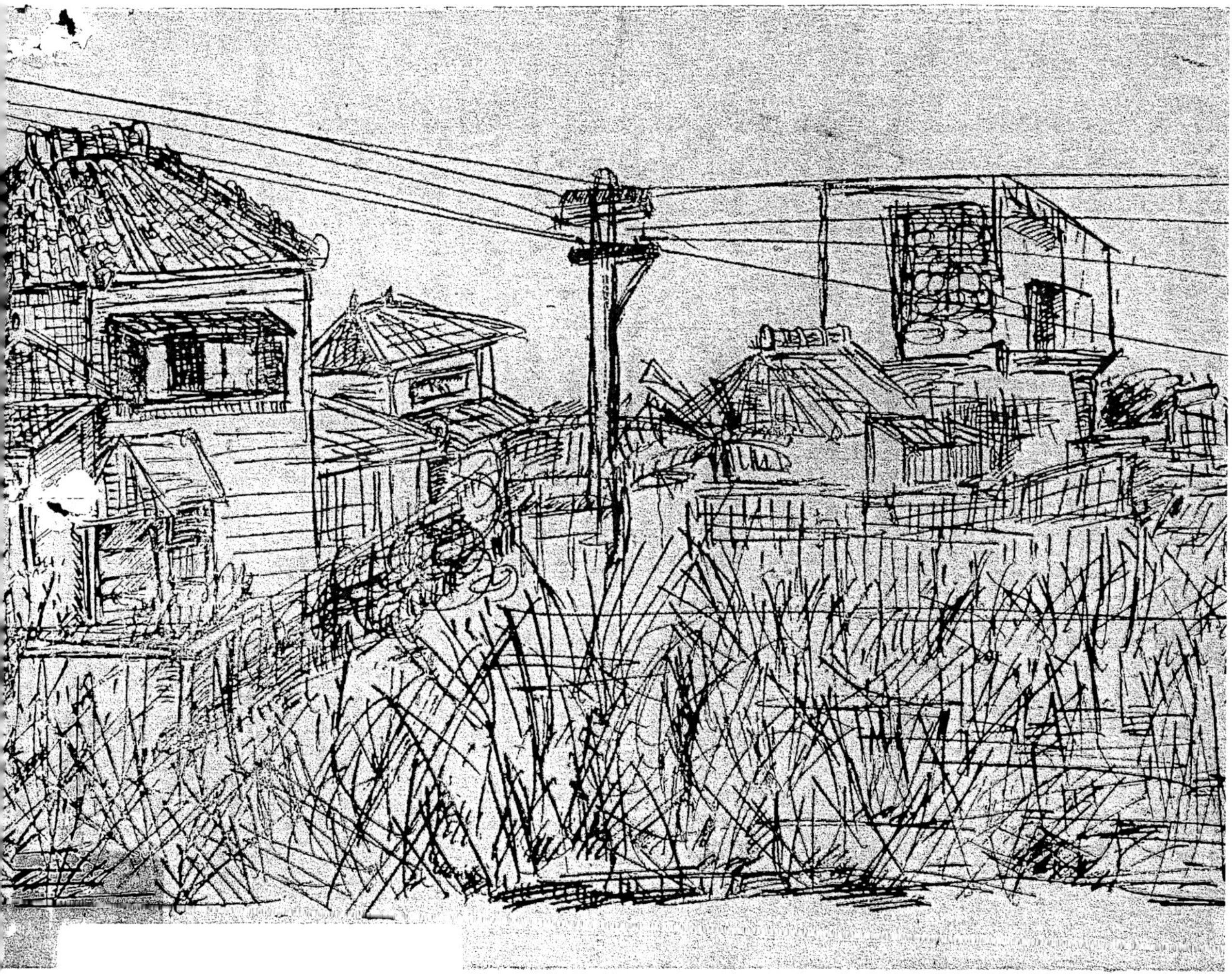

復刻版 文《ぶん》教《きょう》時《じ》報《ほう》 第4回配本
（第10巻～第12巻）

2019年2月25日 第1刷発行

揃定価（本体64、000円＋税）

編・解説者 藤澤健一・近藤健一郎

発行者 小林淳子

発行所 不二出版
東京都文京区水道2-10-10
TEL 03（5981）6704

印刷所 栄光

製本所 青木製本

乱丁・落丁はお取り替えいたします。

第10巻 ISBN978-4-8350-8078-9
第4回配本（全3冊 分売不可 セットISBN978-4-8350-8077-2）

復刻版
文教時報 第10巻

2025年2月25日　発行

編・解説者　藤澤健一・近藤健一郎
発行者　船橋竜祐
発行所　不二出版株式会社
〒112-0005 東京都文京区水道2-10-10
TEL 03-5981-6704　FAX 03-5981-6705
E-mail administrator@fujishuppan.co.jp
印刷・製本　株式会社 デジタルパブリッシングサービス

ISBN978-4-8350-8078-9　Printed in Japan